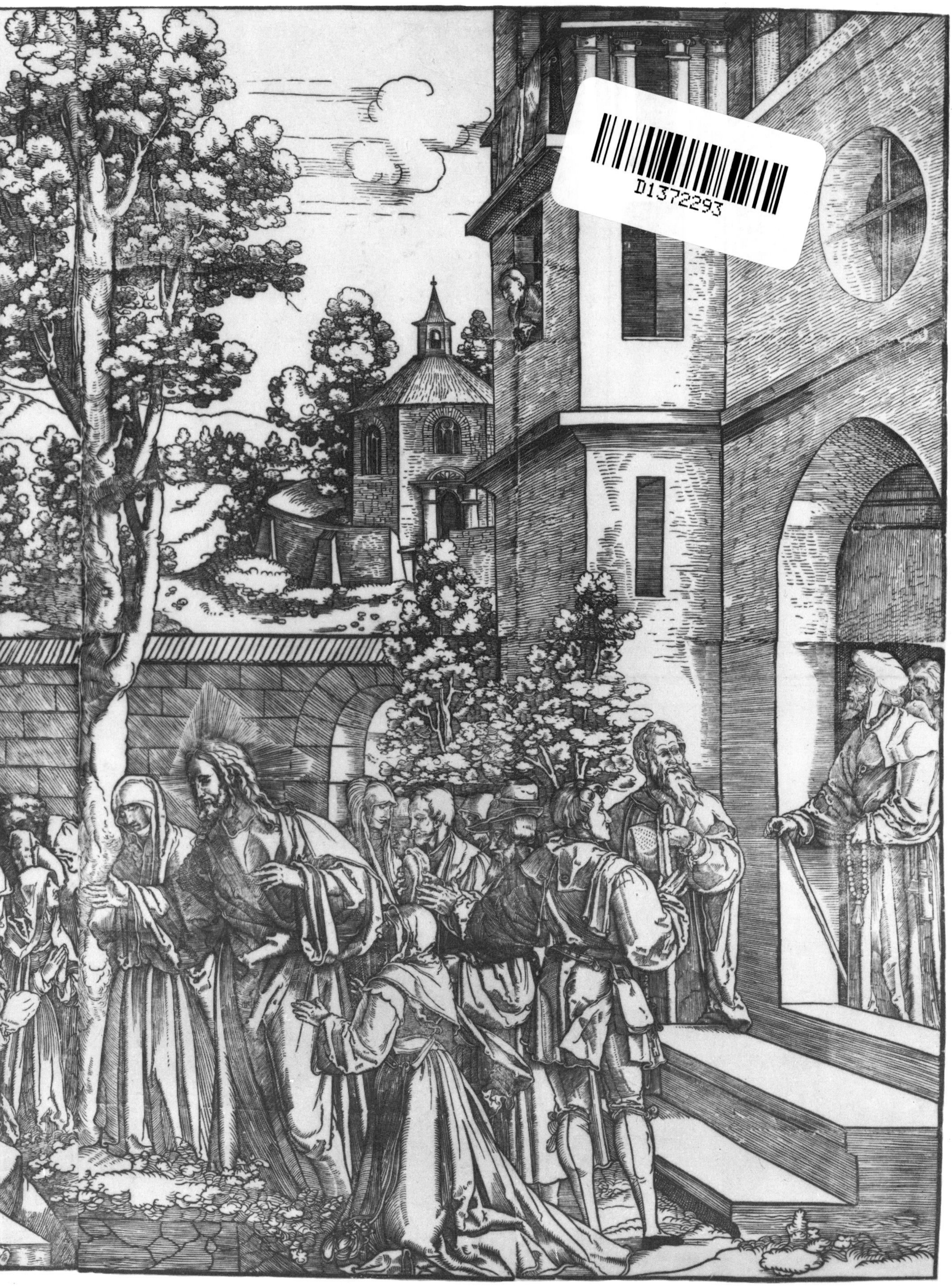

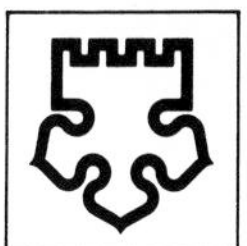

Martin-Luther-Ehrung 1983
der Deutschen
Demokratischen Republik

Kunst der Reformationszeit

Staatliche Museen zu Berlin, Hauptstadt der DDR
Ausstellung im Alten Museum
vom 26. August bis 13. November 1983

Elefanten Press Verlag
Berlin (West) 1983

CIP-Kurztitelaufnahme der Deutschen Bibliothek
Kunst der Reformationszeit
hrsg. von d. Staatl. Museen zu Berlin, Hauptstadt der DDR
Berlin (West): Elefanten Press Verlag, 1983
(EP; 113)
Ausstellungskatalog
ISBN 3-88520-113-5
NE: Staatliche Museen (Berlin, DDR)

Lizenzausgabe für Elefanten Press Verlag GmbH,
Berlin (West) 1983
Vertriebsrechte für diese Auflage
für die Bundesrepublik Deutschland,
Berlin (West),
Österreich und die Schweiz
bei Elefanten Press Verlag GmbH

Printed in the German Democratic Republic
ISBN 3-88520-113-5

Ausstellung

Gesamtleitung:

Günter Schade, Amtierender Generaldirektor der Staatlichen Museen zu Berlin, Hauptstadt der DDR

Konzeption und wissenschaftliche Betreuung von Katalog und Ausstellung:

Katharina Flügel und Renate Kroll

Wissenschaftliche Beratung der Konzeption:

Ernst Ullmann

Wissenschaftliche Arbeitsgruppe:

Eugen Blume, Lore Börner, Edith Fründt und Werner Schade

Leiter des Organisationsbüros:

Hans-Werner Hartmann

Sekretariat: Ingeborg Baganz

Gesamtverantwortlich für die konservatorische Betreuung:

Georg Jakob, Chefrestaurator

Eveline Alex, Fachgebietsleiterin für Graphikrestaurierung

Hans-Joachim Gronau, Fachgebietsleiter für Gemälderestaurierung

Gudrun Hebert, Gemälderestauratorin

Edda Schulze, Fachgebietsleiterin für Textilrestaurierung

Koordinierung und Organisation:

Günter Reuter, Leiter der Generalverwaltung

Dietrich Tosch, Leiter der Abteilung Ausstellungen

Dieter Trautmann, Mitarbeiter für Gestaltung

Ausstellungsgestaltung und Aufbau:

DEWAG Erfurt

Gestalterkollektiv:

Ulrich Spannaus,
Willi Malz, Sibylle Neumann und Rudi Kriznik

Plakatgestaltung:

Michael de Maizière und Ulrich Reuter, Berlin

Autoren

Klaus-Peter Arnold (K.-P.A.)
Staatliche Kunstsammlungen Dresden, Museum für Kunsthandwerk

Ernst Badstübner (E.Ba.)
Berlin, Hauptstadt der DDR

Gert Bartoschek (G.B.)
Staatliche Schlösser und Gärten Potsdam-Sanssouci

Eugen Blume (E.B.)
Staatliche Museen zu Berlin, Hauptstadt der DDR, Kupferstichkabinett

Lore Börner (L.B.)
Staatliche Museen zu Berlin, Hauptstadt der DDR, Münzkabinett

Teddy Brunius (T.B.)
Universität Kopenhagen

Helmut Claus (H.C.)
Forschungsbibliothek Gotha

Katharina Flügel (K.F.)
Staatliche Museen zu Berlin, Hauptstadt der DDR, Kunstgewerbemuseum

Edith Fründt (E.Fr.)
Staatliche Museen zu Berlin, Hauptstadt der DDR, Skulpturensammlung

Irene Geismeier (I.G.)
Staatliche Museen zu Berlin, Hauptstadt der DDR, Gemäldegalerie

Bettina Georgi (B.G.), Leipzig

Friederike Happach (F.H.), Halle

Sibylle Harksen (S.H.), Potsdam

Kristina Hegner (K.H.)
Staatliches Museum Schwerin

Liselotte Honigmann (L.H.)
Kunstsammlungen zu Weimar

Antonín Jirka (A.J.), Brno

Julia Kagan (J.K.)
Staatliche Ermitage Leningrad

Renate Kroll (R.K.)
Staatliche Museen zu Berlin, Hauptstadt der DDR, Kupferstichkabinett

M.K.Kryshanowskaja (M.K.)
Staatliche Ermitage Leningrad

Juri Kusnezow (J.Ku.)
Staatliche Ermitage Leningrad

Sigrid Looß (S.L.)
Akademie der Wissenschaften der DDR, Zentral-Institut für Geschichte

Hartmut Mai (H.M.)
Karl-Marx-Universität Leipzig

G.A.Markowa (G.A.M.)
Staatliche Museen des Moskauer Kreml, Rüstkammer

Ingrid Möller (I.M.), Schwerin

N.Nikulin (N.N.)
Staatliche Ermitage Leningrad

Hannelore Nützmann (H.N.)
Staatliche Museen zu Berlin, Hauptstadt der DDR, Gemäldegalerie

Konrad v.Rabenau (K.v.R.), Eichwalde

Werner Schade (W.S.)
Staatliche Museen zu Berlin, Hauptstadt der DDR, Kupferstichkabinett

Josef Schlesinger (J.S.)
Mittelböhmische Galerie Prag

Johannes Schöbel (J.Sch.)
Staatliche Kunstsammlungen Dresden, Historisches Museum

Vilmos Tátrai (V.T.)
Museum der Bildenden Künste Budapest

Ernst Ullmann (E.U.)
Karl-Marx-Universität Leipzig

Susanne Urbach (S.U.)
Museum der Bildenden Künste Budapest

Nikolaus Zaske (N.Z.), Greifswald

Leihgeber

Amsterdam: Rijksmuseum

Bautzen: Domkapitel St. Petri; Museen der Stadt, Stadtmuseum

Berlin, Hauptstadt der DDR: Staatliche Museen – Gemäldegalerie, Kupferstichkabinett, Münzkabinett, Skulpturensammlung; Konsistorium der Ev. Kirche Berlin-Brandenburg, Zentralbibliothek; Deutsche Staatsbibliothek

Brandenburg: Ev.-Luth. St.-Gotthards-kirchgemeinde; Archiv des Domstifts

Budapest: Museum der Bildenden Künste; Kunstgewerbemuseum; Ungarische Nationalgalerie; Ungarisches Nationalmuseum; Reformierte Kirche von Ungarn, Raday-Sammlung

Dessau: Staatliche Galerie; Stadtbibliothek

Dessau-Mildensee: Ev.-Luth. Kirchengemeinde

Dresden: Staatliche Kunstsammlungen – Gemäldegalerie Alte Meister, Grünes Gewölbe, Historisches Museum, Museum für Kunsthandwerk, Kupferstich-Kabinett, Münzkabinett, Skulpturensammlung, Zentrale Kunstbibliothek

Erfurt: Bibliothek und Archiv des Ev. Ministeriums; Ev.-Luth. St.-Andreas-Kirchgemeinde

Esztergom: Christliches Museum

Freiberg: Stadt- und Bergbaumuseum

Gotha: Museen der Stadt, Schloßmuseum; Forschungsbibliothek

Greifswald: Ernst-Moritz-Arndt-Universität

Halberstadt: Ev. Stadt- und Domgemeinde

Halle: Staatliche Galerie Moritzburg; Bibliothek der Marienkirche

Halle-Beesen: Ev.-Luth. Kirchgemeinde

Innsbruck: Tiroler Landesmuseum Ferdinandeum

Jena: Universitätsbibliothek

Karl-Marx-Stadt: Städtische Museen, Schloßbergmuseum

Kroměříž: Schloßgalerie

Leipzig: Museum der bildenden Künste; Museum des Kunsthandwerks; Karl-Marx-Universität, Universitätsbibliothek

Leningrad: Staatliche Ermitage

Moskau: Staatliche Museen des Kreml, Rüstkammer

Naumburg: Domkapitel der vereinigten Hochstifte Naumburg und Merseburg und des Kollegiatstifts Zeitz

Neuzelle: Katholisches Pfarramt

Nordhausen: Bibliothek der Kirche St. Blasii

Potsdam-Sanssouci: Staatliche Schlösser und Gärten

Prag: Nationalgalerie; Mittelböhmische Galerie

Pulsnitz: Ev.-Luth. Kirchgemeinde St. Nicolai

Rotterdam: Museum Boymans-van Beuningen

Schleiz: Ev.-Luth. Kirchgemeinde

Schneeberg: Ev.-Luth. St.-Wolfgangskirchgemeinde

Schwerin: Staatliches Museum

Sevilla: Museum der Schönen Künste

Stendal: Ev.-Luth. Kirchgemeinde St. Jacobi

Stockholm: Staatliches Historisches Museum; Nationalmuseum

Weimar: Kunstsammlungen – Schloßmuseum, Galerie im Schloß; Nationale Forschungs- und Gedenkstätten der klassischen deutschen Literatur, Zentralbibliothek der deutschen Klassik; Staatsarchiv

Wien: Graphische Sammlung Albertina; Kunsthistorisches Museum – Gemäldegalerie, Sammlung für Plastik und Kunstgewerbe

Wittenberg: Predigerseminar der Ev. Kirche der Union

Zwickau: Ev.-Luth. Domgemeinde St. Marien; Ratsschulbibliothek

Zwolle: Provinzialmuseum Overijssel

Inhalt

Zum Geleit

Zum 500. Geburtstag Martin Luthers wird mit der Ausstellung »Kunst der Reformationszeit« als Teil der vielen Gedenkveranstaltungen in der Deutschen Demokratischen Republik des großen Sohnes unseres Volkes, seiner historischen Rolle und Leistungen gedacht.
Sein theologisches, literarisches und soziales Werk hat viele Künstler seiner Zeit inspiriert, und sie traten mit ihren Werken an seine Seite. Viele Schriften Luthers wurden durch die bildhafte Darstellung in ihrer Klassenwirksamkeit unterstützt. So ist der Beginn der frühbürgerlichen Revolution zugleich auch mit einem neuen Aufschwung der bildenden Kunst und aller anderen Künste verbunden.
Die neue Darstellung des Menschen soll mit dieser Kunstausstellung gewürdigt werden. Den Staatlichen Museen zu Berlin, Hauptstadt der DDR, ist anläßlich der Martin-Luther-Ehrung der Deutschen Demokratischen Republik 1983 dafür zu danken, ebenso den zahlreichen anderen in- und ausländischen Museen und kirchlichen Institutionen für die Bereitschaft, diesem Unternehmen Leihgaben zur Verfügung zu stellen. Allen Besuchern ist daraus Gewinn, Erkenntnis und Freude zu wünschen.

Dr. Hans-Joachim Hoffmann
Minister für Kultur
der Deutschen Demokratischen Republik

Vorwort

Mit dem Auftrag des Martin-Luther-Komitees der Deutschen Demokratischen Republik, die Ausstellung »Kunst der Reformationszeit« zu veranstalten, haben die Staatlichen Museen die verpflichtende Aufgabe übernommen, in der Hauptstadt einem breiten Publikum die bildende Kunst im Zeitalter der frühbürgerlichen Revolution vorzustellen und damit einen Beitrag zur weiteren Herausbildung und Festigung des sozialistischen Geschichts- und Nationalbewußtseins zu leisten.
In der Vielzahl von Veranstaltungen zu Ehren des 500. Geburtstages des großen deutschen Reformators – Ausstellungen in den Luther-Gedenkstätten der DDR, Ausstellungen zur Geschichte der Reformation als der ersten bürgerlichen Revolution in Europa, wissenschaftliche Tagungen über historische und kulturhistorische Fragen dieser Epoche und schließlich auch der offiziellen staatlichen Feierlichkeiten – kommt unserer Ausstellung eine spezifische Bedeutung zu: Sie will durch eine umfangreiche Auswahl und Präsentation von Kunstwerken Einblick in die tiefgreifenden sozialen und geistigen Umwälzungen, in die Veränderungen im ästhetisch-weltanschaulichen Verhältnis der Menschen zur Gesellschaft und Natur geben, die mit der Reformation verbunden sind und von ihr ganz wesentlich geprägt wurden beziehungsweise in deren zeitlichem, territorialem und geistigem Umfeld entstanden sind.
In der marxistischen historischen und kunsthistorischen Forschung, in der Pflege und Aneignung des kulturellen Erbes durch unsere sozialistische Gesellschaft sowie in der Herausarbeitung humanistischer und progressiver Traditionen unserer sozialistischen Kultur und Kunst beansprucht diese Epoche seit langem eine zentrale Stellung. Es hat sich eine langjährige Kontinuität in der historisch-materialistischen Aufarbeitung des geschichtlichen Quellenmaterials herausgebildet, auf deren Ergebnissen auch unsere Ausstellung beruht.
Mit dem Titel »Kunst der Reformationszeit« soll sowohl der Anlaß der Ausstellung als Beitrag zur

Luther-Ehrung als auch ihr wesentlicher inhaltlicher Akzent bezeichnet werden. Kunstwerke, die im historischen Vorfeld der Reformation seit der Wende vom 15. zum 16. Jahrhundert entstanden waren, und Werke, die unmittelbar den Einfluß der Ideen der Reformation erkennen lassen, bestimmen maßgeblich den Inhalt und die Gliederung der Ausstellung. Konfessionelle Fragen hatten auf den Verlauf der Kunstentwicklung dieser Epoche einen prägenden Einfluß, so zum Beispiel in der Veränderung der christlichen Ikonographie und in nicht geringem Maße auch in der Funktion und gesellschaftlichen Wirkung des Kunstwerkes. Aber wir wollen den Ausstellungstitel nicht als kunsthistorischen Periodenbegriff verstanden wissen. Wird die Reformation, entsprechend der Definition von Friedrich Engels, als erste bürgerliche Revolution in Europa begriffen, dann stellt sich auch die Kunst in den Gesamtzusammenhang der tiefen progressiven Umwälzungen jener Epoche, »die mit der letzten Hälfte des 15. Jahrhunderts entsteht« (F. Engels). So weitet sich unsere Ausstellung – wo es notwendig und möglich war – auf die Renaissance-Problematik aus.

Von diesen hier nur in allgemeinen Umrissen skizzierten Überlegungen geht die Konzeption für die Ausstellung und den Katalog aus. Die Ausstellung gliedert sich in sechs Themenkreise: Des Schwertes und des Zornes Zeit; Heiligenkult und Bilderglaube; Das Reich und seine Stände; Die Entdeckung der Welt und des Menschen; Humanismus und Reformation; Protestantische Bilderwelt.

Sowohl das Wirken Martin Luthers als auch die Kunst seiner Zeit sind nicht zu verstehen ohne die Kenntnis der gesellschaftlichen Krisensituation an der Wende vom 15. zum 16. Jahrhundert. Sie sind aber auch nicht zu verstehen ohne Kenntnis der zentralen Bedeutung der Kirche als eines politischen, ökonomischen und geistig-ideologischen Faktors. Die Kirche benutzte die Kunst in ganz entscheidendem Maße als Mittel zur Festigung ihrer Einflußnahme durch die Steuerung der Vorstellungen, mit denen der Mensch der damaligen Zeit konfrontiert wurde.

Der Versuch, eine grundlegende gesellschaftliche Veränderung herbeizuführen, mußte also bei der Kirche ansetzen: Die reformatorische Theologie wurde zum entscheidenden revolutionären Anstoß, gleichzeitig aber war es dank der ökonomischen Entwicklung des Bürgertums dem Individuum möglich geworden, persönlich unabhängige universelle Beziehungen zur Welt einzugehen.

Zum ersten Mal in der Kunst wird der Bauer in selbstbewußter Kraft dargestellt. Als Folge der tiefgreifenden Wandlungen in der künstlerischen Darstellung wurde der Realismus in der Kunst zu einer Methode, in der sich die künstlerische Subjektivität der Wirklichkeit zuwendete.

Mit dieser Aufgabenstellung standen die Organisatoren der Ausstellung aber vor dem Problem, parallele Entwicklungen darzulegen und Zusammenhänge sichtbar zu machen. Das bedeutete, die Gleichzeitigkeit und das Nebeneinander verschiedener Strömungen der künstlerischen Entwicklung aufzulösen in ein Nacheinander, wobei Entwicklungen und Tendenzen durch Gruppierungen, durch ikonographische Bezüge und Betonen von Handschriften einzelner Künstler oder künstlerischer Techniken erkennbar werden sollen.

Apokalypse, Passion Christi und Jüngstes Gericht markieren Aufbruch und revolutionäre Stimmung und erheben Anklage gegen die Ungerechtigkeit der weltlichen und geistlichen Obrigkeit.

Gegen Heiligenkult und Reliquienglauben stand Martin Luther auf. Er überwand die geistigen Grundlagen der alten Kirche und erreichte durch die Auslegung der Bibel ein neues Verständnis der Beziehungen zwischen Mensch und Gott. Die unübersehbare Fülle von Kunstwerken, die zur Verehrung Gottes und der Heiligen geschaffen wurden, waren zwar einerseits Ausdruck des Verlangens, sich allumfassenden Heils zu versichern, andererseits aber auch Ausdruck von Repräsentationsstreben und Individualitätsdrang des frühbürgerlichen Zeitalters. Der Unwille des Volkes über die innerhalb der Kirche herrschenden Zustände fand dagegen in Flugschriften prononcierte Formulierungen. Die

Ideale des selbstbewußten Bürgers wurden zunehmend zum Leitbild der Entwicklung. Sie durchdringen höfische Tendenzen, aber nehmen sie auch gleichzeitig auf. Das Bildnis wird Teil der öffentlichen Repräsentation, es zeichnet sich durch Würde und innere Größe aus und ist durch Hervorheben des Wesentlichen bestimmt. In diesem Sinne wurde auch die Bildnis-Medaille zu einem Denkmal individuellen Selbstbewußtseins. Die Auseinandersetzung mit der realen Wirklichkeit forderte die Künstler heraus, ein neues Bild vom Menschen zu schaffen. Proportionsstudien sind neue Methoden zur Erfassung von Körper und Raum. Auch die Landschaft wurde um ihrer selbst willen dargestellt. Auf die Spannweite der Möglichkeiten wird in der Ausstellung durch die Gegenüberstellung von Landschaftszeichnung und der auf der Zentralperspektive basierenden Stadtansicht hingewiesen.

Das neue Verhältnis vom Menschen führte auch zur Darstellung des nackten Körpers. Der Rückgriff auf die Antike brachte nicht nur das monumentale Götterbild, sondern auch neue Tugendlehren. Ihre Verbindung mit den Lehren der Bibel ergab Themen, die zum einen elitären Bildungsansprüchen gerecht werden konnten, zum anderen im Laufe der Entwicklung in der protestantischen Bildikonographie neue moralische Werte verkörperten oder – wie die Geschichte der Judith – politische Aspekte aufgriffen.

Die Reformation fand ihre zentralen Themen in Darstellungen von Sündenfall und Erlösung durch den leidenden Christus am Kreuz, vom bekennenden Hauptmann und dem Abendmahl. Bestimmten tradierten Bildtypen der alten Lehre wurden neue Inhalte unterlegt. Dieser Wandel der Bildinhalte war das Ergebnis der Reformation Martin Luthers. Nur dadurch, daß er mit neuem theologischem Verständnis gegen das herrschende Dogma der Kirche auftrat, war der Bruch mit Rom möglich.

Auf dieser Grundlage konnte die Ikonographie wesentlich bei der Propagierung der protestantischen Lehre mitwirken. Die Kunst betonte nicht nur stark das erzieherische und ethische Moment, sondern spielte auch eine entscheidende Rolle in der Stärkung protestantischer landesherrlicher Gewalten. Das Kunsthandwerk, namentlich der Bucheinband, hatte an dieser Entwicklung bedeutenden Anteil und konnte progressive Bildformulierungen entwickeln.

Die Veranstaltung der Ausstellung war nur dadurch möglich, daß zu den im Besitz der Staatlichen Museen befindlichen Kunstwerken viele Leihgaben aus Museen der DDR und des Auslandes, aus kirchlichem Besitz, von Bibliotheken und anderen Institutionen gegeben wurden. Unser Dank gilt allen Leihgebern, die mit großer Bereitwilligkeit die Ausstellung unterstützt haben.

Aber nicht jedes zunächst vorgesehene und für die Ausstellung wichtige Werk konnte zur Verfügung gestellt werden. Wir hatten und haben Rücksicht zu nehmen auf den oft kritischen Erhaltungszustand mancher Werke, der es nicht gestattet, die kostbaren Stücke den Belastungen und Gefährdungen durch Transport und Klimawechsel auszusetzen.

Unser Dank gebührt den Mitarbeitern der Staatlichen Museen zu Berlin und auch denen aus anderen Museen und Institutionen, die durch wissenschaftliche Beiträge und durch Beratung Anteil an der Vorbereitung der Ausstellung hatten; gedankt sei den Restauratoren, den Gestaltern und den technischen Mitarbeitern – mit einem Wort all denen, die in einer umfangreichen kollektiven Arbeit die Vorbereitung und Durchführung der Ausstellung ermöglichten.

Dem Ministerium für Kultur ist für die vielfältige Unterstützung, die wir erhalten haben, zu danken, ebenso dem Henschelverlag und seinen Mitarbeitern für die Herstellung des Kataloges sowie der DEWAG für die Gestaltung und den Aufbau der Ausstellung.

Möge die Ausstellung ein würdiger Beitrag zu den Martin-Luther-Ehrungen unserer Republik und zu einer lebendigen und vertieften Aneignung des kulturellen Erbes durch die Werktätigen sein.

Dr. Günter Schade
Amtierender Generaldirektor der Staatlichen Museen zu Berlin, Hauptstadt der DDR

Zeit des Aufbruchs und der Revolution

Über die vielgestaltigen gesellschaftlichen, ideologischen und künstlerischen Prozesse an der Wende vom 15. zum 16. Jahrhundert sind in der Geschichte viele Urteile abgegeben worden. Heinrich Heine bemerkte in seiner bekannten ironischen Art, daß die Maler Italiens gegen das Pfaffentum vielleicht wirksamer polemisiert hätten als die sächsischen Theologen, daß das blühende Fleisch auf den Gemälden des Tizian mehr Protestantismus sei und die Lenden seiner Venus viel gründlichere Thesen seien als die, welche der deutsche Mönch an die Kirchentür von Wittenberg angeklebt. Man wird sicherlich Heine nicht als einen Spezialkenner der Geschichte des 15. und 16. Jahrhunderts in Deutschland betrachten können, aber so paradox, wie seine Bemerkungen erscheinen, sind sie in Wirklichkeit nicht. Tizian kann schwerlich ursächlich mit dem Protestantismus in Verbindung gebracht werden, dafür aber mit der Renaissance und dem Humanismus Italiens und Deutschlands. Durch sie jedoch wurde wiederum der Protestantismus als Ideologie und politische Bewegung beeinflußt. Humanismus, Renaissance und Protestantismus sind typisch für das geistige Profil des frühen 16. Jahrhunderts in Deutschland. Insofern wird man sagen können, daß sowohl die Werke der deutschen Renaissancekunst wie die Abhandlungen der deutschen Humanisten als auch die durch die Thesen Martin Luthers 1517 ausgelöste Bewegung die Reformationszeit geprägt haben. Ideologie und Kunst – durch Namen wie Erasmus von Rotterdam, Luther, Hutten, Melanchthon, Dürer, Cranach, Grünewald repräsentiert – verschmelzen wie kaum vorher oder nachher in der deutschen Geschichte mit den gesellschaftlichen Ereignissen, werden durch sie geformt und wirken auf sie zurück. Seit der italienischen Renaissance hatten sich in Europa geistige Umwälzungen vollzogen, die durch die »Wiedergeburt« der klassischen Quellen des Altertums, der Werke der bildenden Kunst, der griechischen und römischen Philosophen, aber auch der Kirchenväter des frühen Christentums gekennzeichnet waren. Dabei wurden sowohl die Formensprache der Kunst als auch die Ideen der Philosophen nicht kritiklos übernommen, sondern den gesellschaftlichen Gegebenheiten des 16. Jahrhunderts angepaßt und verändert. Der Humanismus stellte den Menschen als eine vielseitige, aktive und stets auf Vervollkommnung bedachte Persönlichkeit heraus. Er ging davon aus, daß die Menschheit diesen Charakter dem von Gott geschaffenen Zusammenhang der natürlichen Dinge verdanke, der sich in die Harmonie der natürlichen Schönheit einordne. Dementsprechend war der Grundzug dieser von einer bürgerlichen Bildungselite getragenen Ideologie der Wille zur Natürlichkeit, Ursprünglichkeit, Unverfälschtheit auf allen Gebieten der Kunst und Wissenschaft[1] (Anmerkungen s. Anhang). Deshalb ging man auf die klassischen Quellen zurück und interpretierte sie neu. Daran wurde die Gegenwart der Humanisten gemessen und der Kritik unterworfen. Gemessen am klassischen Ideal entsprachen weder die katholische Kirche noch die Instanzen des Reiches den Vorstellungen, die man sich von intakten Führungsgremien machte. Ein Mann wie Erasmus versuchte deshalb, durch seine Schriften die Menschen aus den Fesseln abergläubischer Vorurteile, barbarischer Einrichtungen und sinnloser Zeremonien zu befreien. Antike und Christentum bildeten für ihn die Einheit, mit deren Hilfe die Dummheit überwunden werden sollte. Durch den Rückgang zu den ursprünglichen Quellen sollten falsche Autoritäten erschüttert und überalterte Denkformen abgeschüttelt werden. Wenn auch ein großer Teil der deutschen Humanisten – Erasmus folgend – sich trotz aller Kritik am Papsttum und seiner Kirche mit diesen arrangierte, brachte der vorreformatorische Humanismus neue Methoden und Denkdimensionen ein, die für die tiefgreifende Kirchen- und Gesellschaftskritik der reformatorischen Bewegung von großer Bedeutung waren. Der Rückgriff zum Beispiel auf die Vorstellungen Platons von einem ideal regierten Staat, in dem wahrhafte Demokratie herrschte, bestimmte die Obrigkeitsvorstellungen der Reformationszeit in starkem Maße.

Angesichts antiker Idealvorstellungen wurde der beklagenswerte Zustand der Reichsspitze und der Reichsinstanzen offenbar. Seit der ersten Hälfte des 15. Jahrhunderts war jeder Reformvorschlag um eine Neuordnung der staatlichen Gewalt an der Spitze des Reiches an dem Widerspruch zwischen kaiserlicher Zentralgewalt und den Sonderinteressen der Fürsten, die auf eine stärkere ständische Mitregierung drängten, gescheitert. Das galt sowohl für die Reformversuche Kaiser Sigismunds in den dreißiger Jahren des 15. Jahrhunderts als auch für die Friedrichs III. Anfang der vierziger Jahre. Seither waren die Probleme noch gewachsen. Angesichts der politischen Ohnmacht der Zentralgewalt und der territorialen Zersplitterung des Reiches, der steigenden Zahl von Kriegen, Feudalfehden, aber auch Klassenkämpfen um ökonomische und soziale Verbesserungen, nahm das Bedürfnis nach umfassenden Reformen wieder zu. Die unter Kaiser Maximilian in Angriff genommene Reichsreform scheiterte jedoch, trotz positiver Ansätze. Die Notwendigkeit einer grundlegenden Reform des alten Reichs verstärkte seine Labilität gegenüber fremden Einflüssen. Dessen bediente sich insbesondere die römische Papstkirche. Deutschland war in dieser Zeit ihr Hauptausbeutungsobjekt geworden. Das drückte sich sowohl in der Menge des geistlichen Grundbesitzes als auch in der Unzahl von Abgaben und Diensten an die Kirche aus. Nicht nur ökonomische Vorteile zog die Kirche aus Deutschland, sie war im Verlauf der Jahrhunderte eine geistige Macht geworden, an der niemand vorbeikam. Von der Wiege bis zur Bahre reglementierte sie das Leben der Gläubigen. Sie beherrschte über Jahrhunderte hinweg von der Kanzel herab die öffentliche Meinung, prägte die Verhaltensnormen der Menschen. Kirche und Gesellschaft waren so eng verbunden, daß sich einerseits gesellschaftliche Veränderungen über kurz oder lang auf die Kirche auswirken mußten, wie auch andererseits keine tiefgreifende Umgestaltung der Gesellschaft ohne wesentliche Reform der

Kirche möglich war. Die Kirche mußte zuerst mattgesetzt werden, bevor die gesamte Feudalherrschaft mit Erfolg angegriffen werden konnte. Dabei bedeutete der Angriff auf die Kirche zugleich den Beginn des Kampfes gegen den Feudalismus. Ein wirklicher Kampf gegen die Kirche mußte diese in ihrem Dogma angreifen, ihre ideologischen Grundlagen erschüttern.

Der Mensch des 16. Jahrhunderts war fromm. Die Frage nach dem Seelenheil, das »Gerechtwerden« vor Gott nach dem Tode, beschäftigte ihn. Die katholische Kirche antwortete darauf: Gerecht kann man nur durch den Glauben und gute Werke werden, aber zum Bewußtsein der Gewißheit, vor Gott gerecht zu werden, konnte nach ihrer Meinung niemand kommen. Da blieb die Ungewißheit, ob der Werke auch genug geschehen seien. Durch dieses Gefühl trieb die Papstkirche ihre Gläubigen in immer neue sichtbare Anstrengungen, das Heil vor Gott zu erlangen. Auf dieser Grundlage konnte das System der Ablässe, Vigilien, Meßopfer, die ganze Religion zweiter Ordnung, an der sich die Kirche als Institution und reale politische und ökonomische Macht des Feudalsystems bereicherte, funktionieren.

Aber es lief nicht mehr reibungslos. Die Kritik an der verweltlichten Kirche, vor allem am Mönchsstand, dessen unproduktive Hypertrophie insbesondere in den Städten als drückend empfunden wurde, mehrte sich. Bedeutende Kanzelredner wie Geiler von Kaysersberg und Thomas Murner wurden durch ihren beißenden Spott an den Gebrechen der alten Kirche berühmt, obwohl sie deren Existenz noch nicht in Frage stellten. Derartige Predigten verursachten unter der einfachen Bevölkerung neben der Empörung über die Mißstände auch die Furcht vor unabwendbarem Unheil. Endzeiterwartungen, Visionen und ekstatische Erscheinungen auf Wallfahrten waren Ausdruck gesteigerter religiöser Erregung.

Dabei waren die Erinnerungen an die größtenteils durch die Kirche im Beichtstuhl aufgedeckten Bundschuhverschwörungen der Bauern an der Wende vom 15. zum 16. Jahrhundert noch wach. Unruhen und Aufstände in den Städten, mehr oder weniger erfolgreich, kündeten von sozialen und politischen Gegensätzen im Reich. Diese wurden noch vermehrt durch Ansätze kapitalistischer Produktionsformen, wie sie sich vor allem im Montanwesen und im Textilgewerbe zeigten. Proletarische Schichten entstanden, denen kapitalistische Unternehmer gegenübertraten.

Neues und Altes in der ökonomischen Basis, im staatlichen Aufbau und in der Ideologie, in der Wissenschaft und in der Kultur lagen in diesem frühen 16. Jahrhundert dicht beieinander. Sie prägten den Beginn einer historischen Übergangsepoche vom Feudalismus zum Kapitalismus, die für drei Jahrhunderte in Deutschland währen und in der es Aufstiegs- und Abstiegsphasen des gesellschaftlichen Fortschritts geben sollte.

Die wirtschaftlichen und staatlichen Strukturen der Feudalordnung waren einem Prozeß der Zersetzung und Untergrabung unterworfen, der nur bedingt durch Anpassung an die neuen Verhältnisse und partielle Stabilisierung, zum Teil in Gestalt des Territorialstaates, aufgefangen wurde, dadurch aber andere Widersprüche verstärkte. Die tiefe gesellschaftliche Krise, die daraus resultierte, war weder eine einfache Wachstumskrise des Feudalismus, da sie durch den Beginn des Übergangs zum Kapitalismus mitbedingt war, noch seine Endkrise, da die kapitalistischen Kräfte erst am Anfang standen und noch viel Zeit benötigten, um zu reifen. Die Alternative hieß nicht Feudalismus oder Kapitalismus, sondern es ging um die Erweiterung des Spielraumes für den entstehenden Kapitalismus, um noch bessere Rahmenbedingungen für die Genesis der Bourgeoisie.

In den meisten entwickelten europäischen Staaten, die vor ähnlichen Problemen standen, waren die wichtigsten Fragen durch ein starkes, zum Absolutismus tendierendes Königtum im Bündnis mit den Städten gelöst und Bedingungen geschaffen worden, die dem Bürgertum eine relativ breite Entfaltung ermöglichten und den Rahmen bildeten für die spätere Herausbildung der bürgerlichen Nation und die revolutionäre Überwindung des Feudalismus unter reiferen Bedingungen. In England und Frankreich begann das Königtum, sich auch gegenüber Weltherrschaftsplänen der Habsburger, wie sie Kaiser Karl V. zu Luthers Zeiten vertrat, und den Ansprüchen der Papstkirche abzugrenzen. In den deutschen Gebieten blieb eine solche Lösung nur Wunschtraum. Das Reich blieb ein Konglomerat unterschiedlich strukturierter Territorien, die sich in recht unterschiedlicher Art und Weise in das internationale Geschehen einordneten.[2]

Das offensichtliche Scheitern aller Reformversuche von seiten der Reichsspitze und reformwilligen Kreisen innerhalb der Kirche verstärkte das Problemdenken und vertiefte die Frage nach den Ursachen der offensichtlichen Mißstände. Das wurde auch durch die bildende Kunst und die humanistisch orientierte Literatur besonders zum Ausdruck gebracht. Die Künstler empfanden die Zeit des Aufbruchs am stärksten und gaben bereits vor der Reformation Luthers dem Willen zur Veränderung kräftige Impulse.

Die »Klosterängste« des Wittenberger Augustinermönchs Martin Luther, sein Ringen um einen gnädigen Gott, sind ebenso individueller Ausdruck der Spannungen der Zeit. Luther als Theologe, Priester und Universitätsprofessor studiert 1512/13 die Kirchenväter, vor allem Augustin und die Briefe des Apostels Paulus. Er vertieft sich in ein diffiziles Bibelstudium, um aus der Geschichte der Kirche Antworten für sich selbst und Lösungen für das Schicksal der Kirche zu finden. Ergebnis dieses Studiums sind die 95 Thesen gegen den Ablaß, die im Oktober 1517 in Wittenberg veröffentlicht werden und eine gesellschaftliche Bewegung auslösen, die Revolutionsqualität erhält. Kernpunkt der Thesen und der nachfolgenden Schriften ist die Auffassung Luthers von der Rechtfertigung des Menschen vor Gott. Seiner Meinung nach ist der Mensch vor Gott immer ein Sünder. Er hat von Natur aus keine eigene Gerechtigkeit, die er Gott entgegenhalten könne. Gott allein ist die Gerechtigkeit, und er will den Menschen als Sünder haben. Keine eigene Kraftanstrengung macht den Menschen gerecht, der Mensch kann vor Gott auch keinerlei Verdienste vorweisen, sondern Gott schenkt dem Menschen die Gerechtigkeit aus reiner Gnade. Das einzige, was der Mensch tun kann, ist, Gott zu glauben. Dieser Glaube ist dabei keine Leistung des Menschen, sondern er wird dem Menschen als Gnadengeschenk Gottes zuteil.[3]

Die Prinzipien des »Allein aus Gnade« und »Allein aus dem Glauben«, die Luther an den Anfang seines theologischen Systems stellte, bewirkten ein gründliches Umdenken. Die Tradition der katholischen Kirche, die den Priester als Mittler zwischen Gott und die Gläubigen setzte, wurde durch Luther ad absurdum geführt. Jedermann sei selbst in der Lage durch die Gnade Gottes, gleichsam als Priester, mit ihm in Verbindung zu treten. Damit wurde die geheiligte Person des Priesters überflüssig, die Gemeinde wurde bevollmächtigt, in Glaubensdingen zu entscheiden.

Angesichts des oben skizzierten unlösbaren Zusammenhanges zwischen Kirche und Gesellschaft unter den Bedingungen einer gesamtgesellschaftlichen Krise wurde die theologische Leistung Luthers ein gesellschaftliches Ereignis, das die Grenzen der Theologie überschritt. Luther sprach in der Gestalt der Kirche etablierten Autoritäten der feudalen Gesellschaft das Recht ab, in Glaubensfragen über das Gewissen zu entscheiden. Damit machte er den Weg frei dafür, daß sich die Interessen oppositioneller Kräfte mit der neuen Theologie verbinden konnten. Dabei handelte es sich um bürgerliche Schichten in den Städten, um Angehörige der humanistischen Intelligenz, Teile der niederen Geistlichkeit, die in vermehrtem Maße gegen die verweltlichte kirchliche Hierarchie Sturm liefen, aber auch um Teile des weltlichen Adels und einige Fürsten, denen vor allem der enorme Reichtum und die weltliche Macht der Kirche ins Auge stachen. Bürgerlichen Stadträten und adligen Herren gegenüber rechtfertigte Luther mit seiner Forderung nach einer »wohlfeilen« Kirche, deren Hauptaufgabe die Seelsorge sein sollte, den Eingriff in das Kirchenvermögen. Luther schuf die Voraussetzungen für das Anschwellen einer breiten reformatorischen Volksbewegung, die sich vehement gegen die Kirche wandte und soziale Forderungen im Zusammenhang mit biblischer Begründung stellte. Die großen Reformationsschriften des Jahres 1520 »An den christlichen Adel deutscher Nation«, »Von der Freiheit eines Christenmenschen« und »Von der babylonischen Gefangenschaft der Kirche« motivierten und stimulierten diese umfassende antirömische Bewegung als erste Etappe einer frühen bürgerlichen Revolution, die bis zu Luthers Auftritt vor Kaiser und Reich 1521 in Worms reichte. Indem er hier standhaft seinen Ideen treu blieb – obwohl ihm zum päpstlichen Bann auch noch die kaiserliche Acht drohte –, erfocht er einen moralischen Sieg für die Reformation gegenüber der römischen Kurie, deren Machtverfall damit deutlich wurde.[4]

In dieser Phase der Bewegung wird Luther Führer und Heros, auf den sich die verschiedensten Interessen und Wünsche richteten. Er spürte die Verantwortung, die ihm durch die gesellschaftliche Bewegung auferlegt wurde, und griff in seinen Schriften neben rein theologisch-dogmatischen Fragen wichtige gesellschaftliche Probleme der Zeit auf. Dabei beschäftigte er sich mit ökonomischen Fragen wie Zinskauf und Wucher sowie Preistreiberei durch Machenschaften marktbeherrschender Handelsgesellschaften.[5] Er machte Vorschläge, wie man Arme und Kranke versorgen soll, und schlug gemeinsame Darlehenskassen – die gemeinen Kästen – zur Versorgung derselben vor. Fragen des Ehe- und Familienrechts, der Kindererziehung und des Schulwesens beschäftigten ihn ebenso wie Probleme der Landesverteidigung und der Haltung zur weltlichen Obrigkeit und deren Verantwortung für ihre Untertanen. An letzterem Problemkomplex wird besonders deutlich, wie schnell Luther selbst von der Gesellschaft lernte und die Rückwirkung der Gesellschaft auf das Denken erfuhr. Sowohl durch seine Schrift »An den Adel« als auch die aus dem Jahr 1523 »Von weltlicher Obrigkeit, wie weit man ihr Gehorsam schuldig sei« wurden Etappen der revolutionären Bewegung und persönliche Standpunkte Luthers deutlich. In der »Adelsschrift« wurden Grundfragen der Gesellschaft dieser Jahre aufgegriffen, die gleichermaßen die Ritterschaft, die Bauern, die Humanisten und das Städtebürgertum bewegten; die »Gravamina der deutschen Nation« bildeten die Hauptquelle für die Schrift, die vor allen Dingen der von den Reichsständen getragenen nationalen Opposition gegen die römische Kirche Ausdruck verlieh. Sie legitimierte und verpflichtete den weltlichen Adel kraft seines göttlichen Ursprungs dazu, das Reich und die Kirche zu reformieren. Die »Obrigkeitsschrift« dagegen ist bereits Ausdruck einer zweiten Etappe der revolutionären Bewegung, die bis unmittelbar vor Ausbruch des Bauernkrieges reichte. Luther sah sich veranlaßt, Warnzeichen und Standpunkte aufzurichten. Einerseits hatten sich die äußeren Bedingungen für die Reformation verändert. In den katholischen Territorien setzte seit Anfang 1522 eine verschärfte Repression gegen die lutherische Bewegung im Sinne des Wormser Edikts und der nachfolgenden Beschlüsse der Nürnberger Reichstage ein. Andererseits wandelte sich der Charakter der Reformation selbst. Die unterschiedliche Interpretation des neuverkündeten Evangelismus, vor allem auf der sozialen Ebene, schuf Differenzierungen, Unsicherheit der Meinungen und unterschiedliche Auffassungen über das weitere Vorgehen, einerseits die Forderung nach größerer Rigorosität, andererseits Zufriedenheit mit dem Erreichten. Mit Hinweis auf den 13. Brief des Paulus an die Römer betonte Luther, daß die weltliche Ordnung zwar nicht vollkommen sei, aber der Mensch sie trotzdem anerkennen und versuchen müsse, durch Arbeit im Beruf und im öffentlichen Amt die Maßnahmen der Obrigkeit positiv umzusetzen. Damit wurden durch Luther Bestrebungen radikalerer Gruppen innerhalb der reformatorischen Bewegung zurückgewiesen. Luther bewies bereits vor dem Bauernkrieg, daß er nicht gewillt war, die in seiner Lehre

auch angelegten Konsequenzen für eine rigorose Umgestaltung der Gesellschaft mit gewaltsamen Mitteln gutzuheißen. Er betrachtete es als seine Aufgabe, als Theologe gegen die falsche Lehre und Praxis der Kirche aufzutreten, nicht allgemein die gesellschaftliche Ordnung zu verändern. Hier verhielt er sich als Angehöriger der Intelligenz wie ein Beamter im landesherrlichen Dienst, der zwar Ratschläge und Gutachten zu wichtigen gesellschaftlichen Problemen verfaßte, deren Realisierung aber in jedem Fall an die Obrigkeit band.
Dementsprechend mußte es zu Gegensätzen zum Beispiel mit seinem Amtskollegen Andreas Bodenstein/Karlstadt kommen, der Luthers Abwesenheit auf der Wartburg dazu genutzt hatte, radikalere reformatorische Maßnahmen in Wittenberg einzuführen und dabei die Volksbewegung auszunutzen.[6] Luther erreichte die Ausweisung Karlstadts aus Sachsen. Dieser ging nach Oberdeutschland und in die Schweiz, wo er nach jahrelangem Umherirren eine neue Heimat fand. In den Städten manifestierte sich die Weiterführung der Reformation als Volksbewegung vor dem Bauernkrieg am stärksten, vor allem in den freien Reichsstädten wie Straßburg und Nürnberg und in den Schweizer Städten wie Zürich und Basel.[7] Die reformatorische Ideologie und Praxis entwickelte sich hier ganz auf den Rahmen eines städtischen Gemeinwesens bezogen. Die Räte stimmten der Reformation bis zu einem gewissen Punkt zu, da sie sehr bald die Vorteile dieser Bewegung für sich erkannten. Ihre Theologen gewannen auch auf politische Entscheidungen großen Einfluß, wie zum Beispiel Zwingli in Zürich, für den politische Aktivität einen Teil seiner Reformation bedeutete. In dem Zusammentreffen von bürgerlicher Mentalität und ethischen Forderungen der Reformation, die einander adäquat wurden, lagen Ansatzpunkte dafür, daß die Reformation im oberdeutschen, darüber hinaus überhaupt im städtischen Bereich am intensivsten, auch über den Zeitraum der frühbürgerlichen Revolution hinaus, vorankam.
Die lutherische Reformation geriet nach dem Wormser Reichstag, vor allem nach der Rückkehr Luthers von der Wartburg, mit Gruppen in Widerspruch, die eine umfassende Umgestaltung der Gesellschaft anstrebten und die Durchführung dieser Veränderungen nicht mehr an die herrschenden Obrigkeiten banden. Im Mittelpunkt dieser Vorstellungen stand der »gemeine Mann«, das heißt alle nicht zur Herrschaft gehörenden Klassen und Schichten. Sinnbild dieser Volksreformation wurde der Bauer, selbstbewußt und kraftvoll, allein in der Lage, die Gesellschaft entscheidend zum Guten zu verändern. Künstler wie Dürer, Cranach, Holbein, Beham und andere haben in ihren Darstellungen das gewandelte Bild vom Bauern ausgedrückt. Dieser »Karsthans« hatte nichts mehr von der Tölpelhaftigkeit der mittelalterlichen Darstellung. Er bildete einen ernstzunehmenden Faktor in der revolutionären Bewegung. Ab Herbst 1524 begann der bewaffnete Kampf der Bauern – zum Teil verbündet mit Städtebürgern und Plebejern – gegen die Ausbeutung durch die Kirche und bereits auch gegen ihre weltlichen Herrn. Ideologisch wird diese Phase der Volksreformation durch Theologen wie Thomas Müntzer repräsentiert, der bereits im Juni 1524 in der sogenannten »Fürstenpredigt« seine Hoffnungen auf eine umfassende Reformation durch die Fürsten begrub. In Analogie zur Vorhersage des Propheten Daniel verkündete Müntzer den Fürsten, daß der Untergang der bestehenden Welt nahe sei, weil das alte Reich auf Gewalt, Betrug und Irreführung beruhe, auf dem Bund der gottlosen Herrscher gegen den gemeinen Mann. Wenn die Obrigkeit zum Kampf mit dem Antichrist in der Welt nicht bereit sei, so sei das Volk von Gott auserwählt und verpflichtet, ihr das Schwert zu nehmen und selbst Herrschaft auszuüben. Erstmals im Verlauf der frühbürgerlichen Revolution war damit ein Widerstandsrecht des Volkes gegenüber ungerechten Tyrannen klar ausgesprochen, theoretisch begründet und legitimiert worden. Damit wurde zum ersten Mal auch eine echte Alternative für den gemeinen Mann gezeigt, die durch die Zerschlagung der alten Ordnung entscheidende Veränderungen nicht nur für den kirchlichen, sondern auch im sozialen und politischen Bereich ermöglichte.[8] Luther beschwor die Bauern, ihre berechtigten Forderungen friedlich zu vertreten und vom Aufstand abzulassen. Diese Haltung vertraten neben den Fürsten auch der größte Teil der Stadträte, weil sie ebenso wie der Adel über umfangreiche ländliche Besitzungen verfügten und ihre eigenen armen Leute mit den Bauern gemeinsame Sache machten. Die Zustimmung Luthers gegenüber den Fürsten, die Bauern militärisch niederzuschlagen, entsprach auch dem Willen der Mehrheit des besitzenden Bürgertums. Luther selbst geriet damit in tragischer Weise in Widerspruch zu seiner Rolle als Initiator der revolutionären Bewegung und seiner begrenzten bürgerlich-gemäßigten Klassenposition.[9] Die kämpfenden Bauern wurden niedergeschlagen, ihre Führer wie Müntzer und andere hingerichtet, Sympathisanten auf andere Weise bestraft. Auch der Künstler Jörg Ratgeb wurde hingerichtet, Grünewald gemaßregelt. Dürers Bauernsäule ist beredtes Zeichen der Anteilnahme für die geschlagenen Bauern. Die Zeit des revolutionären Aufschwungs in der Gesellschaft, aber auch in der Kunst, war damit vorbei.
Die Reformation Luthers und Zwinglis ging unter obrigkeitlichem Vorzeichen weiter. Unmittelbare Nutznießer waren Fürsten und städtische Obrigkeiten. Nach 1526 wurden die Bildungsprogramme der Reformation weiter ausgebaut, auch Einrichtungen des Fürsorgewesens wurden weiter errichtet, aber das Mitspracherecht der Gemeinden wurde eingeschränkt. Andersdenkende und Aufbegehrende sahen sich in Täuferkreise und Sektenkonventikel abgedrängt. Die obrigkeitliche Reformation systematisierte und ordnete mit Visitationen und neuen Verwaltungsfunktionen das Kirchenwesen. Die Niederlage der Bauern bedeutete zwar keinen Abbruch der Reformation insgesamt, aber die Volksbewegung war eingefangen und kanalisiert. Ausbruchsversuche wie das Täuferreich zu Münster 1534/35 wurden sehr bald und blutig niedergeschlagen. In der Kunst begannen die aufrüttelnden großen Altarbilder und die agitatorischen Holzschnitte anderen Formen und Inhalten Platz zu machen. Biblische Themen mit didaktischem Inhalt dienten der Unterstützung der Bildungsprogramme der Reformation.[10] Porträts von Reformatoren, Bürgern und Fürsten bildeten die Hauptauftragswerke der Künstler. Eine gewandelte Zeit wandelte auch den Charakter der Kunst, wobei die Kunst ebenso ihren eigenen Gesetzen unterlag. S. L.

Kunst der Reformationszeit

Als in den europäischen Ländern das Bürgertum gegen die alte Feudalordnung zu rebellieren begann, erhielt auch die Kunst die Aufgabe, das Sichselbstbewußtwerden der Bürger zu fördern, ihrer Persönlichkeitsbildung Leitbilder zu setzen und ihnen zu helfen, sich die natürliche Umwelt zu eigen zu machen. Die Kunst nahm teil an der »Entdeckung der Welt und des Menschen« (Jacob Burckhardt). In einer Zeit, in der nach Friedrich Engels »die Bewältigung des nächstliegenden Stoffs« zur Hauptarbeit für die gerade entstehenden Naturwissenschaften wurde (Einleitung zur »Dialektik der Natur«), mußte gerade den bildenden Künsten mit ihrer unmittelbaren Bindung an die Anschauung größte Bedeutung zukommen.
Bürger wie Landesfürsten bedurften beide der Wissenschaft und der Bildung. Handel und Gewerbe forderten genauere Kenntnisse, die Fürsten brauchten zur Organisation ihrer Territorien gebildete Beamte. So entfaltete sich auch in Deutschland seit den siebziger Jahren des 15. Jahrhunderts in stärkerem Maße der aus Italien kommende Humanismus, dessen Träger eine heterogene Bildungsschicht aus Angehörigen des Bürgertums, des niederen Adels und der Geistlichkeit war. Mit seiner kritischen Methode, der Wertschätzung der Bibel und der Ablehnung der Scholastik hat der Humanismus entschieden die Reformation mit vorbereitet. Er vor allem war von einem starken Optimismus, von einem unbegrenzten Vertrauen in das Vermögen der Wissenschaft und die Bildungsfähigkeit des Menschen erfüllt. Seine Vorstellungen formten das neue Welt- und Menschenbild, und seine Bemühungen um die Antike erschlossen auch der Kunst neue Themenkreise, die nicht durch kirchliche Traditionen belastet waren. Dank der frühen Blüte des Bürgertums, der Ausbildung von Manufaktur- und Handelskapital und der Schwäche des Adels, dank der frühen Reife des Humanismus und dem unmittelbar vorbildlich wirkenden antiken Erbe hatte die Kunst Italiens bereits Anfang des 15. Jahrhunderts den Schritt zur Renaissance vollzogen. Im Norden, wo die Entwicklung nicht allzuviel später einsetzte, fehlte das Vorbild einer von kirchlichen Dogmen freien antiken Kunst, hier blieb nur der ungleich schwerere Weg der unmittelbaren Rückkehr zur Natur. Und während im Süden allenthalben die Wissenschaft der Kunst zu Hilfe kam, blieb diese im Norden noch lange in zünftischer Enge befangen.
So blieben vor allem Architektur und Bildnerei sehr lange und nachdrücklich eigenen Traditionen verpflichtet, die Malerei aber stand in einem mehrfach wechselnden Verhältnis zur Kunst der Nachbarländer. Zunächst waren die Niederländer die großen Vorbilder, nur in Tirol setzte sich Michael Pacher mit den Errungenschaften der italienischen Kunst auseinander. Bald aber nahm das Wissen zu um Werke, die südlich der Alpen entstanden waren. Die Humanisten, die nicht selten an italienischen Universitäten studiert hatten, rühmten sie, graphische Blätter vermittelten eine erste Anschauung, und bald begannen auch Maler, nach dem Süden zu reisen, um an Ort und Stelle die Werke der großen Italiener zu studieren.
In Deutschland hatten in der Baukunst die Hallenbauten städtischer Pfarrkirchen die Kathedralen als Leitbauten der Architekturentwicklung abgelöst. In Formen eines traditionellen Stils entfaltete sich ein neues Raumgefühl, das Ausdruck eines neuen Lebensgefühls war; die Räume in ihren ungestuften, einheitlich geschlossenen Strukturen wirken wie Vorwegnahmen späterer protestantischer Predigträume. Auch im Profanbau vollzog sich ein entscheidender Wandel, die Albrechtsburg in Meißen, die Arnold von Westfalen 1471 begann, bezeichnete den Übergang von der Burg zum Schloß. Dürers »Befestigungslehre« von 1525 schließlich macht deutlich, daß an die Stelle der alten feudalen Bauaufgabe »Burg« die neuen, dem beginnenden Feudalabsolutismus gemäßen Aufgaben von Residenz, Schloß und Festung getreten waren. In der Bildnerei wurden Altar und privates Andachtsbild, geschaffen von städtischen Meistern im Auftrage oft bürgerlicher Stifter, neben Grabmal und Epitaph stilbestimmend. Nun entstanden die großen Wandelaltäre von Bernt Notke und Michael Pacher, Veit Stoß und Tilman Riemenschneider, die zu den großen, Architektur, Plastik, Malerei und Ornamentik verbindenden Gesamtkunstwerken ihrer Zeit wurden.
Stand noch in der Kindheit Dürers, Cranachs, Grünewalds oder Hans Holbeins die Malerei hinter der Bildnerei zurück, so sollte sie um die Jahrhundertwende die Führung unter den Künsten übernehmen. Der Gesellschaft, die angetreten war, die Welt für den Menschen zu entdecken, mußte die Malerei mit ihrer Fähigkeit, die Zusammenhänge zwischen Individuum und Gesellschaft, zwischen Mensch und Natur darzustellen, das geeignetste Mittel künstlerischer Welterkenntnis sein. Die Graphik, diese massenwirksame Kunst, erreichte in Holzschnitt und Kupferstich höchste Vollkommenheit.
In dieser Zeit hatte die italienische Kunst die Reife der Hochrenaissance erreicht. Leise, doch unverkennbar deuten sich bereits Zeichen eines Wandels an, der letztlich in einer rückläufigen ökonomischen Entwicklung begründet war. Deutschland aber war gerade jetzt ökonomisch an die Spitze Europas getreten, hier nahm die erste bürgerliche Revolution ihren Ausgang. Der Vorsprung der italienischen Kunst war aufgeholt worden, es entstanden Werke, die denen der großen Italiener durchaus vergleichbar waren, ja die diese zum Teil in der Klarheit der gesellschaftlichen Aussage, in ihrem Realitätsgehalt und der volkstümlichen Wirkung beträchtlich übertrafen.
Mit der Entwicklung des Bürgertums hatte sich auch die soziale Stellung der Künstler gewandelt. Sie waren herausgetreten aus mittelalterlicher Anonymität, waren zünftige Meister geworden und begannen nun, auch die Bindungen des Handwerks abzustreifen; sie wurden zu einem Teil der eben im Entstehen begriffenen neuen Bildungsschicht. Die genaue Beobachtung der Wirklichkeit ließ sie auch die Mißstände in Staat und Kirche mit kritischem Auge wahrnehmen. Sie wurden sich ihrer Aufgaben und ihrer Wirkungsmöglichkeiten innerhalb der Gesellschaft bewußt und nahmen als Mitglieder städti-

scher Räte, als Bürgermeister auch, aktiven Anteil an den Geschicken ihrer Gemeinwesen. Viele von ihnen griffen mit ihrer Kunst in die Kämpfe der Zeit ein, fochten nicht selten auch mit der Waffe im Parteienstreit und traten mit ihrer ganzen Persönlichkeit für den gesellschaftlichen Fortschritt ein. Jörg Ratgeb, der Maler des Herrenberger Altars, kämpfte im Bauernkrieg mit, wurde gefangen und als Bauernführer gevierteilt. Tilman Riemenschneider, der in Würzburg mit veranlaßt hatte, daß dem Bauernheere die Tore der Stadt geöffnet wurden, wurde nach der Niederlage der Bauern ins Gefängnis geworfen und gefoltert. Den »drei gottlosen Malern von Nürnberg«, Georg Pencz, Bartel und Sebald Beham, wurde wegen ihrer obrigkeitsfeindlichen Haltung der Prozeß gemacht, und sie wurden der Stadt verwiesen. Dürers Formschneider Hieronymus Andrae wurde im Zusammenhang mit Ereignissen des Bauernkrieges gefangengehalten. Und auch Dürer war Anfeindungen ausgesetzt, Grünewald scheint in Frankfurt am Main Schutz gesucht zu haben.

Groß ist die Zahl der Meister, die sich mit Luther und der Reformation verbunden fühlten, reformatorische Schriften besaßen und illustrierten oder das Bildnis des Reformators verbreiteten.

Im Verhältnis von Kunst und Reformation sind drei Etappen zu unterscheiden. In der ersten trug die bildende Kunst mit ihren spezifischen Mitteln dazu bei, die Reformation vorzubereiten. In der zweiten wird besonders die Graphik benutzt, um die gegensätzlichen Positionen zu veranschaulichen, den Gegner anzugreifen und eigene Lehren vorzutragen. In diese Zeit fallen auch die Bilderstürme. In der dritten Etappe entstanden jene »Merkbilder«, die die protestantische Kunst im engeren Sinne ausmachen.

Dank der unmittelbaren Bindung an die sichtbare Wirklichkeit vermochte das Bild zu gestalten, was noch nicht ausgesprochen, noch nicht in Programmen formuliert war. In dieser Zeit hatten sich die bildenden Künstler frei gemacht von der Bindung an das Exemplum und waren aus alten Traditionen herausgewachsen. Sie waren zu genauer Beobachtung und kritischer Auseinandersetzung mit ihrer Welt vorgedrungen, nahmen Anteil an den Geschicken ihrer Mitbürger, deren Nöte und Träume sie kannten, da es auch die ihren waren. Der gelehrte Meinungsstreit der Spätscholastik war ihnen fremd, zu den Lehren der Humanisten verwehrte ihnen oft die mangelnde Kenntnis des Lateins den Zugang; vertraut aber waren sie mit der volkstümlichen Mystik, die auch der Reformation den Boden bereitete. So konnten die Künstler Empfindungen, Gefühle, Hoffnungen und Wünsche vieler gestalten, ehe diese niedergeschrieben oder von Luther verkündet wurden.

Programmatische Vorgriffe auf die Reformation finden sich in der bildenden Kunst bereits vor 1500. Als erstes ist wohl Dürers Holzschnittzyklus der »Apokalypse« von 1498 zu nennen, jene einzigartige Vision von der Notwendigkeit des Anderswerdens, die die Kritik an den bestehenden Zuständen in Reich und Kirche verbindet mit der konstruktiven Gesellschaftsutopie der wohlverwalteten Bürgergemeinde.

In zahlreichen Kreuzigungsdarstellungen, vor allem Cranachs und Grünewalds, wird der Betrachter unmittelbar mit dem Geschehen auf Golgatha konfrontiert. Die Bilder bringen eine subjektive Haltung des Künstlers ebenso zum Ausdruck, wie sie sich an das Empfinden des einzelnen wenden. Diese Subjektivität war Voraussetzung dafür, daß die alten scholastischen Bildinhalte abgestreift und die Heilstatsachen dem Betrachter so nahe gebracht werden konnten, daß es einer Erklärung durch den Kleriker nicht mehr bedurfte.

Ähnliches ließe sich an den Passionszyklen, zum Beispiel Dürers, zeigen. Schon deren Zahl — fünf stehen bei Dürer einem Marienleben gegenüber — weist auf die Reformation voraus. Die Aktualisierung der Passion ging schließlich soweit, daß der Bildtypus des »Christus in der Rast« abgelöst werden konnte durch das Bild des gemeuchelten Bauern auf Dürers Bauernsäule von 1525.

Schließlich sei noch auf Cranachs »Austreibung der Wechsler« von 1516 verwiesen. Dieses für eine Altartafel ungewöhnliche Thema spiegelt die zeitgenössische Kritik an Wucher und Preistreiberei wider und wendet sich gegen den Schacher mit den heiligsten Dingen, es geht Luthers Kritik am Ablaß ebenso voraus wie sie dessen heftige Angriffe gegen die »Monopolia«, die großen Handelsgesellschaften, vorwegzunehmen scheint.

Die Beispiele deuten auf den unmittelbaren Zugang des Christen zu den Heilstatsachen, auf seine Fähigkeit, zu Gott in Beziehung zu treten ohne Vermittlung durch den Klerus, auf eine Betonung der Passion und eine Aktualisierung dieses Geschehens. Alles in den Bildern ist für den Betrachter an seiner eigenen Lebenserfahrung nachprüfbar. Nicht Zeitlosigkeit und anonymes Irgendwo sind die Hintergründe des Geschehens, sondern das Hier und Jetzt. Das Evangelium wird aus einem vagen Versprechen auf das Jenseits, zu dem allein die Kirche den rechten Weg zu weisen vermag, zu einem schon auf Erden Möglichen und Erreichbaren. Die Leiden Christi aber wandeln sich zu einem Abbild der Leiden des »gemeinen Mannes« unter der Willkür der Obrigkeit.

Was Luther verkündete, das Priestertum jedes Christen ohne kirchliche Hierarchie, ist in den Bildern vorweggenommen. Auch der Laie kann das Bibelwort verstehen. In biblischem Gewande werden Lösungen für die bestehenden Mißstände gesucht, die auch der »natürlichen Vernunft« Rechnung tragen wollen.

Der individuelle Umgang mit derartigen Bildern hat sicher in nicht geringem Maße dazu beigetragen, daß Luthers Gedanken rasch Verständnis fanden, mit den Bildern bereits begann die Befreiung der Menschen von klerikaler Bevormundung in Glaubenssachen. Dabei sind es weniger neue Motive, die auffallen, es ist vielmehr die Einordnung überlieferter ikonographischer Typen in neue Zusammenhänge, ihre historische Bestimmtheit und Lokalisierung, die den Werken ihren neuen Inhalt geben. Der in der Zeit deutliche Subjektivismus und das Betonen der Individualität prägen auch die religiöse Kunst. Es

ist kein Zufall, wenn gleichzeitig neben Bildern, die in der geschilderten Weise die Reformation mit vorbereiteten, Darstellungen wie die »Gregorsmesse« zunehmen, in denen nachdrücklich die Position der römischen Kirche, ihr alleiniger Anspruch auf Heilsvermittlung und das von Gott gegebene Primat des Papstes betont werden. Die Aktion auf der einen Seite mußte eine Reaktion auf der anderen hervorrufen. Auch die katholischen Kräfte begannen sich neu zu formieren, es sei nur auf Savonarola verwiesen, auf das Konzil zu Pisa 1511 und das folgende Lateranskonzil. Papst Julius II. konnte den Kirchenstaat festigen und das Papsttum zu neuem Glanze führen.
Das Charakteristische der zweiten Etappe zwischen Thesenanschlag und den ersten Kirchenvisitationen ist wohl das »Passional Christi und Antichristi« der Cranach-Werkstatt von 1521. Hier sind sowohl die Inhalte wie die Formen der Bildpolemik, die nun vor allem die Graphik bestimmen, am reinsten ausgebildet.
In den Auseinandersetzungen dieser Jahre erhielt das Flugblatt besondere Bedeutung, da es rasch und anschaulich Nachrichten, Programme, Aufrufe und Argumente der streitenden Parteien verbreitete. Die Möglichkeiten waren vielfältig. Traditionelle Motive, ja ganze ikonographische Programme wurden übernommen, in neue Zusammenhänge gebracht und umgedeutet. Biblische Motive spielten naturgemäß eine besondere Rolle, diese waren dem Publikum vertraut.
Gerade der Umstand, daß der Betrachter das ursprüngliche Motiv in der neuen Fassung wiedererkannte, war ganz wesentlich dafür, daß er auch Zugang zu dem neuen Inhalt finden konnte. Das aus älterer Bildanschauung Bekannte erleichterte den Zugang zur neuen Darstellung und ließ im Unterschied zum Gewohnten den neuen Gehalt besonders einsichtig werden. Der Künstler bezog aus der Benutzung bekannter Motive seine Wirkung im positiven wie im negativen Sinne. Der »Triumph der Wahrheit«, ein Holzschnitt aus der Zeit um 1520, und Peter Flötners »Pfaffenkirmes« folgen beide dem Vorbild des Einzugs Christi in Jerusalem. Im ersten Falle soll dem Betrachter die wahre Nachfolge Christi deutlich gemacht, im zweiten der Widerspruch zwischen christlicher Lehre und pfäffischer Wirklichkeit bewußt werden.
Wie in den Flugschriften der Dialog beliebt war, so in der Bildagitation die Gegenüberstellung von christlichem und unchristlichem Leben, rechtem und falschem Glauben, rechter und falscher Lehre. Als in den Klassenkämpfen die revolutionären Bauern mit ihren Forderungen über Luther hinausgingen, da entstanden auch nicht wenige Drucke, die auf weitergehende gesellschaftliche Veränderungen abzielten.
Auf letzte Vollendung im Formalen kam es dabei nicht an, sondern vor allem auf knappe, rasch erfaßbare und eindeutig ablesbare Wiedergabe der Hauptgedanken. Hier ging es auch nicht um individuelle Bekenntnisse, sondern um die Mobilisierung ganzer Gruppen, Schichten und Klassen. Die Individualität der einzelnen Gestalt tritt zurück — sicher nicht nur aufgrund des Unvermögens der Formschneider —, angestrebt werden allgemeine Typen, Vertreter von Berufen, Ständen, sozialen Schichten, die es möglichst vielen Betrachtern ermöglichten, sich mit ihnen zu identifizieren. Jeder einzelne sollte sich angesprochen fühlen, sollte sich selbst im Bilde finden und das Anliegen des Flugblattes als sein ganz persönliches begreifen. Deutlich scheint dabei die einfache Anschaulichkeit der ersten Phase zurückzutreten; das Bild gerät zunehmend in Abhängigkeit vom Text, dessen Inhalt es ja auch Leseunkundigen vermitteln soll, und die Bildelemente erhalten wieder stärker symbolische Bedeutung.
Die protestantische Bildsatire, die auch vor einer den Grobianismen der Texte entsprechenden derb-drastischen Darstellung nicht zurückschreckte, konnte sich bereits auf vorreformatorische Beispiele stützen, die bis auf die Hussiten zurückgehen. Daß die Reformatoren eine sehr kräftige Bildsprache zu schätzen wußten, belegten Luthers und Melanchthons Kommentare unter anderem zum »Papstesel« und zum »Mönchskalb«, Holzschnitten aus der Cranachwerkstatt.
Im Zusammenhang mit den Glaubenskämpfen sind auch die ersten im Druck verbreiteten Bildnisse Luthers zu sehen. Ein Brief Dürers an Spalatin, in dem der Maler schrieb: »Und hilft mir Gott, daß ich zu Doktor Martinus Luther kumm, so will ich ihn mit Fleiß kunterfeten und in Kupfer stechen zu einer langen Gedächtnus des christlichen Manns, der mir aus großen Ängsten geholfen hat«, läßt ahnen, wie sehr die Menschen danach verlangten, den Wittenberger Mönch, der gegen die Paptskirche aufgestanden war, von Angesicht kennenzulernen. Der Kurfürst und seine Ratgeber sind sich sehr wohl der Bedeutung der Bildnisse des Reformators bewußt gewesen, die der Hofmaler Cranach riß und druckte. Sie nahmen sehr wohl Einfluß darauf, welche Bildnisse zu gegebener Zeit verbreitet werden sollten.
Diese frühen Porträts von Lucas Cranach waren unter ganz einmaligen Bedingungen entstanden und spiegelten diese ebenso wider, wie die momentane psychische Verfassung des Modells und das ganz persönliche Urteil des mit diesem befreundeten Malers. Sicher sind in gewissem Sinne die Luther-Bildnisse auch an die Stelle der alten Heiligenbilder getreten, ein Holzschnitt Hans Baldung Griens zeigt den Reformator mit Heiligenschein und der Taube des Heiligen Geistes. Und nach dem Verständnis der Zeitgenossen war Luther ja tatsächlich ein neuer Apostel, ein neuer Verkünder und Bekenner des reinen Bibelwortes.
In diese zweite Etappe im Verhältnis von Kunst und Reformation fallen auch die Bilderstürme im Reich und in der Schweiz. An ihnen wird besonders deutlich, welche Bedeutung in den damaligen Kämpfen den Bildern beigemessen wurde.
In der Geschichte des Christentums hat es wiederholt heftige Auseinandersetzungen um die Bilder und ihren Gebrauch gegeben. Die römische Kirche hatte den Laien die Fähigkeit abgesprochen, unmittelbaren Zugang zum göttlichen Heil zu finden, sie beanspruchte die Heilsmittlerfunktion für sich und besaß darin eine wichtige Grundlage ihrer Macht. Die Laien gal-

ten als unfähig, den spirituellen Gehalt des Christentums unvermittelt aufzunehmen, eine Materialisierung der Religion schien erforderlich, dem Laien sollten verständliche Hilfen geboten werden, die ihn zur Kontemplation führten. Die in den Kult integrierten Bilder dienten einer solchen materiellen Führung zum Geistigen hin. Sie standen im Zusammenhang mit dem Inkarnationsdogma; wie das Sakrament eine Ausweitung der Existenz Christi war, waren es auch die Bilder, sie waren mehr als nur Symbole. Die Menschen suchten und fanden auch Vermittler zu Gott in Maria und den Heiligen, die in Reliquien und Bildern ebenso gegenwärtig geglaubt wurden wie Christus im Sakrament. Dieses aber konnte nur der Priester während der Messe spenden, jene waren dagegen stets gegenwärtig. Die Bilder waren wie Reliquien und Sakramente der äußerlich sichtbare Teil des Kultes. Ihre Ablehnung konnte eine Ablehnung des Kultes selbst und damit der Kirche als Institution bedeuten, entsprechend war die Bildkritik oft verbunden mit Antisakramentarismus und Sozialkritik. Um 1500 hatten die Verschärfung der gesellschaftlichen Widersprüche und das Fehlen jeder befriedigenden Erklärung für Krisen, Seuchen und merkwürdige Naturerscheinungen zur gesteigerten Existenz-, Sünden- und Todesangst geführt. Wunderglaube und Furcht vor Zeichen waren ebenso verbreitet wie der Wunsch, sich das Heil im Jenseits zu sichern.

Johann Cochläus berichtet 1512 am Beispiele Nürnbergs vom Opferwillen der Menschen, ihren Stiftungen zur überaus reichen Ausstattung des Gottesdienstes und der Kirche mit Stifter-, Gedächtnis- und Votivbildern. Zugleich aber war die Kirche in die Kritik geraten, die »Gravamina der deutschen Nation«, die Beschwerden der Reichsstände gegen die päpstlichen Eingriffe in Reichsangelegenheiten verliehen dem immer wieder Ausdruck. In diesem Zusammenhang richteten sich auch erneute Angriffe gegen die Bilder, so wenn Erasmus von Rotterdam im »Lob der Torheit« sagt: »Habt ihr auf den vielen hundert Votivtafeln, die alle Wände, ja die Decken mancher Gotteshäuser tapezieren, je einen Menschen schildern sehen, wie er der Torheit entronnen oder eine Idee gescheiter geworden ist?«

Dogmenkritik und strenger Biblizismus waren dann der Ausgangspunkt für Andreas Bodenstein von Karlstadt, dessen Schrift »Von abtuhung der Bylder / Vnd das keyn bedler vnther den Christen seyn soll« 1522 in Wittenberg erschien und den Bildersturm auslöste. Karlstadt beeinflußte Ludwig Hätzer, Zwingli, Capito, Butzer und schließlich auch Calvin in seiner Ablehnung der Bilder.

Luther dagegen hatte eine gemäßigtere Haltung, auch wenn er zunächst schrieb: »Wahr ist's, daß sie gefährlich sind, und ich wollte, es wären keine auf den Altären«, es wäre besser, »wir hätten derselbigen Bilder gar keins um des leidigen Mißbrauchs und Unglaubens willen. Ich bin ihnen auch nicht hold.« Nach seiner Meinung gehörten Bilder nicht zu den Dingen, die für einen Christen zum Glauben notwendig sind. Die Anfertigung und der Besitz von Bildern galten ihm nach dem Gesetz als frei, verboten war ihre Anbetung und gefährlich der Irrglaube, durch die Stiftung von Bildwerken das Seelenheil zu retten. Entschieden wandte er sich aber gegen die Bilderstürmer, da er erkannte, daß hier eine Bewegung im Entstehen war, die über seine eigenen Ziele hinauszugehen drohte, und da er insgesamt Gewalt in Glaubensfragen ablehnte.

Warum konnte, ja mußte die Bilderfrage so heftige Kämpfe auslösen? Zunächst war schon das in den zehn Geboten ausgesprochene Verbot des Götzendienstes bedeutsam. Damit stimmten auch die bildenden Künstler überein; so schrieb Dürer, man lehne die Malerei ab, weil sie zu »Abgötterei« verführe, und fügte hinzu: »müßt wahrlich ein unverständig Mensch sein, der Gemäl, Holz oder Stein anbeten wöllt.« Hinzu kam die Befürchtung, durch Bildwerke könne die reine Lehre des Evangeliums verdunkelt und der Laiengemeinde vorenthalten werden. Sehr aufschlußreich sind in diesem Zusammenhang Karlstadts Worte: »Gregorius der Bapst... spricht / das bildnis / der leyen bucher seind.« »Ich mercke aber / warumb die Bebst soliche bucher den Leyen fur gelegt haben. Sye haben vermerkt / wan sie die schefflein / yhn die bucher furtten: yhr grempell marckt wurd nichts tzuhnehmen. Vnd man wurt welle wissen, was gottlich oder vngotlich, recht oder vnrecht ist.« »Bucher leren. Aber bilder konden nicht leren ...«

Ein anderer Grund war, daß die Bilder der Bereicherung der Kirche dienten. Das hatte im hohen Mittelalter schon Bernhard von Clairvaux kritisiert. In der 41. Conclusio der Erläuterungen zu den 95 Thesen über den Ablaß von 1518 betonte Luther, daß die Unterstützung der Armen wichtiger sei als der Bau und die Ausschmückung von Kirchen. Er sagte auch von den Reliquien, und das gilt im übertragenen Sinne auch von den Bildern: »Der Heiligen Anrufung ist eine greuliche Blindheit und eine Geldquelle gewesen: gleichwohl wollen die Papisten nicht wieder umkehren. Summa: Auch die Toten hatten helfen müssen, des Papstes Grundlagen zu stärken.« Karlstadt wiederum forderte, daß man die Armen nicht mit Almosen abspeisen solle, sondern ihnen helfen müsse, sich eine bürgerliche Existenz zu schaffen, und wenn es an Mitteln fehle, sollte man »vil lieber Kelch vnd Messe gewandt verkauffe ...« Bedenkt man ferner, daß mit Bildern und Reliquien nicht selten Ablässe verbunden waren, wird erneut der Zusammenhang mit den Bestrebungen Luthers und der Reformation sichtbar.

Im »Sermon von den guten Werken« schließlich verurteilt Luther die Bilderverehrung als Form eines falschen Heilsglaubens, da viele Menschen hofften, sich durch das Stiften von Bildwerken die Gnade Gottes erkaufen zu können. Der Kampf gegen das Stiften von Bildern berührte also auch unmittelbar Luthers Grundauffassung von der Rechtfertigung des Christen allein aus der Gnade und durch den Glauben. Hinzu kam, daß Bilder ein nicht zu unterschätzendes Mittel ideologischer Beeinflussung durch die Papstkirche waren. Gerade die Massenwirkung, die sie ausübten, bedingte die Bilderstürme mit, waren die in den Kirchen aufgestellten Bildwerke doch

Träger einer überholten und deshalb notwendig zu bekämpfenden Ideologie.
Schließlich stand die Auseinandersetzung um die Bilder in enger Beziehung zu dem sich seit dem 15. Jahrhundert vollziehenden Wandel in Form, Funktion und Inhalt der Künste selbst. Das Kunstwerk hörte auf, Gegenstand gläubiger Verehrung zu sein, und wurde zu einem Mittel der Welterkenntnis, zum Instrument ethischer Erziehung und zu einem Gegenstand des ästhetischen Genusses. Es trug der Wirklichkeitserfahrung des Betrachters Rechnung, den es bilden, das heißt erziehen, um Erkenntnis bereichern, zu Urteil und Handeln befähigen wollte. Bereits Dürer konnte darüber reflektieren: »Dann die Kunst des Molens würd gebraucht im Dienst der Kirchen und dordurch angezeigt das Leiden Christi, behält auch die Gestalt der Menschen noch ihrem Absterben. Die Messung des Erdrichs, Wasser und der Stern ist verständlich worden durch das Gemäl ...« Die Kunst war zu einem Mittel gesellschaftlicher Erkenntnis geworden, die ganze Wirklichkeit zu ihrem Gegenstand – »Dann wahrhaftig steckt die Kunst in der Natur, wer sie heraus kann reißen, der hat sie« – und die Wahrheit zu ihrem entscheidenden Kriterium – »Das Leben in der Natur gibt zu erkennen die Wahrheit dieser Ding.« Dürer betont auch die ethische Aufgabe: »Der Mensch van guter frummer Natur würd gebessert durch viel Künst. Dann sie geben zu erkennen das Gut aus dem Bösen.«
Diese Entwicklung konnte nicht ohne Bedeutung für das Verhältnis der Kirchen zu den Bildern bleiben. In dem Maße, in dem die Kunst zur Entdeckung von Welt und Menschen führte, wuchs die Gefahr der Verweltlichung und Veräußerlichung ihrer religiösen Gehalte. Andererseits erhöhte der Wirklichkeitsgehalt, der Illusionismus der Kunst, die Gefahr des Glaubens an die reale Präsenz des Heiligen im Bilde. Mit Graphik und kleinformatigem, privatem Andachtsbild war die religiöse Kunst zudem in viele Bereiche des Alltags eingedrungen. Es konnte von Vorteil sein, wenn die Menschen selbst in ihrem privaten Lebensbereich auf die Glaubensinhalte hingewiesen wurden – Luther hat sich später dafür ausgesprochen –, andererseits wurde dadurch der Kleriker als Heilsmittler vollends überflüssig.
Die Bilder waren zum Problem geworden. Selten war man sich ihrer Macht so bewußt wie gerade in der Zeit der Reformation. Die Kirchen sahen sich gezwungen, eine Position zu der vom revolutionären frühen Bürgertum getragenen Kunst zu beziehen; sie konnten sie verwerfen oder mußten sie in ihre eigenen Dienste nehmen. Der Bildersturm, der ja kein bloßer Vandalismus war, war dabei nur die radikalste Form der Auseinandersetzung mit den Bildern. Die Kirchen antworteten mit der Ausbildung einer protestantischen Kunst einerseits und der neuerlichen intensiven Förderung der katholischen Kunst andererseits. Verzichten konnte keine der beiden Parteien auf sie.

1526 hatte Luther, noch in Auseinandersetzung mit den Bilderstürmern, gesagt, man solle den Leuten ein »Kruzifix oder ein heiligen bilde lassen zum ansehen, zum zeugnis, zum gedechtnis, zum zeychen«. Als die Konsolidierung des Luthertums voranschritt, betonte er den pädagogischen Wert der Bilder, 1530 gab er Empfehlungen, was auf einer Altartafel gemalt werden soll. Er riet, das Abendmahl darstellen und einen Text anbringen zu lassen, »das sie fur augen da stunden, damit das hertz daran gedecht, ja auch die augen mit dem lesen Gott loben und danken müßten ... Die andern bilde von Gott oder Christo mügen wol sonst an anderen orten gemalte stehen.«
Besondere Bedeutung erhielten jene Bildthemen, die geeignet waren, die Grundgedanken von Luthers Theologie zu verbreiten, so wie er sie unter anderem in seinem Sermon »Vom Unterschied zwischen Gesetz und Evangelium« dargelegt hat. Danach ist der Mensch wohl wegen seiner Sünden nach dem Gesetz schuldig, doch im Evangelium hat Gott die Menschen seiner Gnade versichert und sie von ihrer Schuld, die durch den Opfertod Christi bezahlt wurde, freigesprochen. Danach sind allein Gottes Gnade und der Glaube für die Erlösung der Menschen entscheidend, nicht aber die sogenannten guten Werke. Damit war das zentrale Thema der evangelischen Kunst gegeben. Es liegt den Allegorien von Gesetz und Evangelium in ihren verschiedenen Fassungen zugrunde. An Sündenfall, Tod und Erlösung stellen sie die Rechtfertigung der Menschen allein aus der Gnade und durch den Glauben dar.
Die Auswahl der Szenen erfolgte meist in Anlehnung an den 2. Artikel des Glaubensbekenntnisses, den Luther im »Großen Katechismus« von 1529 kommentiert hatte. Das bedeutendste der Werke ist wohl der Altar der Weimarer Stadtkirche St. Peter und Paul von Lucas Cranach d. J. aus dem Jahre 1555.
Zu diesem Themenkreis gehören auch die Darstellungen »Christus und die Ehebrecherin«, der »Kindersegen« und »Christus und das Weib aus Samaria«. Sie alle veranschaulichen den Gedanken, daß Gnade nicht zu erkaufen ist, sondern allein aus der Barmherzigkeit Gottes und durch den Glauben zuteil wird. Beim »Kindersegen« mag die Auseinandersetzung mit den Wiedertäufern eine Rolle gespielt haben. Ähnlich ist auch der Holzschnitt der »Heiligen Sippe« Cranachs aus der Zeit um 1510 in den zwanziger Jahren mit einem Text versehen und aktualisiert worden; er sollte nun für den Schulbesuch werben.
Ein anderer wichtiger Themenkreis der protestantischen Kunst war die Darstellung der Sakramente, von denen Luther nur die Taufe, zunächst auch die Buße und das Abendmahl gelten ließ, jene also, die den Zusammenhalt der Gemeinde betonten, während er diejenigen, die die Sonderstellung der Priester begründet hatten, ablehnte. Die Sakramente, von den Reformatoren selbst gespendet, sind zusammen mit der Predigt Luthers auf dem Altar der Wittenberger Stadtpfarrkirche dargestellt, den Lucas Cranach d. Ä. noch vor 1539 begonnen und den sein Sohn 1547 vollendet hatte.
Da es um das Abendmahl auch im protestantischen Lager Auseinandersetzungen gab, kam seiner Darstellung besondere Bedeutung zu. Wenn Dürer auf seinem Holzschnitt von 1523 den Kelch betont in den Vordergrund rückt, ist darin wohl ein Be-

kenntnis zur Spende des Abendmahls in beiderlei Gestalt, das heißt auch zum »Laienkelch« zu sehen. Auf dem Dessauer Altar des jüngeren Cranach von 1565 (Dessau-Mildensee) treten in der Abendmahlsrunde die Reformatoren und anhaltische Fürsten an die Stelle der Jünger. Damit wurde dem Altarbild der letzte Rest vom Charakter eines Kultbildes genommen, es wurde zum Gedächtnisbild. Das Abendmahl, in zeitliche Nähe gerückt, erscheint als Gedächtnismahl der Gemeinde, die von den Dargestellten gleichsam vertreten wird. Entscheidende Quelle für Motivwahl und Motivtradition der protestantischen Kunst war natürlich die Bibel, deren Kenntnis ja durch die zahlreichen Drucke sehr zugenommen hatte. Andere Bildquellen wie Legendarien, Passionarien usw. waren weitgehend ausgeschlossen. Die Bildauswahl wurde auch kaum durch neue Motive erweitert, aber mit der Reformation erhielten die alten Themen einen neuen Sinn. »Simsons Kampf mit dem Löwen« wurde zum Gleichnis für die Reformatoren; wie jener den Löwen bezwang, wollten diese den Papst überwinden. Die Säulen des Dagontempels, die Simson brach, deutete Luther selbst in einer seiner Tischreden als »die Messe und das Zölibat«. Gleichzeitig war Simson für Luther eine Christus-Allegorie.

Zunächst hatte Luther die Heiligen und ihre Bilder abgelehnt, später gab er ihnen eine positive Deutung. Hatte er einmal die Legende vom heiligen Christophorus »der grösten geticht und lugen eyne« genannt, so deutete er diese Gestalt später als Sinnbild eines jeden Christen und besonders des Predigtamtes. Den heiligen Hieronymus schätzte er — ähnlich wie die Humanisten — wegen seiner Leistung bei der Bibelübersetzung. Und wenn er dem Annenkult gegenüber duldsam war, so machte sich die Herkunft des Bergmannssohnes bemerkbar, war doch die heilige Anna die Schutzpatronin der Bergleute. Energisch aber forderte er die Beseitigung der Schutzmantelmadonnen, die den Menschen glauben machten, er könne bei Maria Zuflucht vor Christi Zorn finden, statt ihn auf die Gnade Christi zu verweisen. Ebenso lehnte er alle die Heiligenbilder ab, die von Menschenhand manipuliert werden konnten.

Man wird den protestantischen Bildern nicht gerecht, wenn man zwar ihren Wert als »Merkbilder« in Luthers Sinne hervorhebt und ihre agitatorische Wirkung anerkennt, ihren künstlerischen Wert aber in Zweifel zieht. Der Künstler hatte zwei Probleme zu lösen: Er mußte einen Inhalt gestalten, den es so, in seinem protestantischen Verständnis, vorher in Bildern nicht gab, und er mußte dafür eine gute und zweckmäßige Form finden. Da die neuen Inhalte aus der Theologie Luthers, seinen Schriften und Predigten übernommen wurden und sich Bedingungen unterwerfen mußten, für die in der Tafelmalerei die Tradition fehlte, führte dies zwangsläufig zu einer oft archaisch wirkenden Gestaltung. Vom Vorhandenen konnten nur allgemeine und meist grobe Strukturen übernommen werden, am ehesten noch boten sich Flugblätter als Vorbilder an. Erst allmählich entwickelte sich eine neue, eigenständige Formtradition der protestantischen Kunst.

Das Bild war für Luther ein Mittel der protestantischen Lehre, und diesem Zwecke hatte es sich in Form und Inhalt anzupassen. Er wünschte zumal für seine volkstümlichen Schriften »imer viel exempel aus der schrifft«. Auch sagte er: »Denn ichs nicht für böse achte, So man solche geschichte auch ynn Stuben und ynn kamern mit den sprüchen malet, damit man Gottes werck und wort an allen enden ymer vor augen hatte.« Das Bild sollte — wie die Altartafel auch — durch das geschriebene Wort ergänzt werden, erst dieses gab nach Luthers Meinung den rechten Sinn. Das Bild war eigentlich nur Illustration des Evangeliums und des neuen Glaubens, es erhielt zunehmend lehrhaften Charakter. Die Gothaer Altartafel zum Beispiel zeigt 160 Szenen nach Luthers »Septembertestament« und ist im eigentlichen Sinne eine »Bilderpredigt« (von Hintzenstern). An die Stelle naiver Schaubarkeit traten immer häufiger erläuternde Spruchbänder mit kommentierenden Texten; schon dies deutet darauf hin, daß das Bild wieder von einem Pastor erklärt werden sollte, da die Fähigkeit des Lesens ja bei vielen Gemeindemitgliedern nur gering ausgebildet war. Im Grunde konnte das Bild ganz durch die Schrift ersetzt werden, und nicht selten sind ja in protestantischen Kirchen statt der Bilder Tafeln mit Bibeltexten angebracht worden. Das entsprach auch der neuen Auffassung vom Gottesdienst, in dessen Mittelpunkt die Predigt stand. In der Confessio Augustana heißt es: »Die Kirche ist die Versammlung aller Gläubigen, bei der das Evangelium rein gepredigt und die Sakramente richtig verwaltet werden.«

Das Andachtsbild trat zurück hinter dem »Merkbild«, nicht mehr Verinnerlichung war gefordert, sondern die Bilder sollten die neue Lehre sachlich und unverfälscht vermitteln. Jede subjektive Auslegung durch den Künstler wie den Betrachter war unerwünscht. Der Subjektivismus im Umgang des einzelnen mit Gott wurde eingegrenzt, zwischen Bild und Betrachter entwickelte sich ein neues Verhältnis. Der gemalten Tafel kam nun eine ähnliche Funktion zu, wie sie früher das Flugblatt besessen hatte, jene aber bot den Vorteil, daß die Bildagitation vor versammelter Gemeinde erfolgte und damit besser unter Kontrolle zu halten war. Die Tafeln sollten möglichste Breitenwirkung erreichen, das heißt, sie mußten ablesbar in der Form und eindeutig in der Aussage sein. Das ließ sowohl die vielfigurige, durch Texte kommentierte, mehrere Handlungen kontinuierlich reihende Komposition zu wie die ganz vordergründige Konzentration auf ein Geschehen, dessen Akteure meist als Halbfiguren gegeben wurden. Bewußt ist auf alles Artifizielle verzichtet, Tiefenräumlichkeit verschwindet ebenso wie der beliebte Naturausschnitt, obwohl beides in den profanen Bildern durchaus noch vorhanden ist. Nur das zur Illustration der Bibelworte Erforderliche wird gegeben, Gegensatzpaare bleiben weiter beliebt. Den Folgen der Sünde unter dem Gesetz wird die Erlösung durch die Gnade gegenübergestellt, den auf ihre Werkgerechtigkeit sich berufenden Pharisäern die durch Gottes Barmherzigkeit Begnadeten. Es wird der rechte Gebrauch der Sakramente im lutherischen Verständnis geschildert, und es werden Menschen dargestellt, die als Vorbil-

der in ihrer Glaubensweise oder als »Fürbilder Christi« galten, das heißt Bilder, die für Christus standen. Die Kompositionen sind so angelegt, daß sie ohne Substanzverlust durch die Werkstatt in freier Abwandlung vervielfältigt werden konnten. Was zunächst als Verlust erscheinen mag, erweist sich in anderer Hinsicht als Gewinn neuer Möglichkeiten: Das Tafelbild, nicht mehr nur die Druckgraphik, tritt in den Dienst der Verbreitung der neuen Lehre.
Diese Tendenzen sind auch in den späteren Reformatorenbildnissen zu beobachten. Nach 1529 weicht die den frühen Luther-Porträts eigentümliche, dem Momentanen nachspürende Auffassung. Alles Zufällige, alles allzu Individuelle und Private wird unterdrückt. Dem Betrachter sollte ein einprägsamer Typ vor Augen geführt werden, es wurde gestaltet, was der Nachwelt erhalten werden und auf die Zeitgenossen wirken sollte. Die damit verbundene Vereinfachung hatte den Vorteil, daß die Luther-Porträts in der Werkstatt, oft mit Hilfe von Pausen, vervielfältigt werden konnten. Die Nachfrage war groß, und aus der Cranach-Werkstatt allein waren ja authentische Bildnisse des Reformators und seiner Mitstreiter zu erwarten. Der gefundene Typ war in solchem Maße vorbildlich, daß er zum Prototyp aller späteren Pastorenbilder werden sollte.
Um die Mitte des 16. Jahrhunderts setzte in Deutschland ein sichtbarer Niedergang der bildenden Künste ein. Sicher ist dieser nicht durch die Reformation verschuldet, er hat weit allgemeinere und tiefer reichende sozial-ökonomische Ursachen, aber ebenso sicher war die Reformation der bildenden Kunst nicht besonders förderlich. Nicht das Bild, sondern das Wort und die Musik waren ihre bevorzugten Medien.
Aus der Niederlage der frühbürgerlichen Revolution waren die Fürsten als die eigentlichen Sieger hervorgegangen, auch die lutherische Kirche konnte sich nur in den von diesen kontrollierten Landeskirchen entwickeln. Ganz entsprechend begann nun auch die Hofkunst, sich erneut zu entfalten, da aber für die Fürsten internationale dynastische Verbindungen wichtiger waren als nationale Traditionen, so brach auch in der Kunst die eigenständige Entwicklung ab; dem Geschmack der Fürsten folgend orientierte man sich vorrangig an italienischen oder niederländischen Vorbildern oder rief gar ausländische Meister ins Land. Nicht der Stil der italienischen Renaissance in seiner Einheit von antikisierender Form und bürgerlichem Inhalt wurde übernommen, sondern nurmehr die Manier, die »welsche Mode«, wie es Dürer einmal nannte. Der Manierismus setzte sich durch.
Die überseeischen Entdeckungen, und nicht nur diese, hatten höchst negative Auswirkungen auf die Entwicklung der deutschen Wirtschaft. Die Bedeutung des Erzbergbaues ging zurück, die Handelswege verlagerten sich, dem Bürgertum standen immer geringere Mittel zur Förderung einer eigenen Kunst zur Verfügung, es büßte seine hervorragende Rolle als Kulturträger ein, wurde weitgehend eingeengt auf Gewerbe, Kirche und Familie, höchstens Aufträge für Porträts und Epitaphien waren von ihm zu erwarten.
Große Kunst für die Öffentlichkeit wurde kaum noch geschaffen, ja gar nicht in Auftrag gegeben. An ihre Stelle trat seit den zwanziger Jahren die Kunst für Liebhaber und Sammler; die Statuette, die Medaille, das Kabinettstück, der kleinmeisterliche Kupferstich und die Kabinettscheibe sowie ausgesuchte Werke des Kunsthandwerks. Nur ein kleiner Teil der Künstler, die um die Jahrhundertwende ausgebildet worden waren, als eine große Nachfrage nach Werken der bildenden Kunst bestand, fand jetzt Arbeit und Brot. Manch einer mußte Deutschland verlassen, andere endeten in Armut.
Im Gesamten der Geschichte der deutschen Kunst erweisen sich Reformation und frühbürgerliche Revolution als ein entscheidender Umschlagpunkt. Ein neues Verhältnis zur Kunst hatte sich herausgebildet, diese erhielt neue Aufgaben, wurde von anderen sozialen Schichten getragen und wandte sich an andere Adressaten. Die Glaubensspaltung hatte dabei auch eine unterschiedliche Vorbildwahl in der Zukunft zur Folge: Während sich die katholisch gebliebenen oder in der Gegenreformation rekatholisierten Länder besonders Italien, aber auch Frankreich zuwandten, orientierten sich die protestantischen Länder an den Niederlanden. Der Reformation Luthers war ja die Zwinglis und Calvins gefolgt, und was in Deutschland in der Mitte des 16. Jahrhunderts zum Abbruch kam, konnte in den niederländischen Nordprovinzen im 17. Jahrhundert zur Reife gelangen. Die Impulse aber, die von der deutschen Kunst der Reformationszeit auf ganz Europa ausstrahlten, sind nicht gering zu werten. Gerade die bildenden Künste hatten ja ganz aktiv mit ihren spezifischen Mitteln an der großen Generalkonfrontation von Glauben und Wissen, Theologie und Philosophie teilgenommen und so auf ihre Weise dazu beigetragen, daß an die Stelle des alten theozentrischen ein neues anthropozentrisches Welt- und Menschenbild getreten war. E. U.

Des Schwertes und des Zornes Zeit

Die tiefen Erschütterungen der vorrevolutionären Krise, gesellschaftliche Mißstände, Seuchen und Naturereignisse, für die eine befriedigende Erklärung fehlte, hatten bei den Menschen in der Zeit um 1500 zu Existenzangst, zur Erwartung von Weltuntergang und Weltgericht geführt. Viele mögen Wunder und Zeichen gesehen haben, wie sie Dürer in seinem »Gedenkbuch« beschrieb: »Das größte Wunderwerk, das ich all mein Tag gesehen hab, ist geschehen im 1503 Johr, als auf viel Leut Kreuz gefallen sind ...« Er berichtet von »Eyrers Magd«: »Und sie was so betrübt drum, daß sie weinet und sehr klagt; wann sie forcht, sie müßt dorum sterben« (Albrecht Dürer, Leipzig 1971, S. 50).

Der am Oberrhein tätige Petrarca-Meister, der um 1520 die Holzschnittillustrationen für Petrarcas »Von der Artznay bayder Glück, des guten und des widerwärtigen« (Augsburg: Heinrich Stayner, 1532) und zu Cicero »Officia deutsch« (Augsburg: Heinrich Stayner, 1531) stach, gab im »Ständebaum« eine Darstellung der sozialen Ordnung mit einer entscheidenden Korrektur: Die Bauern, die aus den Wurzeln des Baumes kriechen und dessen ganze Last mitsamt den Vertretern der verschiedenen Stände tragen, kehren auf der höchsten Astgabel des Baumes wieder, jetzt feiernd und den Dudelsack blasend. Wenn dabei der Fuß des einen auf der Schulter des Papstes steht, der des anderen an die Krone des Kaisers stößt, ist dies sicher mehr als ein Zufall. Die antifeudale, antipäpstliche, bauernfreundliche Gesinnung des Künstlers wird offenbar.

Der Petrarca-Meister hat in seinen Illustrationen die Morallehren beider Schriften in seine eigene Zeit übertragen. Er schildert sehr drastisch die gesellschaftlichen Zustände, die Gegensätze von Arm und Reich, Gewalt und Leid, Herrschaft und Unterdrückung. Seine Sympathien galten dem einfachen Volke, den Bauern und Handwerkern. Adel und Geistlichkeit dagegen werden scharf kritisiert, Wucher und schlechtes Regiment gegeißelt und der König ermahnt, seine Pflichten Volk und Reich gegenüber zu erfüllen.

Furcht und Elend der einfachen Menschen, Kritik an den Mißständen in Staat und Kirche, aber auch die Sehnsucht nach einer neuen, besseren Ordnung hatte schon Albrecht Dürer gestaltet, als er 1498 die 15 Folioblätter der »heimlich Offenbarung johannis«, der »Apokalypse«, riß. Er hatte ein Thema aufgegriffen, das auf eine lange Tradition zurückging und das wie kein anderes geeignet war, die Erschütterungen der Menschen am Vorabend der frühbürgerlichen Revolution zum Ausdruck zu bringen. Trotz der Gebundenheit an einen Text und an eine überlieferte Ikonographie für die einzelnen Szenen gestaltete er in der Blattfolge eine ganz persönliche Stellungnahme, die zugleich die Ängste und Erwartungen der Menschen in dieser von Krisen erschütterten Zeit artikulierte. Unter härtester Ausbeutung und feudaler Willkür, bei Hunger und Not, Hexenwahn und Weltuntergangserwartung war das Verlangen nach einer Reformation an Haupt und Gliedern erwacht. Beeinflußt von Volksströmungen der Mystik und des Glaubens an ein Tausendjähriges Reich, von hussitischem Gedankengut und im Wissen um die »Gravamina der deutschen Nation« formulierte Dürer eines der Ziele des bürgerlichen Kampfes gegen Feudalismus und Papstkirche: die Utopie eines von Rom freien, von einem starken Königtum regierten bürgerlichen Nationalstaates. Im Gegensatz zu älteren Apokalypse-Illustrationen begriff Dürer die Gesellschaft dynamisch, sah er sie in Erwartung, Bewegung und Wandlung begriffen.

Die Komposition der Blätter ist zwingend; suggestive Kraft der Linien und heftige Kontraste von Licht und Schatten geben jedem seine eigene Dramatik. Die Tiefenräumlichkeit im Landschaftlichen, kräftig modellierte Gestaltung und genau gesehene Details übertragen die Vision in die reale Wirklichkeit, verleihen den Darstellungen eine ungestüme, aufrührerische Überzeugungskraft. Dabei führte Dürer den Holzschnitt zu einer solchen Vollendung der formalen Gestaltung, wie sie vor ihm nirgends erreicht worden war.

Neben der Apokalypse arbeitete Dürer bereits an der Großen Holzschnitt-Passion. Er hatte sich einem Thema zugewandt, das ihn immer wieder bewegen sollte. Noch 1498 entstanden jene Blätter, die von besonderer Dramatik erfüllt sind: »Ölberg«, »Geißelung«, »Ecce homo«, »Kreuztragung«, »Kreuzigung«, »Beweinung« und »Grablegung«. Es sind die Szenen, die im Bilde Christi den geschundenen Menschen der Zeit ein Denkmal setzten. In der Passion sahen Dürer und seine Zeitgenossen nicht ein vergangenes Geschehen; mit jeder Einzelheit siedelte er die Vorgänge in seiner eigenen Gegenwart an. Das Leiden Christi wurde so zum Spiegelbild des Leidens des Volkes unter der Willkür einer unchristlichen Obrigkeit, der »ungerecht Tyrannei der weltlichen Gewalt und Macht der Finsternis«, wie er später im Tagebuch seiner niederländischen Reise schreiben sollte (Albrecht Dürer, Leipzig 1971, S. 94). Trotz aller Marter aber ist die Würde des Menschen gewahrt. Das Leiden ist durchdrungen von menschlicher Größe und männlicher Kraft, nicht die Martern sind das Entscheidende, sondern der Sieg des Menschen über sie. So wird schließlich der Geschundene am Kreuz zu einem Zeichen, unter dem sich ein neuer Geist von Menschentum erheben sollte. Und dies im wahrsten Sinne des Wortes: Ein Holzschnitt aus Pamphilius Gengenbachs Werk »Der Bundschuh«, Basel 1514, zeigt Bauern, die auf die Bundschuhfahne schwören, und auf dieser ist eine Kreuzigung dargestellt.

Als Dürer 1525 seine »Bauernsäule« entwarf, da gab er dem gemeuchelten Bauern Haltung, Gebärde und Ausdruck eines »Christus in der Rast«, eines »Erbärmebildes«, wie es Dürer und seinen Zeitgenossen stets als Zusammenfassung der Leidensgeschichte Christi erschienen ist. Dürer hat es deshalb auch seiner Kleinen Passion vorangestellt. Den Menschen damals war das Motiv aus zahlreichen Andachtsbildern vertraut. So ist das Schicksal des Bauern, der sich im Bauernkrieg erhoben hatte und von den Fürsten gemordet worden war, ganz auf die Passion Christi bezogen, er ist es, der wirklich die Imitation Christi vollzieht, der Christus nachfolgt.

Unmittelbar nach dem Bauernkrieg vollendete Dürer seine beiden Tafeln der »Vier Apostel«. In diesem »Bekenntnisbild« gipfelt die Darstellung eines neuen Bildes vom Menschen, die sich in vielfältiger Weise in Plastik, Malerei und Graphik entwickelt hatte. Auf dem Höhepunkt der Klassenauseinandersetzungen gab der Künstler im Bilde des freien, allseitig gebildeten, sein Schicksal in gesellschaftlicher Verantwortung bestimmenden Menschen das Ziel des revolutionären Kampfes. Hier ist »nicht nur ein neuer Begriff von heiligen Männern in die Erscheinung getreten ..., sondern ein neuer Begriff von menschlicher Größe überhaupt« (Wölfflin, München 1924, S. 293). Das humanistische Ideal des Menschen, der fähig ist und Kraft besitzt, sich zu entscheiden und zu entwickeln, verband sich mit den sittlichen Werten einer neuen Religiosität und jenem Menschenbilde, wie es Luther in seinem Streit um die Willensfreiheit mit Erasmus aufgefaßt hatte. In Männern christlichen Glaubens gewann es Gestalt und vermochte so zum Volke in einer diesem verständlichen Sprache zu sprechen.

Daß dieses Menschenbild bereits in der Skulptur um 1500 vorbereitet wurde und auch im einfachen Werkmann gesehen wurde, zeigt Anton Pilgrams »Kanzelträger«. In welchem Maße im Menschenbilde die Grenzen des dem Bürgertum Möglichen erreicht, ja überschritten wurden, belegen Dürers und Cranachs Porträts von Bäuerinnen und Bauern. Und während noch Thomas Morus der Urbevölkerung der neuen Kolonien menschliches Wesen absprach, zeichnete Dürer 1515 einen Neger und 1521 die »Mohrin Katharina« in der ganzen Größe und Würde seiner Auffassung vom Menschen. Jene Achtung vor allem, was Menschenantlitz trägt, die der Humanismus lehrte, wurde in der bildenden Kunst praktisch verwirklicht.

In welchem Maße die Künstler bemüht waren, dieses Bild vom Menschen anderen nahezubringen, zeigen die vielen im Druck erschienenen Apostel- und Heiligenfolgen, aber eben auch die Kupferstiche mit Bauerndarstellungen Dürers. Seine »Drei Bauern im Gespräch« stellen den wahrhaften, sich seiner Würde bewußten Bauern dar, nicht den Tölpel städtischer Schwänke. Eine neuentdeckte Zeichnung in der Hamburger Kunsthalle, die zu dem Stich von 1519 gehört, der unter der Bezeichnung »Der Marktbauer und seine Frau« bekannt ist, trägt von Dürers Hand die Aufschrift: »Das ist der pawer der die priff gert.« (Vgl. Kat.-Nr. A 16.4) Dargestellt scheint demnach ein Bauer, der seine Abgaben – Hühner und Eier deuten auf den kleinen Zehnten hin – nur noch nach verbrieftem Recht leisten will. Und gerade die Abschaffung des kleinen Zehnten gehörte zu den Grundforderungen der revolutionären Bauern.

Die Umwelt ist nun nicht mehr nur Rahmen für ein heiliges Geschehen, sondern sie existiert unabhängig davon, ist objektive Realität. In der bildenden Kunst artikuliert sich, was damals keiner auszusprechen vermocht hätte: die Anfänge eines im Grunde materialistischen Weltverhältnisses. E. U.

A 1 Wilhelm Pleydenwurff *Abbildung*

Die Vernichtung des Antichrist. 1493

Blatt CCCIX r
des Buches der Chroniken und Geschichten (Weltchronik)
von Hartmann Schedel, Nürnberg,
gedruckt bei Anton Koberger, Nürnberg 1493

Buchholzschnitt. 36,5 x 22,5 cm
Aus Sammlung Beuth überwiesen
Berlin, Hauptstadt der DDR, Staatliche Museen, Kupferstichkabinett

Je mehr sich seit dem ausgehenden 15. Jahrhundert die gesellschaftlichen Widersprüche in Deutschland zuspitzten, um so mehr rückte auch die künstlerische Polemik in den Blickpunkt des Interesses. Sie wurde Teil der unmittelbaren politischen Auseinandersetzung, deren Hauptinhalt die Kritik an der Instanz der Kirche wurde.

A 1

War das äußerst komplizierte Verhältnis zwischen Kaiser und Papst schon während des gesamten Mittelalters starken Spannungen unterworfen, so geriet es jetzt am Vorabend der Reformation in ein derart kritisches Stadium, daß sich alle gesellschaftlichen Kräfte zur Opposition aufgerufen fühlten. Die Ursachen für diese Opposition lagen in den katastrophalen Zuständen an der Kurie und in ihren skrupellosen Machenschaften. Man sah im Papst die Verkörperung des Antichrist, des Widersachers Christi. Damit erhielt die Endzeiterwartung neuen Zündstoff. Sollte doch nach den Aussagen der Bibel der Antichrist mit dem Jüngsten Tag über die Menschheit kommen und zusammen mit ihr im Jüngsten Gericht vernichtet werden. Nach den Beschreibungen des Kirchenlehrers Augustin (354–450) wurde die Geschichte der Menschheit in sechs Weltalter eingeteilt, so daß auch in der Weltchronik des Hartmann Schedel die Vernichtung des Antichrist als »das sibend alter« erscheinen mußte.

Der großformatige Holzschnitt zeigt den Kampf gegen den Antichrist als stark bewegtes Geschehen. Es ist ein Kampf zwischen lammsgehörnten, geiergesichtigen, geflügelten Ungeheuern, die den Kleriker mit sich reißen, und dem mit Feuer und Schwert vom Himmel fahrenden Engel, der über die Menschheit dahinrast. Sie muß entscheiden zwischen dem Vertreter der Kirche, der geleitet wird von den Eingebungen des Teufels, und dem Prediger, der das wahre Evangelium lehrt. Künftige Bildpolemiken, die im »Passional Christi und Antichristi« von Lucas Cranach d. Ä. (vgl. Kat.-Nr. B 78) gipfeln, scheinen in der Formulierung dieses Motivs durch Michael Wolgemut, den Lehrer Albrecht Dürers, vorweggenommen. Diese in die Zukunft weisende Bedeutung des Blattes ist auch der Wahl der künstlerischen Mittel eigen: In einem neuen Verständnis des Raumes werden die Figuren zueinander gruppiert, wird das Geschehen konzentriert. Die Linien werden in energischer Aktivität gezogen – eine Intensivierung der bisher möglichen Ausdrucksweisen, die im graphischen Schaffen Dürers ihre Vollendung erfahren sollte. K. F.

A 2 Albrecht Dürer

Apokalypse. 1498

Urausgabe mit lateinischem Text

Folge von 15 Holzschnitten
Berlin, Hauptstadt der DDR, Staatliche Museen, Kupferstichkabinett
Dresden, Staatliche Kunstsammlungen, Kupferstich-Kabinett (A 2.1 und A 2.12)

Innerhalb der Bibel bildet die Apokalypse (griech.: Offenbarung) des Johannes das letzte Buch im Neuen Testament. In 22 Kapiteln konzentriert sich die Schrift auf die Verheißung des messianischen Reiches. Die visionäre Vorstellung eines kommenden göttlichen Strafgerichts wird im Text in eine komplizierte Symbolik gekleidet. Daraus ergab sich die Einstellung, die Apokalypse als das schwerverständlichste und dunkelste Buch des Neuen Testaments zu charakterisieren. Die apokalyptischen Schriften stehen den Prophetenbüchern am nächsten. Während aber die Propheten das Datum des kommenden Weltgerichtes unberücksichtigt ließen, wendeten die Apokalyptiker alle ihre Fähigkeiten auf, um Tag und Stunde des nahenden Endes zu errechnen.
Seit dem 2. Jahrhundert wurde von den westlichen Kirchenvätern die Identität von Johannes dem Apokalyptiker mit Johannes dem Evangelisten bestätigt. Erst im 16. Jahrhundert ist der Streit um Person und Schrift neu entfacht worden. Aus dem Text selbst geht hervor, daß wir in Johannes einen kleinasiatischen Judenchristen vor uns haben, der in seinem Verbannungsort auf der Insel Patmos (heute Palmosa, südwestlich von Ephesus) die Offenbarungen im Geiste empfing und niederschrieb. Er starb in Ephesus und liegt dort begraben. Johannes reiht sich in den Kreis der Apokalyptiker ein, auf deren Symbolik er oftmals konkret zurückgreift. Die Festlegung auf eine kurzfristige Erfüllung der messianischen Botschaft kann

nur aus den dramatischen Verhältnissen großer sozialer Not verstanden werden. So entstand die Apokalypse des Daniel in den Bedrängnissen der makkabäischen Freiheitskriege. Die visionären Offenbarungen des Henoch wurden während der Herrschaft des Hohenpriesters Johannes Hyrkanus niedergeschrieben. Esra empfing seine Offenbarung, als Titus Jerusalem zerstörte. Ihnen gemeinsam ist die Verheißung des kommenden göttlichen Friedens. Wiederholt wurden die Gläubigen enttäuscht, über den Trümmern des irdischen Jerusalem blieb das erwartete göttliche Zeichen aus. Trotzdem war der Glaube an die Wiederkunft des Messias ungebrochen. Als Johannes zum Seher kommender göttlicher Strafgerichte wurde, befanden sich besonders die Christen in arger Bedrängnis. Es war die Zeit der ersten großen Christenverfolgungen unter dem heidnischen Kaiser Nero, der während der Erhebung gegen die Römer in Jerusalem zwanzigtausend Juden an einem einzigen Tag ermorden ließ. E. B.

A 2.1

Abbildung

Die Marter des Evangelisten Johannes

Bez. u. M.: Monogramm des Künstlers
Holzschnitt. 39,2 x 28,3 cm
Bartsch 61; Meder 164

Außerhalb der Blätter, die sich auf den Text beziehen, beginnt Dürer in herkömmlicher Weise mit der Marter des Johannes. Das Motiv des vorangestellten Martyriumsbildes stammt aus gotischer Tradition, die Dürer allerdings aus der formelhaften Enge herauslöst. In den oben erwähnten Blockbuchillustrationen ist der Apokalypse eine Johanneslegende in mehreren Bildern vorangestellt. Ihre Darstellungsweise folgt typologisch dem mittelalterlichen Schema. Die Künstler richteten ihre Bilder nach der konsequenten Naturbeobachtung und brachen mit der stilisierenden Form. Wie die Legende berichtet, verweigerte Johannes in Ephesus das Opfer vor den heidnischen Göttern. Die Folge war, daß man ihn vor den römischen Kaiser Domitian schleppte, der ihn zum Tode in kochendem Öl verurteilte. Durch den Beistand Gottes erlitt Johannes jedoch keinen Schaden und wurde nach Patmos verbannt. Dürers erstes Blatt schildert diese Szene als weltlich-realistische Begebenheit seiner Zeit.

Die Darstellung der Henkersknechte, die Johannes mit Öl übergießen und sich der Inganghaltung des Feuers befleißigen, sind Motive aus der Quentell-Koberger Bibel, genauer aus der Grüninger Bibel. Mehrere Bedeutungsstufen sind in das erste Bild eingegeben. Zum einen ist es ein Denkmal für den Evangelisten, zum anderen gehen von ihm parallele Bezüge zu den Schicksalen von Hans Böheim (unter dem Namen Pfeiferhänslein von Niklashausen führte er den Aufstand von 1476 bei Würzburg) und dem Dominikanermönch Savonarola aus.

Beide starben in den Flammen der Scheiterhaufen weltlicher Gerichte. Überdies ist schon in allgemeiner Hinsicht das Grundthema der Apokalypse angesprochen. Die Zustände der Zeit werden kritisch beleuchtet. Außer der exotischen Erscheinung des Kaisers ist jedes Detail aus der Wirklichkeit des zu Ende gehenden 15. Jahrhunderts entnommen. Dürer konfrontiert mit ganz unterschiedlichen Existenzweisen. Auf der einen Seite erscheinen als Gipfel weltlicher Macht der Herrscher auf dem Thron und die Vertreter der Stände hinter der Brüstung und auf der anderen Seite Johannes. Er ist fern von allen irdischen Dingen im Gebet vergeistigt. Trotz aller überwältigenden Pracht des kaiserlichen Reichtums spricht Dürer dem Johannes die Fähigkeit zu, einen wahren und guten Christenmenschen zu verkörpern. E. B.

A 2.2

Abbildung Seite 30

Johannes erblickt die sieben Leuchter

Bez. u. l.: Monogramm des Künstlers
Holzschnitt. 39,5 x 28,4 cm
Bartsch 62; Meder 165

Das erste Blatt, welches sich unmittelbar mit den Visionen des Johannes auseinandersetzt, zeigt diesen kniend im Kreise der sieben Leuchter vor dem Höchsten. Im biblischen Text (Kapitel 1, Vers 1–20) wird die erste Erscheinung eindringlich geschildert. Aus ihm werden die einzelnen Gegenstände verständlich. »Das Geheimnis der sieben Sterne, die du gesehen hast in meiner rechten Hand, und die sieben goldenen Leuchter: die sieben Sterne sind Engel der sieben Gemeinden; und die sieben Leuchter, die du gesehen hast, sind sieben Gemeinden« (Kapitel 1, Vers 20). Die sieben Gemeinden tragen die Namen Ephesus, Smyrna, Pergamon, Thytira, Sardos, Philadelphia und Laedicea. Zu Beginn ergeht an Johannes der Befehl, das Gesehene in ein Buch zu schreiben und dieses an die Gemeinden zu senden. Das Blatt lebt von der Reduktion auf das Wesentliche. In der Vorgabe erkennt man deutlich die Quentell-Koberger und die Grüninger Bibel. Während Johannes dort vor der in einen mandelförmigen Rahmen eingeschlossenen Erscheinung kniet, ist er in der Dürerschen Fassung »... in seine eigene Vision eingeschlossen« (Panofsky 1977, S. 76). Formal gelingt es Dürer, das Irreale des Visionären durch einen konsequenten Realismus der Dinge zu vertiefen. »Die Dreidimensionalität des Raumes ist zugleich betont und geleugnet (da die Strenge der Symmetrie der ganzen Komposition und die abstrakte Durchsichtigkeit der Holzschnittlinien einer nicht-naturalistischen Interpretation Vorschub leistet), und eben die Tatsache, daß der Evangelist – ein Sterblicher gleich uns – als körperlich emporgehoben in einen übernatürlichen Bezirk erscheint, lädt uns ein, an seiner visionären Erfahrung teilzunehmen, anstatt nur Augenzeuge zu sein« (ebenda). E. B.

A 2.1

A 2.2

A 2.

A 2.3 *Abbildung*

Johannes erhält die Weisung gen Himmel

Bez. u. M.: Monogramm des Künstlers
Holzschnitt. 39,3 x 28,1 cm
Bartsch 63; Meder 166

»Darnach sah ich, und siehe, eine Tür war aufgetan im Himmel; und die erste Stimme, die ich gehört hatte mit mir reden wie eine Posaune, die sprach: Steig her, ich will dir zeigen, was nach diesem geschehen soll« (Kapitel 4, Vers 1).

Im Kapitel 5, Vers 1–14 wird der weitere Verlauf der Vision geschildert. Johannes tritt durch diese Tür vor den Rat der 24 Ältesten. In einem doppelten mandelförmigen Ring umsäumen diese Gottvater. Über dem Haupte Gottes sind die sieben Fackeln als Symbole seiner sieben Geister befestigt. Zum Zeichen ihrer Ergebenheit reichen die 24 Ältesten dem Höchsten ihre Kronen. Diese symmetrisch geordnete Versammlung schlägt dem Betrachter in einem Flammenkranz aus den weit geöffneten Himmelspforten entgegen. Das inhaltliche Zentrum der Darstellung ist das siebenfach versiegelte Buch und die Frage nach dem Würdigen, der dieses Buch zu öffnen vermag. Das Buch beschreibt in sieben Abschnitten den Verlauf des göttlichen Strafgerichtes. Dürer hat in seinem Blatt mehrere Ereignisse zusammengefaßt. Er zeigt die Trauer des Johannes darüber, daß sich augenscheinlich kein Würdiger findet, das Buch zu öffnen. Zum anderen ist das Buch schon aufgeschlagen. Das siebenfach gehörnte und mit sieben Augen versehene Lamm, Symbol für Jesus Christus, hat sich durch seinen Opfertod als würdig erwiesen. Auf diesem Blatt findet ein sich in der Folge mehrmals wiederholendes Gestaltungsprinzip seine erste Ausprägung. Dem himmlischen Geschehen wird im letzten unteren Drittel des Blattes die irdische Welt gegenübergestellt. Das ermöglichte es Dürer, mehrere Ereignisse des Textes zusammenzufassen. Noch ruht hier die Landschaft in einem harmonischen Frieden, doch die ersten Flammen züngeln bereits, die Winde bereiten den Sturm. E. B.

A 2.4 *Abbildung*

Die vier Reiter

Bez. u. M.: Monogramm des Künstlers
Holzschnitt. 39,4 x 28,1 cm
Bartsch 64; Meder 167

»Und ich sah, daß das Lamm der Siegel eines auftat; und ich hörte der vier Tiere eines sagen wie mit einer Donnerstimme: Komm! Und ich sah, und siehe, ein weißes Pferd. Und der darauf saß, hatte einen Bogen; und ihm ward gegeben eine Krone, und er zog aus zu überwinden, und daß er siegte ... Und es ging heraus ein ander Pferd, das war rot. Und dem, der darauf saß, ward gegeben, den Frieden zu nehmen von der Erde und daß sie sich untereinander erwürgeten; und ihm ward ein großes Schwert gegeben ... Und ich sah, und siehe, ein schwarzes Pferd. Und der darauf saß, hatte eine Waage in seiner Hand ... Und ich sah, und siehe, ein fahles Pferd. Und der darauf saß, des Name hieß Tod, und die Hölle folgte ihm nach. Und ihnen ward Macht gegeben, zu töten den vierten Teil auf der Erde ...« (Kapitel 6, Vers 1–8).

Bewegungsrichtung und die in der Diagonale zusammengehaltene Front der Reiter bilden gleichsam einen gewaltigen Besen, der, von allerlei Gewölk umgeben, die Erde reinigt. Dürer vereinheitlicht in einem Bildraum die Reiter und ihre Opfer (während der Text die Reiter einzeln entläßt und auch ihre Aufgaben voneinander unterscheidet).

Das, was da unter den Fittichen eines segnenden Engels über die Erde rast, sind die Personifikationen von Krieg, Hunger, Teuerung und Not. Ihr ewiger Begleiter ist der Tod. Ihr gnadenloses »Vorwärts«, der entseelte Blick, der sich in der Leere verliert, läßt sie als willenloses Werkzeug des göttlichen Strafgerichtes erscheinen.

Der Interpretation Chadrabas zufolge ist die gesamte Apokalypse eine Glorifikation Maximilians I., verbunden mit chiliastischen Ideen. Hinter dem Begriff Chiliasmus verbirgt sich der Glaube an das nahe Tausendjährige Reich göttlicher Freiheit (griech. chilioi = tausend). Die Chiliasten hofften zunächst, als eine Art Vorstufe, auf die ideale Monarchie, die durch einen idealen Herrscher verkörpert werden sollte. Maximilian I. erweckte in den ersten Jahren seiner Herrschaft (1493–1519) diese Hoffnung, zumal im nahen Jahr 1500 die apokalyptische Vision Wirklichkeit werden sollte. Möglicherweise hat Dürer, der zusammen mit seinen Humanistenfreunden Maximilian verehrte, ihm mit der Apokalypse ein Denkmal setzen wollen. M. E. zielt die Apokalypse auf die Darstellung des Grundproblems der Menschheit und läßt sich weniger auf genaue, aus der Zeitgeschichte Dürers stammende Ereignisse oder Personen festlegen. Chadrabas Interpretation folgend, stellt der dritte Reiter von oben Maximilian dar. »Er trägt hier ein kostbares Reiterkostüm, auch ist sein Pferd reich aufgezäumt, damit die Herrscherwürde des Reiters voll zum Ausdruck kommt. In der Hand hält er eine Waage ... Die Waage bedeutet in diesem Sinne, in dem der Reiter Maximilian vorstellt, die Gerechtigkeit« (Chadraba 1964, S. 89). In diesem Zusammenhang erscheint es logisch (als Beweis dienen physiognomische Ähnlichkeiten zeitgenössischer Darstellungen), den zweiten Reiter von oben als Friedrich den Weisen zu bezeichnen (dieser hatte als einziger Kurfürst die Reichsreform Maximilians auf dem Wormser Reichstag von 1495 unterstützt). Weiterhin wird durch Chadraba auf einige Besonderheiten der Todesgestalt hingewiesen. »Dieser Tod ist kein Gerippe, sondern eine abgezehrte Gestalt mit wehendem Mantel und Bart, er mäht seine Opfer nicht mit der Sense nieder, sondern tötet sie mit einer Gabel. Die Sichel und Partisane überkreuzende Mistgabel wurde zur Zeit des Bauernkrieges im Jahre 1525 zum Siegel der aufständischen Bauern« (Chadraba 1964, S. 100). In dem ausgemergelten Mann mit eben jenem geteilten Bart »will man die Verkörperung des legendären Geizbartes (Geizbart ist eine allegorische Figur aus der Nürnberger Chronik des Sigismund Meisterlin von 1488) erkennen« (Chadraba 1964, S. 100). E. B.

A 2.4

A 2.5 *Abbildung*

Die Eröffnung des fünften und sechsten Siegels

Bez. u. M.: Monogramm des Künstlers
Holzschnitt. 39,4 x 28,3 cm
Bartsch 65; Meder 168

Vier Siegel sind bereits erbrochen, ihr Inhalt, die vier apokalyptischen Reiter, sind unaufhaltsam über die Erde gezogen. Im fünften Blatt hat Dürer die Eröffnung des fünften und des sechsten Siegels zusammengefaßt.

»Und da es das fünfte Siegel auftat, sah ich unter dem Altar die Seelen derer, die erwürgt waren um des Wortes Gottes willen und um des Zeugnisses willen, das sie hatten. Und sie schrien mit großer Stimme und sprachen: Herr, du Heiliger und Wahrhaftiger, wie lange richtest du nicht und rächst unser Blut an denen, die auf der Erde wohnen? Und ihnen wurde gegeben einem jeglichen ein weißes Kleid ... (Kapitel 6, Vers 9–11).

Und ich sah, daß es das sechste Siegel auftat, und siehe, da ward ein großes Erdbeben, und die Sonne ward schwarz wie

A 2.5

ein härener Sack, und der Mond ward wie Blut; und die Sterne des Himmels fielen auf die Erde, gleichwie ein Feigenbaum seine Feigen abwirft ...« (Kapitel 6, Vers 12–13).

Die geschilderte Einkleidung der unschuldig getöteten Gläubigen setzt Dürer als himmlisches Geschehen über die gesamte Handlung. Das Motiv geht auf die Blockbuch-Apokalypse zurück. Der Engel, welcher hinter dem Altar stehend die weißen Gewänder verteilt, ist in der Grüninger Bibel vorgestaltet.

Zum zweiten Mal finden wir die Unterteilung in eine himmlische und eine irdische Zone. Aber was für ein Unterschied! Während im 3. Blatt die irdische Region in einer wunderbaren Stille gezeigt wurde, ist sie nunmehr in einen katastrophalen Feuerregen getaucht. Ein Vorhang aus gekrausten Wolken öffnet sich und zeigt Kaiser und Kaiserin, Papst und Bischof und Kardinal auf der einen und Männer, Frauen und Kinder auf der anderen Seite, wo sie unter der Peitsche des Sternenhagels zusammensinken.

In seinem Tagebuch schreibt Dürer: »O ihr Christenmenschen, bittet Gott um Hilfe, dann sein Urtheil nahet und sein Gerechtigkeit wird offenbar. Dann werden wir sehen die Unschuldigen bluten, die der Papst, Pfaffen und die München vergossen, gerichtet und verdammt haben. Apocalypsis. Das sind die Erschlagenen, unter dem Altar Gottes liegend, und schreien um Rach, darauf die Stimm Gottes antwortet: Erwartet die vollkommene Zahl der unschuldigen Erschlagenen, dann will ich richten« (Heidrich 1908, S. 101). E. B.

A 2.6

Abbildung

Die vier Engel, die Winde aufhaltend

Bez. u. M.: Monogramm des Künstlers
Holzschnitt. 38,8 x 28,0 cm
Bartsch 66; Meder 169

»Und darnach sah ich vier Engel stehen auf den vier Ecken der Erde, die hielten die vier Winde der Erde, auf daß kein Wind über die Erde bliese, noch über das Meer, noch über irgend einen Baum ... Und ich hörte die Zahl derer, die versiegelt waren von allen Geschlechtern der Kinder Israels« (Kapitel 4, Vers 1–5). Dürer hat zwei Ereignisse in einem Blatt gestaltet: das Aufhalten der vier Winde durch vier Engel und das Versiegeln der 144000 Auserwählten aus den zwölf jüdischen Geschlechtern. Die Zusammenfassung ist in sich logisch, die vier Engel, die die Pause innerhalb des Strafgerichtes garantieren, sind die Bedingung für die Zeichnung derer, die vom Kommenden verschont werden sollen. Innerhalb der gesamten Handlung tritt diese Pause parallel zu einer späteren Pause ein: der vor der Ausgabe der siebenten Posaune. Mit dieser Szene wird die Möglichkeit eingeräumt, in der Vorbereitungszeit die Knechte Gottes vor dem Unheil des siebenten Siegels zu schützen. Das siebente Siegel unterteilt sich durch die Vergabe von sieben Posaunen wiederum in sieben Abschnitte. Die Pause vor der Verteilung der letzten Posaune läßt Dürer aus. Wichtig für die Handlung ist, daß in dieser Unterbrechung der Tempel Gottes geschützt wird, bevor der Entscheidungskampf das Böse endgültig vertreibt.

Die Idee, den vier Engeln, die sich um den Lebensbaum gestellt haben, Schwerter beizugeben, ist aus der Quentell-Koberger Bibel und der Grüninger Bibel entnommen. Panofsky weist darauf hin, daß die Vereinigung der Engel zu einem Block von Michael Pacher herkommen könnte. E. B.

A 2.7

Abbildung

Die sieben Posaunenengel

Bez. u. M.: Monogramm des Künstlers
Vom Schnabel des Vogels ausgehend die Silben ve ve ve
Holzschnitt. 39,3 x 28,1 cm
Bartsch 68; Meder 170

Die Rüstzeit ist beendet, alles Notwendige ist getan. Das unvorstellbare Inferno, welches durch das Blasen der sieben Posaunen über die Erde hereinbricht, wird von Dürer in diesem Blatt gezeigt. Während vier Engel bereits die Posaunen benutzen, werden von Gott die zwei letzten Posaunen übergeben. Als der erste Engel in die Posaune stößt, fallen Hagel und Feuer mit Blut gemischt auf die Erde. Ein Drittel der Erde verbrannte, ebenso der dritte Teil der Bäume und alles grüne Gras. Der große Feuerberg, den zwei phantastische Hände unter der Wolkendecke (eine Erfindung Dürers) hervor ins Meer werfen, so daß ein Drittel des Meeres zu Blut wird, ist Ergebnis der zweiten Posaune. Die vierte Posaune schließlich entläßt den Adler, der vor den letzten drei Posaunen warnt. E. B.

2.6

A 2.7

A 2.8

Abbildung Seite 34

Der Engelkampf

Bez. u. M.: Monogramm des Künstlers
Holzschnitt. 39,4 x 28,3 cm
Bartsch 69; Meder 171

Im 9. Kapitel werden die Geschehnisse nach dem Blasen der sechsten Posaune geschildert. »Und es wurden die vier Engel los, die bereit waren auf die Stunde und auf den Tag und auf den Monat und auf das Jahr, daß sie töteten den dritten Teil der Menschen« (Kapitel 9, Vers 15).

Obwohl im Text die vier Engel vom Euphrat den Inhalt der sechsten Posaune bilden, zeigt Dürer Gott hinter dem Altar mit drei noch nicht vergebenen Posaunen. Wahrscheinlich wollte Dürer im siebten Blatt den Inhalt aller sieben Posaunen zusammengefaßt zeigen. Das achte Blatt verläßt die Vogelperspektive und läßt den Betrachter aus nächster Nähe die Auswirkungen des Strafgerichtes spüren. Die metaphysische Gewalt ist in Gestalt der vier Engel herabgestiegen.

»Der Holzschnitt mit den Würgeengeln ... schließlich nimmt insofern eine Ausnahmestellung ein, als der schüchterne Stil der Szenen im Himmel einen scharfen Gegensatz zu der ungestümen Kraft der Aktion auf der Erde bildet. Allem Anschein nach hatte Dürer diese Komposition zu einem früheren Zeitpunkt gezeichnet und dann, unzufrieden mit der unteren Zone, die Kampfszene neu gefaßt, wodurch eine prächtige Synthese von gotischem Ornamentstil – die beiden vorderen Engel bilden ein reguläres Hakenkreuz [das, aus der ägyptischen Mythologie stammend, als Sonnensymbol galt – d. Red.] – und Mantegnas maniera antica entstand« (Panofsky 1977, S. 79). E. B.

A 2.9

Abbildung

Der Evangelist Johannes, das Buch verschlingend

Bez. u. M.: Monogramm des Künstlers
Holzschnitt. 39,1 x 28,4 cm
Bartsch 70; Meder 172

»Und ich sah einen andern starken Engel vom Himmel herabkommen; der war mit einer Wolke bekleidet und ein Regenbogen auf seinem Haupt und sein Antlitz wie die Sonne und seine Füße wie die Feuersäulen, und er hatte in seiner Hand ein Büchlein aufgetan. Und er setzte seinen rechten Fuß auf das Meer und den linken auf die Erde; ... Und ich ging hin zum Engel, und sprach zu ihm: Gib mir das Büchlein. Und er sprach

A 2.8

A 2.

zu mir: Nimm hin und verschling es...« (Kapitel 10, Vers 1–9).

Im Text wird das Erscheinen des starken Engels mit der Aufgabe verbunden, den Tempel des himmlischen Jerusalem zu vermessen. Wie schon erwähnt, sind wir an dieser Stelle in der zweiten Pause, vor dem Blasen der siebten und letzten Posaune. Dürer beläßt es bei der Vision des starken Engels. Johannes ist nach Patmos zurückgekehrt. Von einer wahren Ruhe ist recht wenig zu verspüren. Das Ereignis ist in seiner Phantastik bewegt genug. Dennoch unterscheidet sich das Blatt von den vorangegangenen Holzschnitten.

Was wir erblicken, ist nicht eine Vision, die allgemein gültig als apokalyptisches Ereignis auftritt, sondern die »technische« Aufnahme der Visionen durch Johannes. Die Vision wird als scheinbar realer Vorgang dargestellt.

Die Diagonale, die sich vom himmlischen Altar links oben über die Hand des starken Engels zum Kopf des Johannes ergibt, führt mit klarer Eindeutigkeit auf das Ergebnis: die ins Buch geschriebenen Offenbarungen.

Außerdem wird in dieser Diagonale an das zweite Blatt erinnert. Damit stellt Dürer auch formal die Verbindung zu dem Holzschnitt mit den sieben Leuchtern her, die schon inhaltlich gegeben ist. In beiden Darstellungen empfängt Johannes die Weisungen des göttlichen Geistes. Das 1511 hinzugefügte Titelbild bezieht sich ebenfalls auf das neunte Blatt. Es zeigt Johannes an einem steinernen Schreibtisch sitzend, vor sich das Schreibzeug. Die ihm erscheinende Vision des apokalyptischen Weibes verweist auf das zehnte Blatt. Man könnte die Vision des starken Engels als ein Eingangsblatt bezeichnen, das den zweiten Teil der Apokalypse einleitet.

Der theosophische Charakter der Darstellung führte dazu, die Vielschichtigkeit des Werkes besonders zu betonen.

R. Chadraba und F. Juraschek haben ausführlich über eine mögliche Interpretation im Sinne kosmologischer Ideen geschrieben. Die kosmische Ordnung der Planeten mit der Sonne als Zentrum wurde auf die Ordnung der menschlichen Gesellschaft übertragen. Demzufolge steht der Sonnenherrscher in ihrem Zentrum (z. B. trägt der Führer in Campanellas »Sonnenstaat« den Namen Sol). Chadraba (1964, S. 121) bezeichnet das Blatt als »... ideologisches Zentrum und Schwerpunkt des ganzen Zyklus«. Weiterhin interpretiert er den starken Engel einerseits als eine Allegorie auf Kaiser Maximilian I. als Sonnenherrscher und als idealen Monarchen der Chiliasten, stellt andererseits einen Bezug zum antiken Sonnengott Apollo her. Die Attribute des Apoll, Delphin und Schwan auf dem Wasser, verweisen darauf. Darüber hinaus sieht Chadraba (ebenda) in diesem Blatt Verbindungen zu Platos »Staat«. Die Forderung, Apollo in antiker Darstellung zu übernehmen und auf Christus als den idealen Menschen (Gottes Sohn) zu übertragen, finden wir bei Dürer durchaus. Auch kennen wir die Vorliebe der Humanisten, mythologische Stoffe mit christlichen Inhalten zu verbinden. E. B.

2.10

A 2.11

A 2.10 *Abbildung*

Das Sonnenweib und der siebenköpfige Drache

Bez. u. M.: Monogramm des Künstlers
Holzschnitt. 39,4 x 28,3 cm
Bartsch 71; Meder 173

»Und es erschien ein großes Zeichen im Himmel: ein Weib, mit der Sonne bekleidet, und der Mond unter ihren Füßen und auf ihrem Haupt eine Krone von zwölf Sternen« (Kapitel 12, Vers 1). Die Symbolik der zwölf Sterne steht stellvertretend für die zwölf Stämme des gläubigen Israel. Der weitere Fortgang der Vision macht deutlich, daß das Weib als Maria zu deuten ist. Wir lesen von einem Sohn, den sie gebären soll und der zu Gott und seinem Thron entrückt wird. Auf Dürers Holzschnitt steht das schwangere Weib auf dem Halbmond, dem siebenköpfigen Drachen gegenüber, welcher mit seinem Schwanz ein Drittel der Sterne auf die Erde wirft. Das von Engeln emporgetragene Kind wird von dem in der Mitte thronenden Gott gesegnet.

In diesem Blatt begegnet uns etwas völlig Neues. Während wir bisher die Menschen unter den Strafen der sieben Siegel fallen sahen und deren Bösartigkeit voraussetzen mußten, tritt uns nun das Böse in wahrhafter Gestalt vor das Angesicht. Während das Göttliche immer nur die Gestalt des Menschen hat, steht das Böse als Monstrum neben dem Menschen. E. B.

A 2.11 *Abbildung*

Der Kampf Michaels mit dem Drachen

Bez. u. M.: Monogramm des Künstlers
Holzschnitt. 39,4 x 28,3 cm
Bartsch 72; Meder 174

»Und es erhob sich ein Streit im Himmel: Michael und seine Engel stritten mit dem Drachen, und der Drache stritt und seine Engel, und siegten nicht, auch ward ihre Stätte nicht mehr gefunden im Himmel« (Kapitel 12, Vers 7–8).

Diese Vision gehört unmittelbar zu den Ereignissen des zehnten Blattes. Im Entscheidungskampf wird das Böse endgültig aus dem Himmel vertrieben und auf die Erde geworfen. Es kann nun nicht mehr den Weg der geistigen Verführung gehen, sondern muß sich selbst als Verführer zu den Menschen begeben. Der Drachenkampf gehört zu den stärksten Blättern des Zyklus. Michael selbst ist in der Wucht seiner Bewegung sehr lebendig empfunden. »Die mächtigen Flügel weit ausgestellt, hat er seine Lanze mit beiden Händen hoch oben gefaßt und stößt sie nun mit gebeugtem Knie dem Gegner in die Kehle. Es ist ein gewaltiger Ernst in diesem Michael. Man fühlt, wie er sich zusammennehmen muß« (Wölfflin, München 1943, S. 76). Zwei Drittel des Blattes füllt der Kampf im Himmel, während die Erde so friedlich daliegt, als hätten die vorangegangenen Katastrophen nie stattgefunden. E. B.

A 2.12

A 2.

A 2.12 *Abbildung*

Das Tier mit den Lammshörnern

Bez. u. M.: Monogramm des Künstlers
Holzschnitt. 39,1 x 28,1 cm
Bartsch 74; Meder 175

Diese friedliche Landschaft betreten jetzt gleich zwei Ausgeburten des Bösen. Das Böse beginnt seinen großen Siegeszug über die Erde, denn alle beten es an, ausgenommen die, deren Namen in das lebendige Buch des Lammes geschrieben sind. Mit zunehmender Kompliziertheit des Textes wird auch die Aufgabe der bildlichen Darstellung immer schwieriger. Immer mehr Ereignisse mußten von Dürer in einem Bild vereint werden. Stets steht die unbegreifliche Anbetung der Untiere, die das Böse verkörpern, durch Vertreter aller Stände im Mittelpunkt des Geschehens. Im Himmel wird ein Ereignis sichtbar, das Johannes im vierzehnten Kapitel schildert. »Und ich sah, und siehe, eine weiße Wolke. Und auf der Wolke saß einer, der gleich war eines Menschen Sohn; der hatte eine goldene Krone auf seinem Haupt und in seiner Hand eine scharfe Sichel« (Kapitel 14, Vers 14). Die Bereitschaft ist vorhanden, dem Unwesen des Bösen ein Ende zu bereiten.
»Und der auf der Wolke saß, schlug mit seiner Sichel an die Erde, und die Erde ward geerntet« (Kapitel 14, Vers 16).

E. B.

A 2.13 *Abbildung*

Der Lobgesang der Auserwählten im Himmel

Bez. u. M.: Monogramm des Künstlers
Holzschnitt. 39,2 x 28,2 cm
Bartsch 67; Meder 176

Das vielfigurige Bild von den Auserwählten vor dem Lamm bezieht sich auf eine Textstelle im 7. Kapitel, Vers 9—14, die aber im 14. Kapitel nochmals wiederholt wird. Dürer hat dem 14. Kapitel den Hinweis zugefügt: »Item zur zwölften Figur.« Damit ist die Stellung des Blattes im Zyklus von Dürer eindeutig festgelegt worden. Von einigen Kunsthistorikern wird es nach dem Holzschnitt mit der Versiegelung der 144000 Auserwählten eingeordnet. In diesem Zusammenhang wird die Darstellung verständlicher. Umgeben von einer Sonnenglorie steht das Lamm mit der Siegesfahne, dem Symbol Christi, auf dem Regenbogen. Die Ältesten und Auserwählten, mit Palmenzweigen in den Händen, huldigen dem Lamm. Johannes, der auf dem Gipfel eines hohen Berges kniet, spricht in ganz ähnlicher Weise wie auf dem dritten Blatt mit einem der Ältesten. Auch im Bibeltext folgt unmittelbar die Anbetung.
Offensichtlich war es notwendig, an dieser Stelle des Zyklus, der Konfrontation der Menschen mit dem Bösen (Blatt 12 und 14), einen Widerpart zum Bösen in Gestalt der guten Christen als dem Bild der Hoffnung gegenüberzustellen.

E. B.

A 2.14 *Abbildung*

Die babylonische Buhlerin

Bez. u. M.: Monogramm des Künstlers
Holzschnitt. 39,2 x 28,2 cm
Bartsch 73; Meder 177

»Und ich sah ein Weib sitzen auf einem scharlachfarbenen Tier, das war voll Namen der Lästerung, und hatte sieben Häupter und zehn Hörner. Und das Weib war bekleidet mit Purpur und Scharlach, und übergoldet mit Gold und Edelsteinen und Perlen; und hatte einen goldenen Becher in der Hand, voll Greuel und Unsauberkeit ihrer Hurerei« (Kapitel 17, Vers 3). In der unteren Hälfte des Holzschnittes befindet sich das Hauptthema: die Hure auf der einen Seite und die Stände auf der anderen. Die Buhlerin sitzt auf einem siebenköpfigen Ungeheuer und bietet einen Buckelpokal dar, in dem sich nur schwer der finstere Inhalt vermuten läßt. Die Hure läßt sich als jene Venezianerin erkennen, die Dürer in Venedig gezeichnet hat. Im Gegensatz zum 12. Blatt, auf dem die Vertreter der Stände und besonders die gekrönten Häupter vor den Inkarnationen des Bösen andächtig knien, sind hier die Vertreter der weltlichen Stände eher von Skepsis befallen. Die dritte Figur von rechts, in der Dvořák (1924, S. 200) Dürer selbst vermutet, faßt »... kritisch, in unbeugsamer Haltung, breitspurig, mit Händen in den Hüften ...« die Buhlerin ins Auge. Johannes hat in seinem Text das Bild der Buhlerin folgendermaßen entschlüsselt: »Und hier ist der Sinn, da Weisheit zu gehöret. Die sieben Häupter sind sieben Berge, auf welchem das Weib sitzt, und sind sieben Könige« (Kapitel 17, Vers 9). Die Buhlerin verkörpert demnach das kaiserliche Rom, das Tier das römische Reich. Die sieben Häupter sind gleich den sieben Kaisern, und die zehn Hörner sind die zehn Prokonsuln. Thausing hat als erster festgestellt, daß Dürer nicht das antike, sondern das Rom seiner Tage meint. Die Verwendung einer zeichnerischen Studie, die in Venedig entstand, und das Selbstbildnis als Wandergeselle unterstützen neben den allgemeinen zeitgenössischen Attributen diese These. Dvořák hat daran angeknüpft, er schreibt (1924, S. 199): »Denn auch seine [Dürers] Apokalypse war ein Revolutionslied und ebenfalls gegen Rom gerichtet. Nicht gegen das Rom der Imperatoren, sondern gegen das päpstliche Rom.« Chadraba (1964, S. 43 ff.) hat versucht, diese Auffassung insofern zu stützen, als er in dem Bild die drei Kronreifen der päpstlichen Tiara in auseinandergenommener Form sehen will. Einer befindet sich auf dem Kopf der Kurtisane, ein weiterer bildet den Rand des Lasterpokals, und der letzte schließlich befindet sich im Turban des mit dem Rücken zum Betrachter stehenden Mannes. Weiterhin führt er zeitgenössische Schriften an, in denen das päpstliche Rom als päpstliche Hure bezeichnet wird.

Dvořák nahm an, daß es sich bei dem Blatt der babylonischen Buhlerin um das früheste der Folge handelt. Die Simultanität verschiedener Ereignisse als älteres Darstellungsprinzip unterstreicht diese Auffassung. Über dem Hauptthema gewahren wir in weiter Ferne den Untergang Babylons (beschrieben finden wir dieses Ereignis im Kapitel 18, Vers 1–3, 11–19, 21–22). Die einzige Darstellung, welche tatsächlich himmlisches Geschehen vermittelt, erkennen wir links in einen Schlauch von Wolken eingefaßt. Aus ihm brechen die himmlischen Heerscharen, angeführt von einem Ritter, welcher im Text als König der Könige und Herr der Herren bezeichnet wird (Kapitel 18, Vers 22). E. B.

A 2.14

A 2.15 *Abbildung*

Der Engel mit dem Schlüssel zum Abgrund

Bez. u. M.: Monogramm des Künstlers
Holzschnitt. 39,3 x 28,3 cm
Bartsch 75; Meder 178

»Und ich sah einen Engel vom Himmel fahren, der hatte den Schlüssel zum Abgrund, und eine große Kette in seiner Hand. Und er griff den Drachen, die alte Schlange, welche ist der Teufel und der Satan, und band ihn tausend Jahre. Und warf ihn in den Abgrund und verschloß ihn, und versiegelte oben darauf, daß er nicht mehr verführen sollte die Heiden, bis daß

A 2.15

vollendet würden tausend Jahre; und darnach muß er loswerden eine kleine Zeit« (Kapitel 20, Vers 1–3). Im letzten Blatt endlich wird der Sinn und das Ziel der schreckensreichen Auswirkungen des göttlichen Strafgerichtes deutlich. Durch die Ausrottung des Bösen auf Erden gelingt es dem Guten, sich in der Gestalt des Neuen Jerusalem zu etablieren. Johannes findet in seinem Text zahlreiche Bildwörter, um diese Fiktion zu beschreiben. Dürer selbst verzichtet auf jede märchenhafte Darstellung. Johannes, den wir im Eingangsbild gemartert, vor dem Volk zur Schau gestellt, unter der aufgeblähten Autorität des Herrschers antrafen, folgt nun dem Engel in der hoffnungsfrohen Erwartung, das Neue Jerusalem schauen zu dürfen. Auf dem Hügel angelangt, zeigt der Engel mit ausgestreckter Hand auf eine ebensolche Stadt, in der er anfangs so Qualvolles erleiden mußte. Mit großer Aufmerksamkeit betrachtet der Engel das Gesicht von Johannes, dieser scheint verwundert. Das letzte Blatt offenbart in aller Deutlichkeit Dürers Utopievorstellungen. Sein Realismus verlangt, sich das Neue Jerusalem als eine gewachsene Stadt seiner Zeit vorzustellen. Das phantastische Jerusalem, welches Johannes beschreibt, konnte der humanistisch gebildete Künstler kaum übernehmen. Er verstand seinen Auftrag vielmehr darin, das Göttliche aus der Natur in die Harmonie des künstlerischen Bildes zu übertragen. Der Anspruch der Apokalypse liegt wohl weniger darin, Kommendes vorzubilden, sondern darin, die Denkinhalte des Betrachters zu ändern. Sie ist keine Drohung, sondern »Wirklichkeit« als ein geistiges Produkt. Jeder, der diese Folge betrachtete, konnte die apokalyptischen Visionen als »Wirklichkeit« erleben. Die Hoffnung, die im letzten Bild deutlich wird, ist, daß jeder Betrachter geistig verändert werden kann, die Apokalypse als »geistig-göttliches« Kunstwerk »verläßt«, um in seine Alltäglichkeit zurückzukehren. Erst wenn alle Menschen sich aus den Fängen des Bösen befreit haben, wird vor ihren Toren der Friedensengel wachen. Der Mensch hat es selbst in der Hand.

Dürer ist in gewisser Weise selbst zum Apokalyptiker geworden; nur hat er den Glauben an die nahe Wirklichkeit apokalyptischer Visionen zugunsten einer geistigen »Realität« im Kunstwerk selbst verändert. Darin liegt die große Leistung Dürers am Ende des 15. Jahrhunderts.

Die Apokalypse findet keinen wirklichen Abschluß. Der Widerspruch, in dem sich die Menschheit befindet, ist nicht gelöst, sondern findet höchstens in schrittweiser Läuterung eine Annäherung an die Utopie des himmlischen Jerusalem. Insofern bildet das Schlußbild, da es eine wirkliche Stadtanlage zeigt, einen neuen Ausgangspunkt. Chadraba (1964, S. 107) bringt dieses letzte Bild mit den Vorstellungen der Chiliasten in Verbindung: »... der Engel zeigt Johannes das Neue Jerusalem, die Gemeinde der Zukunft. In der Utopie der Chiliasten ist es eine Gemeinde ohne Herrschaft. Der letzte Herrscher soll nur den Weg erkämpfen.« E. B.

A 3 Peter Breuer *Farbtafel Seite 49*

Christus im Elend. Um 1500

Sitzfigur, vollrund, Lindenholz, farbig gefaßt. H. 116 cm
Aus der Nikolaikirche in Freiberg stammend
Freiberg/Sa., Stadt- und Bergbaumuseum; Inv.-Nr. 47/31

Die Darstellung des Christus im Elend entwickelte sich in der Zeit um 1500 zu einem der volkstümlichsten Andachtsbilder. Diese entstanden mit der raschen Verbreitung der Mystik, jener Frömmigkeitslehre, die sich mit dem Aufkommen des Bürgertums seit dem ausgehenden 14. Jahrhundert entwickelt hatte. Kern dieser religiösen Anschauung war ein persönliches Verhältnis des Menschen zu Gott, das auf eine Vermittlerrolle des Priesters verzichten konnte. Die Gleichheit aller Menschen vor Gott wurde betont. Damit setzte diese Lehre zu Dogmenkritik und Antiklerikalismus an und konnte in der Krisensituation um 1500 starken Einfluß auf Volksreformation und revolutionäre Bauernbewegung nehmen.

In der Kunst führte die Mystik zur vermenschlichten Darstellung der göttlichen Personen. Damit war ein starker Zug zum Naturalismus verbunden. Vor allem im Passionsgeschehen, dem Leidensweg Christi, konnten das Fühlen und Denken des

Volkes, seine eigene Mühsal und sein eigenes Elend zutiefst bildhaft gemacht werden. Diese Identifizierung führte zu Bildtypen, die wie der »Christus im Elend« nicht direkt aus der biblischen Erzählung abzuleiten sind, sondern aus dem persönlichen Anschauen, der kontemplativen Betrachtung heraus entstanden sind. »Ellende« bedeutete »Fremde« und wurde mit »allein« und »unglücklich« gleichgesetzt. Unglücklich, allein und verlassen wird Christus, auf Felsbrocken sitzend, gezeigt. Dem geschundenen, von den Qualen und Martern der erlittenen Geißelung gezeichneten Körper wird Rast gegönnt (daher ist auch die Bezeichnung Christus in der Rast gebräuchlich), ehe der Weg nach Golgatha beginnt und das Todesurteil durch die Kreuzigung vollstreckt werden soll. Zum Zeichen von Klage und Trauer ist das geneigte Haupt in die aufgestützte Hand gelegt.

Plastiken vom Bildtypus des »Christus im Elend« wurden besonders häufig in obersächsischen Schnitzerwerkstätten hergestellt. Sie befanden sich vor allem in dörflichen Kirchen. Um für die bäuerlichen Bevölkerungsschichten die Eindringlichkeit der Darstellung zu erhöhen, wurde ihr Naturalismus durch die Verwendung natürlicher Materialien wie Perücken und Dornenkronen gesteigert.

Das Bildwerk des Zwickauer Bildschnitzers Peter Breuer (1472/73–1541) gehört zu den wenigen aus Stadtkirchen stammenden Plastiken dieser Art. »... und es scheint, als ob er in ihr eine kunstgemäßere Formung des Stoffes versucht habe, selbständig und aus Eigenem, ein Jahrzehnt, bevor Dürers Titelblatt zur Kleinen Passion (Bartsch 16) ein auf lange Zeit hinaus wirksames, viel bewundertes Vorbild schuf« (Hentschel 1951, S. 111). Der junge Breuer, der auf seiner Wanderschaft um 1494 auch bei Riemenschneider in Würzburg tätig war, wendete bildkünstlerische Mittel an, die auf der Höhe seiner Zeit standen: In der komplizierten Stellung der Beine drückt sich das Ringen um die Erfassung des körperlichen Volumens aus, und in dem leidensvollen Gesicht erfuhr die Darstellung des Schmerzes eine über allgemeine Formelhaftigkeit weit hinausgehende, jeden Betrachter ergreifende Unmittelbarkeit.

K. F.

Farbtafel Seite 52 und Abbildungen

A 4 Lucas Cranach d. Ä. (Kopie nach Hieronymus Bosch)

Altar mit Jüngstem Gericht. Um 1516/18 (?)

Nicht bez.
Öl auf Linde.
Mitteltafel 163 x 125 cm, Seitentafeln je 163 x 58 cm
Berlin, Hauptstadt der DDR, Staatliche Museen, Gemäldegalerie; Inv.-Nr. 563

Das Jüngste Gericht spielte im Leben und Denken der Menschen des Mittelalters eine besondere Rolle. Seit Otto von Freising, dem Geschichtsschreiber des 12. Jahrhunderts, ist es als Endpunkt der Entwicklung der realen Menschheitsgeschichte verstanden worden. Diese lief nach den Ideen des Augustin in einem Schema ab, das zwischen der Erschaffung des ersten Menschenpaares über den Erlösertod Christi und der Ankunft und dem Sturz des Antichrist (vgl. Kat.-Nr. A 1) eingespannt ist. Die Geschichte zeigte sich demnach als Kampf zwischen Gut und Böse. Er spielte sich im irdischen und außerirdischen Bereich ab.

Diese Anschauungen prägten in ganz bestimmender Weise jenen Dualismus, in dem sich die Menschheit des Mittelalters befand und der sich in Krisenzeiten besonders deutlich zeigte. Dieser Dualismus war einerseits geprägt durch einen Pessimismus des Wissens um die Vergänglichkeit des Lebens und andererseits erfüllt vom Optimismus der Hoffnung auf die himmlische Seligkeit, die sich der Christ durch gute Werke erkaufen mußte (vgl. Kat.-Nr. A 5).

Der bildlichen Darstellung des Jüngsten Gerichtes, in dem die verschiedensten Berichte des Alten und Neuen Testamentes zusammenfließen, wurde in den einzelnen Epochen der Kunstgeschichte besondere Bedeutung beigemessen. Sind aus der Portalplastik der Kathedralen vom 11. bis zum 15. Jahrhundert eine große Anzahl bedeutender Beispiele erhalten, so hat die Malerei des ausgehenden 15. Jahrhunderts und die des 16. Jahrhunderts in Italien, Deutschland und den Niederlanden eine Fülle von Werken zu diesem Thema hervorgebracht. Zu den markantesten gehört ein Flügelaltar von Hieronymus Bosch (1453–1561), der sich heute in der Gemäldegalerie der Akademie zu Wien befindet.

Die Darstellungen von Paradies und Hölle auf den Innenseiten der beiden Außenflügel sprengen die fest vorgeschriebenen Traditionen dieses Themas.

Das Paradies auf dem linken Flügel ist als eine offene, reich mit Bäumen bestandene Parklandschaft dargestellt. Die Szenen der Erschaffung Evas, des Sündenfalls und der Austreibung des ersten Menschenpaares aus dem Paradies sowie der Sturz der bösen Engel, die, noch während sie fallen, sich in Dämonen verwandeln, um von der Erde Besitz zu ergreifen, leiten den Gang der Menschheitsgeschichte ein, die mit dem Jüngsten Gericht enden wird.

Seine Darstellung beherrscht vollkommen die Mitteltafel. In grotesker Form werden drastisch-satirische Elemente verwendet, um die Gesellschaft der Krisenzeit zu brandmarken.

Einem glühenden Inferno, das Neid und Haß gezeugt haben (symbolisiert durch den sich selbst verzehrenden Vulkan), versucht die Menschheit in panischem Schrecken zu entrinnen. Aus dem Felsentor wird ein langer Zug der aus den Gräbern Hervorgerufenen entlassen. Die Öffnung eines riesenhaften Kruges wird alles aufsaugen. Dieser Krug, der sich füllt und leert, ist wohl als Vanitas-Symbol, als Zeichen der Vergänglichkeit zu deuten. Er ist umgekippt, Hinweis darauf, daß die Seele des Menschen nicht in das Reich Gottes aufsteigen kann, da er in seiner Sündhaftigkeit nicht in der Nachfolge Christi lebt. Der Krug trägt eine Scheibe, Sinnbild der Welt. Zwischen

A 4

A 4

A 4

den Mahlsteinen wird das sündige Menschengeschlecht zu Tode gerieben.
Diese Welt ist voll des Bösen, Riesenmesser zeigen es an. In Zorn und Mißmut (ein Teufel beschlägt den nackten Menschenfuß), Völlerei und Müßiggang bringt sie sich selbst um. An besonderer Stelle steht die Wollust, das nackte, von einer Schlange umringelte Weib. Eine gedachte Diagonale stellt die Beziehung zum Sündenfall in der Darstellung des Paradieses her.
Der von einem Pfeil durchbohrte, über den Menschen gestülpte Bienenkorb rechts unten deutet auf die zerstörte weltliche Ordnung hin. Auf ihrem untersten Grund sitzt die Inkarnation allen Übels, der Mönch. Ihm ist der Becher als Zeichen seines Lasters angehängt, und wie zum Hohn trägt sein aufgeblähter Wanst die Seitenwunde Christi. Dieser thront als Weltenrichter auf dem Regenbogen über dem wilden Geschehen.
Die zwölf Ältesten, Maria, Johannes und die Engel mit den Leidenswerkzeugen umgeben ihn. Die vier Posaunenengel sollen die Auserwählten sammeln. An dieser Stelle ignoriert Bosch die Tradition. Seelenwägung und Paradiesespforte, vor der sich die Erwählten drängen, werden nicht gezeigt. An ihrer Stelle wird auf dem rechten Flügel die Hölle abgebildet. Luzifer thront, von scheußlichen Giganten umgeben, in ihrer Mitte. Ohne Zäsur wird das Geschehen des Jüngsten Gerichtes fortgesetzt.
Hymans (1884, S. 169–175) erwog als erster, ob das Wiener Triptychon eine verkleinerte Kopie der großen Darstellung des »Jüngsten Gerichtes« sein könnte, die Philipp der Schöne von Burgund, Sohn Maximilians I. und Gemahl Johannas von Spanien, 1504 bei Hieronymus bestellt hatte und für die der Maler aus Hertogenbosch eine Anzahlung erhielt. Der Hinweis, daß die beiden Flügelaußenseiten die spanischen und niederländischen Nationalheiligen Jakobus und Bavo zeigen, machten diese Hypothese wahrscheinlich (Glück 1904, S. 178–181). Durch Reutersward (Uppsala 1970, S. 274–277) wurde das Werk mit jener Bestellung identifiziert.
Während seines Aufenthaltes in den Niederlanden 1508 hat Lucas Cranach d. Ä. vielleicht dieses Werk kopiert. Trotz genauer Übernahme des Formates und der Gesamtanlage der Komposition unterscheiden sich die Figuren Cranachs von denen Boschs in Haltung und Physiognomie. Besonders deutlich wird dies an der Paradiesestafel: Der Christus ist von größerer Bewegtheit, die Eva gleicht den für Cranach typischen weiblichen Akten, die Figuren stehen größer im Raum. Auch die Landschaft selbst ist anders behandelt. Miniaturhaft sind Gräser, Blatt- und Laubwerk mit feinem Pinsel gezeichnet, es fehlt nicht an Versatzstücken Cranachscher Manier (Hirschfamilie). Die Farbigkeit der grünen und blauen Töne ist leuchtend.
Trotz allem Abweichen von der Tradition ist diesem Triptychon ein starker dogmatischer Charakter eigen. Er besteht darin, daß nicht Gottvater, sondern Gottsohn als sein Werkzeug die Schöpfung auf Erden ausführt, denn diese ist ein Werk der Dreieinigkeit, zu der Christus von Anbeginn gehörte. Die Kopie Cranachs greift dieses Dogma auf und verstärkt seine Interpretation. Die Flügelaußenseiten zeigen Christus als Schmerzensmann und Maria als Schmerzensmutter. Nur durch den Erlösertod Christi, der durch Maria, die neue Eva und Ecclesia zugleich, geboren ist, gelangt der Mensch ins Paradies.
Gegen die Annahme, daß Cranach das Triptychon während seines Aufenthaltes in den Niederlanden gemalt hatte, spricht die Tatsache, »daß das Bild auf Lindenholz gemalt ist« und »das Vorkommen eines verhältnismäßig späten Frauentyps, der nicht vor 1516–1518 denkbar ist« (Friedländer/Rosenberg 1979, S. 90, Nr. 99). K. F.

A 5 Lucas Cranach d. Ä. *Farbtafel Seite 53*

Der Sterbende. 1518 (?)

Bez. u. M.: Schlange
Um das obere Halbrund die Inschrift:
PATRI. OP. HENRICVS. SCHMITBVRG. LIPZESIS. IVRIVM. DOCTOR. FIERI. FECIT. AN. AB. INCAR. DO. M. D. XVIII / MISERACIONES. EIVS. OMNITA. OPERA. EIVS. PSALMO. 144
(Dem besten Vater ließ Heinrich Schmitburg aus Leipzig dies fertigen im Jahre 1518 nach der Geburt des Herren.)
Rotbuchholz. 93 x 36,3 cm
1848 aus der Nikolaikirche an die Stadtbibliothek Leipzig und von dieser an den jetzigen Standort überwiesen.
Leipzig, Museum der bildenden Künste; Inv.-Nr. 1924.40

Die Darstellung auf dieser schmalen hohen Tafel ist in enger Anlehnung an die mittelalterliche Tradition der Ars-moriendi-Bücher (vgl. Kat.-Nr. A 10) entstanden. In diesen Büchern wurde den Gläubigen die Kunst zu sterben eindringlich vorgestellt. Sie bestand darin, der ewigen Verdammnis zu entrinnen und die himmlische Seligkeit zu erlangen. In komplizierter Symbolik wird das Geschehen der Sterbestunde, die nach mittelalterlicher Denkweise den Übergang von der diesseitigen in die jenseitige Ordnung vollzieht (Fraenger 1971, S. 268), deutlich gemacht. So läuft die Handlung auch nicht in einem konkreten Milieu, sondern in drei verschiedenen Bedeutungsebenen ab, auch wenn konkrete Personen das Bett des Sterbenden umstehen: links der Notar, das Testament schreibend, rechts der Arzt, das Uringlas vorzeigend, zu Füßen die wehklagende Gattin, die in den Truhen wühlenden Erben. Dicht neben dem Sterbenden der Priester, er hält das Kruzifix, das die Ungeheuer der Hölle, des Lasters und des schlechten Gewissens bannen soll.
Der Kampf der Seele – sie ist als kniender nackter Mensch über dem Sterbenden dargestellt – zwischen Gut und Böse wird in der zweiten Ebene gezeigt. Durch das Vollbringen guter Werke (»bona opera«) kann der Mensch der Seligkeit teilhaftig werden. Diese Seligkeit verheißt die Trinität. An zentraler Stelle des Bildes wird sie dargestellt, umgeben von einer Gloriole, angebetet von Engeln, Maria und Johannes.

Über allem erscheint Maria als Sinnbild der »ecclesia«, der Kirche, und wird von den Hinterbliebenen angebetet. Damit erhält diese Gedächtnistafel eine enorme Bedeutung, die die Ideologie der Papstkirche deutlich sichtbar werden läßt: Der Mensch im Kampf zwischen Gut und Böse vollbringt gute Werke und wird der Segnungen göttlichen Heils, das von der Kirche verkündet und verwaltet wurde, teilhaftig. Hier sollte die Kritik und die Reformation Martin Luthers einsetzen. K. F.

A 6 Werkstatt des Tilman Riemenschneider *Abbildung*

Thronender Gottvater mit Christus (»Gnadenstuhl«). Um 1510–1520

Wandfigur, Rückseite ausgehöhlt, Lindenholz, ungefaßt.
H. 64 cm
Berlin, Hauptstadt der DDR, Staatliche Museen, Skulpturensammlung; Inv.-Nr. B 5

Der Begriff des »Gnadenstuhls«, die Darstellung des thronenden Gottvaters mit dem gekreuzigten Christus im Schoß und der über beiden schwebenden Taube des heiligen Geistes, geht auf Martin Luthers Übersetzung des Hebräerbriefes (Kapitel 9, Vers 5) zurück. Die Herkunft dieses Themas ist wahrscheinlich in der Dogmenlehre der Kirche selbst zu suchen, die seit dem 12. Jahrhundert danach strebte, die Trinität – den dreieinigen Gott – in dieser Form darzustellen. Gleichzeitig kann angenommen werden, daß in der Verbindung von Gottvater und gekreuzigtem Gottsohn auf den Erlösungsgedanken hingewiesen werden sollte. Dabei unterlag das Motiv des »Gnadenstuhls« verschiedenen Wandlungen. So trat häufig an die Stelle des Gekreuzigten die Darstellung Christi als Schmerzensmann. Damit ging auch ein gewisser inhaltlicher Wandel einher: Das Bild des »Gnadenstuhls« wurde ähnlich wie der »Christus im Elend« zum Andachtsbild. Im Anschauen des Schmerzes der göttlichen Personen sah der leidende Mensch eigenen Schmerz ausgedrückt. K. F.

Diese Gruppe gehört in die Reihe der spätgotischen Gnadenstuhl-Darstellungen, die im Werk Tilman Riemenschneiders mehrfach anzutreffen sind, zum Beispiel bereits in seinem Münnerstädter Altar von 1490/92. Wie Justus Bier glaubhaft nachwies, kann die Münnerstädter Skulptur allerdings nicht zu den eigenhändigen Arbeiten des Meisters gezählt werden. Dagegen ist die zeitlich spätere Gruppe von 1516, die sich heute in Berlin (West) befindet, ein Bildwerk von feinster Durchformung des Details, ihm selbst zuzuschreiben. Zwar weist ein Vergleich mit diesem bekannten Bildwerk unser Beispiel ebenfalls als Werkstattarbeit aus, doch im Gegensatz zu Münnerstädt ist eine größere Sensibilität, Feinheit der Linienführung (besonders im Gewand und Bart) sowie dramatische Bewegtheit erreicht. E. Fr.

A 6

A 7 Tilman Riemenschneider *Farbtafel Seite 50*

Christus am Kreuz. Um 1510–1515

Freifigur, vollrund, Lindenholz,
geringe Farbspuren an Lendentuch, Dornenkrone und Mund.
H. 71,5 cm, Spannweite der Arme 67,5 cm
1905 aus Privatbesitz erworben,
vorher Sammlung Piloty, Würzburg
Berlin, Hauptstadt der DDR, Staatliche Museen, Skulpturensammlung; Inv.-Nr. 2931

Das Kruzifix ist das wichtigste Sinnbild für den nach der christlichen Religion erfolgten Opfertod des Gottessohnes. Es entstand als isolierte Darstellung aus den volkreichen Szenen des Kreuzigungsgeschehens, galt als ein umfassendes Symbol für das Martyrium Christi und wurde zum monumentalen Andachtsbild.

Als Triumphkreuz fand es seit dem 12. Jahrhundert an der Stelle der Kirche Aufstellung, die die Laienkirche von der Priesterkirche scheidet (Triumphbogen). Die stilistische Entwicklung zeigte zunächst den triumphierenden und schließlich den leidenden Christus. Bezeichnend für die Entwicklung im Zeitalter frühbürgerlicher Kunst ist die Vermenschlichung in der Auffassung des schmerzvoll sterbenden oder des bereits toten Christus.

Die stehenden Figuren von Maria und Johannes gehören stets zu den Darstellungen des Kruzifix, das nun auch unmittelbar auf den Kreuzaltären angebracht wurde.
So bildete auch das Kruzifix der Berliner Sammlung zusammen mit den beiden Assistenzfiguren Maria und Johannes eine Kreuzigungsgruppe im Kreuzaltar der Stiftskirche in Aschaffenburg. 1855 wurde es dort entfernt. Die Skulpturen Maria und Johannes kamen 1904 in das Historische Museum Frankfurt am Main, später gelangte die Figur des Johannes in das Aschaffenburger Museum, während die der Maria sich seitdem in holländischem Privatbesitz befindet. K. F.

Das Kruzifix folgt dem Christustyp mit schlankem Körper und beidseitig flatternden Zipfeln des Lendentuches, der im Gegensatz zu dem mehr gedrungenen Körpertypus, wie ihn Riemenschneider in der Mittelgruppe des Dettwanger Altars dargestellt hat, steht. Beiden gemeinsam allerdings ist die leichte Neigung des Hauptes. Möglicherweise ähnelt dieses Kruzifix dem 1505 von Kurfürst Friedrich dem Weisen für die Stiftskirche zu Wittenberg bei »dem bildschnytzer zu Wirtzpurck« bestellten Werke, das noch im gleichen Jahre geliefert wurde, wie ein Zahlungsvermerk vom 17. September 1505 ausweist. Wenn auch der Name des Schnitzers nicht ausdrücklich in den Urkunden genannt wurde, so kann man doch durch den Hinweis auf »Wirtzpurck« davon ausgehen, daß kein Geringerer als der damals schon weithin bekannte Tilman Riemenschneider gemeint war. Sein Bildwerk sollte, wie auch die bei Cranach, Dürer und anderen Meistern bestellten Arbeiten, für die Neuausstattung der Wittenberger Stiftskirche bestimmt sein. Wegen seiner in der Notiz ausdrücklich erwähnten Größe fand es wahrscheinlich auf dem Triumphbogen im Innenraum der Kirche Aufstellung. Leider ist dieser sogenannte Wittenberger Kruzifixus vermutlich 1760 verbrannt, doch wir können uns vielleicht sein Aussehen anhand des von Lucas Cranach d. Ä. geschaffenen Predellengemäldes aus dem großen Flügelaltar in der Wittenberger Stadtkirche vorstellen. Ein Vergleich zwischen dieser Kreuzesdarstellung und dem Christus in der Berliner Skulpturensammlung läßt durchaus Übereinstimmung in der Ausformung und Haltung des Körpers wie in dem Aufwärtsflattern des Lendentuches erkennen. E. Fr.

A 8 Jörg Ratgeb *Farbtafeln Seiten 54/55*

Das Abendmahl. Um 1508

Nicht bez.
Öl (?) auf Holz. 98,5 x 91,5 cm
Aus Sammlung Figdor, Wien
Rotterdam, Museum Boymans- van Beuningen; Inv.-Nr. 2294

Das Abendmahl war nach den Berichten der Evangelisten Matthäus, Markus und Lukas ein Passahmahl, das Jesus mit seinen Jüngern in der Nacht vor dem Passahfest, dem jüdischen Fest der ungesäuerten Brote, gehalten hatte. Das Passahmahl symbolisierte die Errettung der Juden aus der ägyptischen Gefangenschaft und die Verschonung vor dem Würgeengel. In Vorahnung seines nahenden Todes führte Jesus Handlungen aus, die der Feier eine wesentlich neue Bedeutung geben sollten: Mit dem Brechen des Brotes und dem Ausgießen des Weines (in den Kelch) wies Jesus darauf hin, daß sein Leib gebrochen und sein Blut vergossen werden würde. Leib und Brot aber seien dem Passahlamm vergleichbar. Seit den urchristlichen Gemeinden erhielt das Abendmahl als Erinnerungsmahl (»solches tut zu meinem Gedächtnis«) gesteigerte Bedeutung, die in verschiedenen Lehrmeinungen allmählich zur Gleichsetzung von Brot und Wein mit Leib und Blut Jesu geführt hatte. Diese Anschauung wurde noch durch den Gedanken gefördert, daß in der Darbringung von Brot und Wein auf dem Altar eine unblutige Wiederholung des blutigen Opfers Christi am Kreuz zu sehen sei (vgl. Kat.-Nr. B 38). Das Abendmahl wurde zu einem zentralen Lehrstück des christlichen Kultes. Aufgrund der herausragenden Bedeutung dieses Dogmas wurde das Abendmahl schon frühzeitig zum Gegenstand der Malerei der christlichen Kunst. Im Laufe der Jahrhunderte bildete sich ein Schema heraus, das in einer streng symmetrischen, auf die Bildmitte orientierten Darstellung des Rituals durch Dirk Bouts (Abendmahl des Sakraments-Altares in Löwen, 1465/66) gipfelte und in dieser Form allgemein verbindlich wurde. Im Gegensatz zu diesem Typus steht die Tafel des Jörg Ratgeb. Sie setzt sich sowohl formal als auch inhaltlich über die bisherige Auffassung der Bildmotive hinweg.
Jesus ist aus der Bildachse gerückt, die Jünger in heftiger Bewegung und in »vulgärem Realismus« (Fraenger 1972, S. 65) nicht um einen eckigen, sondern um einen runden Tisch gruppiert. Zahlreiche, im Raum verteilte Gegenstände unterstützen den Eindruck heftiger Bewegung. Sie wird durch das Geschehen selbst verursacht: Nicht das Brechen des Brotes, sondern der Augenblick, in dem der künftige Verräter bezeichnet wird, ist dargestellt. Aus dieser Erregung heraus sind auch die grobianischen Motive zu verstehen — stellt doch »das Schneuzen als potenziertes Ausspucken den Ausdruck der Verachtung und des Abscheus dar, während der ungestüme Schluck des Trinkers nichts anderes als ein ›Pereat!‹ (er gehe zugrunde) auf den Verräter ist« (Fraenger ebenda, S. 64, und Anm. 7, S. 241).
Daß diese Darstellungen sich nicht auf ein theologisches Programm zurückführen lassen, sondern der Ausdruck kirchenfeindlicher Bewegungen und Kritik an der Kirche selbst in der aufbegehrenden Zeit, der Zeit des Zornes, waren, hat Fraenger (ebenda, S. 68–70) nachgewiesen. So nehmen die auf dem Fußboden liegenden und an die Wand gelehnten Apostelstäbe Bezug auf die Sekte der Stäbler oder Stablarii, die sich als Nachfahren der Waldenser verstanden. Sie verurteilten die Verweltlichung der Kirche und ihre Gewinnsucht und sahen ihren Machtanspruch als das Böse selbst an, während sie den demütigen und reinen Lebenswandel der Apostel betonten, symbolisch dargestellt durch die verstreuten Maiglöckchen.
Auch das Wasserbecken mit dem Handtuch weist auf die Waldenser hin: Es ist Sinnbild für die als Sakrament geforderte und

A 9.1

A 9.2

dem Abendmahl vorausgehende Fußwaschung (Luther lehnte sie später als heuchlerisch ab, da sie nur äußere Wiederholung einer Handlung Jesu sei).
Auf das Sakrament selbst nehmen auch das Blatt mit der ehernen Schlange als typologisches Vorbild für die Kreuzigung aus dem alten Testament und die von zwei Engeln über dem Haupt Jesu gehaltene Monstranz mit der Hostie Bezug.
Die Tafel mit dem Abendmahl gehörte ursprünglich zu einer Darstellung des Passahmahles (Kriegsverlust, ehemals Staatliche Museen Berlin, Gemäldegalerie). K. F.

A 9 Niederländischer Anonymus

Biblia pauperum. Um 1480

Weimar, Zentralbibliothek der deutschen Klassik

A 9.1 *Abbildung*

Grablegung Christi (Blatt g)

Holzschnitt, nachträglich koloriert. 26,1 x 19,4 cm

Der Grablegung Christi sind zwei Szenen zur Seite gestellt: Joseph wird von seinen Brüdern in den Brunnen geworfen, und Jonas wird ins Meer geworfen. Darstellungen von David, Salomon, Jesajas und Moses erscheinen über und unter den Bildszenen, in Spruchbändern die auf die alttestamentlichen Szenen bezüglichen Bibelstellen (David: Psalm 77, Vers 65; Salomon: Hoheslied Kapitel 5, Vers 2; Jesajas: Kapitel 11, Vers 10; Moses: 1. Buch, Kapitel 49, Vers 9).

A 9.2 *Abbildung*

Christus in der Vorhölle (Blatt h)

Holzschnitt, nachträglich koloriert. 26,2 x 19,3 cm

Die typologischen Vorbilder der Szene des Alten Testamentes sind: David tötet Goliath, und Simson zerreißt den Löwen. Die Inschriften beziehen sich auf die Textstellen bei David (Psalm 106, Vers 16), Hosea (Kapitel 13, Vers 14), Zacharias (Kapitel 9, Vers 11) und Moses (1. Buch, Kapitel 49, Vers 9).
Die »Biblia pauperum« war eines der am weitesten verbreiteten Bücher des Mittelalters. Seit dem 14. Jahrhundert war sie vor allem im deutschen Sprachgebiet anzutreffen.
Über den Begriff »Biblia pauperum« herrscht in der Forschung noch keine eindeutige Aussage. Die Bilderzyklen, die wir als »Armenbibel« zu bezeichnen pflegen, hatten im Mittelalter keine einheitliche Benennung. Begriffe wie »Concordantia veteris et novi testamenti« — Konkordanz des Alten und des Neuen Testamentes — oder »Concordantia historiarum« — Konkordanz der Erzählungen — waren ebenso gebräuchlich.

Die drit versůchūg ist durch vngedult vß grosser
kranckhait komende spricht der boß vmb
wie macht du den grossen schmertze erliden
der da menschlichē vntragēlich ist vñ dir vn
nutzlich du hast es och nie verschult so sol och
in dem liden die versůchung geringert werden
vnd die grosst beschwärd ist dz niemant kain mittlide gen
dir hat dz doch ist wider alle vernūft vñ wie wol die frün
de mittliden erzaigē nach der gebärde doch begerent sy dines
todes in dem gemüte vmb dz gůt dz du in verlassest sy gebē
och dinē toten libe nit herberg amen ainige tage vñ al
les din verlassen gůt Mit den vñ des gelichen bewegent
si den sichen zů vngedult. Die wider die liebi ist durch die
wir got schuldig syen lieb ze haben
Ze merken dz den sterbenden grosser schmertz des libes zů
vellet besunder denen die nit von natürlichem alter sterbē
als fieber apostem darmgegicht vñ des glichē die den krā
ken menschen besunder den der ze sterbē nit beraut ist also
vngedultig machen vñ also murmlen dz si offt vō schmer
tzen vñ vngedult ir vernūft verlierē Darus wol ze
merken ist dz si bruch haben an ir warer liebi. Als Jeron
imus spricht Welcher mensch mit vngedult die kranckhait
lidet oder dar vm ersterbet dz ist ain zaichen dz er got nit
gnügsamlich lieb hat. Vñ paulus spricht die liebi ist
geduldig vnd gütig

A 10

A 10

Ursprünglich verstand man unter »Biblia pauperum« eine kurze Zusammenfassung der biblischen, vor allem der alttestamentlichen Bücher. Sie sollte niederen Klerikern die Aneignung des Bibelinhaltes erleichtern. Andererseits ist es auch durchaus möglich, daß die Armenbibeln als Reaktion auf die Lehren der Häretiker (Ketzer) des 12. Jahrhunderts, die das Alte Testament ablehnten, entstanden sind, um die von der Kirche propagierte Einheit der Bibel zu betonen (Weckwerth 1957, S. 256–257).

Die hier gezeigte Armenbibel gehört dem Typ der sogenannten vierzigblättrigen Blockbuchausgabe an. Die Holzschnitte folgen dem in den bebilderten Armenbibel-Handschriften ausgeprägten Schema: In der Mitte der Seite ist die Szene des Neuen Testaments (Antitypus) dargestellt, die rechts und links von je einer Begebenheit aus dem Alten Testament begleitet wird (Typus); vier Propheten fassen die Ereignisse zusammen, ihre Worte sind auf Spruchbändern zu lesen. Ein erklärender lateinischer Text ist den Handlungen vorangestellt.

Die Szenen sind durch Säulenstellungen mit perspektivischen Rahmungen eingefaßt. Der Holzschneider bemühte sich bewußt um die Erfassung der Plastizität der Darstellungen. Die Charakterisierung der Personen wird durch differenzierten Schnitt angestrebt.

Die Vorlagen zu dieser Ausgabe stammen – wie auch die Holzstöcke – höchstwahrscheinlich aus der Zeit um 1440, die Ausgabe des vorliegenden Exemplars wahrscheinlich aus der Zeit um 1480.

Die unterschiedliche Abnutzung der über einen langen Zeitraum in Gebrauch gewesenen Druckstöcke macht diese Annahme wahrscheinlich. K. F.

A 10 Anonymer Meister *Abbildungen*

Ermahnung zur Geduld. 1473

Aus dem Blockbuch »Ars moriendi«,
deutsch gedruckt bei Hans Sporer in Nürnberg 1473

Holzschnitt. 22 x 17 cm (Einfassungsleiste der Schriftseite),
22,1 x 15,2 cm (Einfassungsleiste der Bildseite)
Zwickau, Ratsschulbibliothek; 24.5.15

Sporer war als Hersteller von Blockbüchern in den Jahren von 1471 bis 1474 in Nürnberg tätig. Von 1487 bis 1494 arbeitet er als Drucker in Bamberg, von 1494 bis 1500 als Drucker in Erfurt. Aufenthaltsort und Wirken Sporers in der Zeit von 1475 bis 1486 sind unklar.

Die Ars moriendi von 1473 (bis 1474?) – Schreiber VIII – ist eine Kopie nach der Ausgabe des ludwig ze vlm – Schreiber VIIA –. Von Hase nimmt an, daß Sporer sein eigener Holzschneider war. H. C.

A 11 Anonymer Meister *Abbildung*

Passio Christi (aus einem Gebetbüchlein) Nach 1450

Nicht bez.
Holzschnitt. 8,1 x 6,1 cm
Berlin, Hauptstadt der DDR, Staatliche Museen, Kupferstichkabinett; Inv.-Nr. 97 – 1963

Gebetbüchlein wie das vorliegende entstanden kurz nach der Mitte des 15. Jahrhunderts mit der Verbreitung des Holzschnittes als Ausdruck individualisierter Frömmigkeit. Sie leiten sich vom Typus der »Biblia pauperum« ab, beziehen aber nicht das gesamte biblische Geschehen ein, sondern beschränken sich meist auf die Darstellung der Passion Christi.
Die einzelnen Szenen werden isoliert dargestellt und von kurzen Gebeten begleitet. Im Stil des 14. Jahrhunderts beschränkt sich der grobe Schnitt auf die Wiedergabe nur der wesentlichen Details. K. F.

A 12,1 Johann Schönsperger d. Ä.

Biblia deutsch. Augsburg, 9. 11. 1490

2°-Format
Zwickau, Ratsschulbibliothek; 3.4.6 und 3.4.7

Im ausgehenden 15. Jahrhundert erschienen in Deutschland eine große Zahl von gedruckten deutschsprachigen Bibeln. Wurden die ersten Ausgaben noch ohne Bilderschmuck herausgegeben (Johannes Mentelin 1466 und Heinrich Eggestein vor 1470, beide in Straßburg), so druckte um 1475 Günther Zainer in Augsburg seine erste deutsche Bibel mit zahlreichen Bildinitialen.
Den ersten glanzvollen Höhepunkt der illustrierten Bibeln bilden die 1478 bei Heinrich Quentell oder Bartholomäus von Unckel in Köln erschienenen niederdeutschen Ausgaben. Sie waren mit großen, über beide Spalten reichenden Holzschnitten ausgestattet.
Damit war eine der tauglichsten Methoden gefunden, um die Wirkung der volkssprachigen Literatur, und als solche muß die deutsche Bibel in dieser Zeit angesehen werden, zu erhöhen. Die Illustration fungiert als eindringliche Sprache. Der für bestimmte Bildinhalte fest tradierte Kanon machte in einprägsamer Formulierung die bildliche Darstellung lesbar.
Luther griff bei seinen Bibelübersetzungen bewußt auf diese Methode zurück und setzte die Illustration als Kampfmittel ein. 1493 brachte Anton Koberger in Nürnberg eine deutsche Bibel heraus, in der er die für sein Unternehmen erworbenen Holzstöcke der Kölner Bibel verwendete. Damit war eine der bedeutendsten und schönsten Bibeln der Frühzeit des Buchdrucks geschaffen.
An dieses Vorbild schloß sich Johann Schönsperger d. Ä. mit seiner »biblia deutsch« an, von der 1478 die erste und 1490 die zweite Ausgabe erschienen. Schönsperger ließ die Illustrationen der Koberger Bibel in verkleinertem Format nachschneiden. Es sind Umrißholzschnitte, die der Kolorierung bedurften. Für sie wurden seegrüne und ockergelbe Farben eingesetzt, zusätzlich kamen auch zinnoberrote, blaue, braune und violette Farben zur Verwendung. Die Darstellungen beziehen die alltägliche Umwelt ein, indem sie versatzstückhaft Geräte anordnen und die handelnden Personen in zeitgenössischer Tracht abbilden. K. F.

A 11

A 12.2 Steffen Arndes

Niederdeutsche Bibel. 14. 11. 1494

Mit Glossen nach den Postillen des Nicolaus de Lyra
Berlin, Hauptstadt der DDR, Deutsche Staatsbibliothek

Nachdem 1478 bei Heinrich Quentell oder Bartholomäus von Unckel in Köln die niederdeutschen Bibeln erschienen, brachte 1494 Steffen Arndes in Lübeck eine weitere Bibelausgabe in niederdeutscher Sprache heraus. Ihre Holzschnittillustrationen entwickelten den Stil der Kölner Bibeln weiter: Durch die Anwendung von Schraffuren wurde die Technik des Holzschnittes verfeinert, eine Differenzierung der Tonwertskala erreicht und der Verzicht auf nachträgliche Kolorierung möglich. K. F.

A 13 Nürnberger Meister (Umkreis des Veit Stoß) *Abbildung*

Johannes Evangelist. Um 1510

Nicht bez.
Wandfigur, Rückseite ausgehöhlt,
Lindenholz, Reste der originalen Fassung. H. 137 cm
1905 aus dem Kunsthandel München erworben
Berlin, Hauptstadt der DDR, Staatliche Museen,
Skulpturensammlung; Inv.-Nr. 2964

Johannes Evangelist hat eine besondere Bedeutung in der christlichen Ikonographie. Er war nicht nur einer der bevorzugten Apostel und bei Abendmahl und Kreuzigung Christi anwesend, sondern auch einer der Autoren des Neuen Testamentes. Er soll der Verfasser eines der Evangelien und der Apokalypse, der Offenbarung, sein, deren Visionen den Weltuntergang prophezeiten (vgl. Kat.-Nr. A 2).
Nach der Tradition wird Johannes stets bartlos, als Jüngling, und meist mit einem Kelch in der Hand dargestellt, der seinen legendären Tod durch den Giftbecher symbolisiert. Dieser ist der hier ausgestellten Figur in die linke Hand gegeben, während die rechte Hand im Segensgestus erhoben ist. Auffallend ist der beredte Ausdruck des schmalen Gesichtes, wie überhaupt das ganze Bildwerk gespannte Kraft und aktive Wirksamkeit ausdrückt, die durch den stark bewegten Mantel noch betont wird. In der Forschung fand diese markante Skulptur – offensichtlich eine Altarfigur – vielfältige Beachtung. Das Gegenstück zu dieser Plastik, die Figur Johannes' des Täufers, wurde im zweiten Weltkrieg vernichtet. Th. Demmler hatte beide Statuen als Arbeiten eines bayrischen Meisters unter dem Einfluß des Veit Stoß bestimmt. Trotz späterer Zuschreibekorrekturen bezüglich der Kunstlandschaft, der dieser Schnitzer entstammte, waren sich die Forscher über die Vorbildwirkung des Veit Stoß einig. Die beiden Ohrenfalten, zu denen sich ein Zipfel des aufflatternden Manteltuches hoch aufbauscht, sind ebenso charakteristisch für den Meister des Krakauer Marienaltars wie auch die korkenzieherartig gedrehten Haare.
Die Bildhauerkunst in der Epoche der frühbürgerlichen Revolution wurde von zwei großen Meistern geprägt: Tilman Riemenschneider und Veit Stoß. Während Riemenschneiders Schnitzwerke von außerordentlicher Empfindsamkeit und tiefem lyrischem Gehalt geprägt sind, zeichnen sich die Arbeiten des Meister Stoß durch Dramatik und hochgespannte Erregung aus. Trotz dieser Verschiedenwertigkeit nahmen beide gleichermaßen wesentlichen Einfluß auf die Ausbildung eines diesseitsbezogenen Menschenbildes und übertrugen das biblische Geschehen in das Alltagsleben ihrer Zeit. E. Fr.

A 13

A 14 Albrecht Dürer

Die Große Passion. 1496–1499 und 1510

Folge von 11 Holzschnitten
Berlin, Hauptstadt der DDR, Staatliche Museen,
Kupferstichkabinett; Inv.-Nr. B.414–424

Die Leidensgeschichte Christi ist eines der großen Themen der Kunst. Zur Leidensgeschichte oder Passion gehören alle Ereignisse, die im unmittelbaren Zusammenhang mit der Kreuzigung Christi stehen oder dieses Geschehen in irgendeiner Weise vorbereiten. Grundlage für die bildliche Gestaltung sind die Schriften der vier Evangelisten Matthäus, Markus, Lukas und Johannes, die in nur wenig voneinander abweichenden Schilderungen das (gesamte) Leben Christi erzählen. Die mittelalterliche Kunst des Westens hatte eine feste Abfolge und Auswahl der Bilder herausgebildet. Der Leidensgeschichte im engeren Sinne werden oftmals Darstellungen aus der Auferstehung hinzugefügt. Den Höhepunkt hinsichtlich des realistischen Gehaltes und Reichtums der Gestaltung erlangen die Passionsdarstellungen um 1500. In Deutschland ist es besonders Albrecht Dürer, der in großartiger Weise dieses Thema in der Kunst gestaltet.
Der Leidensweg Christi ist ein Stoff, der im Leben des mittelalterlichen Menschen eine heute kaum mehr vorstellbare Rolle spielte. Dürer war, wie seine Zeitgenossen, mit den Stationen dieses Weges von Kindheit an vertraut. Er war Zuschauer bei den naturalistischen Passionsspielen, die gerade in dieser Zeit immer größere Verbreitung erlangten, und er erlebte den öffentlichen Strafvollzug. In steter Wiederholung begegnete er

A 3 Peter Breuer. Christus im Elend. Um 1500

A 7 Tilman Riemenschneider.
Christus am Kreuz. 1510–1515

A 23 Werkstatt des Tilman Riemenschneider.
Singender Hirte aus einer Anbetung. Um 1510

Seite 52

A 4 Lucas Cranach d. Ä. Kopie nach Hieronymus Bosch.
Links: Das Paradies. 1516/18(?)
Rechts: Die Hölle. 1516–1518(?)

Seite 53:

A 5 Lucas Cranach d. Ä. Der Sterbende. 1518(?)

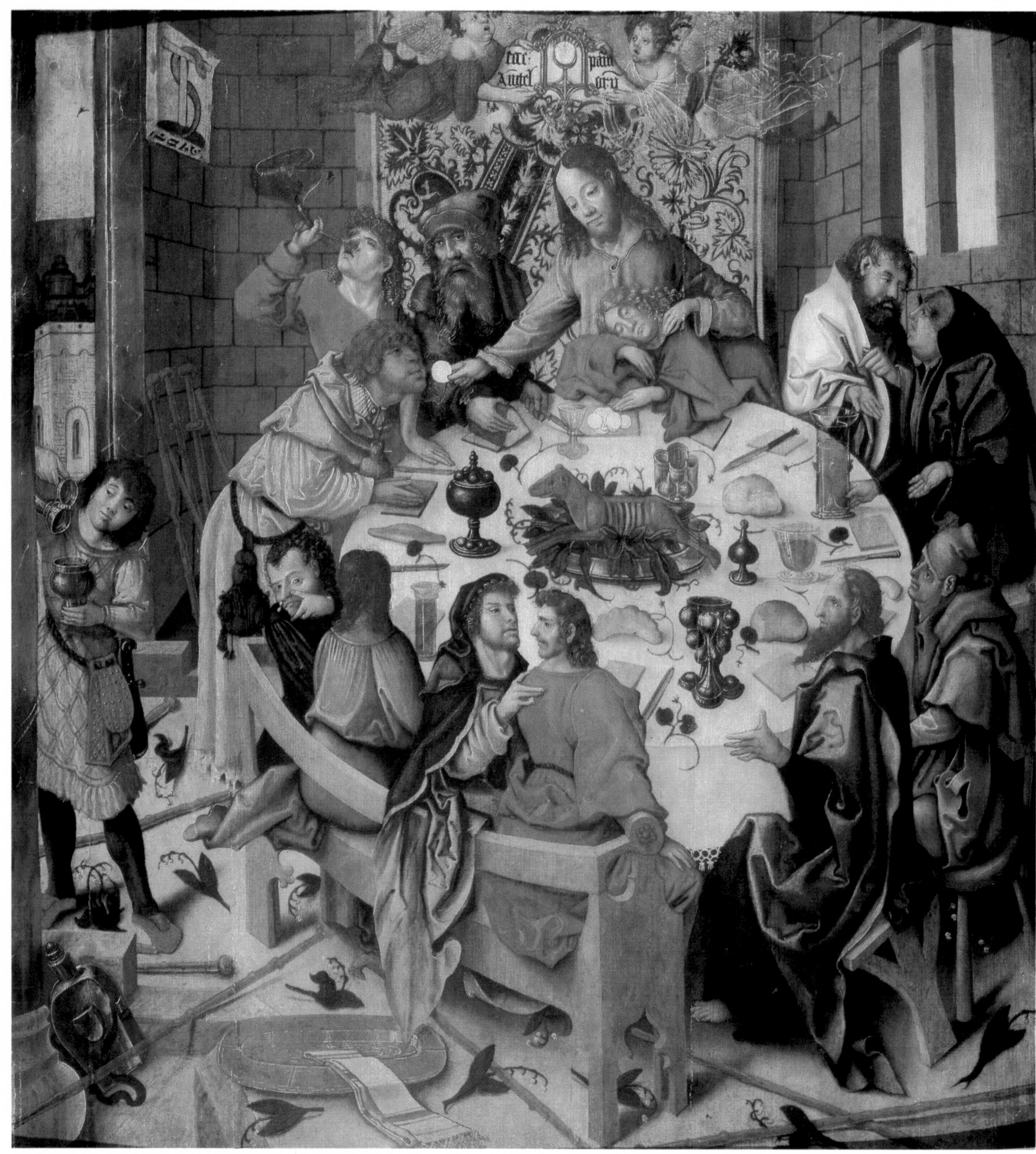

A 8 Jörg Ratgeb. Das Abendmahl. Um 1508

A 8 Jörg Ratgeb. Christus und Johannes. Detail aus dem Abendmahl. Um 1508

A 15 Anton Pilgram. Kanzelträger. Um 1490

in den Kirchen den zahlreichen Bildwerken, die die Passion Christi zum Inhalt hatten. Die geistige Tiefe des Stoffes forderte ihn mehrmals in seinem Leben heraus, seine Haltung dazu zu durchdenken. Das erste Unternehmen in dieser Richtung ist zugleich das aufwendigste und in seiner jugendlichen Frische das lebendigste. Die sogenannte Große Passion ist eines der drei umfangreichen Bücher, die Dürer selbst herausgegeben hat.

Die Große Passion steht in ihren sieben frühesten Drucken der Apokalypse sehr nahe (Christus am Ölberg, Geißelung, Schaustellung, Kreuztragung, Christus am Kreuz, Beweinung und Grablegung), obwohl ihr das Sensationelle freilich fehlt. Die vier Blätter, die noch hinzukommen, um die Passion als vollständiges Buch verkaufen zu können, entstanden erst 1510 (Abendmahl, Gefangennahme, Auferstehung, Christus in der Vorhölle). Im darauffolgenden Jahr fügt Dürer das Titelblatt hinzu. Wie im Marienleben wird der Zyklus von den Versen des Benedictus Chelidonius (eigentlich Benedict Schwalbe) erläutert. Die erste Ausgabe in Buchform erfolgt demnach erst 1511. Die frühen Blätter wurden aber schon, jeweils nach ihrer Vollendung, einzeln verkauft. Das Titelblatt von 1511 trägt die Darstellung Christi als Schmerzensmann zusammen mit einem Knecht aus der Verspottung, der ihm einen Rohrstab reicht, zynischer Ersatz für das Zepter. Verspottung und Auferstehung sind in dieser Darstellung miteinander verwoben. Wolken und Wundmale deuten auf den mystischen Charakter des Ereignisses, der Knecht verweist auf das historische Geschehen. Der Text des Titels lautet: »Die Leidensgeschichte unseres Herrn Jesus nach Hieronymus Paduanus, Dominicus Mancinus, Sedulius und Baptista Mantuanus zusammengestellt von Frater Chelidonius. Mit Bildern des Malers Albrecht Dürer aus Nürnberg«. Der Text ist in lateinischer Sprache verfaßt. E. B.

A 14.1

Das Abendmahl. 1510

Bez. u. M.: Monogramm des Künstlers
Holzschnitt. 39,5 x 28,4 cm
Bartsch 5; Meder 114

Die Folge beginnt mit dem Abendmahl. Im Zentrum des eingewölbten Raumes sitzt Christus, seinen Lieblingsjünger Johannes an der Brust, an beiden Seiten von Jüngern umgeben, die offensichtlich aufgeregt mit großen Gesten der Verkündung des Gottessohnes folgen. Aus Gründen der ausgewogenen Komposition hat Dürer als 14. Figur die links vorn agierende Gestalt hinzugefügt. Der lateinische Text läßt die als bekannt vorausgesetzten Ereignisse, wie sie in der Bibel geschildert werden, aus und konzentriert sich auf die Fußwaschung und den Verräter Judas Ischariot. Dieser sitzt mit dem Rücken zum Betrachter auf einem Hocker vor dem Tisch. Das Attribut des Verrates, den Beutel mit den Silberlingen, trägt er bereits am Gürtel. Christus hat soeben verkündet, daß derjenige, der mit ihm von einem Teller essen würde, ihn verraten wird. Im Text zu Dürers Abendmahl heißt es: »Mit Wasser und einem Tuche wäscht und trocknet er (Christus) allen, die mit ihm zu Tische saßen, die Füße, nicht zuletzt auch dem schnöden Judas. Dieser schlang die göttliche Speise im Frevel hinab und nahm so zugleich in sich auf die Furien und den stygischen Satan. Er ging weg, der Verbrecher, und verkaufte verblendet den Herrn der Welt um dreißig Silberlinge dem Rate« (Appuhn 1979, S. 142–143).

Dieses Textbeispiel macht deutlich, daß die von Chelidonius zusammengestellten Worte nicht die Grundlage der Bilder sind, sondern Ereignisse schildern, die im Bild nicht festgehalten werden konnten oder über den Bibeltext hinausgehen. E. B.

A 14.2

Abbildung

Christus am Ölberg. Um 1497/98

Bez. u. M.: Monogramm des Künstlers
Holzschnitt. 39,2 x 27,7 cm
Bartsch 6; Meder 115 e

Traditionsgemäß folgt dem Abendmahl die Darstellung des Christus am Ölberg.

Christus begab sich nach dem Abendmahl zum Garten Gethsemane am Ölberg, um zu beten. Nur Petrus, Johannes und Jakobus haben ihn begleitet.

Dürer hat die Passionsfolge in den Jahren 1497 mit dieser Szene begonnen. Er, der sich selbst noch auf der Suche befand, gestaltete sie zum Sinnbild subjektiver Auseinandersetzungen um schmerzhafte Entscheidungen. Die etwaigen Ratgeber schlafen, Christus ist mit sich allein, und nur aus sich kann er die Lösung finden. Trotz aller spätmittelalterlichen Formenbindungen ist das psychologische Moment der Angst mit einer bisher ungesehenen Sensibilität empfunden. Selbst bei Martin Schongauer findet man diese Verinnerlichung nicht. Die feinen, nervigen Hände des Dürerschen Christus scheinen zu zittern. Das Gesicht spiegelt die Empfindungen der Seele wider. Dürer hat in den späteren Darstellungen dieses Ereignisses die unterschiedlichsten Darstellungsweisen verwendet. Geradezu derb erscheint die pathetische Klage des Christus in der Kleinen Kupferstichpassion von 1507 bis 1512. In der Eisenradierung von 1512 ist er dabei, die Hände zu falten, um so die Entscheidung zu besiegeln. In der Kleinen Holzschnittpassion von 1509 bis 1511 ist die Entscheidung getroffen. Demütig stützt Christus sein Haupt auf die gefalteten Hände. In der frühesten Fassung des Themas, in dem Blatt der Großen Holzschnittpassion, scheint der Christus am Ölberg unentschieden.

Daß es Dürer gelang, in der Christusgestalt menschliche Angst und menschlichen Zweifel darzustellen, war nur durch ein neues Bewußtsein des Menschen möglich geworden. Zunehmend floß die subjektive Anteilnahme in die religiösen Themen der Kunst ein. Inneres Erleben konnte nun wirklich gestaltet werden. Christus am Ölberg erscheint als der sich seiner selbst bewußt werdende Mensch.

A 14.2

Diese Ausdrucksstärke erreicht Dürer im Blatt mit Christus am Kreuz nicht. Sie wird erst wieder in den Blättern mit der Beweinung und Grablegung Christi möglich.
Dürer hat über das Problem der besonderen Persönlichkeit Christi geschrieben: »Ein ydliche seel, die do ewiglich soll leben, die wird erquickt jnn Jhesu Christo, der da ist auß zweyen substanzen inn einer Person gott und mensch, daz allein durch die gnad geglaubt, und durch natürlich vernunfft nimmermehr verstanden würdt.«
Der zweifelnde Christus am Ölberg wird durch Dürer in hohem Maße zum Ausdruck der Vermenschlichung der göttlichen Personen, wie sie typisch für die Kunst am Vorabend der Reformation geworden war. E. B.

A 14.3

Gefangennahme Christi. 1510

Bez. u. M.: Monogramm des Künstlers
Holzschnitt. 39,4x28 cm
Bartsch 7; Meder 116

Als Christus vom Gebet zurückkehrt, nehmen die Ereignisse ihren vorbestimmten Lauf. Die Soldaten stürzen sich auf ihn und führen ihn gefesselt hinweg. Mehrere Ereignisse sind auf diesem Blatt vereinigt. Gleichzeitig mit dem verräterischen Kuß des Judas wird die Abführung Christi gezeigt, und Petrus, der nach dem Evangelium des Lukas (Kapitel 22, Vers 50–51) dem Malchus ein Ohr abschlägt, holt gerade mit seinem Schwert aus. Eine Szene im Hintergrund verweist darauf, daß Dürer dem Text der Bibel folgte und nicht den beigefügten Versen von Chelidonius. Nach Markus Kapitel 14, Vers 51–52 verliert ein Jüngling, der der Gruppe gefolgt war, sein Leinengewand, als er flüchtet. Die Gefangennahme gehört zu den späten Blättern von 1510. E. B.

A 14.4

Geißelung Christi. Um 1497/98

Bez. u. M.: Monogramm des Künstlers
Holzschnitt. 38,2x27,8 cm
Bartsch 8; Meder 117

Im Hause des Pilatus, der als römischer Prokurator über die Forderungen der Juden, Christus zu richten, zu entscheiden hatte, wird dieser an eine hohe Säule gebunden und mit Ruten geschlagen. Im türkischen Gewand steht links im Bild Pilatus. (Türkische Gewänder galten als Sinnbild für das Heidentum, wobei hier klassisch-antikes und islamisches Heidentum gleichgesetzt wurden. Der römische Kaiser Domitian, auf dem Blatt der Marter des heiligen Johannes aus der Apokalypse, trägt ebenfalls ein türkisches Gewand.) In realistischer Weise schildert Dürer das Binden einer Rute. Drastisch überhöht stellt er die Fesselung dar. Einer der Knechte stützt sich mit beiden Beinen gegen die Säule, um die Stricke festzuzurren. Das Blatt ist mit Figuren überfüllt, die aktiv in die Handlung verstrickt sind. Nur der Pudel im Vordergrund schaut gleichmütig. Der Einfluß der Passionsspiele wird im drastischen Naturalismus deutlich erkennbar. E. B.

A 14.5

Abbildung

Die Schaustellung Christi (Ecce homo) Um 1497/98

Bez. u. M.: Monogramm des Künstlers
Holzschnitt. 39,2x28,4 cm
Bartsch 9; Meder 118 I b

Gedemütigt wird Christus auf den Balkon geführt. Sein Anspruch, König der Juden zu sein, wird in den Versatzstücken Dornenkrone statt richtiger Krone, Stab anstelle des Zepters verspottet. Dennoch ist der leidende und gedemütigte Christus so zentral in seiner Ausstrahlung, daß er selbst in seinen bösartigen Gegnern Betroffenheit erzeugt. Lautstarke Gesten bleiben im Ansatz und sinken gar zurück in Nachdenklichkeit. Pi-

14.5

A 14.6

latus scheint von Christus geradezu flehentlich die Richtigkeit seiner Handlung bestätigt haben zu wollen. Der Mann hinter Christus, der den Mantel zurückschlägt, um den gequälten Menschen deutlicher zu zeigen, ist von einer seltsamen Traurigkeit befallen.

Zeigt Schongauer die johlende und pfeifende Menge, die sich in einem Rausch der Verspottung befindet, läßt Dürer die differenzierten Haltungen und die Kompliziertheit der Entscheidung deutlicher spüren. Die große Rolle, die die Volksmenge in diesem Blatt spielt, stellt eine Beziehung zum Martyriumsbild der Apokalypse her. Hier ist die Menge, im Gegensatz zum ersten Blatt der Apokalypse, optisch von dem Ereignis getrennt. Dort erfüllte die Brüstung die Aufgabe der Trennung. Panofsky (1977, S. 78) hat darauf hingewiesen, daß die Verschiedenheit der Fluchtpunkte in der perspektivischen Darstellung der Treppenstufen und der Fugen der Palastmauer »... visuell symbolisch (ist) für den Gegensatz zwischen dem Heiland und der feindlichen Menge ebenso wie in dem Martyrium des heiligen Johannes und der größere Maßstab des römischen Kaisers visuell symbolisch ist für seine soziale Stellung«.

E. B.

A 14.6

Abbildung

Kreuztragung. Um 1497/98

Bez. u. M.: Monogramm des Künstlers
Holzschnitt. 38,4 x 28,3 cm
Bartsch 10; Meder 119

Das Urteil ist gefällt, daß Volk wollte Christus am Kreuz sehen. Aufgehetzt von den jüdischen Hohepriestern, verhalf es in der Entscheidung, die Pilatus ihm überließ, Barabas zur Freiheit. (Der Mörder Barabas war zusammen mit Christus angeklagt.) Im folgenden Blatt sehen wir Christus, wie er unter der schweren Last des Holzkreuzes mühsam den Weg zur Richtstätte beschreitet. Die Kreuztragung zeigt in ihrer dramatischen Dichte, in ihrer scheinbar gestellten Unbeweglichkeit, die unterschiedlichsten Sinnbilder menschlicher Haltungen. Dürer vermeidet eine einfache Beantwortung der Schuldfrage. Weder ist Christus besonders glorifiziert, noch sind die Peiniger deutlich erniedrigt. Sein Verständnis für die letzteren macht durch ihre vollwertige Zeichnung betroffen, der gesamte Zug ist ins Stocken geraten.

Ein Soldat befahl einem zufälligen Passanten, dem Simon von Kyrene, Jesu zu helfen. Vor ihm kniet Veronika, ihm das Schweißtuch reichend, auf dem sich der Legende nach, wie durch ein Wunder, das Antlitz Christi abbilden sollte. Der Stein, auf den sich der Gepeinigte stützt, wird durch einen Kranz schöner Pflanzen gezeichnet.

Die Komposition erinnert an das große Blatt gleichen Titels von Martin Schongauer. Bei Schongauer aber strebt die Menge unaufhaltsam vorwärts. Auch bei Dürer geht in der Kleinen Kupferstichpassion der Zug an uns vorüber, ohne in der Verharrung Bedenklichkeit zu erzeugen. Auch alle späteren Fassungen des Themas kommen auf dieses frühe Motiv nicht mehr zurück. Eine Ausnahme bildet eine Vorzeichnung zu einer geplanten Passion von 1520. Hier läßt Dürer noch einmal den Zug ganz ähnlich stillstehen (die Zeichnung befindet sich in Florenz in den Uffizien). Panofsky (1977, S. 82) erläutert die Modernität in der Christusfigur (vom Standpunkt ihrer Entstehungszeit her betrachtet): »In Dürers Holzschnitt gleitet die Figur nicht sachte in die Knie, sondern er bricht unter seiner schrecklichen Last zusammen: eine flüssige gotische Stellung ist durch einen heftigen contraposto ersetzt.« Interessant ist auch Panofskys Hinweis, daß Raphaels »Spasimo di Sicilia« (Madrid, Prado) von Dürers Holzschnitt beeinflußt ist (ebenda). E. B.

A 14.7 *Abbildung*

Christus am Kreuz. Um 1497/98

Bez. u. M.: Monogramm des Künstlers
Holzschnitt. 39,0x27,9 cm
Bartsch 11; Meder 120 I b

Im folgenden, ebenfalls früh entstandenen Blatt wird Christus bereits ans Kreuz geschlagen gezeigt. Das Bild des Gekreuzigten wurde von Dürer in der traditionellen Auffassung belassen. Zu stark war die religiöse Bindung an dieses Sinnbild der Kirche, als daß er große Veränderungen wagen konnte. Zwei Engel, die den toten Christus umschweben, fangen dessen Blut mit Kelchen auf, ein dritter befindet sich am Fuße des Kreuzes, Sonne und Mond sind der Hinweis auf Ekklesia (Gratia, Vita) und Synagoge (Lex, Mors). Obwohl nicht Zentrum des Geschehens, bringt die Gruppe um Maria und besonders Maria selbst den stärksten Eindruck hervor. Maria ist ohnmächtig zusammengesunken. Maria Magdalena, Johannes und die beiden anderen Marien stehen ihr bei. Höchst erstaunlich ist es, wie es Dürer vermochte, in der Linearität des Holzschnittes den seelischen Zustand der Maria so eindrucksvoll zu schildern. In den Blättern mit der Beweinung und der Grablegung Christi gestaltete Dürer noch zweimal den seelischen Schmerz Marias. E. B.

A 14.8

Christus in der Vorhölle. 1510

Bez. u. M.: Monogramm des Künstlers
Holzschnitt. 39,2x28,0 cm
Bartsch 12; Meder 121

Während sich Dürer in den nachfolgenden Darstellungen der Beweinung und Grablegung noch einmal der seelischen Verfassung Marias widmet, gibt dieses Blatt mystisches Geschehen wieder. Das Ereignis ist in keinem der Evangelien beschrieben

A 1

worden. Lediglich Matthäus erwähnt, daß sich nach dem Tode Christi Gräber öffnen und Heilige auferstehen (Kapitel 27, Vers 53). Bei Chelidonius heißt es: »Dann rief Gott aus der Unterwelt die Seelen zurück, die gerechten Seelen der Väter, die lange unten im tiefen Kerker des dunklen Reiches Fesseln umschlossen. Nicht Ströme, nicht Furien, nicht eiserne Riegel verwehrten es ihm; und befreit folgt die Schar Christus, ihrem Schöpfer« (Appuhn 1979, S. 153). Christus kniet mit der Siegesfahne vor einer Art Kellerfenster, aus dem ihm jene, die gerettet werden sollen, die Arme entgegenstrecken. Links hinter ihm sind schon diejenigen versammelt, die dem Zugriff der bösen Mächte bereits entzogen sind. In dem Paar neben dem Holzkreuz, das von einer männlichen Gestalt umfaßt wird, erkennen wir Adam und Eva. Alle Details, von der Form der architektonischen Teile bis hin zur zerbrochenen Höllenpforte, von der man links in der Ecke lediglich eine Angel erblickt, sind realistisch durchgebildet. Das Unwirkliche der Handlung erschließt sich vor allem aus den phantastischen Teufelsgestalten, die teils aus dem Kellerfenster stieren und teils bedrohlich über Christus einen Speer schwingen oder das Horn blasen. Deutlich verspürt man die Lächerlichkeit ihrer Gebärden.

E. B.

14.9

A 14.10

A 14.9 *Abbildung*

Beweinung Christi. Um 1498/99

Bez. u. M.: Monogramm des Künstlers
Holzschnitt. 39,4 x 28,5 cm
Bartsch 13; Meder 122

Daß Dürer die Handlung nach der Kreuzigungsszene unterbricht, um Christus in der Vorhölle zu zeigen, fußt auf der oben erwähnten Stelle aus dem Matthäus-Evangelium (Kapitel 27, Vers 53). Die Darstellung der Trauer um den toten Christus müßte von der Logik der Handlung her der Kreuzigung folgen. Die Beweinung aber ist ebensowenig von dem Evangelisten beschrieben worden wie der Christus in der Vorhölle. Vielmehr kommt diese Handlung aus der jüdischen Tradition der Totenklage. Das Motiv der Pietà hat sich in der westlichen Kunst als Einzelmotiv aus der Passion herausgelöst und spielte eine besondere Rolle in den mystischen Andachten, die den toten Christus und seine Wunden sowie die Schmerzen der Maria in den Mittelpunkt rückten. Um das Mitleiden des Menschen zu vertiefen, wurden der wunde Leib und die Trauer der Maria stark übersteigert dargestellt. Auf Dürers Holzschnitt ist die trauernde Gruppe um den Leichnam Christi der Gegenstand der Aufmerksamkeit. Die abgebildete Natur scheint wie ein Schutzschirm über der Gruppe zu walten. Die im Wind gebeugten Äste sind wie eine emporgestiegene Klage. Neben Maria, in deren Blick sich die Unfaßbarkeit des Geschehens spiegelt, zeigt sich die Klage des Johannes besonders eindrucksvoll. Sein nach links geneigter Kopf zeigt den Zustand, den der tiefe Schmerz ausgelöst hat.

E. B.

A 14.10 *Abbildung*

Grablegung Christi. Um 1496/97

Bez. u. M.: Monogramm des Künstlers
Holzschnitt. 38,4 x 27,8 cm
Bartsch 12; Meder 123

Das Blatt zeigt die kurze Zeit später erfolgte Grablegung. Die Landschaft bleibt unverändert. Zu der Gruppe sind nun aber Männer hinzugetreten, die den Leichnam aufnehmen. Maria ist kraftlos zurückgesunken. Ihr Gesicht drückt das Ausgeliefertsein gegenüber dem unbegreiflichen Vorgang aus. Besonders genau hat Dürer die kraftlosen Hände der vor Schmerz ohnmächtigen Frau gestaltet. Die leichte Krümmung der Finger nach innen wiederholt die Form des gesamten Körpers.

E. B.

A 14.11

Auferstehung Christi. 1510

Bez. u. M.: Monogramm des Künstlers
Holzschnitt. 39,1 x 27,7 cm
Bartsch 15; Meder 124

Das Schlußblatt zeigt Christus als Sieger über den Tod. In einem Rahmen von Wolken steht er auf dem durch steinerne Platten geschlossenen und versiegelten Grab. Ringsumher lagern schlafende Soldaten, die darüber wachen sollten, daß der tote Christus im Grabe bleibt.
Seit dem 13. Jahrhundert wird die Auferstehung des Gottessohnes bildlich dargestellt. Vordem hatte man sich auf die Darstellung des Engels, welcher den Frauen die Auferstehung verkündet, beschränkt. Der Vorgang der Auferstehung und die Gestalt des Auferstandenen werden in der Bibel nicht beschrieben. Hingegen gibt es die Beschreibung der Auferweckung des Lazarus durch Christus als Vorwegnahme der Auferstehung des Heilands. Erst die ottonische Buchmalerei kennt die Gestalt des Auferstandenen. E. B.

A 15 Anton Pilgram *Farbtafel Seite 56*

Kanzelträger. Um 1490

Freifigur, Sandstein,
Reste alter, aber nicht ursprünglicher Fassung. H. 11 cm
1937 aus dem Berliner Kunsthandel erworben
Berlin, Hauptstadt der DDR, Staatliche Museen, Skulpturensammlung; Inv.-Nr. 8580

Die aus der Stiftskirche in Öhringen bei Heilbronn stammende Skulptur hatte ursprünglich die Funktion eines figürlichen Kanzelfußes. Der Meister wählte einen Zunftgenossen als Vorbild. Der junge Mann trägt die Kleidung eines Steinmetzen mit dem runden Handwerkerhut, ein kurzes Wams, enganliegende Beinlinge sowie Stulpenstiefel; um den rechten Arm hat er ein dickes Seil doppelt geschlungen. Ein Brotwekken steckt vorn im Wams, und auf dem Rücken steckt ein Hufeisen im Gürtel neben seinen Scharrierstiften. Er hebt gerade ein bearbeitetes Werkstück – einen profiliert ausgeschlagenen Stein – auf seine Schulter empor. Die Anstrengung des Hochstemmens spiegelt sich in meisterhafter Weise auf dem Gesicht wider: Die Stirnadern treten wulstig hervor, und die Augen sind weit aufgerissen, der Mund vor Anstrengung verzerrt.
Diese Skulptur gewinnt ihre Bedeutung durch die Darstellung eines werktätigen Menschen aus der Zeit der frühbürgerlichen Revolution, als mit der Zunahme der Wertschätzung der körperlichen Arbeit auch das Interesse der Künstler wuchs, die unteren Volksschichten in ihren Werken bildhaft zu machen. Die Idee, einen Kanzelfuß in der Form eines lasttragenden Handwerkers zu gestalten, findet seit dem Ende des 15. Jahrhunderts, speziell im schwäbischen Raum, zunehmende Verbreitung. Außer unserem Kanzelträger haben sich noch drei ähnliche Bildwerke erhalten (Steinmetzgeselle am Sakramentshaus in der Heilbronner Stadtkirche, 1482 bis 1487; Kanzelträger in der Pfarrkirche von Heutingsheim bei Ludwigsburg, gleichfalls um 1482 bis 1487, und kniender Steinträger in der Lorenzkirche zu Rottweil, vor 1490), die jedoch noch keine so reife und detailsichere Ausformung eines arbeitenden Menschen ausweisen. Am ehesten entsprechen Stil und Ikonographie des Steinträgers aus Rottweil, »Rottweiler Wekkenmännlein« genannt, in Arbeitstracht und Ausdruck dem Öhringer Kanzelträger und wirken wie eine Vorstufe zu ihm, wenn sie auch die geschlossen-blockhafte Auffassung noch nicht erreichen. Zunächst als Werk eines Heilbronner Meisters angekauft, wurde es zuerst von Demmler als Arbeit Anton Pilgrams identifiziert. Vermutlich handelt es sich um eines der letzten Werke, die Pilgram während seiner Wanderschaft, bei einem Aufenthalt in Heilbronn und Umgebung, schuf, bevor er 1495 wieder in seine Heimat nach Brünn zurückkehrte.
E. Fr.

A 16.1 Albrecht Dürer *Abbildung*

Drei Bauern im Gespräch. Um 1496–1507

Bez. u. M.: Monogramm des Künstlers
Kupferstich. 10,6 x 7,5 cm
Dresden, Staatliche Kunstsammlungen, Kupferstich-Kabinett; Inv.-Nr. A 851
Bartsch 86; Meder 87

A 1

Konzipiert ist die Gruppe auf der gleichen Zeichnung (Berliner Kupferstichkabinett) wie das »Spazierende Bauernpaar«, obgleich beide Gruppen nicht inhaltlich verbunden sind. Die Umsetzung in den um fast die Hälfte verkleinerten Kupferstich zeigt hier ebenfalls entscheidende Abwandlungen: Alle spitzen Formen, renommistischen Posen und unorganischen Gegenrichtungen, die einen leicht karikierenden Zug in die Zeichnung bringen, sind überwunden zugunsten größerer Plastizität, Form- und Raumfülle bei allem Detailreichtum. Schon hier ist der Stichel »das Instrument der schärfsten Präzision, der stärksten Gegenwart« (H. Th. Musper).

Wie die Bauern dastehen, wie sie den niedrigen Horizont bis fast zur vollen Blatthöhe überragen, darin liegt soviel unumstößliche Festigkeit und Selbstverständlichkeit, daß die Bedeutsamkeit dieses Standes kaum prägnanter formuliert werden könnte. Dazu das auffallende, ins Zentrum gerückte Schwert! Diese kompositionelle Betonung kommt einer Unterstreichung der Rechtmäßigkeit des Waffentragens gleich. Welche moralische Stärkung muß dieses Blatt den Aufständischen vermittelt haben! Nicht unzutreffend ist später die Dreiergruppe mit dem Rütlischwur verglichen worden. Unklar bleibt nur eines: warum die mittlere, zurückgerückte Gestalt im Kupferstich den Kopf des Mannes aus der »Türkenfamilie« erhalten hat. Abnehmer muß das Blatt mehr als genug gefunden haben, denn offenbar reichten die mehreren Hundert Abzüge nicht aus, die große Nachfrage zu decken, sogar in den Ländern, die Dürer mehrmals bereist hat – in Italien und den Niederlanden – entstanden Kopien im gleichen Jahrhundert. Heute noch nachweisbar sind drei seitengleiche und elf seitenverkehrte Kopien, die unter anderem Marcantonio Raimondi und Hieronymus Wierix zugeschrieben werden. I. M.

A 16.2

A 16.2 Albrecht Dürer *Abbildung*

Tanzendes Bauernpaar. 1514

Bez. u. M.: 1514 und Monogramm des Künstlers
Kupferstich. 11,8 x 7,5 cm
Dresden, Staatliche Kunstsammlungen, Kupferstich-Kabinett; Inv.-Nr. 1887–88
Bartsch 90; Meder 88

A 16.3 Albrecht Dürer *Abbildung*

Der Dudelsackpfeifer. 1514

Bez. u. M.: 1514 und Monogramm des Künstlers
Kupferstich. 10,5 x 7,4 cm
Dresden, Staatliche Kunstsammlungen, Kupferstich-Kabinett; Inv.-Nr. A 814
Bartsch 91; Meder 90

Kompakter und greifbarer kann eine Gruppe wie das »Tanzende Bauernpaar« (Kat.-Nr. A 16.2) kaum erfaßt werden. Trotz der Bewegtheit der Figuren mit hochgeworfenen Beinen und ausgreifenden Armen (wobei die Linke des Mannes in ähnlicher Weise erhoben ist wie beim spazierenden Bauernpaar), trotz diagonaler Bewegungsrichtungen wirkt die Gruppe stabil, unverrückbar. Und trotz der groß gesehenen Grundstrukturen hat die unwahrscheinlich kleinteilige Detailbehandlung nichts Kleinliches. Es ist die Zeit, in der Dürer seine berühmten Meisterstiche »Hieronymus im Gehäus« und die »Melancholia« schuf. Die ganze Souveränität der technischen Beherrschung wird in diesem Blatt ebenso spürbar wie die feste Überzeugung, daß »ein verständiger, geübter Künstler in grober bäurischer Gestalt sein groß Gewalt und Kunst mehr zeigen kann etwa in geringen Dingen, dann mancher in seinem großen Werk« (Dürer, Leipzig 1971, S. 250). In unmittelbarem Zusammenhang mit diesem Blatt dürfte »Der Dudelsackpfeifer« (Kat.-Nr. A 16.3) entstanden sein, ein Stich, der

A 16.3

A 16

nicht nur stilistisch und vom Datum her, sondern auch inhaltlich (bei fast gleichen Abmessungen) wie ein Gegenstück wirkt.
Es verwundert nicht, daß auch dieser Stich in seiner derben Realitätsbezogenheit seine Nachahmer gefunden hat. Jedoch zielen die Abwandlungen auf eine größere Genrehaftigkeit. Hieronymus Hopfer fügt auf dem fast doppelt so großen Blatt links einen Baum und rechts einen Strauch hinzu, Pieter Maes ein Spruchband »Mein Griete mir mosen dansen ei«, und Hans Sebald Beham schafft ganze Serien mit Tanzpaaren und Bauernfestszenen. I. M.

A 16.4 Albrecht Dürer *Abbildung*

Die Marktbauern. 1519

Bez. u. r.: Monogramm des Künstlers
Kupferstich. 11,6 x 7,3 cm
Dresden, Staatliche Kunstsammlungen, Kupferstich-Kabinett; Inv.-Nr. A 1909 — 95
Bartsch 89; Meder 89

An der Richtigkeit des Titels sind Zweifel laut geworden, nachdem in Hamburg eine Zeichnung auftauchte, die bei deutlichem Bezug auf diesen Stich die Beischrift trägt »Dz ist der pawer der die priff gert« (Das ist der Bauer, der einen Brief verlangt). Ob nun die Rückgabe eines Schuldscheines oder die Entrichtung von Abgaben wie dem Zehnten verbrieft werden soll, bleibt unklar. Jedenfalls ist der soziale Bezug dadurch verändert.
Sehr selbstbewußt in raumgreifendem Grätschschritt steht der Bauer so, daß er fast die rechte Blatthälfte füllt. Äußerst muskulöse Beine stecken in den weichen Schaftstiefeln. Derbknochig und breitbrüstig steht er vor uns. Um den knapp knielangen, an den Ärmeln verschlissenen Arbeitskittel ist ein Dolch gegürtet. Die ausgestreckte Rechte bekommt durch die oben genannte Deutung als Geste des Forderns einen Sinn. Vor der älter wirkenden, leicht gebeugt stehenden Frau, die mit Vorräten überladen wirkt, stehen ein Eierkorb und ein Krug, auf dem offenbar

eine Börse liegt. Dürer stattet die Bauern mit Eigenschaften aus, die sie als Typus und Individuum zugleich kennzeichnen und einen Eindruck von Selbstwertgefühl, ja Standesbewußtsein vermitteln. Im Tagebuch seiner niederländischen Reise nennt er den Stich den »neuen bauren« (Rupprich 1, S. 157).
Was von den mittelalterlichen Totentänzen als Gedanke vorbereitet war, die Gleichheit aller Stände vor dem Tod und vor Gott, erfährt an Dürers Darstellungen des »gemeinen Mannes« die höchstmögliche Konkretisierung. Als Einzelgestalten verkörpern sie voller Stolz und Würde ihren Stand und damit eine soziale Gruppe, der so ernsthafte Achtung und Beachtung vorher kaum zugestanden wurde. Dürer konstatiert somit Wandlungen in der Einschätzung des Bauern, wofür auch die sechs Jahre spätere Bauernkriegssäule ein aktueller Beweis ist. Nicht zufällig vollziehen sich diese Umbrüche zuerst in der Graphik, deren Vorzüge in der schnellen Reaktionsfähigkeit und in der breiten Vervielfältigung liegen. I. M.

A 17 Albrecht Dürer

Der verlorene Sohn. Um 1496–1498

Bez. u. M.: Monogramm des Künstlers
Kupferstich. 20,6 x 18,5 cm
Aus Sammlung Beuth übernommen
Berlin, Hauptstadt der DDR, Staatliche Museen, Kupferstichkabinett; Inv.-Nr. B 143
Bartsch 28; Meder 28

Die Erzählung vom verlorenen Sohn gehört zu den Gleichnissen Jesu. Sie ist im Lukas-Evangelium (Kapitel 15, Vers 11–32) überliefert. In Parabelform wird vom jüngsten Sohn eines Vaters erzählt, der sich sein Erbe auszahlen ließ, in die Welt hinauszog und sein Geld in ausschweifendem und liederlichem Lebenswandel verpraßte. Schließlich verdingte sich der Sohn als Schweinehirt, um sein Leben zu fristen, mußte aber erfahren, daß er nicht für wert gehalten wurde, das Futter der Schweine als Nahrung zu begehren. Reumütig kehrt er um und wird vom Vater freudig wieder aufgenommen.
Illustrationen zu diesem Thema hat es schon seit byzantinischer Zeit gegeben. Im 12. und 13. Jahrhundert tauchen sie in den Zyklen der großen Kathedralfenster auf und werden seit dem späten Mittelalter zu breiten Schilderungen der Sitten und Gebräuche benutzt. Das Motiv bietet reiche Möglichkeiten, die negativen Seiten des menschlichen Lebens deutlich vorzuführen und so als moralisierendes Sinnbild zu wirken.
Dürer verlegt die Szene, in der der verlorene Sohn bei den Schweinen sitzt, aus der offenen Landschaft in einen geschlossenen dörflichen Raum seiner fränkischen Heimat. Damit wird die Konzentration auf das Geschehen sichtbar, obwohl die straffe Bildzusammenfassung zur großen Form, wie sie die späteren Stiche Dürers auszeichnet, noch nicht erreicht ist. Deutlich sind Vordergrundgruppe und Hintergrundstaffage voneinander getrennt. Der Sohn kniet, umgeben von den um das Futter raufenden Schweinen, gedenkt seiner Sünden und blickt sehnsüchtig zu den Häusern, hinter deren geschlossenen Türen sich das normale Leben abspielt. Die Isolierung des Sünders wird in dieser Trennung besonders deutlich. G. Wiederanders (1975, S. 60) sieht in ihr einen Bezug auf das Ergebnis des Gleichnisses. Seit der Reue des Sünders wird die Umkehr möglich, der Hinweis auf das später von der Reformation aufgegriffene Sinnbild von Gnade und Erlösung scheint gegeben.
Andererseits wirkt diese Isolierung, die der Mensch in bäuerlicher Umgebung erfährt, aber auch wie eine Anklage der Isolierung des Bauern, den man als Vertreter des untersten Standes der Feudalhierarchie verachtete. Diese »Verachtung mußte den Grund liefern, warum man sie [die Bauern, d. A.] als Knechte für alle arbeiten ließ; weil sie zur Sklaverei geboren, nicht viel mehr als Tiere waren, hatte man das Recht, sie zu benützen, wie man Tiere benützt. Mit diesen Menschen in der Tiefe sich einzulassen, bedeutete eine Selbsterniedrigung, vor der es den höheren Ständen graute« (Ricarda Huch, Das Zeitalter der Glaubensspaltung, München und Hamburg 1964, S. 109). K. F.

A 18 Albrecht Dürer *Abbildung Seite 67*

Ritter, Tod und Teufel. 1513

Bez. u. l.: Monogramm des Künstlers und die Jahreszahl 1513. Vor der Jahreszahl der Buchstabe S für Salus (anno Sali – im Jahre des Heils)
Kupferstich. 24,6 x 19 cm
Dresden, Staatliche Kunstsammlungen, Kupferstich-Kabinett; Inv.-Nr. A 831
Bartsch 98; Meder 74

In seiner Vielschichtigkeit ist das Blatt von ähnlich vielen Deutungsversuchen wie die »Melancholia« (Kat.-Nr. D 42) begleitet. Obwohl Dürer die sogenannten drei Meisterstiche nie zusammen abgegeben hat, sie also offenbar nicht in direktem Zusammenhang sehen wollte, sind sie in der kunsthistorischen Beschreibung des öfteren aufeinander bezogen worden. Man wollte sie in der Verbindung mit der Scholastik als moralischen, theologischen und intellektuellen Weg der Tugend verstanden wissen (Lippmann).
Die feste, statuarische Gestalt des Reiters bestimmt in ihrer Anlage die Grundhaltung des Bildes. Die aus der Plastik übernommene Tektonik trägt in sich den Ausdruck von fester, zielbewußter Charakterhaltung. Ihren Gegensatz findet sie in der zerklüfteten Landschaft mit den unwirklichen Gestalten von Tod und Teufel. Die ungeordnete Wildheit der Felsen, Bäume und Wurzeln könnte als Sinnbild der dauernden Bedrohung für den tugendhaften Christen aufgefaßt werden. Die Lanze, die von einem Bildrand zum anderen reicht, unterstützt die

entschlossene Abgrenzung des Reiters vor den Anfechtungen dieser Welt. Der Tod, selbst ein Reiter, bildet zu ihm den Kontrast. Als ein zerfallenes Wesen, welches sich gleich der Schlange auf seinem Haupt dem Zugriff entzieht, ist er Teil der Landschaft. Er verschmilzt mit ihr, gleich dem Teufel, der dem Wurzelwerk der Bäume ähnelt, um als besonderer Akzent in der Wirklichkeit zu erscheinen. Im Tod ist die natürliche Grenze des Menschen gesetzt, der Teufel hält für ihn die vielfältigsten Versuchungen bereit, die Lebenszeit zu vergeuden. In dieser dämonischen Landschaft bietet neben der Unbeirrbarkeit des Reiters nur die Burg im Hintergrund die Hoffnung auf eine feste Basis. Der Weg dorthin ist beschwerlich. Der christliche Ritter ist in der gärenden, unruhevollen Zeit die Manifestation der Tugendhaftigkeit, in der für Dürer der einzige Weg zu einer harmonischen Gestaltung der Welt zu finden ist. Die Rüstung wird über ihren profanen Gebrauch hinaus zum Symbol der Unanfechtbarkeit des wahrhaft Gläubigen. Die literarischen Quellen für dieses vielschichtige Bild sind die Beschreibungen der Tugenden für das christliche Rüstzeug in der Bibel bei Epheser (Kapitel 6, Vers 10–18). Erasmus von Rotterdam hat 1503 den christlichen Ritter zum Gegenstand seiner Schrift »Enchiridion militis christiani« (Handbüchlein des christlichen Streiters) gemacht. Eine weitere literarische Quelle, die für den Stich von Bedeutung gewesen sein könnte, sind die Hieroglyphen des Horus Apollon, die Dürer durch Pirckheimer bekannt gewesen waren. Die Schweinsgestalt des Teufels ist in diesem Werk beschrieben, ebenso der Hund als Begleiter des Weisen. Allerdings läßt die Kompliziertheit der Vorlage auch die Deutung des Ritters als des Vertreters der »Gesetzlosen Gewalt« (Dresden 1971, Nr. 332), als eines durch die Lande ziehenden Raubritters, zu.

Dem Kupferstich vorausgegangen waren zahlreiche Studien zu den Maßverhältnissen des Pferdes. Dürer war ebenso wie Leonardo da Vinci von der Ausgewogenheit der Gestalt des Pferdes fasziniert. Die Monumentalität des Reiters stammt unzweifelhaft von italienischen Reiterstandbildern. Dürer hat in Venedig den Colleoni von Verrocchio gesehen; auch könnten die Rosse von San Marco, der Gattamelata von Donatello in Padua und jenes zu dieser Zeit noch sichtbare Modell Leonardos zu einem Reiterstandbild des Francesco Sforza anregend gewirkt haben. In jüngster Zeit ist eine Verbindung zwischen dem Reiter und dem Dominikanermönch Savonarola angenommen worden. Dürer und die mit ihm befreundeten Humanisten hatten natürlich starkes Interesse an diesem Geistlichen, der dem Papst die Stirn bot. Savonarola hat in seinen Predigten wiederholt das Bild vom christlichen Ritter gebraucht und sich selbst als einen solchen empfunden. Insofern ist das S vor der Jahreszahl auch als der Anfangsbuchstabe seines Namens gedeutet worden. E. B.

A 19 Straßburger Zeichner

Das Gespräch mit dem Bauern »Karsthans«. 1521

Bez.: mit dem Datum und dem Namenszug des Vorbesitzers: Cuntz Gemter
Holzschnitt, teilweise koloriert. 10,7 x 11,7 cm
Gedruckt bei Johann Pruß, Straßburg
Dresden, Staatliche Kunstsammlungen, Kupferstich-Kabinett; Inv.-Nr. B 349 1

Der unbekannte Verfasser der wichtigen Dialogschrift »Karsthans« gehörte zu den Anhängern Luthers im Oberrheingebiet.

Die Form des Dialoges, die den Beobachter der Szene durch Rede und Gegenrede in die Entscheidungssituation einbezieht, war bei der Durchsetzung des neuen Gedankengutes von der Literatur mehrfach benutzt worden.

Eines der einflußreichsten graphischen Beispiele ist in diesem Titelblatt entstanden. Der Bauer »Karsthans« und seine Frau stehen disputierend einem Kleriker und einem katzenköpfigen Mönch gegenüber. Mit ihm ist Luthers Kritiker und Gegner Thomas Murner (= Kater) karikiert.

Die Bezeichnung »Karsthans« – sie wird abgeleitet von der dreizinkigen Erdharke, die der Bauer trägt – wird mit diesem Blatt von einem Schimpfnamen zu einem Ehrennamen umgemünzt. »Die Gestalt des Karsthans ist der bildgewordene Beweis für die große gesellschaftliche Bedeutung, die der gemeine Mann in den Jahren vor dem großen deutschen Bauernkrieg gewinnen kann ... Immer wieder griffen Anhänger wie Gegner Luthers auf dieses Leitbild zurück und suchten es für ihre jeweiligen Parteiinteressen zu adaptieren« (Klingenburg 1974, S. 112 f.). Auch Luther gebraucht in seinem Brief an Melanchthon vom 26. Mai 1521 von der Wartburg den volkstümlichen Namen: »Nicht ohne Aufruhr wird Deutschland sein ... Deutschland hat viele Karsthansen.« Noch im gleichen Jahr erschien ein Gesprächsbüchlein unter dem Titel »Neu-Karsthans«. Auffallend ist, daß die Bildform des Dialogs aufhört, nachdem die Reformation sich behauptet hat. I. M.

A 20 Pamphilius Gengenbach *Abbildung*

»Der bundtschu«. 1514

Bez.: Datum auf der Tafel rechts
Holzschnitt. 10,1 x 10,0 cm
Zwickau, Ratsschulbibliothek; 8.7.8, Nr. 15

Der Dichter und Buchdrucker Pamphilius Gengenbach kam 1499 aus Nürnberg nach Basel, wo er bis 1524/25 lebte. Ganz offensichtlich mit Sympathie beobachtet ist die hier geschilderte Situation: Bauern schwören zum Bundschuh.

Im Vordergrund links stehen drei Bauern, von denen der erste eine Axt hält, der zweite ein Schwert und die Fahne, der dritte einen Rechen. Die links oben groß ins Bild gesetzte Fahne zeigt deutlich den Bundschuh als Sockel für den gekreuzigten Christus, unter dem neben Maria und Johannes kniend ein Bauer und eine Bäuerin – ähnlich Stifterfiguren – zu sehen

A 18

Der bundtschu.
Disz biechlein sagtt von dem bösen fürnemen der bundtschuher/wye es sich
angefengt geendet vnnd aus kummen ist.

A 20

Pamphilus Gengenbach S R I
Nit me yetzund ist mein beger
Ob yenen ayner vom bundtschů wer
Dem da für kem dyeß schlecht gedicht
Bit ich er wels verachten nicht
So kümpt er nit yn solche not
Als mancher yetz ist bliben todt
Vngehorsam got vngestroft nit lot

sind. Zu dieser Fahne schwört die Gruppe der getrennt stehenden Bauern, eindeutig die Rechte zum Schwurgestus erhoben. Über ihren Köpfen im Hintergrund erkennt man eine Hinrichtungsszene, die als Opfer Isaaks gedeutet wurde. Das Lamm aber fehlt. Ein Engel verhindert zwar das Niederfallen des Schwertes und damit die Tötung, aber das Erscheinen der Muttergottes links oben in den Wolken sowie die beiden (harkenden) Bauern erinnern sehr an den Ackermann von Böhmen, der seine aufrührerische Einstellung ebenfalls als Mission der Madonna sanktioniert. Es soll also heißen, daß Gott Engel schicken wird, um die Tötung der für eine gerechte Sache Kämpfenden zu verhindern. Und daß diese Sache gerecht ist, wird deutlich, indem sich der Bundschuh mit dem Evangelium verknüpft, mit dem Kreuz als Symbol der Erlösung auch und gerade des »gemeinen Mannes« (eine Umdeutung der Szene als negatives Bekenntnis, indem die Harke als Symbol für die »Ablehnung falschen Rats« gilt, paßt nicht zu der Gesamtkonzeption des Blattes).
An diese Bedeutung knüpft das Titelblatt zu der hier gezeigten Ausgabe an. Sie stellt den Bauern groß in das Bildfeld. Er hat die Bundschuhfahne in der Hand. Keine Nebenszene lenkt von der eindringlichen Darstellung ab. I. M.

A 21.1 Albrecht Dürer *Abbildung*

Bauernsäule aus: Underweysung der messung / mit dem Zirkel und richtscheyt. Nürnberg 1525

Dresden, Zentrale Kunstbibliothek

Vermutlich unmittelbar nach dem Zusammenbruch der Bauernbewegung entstanden, kann dieses Blatt nur als bitteres Bekenntnis zur Sache der Bauern verstanden werden. Dürer kommentiert es selbst: »Welcher ein victoria auf richten wollt darumb das er die aufrürischen bauren uberwunden hat der möcht sich eins solichen gezeugs darzu gebrauchen / wie ich hernach leren will … auf einen bühel auf die vier örter leg gebunden kue / schaff / schwein und allerley. Aber auf den öberen gefierten stein setz vier körb auf die vier ört mit kes / butter / oyer / zwiffel und kreuter oder was dir zufelt … mitten auf disen stein ein haber kasten vier schuch hoch … darauf stürtz ein kessel … mitten auf des kessels boden setz ein kesnapf eyns halben schuch hoch … den deck zu mit einem dicken teller daz wol uberschies / mitten auf daz teller setz ein butterfas … doch die schnaupen darauß man geust soll fürtreffen / mitten auf dis butterfas / setz ein wolgeschickten milich krug … unnd im milich krug richt auf vier scharren damit man

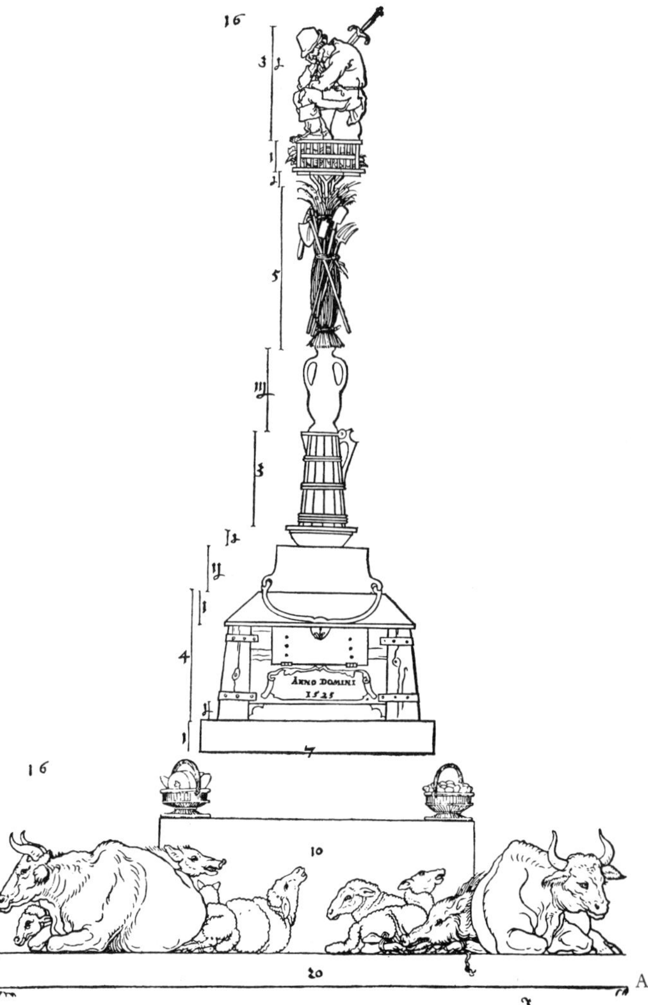

das kot zusammenraspt die zeuch obersich fünf schuch und eym halben / darum pind ein garben ... und henck daran der baweren werckzeug hawen / schauflen / hacken mistgabel / trischenflegel und der gleychen / darnach setzt zu öberst auf die scharren ein hüner körble und stürtz darauf ein schmaltzhafen / und setz ein trauretten bauren darauf der mit einem schwert durch stochen sey. Wie ich das hernach aufgerissen.« (In: Der Bauer und seine Befreiung, Katalog, Dresden 1975, S. 30.)
Der »traurige«, »mit einem Schwert durchstochene« Bauer ist ohne Zweifel meuchlings ermordet worden, denn das Schwert steckt im Rücken. Dabei sitzt er in einer Haltung, die Ernst Ullmann (Dresden 1975, S. 30) mit dem Bildtypus des »Christus in der Rast« verglichen hat. Bei der allgemeinen Übernahme christlicher Leitbilder in dieser Zeit ist der Gedanke nicht abwegig. I. M.

A 21.2 Petrarca-Meister

Ständebaum aus: Francesco Petrarca

Das Glückbuch / Beydes deß Gut- / ten vn Bösen /
darin leere und trost / weß sich meniglich / hierin halten soll /
Durch Franciscum Petrarcham vor ein latein beschriben, /
vnd yetz grüntlich verteutscht /
mit schönen Figuren, Concordantzen, /
Register, durchaus gezieret / der gestalt vor nie gesehen.
Gedruckt bei Heinrich Steyner. Augsburg 1539
Das Erste Buch von dem guten Glück

Folio XII r: Ständebaum
Zwickau, Ratsschulbibliothek; 34.1.8

Nach den Illustrationen zur deutschen Ausgabe des Petrarca (übersetzt von den Nürnberger Ratsherren Peter Stahel und Georg Spalatin und redigiert von Sebastian Brant) erhielt der Holzschnittmeister seinen Notnamen (die Identität mit Hans Weiditz gilt nicht als bewiesen). In der Summe enthalten diese um 1520 geschaffenen Holzschnitte die schärfste bildhaft formulierte Kritik an der Zeit. Welcher Abstraktion der Künstler dabei fähig ist, beweist dieses Blatt, in dem er die Bauern als Träger der gesamten mittelalterlichen Gesellschaftsstruktur charakterisiert:
Zwei Bauern sind mit den knorrigen Wurzeln verwachsen. In den etagenweise gegliederten Ästen sitzen zunächst Handwerker und Kaufleute, darüber kirchliche und weltliche Fürsten, darüber wiederum Papst, Kaiser und Könige, zuoberst aber wieder zwei Bauern mit Dudelsack und Mistgabel (wem klänge da nicht die Formulierung von Friedrich Engels im Ohr: »Auf dem Bauern lastete der ganze Schichtenbau der Gesellschaft ...«!).
Der revolutionär-reformatorische Grundgedanke der Gleichheit aller wird im Text unterstrichen:
»Hetten deine Ahnherren nit redliche Thaten gethan, ihr Name / Adel und Herrlichkeit were nit so weit erkannt / das thu du auch, darffst nit gedencken / das Blut Edel mache, Blut ist einander gleich / deß Bawren unnd Edelmanns.«

Die Verbreitung dieser hochbrisanten Bildaussagen verzögerte sich jedoch bis 1532, da durch den Tod des Verlegers Wirsing und danach seines Teilhabers Grimm das Verlagshaus aufgelöst wurde. I. M.

A 22.1 Sebald Beham

Der Dudelsackpfeifer mit dem Mädchen. 1520

Bez.: Monogramm des Künstlers und Jahreszahl
Radierung. 11,6x7,1 cm
Dresden, Staatliche Kunstsammlungen, Kupferstich-Kabinett; Inv.-Nr. A 2666
Bartsch 195; Pauli 197

A 22.2 Sebald Beham

Der Bauer und sein Liebchen. 1521

Bez.: Monogramm des Künstlers und Jahreszahl
Kupferstich. 7,8x5,1 cm
Dresden, Staatliche Kunstsammlungen, Kupferstich-Kabinett; Inv.-Nr. A 2664
Bartsch 202; Pauli 198

A 22.3 Sebald Beham *Abbildung*

Das tanzende Bauernpaar. 1522

Bez.: Monogramm des Künstlers und Jahreszahl
Kupferstich. 7,8x5,1 cm
Dresden, Staatliche Kunstsammlungen, Kupferstich-Kabinett; Inv.-Nr. A 2668
Bartsch 194; Pauli 196

A 22.3

A 22.4
A 22.5

A 22.4 Bartel Beham *Abbildung*

Bauer mit Mistgabel. Um 1524

Nicht bez.
Kupferstich. 4,2 x 2,9 cm
Dresden, Staatliche Kunstsammlungen, Kupferstich-Kabinett; Inv.-Nr. A 2423
Bartsch 46; Pauli 48 II

A 22.5 Bartel Beham *Abbildung*

Bäuerin mit zwei Krügen. 1524

Gegenstück zu Kat.-Nr. A 22.4

Bez.: Datum auf dem ersten Zustand
Kupferstich. 4,2 x 2,9 cm
Dresden, Staatliche Kunstsammlungen, Kupferstich-Kabinett; Inv.-Nr. A 2425
Bartsch 47; Pauli 49 II

Bartel und Sebald wurden zu Beginn des 16. Jahrhunderts geboren. Als in Deutschland die Auseinandersetzungen zwischen den Bauern und der feudalen Obrigkeit ihren Höhepunkt erreichten, standen die Behams in der Blüte ihres Lebens. Mit jugendlicher Frische wurden sie Parteigänger der Anschauungen von Karlstadt und Müntzer. Zusammen mit dem Maler Georg Pencz wurden sie von der Stadt Nürnberg als Sympathisanten der Bauernbewegungen angeklagt. In den noch vorhandenen Protokollen wurden ihnen ihre weit über Luthers Einstellungen hinausgehenden radikalen Haltungen nachgewiesen. (Unter anderem leugneten sie die Rechtmäßigkeit der weltlichen Obrigkeit und lehnten die Sakramente der Taufe und des Abendmahls ab.) In der Folge wurden sie mit Verbannung bestraft. Doch schon zehn Monate später ist dieses Urteil wieder aufgehoben worden. In zahlreichen Darstellungen haben die beiden Künstler ihre Sympathie für die Bauern kundgetan und besonders in den bewegten zwanziger Jahren des 16. Jahrhunderts das Leben der Bauern mit großer Anteilnahme geschildert. Aber auch noch in den vierziger Jahren beschäftigte Sebald Beham das revolutionäre Aufbegehren des Landvolkes (vgl. Kat.-Nr. A 22.6). Die früheren Darstellungen dagegen zeigen den Bauern weniger als Kriegsmann, sondern vielmehr in seiner Alltäglichkeit: in seinen Vergnügungen ebenso wie bei seiner schweren körperlichen Arbeit. Zweifellos ist es besonders Sebald Behams Verdienst, den Bauern zum Gegenstand der bildkünstlerischen Auseinandersetzung erhoben zu haben. Wie bei Dürer füllt die bäuerliche Figur den gesamten Bildraum aus. Stets ist das Schwert an der Seite zu sehen, selbst beim Tanz wird es nicht abgelegt. Das Recht, eine Waffe zu tragen, entsprang der Pflicht zur Verteidigung der Reichsstadt Nürnberg. Das Attribut des Kampfes hebt aber gleichzeitig den Bauern in den Stand des Gewappneten, der um seine Rechte zu kämpfen versteht. In ähnlicher Weise wird die dreizackige Mistgabel zugleich zum Arbeitsgerät wie zur Waffe.

E. B.

A 22.6 Sebald Beham *Abbildung*

Fähnrich und Trommler. 1544

Bez. u. r.: Monogramm des Künstlers, 1544
Bez. o. l.: ACKER CONCZ
Bez. o. M.: KLOS WUCZER
Bez. u. r.: IM BAUERNKRIEG. 1525
Kupferstich. 4,9 x 7,0 cm
Berlin, Hauptstadt der DDR, Staatliche Museen, Kupferstichkabinett; Inv.-Nr. 48 – 1964
Bartsch 199; Pauli 202 I und II

Beham gestaltet in seinem Kupferstich zwei wichtige Figuren innerhalb der soldatischen Hierarchie. Der Fähnrich trägt das äußere Sinnbild der Idee oder das des Landes, für welches gekämpft wird. Innerhalb der Schlachtformation wurde die Fahne stellvertretend für den Gegenstand des Kampfes verteidigt. Ihr Verlust wog schwer. Der Trommler stand in der ersten Reihe, sein rhythmischer Schlag führte die Männer in den Kampf. Beide Figuren verkörpern das Bewußtsein, einen gerechten Kampf zu führen. Sie können als Einzelfiguren Sinnbilder vergangener oder zukünftiger kriegerischer Handlungen sein. Beham begnügte sich aber nicht mit dieser Verallgemeinerung, sondern konkretisierte den Fähnrich und den Trommler, indem er sie durch die Nennung ihrer Namen indi-

A

vidualisierte. Durch welche besonderen Taten sie Sebald Beham neunzehn Jahre nach dem Bauernkrieg noch geläufig waren, ist heute nicht mehr bekannt. Die Namen und der Zusatz »Im Bauernkrieg« bringen ganz deutlich den Willen Behams hervor, seine Stellung zu den Ereignissen des Bauernkrieges zu dokumentieren. Bei ihm ist die Sympathie, die Verbundenheit mit den Verlierern deutlich ablesbar. Trotz des kleinen Formates sind die beiden Figuren in ihrer verallgemeinerten Monumentalität und konkreten Bezeichnung als Denkmal zu verstehen.
Die Motive Fahnenträger und Trommler sind ein häufiges zeitgenössisches Thema. Sie waren dem Künstler nicht nur aus den genannten inhaltlichen Gründen willkommen, sondern boten auch in formaler Hinsicht in der Verbindung von Figur und wehendem Tuch einen Anreiz. E. B.

Farbtafel Seite 51

A 23 Werkstatt des Tilman Riemenschneider

Singender Hirte aus einer Anbetung. Um 1510

Wandfigur, Rückseite abgeflacht, Lindenholz. H. 36 cm
1918 aus Sammlung Simon erworben
von Sammlung Hans Schwarz, Wien
Berlin, Hauptstadt der DDR, Staatliche Museen
Skulpturensammlung; Inv.-Nr. 8118

Der singende Hirte gehörte zur Szene einer Geburt Christi und befand sich vermutlich in der Predella eines der vielen im 19. Jahrhundert verlorengegangenen Altäre Tilman Riemenschneiders. Auffallend bei seinen Altarschreinen ist nämlich die beträchtliche Tiefe der Predellen, die ausreichend Raum für die Anordnung von nahezu vollplastisch geschnitzten Einzelfiguren in szenischer Zusammenstellung bot. Häufig überließ der Meister ihre Ausführung jedoch seinen Gehilfen, da sie keine so exponierte Stelle einnahmen wie die Mittelschreinfiguren. Auch unser Hirte muß als Arbeit eines Gesellen angesehen werden.
Die besondere Wirkung dieser relativ kleinen Figur beruht auf der lebensnahen Wiedergabe eines fröhlich singenden und jubilierenden Menschen. Seine Kleidung – der wetterschützende, ärmellose Umhang, die enganliegenden Beinlinge, die knöchelhohen, gebundenen Schuhe – weist ihn als einen Mann aus dem werktätigen Volk aus. Es ist kein einfältiger »tumber« Bauer, der uns hier entgegentritt, sondern vielmehr – wie überhaupt in Riemenschneiders Werken – die Wiedergabe des neuen Menschenbildes, wie es unter dem Einfluß der frühbürgerlichen Revolution Eingang in die Kunst fand.
E. Fr.

A 24 Jörg Breu d. Ä. *Farbtafel Seite 325*

Die Kreuzaufrichtung. 1524

Bez. u. M.: auf dem Spaten Monogramm und 1524
und eine vielleicht spätere Inschrift »anno«
Fichtenholz? (kein Kastanienholz). H. 87 cm, Br. 63,3 cm
1927 aus dem Wiener Kunsthandel erworben
Budapest, Museum der Bildenden Künste; Inv.-Nr. 6219

Der Augsburger Maler hatte in Österreich, ebenso wie Lucas Cranach d. Ä., zu Beginn des 16. Jahrhunderts seine ersten Hauptwerke geschaffen. Der langandauernde Einfluß Cranachs auf das Schaffen Breus ist noch in der Kreuzaufrichtung vor allem in der räumlichen Anordnung der Kreuze zu spüren, die auf die Münchner Kreuzigung von 1503 und andere Fassungen – zum Beispiel eine Zeichnung in Waldburg-Wolfegg – zurückzuführen sind.
Die Kreuzaufrichtung ist im Gegensatz zur Kreuzbefestigung ein selten dargestelltes Motiv. Erst um 1500 vermehren sich die Darstellungen im süddeutsch-österreichischen Raum. Das bekannteste Beispiel ist die um 1523 bis 1525 als Bekrönung eines Passionsaltars von Wolf Huber gemalte Wiener Tafel. Aber auch in Augsburg ist dieses Thema im ausgehenden 15. Jahrhundert bekannt gewesen, wie eine dem Sigmund Holbein um 1495 zugeschriebene Tafel beweist, die sich in einer Privatsammlung in Dietramsell befindet. Wahrscheinlich gehörte die Budapester Tafel ebenfalls zu einem Passionsaltar, dessen übrige Tafeln verloren sind. Die seltsame und ikonographisch mehrfach deutbare Darstellung läßt den Schluß zu, daß auch die anderen Tafeln von dem üblichen ikonographischen Schema abgewichen sein mußten und vermutlich die sieben Worte Christi dargestellt hatten.
Die von P. Rose 1976 vorgenommene ikonographische Untersuchung der Kreuzaufrichtung hat einige interessante zeitgenössische Parallelen gebracht. Da Breu schon 1524 als engagierter Anhänger der Reformation genannt wird, ist die Deutung dieses Bildes noch komplizierter. Unlängst hat G. Krämer (Augsburg 1981) diesem Bild eine nähere Untersuchung gewidmet und vermutet, daß die Gruppe der vier Krämer im linken Vordergrund als Vorläufer jener Ansammlungen von Männern gelten kann, wie sie auf reformatorischen Allegorien zum Beispiel bei Ulrich Apt und Lucas Cranach d. J. zu sehen und als Bekenner des neuen Glaubens zu deuten sind.
Die Gruppe der monumentalen Gewandfiguren im Vordergrund gäbe also den Schlüssel zur Deutung des Bildes. Die Vermutung von Elek 1931, daß die füllige Figur Ähnlichkeiten mit Luther aufweist, ist zwar nicht zu leugnen, aber auch nicht eindeutig zu beweisen. Zum Vergleich sei das Porträt Cranachs von Daniel Hopfer 1523 (Bartsch 86) genannt.
Wir würden jedoch in diesen Figuren eher die Pharisäer sehen, die Jesus verspotteten. Ebenso hervorgehoben sind sie auf Breus Zeichnung der Dornenkrönung und auf der Jörg Breu zugeschriebenen, um 1524 zu datierenden Verspottung Christi in Innsbruck (Kat.-Nr. E 56). Die so deutlich sichtbare Betonung der heidnischen Figuren als Verspotter Christi ist typisch für Breu und steht außerdem in der ikonographischen Tradi-

tion des Motivs der Kreuzaufrichtung. Eine um 1490 entstandene Nürnberger Kreuzaufrichtung in Frankfurt am Main, Städelsches Kunstinstitut, würde dieses beweisen. Wenn wir die Texttradition der Szene mit den beiden Schächern untersuchen, finden wir, daß hier die Worte des Lukas-Evangeliums (Kapitel 23, Vers 42ff.) mit dem Dialog zwischen Jesus und den Schächern dargestellt sind (Dresden 1971, Nr. 91). Die Gruppe der Männer unter dem Kreuze als Verspotter Christi kann auch aus dieser Textstelle heraus interpretiert werden. Dasselbe Motiv wurde im apokryphen Nicodemus-Evangelium übernommen und erweitert: »... und das Volk stand da und schaute auf ihn. Und es verhöhnten ihn die Hohenpriester und mit ihnen die Obersten, indem sie sagten ...« (Hennecke 1959, S. 340).
Das Motiv der Verspottung Christi in seiner Sterbestunde wurde auch in den mittelalterlichen Texten, den Meditationes vitae Christi (Betrachtungen über das Leben Christi) und den Erzählungen der Legenda aurea ausführlich geschildert.
Jörg Breu äußerte sich 1524 in seiner Chronik leidenschaftlich gegen die »Geistlichen und Teuflischen«. Sein Eintreten für die Reformation ist also auch dann sichtbar, wenn wir in diesem Zusammenhang die korpulenten Pharisäer und die an Antwerpener Manieristen erinnernden exotischen Figuren im Türbau als Vertreter der ungläubigen Obersten deuten.
Die Ikonographie des Budapester Bildes ist also noch nicht gelöst und scheint in Breus ersten protestantisch gesinnten Werken eine überaus wichtige Rolle gespielt zu haben. S. U.

A 25 Lucas Cranach d. Ä.

Predigt Johannes' des Täufers. 1516

Bez. u. l.: auf einer Tafel mit Jahreszahl und Signet Cranachs
Holzschnitt. 33,5 x 23,6 cm
Bartsch 60; Geisberg IV, 20
Dresden, Staatliche Kunstsammlungen, Kupferstich-Kabinett; Inv.-Nr. A 6521

Das Verständnis für den Holzschnitt leitet sich von der Bedeutung Johannes' des Täufers für das christliche Denken ab. Als Prediger und Täufer verkündet er die unmittelbar bevorstehende Ankunft des gottgesandten Retters der Menschheit. Als er mit Jesus von Nazareth zusammentraf, erkannte er in ihm den Messias und taufte ihn. Die Angriffe gegen die Obrigkeit, die Johannes in seine Predigten eingeflochten hatte, führten schließlich zu seiner Hinrichtung unter Herodes Antipas. In der bildlichen Darstellung Johannes' sind unter anderem die Attribute – langes Bart- und Haupthaar und das Gewand aus Fell – zu äußerlichen Merkmalen seiner Person geworden. Der Holzschnitt Cranachs zeigt Johannes in dieser typischen Gestalt, zwischen zwei Bäumen stehend, durch deren Gabelungen ein Stamm gelegt ist, wodurch eine kanzelartige Begrenzung für den Prediger gebildet wird. Die Bäume des Waldes umschließen die zuhörende Gemeinde. Der Wald assoziiert mit seinen säulengleichen Stämmen und dem Blätterdach einen natürlichen Kirchenraum. In der vordersten Reihe der Zuhörer sitzen die Frauen mit ihren Kindern. Einzelne Gläubige stehen zwischen den Bäumen, als hätten sie in dem imaginären Kirchenraum keinen Platz gefunden. Die am rechten Bildrand stehenden Lauschenden lassen eine große Zuhörerschaft vermuten. Innerhalb der Gruppe gewahren wir die Vertreter der unterschiedlichsten Stände. Gestik und Mimik des Johannes lassen vermuten, daß es sich hier um eine mahnende Predigt gegenüber den Ständen handelt. In diesem Zusammenhang ist der Holzschnitt in Verbindung mit Luthers Anschauungen zu sehen. E. B.

A 26 Albrecht Dürer *Abbildung*

Simson im Löwenkampf. Um 1496

Bez. u. M.: Monogramm des Künstlers
Holzschnitt. 38,2 x 27,7 cm
Berlin, Hauptstadt der DDR, Staatliche Museen, Kupferstichkabinett; Inv.-Nr. 296 – 1974
Bartsch 2; Meder 107

Der alttestamentliche Held Simson wurde mit seinen übermenschlichen Kräften und ungewöhnlichen Taten zu einem beliebten Thema in der mittelalterlichen Kunst. Simson galt als Sinnbild für die Kraft des Menschen und die Überwindung des Bösen. Typologisch wurde Simsons Kampf mit dem Löwen in Beziehung zur Darstellung Christi in der Vorhölle gesetzt. Das Thema wurde von der protestantischen Bildikonographie übernommen und von Luther besonders geschätzt.
Dürer, der für die Anschauung vom Menschen als Mittelpunkt der Schöpfung Beweise liefern wollte, wußte die ausdrucksstarke Beziehung, die in der Überlegenheit des Menschen über das wilde Tier zum Ausdruck kommt, bildhaft zu gestalten. Auch die Gegenüberstellung von Simson und dem antiken Helden Herkules finden wir bei Dürer, der im Vorwort zum Lehrbuch der Malerei davon gesprochen hat, daß der Herkules sich zum Simson wandeln solle.
In seinem Holzschnitt legte Dürer der Darstellung das schon seit der Romanik bekannte Schema des »reitenden Simson« zugrunde. Die Szene entbehrt im Grunde jeglicher wirklichkeitsnaher Kampfesschilderung. Die Landschaft ist harmonisch in ausgewogenen Formen mit den Werken menschlicher Tätigkeit verbunden. E. B.

A 27 Albrecht Dürer *Abbildung*

Die Marter der Zehntausend. Um 1496

Bez. u. M.: Monogramm des Künstlers
Holzschnitt. 38,7 x 28,4 cm
Berlin, Hauptstadt der DDR, Staatliche Museen, Kupferstichkabinett; Inv.-Nr. B 516
Bartsch 117; Meder 218

Die literarischen Quellen für die Darstellung stammen aus dem 12. Jahrhundert. Sie fanden vorwiegend in Deutschland Verbreitung. Das Geschehen wird in den Heiligen-Viten unter-

A 26

schiedlich vorgetragen. Achatius, dem Anführer von zehntausend römischen Soldaten, erscheint ein Engel, der ihm den Sieg verheißt, wenn er und seine Soldaten sich zum Christentum bekehren. Nach erfochtenem Sieg geraten sie in einen Hinterhalt und werden von den Kriegern des Perserkönigs Sapor II. auf dem Berg Ararat gemartert.

In einer bergigen Landschaft zeigt Dürer eine Vielzahl von Figuren, die widerstandslos auf verschiedene Weise zu Tode gebracht werden. Wie Wölfflin (S. 194) feststellte, beherrscht Dürer noch nicht die Gesetze der Verkleinerung der Figur im Raum. Die Gruppe der drei Märtyrer im Zentrum ist offensichtlich von Mantegna beeinflußt. Die Mittelfigur weist eine starke Verwandtschaft mit Schongauers Christus-Figur der Geißelung aus der Passion auf. In der linken Gruppe hat man den römischen Kaiser Hadrian, den Oberbefehlshaber der römischen Soldaten, mit einigen orientalischen Potentaten erkannt, wobei eine der Gestalten Sapor II. von Persien darstellen könnte. Vorn rechts am Boden liegt der heilige Achatius; als Verursacher trifft ihn eine besonders harte Strafe. Gleichzeitig wird er als Heiliger im Gewand eines Bischofs gezeigt. Die Gestalt des Henkersknechtes, welcher den Bischof blendet, hat Dürer in einer Zeichnung von 1496 entworfen. Sie taucht noch einmal im Gemälde der Kreuzheftung (1496, Dresden) auf. In dem Gemälde von 1508 (Kat.-Nr. B 4) widmet sich Dürer wiederum dem Thema der Marter der Zehntausend. E. B.

A 27

Heiligenkult und Bilderglaube

Wenn wir davon sprechen, daß im Zeitalter der frühbürgerlichen Revolution einerseits eine Überfülle an Altären und Bildwerken für die Ausstattung der Kirchen geschaffen wurde, andererseits »das Kunstwerk seine Kultfunktion verlor und es aufhörte, ein Instrument der Heilsvermittlung der Kirche zu sein« (E. Ullmann, Leipzig 1982, S. 85), so bedeutet diese Erkenntnis keinen Widerspruch.

Säkularisierung der Kunst ist nicht gleichzusetzen mit dem Aufhören christlicher Bildthematik, sondern bezeichnet einen Prozeß, in dessen Zentrum die Individualisierung des einzelnen Menschen steht. Diese auf das menschliche Subjekt bezogene Haltung hatte einerseits die Erkenntnis der Welt zum Ergebnis, andererseits aber auch ein verändertes Hinwenden zur kirchlichen Praxis und eine reale Vergegenwärtigung des »Überirdischen« in der Kunst zur Folge.

War die Kunst im Hochmittelalter noch absolut der Vorherrschaft des Klerus und des von ihm propagierten Dogmas unterworfen und ausschließlich einer dünnen Schicht von Eingeweihten vorbehalten, so konnten sich mit dem Aufkommen des städtischen Bürgertums seit der Mitte des 14. Jahrhunderts und verstärkt während des 15. Jahrhunderts immer mehr künstlerische Ausdrucksweisen herausbilden, die allgemein verständlich wurden. Sie veränderten auch das Bild der Heilsdarstellungen selbst: Die Handlungen werden zu Lokalereignissen, die Heiligen selbst zu Personen aus der realen zeitgenössischen Gegenwart.

Ursache für diese Entwicklung war unter anderem das Aufkommen einer Volksfrömmigkeit, die sich unter dem Einfluß der Mystik rasch entwickeln und ausbreiten konnte.

Die Mystik war eine Form der Glaubensvermittlung, deren antidogmatischer Charakter die sinnliche, individuelle Erlebbarkeit des Heilsgeschehens betonte, ohne die Vermittlung des Priesters in Anspruch nehmen zu müssen. Dadurch wurde die Religion verweltlicht, das Bildwerk konnte eine Funktion erfüllen, deren Ziel es war, Empfindungen subjektiver Frömmigkeit hervorzurufen.

Die Phantasie der Volksfrömmigkeit suchte verstärkt in den Legenden der Heiligen die Gnadenvermittlung zu Gott, die von der Angst vor dem nahe geglaubten Weltgericht befreien sollte. In der Hoffnung auf mögliche Wunder wurde Erlösung vom eigenen elenden Dasein erwartet. Indem diese Wundergeschichten in menschlich ergreifenden Formulierungen vorgetragen wurden, wird das Geschehen für den Gläubigen unmittelbar gegenwärtig. Denn nur durch das Einprägen lebendig-anschaulicher Szenen konnte das von der Kirche verfolgte Ziel erreicht werden: den Betrachter emotional und moralisch zu erreichen und durch die immer sich wiederholende Darstellung wunderbarer Ereignisse die ständig gegenwärtige Macht der Kirche glaubhaft zu machen.

Diese immer wieder von der katholischen Kirche geforderte religiöse Funktion der Bilder konnte erst in der Krisenzeit um 1500 mit der Verweltlichung der Bilddarstellungen zum Tragen gelangen. Das Betrachten des Bildes wird dem Anhören einer Predigt gleichgesetzt. Symbolbezüge machen die Darstellungen anschaulicher und klären das Geschehen: extreme Häßlichkeit, abnorme Bewegungen, das Tragen der verfemten Kleiderfarbe Gelb oder von Gewändern, die nicht der vorgegebenen Standesordnung entsprachen, charakterisieren das negative Element und mahnen so den Betrachter, sich nicht außerhalb der herrschenden Ordnung zu stellen.

Christus und die Apostel werden dagegen meist in der Tracht der Spätantike dargestellt. Damit wird nicht nur die Idealität dieser Personen vermittelt, sondern zugleich auch die Distanz zur Gegenwart des Betrachters hergestellt. Romanische Architekturen, wie sie sich häufig auf Szenen mit der Anbetung des Kindes finden, haben ähnliche Funktionen.

Material und Gestalt wurden zu Symbolen von Glaubensinhalten. Sie wurden gleichsam auf die Gegenstände des Alltags übertragen. So deutet eine Kerze auf Maria hin, die göttlicher Offenbarung teilhaftig wurde, das gläserne Gefäß oder die Lilie erinnern an ihre Keuschheit, und der Apfel ist zum Symbol für das Paradies geworden, das sie als neue Eva wiedergewonnen hat.

In der Zeit um 1500 nahm die Marienverehrung besonders intensive Formen an. Die Szenen der Verkündigung, der Anbetung oder der Ruhe auf der Flucht boten reiche Möglichkeiten,

Landschaftsräume auszubreiten. Die Gottesmutter selbst wird als schöne Bürgersfrau dargestellt, der Verzicht auf den Heiligenschein macht ihre Existenz nur noch glaubhafter.
Unter dem Einfluß der mystischen Frömmigkeit wird die »Klage Mariae« aus dem Geschehen der Kreuzigung Christi herausgelöst und zum Andachtsbild, das immer mehr mit neuem Pathos erfüllt wird.
In Italien entstanden zahlreiche Darstellungen von thronenden Madonnen mit den Assistenzfiguren zweier oder mehrerer Heiliger in würdig-feierlicher Haltung der »Sacra conversazione«, dem heiligen Gespräch.
Um seine besonders ausgeprägte Marienverehrung zu dokumentieren, bestellte Friedrich der Weise große Marien-Altäre. 1504 malte Dürer in seinem Auftrag für die Schloßkirche in Wittenberg die »Anbetung der Könige« (Florenz, Uffizien), 1509/10 entstand die »Madonna mit den Heiligen Katharina und Barbara, verehrt von Kurfürst Friedrich und seinem Bruder Johann«, der Fürstenaltar, und 1518 stiftete der Kurfürst mit seinem Bruder einen Marien-Altar für das Torgauer Schloß.
Luther selbst rief in der Auslegung des Magnifikats, der Lobpreisung Mariae, die Fürbitte der Gottesmutter an (1521), schrieb aber bereits 1523 über das »Ave Maria«: »Ich mißbillige sieben Ave Maria nicht, wenn du nur (um) der Ehre willen beten willst; du kannst es tun. Aber wenn du damit etwas verdienen willst, so ist das zuviel« (W. Tappelot, Das Marienlob der Reformatoren, Tübingen 1962, S. 124f.).
Besonders zahlreich aber sind die Darstellungen der Heiligen, vor allem die der vierzehn Nothelfer; ihre gesteigerte Verehrung ist Symptom der krisenhaften Zeit.
Messen, Wallfahrten, Prozessionen, Stiftungen und Schenkungen sollten Garantien für die Erlangung des ewigen Seelenheils gewähren, Fürbitten und Gedächtnismessen den Weg ebnen und materielle Zuwendungen diesen sichern.
Mit dieser Verehrung war die Stiftung zahlreicher Altäre und Bildwerke verbunden, der Reliquienkult nahm bisher noch nicht dagewesene Ausmaße an. Er entwickelte sich aus dem Glauben, daß der Besitz des Leichnams eines Heiligen, einzelner Knochen oder Körperteile oder Partikel von ihnen, der Marterwerkzeuge oder der Kleider die Gegenwart des Heiligen ersetzen könnte. Durch diese Teile konnte Heilsvermittlung in höchstem Grade erworben werden.
Diese Anschauung wurde mit der Lehre vom Ablaß, dem Lösen und Abtragen von Strafen, verbunden. Schon das Zeigen eines solchen Heiltums und das Anbeten der goldenen Gefäße konnten den Ablaß zeitlicher Sündenstrafen erwirken. Diese Ablässe wurden den Kirchen vom Papst verbrieft. Aus der Erfüllung der Kirchenbuße, die man sich immer mehr erkaufen konnte, ohne eigentliche Bußleistungen zu vollbringen, entwickelte sich der Handel mit Ablässen, der der römischen Kurie ungeheure Geldsummen einbrachte und der Anlaß zu Luthers Reformation wurde.
Friedrich der Weise, Kurfürst von Sachsen, und Kardinal Albrecht von Brandenburg brachten die umfangreichsten Reliquiensammlungen dieser Zeit zustande. Die bedeutendsten Goldschmiede Nürnbergs, Augsburgs und Sachsens, darunter Ludwig Krug, Paulus Müllner und Hans Huiuff, waren für das Wittenberger und das Hallesche Heiltum tätig.
Für die umfangreichen Arbeiten zur Ausstattung der Stiftskirche in Halle vergab Kardinal Albrecht auch Aufträge an Lucas Cranach und seine Werkstatt. Die Durchführung dieser Aufträge entsprach »der kursächsischen Politik, Luther zu stützen und gleichzeitig den Konflikt mit den Luther-Gegnern (Kardinal Albrecht und Herzog Georg an der Spitze) zu entschärfen, besonders nach dem Bauernkrieg von 1525–1527« (Cranach, Basel 1976, S. 450).
So ist es zu verstehen, daß trotz dieser Arbeiten Cranach auch mit den Illustrationen des Passional Christi und Antichristi den programmatischen Auftakt für die Vielzahl der Bildpolemiken gegen die Machtansprüche des römischen Papsttums geben konnte. Die Übertragung des Antichrist auf das Papsttum, die während des gesamten Mittelalters bekannt war, die Auseinandersetzung Luthers mit dem sozialrevolutionären Gedankengut der hussitischen Theologie ließen eine Bildsprache entstehen, die das Zentrum aller gesellschaftlichen Probleme traf.
Persönliche Bekenntnisse zu seinem Freund Luther legte Cranach aber mit den prägnant pointierten Bildnissen ab, die in der spannungsvollen Zeit des Wormser Reichstages entstanden waren. Luther wollte nicht Heiligenverehrung und Reliquienkult, sondern die »verheyssung Gottis«, als er das Neue Testament übersetzte, »damit der eynfeltige man aus seynem alten wahn auff die rechte ban gefuret vnd vnterrichtet werde ...«. K. F.

Farbtafeln Seiten 94 und 95

B 1 Meister der Crispinus-Legende

Zwei Flügel eines Schnitzaltars. Um 1510–1525

Linke Innenseite: Geburt Christi
Rechte Innenseite: Verkündigung an Maria und Anbetung der Könige
Auf den Außenseiten: Die vierzehn Nothelfer

Nicht bez.
Tannenholz. Je 225 x 114 cm
1936 durch staatliche Überweisung erworben
Berlin, Hauptstadt der DDR, Staatliche Museen, Gemäldegalerie; Inv.-Nr. B 143

Die beiden Tafeln gehören zu einem Schnitzaltar, der im Mittelschrein die Krönung Mariae und in den Flügeln je sechs, zu drei und drei übereinander angeordnete Apostelfiguren zeigt. Der plastische Teil ist jetzt im Besitz des Bayerischen Nationalmuseums in München als niedersächsische Arbeit eingeordnet. Die Herkunft des gesamten, nunmehr geteilten Altarwerkes ist nicht bekannt. Eine Zuschreibung der hier gezeigten gemalten Teile, die als »mainfränkische Arbeit« in die Berliner Galerie kamen, an den Meister der Crispinus-Legende ergibt sich aus stilistischer Übereinstimmung mit zwei, auch in den Maßen mit den Innenseiten-Bildern übereinstimmenden Szenen aus dem Leben Christi, die sich im Regensburger Museum befinden und die Darstellung im Tempel und die Beschneidung

Christi zeigen. Wie andere Altartafeln des anonymen Meisters sind auch die Berliner vermutlich vor 1900 in Vorder- und Rückseiten zersägt und später in einem gemeinsamen Rahmen wieder zusammengefügt worden. Es ist bislang auch unklar, ob dabei die vier Szenen aus dem Marienleben in der ursprünglichen ikonographischen Reihenfolge mit den Nothelfertafeln vereinigt wurden.

In der ehemals intakten Anlage bot sich der Altar in der Feiertagsansicht, also geöffnet, als Marienaltar; in der Werktagsansicht, bei geschlossenen Flügeln, als Nothelferaltar dar.

Die Nothelferverehrung war besonders in Deutschland verbreitet. Regensburg, wo bereits im 14. Jahrhundert Nothelferdarstellungen aufkamen, gilt als Ausgangsgebiet dieses Kultes. Verbunden zumeist mit marianischen Motiven, dienten diese Altäre der volkstümlichen Frömmigkeit und dem Massengebet in Pilger- und Wallfahrtsorten. Zumal in Zeiten sozialer Spannungen erhofften die Gläubigen von der Fürbitte dieser der Legende nach mit direkter Heilswirksamkeit ausgestatteten vierzehn Märtyrer die Rettung aus Not, Krankheit und Bedrängnis. Bezeichnenderweise verbot die katholische Kirche nach dem Konzil von Trient (1545–1563), das die Ergebnisse der Reformation rückgängig machen wollte, die Nothelfermesse.

Unsere Tafeln gruppieren die Heiligen ganzfigurig auf einem Wolkensaum zu je sieben, jeweils angeführt durch eine weibliche Heilige in modischem Zeitkostüm. Die Siebenzahl ist auch in der Mariensymbolik verankert, die sieben Schmerzen und die sieben Freuden Mariae sind hier allerdings nur durch je zwei Szenen auf den Innenseiten der Altarflügel vertreten.

Die linke Tafel zeigt von links oben nach rechts unten die Heiligen Eustachius, Pantaleon, Georg, Leonardus, Katharina, Erasmus, Margarete, die rechte Tafel die Heiligen Christophorus, Dionysius, Veit, Achatius, Barbara, Aegidius, Blasius. Während der unbekannte Maler in der Komposition und im ikonographischen Typus ganz der Tradition verhaftet ist, läßt er doch in dem plastisch-statuarischen Figurenstil, in dem perspektivisch-konstruierten Raumaufbau und in dem ornamental-reliefierten Beiwerk moderne Renaissance-Einflüsse erkennen. Der streifige, in graphisch reizvollen Wellenlinien aufsetzende Faltenstil mit effektvoller Weißhöhung auf den erdigen Farben kann als eine schon etwas manierierte Replik des sogenannten Donaustils gesehen werden. I. G.

B 2 Lucas Cranach d. Ä. *Abbildung Seite 78*

Die Hinrichtung der heiligen Katharina. Um 1510

Nicht bez.
Lindenholz, drei senkrecht zusammengefügte Bretter
112 x 95 cm
1791 von Graf Ráday in Leipzig bei Kunsthändler Thiele als Werk Dürers erworben
Budapest, Reformierte Kirche von Ungarn, Ráday-Sammlung

Im Vergleich zu anderen Martyriendarstellungen Cranachs ist diese Tafel von besonderer Unruhe, näher dem Holzschnitt der Enthauptung Johannes' des Täufers um 1513 als Gemälden der Zeit. Kraftvoll gebildet ist die Gestalt des Henkers. In weicher, toniger Malerei sind Gewitter und Landschaft ausgeführt. Die Vision des Feuerregens wirkt daher weniger überzeugend als der Landschaftsausblick mit den brodelnden Wolkenformen und der mit leichtem Pinsel vorgenommenen Andeutung des Meeres mit Bergen. Trotz des Einwandes von Koepplin möchte ich für wahrscheinlich halten, daß einige Figuren des Hintergrundes, erkennbar an den Gesichtern der Gestürzten, nicht von Cranach selbst gemalt sind. Das Bild gehört trotz dieser Feststellung zu den wichtigsten Hinzufügungen zum Cranach-Werk, die in den letzten dreißig Jahren gelungen sind: eine wetterleuchtende Tafel, in der Altes und Neues frei verarbeitet sind und Cranachs Rückwendung zu Dürer deutlicher ist als zur Zeit der ersten lebhaften Auseinandersetzung mit seinem Werk. W. S.

B 3 Lucas Cranach d. Ä.

B 3.1

Die Enthauptung Johannes' des Täufers. 1515

Auf der Hellebarde des links vorn stehenden Kriegers bezeichnet mit der geflügelten Schlange (Flügel aufrecht) und datiert: 1515. Links unten Wappen des Stanislaus Thurzo, Bischof von Olmütz
Eichenholz. 84 x 58 cm
1930 Kremsier, Erzbischöfliches Palais
Kremsier, Schloßgalerie; Inv.-Nr. 267/2367

B 3.2

Die Enthauptung der heiligen Katharina

Nicht bez.
Eichenholz. 84 x 58 cm
1930 Kremsier, Erzbischöfliches Palais
Kremsier, Schloßgalerie; Inv.-Nr. 268/2372

B 3.3

Die heilige Katharina

Links unten Wappen des Stanislaus Thurzo, Bischof von Olmütz
Holz. 199 x 62 cm
1830 Olmütz, Erzbischöfliches Palais
Kremsier, Schloßgalerie; Inv.-Nr. 260/3232

B 3.4
Die heilige Barbara

Nicht bez.
Holz. 199x62 cm
1830 Olmütz, Erzbischöfliches Palais
Kremsier, Schloßgalerie; Inv.-Nr. 260/3232

Die vier Bilder gehören wahrscheinlich zu einem von Stanislaus Thurzo (1497–1540) gestifteten Altarretabel, das ursprünglich im Dom zu Olmütz aufgestellt gewesen sein dürfte.
Die Tafeln mit den unter Bäumen sitzenden Heiligen Katharina und Barbara – ehemals wohl bewegliche Altarflügel – wurden erstmals 1830 im Bilderinventar des Erzbischöflichen Palais zu Olmütz erwähnt. Kardinal Fürstenberg (1853 bis 1892) ließ sie zusammen mit anderen Bildern in die erzbischöfliche Sommerresidenz nach Kremsier bringen. Sie gelten als gute Arbeiten der Cranach-Werkstatt. Im Gegensatz zu ihnen sind die beiden Tafeln mit den Hinrichtungsszenen eigenhändige Arbeiten des Meisters, die Enthauptung Johannes' des Täufers gehört sogar zu den wichtigen Werken aus dessen mittlerer Schaffenszeit. Einige Grundelemente der Darstellung kommen bei Cranach schon früher in der Graphik vor – vgl. das Martyrium des heiligen Erasmus, 1506 (Bartsch 59), und die Enthauptung Johannes' des Täufers, 1509 (Bartsch 61) bzw. 1510 (Bartsch 62). Das Kremsierer Gemälde, das sehr sorgfältig ausgeführt wurde und eine strahlende Farbigkeit aufweist, zeigt eine ausgeglichene Komposition mit parallel zur vorderen Bildkante angeordneten Figuren. Die expressive Darstellungsweise der Frühzeit ist aufgegeben zugunsten einer realistischeren Schilderung, die an italienischer Kunst orientiert ist, wie der Frauenkopf ganz rechts verrät. Im Hellebardenträger links im Vordergrund hat sich Lucas Cranach selbst porträtiert. Das Gemälde erhält dadurch einen festen Platz in seinem Œuvre.
Die Werkstatt Cranachs hat die Enthauptung der heiligen Katharina mit unwesentlichen Abweichungen noch zweimal wiederholt (Germanisches Museum, Nürnberg; Wiener Kunsthandel, 1922). Von der Enthauptung Johannes' des Täufers sind vier alte Kopien bekannt (Erfurt, Breslau, Bukarest, Prag). A. J.

B 2

B 4

B 5

B 5

B 4 Johann Christian Ruprecht *Abbildung Seite 79*
Kopie nach Albrecht Dürer

Marter der Zehntausend. 1643

Bez.: Ad maiorem Düreri fecit Joan.: Kristian Ruprecht. Civis Norim. AN(NO) 1643
(Zur Ehre Dürers hat [dies] gemacht Johann Christian Ruprecht. Bürger von Nürnberg. Im Jahre 1643)
Wien, Kunsthistorisches Museum, Gemäldegalerie; Inv.-Nr. 1449

1507 erhielt Albrecht Dürer von Kurfürst Friedrich dem Weisen von Sachsen den Auftrag, für die Schloßkirche zu Wittenberg, die Maria und allen Heiligen geweiht war, eine Tafel mit der Marter der 10000 Christen zu malen. 1508 war diese Arbeit beendet. Anders als der Holzschnitt gleichen Themas (Kat.-Nr. A 27) setzt das Gemälde eine Vielzahl von minutiös durchgebildeten Handlungen in eine mit malerischen Mitteln gesteigerte Landschaftsschilderung.

Unter der Vielzahl der Gruppen ragen besonders die Marterszenen mit Motiven aus der Passion Christi, die Befehlshaber des Martyriums und die Gruppe um den gefesselten Bischof Achatius, hervor, in deren Kreis auffällig die Darstellungen Dürers und seines Begleiters einbezogen sind. Wahrscheinlich handelt es sich bei diesem um Willibald Pirckheimer.

Man könnte in der Einbeziehung der beiden Personen eine humanistisch beeinflußte Übernahme der in Dantes »Göttlicher Komödie« vorgebildeten Version der Teilnahme des Autors als Zeuge des Geschehens vermuten. W. S.

B 5 Lucas Cranach d. Ä. *Abbildungen*

Der heilige Hieronymus mit dem Löwen
Der heilige Leopold von Österreich. 1515

Bez. o. r.: S IHERANIMUS
Bez. o. r.: Schlangensignet, 1515; S LEVPOLDT
Linde. Je Tafel 24,5 x 11,5 cm
1758 im Inventar der Geistlichen Schatzkammer
Wien, Kunsthistorisches Museum, Gemäldegalerie; Inv.-Nr. 913

Die beiden Täfelchen (Flügel eines Hausaltars) umrahmten und verschlossen zugleich ursprünglich ein Mittelbild, das offenbar verlorengegangen ist. Für die beiden Figuren bildeten zwei Silberstatuetten des Wittenberger Heiltums, wie sie Cranachs Holzschnitte des Hieronymus mit dem Löwen und des Wenzel in freier Fassung überliefern, den Ausgangspunkt. Von hier ist namentlich das Motiv des auf den Hinterpranken kauernden Löwen mit dem zwischen den Beinen hervorspringenden Schwanzende übernommen. Den Gestalten fehlt fast jede ausführliche Untergliederung; verdeckte Füße, eine ansatzlose Faust an der Lanze Leopolds bezeichnen den geringen Aufwand. Aus der für den sächsischen Hofmaler ungewöhnlichen Darstellung des Leopold, der zu den Schutzheiligen Österreichs gehört (vgl. Kat.-Nr. C 12), ist geschlossen worden, daß die Wiener Tafeln für einen österreichischen Besteller entstanden sind; vermutlich handelt es sich um ein Geschenk Friedrichs des Weisen an den Kaiser. W. S.

B 6 Lucas Cranach d. Ä. *Abbildung*

Die Verlobung der heiligen Katharina. 1516

Bez.: Schlangensignet und Jahreszahl auf der Klinge des Schwertes
Öl auf Linde. 119x97 cm (ursprünglich 83 cm)
Um 1800 vom Fürsten Leopold Friedrich Franz von Anhalt-Dessau für das Gotische Haus in Wörlitz von dem französischen Kunsthändler Drapeau erworben
Dessau, Staatliche Galerie; Inv.-Nr. 10

Im Vordergrund links, in außergewöhnlicher Weise an den Rand gerückt, befindet sich Maria mit dem Kinde. Ihre seitliche Stellung war noch betonter, bevor links an das Bild 14 cm angestückt wurden. Das Jesuskind steckt der rechts sitzenden, reich gekleideten Katharina den Ring auf. Die verbindende Mitte zwischen Maria und Katharina bildet die heilige Dorothea mit dem Rosenkorb in der Hand. Rechts dahinter stehen die Heiligen Margarete und Barbara. In der Mitte ergibt sich ein Blick in die Landschaft.

Üblicherweise wurde die Verlobung der heiligen Katharina so dargestellt, daß Maria, von den Heiligen umgeben, die Mitte beherrscht, womit die eigentliche Handlung zum Detail wird.

Cranach hat durch die seitliche Stellung der Maria das Anstekken des Verlobungsringes besonders hervorgehoben. – Trotz dieser Abweichung von den zahlreichen niederländischen Vorbildern des Themas erinnert die Tafel in vielem noch an die Anregungen, die Cranach 1508 in den Niederlanden empfangen hatte. Der Eindruck, der von dem Bilde ausgeht, beruht auf der Landschaft. Sie ist in strahlenden grünen und blauen Tönen gemalt, und das Schimmern der Blätter der Bäume gibt ihr ein intensives Leben. Hier scheint Cranach selber zum Pinsel gegriffen zu haben, während er alles andere seiner Werkstatt überließ. Die Gesichter der Damen sind flach, zeigen manchen unschönen Zug, nur die Dorothea ragt mit ihrem durch Schatten modellierten Gesicht etwas hervor. Vor allem die Einzelheiten, wie der Rosenkorb, entsprechen in keiner Weise dem Meister selber, der gerade in solchen stillebenhaften Details sein Bestes zu leisten pflegte. S. H.

B 6

Farbtafel Seite 91

B 7 Werkstatt des Tilman Riemenschneider

Heiliger Valentin. Um 1500

Wandfigur, Rückseite ausgehöhlt, Lindenholz, ungefaßt
H. 150,2 cm
1886 in Würzburg erworben
Berlin, Hauptstadt der DDR, Staatliche Museen, Skulpturensammlung; Inv.-Nr. 412

Der Heilige ist in vollem bischöflichem Ornat mit Mitra dargestellt: weiter, faltenreich-geknitterter Chormantel (Pluviale) über Dalmatika und Tunika. Der Bischofsstab ist Zeichen seiner geistlichen Würde, das ihn als Hirten seiner Gemeinde ausweist. Die rechte Hand mit einem Buch ist allerdings eine spätere Ergänzung; ursprünglich wies sie vielleicht mit segnendem Gestus nach unten auf die Figur am Sockel, einen Fallsüchtigen, der das Attribut des heiligen Valentin ist.

Die aus einem Altar in der Pfarrkirche zu Kitzingen stammende Figur gelangte zusammen mit drei anderen gleichartigen Skulpturen – heiliger Erasmus, heiliger Abt (wahrscheinlich Benedikt von Nursia) und heilige Elisabeth – in den Besitz der Berliner Museen. Valentin, der Schutzpatron gegen Epilepsie, lebte im 5. Jahrhundert in Tirol und war dort als Wanderbischof tätig. Seine Gebeine wurden von Herzog Tassilo von Bayern 761 nach Passau gebracht und dort beigesetzt. So fand er vorwiegend in Süddeutschland Verehrung.

Anhand der Altarreste aus Kitzingen lassen sich interessante Aufschlüsse über die Arbeitsweise Riemenschneiders und seiner Werkstatt gewinnen. Ein Vergleich der vier Figuren ergab, daß lediglich der heilige Erasmus von Riemenschneider selbst geschnitzt wurde, denn nur er zeigt die für den Meister typische Feinheit der Schnitztechnik. So hat man auch in dem Schnitzer des Valentin einen später am Mittelrhein tätigen Schüler Riemenschneiders zu vermuten, da sich dort (heiliger Sebastian in Kapellen-Stolzenfels, heilige Katharina in Münster-Sarmsheim) einige stilverwandte Werke nachweisen lassen. E. Fr.

B 8 Peter Breuer *Farbtafel Seite 90*

Maria und Joseph aus einer Anbetung Um 1510–1515

Wandgruppe, Rückseite abgeflacht, Lindenholz mit originaler Fassung. H. 49 cm, Br. 47 cm
1951 aus dem Kunsthandel in Zwickau erworben (früher Sammlung Bollert)
Berlin, Hauptstadt der DDR, Staatliche Museen, Skulpturensammlung; Inv.-Nr. 8649; 8650

Die zu einer Geburt Christi gehörenden Figuren befanden sich ursprünglich in der Predella eines Altars.
Die Silhouette der Maria ist im Gegensatz zum reichdifferenzierten Gewand von außerordentlicher Ruhe und Geschlossenheit und drückt damit innere Bewegtheit und zugleich andachtsvolle Versenkung aus. Ihr zur Seite kniet Joseph, gleichfalls in einen weiten Mantel gehüllt, der trotz des lebhaften Faltenspiels im Umriß dennoch einen klaren Kontur aufweist. In seinen Händen hielt er ursprünglich eine Kerze.
Zwischen Maria und Joseph lag ehemals das Kind, nach Schongauerschem Vorbild auf dem Mantelzipfel der Mutter gebettet. Es bildete den Mittelpunkt der Komposition.
Die Handschrift Peter Breuers ist unverkennbar: die Gesichter mit den hohen Backenknochen und den eingezogenen Wangen, die leicht schräggestellten, mandelförmigen Augen, das bewegte Faltenspiel der stoffreichen Gewänder und nicht zuletzt die sorgfältig ausgeführte und farbig reich differenzierte Fassung.
Drei ähnliche Gruppen sind in den Altären von Hartmannsdorf, Röthenbach und Rodewisch erhalten geblieben. Zwar verneinte W. Hentschel (1951, S. 217) die Herkunft des Schnitzwerks aus dem im 19. Jahrhundert auseinandergenommenen Altar in Callenberg, jedoch erhärten ein Vergleich der Maße und ikonographische Untersuchungen diese Annahme. E. Fr.

B 9 Meister des Beesener Altars *Abbildung*
(Hallenser Werkstatt)

Heilige Katharina. 1522

(aus dem Beesener Altar)

Wandfigur, Rückseite ausgehöhlt, Lindenholz, originale Fassung. H. 111 cm
Halle-Beesen, Ev.-Luth. Kirchgemeinde

Die Heiligenfigur stand ehemals im Flügel eines Schnitzaltars und zeigt nach der Restaurierung von 1963/64, bei der spätere Übermalungen entfernt wurden, große Teile der ursprünglichen Fassung. Wie nur wenige Skulpturen dieser Zeit vermittelt sie einen instruktiven Eindruck von der farbigen Fassung einer spätgotischen Holzplastik, zu der auch die Wiedergabe textiler Muster gehört. Das Inkarnat von Gesicht, Hals und Händen ist außerordentlich glatt und von großer Brillanz.

B 9

Diese prächtige Holzskulptur gehört zu einer Reihe von süddeutsch-schwäbisch beeinflußten Schnitzwerken, die sich im sächsisch-thüringischen Raum erhalten haben. Die Sichtung des überaus reich erhaltenen Materials an Altären und Einzelfiguren aus der Zeit um 1500 ergab die Möglichkeit, in diesem Gebiet drei Einflußbereiche abzugrenzen: einen fränkischen, von starkem Riemenschneidergepräge bestimmten (wie zum Beispiel der Altar der Schusterinnung in Delitzsch und der Altar in Holleben/Kreis Merseburg), ein niederbayerischer (zum Beispiel in Großwusterhausen/Kreis Querfurt) mit starken Anklängen an den bewegten Stil Hans Leinbergers und eben jenen schwäbischen mit stark lyrischem Charakter, wie er in der heiligen Katharina zum Ausdruck kommt.
Die auffällige Übernahme des süddeutsch geprägten Ausdrucksstils geht, nach einhelliger Meinung der Forschung, in Obersachsen auf den um 1500 aufblühenden Silberbergbau und den damit verbundenen Reichtum zurück, und zu Beginn des 16. Jahrhunderts in Halle und seiner weiteren Umgebung auf das Kunstinteresse des Kardinals Albrecht von Brandenburg, der in Halle residierte, in den zwanzig Jahren seines dortigen Wirkens eine prächtige Hofhaltung entfaltete und be-

deutende Künstler seiner Zeit wie den Maler Grünewald und den Bildschnitzer Hans Backoffen für sich arbeiten ließ. Katharina von Alexandrien war die Tochter des Königs von Cypern und hatte den christlichen Glauben angenommen. Durch ihre große Gelehrsamkeit gelang es ihr, fünfzig Philosophen zum Christentum zu bekehren. Im Zuge der großen Christenverfolgung ließ der römische Kaiser Maxentius die Jungfrau der Tortur unterwerfen, in Kerkerhaft nehmen und zum Tode durch das Rad verurteilen. Als das Rad durch das Wunder eines zündenden Blitzschlages zerstört und der Henker getötet wurde, mußte sie durch das Schwert sterben. Zerbrochenes Rad und Schwert sind daher ihre Attribute. E. Fr.

B 10 Meister des Beesener Altars *Farbtafel Seite 91*
(Hallenser Werkstatt)

Heilige Margarete. 1522

(aus dem Beesener Altar)

Wandfigur, Rückseite ausgehöhlt, Lindenholz, mit späterer Übermalung. H. 116 cm
Domkapitel der vereinigten Hochstifte Naumburg und Merseburg und des Kollegiatstifts Zeitz

Die ebenfalls aus dem Beesener Altar stammende Schnitzfigur der heiligen Margarete hat gleich der heiligen Katharina das typische fleischig-weiche Gesicht mit den vollen Wangen, dem ausgeprägten Kinn und dem kokett-manierierten Lächeln (Altar in Eisleben und Altar aus Knauthain bei Leipzig von 1519). Eine leichte S-Kurve, die die Gestalt durchzieht, verleiht ihr sowohl Spannung als auch Schwung und Erregtheit. Der rechte Arm ist vorgestreckt, als ob er ursprünglich den Kreuzstab hielt oder den am Boden liegenden Drachen an der Leine führte; die rechte und die linke Hand sind jedoch verlorengegangen.
Durch die Aufnahme in die Reihe der vierzehn Nothelfer erfreute sich die heilige Margarete im 15./16. Jahrhundert großer Beliebtheit; sie wurde daher in vielen Bildwerken und Gemälden der Spätgotik dargestellt. Auch gehörte sie – zusammen mit den Heiligen Barbara, Dorothea und Katharina – zu den »Quattuor Virgines Capitales«, den vier Hauptjungfrauen, und fand dementsprechend große Verehrung.
Die heilige Margarete, heute als Einzelfigur im Merseburger Dom aufgestellt, befand sich ehemals mit einer Marienfigur und dem heiligen Nikolaus im Mittelschrein des »Beesener Altars«, der ursprünglich für den Dom zu Merseburg bestimmt war und aus sieben, jeweils ein Meter hohen Schnitzfiguren bestand, von denen drei im Schrein und jeweils zwei in den Flügeln plaziert waren. Dieser Altartyp mit den mächtigen Flügelfiguren war um 1500 besonders häufig im Saale-Gebiet zu finden. Im 17. Jahrhundert wurde der Altar auseinandergenommen und in seiner Aufstellung verändert. E. Fr.

B 11

B 11 Mittelrheinischer Meister *Abbildung*
aus der Schule des Hans Backoffen

Heilige Margarete. Um 1520

Bez. am Mantelsaum: MARGARETA ORO PRO NOBIS (Margarete bete für uns)
Wandfigur, Rückseite ausgehöhlt, Lindenholz. H. 108 cm
1911 in München erworben
Berlin, Hauptstadt der DDR, Staatliche Museen, Skulpturensammlung; Inv.-Nr. 5910

Die heilige Margarete lebte um 300, zur Zeit der großen Christenverfolgungen durch Kaiser Diokletian. Der Legende nach hatte sie ihren Wohnsitz in Antiochia; sie weigerte sich, ihrem christlichen Glauben zu entsagen und die Frau eines hohen Beamten zu werden. Dafür wurde sie aufs grausamste gefoltert und schließlich enthauptet. Während ihrer Gefangenschaft erschien ihr ein Drache, den sie durch die Kraft des Kreuzeszeichens vertrieb. Deshalb wurde auch das Tier zu ihrem Attribut.
Die Qualität dieser Schnitzerei, die elegant-manierierte Haltung, die grazile Anmut und die sichere Behandlung der Ponderation werfen die Frage auf, in welchen Werkzusammenhang die Skulptur zu stellen ist, zumal die eigenwillige Falten-

B 12

prägung eine bestimmte Künstlerpersönlichkeit vermuten läßt. Bereits Th. Demmler erkannte, daß die Margarete aus der Werkstatt des Hans Backoffen in Mainz hervorgegangen sein muß. Kautzsch stellte sie sogar in den engeren Kreis des Meisters der Hallenser Domfiguren, in dem die Forschung heute den Gehilfen Backoffens, Peter Schro, erkannt hat. Die überlebensgroßen Figuren, aus rheinischem Tuffstein in Mainz zwischen 1523 und 1526 geschaffen, wurden auf Geheiß des Erzbischofs, Kardinal Albrecht von Brandenburg, im Dom zu Halle aufgestellt. Ein Vergleich zwischen den Hallenser Aposteln und der Margarete macht Übereinstimmungen deutlich, wenn auch die Apostel in ihrer Ausdruckskraft noch intensiver wirken. E. Fr.

B 12 Hans Süß von Kulmbach *Abbildung*

Das Schiff der heiligen Ursula. Um 1513/14

Bez. r. und l.: Kursächsisches Wappenpaar
Holzschnitt. 35,6 x 42,6 cm
Wien, Graphische Sammlung Albertina; Inv.-Nr. 1969/1 000
Geisberg 757

Flugblatt der Ursula-Bruderschaft in Braunau, Österreich. Im Vordergrund knien Kurfürst Friedrich der Weise als Patron und Georg Ransshauer als Begründer der Bruderschaft. Neben dem Altartisch und dem Lebensbrunnen sitzt der heilige Petrus im Schiff. Ein Kartäusermönch hält das Ruder. Das Kruzifix bildet den Schiffsmast des (Kirchen-)Schiffes. In ihm befinden sich die Madonna, die heilige Ursula und andere Heilige.

Die Flugblätter der Reformation sind »Gegenbilder« (Koepplin) solcher Allegorien. W. S.

B 13 Lucas Cranach d. Ä.

Heilige Anna selbdritt. Um 1510/11

Bez. u. r.: Schlangenzeichen
Holzschnitt. 24,8 x 16,8 cm
Dresden, Staatliche Kunstsammlungen, Kupferstich-Kabinett; Inv.-Nr. A 6527

Cranachs Holzschnitt übersetzt die ungewöhnliche Erfindung eines Kupferstichs von Dürer ins Volkstümliche, macht jede Gestalt für sich ablesbar und fügt Vorhänge aus Engelswolken hinzu. Gleichzeitig verschmelzen die Gewänder von Anna und Maria zu einem einzigen Faltenwerk. Bei der allgemeinen Verbreitung des Annenkultes (Gründung der Bergstadt Annaberg im Erzgebirge) ist es schwierig, den besonderen Anlaß für Cranachs Holzschnitt namhaft zu machen. Die Reformation bedeutete sicherlich keinen sofortigen Einschnitt für die Verehrung der heiligen Anna; noch um 1550 wurde Cranachs Annenbildnis in dekorativer Rahmung neu gedruckt. W. S.

B 14 Hans Springinklee *Abbildungen*

Die heilige Anna selbdritt. 1516

Nicht bez.
Formschnitt des Wolfgang Resch
Holzschnitt mit ornamentaler Rahmung. 13,5 x 9 cm
Benutzt auf Blatt 138 recto des Gebetbuches »Hortulus anime / cum aliisque plurimis orationi- / bus impressioni su / peradditis: vt tabulam in hinus calce annexa intuenti patetissimu erit«.
Lyon, Johannes Clein 1516
Zwickau, Ratsschulbibliothek; XVII, VIII, 31
Bartsch 39

Das deutsche Gebetbuch, »Wurzgart der Seel« genannt (lateinisch: Hortulus Animae), erreicht während der ersten Jahrzehnte des 16. Jahrhunderts eine Bedeutung, die in Frankreich den Livres d'heures (Stundenbüchern) zukam. Die abschließende Ausbildung erreichte es in Nürnberg durch Drucke aus der Kobergerschen Officin (Druckerei). Die erste Ausgabe in lateinischer Sprache druckte Johannes Klein für Johannes Koberger 1516 in Lyon. Ihren Bilderschmuck verdankt sie Dürers Schülern Springinklee und Schön, daneben sind auch noch Metallschnitte aus dem Jahre 1513 wiederverwendet worden. Die heilige Anna selbdritt ist eine schlichte Neufassung des Dürer-Stiches (Bartsch 29), auch das Titelblatt mit der Maria auf der Mondsichel (Dodgson, S. 384, Nr. 9), das in dem vorliegenden Band nochmals auf Blatt 84 verso und auf Blatt 174 verso abgedruckt ist, verleugnet kaum seine Herkunft von Dürers Holzschnitt (Bartsch 76). Seine Umrahmung mit dem liegenden Einhorn läßt an Dürers Randzeichnungen zum Gebetbuch Kaiser Maximilians denken. W. S.

B 15 Lucas Cranach d. Ä.

Die Anbetung der heiligen drei Könige Um 1513/14

Bez. u. M.: auf dem Stein Schlangenzeichen
Tannenholz. 122 x 73 cm
Gotha, Museen der Stadt, Schloßmuseum; Inv.-Nr. 677/723

Die Anbetung des Kindes durch die heiligen drei Könige ist eine der wichtigsten Szenen aus der Lebensgeschichte Jesu. Aus der noch am Beginn des 15. Jahrhunderts üblichen breit geschilderten, mit vielen Nebenfiguren wiedergegebenen Handlung entwickelte sich seit dem ausgehenden 15. Jahrhundert eine sich nur auf die wesentlichsten Personen beschränkende Darstellungsform (vgl. Kat.-Nr. B 46 und B 47).
In engem Zusammenschluß der dargestellten Personen wird die Szene geschildert: Maria mit dem Kind auf dem Schoß ist ganz an den rechten Bildrand gerückt, die drei Könige sind von der linken Seite herangetreten und überreichen kostbare Gefäße, die Münzen in der Schale gelten als dargereichtes Symbol weltlicher Herrschaft, der von einer Mauer umschlossene Garten als Symbol für Marias unberührte Schönheit. Sie wird nicht mehr als eine derbere, bürgerliche Frau dargestellt, sondern ist zum höfischen Idealbild geworden. Die Wirkung des Bildes, das zu den wichtigen Werken Cranachs aus seiner mittleren Schaffensperiode zählt, äußert sich nicht nur in seinem farblichen und dekorativen Reichtum, sondern auch in der minutiösen Wiedergabe kostbarer Details und der Kleingliedrigkeit der Hintergrundlandschaft.
Das Ereignis der Anbetung des Kindes durch die Könige wird nur im Matthäus-Evangelium (Kapitel 2, Vers 1–12) geschildert. Die drei Könige galten im hohen Mittelalter als Vertreter der damals bekannten Erdteile Europa, Asien und Afrika. Sie sind überdies als Vertreter der drei Lebensalter dargestellt, ein Motiv, das im 14. Jahrhundert aufkam.
Als Devotionsbild, das die Verehrung des Stifters der Maria gegenüber ausdrückt, kommt ihm besondere Bedeutung zu.
Für Degenhart Pfeffinger malte Cranach ein Bild gleichen Themas (Leipzig, Museum der bildenden Künste). K. F.

B 16 *Farbtafel Seite 96, Abbildung*
Anonymer Seidensticker

Mitra. Nach 1500

Nicht bez.
Reliefstickerei. Gold und Seidenfäden, Perlen, Pailletten, Anlegetechnik.
Futter: roter Wollstoff, Randleisten und Rosetten Silber, vergoldet, Glasflüsse, Steine

14

B 14

H. 41 cm, Länge der Infuln 47 cm
1738 mit dem Merseburger Nachlaß zum Grünen Gewölbe gekommen, 1835 an das Historische Museum übergeben
Dresden, Staatliche Kunstsammlungen, Historisches Museum; Inv.-Nr. I 86

Die Vorderseite der Mitra zeigt die Verkündigung an Maria, die Rückseite Maria und Joseph, das Kind anbetend.
Vom Stirnstreifen (Circulus) ausgehend wird jede Seite durch einen breiten Mittelstreifen in zwei Felder geteilt. Um den oberen Rand Rankenfries mit Krabben und Aststab aus vergoldetem Silber. Auf den Bändern (infulae) die gleichen Rosetten über reliefiertem Blattwerk wie auf den Mittelstreifen. Ein schmaler Randstreifen mit Steinen in hoher Kastenfassung schließt die Bildfelder seitlich ab. Die Reliefstickerei ist mit Seiden- und Goldfäden in Anlegetechnik ausgeführt. Die Konturen und Binnenzeichnungen der Gewänder, der Schwingen des Engels, der Nimben und Strahlen sowie die Diagonallinien des Fußbodens, Mauerwerk und Versatzstücke des Interieurs (Bank und Betpult) sind vollkommen mit Perlen ausgestickt. Der Hintergrund teilweise mit goldenen Pailletten bestickt. Die isolierte Anordnung der Figuren in den Feldern schafft reiche Möglichkeiten, Raumillusion zu erzeugen. Dazu trägt nicht nur die Reliefplastik der Stickerei bei, sondern auch das Volumen der Gestalten selbst, die Draperie der Gewandfalten und die perspektivische Anlage des Fußbodens. Trotz der isolierten Darstellung der Personen in den einzelnen Bildfeldern geht der szenische Zusammenhang nicht verloren.

B 16

Die Maria der Anbetungsszene ist in den Einzelheiten der Gewandung, den lang fließenden unbedeckten Haaren, der Haltung ihrer leicht geöffneten Hände deutlich dem weitverbreiteten Kupferstich Schongauers mit der Anbetung des Kindes (Bartsch 4) verpflichtet, der auch vorbildlich für sächsische Bildschnitzer wurde (Peter Breuer). Andererseits sind Einflüsse niederländischer Buchmalerei nicht zu verkennen.
In welcher Werkstatt die Mitra gestickt wurde, bleibt weiteren Untersuchungen vorbehalten, jedoch sind sächsische Einflüsse unverkennbar. K. F.

B 17 Hans Plock u. a. *Abbildung*

Hasistein-Lobkowitzscher Perlenaltar. 1532

Bez. u. r.: unter der Figur des heiligen Erasmus die Signatur des Hans Plock
Öl auf Lindenholz. H. 142 cm, Br. 197 cm, Seitenflügel Br. 47 cm, Hauptflügel Br. 94 cm
Die Hauptfiguren wurden gestohlen;
1967–1968 und 1978–1981 wurde der Altar restauriert
Prag, Mittelböhmische Galerie, Schloß Nehalozeves bei Kralupy; Inv.-Nr. ML 357/4–91

Über hölzernem Gerüst figurale Motive auf den mit Seide bezogenen Seitenflügeln. Der Hintergrund aus handgewebtem Brokat, der im Mittelfeld mit Golddraht durchwebt ist.

Hans Plock (Halle 1532):
Erzengel Gabriel und Jungfrau Maria einer Verkündigung, die Heiligen Georg, Maria Magdalena, Erasmus, Ursula

Filip Idenfelder (Böhmen 1573–1574):
Triumph Christi und Umarbeitung der Rahmung

Stickereien mit Flußperlen, silbervergoldete Applikationen

Anonymer Maler (Böhmen, um 1581):
Äolus auf dem Sonnenwagen, auf den Seitenflügeln Glaube und Hoffnung

Um das Jahr 1511 entstand wahrscheinlich in der Nürnberger Werkstatt des Ludwig Krug nach einem Entwurf Albrecht Dürers eine Reliquientafel für den Magdeburger Erzbischof. Der Bischof nahm um das Jahr 1520 seine Reliquiensammlung mit nach Halle, wo er sich einen neuen Sitz einrichtete. Für die ältere Reliquientafel ließ Albrecht einen Schrein in der Form einer Arche bauen. Die Reliefstickerei schuf der Perlsticker Hans Plock im Jahre 1532, wie die Signatur nachweist, welche bei der ersten Restaurierung 1967 am rechten Flügel unter der Figur des heiligen Erasmus entdeckt wurde. Diese Signatur beweist, daß der Altar erst 1541, nachdem der Kardinal mit der ganzen Schatzkammer aus Halle nach Aschaffenburg kam, in den Aschaffenburger Codex eingetragen wurde, und nicht im Jahre 1526 oder 1527, wie Rasmussen anführt. Nach dem Tode Albrechts von Brandenburg wurde auch der Altar-Reli-

B 17

qienschrein zerteilt, ebenso die sogenannte Hallesche Schatzkammer. Die Reliquientafel (Plenarium) befindet sich heute im Bayerischen Nationalmuseum in München. Der Schrein mit den bestickten Seitenflügeln kam vor 1573 in den Besitz des höchsten Richters des böhmischen Königtums, Bohuclav Hasistein von Lobkowitz und seiner Gattin Eva Fictum von Fictum. In den Jahren 1573/74 ergänzte der Prager Perlsticker Filip Idenfelder die leere Fläche im Mittelteil mit dem Relief des siegreichen Erlösers. Zugleich arbeitete er die ornamentale Rahmung unter Benutzung der ursprünglichen Perlen und Juwelen so um, daß er die Wappen der neuen Besitzer auftragen konnte. Im Jahre 1581 bekam der Altar sein heutiges Aussehen durch die Bemalung der Rückwand und der Flügelaußenseiten. Der Altar wurde in der Barbara-Kapelle in Chomutov (Komotau) aufbewahrt, von wo er spätestens Ende des 19. Jahrhunderts in das Familienmuseum auf das Schloß in Roudnice (Raudnitz) überführt wurde. Wahrscheinlich im Jahre 1939 wurden hier die Hauptfiguren abgeschnitten, die mit den größten Perlen und im reichsten Ausmaß bestickt waren. Bei der letzten Restaurierung ging es darum, eine gute Vorstellung des ursprünglichen Zustandes zu erzielen. Deshalb wurden Siebdruckreproduktionen nach einem alten Foto aus dem Jahre 1907 auf Seide hergestellt, und diese wurden auf ein Filzrelief von derselben Höhe wie das Original appliziert. In derselben Technik wurden später auch alle wichtigen Inschriften rekonstruiert.

Die ersten Ausführungen über den Hasistein-Lobkowitzer Perlenaltar stammen von Matějka (1907). Die deutsche Übersetzung verschaffte dem Werk europäische Bedeutung (1910). Halm und Berliner (1931) bewiesen die Identität des Reliquiars aus dem Halleschen Heiltum mit dem Hasistein-Lobkowitzer Altar. Eine genauere Beschreibung des heutigen Kunstwerkes stammt von Letošniková bei der ersten Restaurierung (1970).

Zuletzt wies Rasmussen (1976) auf den Altar im Zusammenhang mit dem Halleschen Schatz hin. Er widmete sich hauptsächlich dem Problem der Reliquientafel. Von der Restaurierung des Kunstwerkes und der Entdeckung der Signatur Plocks war er nur indirekt und oberflächlich informiert. Über die letzte Restaurierung schrieb Vlk (1981). J. Sch.

B 18 Hans Süß von Kulmbach

Zeichnung einer Monstranz. Um 1515

Nicht bez.
Feder. 146x41,5 cm
Schwerin, Staatliches Museum

Wichtiger Bestandteil der Heiltumssammlungen waren die Monstranzen. Sie sind Schaugefäße für Reliquien und die geweihte Hostie, deren Sichtbarmachung sich seit dem 14. Jahrhundert immer mehr eingebürgert hatte.
Der Grundtypus ist für beide Formen austauschbar verwendet worden.
In der Regel besteht die Monstranz aus einem Ständer mit Fuß, Schaft und Knauf und einem Schaugefäß aus Glas oder Kristall, das in eine komplizierte Turmarchitektur eingefügt ist. Sie ist als Abbild des himmlischen Jerusalem, der Vorstellung vom Hause Gottes, wie es seine vollendete Ausbildung in der Kathedralarchitektur erfahren hatte, zu verstehen. Durch einbeschriebene Figuren kann dieser Bezug noch sinnfälliger gemacht werden.
In dem Entwurf zu einer Monstranz von Hans Kulmbach sind es die Statuetten einer Verkündigungsszene, die des ersten Menschenpaares und des Schmerzensmannes. Sie nehmen direkten Bezug auf die Bedeutung der Hostie als Symbol für den Leib Christi, der durch Maria, die neue Eva, geboren wurde.
Die Zeichnung Kulmbachs ist eine Werkzeichnung, nach der der Riß für die Arbeit des Goldschmiedes angefertigt wurde.

B 19.1

Der Typ der Monstranz vertritt die in Nürnberg häufig anzutreffende Form mit breiter Entwicklung der Schaufront. Ähnliche Arbeiten befanden sich auch im Halleschen Heiltum. K. F.

B 19.1 Werkstatt des Ludwig Krug *Abbildung*

Deckelpokal. Um 1520

Bez.: Beschaumarke Nürnberg (R³ 3756 b)
Silber, vergoldet, geschnittene Muscheln. H. 39,5 cm
Budapest, Kunstgewerbemuseum; Inv.-Nr. 18825

Form und Details dieses Pokals erinnern in der Betonung des figürlichen Moments durch die Verwendung geschnittener Muschelreliefs und in den Details von Gefäßaufbau und Gefäßdekoration eng an jenen verlorengegangenen Muschelpokal mit Herkulestaten aus Schloß Roudnice (Braun 1923, Taf. XXXII, 63) und an das berühmte Ziborium des Halleschen Heiltums, das aufgrund der Signatur (LK und ein Krüglein mit Blumen) als ein Werk des Ludwig Krug gesichert ist. Jenes kostbare, mit getriebenen Reliefs der Passionsszenen nach Vorlagen Dürers versehene Gefäß wurde schon 1541 eingeschmolzen, seine Kenntnis verdanken wir nur der Zeichnung im Aschaffenburger Codex des Halleschen Heiltums (Halm/Berliner 1931, Taf. 73).
Merkmal aller bekannten Arbeiten Krugs ist das enge, teilweise wörtliche Anschließen an die Vorlagen (italienische Plaketten und Dürer-Stiche).
Die Technik des Muschelschnittes war neuartig, ihre Kenntnis verdankte Ludwig Krug vor allem wohl französischen importierten Arbeiten und lernte sie alsbald so perfekt zu beherrschen, daß Neudörfer berichten konnte: »Was er aber in Stein, Camel (= Gammah, d. i. Cameen) und Eisen schnitt, das war auch bei den Wälschen löblich« (Neudörfer/Lochner 1875, S. 124).
Rasmussen (S. 94) erwägt sogar, ob »die erste Anregung für Ludwig Krug selbst von einem Werk ausgegangen (ist), das im Halleschen Heiltum war«, nämlich dem Flügelaltar mit Perlstickereien (vgl. Kat.-Nr. B 17). K. F.

B 19.2 Ludwig Krug

Herakles und Antäus. Um 1525

Bez. o.: ACME LOO ARCVLES
Muschel, geschnitten. H. 6,8 cm, Br. 6,2 cm (ohne Fassung)
Weiße einschichtige Muschel mit dunklem Mastix unterlegt, dadurch wird der Effekt der Zweischichtigkeit erzeugt.
Fassung: Gold, Granaten, Amethyst, auf der Rückseite Emailmalerei »Herakles bei Omphale«; 17. Jahrhundert
Leningrad, Staatliche Ermitage; Inv.-Nr. K 1646

B 8 Peter Breuer. Maria und Joseph aus einer Anbetung. 1510–1515

Seite 89:

B 35 Anonymer Meister. Deckel eines Evangelienbuches. 1522

Links:
B 10 Meister des Beesener Altars. Heilige Margarete. 1522

Rechts:
B 7 Werkstatt des Tilman Riemenschneider. Heiliger Valentin. Um 1500

B 47 Lucas Cranach d. Ä. Fürstenaltar: Seitenflügel. 1509/10

B 47 Lucas Cranach d. Ä. Fürstenaltar: Mitteltafel. 1509/10

Seite 94:

B 1 Meister der Crispinus-Legende. Nothelfer. Außenseite vom rechten Seitenflügel eines Altars. 1510–1525

Seite 95:

B 1 Meister der Crispinus-Legende. Nothelfer. Detail vom linken Seitenflügel eines Altars. 1510–1525

Seite 96:

B 16 Anonymer Seidensticker. Mitra. Nach 1500

Die geschnittene, birnenförmige Muschel gibt frei die Zeichnung Dürers »Herakles und Antäus« (Strauss 1511/27) aus dem Zyklus »Die Heldentaten des Herakles« aus dem Jahre 1511 wieder. Besonders genau ist die zentrale Gruppe übertragen; die Szenen der zweiten Ebene, die Herakles darstellen, wie er die Pferde des Diomedes tötet, sind wesentlich verändert und fragmentarisch.

Die zwölf kleinen runden Zeichnungen, die den Dürerschen Zyklus bilden, wurden speziell als Muster für Reliefs, Plaketten, Medaillen usw. geschaffen. Ein Beispiel für ihre derartige Benutzung waren die geschnittenen Muscheln auf dem Silberpokal, der sich bis 1922 in der Sammlung des Fürsten Lobkowitz im Schloß Raudnitz in der Nähe von Prag befand (Friedländer, Wien 1913/VII, S. 170). Wie der Pokal selbst, so werden auch die Reliefs aus Muscheln dem Nürnberger Meister Ludwig Krug zugeschrieben und mit 1515 bis 1520 datiert (Kohlhaussen S. 358–359, 528, Kat.-Nr. 398).

Die Muschel in der Ermitage stammt von derselben Hand, wurde jedoch etwas später geschaffen – der Meister ging hier in der Überwindung der Elemente der Gotik weiter und ist freier in der Benutzung des graphischen Vorbilds. Zweifellos gehörte sie zu einer Reliefserie, ähnlich jener, die den Pokal aus Raudnitz schmückte. Zu dieser Serie nun gehört die geschnittene Muschel »Die Geburt des Herakles« aus dem Museum für Kunst und Gewerbe in Hamburg – sie hat ihren Ursprung in dem ersten Blatt jenes selben Dürerschen Zyklus (Strauss 1511/21) und stimmt mit derjenigen aus der Ermitage in Form, Ausmaß und im Buchstabenbild der Aufschrift überein (Sauerland 1921, S. 101). Über die dritte Muschel, die im Nationalmuseum in Kopenhagen aufbewahrt wird, berichtet J. Rasmussen (1975, S. 84).

Aller Wahrscheinlichkeit nach haben die geschnittenen Muscheln dieser heute teils verlorengegangenen, teils getrennten Reliefserie einen Pokal geschmückt, der Kardinal Albrecht von Brandenburg gehörte und über den er 1526 eigenhändig in dem Inventarverzeichnis seiner Schatzkammer »Das Hallesche Heiltum« folgende Eintragung machte: »Der neu silbern Becher mit Jammahu darinen labores Herculis geschnitten« (Halm/Berliner 1931, S. 7). J. K.

B 20 Ungarischer Meister *Abbildung S. 88*

Reliquiar des Balázs Besztercei. 1500

Bez. auf dem Fuß: BLASI + DE BISTRIC, 1500
Silber, teilweise vergoldet, gegossen. H. 33 cm
Budapest, Ungarisches Nationalmuseum; Inv.-Nr. 1879. 114.14

Das Scheibenreliquiar zeichnet sich durch seine prächtige, einer architektonischen Schauwand vergleichbaren Vorderseite und durch seine äußerst feine plastische Arbeit aus. Von Baldachinen überfangen, stehen in den Nischen Maria mit dem Kind, flankiert von einem heiligen Bischof (Erasmus) und der heiligen Barbara. Die Scheibe wird von einem breiten Rand umgeben, der mit Ranken und Blüten besetzt ist und nach innen und außen durch geperlte Reifen abgeschlossen wird. Ein spiralig gedrehter Blattstreifen bildet die äußere Begrenzung. Der Fuß wird aus vier astförmigen Röhren gebildet, der Nodus (Knauf) aus lebhaft bewegtem Blattwerk mit Blüten, in deren Zentrum ein roter Stein sitzt. Über einem zweiten kleineren Knauf sitzt das kreisrunde flache Reliquiar auf. In seiner Rückseite ist ein heute zerstörtes Perlmutterrelief mit dem heiligen Georg zu Pferde eingelassen. Der bekrönende Rankendekor ist ebenfalls nicht mehr vollkommen erhalten.

Im Halleschen Heiltum befand sich ein ganz ähnliches Reliquiar mit dem nach rechts reitenden Georg aus Perlmutter. Auch der aus gebogenen Astteilen sich zusammenfügende Schaft hatte hier eine Parallele (Halm/Berliner 1931, Nr. 50, Taf. 26a). Ebenfalls tauchten die verflochtenen Ast-Schäfte mehrfach an Gefäßen des Heiltums auf (vgl. Kat.-Nr. B 19.1). K. F.

B 21 Niederländischer Meister (?) *Abbildung*

Anhänger mit heiligem Georg. Um 1500

Nicht bez.
Perlmutter, Fassung Silber vergoldet. Ø 6,6 cm
Dresden, Staatliche Kunstsammlungen, Grünes Gewölbe; Inv.-Nr. VI 79

B 21

B 22

B 23

B 22 Donauländischer Meister (?) *Abbildung*

Modell für ein Goldschmiedekleinod. Um 1525

Nicht bez.
Buchsbaum, geschnitzt. H. 12,3 cm, Br. 7,8 cm.
Amsterdam, Rijksmuseum; Inv.-Nr. R. B. K. 16987

Das in seiner Art seltene Kunstwerk mit der Darstellung von Adam und Eva am Baum der Erkenntnis diente als Modell für ein äußerst kostbares Kleinod. Die Genauigkeit der Arbeit wurde sogar so weit getrieben, daß Schliff und Fassungen der möglichen Edelsteine angegeben wurden.
Bemerkenswert ist nicht nur der Stil der Figuren, sondern auch der der Ornamentik. Sie weisen vielleicht auf einen dem Peter Dell d. Ä. nahestehenden Meister hin (Rasmussen 1976, S. 110). Die aus den verschiedensten Kompartimenten zusammengesetzten Balustersäulen begegnen uns nicht nur auf einem Reliquienaltar aus dem Halleschen Heiltum (Halm/Berliner 1931, Tafel 53, S. 54, Nr. 170), sondern tauchen auch in der gleichzeitigen hallisch-merseburgischen Bauornamentik auf. K. F.

B 23 Meister Derick *Abbildung*

Fibel (Chormantelschließe). 15. Jahrhundert

Bez. a. d. Rückseite: ICH DERICK GOLEMENT HABBE VERDINCH DE FIBEL AL VON KOPERTE MAKEN SONDER DE VERBOLDEN VON SOLVER.
Kupfer, Silber, vergoldet, gegossen, ziseliert, graviert
H. 21,5 cm
1885 aus der Sammlung von A. P. Basilewski, Paris, erworben; vorher in der Sammlung Kühl, Köln, und in der Sammlung P. Löwen, Köln.
Leningrad, Staatliche Ermitage; Inv.-Nr. F153

Die Aufschrift auf der Rückseite nennt den Namen des Meisters Derick, der wahrscheinlich in Niedersachsen gearbeitet hat. Die komplizierte, vierblättrige Form der Fibel zieht die Aufmerksamkeit auf sich; frei und organisch schließt sie sowohl einen zentralen Teil mit einer spitzbogigen Architekturarkade wie auch die musizierenden Engel ein. Im Vergleich mit den schweren silbernen Heiligenfigürchen zeichnen sich die Figuren der Engel durch Leichtigkeit und Dynamik der Bewegung, durch die Eleganz des Faltenwurfs, durch Feinheit in der Wiedergabe der Musikinstrumente aus und zerstören dadurch gleichsam die Massivität des Ganzen, indem sie visuell die gesamte Komposition leichter machen. M. K.

Meßkelche

Als mit der Ausweitung des Christentums von der Kirche die Forderung erhoben wurde, den Kelch nur noch aus Gold oder Silber zu arbeiten, wurde seine Herstellung zu einer der wichtigsten Aufgaben der Goldschmiedekunst.
Der Kelch entstand aus profanen Formen des Trinkgeschirres und wurde in den verschiedenen Phasen der stilistischen Ent-

stehung Wandlungen unterworfen, die aber seinen Aufbau, der aus Fuß, Schaft und Knauf (Nodus) und Becher (Kuppa) besteht, unangetastet ließen.
Der Kelch des späten 15. Jahrhunderts besteht aus einem Sechspaßfuß, einem reich verzierten Knauf, der oft mit vorspringenden Zapfen (Rotuli) versehen ist, und einer schlanken Kuppa.
Der oftmals reiche Dekor läßt in der Regel die Kuppa frei, kann sie aber auch korbartig umfangen. Plastischer Ranken- und Reliefdekor wurde bevorzugt, ehe die Gravierungen zu verbindlichen Dekorationen wurden. Diese beziehen sich immer auf den gekreuzigten Christus, daneben sind Heiligen- und Mariendarstellungen weit verbreitet.
Der Kelch dieser Zeit ist als Meßkelch dem Priester vorbehalten. Erst als mit Ausbreitung der Reformation und der Austeilung des Abendmahls in beiderlei Gestalt der Kelch auch den Laien zugänglich gemacht wird, ändern sich die Proportionen: Der Kelch wird zunehmend größer. K. F.

B 24 Sächsischer Meister *Abbildung*

Kelch. 1487

Silber, vergoldet, gegossen, graviert. H. 21,4 cm
Pulsnitz, Ev.-Luth. Kirchgemeinde St. Nicolai

B 25 Sächsischer (?) Meister *Abbildung*

Meßkelch. Ende 15. Jahrhundert

Nicht bez.
Silber, vergoldet. H. 21 cm
Neuzelle, Katholisches Pfarramt

B 26 Andreas Eckart *Abbildung*

Meßkelch. 1496

Bez. auf der Unterseite des Fußes: Andres Eckardt Fezit
Bez. auf dem Fußrand:
Jungfrau Marthe ferbers der Gotgnade 1496
Silber, vergoldet. H. 21,5 cm
Schleiz, Ev.-Luth. Kirchgemeinde

B 27 Unbekannter Meister *Abbildung*

Reliquienkreuz. Anfang 15. Jahrhundert, spätere Ergänzungen

Aus dem Halleschen Heiltum

Nicht bez.
Gold, Silber vergoldet, Perlen, Edelsteine, Email. H. 59 cm
1523 von Markgraf Kasimir von Brandenburg
mit einem reicheren kleinen Kreuz Kardinal Albrecht
auf Lebenszeit überlassen
Stockholm, Staatliches Historisches Museum

Im Aschaffenburger Codex steht auf folio 7v vermerkt: »Das groste gantz guldenn Marggrauische Creutz mitt Edeln steynenn vnnd Berlen. Inhalt 31 Partikel.«
Das Reliquienkreuz ist eine der wenigen erhalten gebliebenen Goldschmiedearbeiten des ursprünglich aus 353 Geräten und Gefäßen bestehenden Halleschen Heiltums.
Auf achtseitiger Grundplatte erhebt sich ein von einem Flechtzaun umgebener Rasenhügel, aus dem der Ständer mit Kapellennodus emporragt. Das Kreuz ist reich mit Steinen und Perlen besetzt. Die Kreuzarme enden in Kleeblattform und tragen aufgesetzte Medaillons mit Vierpässen.

B 24
B 25
B 26

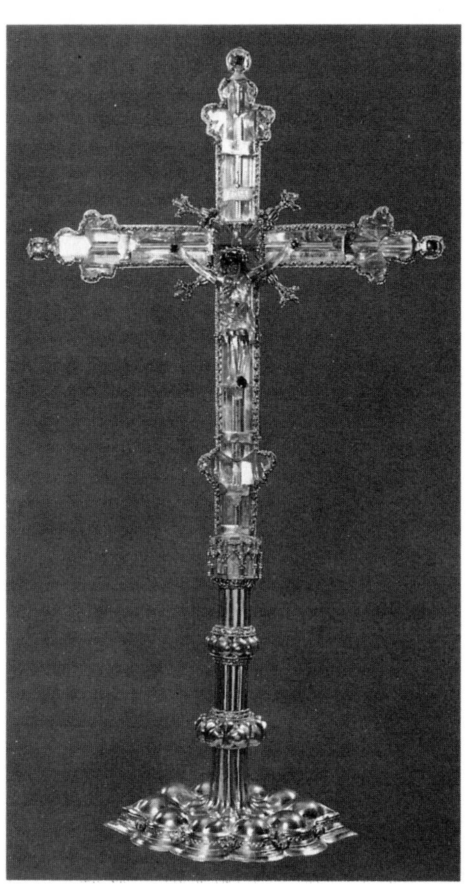

B 27
B 28

Reliquienkreuze dieses Typs waren besonders im Rheingebiet beliebt und wurden bis zu Beginn des 16. Jahrhunderts beibehalten. K. F.

B 28 Nürnberger Meister *Abbildung*

Altarkreuz. Um 1479

Bez.: Beschau rückläufiges N (R³ 3687)
Bergkristall, Fassung: Silber, vergoldet, getrieben. H. 66,5 cm
Zwickau, Ev.-Luth. Domgemeinde St. Marien

Kreuz aus einzelnen Kristallteilen zusammengesetzt auf hohem gebuckeltem Ständer. Die reiche Buckelung gehörte zum markantesten Formengut vor allem der Nürnberger Goldschmiedekunst (vgl. Kat.-Nr. C 42) und wurde ein wichtiges Stilmittel der Goldschmiedekunst um 1500. Maßwerkblenden und Zinnenkranz sind der Architektur entlehnte Motive. Sie deuten das himmlische Jerusalem an, das sich in der gotischen Kathedrale widerspiegelte. Die Kreuzarme sind kleeblattartig erweitert, der Christustyp ist der Tradition der ersten Hälfte des 15. Jahrhunderts verpflichtet. Bergkristall war durch das gesamte Mittelalter hochgeschätzt. Verschloß man anfangs mit gemugelten (gewölbten) Kristallscheiben die Reliquien in den Reliquiaren sichtbar, so wurden seit dem 12. Jahrhundert zunehmend Reliquiare und Ostensorien aus dem durchsichtigen Kristall selbst hergestellt, galt er doch als Sinnbild unbefleckter Reinheit. Kristallkreuze dienten ursprünglich dazu, die Reliquienpartikel vom Kreuz Christi sichtbar aufzubewahren. Mit seiner immer allgemeiner werdenden Verwendung vervollkommnete sich die Technik des Schliffs, und es gelang, die Kristallteile zu durchbohren.
Die bedeutendsten Kristallschleifwerkstätten befanden sich in Venedig und Paris. Neben ihnen behaupteten sich auch verschiedene Werkstätten des Rheinlandes, Süddeutschlands und Burgunds. Wahrscheinlich ist das Kruzifix in einer von ihnen bestellt und dann einer Nürnberger Werkstatt übergeben worden. Das Kreuz wurde gleichzeitig mit dem Wolgemuth-Altar für die Kirche St. Marien in Zwickau gestiftet.
Geräte aus Bergkristall befanden sich auch in den Heiltumssammlungen Friedrichs des Weisen und Kardinal Albrechts von Brandenburg, blieben aber nicht erhalten. K. F.

B 29 Paulus Müllner zugeschrieben *Abbildung*

Reliquienstatuette des heiligen Petrus. Um 1520

Bez. auf dem Gewandsaum: CREDO IN DEVM PATREM OMNIPOTENTEM CREATOREM CELI ET TERRE
(Ich glaube an Gott
den allmächtigen Vater, Schöpfer des Himmels und der Erde)
Silber, teilvergoldet, gegossen, graviert. H. 55 cm
Alter Bestand des Bautzener Domschatzes
Bautzen, Domkapitel St. Petri

Der Heilige trägt in beiden Händen seine Attribute: neben dem Buch einen Schlüssel, der auf »die Schlüssel des Himmelreiches«, die er erhalten haben soll, hinweist. Im Heiligenschein in gesägten Buchstaben: SANCTVS PETRVS.
Der sechsseitige, kleinteilig-kompliziert aufgebaute Sockel, der ursprünglich die Reliquienpartikel barg, zeigt Ornamentformen, wie sie auch auf den Zeichnungen des Aschaffenburger Codex zum Halleschen Heiltum vorkommen.

B 30 Paulus Müllner zugeschrieben *Abbildung*

Reliquienstatuette des heiligen Bartholomäus Um 1520

Bez. auf dem Gewandsaum:
AMICI IVDICES FACTI SVNT SECVLI ORATE PRO NOBIS DEVM
(Die Freunde Gottes –
Apostel – sind die Richter der Welt geworden.
Bittet Gott für uns.)
Silber, teilvergoldet, Glasflüsse, gegossen, graviert. H. 39,5 cm
Alter Bestand des Bautzener Domschatzes
Bautzen, Domkapitel St. Petri

Buch und Messer weisen den Dargestellten als Apostel und Märtyrer aus. Das Buch deutet auf die Verkündigung des Evangeliums hin, während das Messer auf den Märtyrertod durch Abziehen der Haut Bezug nimmt. Im Heiligenschein in gesägten, teilweise ausgebrochenen Buchstaben: S. BARTOLOMEVS. Überaus feine Gravierung auf dem Gewand; die Deckplatte des Sockels deutet wie bei Kat.-Nr. B 29 Erdreich an, auf dem der Heilige mit beschuhten Füßen steht. Am Sockel Öffnung für die Reliquienpartikel.
Durch Kohlhaussen (1968, Nr. 342 und 343) wurden beide Arbeiten dem Paulus Müllner zugewiesen. Anhaltspunkte für diese Zuschreibung waren neben einem heiligen Bartholomäus aus Nürnberg-Wöhrd (Hampe 1928 und 1929, S. 104–111) Zeichnungen von Reliquienstatuetten des Wittenberger Heiltums, die auf ganz ähnlichen Sockeln montiert waren, wie wir sie bei den Bautzener Figuren finden. Ihre Zuschreibung an Müllner, die auf Ähnlichkeiten zum Stil Riemenschneiders beruht (Müllner fertigte im Auftrag des Würzburger Domkapitels nach einem Modell von Riemenschneider eine St.-Kilians-Statue an), wurde allerdings bezweifelt (Rasmussen 1976, S. 81 und S. 85) und darauf hingewiesen, daß »die an ihnen [den Statuetten – d. V.] zu beobachtende Auszehrung und Verhärtung des Riemenschneiderschen Formenrepertoires auch an sächsischen Skulpturen beobachtet werden [kann]« (ebenda S. 85).
Die Frage wäre zu stellen, ob beide Statuetten von einer Hand stammen und welcher Werkstatt sie zuzuschreiben sind. Leipzig und Freiberg besaßen leistungsfähige Werkstätten, und nachweislich haben Nürnberger Goldschmiede in Leipzig gearbeitet, so daß die Möglichkeit besteht, den Modellschnitzer in einer der hier angesiedelten Bildschnitzerwerkstätten zu suchen.
K. F.

B 29
B 30

B 31 Unbekannter Zeichner *Abbildung*

Heilige Margarete. Nach 1500

Nicht bez. Feder in Schwarz und Braun. H. 33 cm
Weimar, Staatsarchiv; Reg. 0213

B 31

B 32.1

B 32.2

B 32.1 Lucas Cranach d. Ä. *Abbildung*

Die heilige Margarete. 1513

Bez. o. r.: 1513
Feder in Schwarz und Braun. 17,1 x 13,3 cm
Dessau, Staatliche Galerie; Inv.-Nr. II, 3

Der Vergleich mit der Zeichnung der heiligen Margarete aus dem Weimarer Band des Wittenberger Heiltums verdeutlicht die Gegensätze: Die in zügigen, fast flüchtigen Federstrichen angelegte Zeichnung der Statuette aus dem Wittenberger Heiltum erfaßt die wesentlichen Details der Plastik, obwohl Unbeholfenheiten und Ungenauigkeiten in der Wiedergabe festzustellen sind. Cranachs freie zeichnerische Wiederholung seines Holzschnittes aus dem Wittenberger Heiltum von 1509 dagegen zeigt die Phantasie des Malers, die nicht dem Zwang unterliegt, eine genaue Zustandsaufnahme bringen zu müssen. K. F.

B 32.2 Hans Springinklee *Abbildung*

Die heilige Margarete

Nicht bez.
Pinsel in Weiß auf schwarz grundiertem Papier. 23,3 x 17 cm
Dresden, Staatliche Kunstsammlungen, Kupferstich-Kabinett; Inv.-Nr. C 2099

Die Zeichnung ist ein dekoratives Virtuosenstück: das Beispiel einer Weißlinienzeichnung, die nach Kräften den Glanz der Gegenstände, etwa der prächtigen Märtyrerkrone der Heiligen, hervorhebt. Sie läßt die besondere Begabung Springinklee für die Dekoration erkennen. W. S

B 33 Lucas Cranach d. Ä.

Reliquienstatuetten. 1509

Johannes der Evangelist, die Apostel
Bartholomäus, Andreas, Paulus und Petrus

Holzschnitte
Aus: Dye zaigung des hochlobwirdigen hailigthums der Stifftkirche allerhailigen zu wittenburg.
Wittenberg, Symphorian Reinhart
Dresden, Staatliche Kunstsammlungen, Kupferstich-Kabinett; Inv.-Nr. A 6559 – 6562
Bartsch 97–101

B 34 Lucas Cranach d. Ä.

Reliquienstatuetten. 1509

Der auferstandene Jesus, Johannes der Täufer, die Apostel Matthias, Matthäus, Simon, Taddäus, Thomas, Jakobus minor, Philippus und Jacobus maior

Holzschnitte. Aus: Dye zaigung des hochlobwirdigen hailigthums der Stiftkirche allerhailigen zu wittenburg. Wittenberg, Symphorian Reinhart
Dresden, Staatliche Kunstsammlungen, Kupferstich-Kabinett; Inv.-Nr. A 6563–6568
Bartsch 102–110

1493 wurde durch Konrad Pfluger mit dem Neubau der Wittenberger Stiftskirche begonnen.
1509/10 erschien in der Druckerei des Symphorian Reinhart das mit mehr als 100 Holzschnitten Cranachs geschmückte Wittenberger Heiltumsbuch, das die vorhandenen Reliquien verzeichnet. 5005 Reliquienpartikel hatten Kurfürst Friedrich der Weise und sein Bruder Herzog Johann von Sachsen gesammelt. Seit 1398 wurde wiederholt an die Wittenberger Stiftskirche das Recht übertragen, Ablaß zu gewähren. Einen solchen Erlaß für begangene Sünden konnten die reuigen Gläubigen erwerben, wenn sie vor den Reliquien beteten und zugunsten der Stiftskirche Gelder spendeten. Diese Gelder flossen zum größeren Teil der römischen Kirche zu, während ein geringerer Teil dem Wittenberger Stift verblieb, das die Gelder für die 1502 gegründete Universität verwendete.
Neben den verschiedensten Reliquiengefäßen gehörten stets auch vollständige Folgen von Apostelstandbildern zu den Heiltumssammlungen. Auch das Hallesche Heiltum des Kardinals Albrecht von Brandenburg besaß eine große Zahl von Statuetten. Von ihnen haben sich keine Reliquienstatuetten erhalten, auch die Holzschnitte Cranachs geben uns keine genaue Wiedergabe vom tatsächlichen Aussehen der ehemals vorhandenen Kleinplastiken. K. F.

B 35 Anonymer Meister *Farbtafel Seite 89*

Deckel eines Evangelienbuches. 1522

Bez.: auf der Seitenkante die Jahreszahl 1522 eingraviert
Silber, vergoldet, gegossen, graviert, ziseliert
32,8x23,5x3,4 cm
Ehemals als Ikone in der Hauskirche der Patriarchen im Moskauer Kreml, seit 1920 in der Rüstkammer
Moskau, Staatliche Museen des Kreml; Inv.-Nr. MS – 1264

Reicher Hochreliefdekor ziert die Tafel: Im Mittelfeld unter Architektur-Umrahmungen die vier sitzenden Evangelisten um ein Medaillon mit dem »Agnus Dei« (Lamm Gottes), dem Symbol Christi; in den rahmenden Streifen befinden sich Darstellungen der zwölf Apostel mit ihren Attributen, in den Ekken der Tafel die Evangelistensymbole. Inmitten der Brustbilder heben sich zwei an den Seiten der zentralen Fläche stehende Figuren auf Postamenten ab. Auf den Seitenkanten sind die Darstellungen einer Madonna und zweier Mönche mit einer geöffneten Schriftrolle in den Händen eingraviert. Auf der Rolle steht die Jahreszahl 1522.
Die Modellierung der Relieffiguren ist energisch und ausdrucksvoll. Den Gesichtern, Posen und Gesten der Personen ist ein Element der Affektation eigen, das für die späte Gotik charakteristisch ist. Gleichzeitig beweisen der Typ der gravierten Darstellungen, die Architekturdetails in den Reliefs und das schöne Ornament auf den Teilungsstreifen des Hauptfeldes die Bekanntschaft des Meisters mit dem Stil der Renaissance. G. A. M.

B 36 Hans Baldung *Abbildung*

Christus am Kreuz mit Maria und Johannes Um 1520

Nicht bez.
Pinselzeichnung in bräunlichem Schwarz. 186x133 cm
1841 erworben
Berlin, Hauptstadt der DDR, Staatliche Museen, Kupferstichkabinett; Inv.-Nr. A. I. 83 – KdZ. 4797

Die Zeichnung ist einer der wenigen Kartons für eine größere Arbeit der Glasmalerei der Dürer-Zeit, die sich erhalten haben. Er ist sicher mit dem Werk Hans Baldungs zu verbinden,

B 36

auch wenn Koch und Winkler (handschriftliche Notiz) der durch Bock und Friedländer erneuerten Zuschreibung nicht zugestimmt haben. Der Inventarisierungsvermerk Schorns lautet: »Ein Carton von H. Baldung-Grün /:Dürer:/ vorstellend Christus am Kreuz. Maria und Johannes zur Seite. Höhe 6 Fuß, Breite 4 Fuß 2 Zoll. – Aufgezogen und eingerahmt. Unter Glas – stellenweise restauriert.« Die Figuren sind silhouettiert und aufgeklebt. Größere Partien wie das obere Ende des Kreuzstammes mit der Inschrift, die Mariengestalt unterhalb der Hüften abwärts, das obere Ende des Lendentuches und die Arme des Engels neben der Seitenwunde wurden bei dieser Gelegenheit ergänzt. Auch sind die Züge des Vordergrundes, die Umrisse der Berglandschaft, der Knochen neben dem Schädel und ein Teil des Gewandes beim Engel am Kreuzfuß Zutat der jedenfalls vor dem 15. Februar 1841 ausgeführten Restaurierungen. Zur Vorbereitung des Glasgemäldes sind die Linien der Verbleiung mit Rötel eingezeichnet worden. Die Eigenart der Zeichnung ergibt sich aus dem großen Figurenmaßstab und durch die Bestimmung als Vorlage für die Arbeit des Glasmalers, der das Bild im gleichen Maßstab auszuführen hatte. Ähnlich wie bei Grünewalds Isenheimer Altar ist die Bedeutung des Kreuzestodes hervorgehoben. Engel mit gebauschten Gewändern fangen das Blut in Kelchen auf: sinnfälliger Bezug auf das Abendmahl, über dessen Bedeutung und die Art, es zu feiern, die Theologen in verschiedene Lager zerfallen waren. W. S.

B 37 Ungarischer Meister *Abbildung*

Messe des heiligen Martin. Vor 1500

Nicht bez.
Tempera auf Holz. 101,5 x 89,5 cm
Budapest, Nationalgalerie; Inv.-Nr. 1.637

Der Legende nach gab der heilige Martin, Sohn eines pannonischen Ritters und Bischof von Tours, vor der Messe seine Tunika einem nackten Bettler, so daß der Bischof gezwungen war, die Messe mit entblößten Armen zu halten. Daraufhin erschien eine feurige Kugel über seinem Haupt, und Engel bedeckten seine Arme.

Ambrosius rühmte den heiligen Martin wegen seiner Stellungnahme gegen die »Falschheit der Arianer« – der Ketzer – (Legenda aurea, S. 941). Die Darstellung erscheint als ein Sinnbild für das Dogma der katholischen Kirche: Der gekreuzigte Christus hinter dem Altartisch, von Maria und Johannes angebetet, wird als Allegorie auf die Messe verstanden. Der Kelch, der vom Priester benutzt wird, steht in einer Bedeutungsebene zwischen dem Bild hinter dem Altar und dem zelebrierenden Kleriker.

In der Wiedergabe des Innenraumes wird das Streben nach realistischer Darstellung erkennbar, obwohl an der Bedeutungsperspektive, die die Größe der dargestellten Personen ihrer Wichtigkeit entsprechend bemißt, noch festgehalten wird. K. F.

B 38 Meister der byzantinischen Maria

Gregorsmesse. 1516

Bez. vorn am Sarg Christi: 1516
Harzfarben auf Holz. 56 x 118 cm
Merseburg, Dom; 1844 und 1938 restauriert
Domkapitel der vereinigten Hochstifte Naumburg und Merseburg und des Kollegiatstifts Zeitz

Das Gemälde zeigt eine Vision, die Papst Gregor der Große, einer der vier römischen Kirchenväter, hatte. Während einer Messe in der Kirche S. Croce in Gerusalemme zu Rom erschien ihm der vom Kreuz herabgestiegene Christus, der sein Blut in den auf dem Altar stehenden Meßkelch ergoß. Darstellungen dieser Vision verbildlichen das von der katholischen Kirche vertretene Dogma der Realpräsens Christi in der Eucharistie.

Das schmale predellenartige Gemälde weist eine strenge Komposition auf. Der aus der Bildmitte nach rechts hinausgerückte Altar, an dem die Messe gefeiert wird, ist perspektivisch so konstruiert, daß im Fluchtpunkt der Schmerzensmann erscheint. Sein Haupt ist die Spitze eines Dreiecks, dessen Seiten der heilige Gregor und ein assistierender Diakon bilden. Zwischen ihren betend erhobenen Händen stehen auf dem Altar Patene und Kelch, die Gefäße für Hostie und Wein, Leib und Blut Christi. Die rings um den Altar verteilten Marterwerkzeuge erinnern an seine Passion – links vom Schmerzensmann das Kreuz und eine auf Christi fließendes Blut weisende Hand, rechts Judas mit dem Geldbeutel, vor ihm die Martersäule mit Geißel und Rutenbündel, im Vordergrund die drei Nägel, mit

B 37

denen Christus ans Kreuz geheftet wurde, links Hammer und Zange dazu, im Hintergrund Lanze, Essigschwamm, Fackel und Schwert samt dem Ohr des Malchus. Der Diakon, der Tiara und Kreuzstab des Papstes hält, und der betende Kardinal neben ihm an der Schmalseite des Altars bilden zusammen mit dem knienden Kleriker das optische Gegengewicht. Gregor erscheint auf diese Weise seiner Bedeutung gemäß als von zwei Klerikern flankiert. Die Apostel Johannes Evangelista (Kelch mit Schlange) und Matthias (Beil) rahmen die Szene und verleihen der Komposition Festigkeit. In dem Kleriker mit dem aufgeschlagenen Buch ist der Stifter des Bildes porträtiert. Der komplizierte Bildaufbau erinnert in seinem Kompositionsprinzip an Lembergers Bekehrung Pauli (Kat.-Nr. E 25). Flechsig hielt 1908 das Gemälde für die Predella des Gregoraltars im Merseburger Dom. Diesen Altar wies er einem Leipziger Maler zu, den er nach einer Tafel mit der Madonna auf der Mondsichel aus der Leipziger Nikolaikirche, die jetzt Besitz des Museums der Geschichte der Stadt Leipzig ist, den Meister der byzantinischen Maria nannte. Der auf der genannten Tafel neben der Madonna stehende Apostel Matthias rafft seinen Mantel in derselben Weise wie der gleiche Apostel in Merseburg. Außer dem Gregor-Altar schuf der Meister der byzantinischen Maria auch einen Marien-Altar für den Merseburger Dom.
Nach Deckert (1935, Nr. 35) gehört die schmale Tafel mit der Gregorsmesse nicht zum Gregor-Altar, wurde aber von demselben Leipziger Maler wie er geschaffen. R. K.

B 39 Albrecht Dürer

Christus am Kreuz mit drei Engeln. Um 1513

Nicht bez.
Holzschnitt. 39,5 x 41,5 cm (Wasserzeichen: Hohe Krone)
Berlin, Hauptstadt der DDR, Staatliche Museen, Kupferstichkabinett; Inv.-Nr. 785–10
Bartsch 58 I; Meder 182 Ia

B 40 Albrecht Dürer *Abbildung*

Schmerzensmann. 1509

Titelblatt zur Kupferstichpassion

Bez. im Rundbogen: Monogramm des Künstlers und Jahreszahl 1509
Kupferstich. 11,9 x 7,4 cm
Dresden, Staatliche Kunstsammlungen, Kupferstich-Kabinett; Inv.-Nr. A 733
Bartsch 3; Meder 3

B 40

Die Darstellung des Christus als Schmerzensmann läßt sich nicht in die Chronologie des Passionsgeschehens einordnen. Als Andachtsbild entstanden, wird das Problem der »zwei Naturen« Christi bildlich dargestellt. Der Schmerzensmann der Kupferstichpassion von Dürer ist der früheste in der Reihe der Titelblätter. Christus steht auf einem Podest, zu dem Stufen hinaufführen; an der Säule vor dieser »Bühne« stehen Maria und Johannes und blicken mit gefalteten Händen zu dem Schmerzensmann empor. Sie erinnern – wie auch der theatralische Zug der Darstellung – an das Publikum der Passionsspiele. Das Leid Christi verdeutlicht das Leid des Menschen. Die zusammengepreßten Knie, die überkreuzten Arme mit Geißel und Rute in den Händen, der schräggelegte Kopf und das im hohen Strahl aus der Wunde hervortretende Blut verstärken die Aufforderung, sich ganz des Gedenkens an die Qualen des Gottessohnes zu verschreiben. Von Christus wird das Leid demonstriert und nicht gelebt. Dürers Anliegen, den Menschen in seiner Innerlichkeit zu erfassen, wird auch hier deutlich. In Ansätzen verwirklicht er schon das, was Wölfflin (1943, S. 238) als neue Christusidee bezeichnet hat.
E. B.

B 41 Sebald Beham

Schmerzensmann. 1520

Bez. u. r.: 1520 und Monogramm des Künstlers
Kupferstich. 13,3 x 8,9 cm
Dresden, Staatliche Kunstsammlungen, Kupferstich-Kabinett; Inv.-Nr. A 2627
Bartsch 26; Pauli 28

Der junge Sebald Beham beschäftigte sich frühzeitig mit den Darstellungen Christi. Sie sind geprägt vom Zweifel am Dogma der katholischen Kirche. 1520 vollendete er das Blatt mit dem Schmerzensmann am Fuße des Kreuzes. Nicht frontal dem Betrachter zugewendet, sondern in Profilstellung ist der kraftvolle männliche Körper gezeichnet, der sich von dem sonst üblichen Schema des »Dulders« abhebt. Hostie und Kelch befinden sich in den Händen des Schmerzensmannes und erhalten durch die Verteilung von Licht und Schatten unterschiedliche Bedeutung.
»Während wir die Hostie beschattet sehen, befindet sich der Kelch im Lichte und an zentral betonter Stelle des Bildganzen. Sicher dürfen wir in dieser Bevorzugung einen Reflex der schon von hussitischer und nun ebenso von reformatorischer Seite erhobenen Forderung auf Gewährung des Abendmahls in beiderlei Gestalt auch an die Laien erkennen« (Zschelletzschky 1975, S. 173). K. F.

B 42 Hans Baldung

Maria als Schmerzensmutter. Um 1516/17

Nicht bez.
Lindenholz. 153 x 46 cm
1908 aus der Prager Sammlung von G. Hoschek erworben durch die Kunsthandlung Goudstikker, Amsterdam
Budapest, Museum der Bildenden Künste; Inv.-Nr. 3822

Die Tätigkeit Baldungs in seiner kurzen Freiburger Periode (1512–1517), seine Berührung mit Grünewald und die Ausführung des Münster-Hochaltars sind von der Forschung noch nicht befriedigend geklärt worden (zuletzt Shestack, Washington-New Haven 1981, S. 13f.). Der Einfluß Grünewalds ist auf der Budapester Tafel sehr ausgeprägt. Dabei handelt es sich nicht um direkte Motivübernahme, sondern mehr um die geistige Verwandtschaft in der Auffassung: Nur im Werk Grünewalds finden wir Parallelen zu dem in der Budapester Tafel des Hans Baldung derartig intensiv formulierten Ausdruck des seelischen Schmerzes. Im Zusammenhang mit diesem Hauptwerk der Freiburger Periode sind zahlreiche Probleme zu klären. Das ursprüngliche, die ikonographische Bedeutung der Darstellung beleuchtende Motiv ist nicht mehr vorhanden: Das Schwert, das Marias Brust »durchbohrt«, wurde übermalt. Die Schmerzensmaria, von Astwerk umrahmt, stand ursprünglich dem Schmerzensmann gegenüber (die Tafel ist heute verschollen). Beide bildeten die Außenseiten eines Altars. Eine hypothetische Rekonstruktion dieses Altars wurde von der Verfasserin 1970 veröffentlicht. Danach könnten sowohl die Budapester Maria als auch eine heilige Verena in Münster zu der Beweinung Christi (heute in Berlin [West]) zur Mitteltafel gehört haben. Es ist urkundlich bestätigt, daß in der Familienkapelle von Jakob Heimhoffer im Freiburger Münster um 1517 ein Altar aufgestellt wurde, dessen Maler aller Wahrscheinlichkeit nach Hans Baldung war. Für die Autorschaft Baldungs spricht die Tatsache, daß das erhalten gebliebene Glasfenster der Familienkapelle mit der Darstellung des Stifters und der Beweinung Christi (Freiburg, Augustinermuseum) nach Visierungen des Meisters gefertigt wurde. Die Frau Jakob Heimhoffers hieß Verena, so daß auch von dieser Seite her die Einbeziehung der Verena-Tafel in die Rekonstruktion des Altars zu erwägen ist. Da aber während der Reformationszeit etwa einundzwanzig Altarwerke des Freiburger Münsters verlorengegangen sind, bedarf unsere Annahme noch weiterer Beweise.
Baldung hatte zwischen 1512 und 1517 auch Visierungen für die Glasfenster des Freiburger Kartäuserklosters geliefert. Unter ihnen befindet sich eine dem Schmerzensmann gegenübergestellte Schmerzensmutter, die nach dem Budapester Bild entstand. S. U.

B 43 Lucas Cranach d. Ä. *Abbildung*

Verehrung des göttlichen Herzens. 1505

Bez. u. M.: Monogramm des Künstlers und eingeschriebene Jahreszahl 1505. In den unteren Ecken das kurfürstlich-sächsische Wappenpaar. Das Schriftband unter dem Kruzifix zeigt nur im ersten Zustand die Worte: Virgo, Mater, Maria (Jungfrau, Mutter, Maria)
Holzschnitt (Reproduktion). 38 x 28,4 cm
Berlin, Hauptstadt der DDR, Staatliche Museen, Kupferstichkabinett
Bartsch 76; Hollstein 69

Deutlicher als die Bestimmung des Blattes ist die künstlerische Anregung durch Dürers Apokalypse und die Wirkung, die in Wittenberg bis zur Ausbildung von Luthers Wappen reicht. Ohne Zweifel handelt es sich um ein bildgewordenes Gebet gegen die Pest, wie die Darstellung der Heiligen Sebastian und Rochus neben Maria und Johannes zeigt. Das Thema war wegen der Epidemie der Jahre 1503 bis 1506 aktuell und bedeutete für Kurfürst Friedrich den Weisen ein besonderes Anliegen, dem auch Altarbilder von Dürer (Dresdener Altar), Burgkmair (Sebastian-Rochus-Altar) und Cranach gewidmet wurden. Umstritten ist die Bedeutung des Wappens. Gegenüber den Deutungen von Lippmann (Verehrung des Herzens Jesu), Koepplin (Christliches Herz, später: Herz der dreieinigen Gottesliebe) und Strieder (The Sacred Heart) ist von mir lange die dreifache Bindung des Emblems an Maria hervorgehoben worden: durch das Schriftband, die Unterteilung der Herzfläche in zwei Hälften und die Krone, die ein aus dem Herz hervorbrechendes Strahlenbündel umschließt. Mit

B 43

Koepplin (Cranach, Basel 1976, S. 463) scheint mir jetzt die entscheidende Anregung in Baldungs Holzschnitt, wie »Gott sein Herz der Welt gibt« zu bestehen: gewiß steht der Offenbarungsvorgang im Mittelpunkt der Darstellung (freundlicher Hinweis von Konrad von Rabenau).

In bedeutungsvollem Gegensatz zu den Bildern des Gerichts und der umfassenden Strafe in Dürers Apokalypse richten Engel das Wappen der Erlösung über der Welt und den im Vordergrund knienden Vertretern der Menschengemeinde auf. Das liebende Herz, dem die Krone zugefallen ist und dem Kreuz, Freud und Leid aufgeprägt sind, erscheint als das Zeichen einer neuen Herrschaft über die Welt. Dies ist wohl der Sinn der Formulierung dieses Holzschnittes. Er erwächst aus der Gedankenwelt der Marienverehrung, der die beiden wichtigsten Gemälde Cranachs dieser Jahre gewidmet sind: die Kreuzigung von 1502 in München und die Ruhe auf der Flucht in Berlin (West) von 1504, aus dessen Engelschar die vier Wappenhalter des Holzschnittes ohne Zweifel herstammen.

W. S.

B 44 Lucas Cranach d. Ä. *Abbildung*

Der heilige Augustin in Betrachtung des Schmerzensmannes. Um 1515

Bez. l. auf der Grabplatte: Schlangenzeichen
Bez. o. r.: Kursächsisches Wappenpaar
Holzschnitt. 13,1 x 10,8 cm
Dresden, Staatliche Kunstsammlungen, Kupferstich-Kabinett; Inv.-Nr. A 6518
Bartsch 57; Hollstein H. 77

Abdrucke des Holzstockes sind bisher nur in der späten Verwendung durch Rhau seit 1547 bekannt. Bis zur Richtigstellung durch Dieter Koepplin galt die auf Rhau zurückgehende Deutung »Der heilige Bernhard in Verehrung des Schmerzensmannes«. Das Attribut des von einem Pfeil durchbohrten Herzens bezieht sich eindeutig auf Augustin. Für Luther, der Augustiner-Eremit war, und für Dr. Johann Staupitz, seinen Mentor der frühen Jahre, ist die starke Hinwendung zu Augustin bezeichnend. Das Eindringen in die Lehre des Bischofs aus Hippo Regius (Nordafrika) war wohl einer der ersten Schritte in Richtung auf die theologische Begründung der protestantischen Anschauung. Wäre die Darstellung des heiligen Augustin schon dadurch gerechtfertigt, daß er der Schutzheilige der Universität Wittenberg war, so führt der Dialog mit dem Schmerzensmann (Bischofshut und Bischofsstab sind dabei abgelegt worden) tief in die neue Glaubenswelt. Vielleicht erscheint der Einfluß Luthers auf Cranach hier zum ersten Mal.

W. S.

B 44

B 45

B 45 Lucas Cranach d. Ä. *Abbildung*

Die Himmelsleiter des heiligen Bonaventura Um 1510

Ausführung des Formschnittes durch Symphorian Reinhart

Bez.: am linken Holm der Leiter unten das Zeichen des Künstlers, oben das Kursächsische Wappenpaar
Holzschnitt in zwei Teilen. 38,9x29,2 cm und 12x29 cm
Dresden, Staatliche Kunstsammlungen, Kupferstich-Kabinett; Inv.-Nr. A 6535
Bartsch 78; Hollstein 78a, b

Das Blatt existiert in fünf verschiedenen Ausgaben der mit Lettern gedruckten Bildtexte. Seinem Inhalt nach ist es mittelalterliches Lehr- und Erbauungsbild über den rechten Weg zur Seligkeit. Seine Ausbildung am Vorabend der Reformation ist bezeichnend für das Bestreben vieler gläubiger Christen, ihr Verhältnis zu Gott von Grund auf zu ordnen. Als Vertreter der Menschheit knien ein Mann und eine Frau unten an der Leiter. In der Darstellung des Mannes ist ein Bildnis Kurfürst Friedrichs vermutet worden, der etwa um die gleiche Zeit in ähnlicher Haltung auf einem seltenen Kupferstich (Hollstein 4) von Cranach erscheint.

Das Bild der Tugendleiter mit ihren Ausdeutungen geht zurück auf eine Schrift des heiligen Bonaventura, eines Franziskanermönches, der von 1224 bis 1274 lebte. Vermutlich ist das Programm verkürzt worden, denn von den sieben Stufen der Schrift »Itinerarium mentis in Deum« (Der Weg der Seele zu Gott) zeigt der Holzschnitt nur drei Sprossen: Verschmähung der Welt, Selbsterniedrigung, demütige Gottesliebe; außerdem zwei Schriftbänder: Furcht vor ewiger Höllenpein, Liebesbegehren ewiger Belohnung. Die Läuterung des Menschen vollzieht sich als ein »Aufstieg des Herzens« in den Himmel.

W. S.

B 46 Lucas Cranach d. Ä. *Abbildung*

Die Madonna des Kurfürsten Friedrich Um 1512–1515

Bez. u. r.: Schlangenzeichen
Holzschnitt. 36,9x23 cm
Dresden, Staatliche Kunstsammlungen, Kupferstich-Kabinett; Inv.-Nr. A 5390
Bartsch 77

B 46

Kurfürst Friedrich III. von Sachsen, der Weise, hatte ein besonderes Verhältnis zum Kult der Marien-Verehrung. 1510 verlieh in einer Bulle Papst Julius II. der Stiftskirche zu Wittenberg einen besonderen Ablaß für Messen, die der Maria gewidmet waren. Wertvolle Reliquien, darunter ein kostbares Marienbild, sollten einer Prozession von den Gläubigen vorangetragen werden. »... für die Teilnahme an jenen Messen und Prozessionen bei vorhergehender reuiger Beichte [wurden] nur je dreihundert Tage, für den Besuch des Reliquienfestes aber sieben Jahre und ebensoviel Quadragenen Nachlass von den auferlegten Bussen gewährt« (Kalkoff 1907, S. 11 f.).
Cranach gab als Hofmaler ein beredtes Bildnis seines Auftraggebers, in dem nicht nur höfische Repräsentation, sondern auch private Andacht als Ausdruck individuellen Verhaltens geschildert wird. K. F.

B 47 Lucas Cranach d. Ä. *Farbtafeln Seiten 92 und 93*

Fürstenaltar. 1509/10

Öl auf Linde
Mitteltafel 106x92,5 cm, Flügel je 106x42 cm
1927 aus dem Gotischen Hause in Wörlitz übernommen
Dessau, Staatliche Galerie; Inv.-Nr. 7

Der Dessauer Fürstenaltar ist ein der Maria gewidmeter Dreiflügelaltar. Die Mitteltafel zeigt in halber Figur Maria mit dem Kinde zwischen den Heiligen Katharina und Barbara. Die vordere Begrenzung bildet eine Brüstung, auf der die Symbole der Heiligen liegen. Die Maria ist in ein zeitloses, lockeres Gewand gekleidet, langes gelocktes Haar fällt darauf, ein halber durchsichtiger Schleier liegt um Haar und Stirn. Sie blickt dem Beschauer mit einem kaum angedeuteten Lächeln ins Gesicht. Auf ihrem Schoß sitzt das unbekleidete Kind mit einem Apfel in der linken Hand, mit der rechten reicht es der heiligen Katharina den Verlobungsring. Beide Heiligen tragen kostbare modische Kleidung.
Auf der linken Tafel erscheint in halber Figur Kurfürst Friedrich der Weise von Sachsen, hinter ihm der heilige Bartholomäus. Entsprechend sehen wir auf der rechten Tafel den Bruder und Nachfolger Friedrichs des Weisen, Johann den Beständigen von Sachsen, dahinter den heiligen Jakobus d. Ä. Beide Fürsten sind reich gekleidet, Johann der Beständige ganz besonders aufwendig.
Das Bild fällt innerhalb Cranachs Werk durch außergewöhnlich strenge Komposition auf. Die drei Frauen der Mitteltafel bilden dadurch, daß Maria in der Mitte die beiden Heiligen rechts und links überragt, ein Dreieck. Dem entspricht im entgegengesetzten Sinne das Dreieck, das durch das Blau in den Gewändern der Heiligen Jakobus und Bartholomäus und in dem Mantel der Maria gebildet wird. Durch dieses Farbdreieck werden Mitteltafel und Seitentafeln miteinander verbunden. Eine Diagonale zieht sich von den Köpfen der männlichen Heiligen über die weiblichen und trifft sich von den Seitentafeln her in der Mitte der Balustrade. Diese Kompositionselemente, zusammen mit den gedämpften und doch kräftigen Farben der Tafeln und den gelassenen Mienen der Dargestellten, machen die wohltuende Wirkung des Werkes aus, ein Eindruck, der einstmals noch durch die schimmernde, teilweise durchsichtige Malfläche verstärkt wurde. Zweifellos ist der Fürstenaltar ein vollständig eigenhändiges Werk des Meisters.
Wie aus den Stifterbildnissen hervorgeht, ist der Fürstenaltar im Auftrage Friedrichs des Weisen von Sachsen entstanden. Mit hoher Wahrscheinlichkeit war er für den Marienchor der Wittenberger Schloßkirche bestimmt.
Wittenberg war der bevorzugte Wohnsitz des Fürsten, wo er das für ihn erbaute und mit reichen Kunstwerken ausgeschmückte Hauptschloß bewohnte. 1506 war dessen Erbauung mit dem nördlichen Flügel, der Schloßkirche, abgeschlossen worden. Noch im Jahre der Vollendung des Baues gründete Friedrich der Weise eine Stiftung »von den Festen der heiligen Jungfrau Maria, ... vor dem Altar Aller Seelen, hinten unter derer Borkirche, in dem hintersten Fenster nach Westen zu.« Die Stiftung diente »seinem, seiner Eltern und Nachkommen Seelenheil« (Israel, Wittenberger Universitätsarchiv, 1913, Nr. 82). Es war also im Moment kein passender Ort für den »kleinen Chor«, wie man ihn im Gegensatz zum Ostchor nannte, vorhanden, sondern er wurde recht provisorisch in der Nische des großen Westfensters unter der Westempore untergebracht. Dieser Zustand muß dem Kurfürsten 1510 unerträglich geworden sein, denn in diesem Jahr erscheinen in den Wittenberger Amtsrechnungen Kosten für »Ausgabe vor den newen kirchenbaw im cleinen Chor« (Staatsarchiv Weimar – B 2756, Bl. 83–100). Ein kleiner, im Dreiachtelschluß endender Chor wurde an die Westfront der Kirche angebaut, wobei die Stelle des Westfensters als Durchbruch genutzt wurde. Am 24. Juni 1510 werden Boten bis nach Halle, Halberstadt, Magdeburg und Dresden geschickt, um Steinmetzen für den Bau anzuwerben. An »Unser lieben Frauen Chor« wird Tag und Nacht gearbeitet, dazu wird Trinkgeld bei Tag und Nacht gezahlt. Als Baumeister tritt ein Meister Burkhard auf, der sonst nicht bekannt ist. Der Chor wird kostbar ausgestattet, die Fenster erhalten »6 bilde und Wapen«. Im November 1510 erscheinen mit den Malerarbeiten und der Anbringung einer Marienstatue die letzten Ausgaben für den Chor. Hier, in diesem mit so großer Eile errichteten kostbaren kleinen Raum, stand vermutlich der Fürstenaltar. Mit seinen für einen Altar geringen Ausmaßen paßte er in den Chor, und sein Thema, Maria zwischen zwei Heiligen mit den beiden Stifterfürsten, entspricht dem Sinne des Chores.
Im November 1508 war Cranach von seiner niederländischen Reise zurückgekommen. Der Altar scheint ganz unter dem Eindruck der dort gesehenen Kunstwerke entstanden zu sein. Man meint, das belebende Element zu spüren, das Cranach über seine sonstigen Wittenberger Leistungen hinausgehoben hat. Ob er von einem bestimmten Werk, das er in den Niederlanden gesehen hatte, angeregt wurde, ist schon deswegen

schwer zu sagen, weil wir zweifellos nicht alle Altäre, Tafeln und vor allem Tüchlein der Zeit erhalten haben. In die Nähe der möglicherweise empfangenen Anregungen führen zwei Werke, einmal ein Triptychon im Frankfurter Städelschen Kunstinstitut und zum anderen ein Tüchlein im Wallraf-Richartz-Museum in Köln. Das Triptychon von Hugo van der Goes zeigt auf seinen etwas später von einem anderen Meister zugefügten Seitenflügeln Stifter mit Heiligen in halber Figur, ganz in der Art, wie sie auch auf dem Fürstenaltar erscheinen. Mit dem Tüchlein von einem südniederländischen Meister um 1510 in Köln ist die Art verwandt, wie die Maria den Beschauer mit weit aufgeschlagenen Augen anblickt, während in der niederländischen Malerei immer noch die nach unten geschlagenen Augenlider der Madonnen üblich waren. Auch die Kölner Maria sitzt in halber Figur zwischen zwei weiblichen Heiligen. Aber nicht nur die weit offenen Augen der Cranachschen Maria sind bemerkenswert, sondern vor allem, daß ihre Mundwinkel, in einem an Leonardo erinnernden Lächeln, leicht nach oben gezogen sind. Gewiß kann Cranach in den Niederlanden am Hofe der Margarethe von Österreich auch italienische Werke gesehen haben, doch wahrscheinlicher ist wohl, daß ihm die Kenntnis von Leonardos Werk durch Quinten Massys vermittelt wurde, dessen Arbeiten ihn besonders beeindruckt zu haben scheinen. Nicht zu verkennen ist, daß außer den niederländischen Anregungen auch Dürer auf den Fürstenaltar vorbildhaft gewirkt hat, und zwar für die ausdrucksvollen Köpfe der beiden männlichen Heiligen. Wir kennen den Weg nicht, den der Altar genommen hat, bis er in die Sammlung altdeutscher Gemälde des Fürsten Leopold Friedrich Franz von Anhalt-Dessau (1758–1817) im Gotischen Haus in Wörlitz kam. Dort hing er im sogenannten Kriegerischen Kabinett. In den Inventaren der Wittenberger Schloßkirche des 17. und 18. Jahrhunderts ist er nicht festzustellen. Cranach hatte im Schmalkaldischen Kriege 1546 Kunstwerke aus der Wittenberger Schloßkirche sichergestellt. Als dann Wittenberg an die albertinische Linie der Wettiner kam, mögen die Ernestiner diesen Altar behalten haben, der für sie von besonderer Bedeutung war. Wenig wahrscheinlich ist es, daß dieser Altar mit den wettinischen Vorfahren über den Kunsthandel an den Fürsten Franz gekommen ist. Vielleicht hat ihn ein Mitglied des Hauses Wettin dem Fürsten Franz für das Gotische Haus in Wörlitz geschenkt. S. H.

B 48

Liturgische Gewänder

Die Gesamtheit der im christlichen Ritus verwendeten textilen Ausstattungsstücke bezeichnet man als Paramente. Sie dienen zum Schmuck des Altares und der Kanzel und der die kultische Handlung vollziehenden Geistlichen. Im Laufe der Entwicklung bildeten sich verschiedene Formen der Ober- und Untergewänder heraus. Aus kostbaren Seidenstoffen hergestellt, sollen sie sich von der Alltagsgewandung abheben. Mit steigendem Macht- und Prunkbedürfnis wurden die Stoffe zusätzlich mit Stickereien versehen. Darüber hinaus wurden sie zu Trägern bestimmter Symbolgehalte. So versah man die Kaseln seit dem 14. Jahrhundert mit Kreuzen, die ein gesticktes Corpus Christi trugen. Mit ihm wurde Bezug auf das am Altar vollzogene Meßopfer genommen, das nach dem Dogma als unblutige Erneuerung von Christi Kreuzestod galt. Damit erhielt auch die Kasel selbst dogmatische Bedeutung: Sie erscheint als Sinnbild der Kirche Christi, die vom Priester repräsentiert wurde.

Mit dem seit dem 14. Jahrhundert immer intensiver werdenden Streben nach Natürlichkeit vervollkommnete sich die Stickerei zur Nadelmalerei und bildete seit dem ausgehenden 15. Jahrhundert das Nadelrelief aus. Die Perlenstickerei ist ihre vollendetste Spielart. Die Stickerei orientierte sich meist an graphischen oder malerischen Vorlagen, wobei die Zuschreibung an einzelne Sticker noch nicht genügend geklärt ist. K. F.

B 48.1 Norddeutscher Sticker (?) *Abbildung*

Kaselkreuz. Anfang 16. Jahrhundert

Nicht bez.
Reliefstickerei. H. 129 cm, Br. 65 cm, Br. der Balken: 20 cm
Stickereien teilweise ausgefallen
Halberstadt, Domschatz; Inv.-Nr. 279

Material und Technik: Der Stickgrund besteht in Schuß und Kette aus Leinen in Leinenbindung, der Goldgrund aus Goldfaden im Flechtmuster mit gelber Seide angelegt. Die Balken des Kreuzes sind plastisch unterlegt, mit braunem Seidentaft bezogen, dünne Goldfäden sind weitläufig angelegt. Die Figuren sind gesondert hergestellt, stark plastisch aus Leinen und Werg geformt und mit Leinen- oder Seidenstoff bezogen. Korpus, Köpfe und Hände sind eng mit naturfarbener Seide in Spaltstich bestickt. Binnenzeichnungen mit farbigen Seidenfäden im Spaltstich ausgeführt, Haupt- und Barthaare aus Draht hergestellt, der mit dunkelbrauner oder weißer Seide umwickelt wurde. Die Obergewänder und das Lendentuch Christi bestehen aus farbigem Seidentaft, der mit Perlschnüren aus weißen Flußperlen besetzt wurde, die Untergewänder sind aus Goldfäden quer angelegt. Gefaßte Schmucksteine, Silberpailletten, Gold- und Silberkordeln befinden sich an den Saumbesätzen und den Konturen. F. H.

Das als norddeutsche Arbeit bezeichnete Kaselkreuz stellt das Kruzifix mit Maria und Johannes dar. In den Enden der Querbalken die Halbfiguren von Petrus und Paulus, am Fuße des Kreuzesstammes Maria Magdalena, im oberen Kreuzarm Gottvater mit der Weltkugel. Drei Engel umschweben das Kreuz, um in Kelchen das Blut aus den Wunden Christi aufzufangen.

Auffallend an den Stickereien ist der übertrieben scheinende Naturalismus in den Gesichtern Christi, Gottvaters und der Apostelfürsten und die weitaus weniger durchgebildeten Gesichter der beiden Marien und des Johannes.

Die Falten der Gewänder umschließen leicht überschaubar die Körper, ohne anatomische Besonderheiten (Stand- und Spiel-

B 48.1

B 48.2

bein) zu betonen. Lediglich bei der knienden Maria Magdalena wird das Besondere der Körperhaltung deutlicher durch groß angelegte Faltenschwünge wiedergegeben. Auch bei den Figuren Gottvaters, Petri und Pauli ist die Faltenbildung summarischer angegeben. Häufig in der Malerei und Plastik auftauchende Details (das die Arme im Bogen umschließende Obergewand oder die über den Arm gelegte große Falte) werden verwendet. Der Typus des Christus am Kreuz ist von niedersächsischen Vorbildern beeinflußt. K. F.

B 48.2 Anonymer Sticker *Abbildung*

Kasel. Vor 1520

Auf dem Kaselkreuz heiliger Antonius, flankiert von den Wappen der Brandenburger und der Hohenzollern

Seidensamt, Reliefstickerei
Kasel: H. 125 cm, Br. 90 cm; Figur: H. 44 cm, Br. 22 cm; Wappen: H. 27 cm (Brandenburg), H. 23 cm (Hohenzollern)
Halberstadt, Domschatz; Inv.-Nr. 192

Die Kasel (lat. casula – Häuschen) ist das Meßgewand des Priesters. Ursprünglich den Körper des Trägers vollkommen umschließend, wurden die Seiten immer mehr ausgeschnitten, so daß die Kasel nur noch aus zwei schildförmigen, Brust und Rücken bedeckenden Teilen bestand. Kaseln wurden meist aus Seide, Damast oder Samt hergestellt. Die Vorderseite ziert ein vertikaler Streifen, den Rücken ein Kreuz, das fast immer in prächtiger Stickerei ausgeführt wurde.
Material und Technik:
Roter Samt; Kette: rote Seide (Polkette), gelb-rötliche Seide (Bindekette); Schuß: Doppelfaden aus gelblich-rötlicher Seide; Webekante: grüne Seidenkettfäden.
Futter: feines braunes Leinen, gestärkt.
Kaselkreuz: H. 121 cm, Br. 67,5 cm; Balkenbr. 18,5 cm. Lineares Granatapfelmuster.
Kette: gelbe Seide (Bindekette), dunkelbraune Seide (Hauptkette). Kettfolge: 1 Bindekette, 2 Hauptketten. Schuß: gelbe Seide und Goldfaden aus Silberlahn um gelbe Seidenseele (Oberschuß), goldgelbe Seide (Unterschuß). Bindung – Grund: Schußkörper, Muster: Kettkörper (linear).
Stickerei: plastisch durch Leinenstoff, Leinenfäden und Werg vorgeformt. Gesicht, Hände und Untergewand mit naturfarbenem Seidenatlas belegt, Einzeichnungen in Spaltstichen (Seide, naturfarben, rosa, dunkelbraun) ausgeführt. Die Bart-

haare sind aus umwickeltem, zu Locken gedrehtem Draht gebildet. Obergewand und Kappe in Goldfäden (vergoldeter Silberlahn um gelbe Seidenseele) mit gelber und weißer Seide angelegt, dünne Goldkordel in Schlingen gelegt. Schnüre aus kleinen weißen Flußperlen bilden den Saumbesatz und den Nimbus. Das Untergewand ist in dunkelbraunen Seidenfäden auf brauner Untermalung quer angelegt. Ob die zwei plastisch geformten, runden, mit dunkelbrauner Seide im Spaltstich überstickten Flecke im grünen Untergrund als Füße oder Schuhe zu verstehen sind, kann nicht festgestellt werden. Der Untergrund ist in grünem Seidentaft schwarz lasierend und Goldfäden mit grüner Seide weitläufig angelegt. Das Schwein, neben dem Glöckchen Attribut des heiligen Antonius, ist in Silberfäden eng mit weißer Seide angelegt.
Wappen links: Brandenburg. Der Schild in Silberfäden, der Adler in Silber- und Goldfäden weitläufiger und enger mit roter, schwarzer, gelber und weißer Seide angelegt. Mit Silberkordel umrandet. Wappen rechts: Hohenzollern. Der silber und schwarz gevierte Schild in Silberfäden (Rautenmuster) und schwarzer Seide angelegt, mit schwarz-silberner Kordel umrandet. Helme und Zierde: Silber- und Goldfäden, angelegt mit blauer, roter, gelber und schwarzer Seide, mit Kordel begrenzt. F. H.

Die reliefplastische Darstellung des heiligen Antonius zeigt die Reliefstickerei auf der Höhe der Zeit. Das schmal gegürtete Untergewand umschließt in parallelen Faltenzügen den Körper, der durch den geschlossenen Kontur des umhüllenden Mantels blockhafte Festigkeit erhält. Die naturalistische Deutlichkeit des Gesichtes mit den markanten Falten am Nasenansatz und den stark modellierten Backenknochen hat mehrfache Parallelen in der gleichzeitigen sächsischen Plastik und Malerei. Bemerkenswert erscheint das Motiv des gerade abfallenden, in einer glatten Spitze auslaufenden Mantelendes und die trotz teilweiser Zerstörung erkennbare eigenartig büschelige Behandlung der Barthaare. Wahrscheinlich sind Vorlage und Sticker im niedersächsisch-sächsischen Raum zu suchen. K. F.

B 48.3 Italienische Weberei

Dalmatika. Ende 15. Jahrhundert

Roter Seidenbrokat. H. 121 cm, Weite unten: 214 cm
Halberstadt, Domschatz; Inv.-Nr. 217

Die Dalmatika (dalmatica = aus Dalmatien stammend) war ursprünglich das im antiken Rom bei feierlichen Gelegenheiten getragene lange, weiße Obergewand, das zum Untergewand der byzantinischen Geistlichen wurde und seit dem 6. Jahrhundert die für alle Diakone verbindliche Amtstracht ist. Die Dalmatika gehört aber auch zum Pontifikalornat des Bischofs und wird von ihm beim Zelebrieren der Messe unter der Kasel getragen.

Für die hier gezeigte Dalmatika wurde italienischer Seidenbrokat verwendet.
Material und Technik:
Kette und Schuß: rote Seide; Broschierschuß: Goldfaden aus Silberlahn um Seidenseele. Die Bindung zeigt im Grund Kettatlas, im Muster Schußatlas. Der Rapport hat eine Höhe von 42 cm und eine Breite von 24 cm, die gesamte Webebreite beträgt 70 cm. Das Muster besteht aus versetzten, siebenfach geschweiften Granatapfelrosetten, deren Mitte ein von acht Blüten umrahmter goldener Granatapfel bildet. Er erscheint auf einem in waagerechter Strichelung mit Goldfaden betontem Grund. Goldenes Rankenwerk umgibt als Sechseck die Rosetten. Die entstehenden Ecken werden durch kleine Granatäpfel betont.
Die Dalmatika ist am Halsausschnitt und an den Ärmeln mit Goldborten eingefaßt. F. H.

Der Goldbrokat dieser Dalmatika gehört zu den schönsten Beispielen des Granatapfelmusters, das von den Seidenwebern Italiens im Laufe des 15. Jahrhunderts entwickelt wurde. Entsprechend dem neuen Stil war es mit diesem Muster möglich geworden, gewebte Flächen dynamisch zu gliedern. Die Bewegung scheint bis in das Unendliche möglich. Gleichzeitig wird durch den Verzicht auf bisher übliche kleinteilige Tierfiguren das Pflanzenmotiv in seiner Monumentalität, Plastizität und Ausdruckskraft gesteigert. Der Granatapfel war bereits in der Antike ein Symbol der Fruchtbarkeit und Unsterblichkeit. Er wurde von der christlichen Kunst übernommen und in seiner Bedeutung durch Bezüge auf Maria und die Kirche noch erhöht, so daß sich das Granatapfelmuster auch häufig auf den Goldgründen der Altäre findet. K. F.

B 49 Hans Holbein d. Ä.

Entwurf für einen Altarflügel. Nach 1506

Nicht bez.
Feder in Schwarz und Braun, grau laviert. 38,7 x 18,7 cm
Leipzig, Museum der bildenden Künste, Graphische Sammlung; Inv.-Nr. NI24

B 50 Jörg Ratgeb *Abbildung*

Das Martyrium der heiligen Lucia. Um 1510

Nicht bez.
Feder in Braun auf rötlich getöntem Papier. 29 x 11,3 cm
Dresden, Staatliche Kunstsammlungen, Kupferstich-Kabinett

Diese Zeichnung Jörg Ratgebs ist eines von drei im Dresdener Kupferstich-Kabinett aufbewahrten Exemplaren des Meisters. Es handelt sich um Entwürfe zu Altarflügeln. Die genau durchdachte Flächenaufteilung, die eine Vorstellung über den Bildaufbau zuläßt, zeugt von der Arbeitsweise des Malers. In der Tafel mit der Darstellung des Martyriums der heiligen Lucia von Syrakus, die als Christin verleumdet wurde und erst nach vierfachem Martyrium starb, offenbart sich die Lebhaf-

B 50

Die Besonderheiten der hervorragenden Zeichnung lassen sich wohl durch die Annahme erklären, daß in ihr die gründliche Auseinandersetzung mit früh aufgenommenen Motiven zum Abschluß gebracht worden ist. In erster Linie ist es das Gemälde von 1504 aus der Wittenberger Schloßkirche (Florenz, Uffizien), dem das ungewöhnliche Breitformat und die Anordnung der Gruppen folgen. Durch die Anregung der niederländischen Reise ist die Auseinandersetzung mit der Motivwelt der alten Meister besonders lebhaft: Stephan Lochners Dreikönigsaltar in Köln, Hans Memlings Altarwerk in Madrid und Rogier van der Weydens Columba-Altar aus Köln in München. Aus dem Gedächtnis heraus besaß Dürer die Übersicht, den vertrauten Rahmen mit einer Fülle von Bildungen auszufüllen, für die einzelne Naturstudien nachgewiesen worden sind.

Die Zeichnung ist mit größter Leichtigkeit, fast ohne Anwendung von Kreuzlagen ausgeführt worden. Nur beim Umriß des Gewandbausches an der Stelle, wo die Hand des zweiten Königs den Arm des Negerkönigs ergreift, ist eine Korrektur zu bemerken. Besonders kunstvoll ist die Bildmitte gegliedert.

B 51

tigkeit der Zeichenkunst Ratgebs. Nicht durch Verzerrung der Physiognomien prangert er Mißstände an und schildert das Aufbegehren des Volkes; vielmehr kommt in der Volkstümlichkeit seiner Erzählungen etwas von plebejischer Mystik zum Vorschein. Die Verbindung von Raum und Figuren zeugt von ausgeprägtem Verständnis für die tiefenräumliche Darstellung. K. F.

B 51 Albrecht Dürer *Abbildung*

Die Anbetung der Könige. 1524

Bez. u. l.: Datum auf dem Fußboden,
darunter in einer Vertiefung Monogramm des Künstlers
Feder in Grau und Schwarz,
das Gold der Gaben gelb aquarelliert. 21,5 x 29,4 cm
Aus kaiserlichem Besitz
Wien, Graphische Sammlung Albertina; Inv.-Nr. 4837 D 158

Ihr sind eine dichte Folge architektonischer Motive zugeordnet, darunter die hellen Gitterkreuze im Dach und der Fensterausblick auf die Verkündigung an die Hirten (ein Motiv, das auch auf Cranach-Gemälden dieser Zeit vereinzelt vorkommt). W. S.

B 52 Lucas Cranach d. Ä. (?)
nach einem ehemals in der Wittenberger Schloßkirche vorhandenen Gemälde von Albrecht Dürer

Die Anbetung der Könige

Nicht bez.
Feder in Braun, grau laviert
20,6 x 32 cm (unten beschnitten)
Aus Sammlung Johann Georg von Sachsen
Dresden, Staatliche Kunstsammlungen, Kupferstich-Kabinett; Inv.-Nr. C 1960 – 120

B 54

B 54

B 55

B 55

B 53 Veit Stoß

Skizzen zur heiligen Anna selbdritt. 1512

Nicht bez.
Feder, 11,1 x 13,7 cm
Aus Sammlung Eszterházy
Budapest, Museum der Bildenden Künste; Inv.-Nr. 13

Skizzen zum Thema der heiligen Anna selbdritt sind zwei von insgesamt nur fünf Zeichnungen von Veit Stoß, die uns erhalten geblieben sind. Allein schon diese Tatsache verleiht ihnen den Rang von Kostbarkeiten. Sie haben wenig mit den Arbeitsskizzen von Stoß für die plastischen Werke gemein, die höchstwahrscheinlich sehr genau im Detail waren und nicht den fließenden Duktus der Linien haben, der die vorliegenden Zeichnungen bestimmt. Sie befinden sich auf der Rückseite eines Blattes, dessen Vorderseite den Entwurf zu einem Brief an den Nürnberger Rat trägt. Der Inhalt des Briefes gab konkreten Aufschluß über die Entstehungszeit der Zeichnungen, die wohl kurz nach dem Briefentwurf entstanden sein mußten. Da der Brief von der Krankheit Sebaldus Tuchers berichtet, an deren Folge er 1513 starb und außerdem von der Abreise Jacob Bahners von Nürnberg nach Krakau im Jahre 1512, ist die durch Kępiński (Warschau/Dresden 1981, S. 111) auf 1512 vorgeschlagene Datierung wahrscheinlich. Ob man bei den vorliegenden Zeichnungen von einer Wende im Zeichenstil Veit Stoß' sprechen kann, ist bei den wenigen erhaltenen Zeichnungen in Frage zu stellen. Von den vorhandenen Zeichnungen aber sind die beiden Skizzen formal stark unterschieden. Stoß zeichnet als Plastiker; die Überlegung schließt die Dreidimensionalität mit ein. Der vibrierende Strich erzeugt auf dem Blatt eine Bewegung, die um die Figuren herumführt. Nur wenige, für die plastische Figur wichtige Schattenpartien werden durch parallele Schraffuren hervorgehoben. E. B.

B 54 Lucas Cranach d. Ä. *Abbildungen*

Altarmodell mit Christus vor Kaiphas. 1519/20

Aufgeklebte Klappflügel l.: heilige Barbara,
r.: heilige Ursula; bei geschlossenen Flügeln
die Heiligen Dorothea, Margarete, Christina und Agnes

Bez.: in den Flügeln die Benennung der Heiligen
Feder in Braun, grau laviert. 25 x 24 cm
Leipzig, Museum der bildenden Künste, Graphische Sammlung; Inv.-Nr. NI 14

B 55 Lucas Cranach d. Ä. *Abbildungen*

Altarmodell mit Geißelung Christi. 1519/20

Aufgeklebte Klappflügel l. und r.: heiliger Bischof;
bei geschlossenen Flügeln die vier Kirchenväter
Augustinus, Gregorius, Hieronymus und Ambrosius

Nicht bez.
Feder in Braun, grau laviert. 25 x 24 cm
Leipzig, Museum der bildenden Künste, Graphische Sammlung; Inv.-Nr. NI 15

Die Zeichnungen gehören zu einer Reihe von fünf erhaltenen eigenhändigen Altarmodellen Lucas Cranachs d. Ä., die in der Zeit von 1515 bis 1520 entstanden (Steinmann 1968, S. 77—88) und Entwürfe zu Passionsaltären für die Stiftskirche des Kardinals Albrecht von Brandenburg in Halle sind.
Als Albrecht von Brandenburg 1513 Erzbischof von Magdeburg, Administrator von Halberstadt und damit der Nachfolger Ernst von Wettins, des Bruders des Kurfürsten Friedrich III. von Sachsen (dem Weisen), wurde, zog er auf der Moritzburg in Halle ein, die er zu seiner Lieblingsresidenz erhob. Schon Ernst von Wettin bemühte sich, auf der Moritzburg ein Stift einzurichten, konnte das Vorhaben aber nicht verwirklichen, da es am erbitterten Widerstand des Magdeburger Domkapitels scheiterte und die endgültige Entscheidung des Papstes Julius II. erst nach dem Tode Ernst von Wettins eintraf. Albrecht von Brandenburg, seit dem 9. März 1514 auch noch Erzbischof von Mainz und damit Erzkanzler und Primas des Reiches, weihte die Magdalenenkapelle auf der Moritzburg als Stiftskapelle und trug hier den reichen Reliquienschatz des Halleschen Heiltums zusammen. Nach der Ernennung zum Kardinal bemühte er sich um eine geräumigere Stiftskirche und konnte mit Erlaubnis des Papstes Leo X. die Dominikanerkirche (den heutigen Dom) zur Stiftskirche erheben.
Um diese Stiftskirche mit einem großartigen Bilderschmuck ausstatten zu können, wurde der Auftrag zu einem Zyklus von Passionsaltären an Lucas Cranach d. Ä. und seine Werkstatt vergeben. Von diesen fünfzehn Altären wurden mindestens acht von Cranach entworfen und ausgeführt (Steinmann 1968, S. 86).
Die Modelle haben das gleiche Format, die gleiche Ausstattung mit zwei Stand- und zwei Klappflügeln und die gleiche Anordnung der Darstellungen. Sie zeigen im Mittelbild stets eine Szene aus der Passion Christi, auf den Innenseiten der Flügel die jeweiligen Altarpatrone und weitere Mitpatrone auf den Außenseiten. Die Predellen sind leer, sie werden von Renaissance-Ornamenten gerahmt. Dabei ist das Motiv einer Blattrosette auf sich einwärts rollender Volute besonders bemerkenswert. Wahrscheinlich hat es Cranach während seiner Reise in die Niederlande 1508 auf Gemälden gesehen. Das Motiv taucht danach häufig auf den Titeleinrahmungen der Cranach-Döringschen Druckerei, bei Arbeiten des sogenannten Meisters der Gregorsmessen und in den Zeichnungen zum Halleschen Heiltum des Kardinals Albrecht auf. Auch das Motiv der mit runden Öffnungen versehenen Tonnengewölbe, vor denen die Heiligen auf den Flügelaußenseiten stehen, könnte von den Eindrücken der niederländischen Reise beeinflußt sein (vgl. Cranach, Basel 1976, Nr. 325). K. F.

B 56 Hans Süß von Kulmbach

Schutzmantelmaria. Um 1520

Feder in Braun, Gliederung des Glasfensters mit Rötel aufgezeichnet (Unterrand in Breite von 15 mm angestückt)
39 x 14,7 cm
Dresden, Staatliche Kunstsammlungen, Kupferstich-Kabinett; Inv.-Nr. C 2254

Entwurf für das Welser-Fenster in der Nürnberger Frauenkirche

B 57 Hans Süß von Kulmbach

Illustration einer Sammlung von Erbauungsschriften. 1505

Auf der Rückseite des Titels:
Der beschlossene Gart des rosenkrantz marie
Verwendet als Titelblatt zum ersten Buch von
Ulrich Pinder, Der beschlossene gart ...
Nürnberg, F. Peypus 1505
(Wiederholung des Holzschnittes in Buch 2, Bl. 94 r)

Holzschnitt. 25,2 x 16 cm
Berlin, Hauptstadt der DDR, Staatliche Museen, Kupferstichkabinett; Inv.-Nr. 333 — 1980

Farbtafeln Seiten 122 und 123

B 58 Jan Joest van Kalkar zugeschrieben

Altarwerk mit der Gefangennahme Christi Um 1500

Mitteltafel
mit dem Gebet am Ölberg und der Gefangennahme Christi; auf den Flügelinnenseiten die Engel mit den Leidenswerkzeugen; auf den Flügelaußenseiten heilige Katharina und heilige Barbara

Nicht bez.
Eichenholz. 173 x 111 cm, die Flügel je 173 x 48 cm
Aus der Schloßkirche zu Wittenberg,
gelangte als eine Arbeit des Lucas van Leyden
am 30. 6. 1687 in die Dresdener Kunstkammer.
Seit 1733 in der Gemäldegalerie.
Die im 18. Jahrhundert veräußerten Flügelbilder
wurden 1876 aus Wörlitz zurückerworben
Dresden, Staatliche Kunstsammlungen, Gemäldegalerie Alte Meister; Inv.-Nr. 841

Eines der bekanntesten Werke aus dem reichen Bestand der Wittenberger Schloßkirche verdankt seinen Ruf der Tatsache, daß in ihm die früheste als Nachtstück gemalte Passionsdarstellung erhalten ist. Zur Steigerung des Effektes tragen die Flügel bei, auf denen die Engel mit Geißelsäule und dem Kreuz in den Vordergrund des Bildes hineinschweben. Die Anordnung der Engel auf den Altarflügeln wurde als so neuartig empfunden, daß sie von Wolf Traut für einen Holzschnitt und von der Cranach-Werkstatt für eine Zeichnung übernommen wurde. Cranachs Darstellungen der Gefangennahme Christi gehen von diesem Altarwerk aus. W. S.

B 59 Jacopo de' Barbari *Farbtafel Seite 124*

Der segnende Christus. 1503

Lindenholz, auf Leinwand übertragen. 61 x 48 cm
Aus dem Nachlaß Cranachs 1588 erworben
Dresden, Staatliche Kunstsammlungen, Gemäldegalerie Alte Meister; Inv.-Nr. 57

Im Zusammenhang mit dem Bild war 1553, als Cranach d. J. es in einem Holzschnitt nachbildete, noch die Überlieferung wach, daß es im Jahre 1503 von Barbari gemalt worden sei. Der Künstler war zwischen 1503 und 1505 Hofmaler Friedrichs des Weisen. Sein Bild war vermutlich für die Schloßkirche in Wittenberg bestimmt, wo es ursprünglich vielleicht zusammen mit einer Kopie des Turiner Grabtuches, von der ältere Quellen berichten, zu sehen war. Die Darstellung folgt einem in Venedig ausgebildeten Typ, wie er durch das Bild des Alvise Vivarini von 1498 in Mailand vertreten wird (Heinemann, Venedig o. J., S. 273, Abb. 770, V. 382). Die nicht sehr überzeugende Fassung der Handhaltungen geht offenbar auf Barbari zurück, freilich ist einzuräumen, daß ein Streifen am Unterrand bei einer älteren Restaurierung aufgegeben worden sein könnte. Barbaris weiche, elegante Darstellung des Christuskopfes, um dessen malerische Haltung der Holzschnitt von 1553 sich vergeblich bemüht, hat Cranachs Christusbild seit etwa 1515 nachhaltig beeinflußt. W. S.

B 60 Hans Memling *Abbildung*

Schmerzensmann. Um 1470 (?)

Nicht bez.
Öl und Tempera auf Holz. 13 x 10 cm
1876 von Fürstprimas Simor
aus der Bertinelli-Sammlung Rom erworben
Esztergom, Christliches Museum; Inv.-Nr. 55.345

Der seit 1466 als Bürger in Brügge nachweisbare Hans Memling schulte sich vor seiner dortigen Niederlassung wahrscheinlich in der Werkstatt des Rogier van der Weyden in Brüssel. Die Eigenart Memlings, das Stoffliche in weicher Formengebung und doch brillanter Malweise wiederzugeben, bestimmt auch die kleine Tafel mit dem Schmerzensmann. Über den weich modellierten Körper und das geneigte Haupt rinnen perlende Tränen und Blutstropfen. Trotz feierlicher Ruhe entbehrt die Darstellung nicht einer gewissen Anmut. Die Plastizität des Körperlichen zeugt von einem neuen individualisierten

B 60

Verständnis des Menschen. Diese neue Sicht wird nicht nur im Auftauchen neuer Themen deutlich, sondern auch in einer neuen Auffassung des Glaubens, die als »devotio moderna« bezeichnet wird und in den Niederlanden weite Verbreitung fand. Vorliegende Tafel gehört zu den kleinsten Bildern Memlings und bildete wohl einen Flügel eines Diptychons. Die architektonische Rahmung, die hier durch die seitlichen Säulen und den rundbogigen Abschluß erreicht wird, ist ein Merkmal der nach 1470 entstandenen Bilder Memlings. K. F.

B 61 Lombardischer Meister *Farbtafel Seite 125*

Der segnende Christus. Um 1500

Nicht bez.
Pappelholz. 44 x 39 cm
1821 aus Sammlung Solly erworben
Berlin, Hauptstadt der DDR, Staatliche Museen, Gemäldegalerie; Inv.-Nr. 1422

Das kleinformatige Täfelchen gehört zum Typ der privaten Andachtsbilder. Komposition und stilistische Auffassung müssen diesen Umstand berücksichtigen: Die Halbfigur Christi wird an die vordere Begrenzung des Bildraums herangerückt, so daß der Segensgestus des Salvator Mundi unmittelbar dem Gläubigen zu gelten scheint. Die Landschaft im Hintergrund ist so geordnet, daß die Helligkeit des Himmels auf natürliche Weise den fehlenden Nimbus ersetzt. Eine sehr exakte Zeichnung gliedert Körper und Gewandung in große, ruhige Formen; sie wird durch eine außergewöhnlich feine Malerei, die wenige kontrastierende Farbtöne mit zarten Nuancen variiert, sinnvoll ergänzt. Diese Ruhe und Verhaltenheit ermöglichen die Konzentration auf das Antlitz Jesu.

Die Frage nach seinem wahren Aussehen wurde erst im Verlaufe christlicher Kunst aufgeworfen und schlug sich in zahlreichen Legenden nieder. In Italien zielte sie auf die Darstellung einer idealen, dennoch menschlichen Schönheit als Spiegel göttlicher Vollkommenheit, wobei der Ausdruck des Leidens in der Hochrenaissance sorgfältig vermieden wurde: Christus ist der Überwinder. Die Dornenkrone erinnert noch an die Passion; dieses Requisit der Verspottung wird angesichts der Würde des Dargestellten jedoch zum Symbol seiner Hoheit. Die angestrebte Gültigkeit der Darstellung schien durch möglichst vollkommene Symmetrie erreichbar zu sein; wie die experimentierenden italienischen Meister gelangte auch Albrecht Dürer zu vergleichbaren Lösungen.

Im Umkreis von Leonardo da Vinci wurde das Thema in zwei Varianten behandelt; Nähe zur Berliner Tafel zeigen vor allem Werke des Pseudo-Boltraffio (Bergamo, Accademia Carrara), Marco d'Oggiono (Rom, Galleria Borghese) sowie Andrea Solario (Bergamo, Accademia Carrara; Sammlung Crespi). Sie sind durch den Stil Leonardos um 1500 beeinflußt.

Vergleiche mit frühen Werken Andrea Solarios eröffnen die Möglichkeit, ihm auch das Berliner Stück zuzuschreiben.

H .N.

B 62 Francesco Francia *Farbtafel Seite 127*
(eigentlich Francesco di Marco di Giacomo Raibolini)

Christus am Kreuz mit Maria und Johannes Nach 1500

Nußbaumholz. 24 x 15,3 cm,
davon oben 1 cm, unten 0,5 cm neuere Anstückung
1871 vom Kunsthändler Moreau, Paris,
für Sammlung Pálffy, Preßburg (Bratislava), erworben;
1912 Vermächtnis von Johann Graf Pálffy
Budapest, Museum der Bildenden Künste; Inv.-Nr. 4259

Das kleinformatige Gemälde von hervorragender Qualität stammt aus der letzten Schaffenszeit des Meisters. Im Vergleich mit den früheren, um 1480 datierbaren Fassungen des gleichen Themas (Museo Civico, Bologna; Pinacoteca Nazionale, Bologna; Louvre, Paris) bemerkt man klar die Reife des Werkes, die Verwendung der neuen Kompositionsprinzipien der Hochrenaissance. An die Stelle der strengeren Symmetrie der Jugendwerke tritt hier eine gelockerte, ungebundenere Bewegungsdarstellung: Die kniende Maria breitet ihre Arme aus, während Johannes mit gefalteten Händen auf der Erde sitzt. Die in Einklang gebrachten Körperhaltungen der beiden

B 63.1

Trauernden sind von dem sich nach rechts senkenden Bogen des Hügels begleitet. Die gelöste Pinselführung, der weiche, melodische Rhythmus der Linien und die hinter dem rahmenden Arkadenbogen sichtbare Landschaft sind in voller Harmonie mit dem Ausdruck der sanften Trauer. Die verschiedenen Farbnuancen schaffen einen warmtönigen, harmonischen Gesamteffekt.

Es ist sehr wahrscheinlich, daß der reich geschnitzte Rahmen mit dem Gemälde gleichaltrig ist, wir wissen aber nicht, ob er auch ursprünglich zu diesem Bild gehörte. V. T.

B 63.1 Meister von 1499 *Abbildung*

Diptychon mit Verkündigung an Maria

Nicht bez.
Eichenholz, oben halbkreisförmig abgerundet
Je 15,5 x 9,5 cm
1830 durch Tausch aus der Sammlung Solly erworben
Berlin, Hauptstadt der DDR, Staatliche Museen, Gemäldegalerie; Inv.-Nr. 548

Die Zuschreibung des kleinen Flügelaltärchens an den Meister von 1499 geht auf F. Winkler und M. J. Friedländer zurück, die in ihm dieselbe Künstlerhand erkannten wie im »Diptychon des Christiaen Hondt« im Museum von Antwerpen. K. Arndt sieht im Berliner Bild die Kopie eines verlorenen Spätwerkes von Hugo van der Goes und verweist sowohl auf eine mit H. B. monogrammierte und 1510 datierte Zeichnung im British Museum, London, die die Komposition des rechten Flügels unseres Diptychons übereinstimmend wiedergibt, als auch auf eine gemalte, etwas größere Version einer Verkündigung, in der die linke Tafel (Sammlung Cracco, Antwerpen)

mit dem Berliner Bild übereinstimmt. Das Thema der Verkündigung, dem Lukas-Evangelium (Kapitel 1, Vers 26–38) und, besonders im Mittelalter, den apokryphen Ausschmückungen entnommen, erfährt im 14. und 15. Jahrhundert in der Altarkunst außerordentliche Verbreitung. Seit dem 15. Jahrhundert verlegt man die Szene gern in einen Innenraum. Das Lebensmilieu der »heiligen Magd« wird ausführlich geschildert. Nicht selten tritt in manchen solcher Darstellungen der Erzengel Gabriel direkt in das Schlafgemach der Jungfrau. Der transzendente Vorgang der Verkündigung wird so profaniert und in bürgerlicher Alltagsumgebung denkbar.
Im Berliner Altärchen ist die himmlische von der irdischen Sphäre von vornherein durch die Zweiteilung der Szene getrennt. Das Herabschweben des Engels in gotisch gefältelten, weit flatternden Gewändern, umgeben vom goldenen, die ganze Tafelfläche ausfüllenden Glorienschein, läßt ihn noch ganz als feierlich-himmlische Erscheinung gelten. Die Taube des Heiligen Geistes im Strahlenkranz über seinem Haupt deutet auf den Trinitätsgedanken. Auch Maria, in demutsvoller Haltung am Betpult kniend, verkörpert noch den lieblich-ätherischen Jungfrau-Marien-Typus der spätgotischen Kunst. Die Vase mit Lilien und die ins Zimmer einfallenden Lichtstrahlen als Zeichen der Reinheit Mariens und das Buch als Symbol ihrer Weisheit sind als theologisch-scholastische Elemente vertreten. Die detaillierte Beschreibung des Gemaches indessen, in der auch intime Utensilien wie die Pantöffelchen, Schmuck oder Waschgefäße vor dem Alkoven nicht fehlen, macht das Bemühen um realistisch-idyllische Szenerie deutlich. In der Wirkung stellt sich der Raum dennoch als eine reizvolle Verquickung von Wohn- und Kirchenraum dar. Zwar sind seine Proportionen noch nicht auf die menschliche Figur bezogen, aber er ist sorgfältig mit Hilfe der mathematischen Perspektive konstruiert. Vielfältig sind die geometrischen Linien und dekorativen Formen, die auf den fernen Fluchtpunkt hinführen. Auch das Licht ist, abgesehen von seiner inhaltlichen Funktion, als formales Kompositionsmittel zielgerichtet eingesetzt. Mehr noch als die zierlichen Gestalten der Tafeln verrät gerade diese feinsinnige Gestaltung des Raumes die Hand des geübten Miniaturisten. In seinem Gebrauch diente ein so kleinformatiges Diptychon als Reise-Altar für die individuelle Andacht oder für Wanderpriester. I. G.

B 63.2 Adriaen Isenbrant (?) *Abbildung*

Ruhe auf der Flucht nach Ägypten
Um 1527–1530

Nicht bez.
Eichenholz. 16 x 13 cm
1821 aus Sammlung Solly erworben
Berlin, Hauptstadt der DDR, Staatliche Museen, Gemäldegalerie; Inv.-Nr. 621

Seit dem Ende des 15. Jahrhunderts wird aus dem Evangelienbericht des Matthäus (Kapitel 2, Vers 13–18) diese Episode aus der Kindheit Christi als genrehaftes Andachtsbild isoliert gestaltet. Diese Szenen haben in ihrer stillen familiären Ausprägung und in ihrem lyrisch-idyllischen Naturzusammenhang volkstümlichen Charakter und individuellen Identifikationswert. Im niederländischen Kunstgebiet ist das Motiv gerade in Brügge, vorwiegend bei Gerard David und seiner Schule, verbreitet. Für die in der Regel reiche landschaftliche Ausgestaltung der Bilder war auch der in Antwerpen tätige

B 63.2

Joachim Patinir vorbildlich. Häufig rühren; wie vermutlich auch im Berliner Bild, Figuren und Landschaft von verschiedenen Meistern her. Im ganzen enthält das Berliner Bildchen alle gängigen Einzelmotive sowohl in der Landschaft wie vor allem in der Marienfigur. Spätgotisches im Faltenwerk und im Madonnengesicht vereint sich mit schon verfestigten Renaissance-Elementen einer sogenannten Weltlandschaft. Zu kleinen Zäunen verbundene Äste im Vordergrund stehen nur noch andeutungsweise für den mittelalterlichen »hortus conclusus«, den verschlossenen Garten, als Symbol der Unberührtheit der Mutter Gottes. Das kleine Gewässer zu ihren Füßen deutet auf sie als die Quelle des Lebens, sinnvoll verbunden mit dem Motiv der das Kind säugenden Mutter und des am Bach in der Ferne trinkenden Esels. I. G.

B 64 Simon Bening *Farbtafel Seite 121*

Das Gebetbuch des Kardinals Albrecht von Brandenburg 1525–1529

Buchmalerei auf Pergament
Die einzelnen Vollbilder messen 14x9,5 cm
Besitz der Erzbischöfe von Mainz,
seit 1738 auf Schloß Gaibach bei Volkach,
später im Besitz des Grafen de l'Espine, seit 1868
im Besitz der Familie Anselm Baron Rothschild in Wien
Aachen, Sammlung Ludwig

Das durch 42 ganzseitige Bilder und 43 Seiten mit Randminiaturen geschmückte Manuskript gehört zu den kostbarsten Büchern seiner Zeit. Sein Besitzer, Kardinal Albrecht, Erzbischof von Mainz, dessen Wappen als Vollbild dem Ganzen vorangestellt ist, hat es 1534 von Nicolaus Glockendon und 1537 von dessen Sohn Gabriel in Nürnberg kopieren lassen, vermutlich, um es an vornehme Liebhaber verschenken zu können. Der deutsche Text folgt dem am 15. Januar 1521 bei Sigmund Grimm in Augsburg gedruckten »Gebet und betrachtungen des Lebens des mitlers gottes und des mentschen ...«, dem ursprünglich lateinisch abgefaßten Gebetbuch eines unbekannten Humanisten. Bening selbst hat es aus seinen Werken herausgehoben, indem er es auf der Schlußseite mit seinem Monogramm versah. Es enthält den ausführlichsten gemalten Schatz von Bildern zur Leidensgeschichte Christi, die durch das Gleichmaß des Zusammenhanges und die schöne Sicherheit des Vortrages gefangennehmen. Seine Gruppierungen sind mehr der Zeit Schongauers als der eigenen verbunden, Werk eines bedächtigen Temperaments, dessen Sinn darauf gerichtet war, vorhandene Motive in höchst subtiler Weise neu zu fassen. So ist das Nachtbild seiner Gefangennahme Christi (fol. 102v), von der es drei Darstellungen gibt, weder in der Situation noch in der Komposition neu erdacht. Vielleicht ist der Kopf des Judas von italienischen Bildern angeregt. Als typologisches Vorbild ist die Ermordung des Joab als Randminiatur dargestellt. Simon Bening ist ein Sammler von Kostbarkeiten, den hochgeschätzten Kupferstichen in der Art Schongauers fügt er seinen kräftigen Farbensinn hinzu und spart nicht mit dem wirksamen Werk seiner Rahmung. Dem volkstümlichen Empfinden kommt er nahe, wenn er Maria als Schmerzensmutter vor strahlend roten Grund setzt (eine Vision, die in der Tafelmalerei der Zeit undenkbar gewesen wäre) oder wenn er die Vertreter der Stände vor der goldenen Scheibe mit den Wundmalen Christi (fol. 335v) niederknien läßt. Simon Bening scheint diesem volksliedhaften Ton, der gespeist ist aus der großen Tradition niederländischer Tafelmalerei, seinen Ruf als »bester Meister jener Kunst, den es damals in ganz Europa gab«, verdankt zu haben. W. S.

B 65 Albrecht Dürer *Farbtafel Seite 128*

Heilige Familie. Um 1495–1497

Deckfarbenmalerei mit Goldhöhung auf Pergament 16x11,2 cm
Bez. u. M.: Monogramm des Künstlers
Ehemals Rotterdam, Museum Boymans- van Beuningen
Leipzig, Museum der bildenden Künste, Graphische Sammlung; Inv.-Nr. N. I. 8492

Von gemaltem Rahmen aus ungeglättetem Holz umgeben, ist die Heilige Familie, Maria mit dem Christuskind und Joseph, dargestellt. Während das Elternpaar in stiller Andacht in sich gekehrt ist, sitzt das Kind in realistischer Lebendigkeit auf dem Schoß der Mutter. Den Kopf hat es ihr zugewendet, die Blickverbindung suchend. Verstärkt wird diese Bewegung durch den weit nach hinten gestreckten rechten Arm. In der linken Hand hält der Knabe spielerisch das Tuch fest, mit dem ihn die Mutter einhüllt. Auch die Füße scheinen in emsiger Bewegung. Die Hände der Mutter halten mit behutsamem, aber sicherem Griff das Kind auf dem Schoß. Joseph hat andächtig die Hände gefaltet und den Blick gesenkt.
Die Deckfarbenmalerei ist im Gesamtwerk Dürers die früheste Darstellung der Heiligen Familie. Auch sonst lassen sich kaum Parallelen zu thematisch ähnlichen Werken aufzeigen. Die Technik, die Wahl des Ausschnittes (Kniestück), die Art, wie sich das Kind bewegt, und die Besonderheiten des gemalten Rahmens zeigen die Sonderstellung des Blattes im Werk Dürers an. Analogien finden sich auch in dem Holzschnitt »Heilige Familie mit den drei Hasen« (Bartsch 102). Die Haltung des Kopfes der Maria ist sehr ähnlich. Auch findet sich in der Zeichnung einer Heiligen Familie (Winkler 187) Joseph in einer ganz ähnlichen andächtigen Haltung. Im »Marienleben« wird das Gewand der Maria wiederholt. Winkler nimmt an, daß Hans Burgkmair in seinem frühesten signierten Holzschnitt »Maria mit dem Kind« (um 1502) Teile der Komposition übernommen hat (Bartsch 13). E. B.

B 66 Altniederländischer Bildwirker *Abbildung*

Anbetung der Hirten. Um 1515

Nicht bez.
Seidenwirkerei mit Goldfaden. 347x336 cm
Ursprünglicher Bestand des Dresdener Schlosses,
seit 1855 Bestand der Gemäldegalerie
Dresden, Staatliche Kunstsammlungen, Gemäldegalerie Alte Meister

Der Teppich gehörte zu einer Serie von Wirkereien, die Herzog Georg der Bärtige von Sachsen (1471–1539, regierte seit 1500) aus den Niederlanden erworben hatte. Dem Entwurf liegt Dürers Holzschnitt mit der Geburt Christi aus dem Marienleben zugrunde (Bartsch 85). Wenn auch nicht von einer genauen Übernahme gesprochen werden kann, so folgen doch einzelne Details dem Vorbild. Haltung und Gebärde der Maria, das in einem Körbchen liegende Kind und der Dudelsackpfeifer finden sich, wenn auch seitenverkehrt, auf Dürers

B 64 Simon Bening. Gefangennahme Christi und Verehrung des Herzens Jesu aus dem Gebetbuch des Kardinals Albrecht von Brandenburg. 1525–1529

B 58 Jan Joest van Kalkar. Engel mit Leidenswerkzeugen, Flügelinnenseiten eines Altars. Um 1500

B 58 Jan Joest van Kalkar. Gefangennahme Christi Mitteltafel des Altars. Um 1500

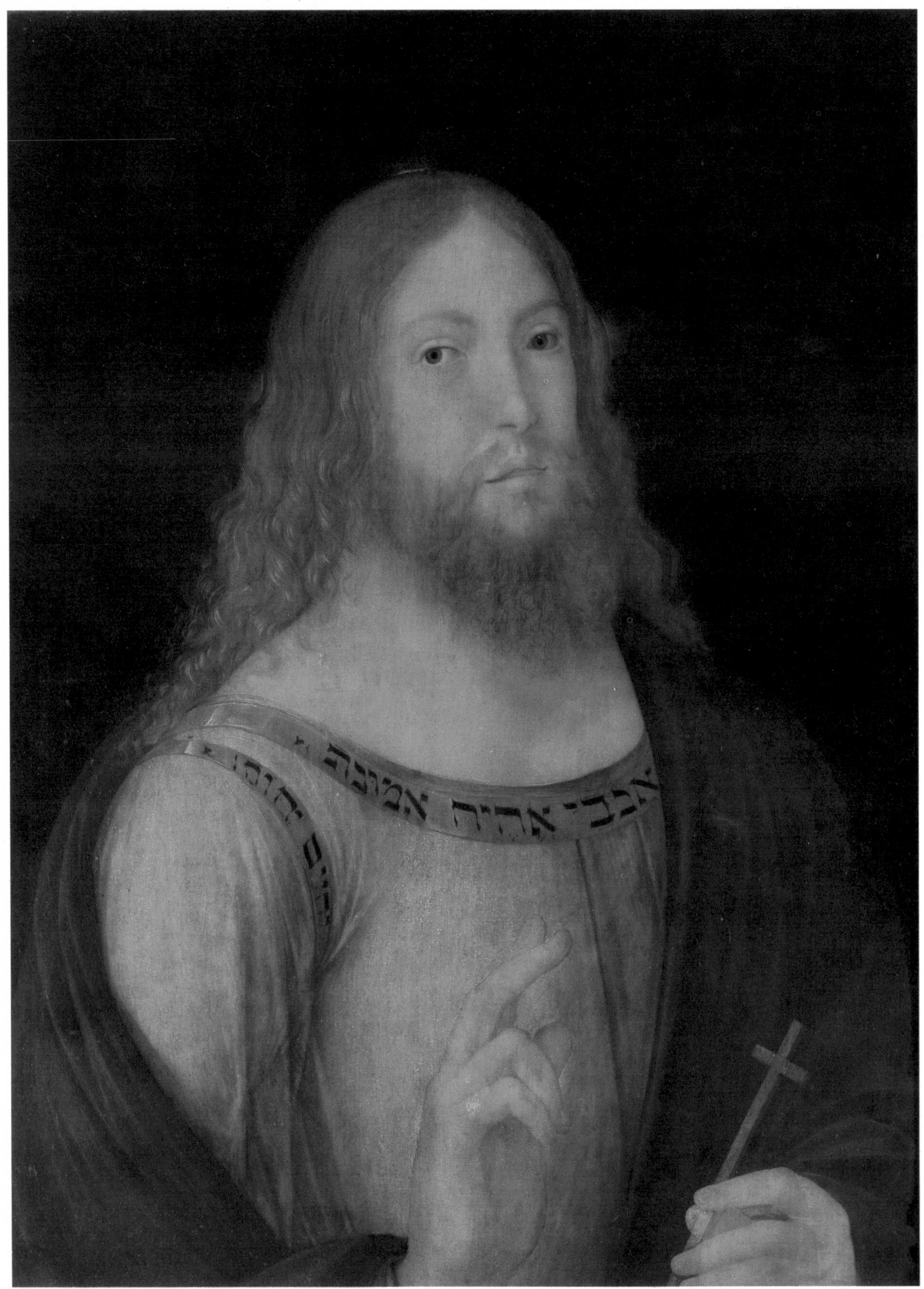

B 59 Jacopo de' Barbari. Der segnende Christus. 1503

B 61 Lombardischer Meister. Der segnende Christus. Um 1500

B 122
Girolamo
dai Libri.
Thronende
Maria mit
dem Kind
und Heiligen.
Vor 1515

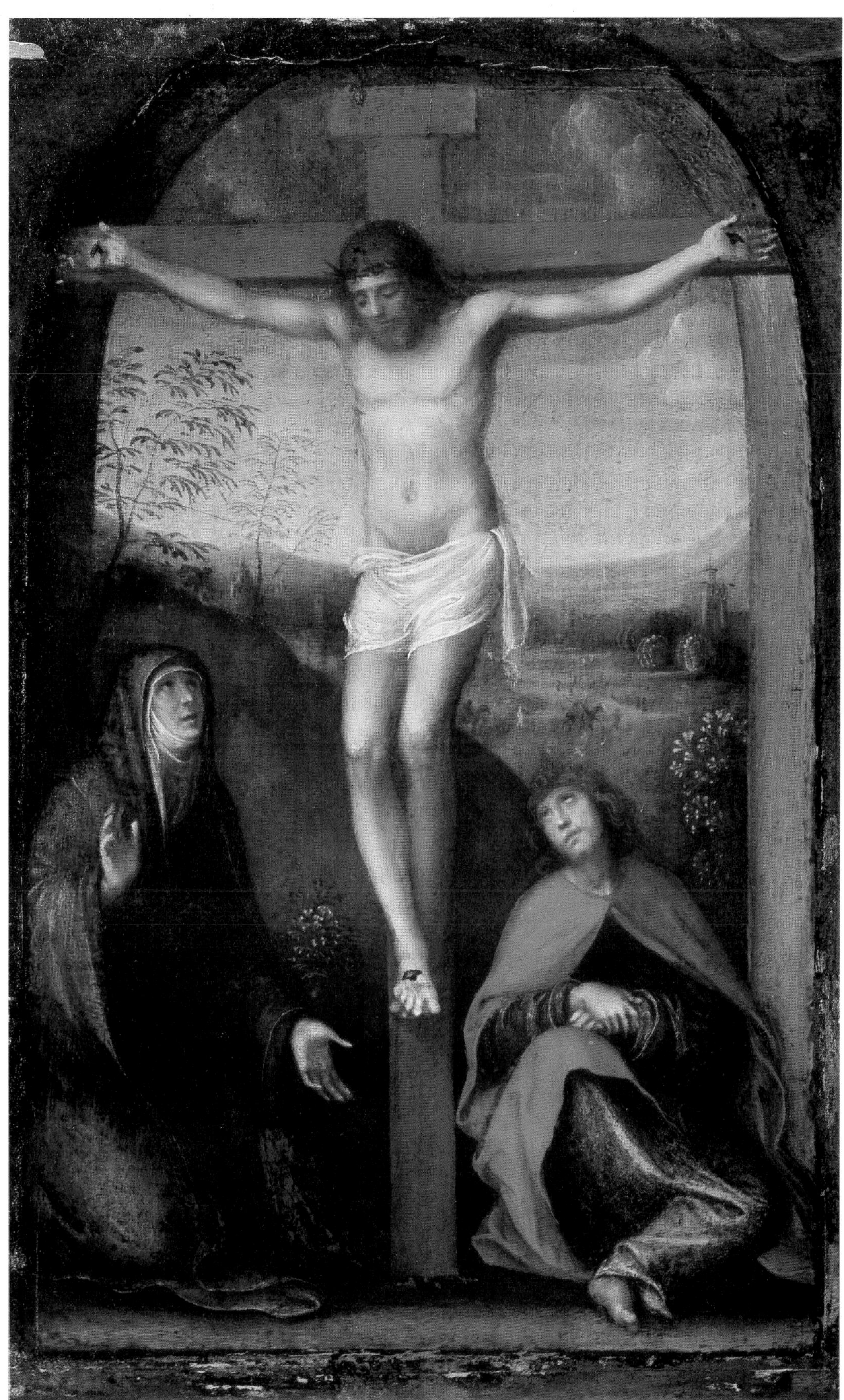

B 62
Francesco Francia.
Christus am Kreuz
mit Maria
und Johannes.
Nach 1500

B 65 Albrecht Dürer. Heilige Familie. 1495–1497

Holzschnitt wieder. Die Bordüre ist nach Schablonen aus einzelnen Frucht- und Blumenzweigen zusammengesetzt. Bildwirkereien dieser Art wurden als Folgen nicht nur zur Ausstattung der Schlösser, sondern auch für die Kirchen bestellt. Der Bildteppich entstand in der Blütezeit der Brüsseler Bildwirkerei. Ihr Stil wurde stark von der niederländischen Malerei seit Hugo van der Goes beeinflußt. Die Bildfläche wird im Sinne einer geschlossenen Bildwirkung gegliedert, die Wiedergabe räumlicher Illusion erreicht. K. F.

B 67.1 Umkreis der Werkstatt des Halberstädter Ofens

Ofenkachel. Anfang des 16. Jahrhunderts

Hafnerware. 29,2 x 18,5 x 4,7 cm
Dresden, Staatliche Kunstsammlungen, Museum für Kunsthandwerk; Inv.-Nr. 585

Die blei- und zinnglasierte, grün, ockergelb, weiß, kobaltblau, braun und schwarz bemalte Kachel zeigt »en relief« ein sächsisches Wappen mit Helmzier. Es wurde von Bischof Ernst von Halberstadt, dem Sohn des sächsischen Kurfürsten Ernst und Bruder des Kurfürsten Friedrich des Weisen, geführt. Zwischen 1476 und 1513 war er Erzbischof von Magdeburg und Vorgänger Kardinal Albrechts von Brandenburg. K.-P. A.

B 67.2 Umkreis der Werkstatt des Halberstädter Ofens

Ofenkachel. Anfang des 16. Jahrhunderts

Hafnerware. 28,7 x 19,1 x 5,3 cm
Dresden, Staatliche Kunstsammlungen, Museum für Kunsthandwerk; Inv.-Nr. 587

Die grün, ockergelb, weiß, braun und blaugefärbte Blei- und Zinnglasur bedeckt die schwachgewölbte, mit einfacher Kehlenrahmung gefaßte Kachel. Auf ockergelbem Grund befindet sich unter säulengestütztem Bogen ein Wappen mit springender Hirschkuh und Helmzier mit Krone und wachsender Hirschkuh. Der bisher nicht nachweisbare Besitzer des Wappens ist vermutlich unter den geistlichen Herren des Halberstädter Doms zu suchen. K.-P. A.

B 66

B 68 Albrecht Dürer *Abbildung*

Kardinal Albrecht von Brandenburg. 1518

Bez. o. r. und o. l.: Monogramm des Künstlers
Kreide auf leicht vergilbtem Papier
Wasserzeichen: Hohe Krone. 42,8x32,2 cm
Aus der Kaiserlichen Schatzkammer 1920 erworben
Wien, Graphische Sammlung Albertina; Inv.-Nr. 4853, D125

Die große Zeichnung überliefert wohl das klassische Bildnis des Kardinals, der auch von Jacopo de' Barbari, Cranach und Grünewald gemalt worden ist. Das gewählte Motiv erinnert an Büsten italienischer Bildhauer des 15. Jahrhunderts. Es hat bei der Übertragung in den Kupferstich von 1519 an Wucht verloren, wie auch die Feinheit der Ton- und Materialwerte zum Teil geopfert wurde. Sicher handelt es sich um die unmittelbare Zeichnung nach der Natur, die der Kardinal zur Vervielfältigung durch den Kupferstich bestimmt hat. W. S.

B 68

B 69.1

B 69.1 Albrecht Dürer *Abbildung*

Albrecht von Brandenburg. 1519

(Der kleine Kardinal)

Bez. u. l.: Monogramm des Künstlers
Lateinische Inschrift über dem Kopf und unter der bildlichen Darstellung
Kupferstich. 14,8x9,7 cm
Dresden, Staatliche Kunstsammlungen, Kupferstich-Kabinett; Inv.-Nr. A 839
Bartsch 102; Meder 100

Der Kardinal Albrecht von Brandenburg, Erzbischof von Mainz und Magdeburg, wurde am 28. Juni 1490 geboren. Mit 23 Jahren wurde er Erzbischof von Magdeburg, ein Jahr später auch Erzbischof von Mainz. 1518 erlangte er die Kardinalswürde. Dürer zeigt den 29 Jahre alten Kardinal in Dreiviertelansicht. Wölfflin hat zu Recht bemerkt, daß der Kopf etwas zu klein im Raum sitzt und Wappen und Inschrift den kirchlichen Würdenträger mehr bedrängen, als daß sie ihn schmücken. Die Wirkung der den Kardinal in halber Kopfhöhe schneidenden Horizontale des Teppichs bezeichnet er als nahezu gewalttätig. Die Mängel des Blattes führten wohl zu der neuen Fassung von 1523 (Kat.-Nr. B 69.2). 1520 schreibt Dürer an Georg Spalatin (das Manuskript des Briefes wird in der Freien Universität Basel aufbewahrt), daß er dem Kardinal Albrecht 200 Drucke geschickt habe und dieser ihn dafür reichlich belohnt hat. Bestimmt war der Druck für ein Buch mit dem Titel »Das Heiltum in Sachsen«, Halle 1524. Nach Dodgson ist dies der einzige Kupferstich, welcher für ein Buch gedruckt wurde. Panofsky verweist auf die Studie nach dem Leben (Kat.-Nr. B 68) von 1518. E. B.

B 69.2 Albrecht Dürer

Albrecht von Brandenburg. 1523

(Der große Kardinal)

Bez. u. l.: Monogramm des Künstlers
Datiert in der Inschrift über dem Kopf des Kardinals
Unter der Figur eine Tafel mit den Titeln des Kardinals in lateinischer Sprache
Kupferstich. 17,4 x 12 cm
Dresden, Staatliche Kunstsammlungen, Kupferstich-Kabinett; Inv.-Nr. A 824
Bartsch 103; Meder 101

Dazu Modellzeichnung in Silberstift (Winkler 568) im Louvre

B 70 Lucas Cranach d. Ä.

Kardinal Albrecht von Brandenburg. 1520

Bez. u. l.: Schlangen-Signet
Bez. o. r.: in lateinischer Schrift die Titel des Kardinals
Kupferstich. 16,8 x 11,5 cm
Dresden, Staatliche Kunstsammlungen, Kupferstich-Kabinett; Inv.-Nr. 1925 – 50
Bartsch 4

Ein Jahr, nachdem Dürer dem Kardinal seinen nach einer Zeichnung entstandenen Kupferstich übersandt hatte, übernimmt Cranach die Komposition genauestens. Cranach war aber zu sehr eigenständiger Künstler, als daß er sich mit einer bloßen Kopie zufriedengegeben hätte. Abgesehen von den geringen Veränderungen im Habitus des Kardinals – die Kappe und der Mantel weisen andere Einbuchtungen und Faltenwürfe auf, der Kragen ist geschlossen, während der Mantel bis auf zwei Knöpfe offen ist, auch das Haar fällt anders – ist der wesentliche Charakter des Blattes von Cranach in der Interpretation der Persönlichkeit Albrechts zu sehen. Das Gesicht ist nicht etwa einer nicht gekonnten Nachzeichnung zu verdanken. Was Dürer im strengen Blick des Kardinals und den schlaffen Fettansätzen an Hals und Kinn als bestimmenden Charakterzug herausstellt, ist bei Cranach eher introvertiert. Die Forschheit, die Dürer betont, ist aus dem Antlitz des Kardinals verschwunden. Cranach tauscht diese gegen einen Anflug von sentimentaler Verträumtheit. Vielleicht wollte er mehr die Seiten betonen, die Albrecht zu einem Förderer der Künste werden ließen, als jene, die ihn in der Hierarchie der Kirche aufsteigen ließen. E. B.

B 71.1

B 71.1 Unbekannter Meister *Abbildung*

Medaille Albrecht von Brandenburg, Erzbischof von Magdeburg, Kurfürst von Mainz 1515

Umschrift der Vs.: ALB. ARCHI.PRI.ET.PRIN.ELEC.MAR.BR
(Albrecht Erzbischof, Primas und Kurfürst, Markgraf von Brandenburg)
Umschrift der Rs.: IN – POTENTATIBVS.S – ALVS – DEX-TERA. DOMINI.ANNO – M.D. – XV
(In der Herrschaft ist das Heil die Rechte des Herrn. Luther übersetzt Psalm 20, Vers 7: Seine rechte Hand hilft mit Macht)
Silber, gegossen. Ø 5,0 cm
Berlin, Hauptstadt der DDR, Staatliche Museen, Münzkabinett

Das zu den frühesten deutschen Gußmedaillen zählende, als Ableger des gröberen Bronzegusses zu verstehende Stück ist durch Habich, begründet durch die »summarische, nichts weniger als kleinmeisterliche Formgebung des Brustbildes«, durch das von der Grabplastik kommende, für Medaillen ungewöhnliche Enface und den Zuschnitt des Wappens, einem unbekannten Epitaphplastiker zugeschrieben worden. Das aus der Amerbacher Sammlung stammende Bronzeexemplar in Basel könnte eine von Albrecht an Erasmus von Rotterdam geschenkte Medaille sein.

Habich I.1 Nr. 9; I.2 S. LXIV

B 71.2 Unbekannter Stempelschneider nach Hans Schwarz *Abbildung*

Medaille Kardinal Albrecht, Erzbischof von Mainz 1518

Umschrift der Vs.:
SIC:OCVLOS:SIC:ILLE GENAS:SIC:ORA:FEREBAT
(So waren seine Augen, seine Wangen, sein Mund)
Im Feld AET – XXVIII (Im Alter von 28 Jahren)
Umschrift der Rs.: DOMINVS:MIHI:ADIVTOR:QVEM:TIMEBO:
(Der Herr ist mein Beschützer, wen sollte ich fürchten?)
Silber, geprägt. Ø 4,6 cm
Berlin, Hauptstadt der DDR, Staatliche Museen, Münzkabinett

B 71.2

B 71.

Das Porträt beruht auf einer großen Gußmedaille von Hans Schwarz (Habich I.1 Nr. 113), die wie die geprägte durch die Altersangabe des Kardinals 1518 datiert ist. Die Prägestätte der Medaille ist nicht ermittelt; die Qualität der Prägung setzt einen im hohen Relief geübten Eisengraber sowie eine für solche Arbeit eingerichtete Münzstätte voraus, wie sie beispielsweise in Nürnberg bestand. Auffällig ist die unglückliche Plazierung des Brustbildes, das oben den inneren Linienkreis durchbricht, unterhalb des runden Brustabschnittes aber viel Raum läßt.

Menadier, Schaumünzen, Nr. 7; Habich I.1 Nr. 113 Anm.

B 71.3 Nürnberger Meister *Farbtafel Seite 197*

Medaille Kardinal Albrecht, Erzbischof von Mainz 1526

Umschrift der Vs.: mit geringen Varianten wie Rs. Kat.-Nr. B 71.2 und ANN.AETAT.XXXVII
(Im Alter von 37 Jahren)
Umschrift der Rs.: ALBERT.CARD.MOG.ARCHIEP. MAGD. HALB.ADM.MARCH.BRAND.ZC.M.D.XXVI.
(Kardinal Albrecht Erzbischof von Mainz und Magdeburg, Administrator von Halberstadt, Markgraf von Brandenburg usw. 1526)
Silber, gegossen. Ø 4,4 cm. Silber, vergoldet, gegossen Ø 4,9 cm, in aus Kettengliedern gebildetem Ring
Berlin, Hauptstadt der DDR, Staatliche Museen, Münzkabinett

Das eindrucksvolle Medaillenporträt wurde im ersten Jahr der Amtsführung des Münzmeisters Anton Grans 1536 stark vergröbert als Bildnis für die reguläre Guldengroschenprägung in Magdeburg übernommen, deren Stempelschneider anonym ist (F. v. Schrötter, Beschreibung der neuzeitlichen Münzen ... Magdeburg, 1909, Nr. 78–84).

Habich I.2 Nr. 923

B 71.4 Hans Reinhart *Abbildung*

Medaille Kardinal Albrecht, Erzbischof von Mainz 1535

Umschrift der Vs. wie Kat.-Nr. 71.3 und AETAT.46
(Im Alter von 46 Jahren),
unter dem Armabschnitt die Signatur. HR.
Umschrift der Rs. mit geringen Varianten wie Kat.-Nr. 71.2 und 1535
Silber, gegossen. Ø 6,15 cm
Berlin, Hauptstadt der DDR, Staatliche Museen, Münzkabinett

Das Bildnis ist kopiert nach dem des Nürnberger Meisters von 1526 (Kat.-Nr. 71.3)

Habich II.1 Nr. 1941

B 71.5 Sächsischer Meister *Abbildung*
»Gruppe des Kardinal Albrecht«

Medaille Kardinal Albrecht, Erzbischof von Mainz 1537

Umschrift der Vs. mit Varianten wie Kat.-Nr. B 71.4 und AETAT. XLVIII (Im Alter von 48 Jahren)
Umschrift der Rs.:
ALBERTVS.CARDINALIS.ET.ARCHI.EPVS.MOGVNT. ANNO.M.D.XXXVII
(Albrecht Kardinal und Erzbischof von Mainz 1537)
Silber, gegossen. Ø 4,5 cm; von schmalem, gedrehtem Ring umgeben, Henkel abgebrochen
Berlin, Hauptstadt der DDR, Staatliche Museen, Münzkabinett

B 71

B 71.6

B 71.6 Sächsischer Meister *Abbildung*
»Gruppe des Kardinal Albrecht«

Medaille Kardinal Albrecht, Erzbischof von Mainz 1537

Umschriften der Vs. und Rs. mit Varianten wie Kat.-Nr. B 71.5
Silber, gegossen. Ø 3,25 cm
Berlin, Hauptstadt der DDR, Staatliche Museen, Münzkabinett

Mögliche Vorlagen für Bildnis und Wappen hat Habich (Der heimliche Flötner, 1929, S. 35 und 36, Abb. 18 und 21) bei Cranach gefunden. Die Frage nach dem Meister der stark reliefierten, kompakten, das Medaillenrund weit ausfüllenden Porträts mit einheitlichem Schriftduktus, dem außer Medaillen auf Kardinal Albrecht auch einige auf die sächsischen Herzöge Georg, Heinrich und Friedrich zugeschrieben werden können, hat zu kontroverser Diskussion in der medaillengeschichtlichen Literatur geführt. Die im Testament Christoph Scheurls genannte »guldne prunnen kettenn, mit des Churfürsten Zu Maynntz Pildnus, so der Herr scheurl seligen am halss getragen« (Habich, Flötner, S. 22) könnte eine Medaille wie Kat.-Nr. 71.6 sein.

Habich II.1 Nr. 1857 und 1858 und S. 263 Vorbemerkung
Katz, Bemerkungen, S. 6

B 72 Lucas Cranach d. Ä. *Abbildung*

Bildnis des Kardinals Albrecht von Brandenburg 1526

Bez. o. l.: Schlangenzeichen und Datum 1526, darüber Wappen des Kardinals
Öl auf Leinwand, von Holz übertragen. 40x24,5 cm
Herkunft unbekannt, kam vor 1797 in die Ermitage
Inventarliste 1859 — Nr. 3494; Katalog 1916 — 462; Katalog 1981 — 686
Leningrad, Staatliche Ermitage; Inv.-Nr. GE Nr. 686

Die vier bekannten Varianten des Brustbildes Albrechts von Brandenburg mit der gleichen Drehung des Kopfes, einschließlich des Bildes in der Ermitage, gehen zurück auf den Stich aus dem Jahre 1520. Deshalb vermuteten Friedländer und Rosenberg, daß diese Porträts nicht nach der Natur gemacht wurden, sondern nach dem von A. Dürer stammenden Vorbild.
Die Varianten des Porträts befinden sich in Berlin (West), Nr. 589, Öl, Holz, 83x57 cm; in der Gemälde-Galerie Mainz, Nr. 304; die dritte befand sich im Kaiser-Friedrich-Museum in Berlin (Gemäldeverzeichnis, Berlin 1931, Nr. 559). N. N.

B 72

AETHERNA IPSE SVAE MENTIS SIMVLACHRA LVTHERVS
EXPRIMIT·AT VVLTVS CERA LVCAE OCCIDVOS
·M·D·X·X·

B 73

B 73 Lucas Cranach d. Ä. *Abbildung 1. Zustand*

Bildnis Martin Luthers als Mönch. 1520

Bez. auf der Brüstung:
AETHERNA IPSE SVAE MENTIS SIMVLACHRA LVTHERVS / EXPRIMIT. AT VVLVS CERA LVCAE OCCIDVOS. / .M.D.X.X.
(Ein ewiges Abbild seines Geistes gestaltete Luther selbst, sein vergängliches Aussehen dagegen das Wachs des Lucas)
darunter Schlangenzeichen
Kupferstich. 14,1 x 9,5 cm
Bartsch 5

1. Zustand: ganz ohne den Profilkopf links oben;
die Brüstung noch ohne Andeutung der Kehle
(die vier Ecken dieses Exemplars ergänzt)
Wien, Graphische Sammlung Albertina; Inv.-Nr. 1929, 78
2. Zustand: mit dem Profilkopf eines bärtigen Mannes;
mit Andeutung der Kehle am oberen Rand der Brüstung
Weimar, Kunstsammlungen
3. Zustand: Spuren des getilgten Profilkopfes
sind erkennbar (bei dem vorliegenden Druck:
Teile des Bartes, der Nasenumriß, Striche und
sichelförmige Bildungen in der Höhe der Tonsur)
Wien, Graphische Sammlung Albertina; Inv.-Nr. 1929, 79

Der kantige Kopf hat besonders in dem guten Druck des ersten Zustandes etwas Metallisches. Die Arbeit des Stechers ist zwar frei, aber sehr vorsichtig. Viele Übergänge von der strähnigen Modellierung zum Licht sind mit Punkten ausgeführt. Auch sind in den Grund, besonders oben und links, Punkte eingestreut. Der Zusammenhang aller Bildungen ist bei dem frühen Druck von großer Dichte, bei späteren Drucken herrschen die kurvigen Modellierungen vor. Die Angabe der Stirnfalten durch Punktreihen ist aber auch dann noch deutlich erkennbar. Die Bedeutung des Profilkopfes im zweiten Zustand ist unklar, doch weist die Andeutung der Kehle über der Inschrift darauf hin, daß bei der Umänderung künstlerische Absichten eine Rolle gespielt haben könnten.
Martin Luther hat 1520 seine drei Hauptschriften drucken lassen: »An den christlichen Adel deutscher Nation«, »Von der babylonischen Gefangenschaft der Kirche« und »Von der Freiheit eines Christenmenschen«. Er war entschlossen, den sich anbahnenden Kampf aufzunehmen und verbrannte am 10. Dezember dieses Jahres die Bannandrohungsbulle des Papstes.
W. S.

B 74 Lucas Cranach d. Ä. *Abbildung*

Luther mit der Kappe im Profil. 1521

Bez.: Lucae opus effigies haec est moritura Lutheri /
Aethernam mentis exprimit ipse suae. / MDXXI
(Das Werk des Lucas ist dies Bild des sterblichen Luther,
das ewige Abbild seines Geistes schuf er sich selbst),
daneben das Zeichen des Künstlers
Zweiter Zustand des Kupferstichs. 20,8 x 15 cm
Dresden, Staatliche Kunstsammlungen, Kupferstich-Kabinett;
Inv.-Nr. A 5389
Bartsch 6

Profilbildnisse sind im Werk Cranachs äußerst selten, von daher hat das Bildnis seinen starken »Monument-Anspruch« (Koepplin). Es bedurfte wohl des Anstoßes durch die Augsburger Kunst, um diesen Typ in Wittenberg zu erwecken. In allen Teilen überzeugend ist wohl nur der Abdruck des ersten Zustands vor hellem Grund (Unikum in Coburg). Die Überarbeitung hat das Profil schlagender hervorgearbeitet, die Einzelformen aber vergröbert und verfälscht, die Inschrifttafel erscheint plastisch markiert. W. S.

B 75.1 Lucas Cranach d. Ä.

Luther als Junker Jörg. Um 1522

Bez. mit Umschrift in Rötel:
Phaffe vel (oder) du vorretherischer man /
sich das Ewangeliu vnd martin schrift an /
Dein vorrethrey hat vorlorn zu disser ffryst.
Ein grosser vorrethr vnd schalck dw bysth
Holzschnitt. 42 x 31 cm
Dresden, Staatliche Kunstsammlungen, Kupferstich-Kabinett;
Inv.-Nr. A 6645
Passavant 193

LVCAE · OPVS · EFFIGIES · HAEC · EST · MORITVRA · LVTHERI · AETHERNAM · MENTIS · EXPRIMIT · IPSE · SVAE ·
· M · D · X · X · I ·

B 74

Der mit dem Kirchenbann und der Reichsacht belegte Luther ließ sich an seinem Zufluchtsort, der Wartburg, Haar und Bart wachsen und »Junker Georg« nennen. Cranach erlebte ihn in dieser Verkleidung bei einem kurzen Aufenthalt Luthers in Wittenberg im Dezember 1521. Wohl nach der damals genommenen Studie entstanden der Holzschnitt und das Gemälde (die beste und vollständige Fassung in Weimar). Die Veränderung von Luthers Gestalt ist von den Zeitgenossen nicht nur äußerlich aufgefaßt worden. Sie zeigte die Entschlossenheit des Mannes, außerhalb der bisherigen Ordnung zu handeln. Tatkräftig war das große Werk der Bibelübersetzung in die deutsche Sprache in Angriff genommen. Noch im Jahr 1525 war Erasmus von Rotterdam der bärtige Luther in Erinnerung, den die Welt nur von Cranachs Bildnissen kennen konnte: »Luther hat geheiratet, ja er hat auch selbst ... den Mantel des Asketen (die Mönchskutte) und den Philosophenbart abgelegt.« W. S.

B 75.2 Lucas Cranach d. Ä. *Farbtafel Seite 321*

Bildnis Luthers als Junker Jörg. Um 1521

Nicht bez. Teilweise übermalt
Rotbuchenholz. 33,5 x 25,3 cm
Aus der Leipziger Stadtbibliothek
Leipzig, Museum der bildenden Künste; Inv.-Nr. 946

B 76 Sebald Beham

Luther als Junker Jörg. 1522

Bez. o. r.: Jahreszahl 1522
Holzschnitt. 39,4 x 27,9 cm
Gotha, Museen der Stadt, Schloßmuseum; Inv.-Nr. 45.40
Pauli 1112 a–I
Behams Holzschnitt ist nach einem der von Cranach d. Ä. gemalten Bildnisse Luthers als Junker Jörg ausgeführt (vgl. Kat.-Nr. B 75.2)

In sparsamen Linien ist das Bildnis des Mannes nachgezeichnet, zu dessen Sache sich Sebald Beham, einer der »drei gottlosen Maler« von Nürnberg, so rückhaltlos bekannte. Das Bürgertum und vor allem die Künstlerschaft der Stadt Nürnberg waren der reformatorischen Bewegung gegenüber stets aufgeschlossen: Jan Hus, der 1414 in Konstanz verbrannt wurde, Hans Böheim, dessen Predigten der Nürnberger Rat verboten hatte, Johann von Staupitz, der einflußreiche, reformatorischen Bestrebungen zugetane Generalvikar des Augustinerordens in Deutschland und bedeutende Lehrer Luthers, hatten ihre Ideen in die Stadt getragen. Willibald Pirckheimer, Freund Dürers, wurde als angeblicher Verfasser der satirischen Schrift gegen Luthers Widersacher auf der Disputation zu Leipzig 1519, »Eccius dedolatus« (Der behauene Eck), mit dem Bann belegt.
Der Holzschnitt Behams ist als ein persönliches Bekenntnis des Künstlers zu Luther und seiner Lehre zu verstehen. K. F.

B 77 Nach Hans Baldung

Bildnis Martin Luthers mit Heiligenschein und Taube

Bez. auf dem Buchschnitt BIBLIA
Holzschnitt. 15 x 10,5 cm
Verwendet in Matth. Dreszer, Sächsisch Chronicon ... bis 1596. Wittenberg, Johann Krafft 1596
Druckplatte aus Holz. 15,2 x 10,6 x 2,3 cm
Aus Sammlung Derschau
Berlin, Hauptstadt der DDR, Staatliche Museen, Kupferstichkabinett; Inv.-Nr. Derschau 321

Im Zusammenhang mit den Schriften zum Reichstag zu Worms hat Hans Baldung in Straßburg die bemerkenswerte Fassung des Luther-Bildnisses mit der Taube des Heiligen Geistes und dem Nimbus entwickelt. Luther als der vom göttlichen Geist erleuchtete Prediger – in fast einem Dutzend Straßburger Druckschriften der Jahre 1521 bis 1526 fand dieses Bild Verbreitung. W. S.

B 78 Lucas Cranach d. Ä.

Passional Christi und Antichristi. 1521

Druckschrift mit einem Titelblatt und 26 Holzschnitten, je etwa 12 x 9,6 cm
Wittenberg (J. Grunenberg 1521)
Zwickau, Ratsschulbibliothek; 12.4.4.

Der Grundgedanke der Schrift, der auch bereits in Programmschriften Luthers von 1520 vorgetragen wurde, war die Gleichsetzung des Papstes mit dem Antichrist. Dies gab Cranach Gelegenheit, Bilder aus dem Leben Christi, zum Teil in der klassischen Ausprägung der Kunst seiner Zeit, zum anderen Teil eigene Darstellungen, Bildern aus dem Leben des Papstes gegenüberzustellen und mit Hilfe der Bildtexte zu erklären. Die Vorstellung einer derartigen Folge geht über die hussitische Bewegung zurück auf den englischen Reformator John Wiclif. Die Zusammenstellung des Büchleins leitete nicht Luther selbst, sondern Philipp Melanchthon und Johann Schwertfeger, ein Jurist. Der Druck erschien 1521 in zwei deutschen und einer lateinischen Ausgabe, denen bald bis in das 17. Jahrhundert hinein Nachdrucke folgten.
Cranachs Bilder beabsichtigen unter sich nicht zusammenhängende Gegenüberstellungen, keine vollständige Folge des Lebens Christi oder des Lebens eines Papstes. Es sind immer jeweils zwei Bilder in gegenseitiger Steigerung zu betrachten, ein Vorgehen, das Cranach auch sonst nicht fremd gewesen ist. W. S.

B 78.1 *Abbildung*

Christus kniet vor seinen Jüngern und wäscht Petrus die Füße, den rechten Fuß küssend

Beschriftung des Blattes:
»Christus«. So ich euere Füße habe gewaschen, der ich euer Herr und Meister bin, viel mehr sollt ihr einander unter euch die Füße waschen. Hiermit habe ich euch eine Anzeigung und Beispiel geben. Wie ich ihm tan habe, also sollt ihr hinfür auch tun. Wahrlich, wahrlich sage ich euch: Der Knecht ist nicht mehr dann sein Herr, so ist auch nicht der geschickte Bote mehr dann der ihn gesandt hat. Wißt ihr das? Selig seid ihr, so ihr das tun werdet. Johannes 13, 14–17.

B 78.2 *Abbildung*

Der Papst sitzt in prunkvollem Ornat, mit der Tiara gekrönt, von Kardinälen und Bischöfen umgeben, auf baldachingeschmücktem Thron. Kaiser, König und weltliche Herren knien vor ihm, um ihm die Füße zu küssen

Beschriftung des Blattes:
»Antichristus«. Der Papst maßt sich an, jeglichen Tyrannen und heidnischen Fürsten, so ihre Füße den Leuten zu küssen dargereicht, nachzufolgen, damit es wahr werde, das geschrieben ist: »Welcher dieser Bestien Bild nicht anbetet, soll getötet werden.« Apokalypse 13, 15.
Dieses Küssens darf sich der Papst in seinen Dekretalen unverschämt rühmen. cap. 4 in Clementina de sententia excommunicationis V 10 (Friedberg II 1192).

B 78.3 *Abbildung*

Christus jagt mit Geißelhieben die schachernden Händler aus dem Tempel

Beschriftung des Blattes:
»Christus«. Er hat funden im Tempel Verkäufer, Schafe, Ochsen und Tauben und Wechsler sitzen und hat gleich eine Geißel gemacht von Stricken, alle Schafe, Ochsen, Tauben und Wechsler aus dem Tempel trieben, das Geld verschüttet, die Zahlbrett (Geldtische) umkarrt und zu denen, die Tauben verkauften, gesprochen: »Hebt euch hin(weg) mit diesen! Aus meines Vaters Haus sollt ihr nicht ein Kaufhaus machen.« Johannes 2, 14–16. Ihr habt's umsonst, darum gebt's umsonst. Matthäus 10, 8. Dein Geld sei mit dir in Verdammnis. Apostelgeschichte 8, 20.

B 78.4 *Abbildung*

Der Papst sitzt auf einem Thron in einer Kirche, zu seiner Linken stehen ein Kardinal und zwei Bischöfe. Mit der rechten Hand unterschreibt er einen neuen Ablaßbrief, während gleichzeitig seine linke einen bereits unterzeichneten einem Mönche aushändigt, der seinerseits von einer neben ihm stehenden Frau das Geld dafür kassiert

Beschriftung des Blattes:
»Antichristus«. Hier sitzt der Antichrist im Tempel Gottes und erzeigt sich als Gott, wie Paulus verkündet. 2. Paulusbrief an die Thessalonicher 2, 4. Verändert alle göttliche Ordnung, wie Daniel 11, 36ff. sagt, und unterdrückt die Heilige Schrift, verkauft Dispensation, Ablaß, Pallia, Bistümer, Lehen, erhebt (fordert ein) die Schätze der Erde. Löst auf die Ehe, beschwert die Gewissen mit seinen Gesetzen, macht Recht, und um Geld zerreißt er das. Erhebt Heilige, benedeiet und (ver)maledeiet (bis) ins vierte Geschlecht und gebietet seine Stimme zu hören gleich wie Gottes Stimme. cap. 2 distinction 19 (Friedberg I 60). Und niemand soll ihm (dr)einreden. cap. 30 causa 17 questio 4 (Friedberg I 823).

B 79 Lucas Cranach d. Ä. und Werkstatt

Das Neue Testament deutsch. 1522

»Dezembertestament«,
Wittenberg, M. Lotter d. J. 1522
Nicht bez.
Mit 21 blattgroßen Holzschnitten zur Apokalypse
Je 23,5 x 16 cm
Zwickau, Ratsschulbibliothek; 12.4.4

Luthers Übersetzung des Neuen Testaments, die Frucht seines unfreiwilligen Exils auf der Wartburg, erschien im September

78.1

B 78.2

78.3

B 78.4

1522 in dem von Cranach und dem Goldschmied Christian Döring gemeinsam betriebenen Verlag. Diese Auflage war so rasch verkauft, daß eine neue im Dezember des gleichen Jahres herauskam (daher »Dezembertestament«). Wahrscheinlich auf Einspruch Herzog Georgs von Sachsen wurden die Papstkronen bei drei Bildmotiven getilgt. Die Holzschnitte selbst waren trotz weiterer Anspielungen auf die Verhältnisse in Rom so unverdächtig, daß Herzog Georg sie zu einer gegen Luther gerichteten Übersetzung des Neuen Testaments noch im Jahre 1527 ankaufen und verwenden ließ. Die Illustrationen gehen überwiegend auf Cranachs Anregung zurück. Cranach erhöhte die Bilderzahl der Apokalypse gegenüber Dürer von 15 auf 21; Darstellungen wie die »Vermessung des Tempels mit den vom Untier bedrohten Zeugen« sind ganz und gar seine Erfindung. Luther selbst hatte an der Bebilderung der Apokalypse sicher kein besonderes Interesse, beließ aber den Zyklus als Ausklang in seinen Bibelausgaben. W. S.

B 80 Lucas Cranach d. Ä. *Abbildung*

Hiob im Elend. 1524

Holzschnitt. 22,5 x 16 cm
Aus: Das Dritte teyl des alten Testaments. Wittenberg, Cranach und Döring 1524
Dresden, Staatliche Kunstsammlungen, Kupferstich-Kabinett

B 80

Die Darstellung lehnt sich eng an den Text der Bibel an und unterstreicht anschaulich einzelne Worte. Die überraschende Verarmung des frommen Reichen ist in zwei Hintergrundszenen angedeutet, wo fremdes Kriegsvolk in drei Rotten das Vieh hinwegtreibt und ein Sturm die Kinder Hiobs unter den Trümmern des Hauses begräbt. Auf Hiob, der mit einer Scherbe die Schwären von seinem Körper schabt, dringen leidenschaftlich seine Frau und Elihu, der junge Begleiter der drei Freunde, ein. Er ergreift das Wort, nachdem die Freunde in mehreren Reden vergeblich versucht haben, den standhaften Hiob umzustimmen. Lebhaft charakterisiert sind die Frau, die den Rock schürzt, um ganz dicht an den Aschehaufen herantreten zu können, und der zornige Elihu mit dem Schwert, dessen Auftritt sich vor dem schraffierten Faltenwurf der Freunde wirkungsvoll entfaltet.
Die Darstellung erinnert an Bilder der Verspottung Christi. Die festgefügte Mauer hinter Hiob nimmt wohl Bezug auf das Bibelwort von dem durch Gott verzäunten (Lebens-)Weg (Hiob Kapitel 3, Vers 23 und Kapitel 19, Vers 8), der Felswürfel rechts oben ruft das Bild des Ecksteines (Hiob Kapitel 38, Vers 6) in Erinnerung, womit auf das Fundament der von Gott eingerichteten Ordnung verwiesen wird. Mit der Verdichtung dieser Bezüge suchte Cranach Dürers Gemälde (Anzelewsky 72 – 73) zu übertreffen, das sich gewiß in Wittenberg befand, wo es auch Luther sah. Während Dürer Hiob in seinem Elend versunken zeigt, das seine Frau und die Musiker in legendenhafter Ausschmückung zu lindern suchen, ist hier Gerichtstag. Die materielle Gewalt der Umwälzung und die mit ihr gewachsene Verwirrung der Menschen sind unmittelbar Bestandteil der Darstellung. W. S.

B 81.1 Lucas Cranach d. Ä.

Titelrahmen mit Tierkämpfen und Druckerpresse 1522

Bez. u. M.: Monogramm Johann Grunenberg
Holzschnitt. 16,7 x 12,5 cm
Benutzt zu: Eyn Sermon von dem vnrechten Mammon Lu. XVI. Doct. Mart. Luther Wittemberg Anno M.D.XXII.
Erfurt, Bibliothek des Ev. Ministeriums; U 83
Benzing 829

B 81.2 Werkstatt des Augustinerklosters

Bucheinband. Um 1500

Holzdeckel mit Schweinsleder, vier Bünde,
Kapitale naturfarben, abgeflacht
Schnitt mit Aufschrift: Opuscula d(ivi) Aug(ustini)
zwei Klausuren aus Lederbändern mit Metallenden
fünf glatte Buckel auf jedem Deckel. Folio (27,6 x 19 cm)
Zwickau, Ratsschulbibliothek; XI N 34

Inhalt: Augustinus, Aurelius: Opera plurima (Sammlung der Schriften) Straßburg, Moritz Flach 1489 (GW 286)
Auf dem Titelblatt »Conuentus ord(inis) fr(atru)m eremitaru(m) s sanctj Augustinj In Erphoridia 1519. Außerdem Berechnung der Zeit, die seit dem Tod Augustins im Jahre 433 vergangen ist und sich auf das Jahr 1506 bezieht.
In dem Band finden sich Anmerkungen Luthers. Er hat den Band behalten oder erworben. Spätere Besitzer waren M. Andreas Poach, der Zwickauer Stadtphysicus Dr. Petrus Poach († 1622) und der Rektor M. Christian Daum († 1687).
Deckelaufteilung: Mittelfeld, breiter innerer und schmaler äußerer Rahmen durch dreifache Streicheisenlinien voneinander getrennt. Durch Überkreuzung der Linien entstehen an den Ecken Quadrate und Recktecke. Alle Felder und Rahmenstreifen sind mit Einzelstempeln besetzt. Vorderer und hinterer Deckel sind nur durch die Auswahl der Stempel unterschieden. Rosetten in fünf verschiedenen Größen; rhombische Stempel mit dreiblättriger Blüte, flüchtendem Hasen, sitzendem Löwen, dem Christussymbol des Pelikans; zwei Inschriftenbändern: »laus deo« und »aug(ustinu)s«.
Der Band ist als Zeugnis von Luthers geistiger Entwicklung besonders wichtig. Nach seinem Eintritt in das Erfurter Kloster des Bettelordens der Augustinereremiten im Jahre 1505 und am Anfang seines theologischen Studiums hat er nur eine oberflächliche Kenntnis Augustins erworben. In den Jahren der Entstehung seiner eigenen theologischen Erkenntnis — etwa 1515/17 — hat er sich aber intensiv mit Augustin beschäftigt und dazu diesen Band benutzt. Der Einband stammt aus der Buchbinderei des Erfurter Klosters und repräsentiert die Art des spätmittelalterlichen Einbandes. Aus Streicheisenlinien und Einzelstempeln wird eine tapetenartige Dekorationsfläche geschaffen. Harmlos-spielerische Motive werden mit besonders bedeutsamen in der Mitte konzentrierten gemischt. Zu diesen gehören außer den Inschriften und dem Pelikan auch die großen Rosetten als Symbol von Schönheit und Liebe. K. v. R.

B 81.3 Erfurter Klosterbuchbinder

Einband mit sächsischen Wappen. Um 1515

Bezeichnung auf Spiegel des Vorderdeckels:
Schenkungsvermerk von 1741
Holzdeckel mit gelblichem Schweinsleder, vier Bünde, weiß-rot-grün-braun umstochene Kapitale, ungefärbter Schnitt, Ansatzbrücke für zwei Metallklausuren erhalten; am hinteren Deckel Ansatzstelle für eine Pultkette
Folio (30,7x21 cm)
Erfurt, Bibliothek des Ev. Ministeriums; TS 92

Inhalt: Gabriel Biel, Mystische und wörtliche Erklärung des Kanons der heiligen Messe, Johannes Deyn 1514 (Panzer, Annales VII, 305, 244)
Deckelaufteilung: großes Mittelfeld durch dreifache Streicheisenlinien in Rauten gegliedert. In die Rauten sind Einzelstempel gesetzt. Auf dem hinteren Deckel nur große Rauten mit Einzelstempeln. Auf dem vorderen Deckel stehen vier große Rauten mit Wappenstempeln in der Mitte, alle übrigen Rauten sind vierfach unterteilt und mit kleineren Stempeln besetzt. Zwei Rahmenstreifen durch dreifache Streicheisenlinien abgegrenzt, der innere Streifen durchgehend gefüllt von einer Ornamentrolle. Der äußere Streifen blind mit Streicheisenlinien, die sich schneiden und ein Quadrat bilden. Bei den Bünden drei kurze, zusammenlaufende Streicheisenlinien. Einzelstempel: Wappen Wettin und Kursachsen. Blattwerk mit Knospe, Blattwerk mit Blüte, Hirsch im Rhombus (nur auf dem hinteren Deckel), Herz vom Pfeil durchbohrt im Rhombus (auf beiden Deckeln), kleines Blattwerk mit Blüte, kleine Rosette (nur auf dem vorderen Deckel). Rolle: Laubstab mit Rosetten 18,1 x 16 cm. Bei Kyriss und Schunke nicht belegt.
Wahrscheinlich stammt der Band aus einem Erfurter Kloster. Das legt der Inhalt des Buches nahe, dessen Autor der bekannteste Vertreter des Nominalismus des späten Mittelalters, Gabriel Biel, Professor in Tübingen († 1495), ist. Luther hat diese Auslegung der Messe genau studiert und die semipelagianische Tendenz des Buches bekämpft, die den Menschen mit seinen eigenen Kräften an der Vorbereitung des Heilsempfangs beteiligen wollte. Die Schmuckmaterialien entsprechen den in Erfurt damals üblichen. Besonders beliebt war in dieser Universitätsstadt das durchbohrte Herz, ein Symbol für den Kirchenvater Augustin. Die demonstrative Verwendung der sächsischen Wappen auf dem vorderen Deckel ist vermutlich eine Sympathiekundgebung gegenüber dem sächsischen Kurfürsten, mit dessen Hilfe man von der Abhängigkeit des Mainzer Bistums freizukommen hoffte. K. v. R.

B 82 Michael Ostendorfer *Abbildung*

Die Wallfahrt zur »schönen Maria« zu Regensburg Um 1520

Nicht bez.
Holzschnitt. 58x39 cm
Dresden, Staatliche Kunstsammlungen, Kupferstich-Kabinett
Passavant 13; Geisberg 967

In dem großformatigen Holzschnitt schildert Ostendorfer die Wallfahrt zur »schönen Maria«. Dem Blatt kommt daher als Ereignisbild — einem Historienbild, das ein zeitgenössisches Ereignis darstellt — besondere Bedeutung zu.
1519 wurde in Regensburg zu Ehren der »schönen Maria« eine provisorische hölzerne Kapelle errichtet. Sie stand an der gleichen Stelle, an der sich bis zu ihrer Zerstörung die Synagoge befunden hatte.
Um das Standbild auf dem Vorplatz lagern sich ekstatische Beter. Pilgerscharen — sie führen große Opferkerzen mit — strömen in das Innere des Hauses, um das wundertätige Bildnis zu schauen. Opfergaben wurden an der Kirche niedergelegt oder

an ihren Wänden angebracht. Mancherlei Arbeitsgerät befand sich darunter, zählte es doch oftmals zum wertvollsten Besitz der plebejischen Massen. Mit dem gerade in der Krisenzeit des ausgehenden 15. und des beginnenden 16. Jahrhunderts so massiv propagierten Marienkult, der im Zusammenhang mit der mystischen Gegenwart Christi in der Kirche steht, versuchte die Kirche, ihre Institution und die Autorität des Priesters zu festigen.

Luther schrieb 1520 in seinem Sendbrief »an den christlichen Adel deutscher Nation von des christlichen Standes Besserung«: »... Daß die wilden Kapellen und Feldkirchen wurden zu Boden verstoret, als da sein, da die neuen Wallfahrten hingahen: Welsnacht, Sternberg, Trier, das Grimmtal und itzt Regensburg und der Anzahl viel mehr. O wie schwer, elend Rechenschaft werden die Bischof mussen geben, die solchs Teufelsgespenst zulassen und Genieß davon empfangen: sie sollten die ersten sein, dasselb zu wehren, so meinen sie, es sei göttlich, heilig Ding, sehen nit, daß der Teufel solchs treibt, den Geiz zu stärken, falsche, erdichtete Glauben aufzurichten, Pfarrkirchen zu schwächen, Tabernen und Hurerei zu mehren, unnutz Geld und Arbeit verlieren und nur das arm Volk mit der Nasen umfuhren.« K. F.

B 82

83

B 83 Straßburger Meister *Abbildung*

Der Papst als Verwalter der Opfergaben. Um 1522

Bez. r. auf dem Schild eines Sackes:
vmb gelt ein Sack vol ablaß
Holzschnitt. 11,6 x 9,3 cm
Verwendet zusammen mit drei Holzschnittbordüren
als Titelblatt zu Johannes Schweblin:
Ermanu(n)g zu den Questionie-/ren abzustellen über/flüssigen kosten.
Straßburg: J. Prüß d. J. 1522
Erworben 1900
Berlin, Hauptstadt der DDR, Staatliche Museen, Kupferstichkabinett; Inv.-Nr. 329 — 1980

B 84 Heinrich Satrapitanus *Abbildung*

Die Schaustellung eines Heiltums. 1523

Nicht bez.
Holzschnitt. 10 x 10,3 cm
Benutzt als Titelblatt zu Jakob Straus:
Ein kurtz. Christenlich vnterricht des / grossen jrrthumbs, so im heiligthüm zu eren gehalten, das dan / nach gemainem gebrauch der abgötterey gantz gleich ist.
Augsburg: Michel Buchführer 1523
Innsbruck, Tiroler Landesmuseum Ferdinandeum; Inv.-Nr. FB 402

Der Holzschnitt vereinigt zwei verschiedene Darstellungen: eine Prozession mit vorangetragenen Reliquienbehältern, die im Begriff ist, eine Kirche zu betreten, und die Schaustellung und Weisung des Heiltums von der Brüstung eines hohen Gerüsts. Die Zuschauer haben sich auf Stühlen und Bänken niedergelassen; zwischen den Pfosten des Gerüsts stehen bewaffnete Wächter. Der Holzschnitt trägt als Signatur das redende Wappen des Jakob Straus; der Vogel, der nach antiker Auffassung Eisen zerbrechen konnte, galt als Sinnbild der Stärke. Die Anbringung des Wappenschildes an dominierender Stelle kann nicht anders verstanden werden denn als ein Zeichen für die Überwindung des alten Kirchenbrauchs. W. S.

B 84

B 85.1 Heinrich Satrapitanus

Predigermönch und Landsknecht im Gespräch

1521

Benutzt als Titelblatt zu Wolfgang Zierer:
Ain schöner dyalogus / Von ainem Lantzknecht vnd pre-/diger münich wie sy vnder wegen zusamen kom(m)e(n)/ synd vnd was sy mit ain ander geret ha-/ben gemacht durch Wolffgang zierer / vo(n) Saltzburg Ertzknap zu schwatz
Holzschnitt. 11,7x8,2 cm
Innsbruck, Tiroler Landesmuseum Ferdinandeum; Inv.-Nr. FB 402

Die Partner des lutherischen Glaubensgespräches erscheinen als Wanderer, der Mönch mit Reisehut, Wanderstab und Stiefeln bekleidet. Die Landschaft hat symbolische, »überräumliche Bedeutung«: das Gespräch konnte »überall« geführt worden sein. Die Bergknappen, zu denen der Verfasser sich zählt, waren eine der Reformation gegenüber besonders stark aufgeschlossene Berufsgruppe. Möglicherweise ist der Verfassername aber fingiert, denn in einer Schrift des folgenden Jahres 1522 (Kat.-Nr. B 85.2) erscheint Wolfgang Zierer als ein Landsknecht. W. S.

B 85.2 Heinrich Satrapitanus

Kartäusermönch und Jüngling im Gespräch. 1522

Benutzt als Titelblatt zu Wolfgang Zierer:
Ein Christenlich Ge-/sprech, von ainem Waldbruder, vnd ainem waysen der / von seinen vorgengern verlassen ist, die in solten le / ren vn(d) speisen mit dem götlichen wort des dan(n) / ist ain Speiß d(er) seel, gemacht durch Wolff- / ga(n)g zierer, ain from(m)er La(n)tzknecht wie / ers vo(n) in geheret hat, also hat ers / auff geschriben
Holzschnitt. 12,3 x 10,4 cm
Innsbruck, Tiroler Landesmuseum Ferdinandeum; Inv.-Nr. FB 402

Das Gespräch zwischen beiden Beteiligten wird wohl im lutherischen Sinne geführt: der Waise gilt als ein Mensch, der sich von der Kirche verlassen fühlt, und in dem Waldbruder ist eine Anspielung auf den Waldenser, den Häretiker, den Ketzer gegen das von der Kirche propagierte Dogma zu sehen.
Die gleiche Darstellung wurde 1524 für einen Kolmarer Druck verwendet; allerdings wird als Verfasser Heinrich Summerhart genannt. Hier erscheint der Verfasser im Hintergrund als Landsknecht, der den Dialog mitschreibt. W. S.

B 86 Heinrich Satrapitanus zugeschrieben

Luther im Gespräch mit Vertretern der Kirche

1521

Titelblatt zu:
Ain anzaigung wie D./Martinus Luther zu Wurms auff/ dem Reichstag aingefaren durch K(aiserliche) M(ajestät) In/ aygner person verhört und mit im da-/rauff gehandelt
Aus Sammlung von Nagler
Holzschnitt aus zwei Teilen. 11,8x5,9 cm und 11,8x5,5 cm
Berlin, Hauptstadt der DDR, Staatliche Museen, Kupferstichkabinett; Inv.-Nr. 337 – 1980

Das Auftreten Luthers auf dem Reichstag zu Worms bildet einen Höhepunkt in der Berichterstattung der Reformationszeit. Eine große Zahl von Druckschriften wurde herausgegeben, von denen viele allerdings nur in wenigen Exemplaren erhalten geblieben sind. Nicht immer war es möglich, die Herstellung eines eigenen Titelholzschnittes abzuwarten. Es ist eine allgemeine Beobachtung, daß in der Werkstatt des Druckers vorhandene Druckstöcke zu ganz verschiedenen Schriften Verwendung fanden oder daß Drucker zur Montierung vorbereitete Stöcke benutzten, wie im vorliegenden Falle. Bei dem künstlerisch anspruchslosen Holzschnitt bleibt offen, ob mit der Gestalt des disputierenden Mönches ursprünglich eine Darstellung Luthers gemeint war, eine ähnliche Darstellung zeigt das Titelblatt mit Luthers Auftreten vor dem Reichstag (Illustrierte Geschichte. Berlin 1974, Abb. 141). Auch in der Gruppe von Papst, Kardinal, Bischof und Geistlichen sind individuelle Züge nicht zu erwarten. W. S.

B 87 Sebald Beham *Abbildung*

Satire auf das üppige Mönchtum

Bez. u. r.: 1521
Holzschnitt. 9,6x16,3 cm
Dresden, Staatliche Kunstsammlungen, Kupferstich-Kabinett; Inv.-Nr. 1918 – 297

Das Blatt zeigt einen Mönch zwischen zwei Gruppen: Links sind drei Frauengestalten durch Beischriften als Personifizierungen der Todsünden SVPERBIA (Hoffart), LVXVRIA (Wol-

B 8

lust) und AVARICIA (Habsucht) bezeichnet, rechts erscheint ein mit dem Schwert bewaffneter Bauer und eine Frau in zerlumpter Kleidung, als PAVPERTAS (Armut) näher erklärt. Der Bauer greift den Mönch an, hält ihm ein Buch vor, »als solle dieser es verschlingen, um seine Unwissenheit zu kurieren« (Zschelletzschky 1975, S. 223). Mit diesem Buch »mag das Evangelium (gemeint) sein, das wahre Evangelium, die bäuerliche Kampflosung, während ein zweites, vielleicht den Händen des Mönches entfallenes Buch wohl das Alte Testament mit den zehn Geboten ist. ... Der Bauer zwingt das Buch einem Vertreter jenes Standes auf, von dem es in Luthers ein Jahr zuvor erschienenem Appell ›An den christelichen Adel deutscher Nation‹ (Kat.-Nr. C 30) hieß, daß sie allein Meister der (Heiligen) Schrift sein wollen, obschon sie ihr lebelang nichts drinnen lernen« (ebenda). K. F.

B 88 Oberitalien

Chorpult. 1531

Nußbaumholz. H. 297 cm, Schranksockel 128 cm
1902 in Florenz erworben
Berlin, Hauptstadt der DDR, Staatliche Museen, Skulpturensammlung; Inv.-Nr. AEI 104

B 89 Hans Burgkmair *Abbildung*

Papst Julius II., Profilbildnis. 1511

Ausführung des Formschnittes durch Jost de Negker

Bez.: Im Grund die Jahreszahl MCCCCCXI.
und IVLIVS. LIGVR (IENSIS). PAPA.SECVNDVS.
(Julius II. aus Ligurien, Papst)
Tonholzschnitt in Dunkelgrau und Schwarz;
rund ausgeschnittenes Fragment. Ø 24,5 cm
Dresden, Staatliche Kunstsammlungen, Kupferstich-Kabinett
Bartsch 33; Passavant 33

In dem seltenen Druck ist uns eines der bedeutendsten Papstbildnisse, das außerhalb Italiens entstand, erhalten. Das Bildnis ist reliefartig vor einem gemusterten Kassettenfeld wiedergegeben. Wahrscheinlich diente als Vorlage eine Medaille (Kat.-Nr. B 93). Burgkmair wandte das neuartige Verfahren des Tondrucks an, mit dem er durch Konrad Peutinger bekannt wurde.
Der einflußreiche Augsburger Humanist hatte 1508 durch den kursächsischen Kämmerer Degenhart von Pfeffinger Holzschnitte von Cranach erhalten, die durch getönte Gründe und die Anwendung von Vergoldung und Versilberung neuartige Wirkungen erzielten. Auf eigene Kosten ließ Peutinger diese Technik durch Burgkmair vervollkommnen. Burgkmairs vorbereitende Pinselzeichnung vor dunklem Grund, die vermutlich dem Formschneider Jost de Negker als Vorlage diente, ist im Kupferstichkabinett Berlin (West) erhalten (KdZ 692). Seit 1509 bemühte sich Peutinger wohl im Auftrag der Welser um eine Vorlage dieses Bildnisses, da in dieser Zeit die Welser geschäftliche Verbindungen mit dem päpstlichen Hof anstrebten.
Holzschnitte dieser Art wurden meistens aufgeklebt und zu dekorativen Zwecken verwendet. W. S.

B 89

Medaillen der Päpste

Das für die anderen Künste so aufgeschlossene Rom hat die Medaillenkunst erst zögernd entdeckt, sie dann aber als ein künstlerisches wie auch politisches Medium zu nutzen gewußt. Als erster ist der als Gelehrter Humanismus und Kunst fördernde Papst Nikolaus V. (1447 – 1455) auf einer Medaille kurz vor seinem Tode von dem Florentiner Meister Andrea Guazzalotti porträtiert worden; Guazzalotti hat auch als einziger Medaillen von den Päpsten Calixt II. (1455 – 1458) und Pius II. (1458 – 1464) geschaffen, aber erst zur Zeit Pauls II. (1464 – 1471) kommt die Medaille in Rom zu größerer Entfaltung, wenn auch nicht durch einheimische, sondern durch meist aus Oberitalien zugewanderte, vom Ruf der Kunststadt angezogene Medailleure. Mit dem aus Mantua stammenden Cristoforo di Geremia ist erstmals seit 1465 ein Bildhauer und Goldschmied auch als Medailleur für den Papst tätig, ihm folgt sein Neffe Lysipp als Medailleur des päpstlichen Rom unter Sixtus IV. (1471 – 1484). Nicht nur große Meister der Malerei und Plastik fanden sich in Rom zur Zeit Julius' II. zusammen, auch die Medaille ist nun mit bedeutenden Meistern vertreten: der in Rom gebürtige, vielfach auch in Mantua und Mailand arbeitende Bildhauer Giancristo-

foro Romano, Caradosso Foppa, der erst in Mailand und von 1505 bis 1527 in Rom auch als Goldschmied tätig war, sowie der als Münzstempelschneider an den Münzstätten in Venedig und Rom angestellte Vittore Gambello genannt Camelio. Sie gehören zu einer Künstlergeneration, die von dem großen Impetus der frühen Meister zu einem verfeinerten, auf Eleganz und Glätte gerichteten Stil im 16. Jahrhundert überleitet.
Hat Rom nur geringen Anteil an der frühen monumentalen Gußmedaille der Renaissance, so nahm von hier die geprägte historisch-politische Medaille ihren Ausgang. Die Päpste erkannten die Möglichkeit, die ihnen ein metallenes, daher haltbares Porträt, verbunden mit einem ihre Person oder bestimmte Umstände verdeutlichenden Bild, als Propagandamittel bot. Eine in der Antike verbreitete Praktik erfuhr ihre Wiederbelebung in einer Zeit, als besonders antike römische Münzen zu Sammelobjekten wurden, sie dienten nicht nur als Bildvorlagen für manche Medaillen, sondern wurden auch in betrügerischer Absicht gefälscht. Die Medaillen waren nun nicht länger mehr die einem kleinen Kreis gewidmeten Freundschafts- und Erinnerungsgaben, sondern sie hatten vom Ruhm des Papstes, von bestimmten Ereignissen, wie Krönungen, Grundsteinlegungen, Friedensstiftungen, zu künden, hatten eine Selbstdarstellung des Papstes zu verbreiten, die oft nicht den Tatsachen, jedoch seinen moralischen Ansprüchen entsprach. Dies zu ermöglichen, mußten Medaillen in großer Zahl verteilt werden können, was nicht mit aufwendigem Gußverfahren, wohl aber mit der Prägetechnik zu erzielen war. Camelio fertigte Guß- und Prägemedaillen, auch Caradosso kann möglicherweise Medaillenstempel geschnitten haben. Der aus Florenz stammende Edelsteinschneider Pier Maria Serbaldi, Münzmeister in Rom, lieferte für den Papst geprägte Medaillen, bevor der berühmte Goldschmied Benvenuto Cellini 1529 dort seine Tätigkeit als Stempelschneider aufnahm. Als hervorragender Techniker, der in den »Abhandlungen über die Goldschmiedekunst« die Münz- und Medaillenherstellung ausführlich beschrieb, konnte er auch trocken-akademischen Bildern durch delikaten Stempelschnitt zum Leben verhelfen. Was technische Brillanz betrifft, war ihm unter seinen Nachfolgern Alessandro Cesati, der 1540 bis 1563 für die päpstliche Münze arbeitete, womöglich noch überlegen. Die Prägemedaille hatte in Rom ihren ersten Höhepunkt erreicht. L. B.

B 90 Niccolo Forzore Spinelli, genannt Niccolo Fiorentino

Papst Innocenz VIII. (1484–1492). Um 1485/86

Vs.: INNOCENTII.IANV–ENSIS.VIII.PONT.MAX.
(Bildnis des obersten Priesters Innocenz VIII. aus Genua)
Rs.: .IVSTITIA. – .PAX. – COPIA.
(Gerechtigkeit, Frieden, Wohlstand)
Bronze, gegossen. ∅ 5,5 cm
Berlin, Hauptstadt der DDR, Staatliche Museen, Münzkabinett
Habich, Italien, S. 68; Hill Nr. 928; Hill and Pollard S. 79

B 91 Römischer Meister

Papst Alexander VI. (1492–1503). 1492

Vs.: ALEXANDER. – .VI.PONT.MAX.
(Alexander VI., oberster Priester)
Rs.: CORONAT (Krönung)
Bronze, gegossen. ∅ 4,6 cm; gelocht
Berlin, Hauptstadt der DDR, Staatliche Museen, Münzkabinett
Habich, Italien, S. 96; Hill Nr. 853; Hill and Pollard S. 64f.

B 92

B 92 Römischer Meister *Abbildung*

Papst Alexander VI.

Vs.: ALEXANDER.VI.PONT.MAX.IVST.PACIS.Q.CVLTOR
(Papst Alexander VI., Hüter von Gerechtigkeit und Frieden)
Rs.: ARCEM.IN.MOLE.DIVI.HADR.INSTAVR.FOSS.AC. PROPVGNACVLIS.MVN
(Er hat die Burg im Grabmal Kaiser Hadrians errichten lassen als Graben und Bollwerk der Welt)
Bronze, gegossen. ∅ 5,3 cm; gelocht
Berlin, Hauptstadt der DDR, Staatliche Museen, Münzkabinett

Auf der Rs. ist die vom Tiber aus gesehene, über dem Grabmal des römischen Kaisers Hadrian errichtete Engelsburg wiedergegeben, deren Ausbau zur Festung unter Alexander VI. fortgesetzt wurde. Finanzielle Basis auch für kulturelle Vorhaben des skrupellosen, berüchtigten Papstes aus dem Hause Borgia, der die Vernichtung des religiösen und moralischen Mahners Savonarola veranlaßte, waren in noch stärkerem Maße als unter seinen Vorgängern Korruption, Ämterverkauf großen Stils und der besonders im Jubeljahr 1500 betriebene Ablaßhandel. L. B.

Habich, Italien, S. 97; Hill Nr. 854; Ausstellungskat. »Bauten Roms« Nr. 192

B 93 Cristoforo Caradosso Foppa *Farbtafel Seite 197*

Papst Julius II. (1503–1513). 1506

Vs.: IVLIVS LIGVR PAPA SECVNDVS MCCCCCVI.
(Papst Julius II. aus Ligurien, 1506)
Rs.: TEMPLI PETRI INSTAVRACIO
(Erneuerung der Kirche Petri)
unten: VATICANVS M(ons) (Berg Vatikan)
Bronze, gegossen. Ø 5,6 cm
Berlin, Hauptstadt der DDR, Staatliche Museen, Münzkabinett

Das breit gelagerte, flach gehaltene Bildnis in Tonsur und besticktem Pluviale gilt als das ausdrucksstärkste Medaillenporträt des Papstes und ist der Prototyp für eine Reihe von Münzen (Kat.-Nr. B 98, 99) und Medaillen (Kat.-Nr. B 94–97, 100); Hans Burgkmair d. Ä. kopierte es 1511 in einem Holzschnitt (Kat.-Nr. B 89). Auf den Zweck der Medaille, die Kunde vom Ruhm des kunstsinnigen Papstes an die Zeitgenossen und Nachfahren zu übermitteln, deutet die Rs. mit dem Petersdom nach Bramantes nicht ausgeführtem Entwurf. In den Grundstein des Petersdoms wurden am 18. April 1506 zwei Gold- und zehn Bronzeexemplare versenkt (Weiss S. 170). L. B.

Habich, Italien, S. 95; Hill Nr. 659; Weiss, S. 170, Taf. 30d; Kress Collection Nr. 194; Hill and Pollard S. 65; Ausstellungskat. »Bauten Roms« Nr. 342

B 94 Cristoforo Caradosso Foppa

Papst Julius II. Nach 1506

Vs.: Umschrift und Bildnis wie Kat.-Nr. B 93
Rs.: PEDO SERVATAS OVES AD REQVIEM AGO
(Mit dem Hirtenstab führe ich die erretteten Schafe zur Rast)
Silber, gegossen. Ø 5,5 cm
Berlin, Hauptstadt der DDR, Staatliche Museen, Münzkabinett
Habich, Italien, S. 96; Hill Nr. 661; Weiss, S. 170, Taf. 30e

B 95 Giancristoforo Romano

Papst Julius II. Nach 1505

Vs.: IVLIVS II LIGVR SAON PONT MAX
(Julius II. aus dem ligurischen Savona, oberster Priester)
Rs.: IVSTITIAE PACIS FIDEIQ RECVPERATOR
(Der Wiedereroberer des Rechts, des Friedens und des Glaubens)
Bronze, gegossen. Ø 4,7 cm
Berlin, Hauptstadt der DDR, Staatliche Museen, Münzkabinett

Das scharfgratige, hochreliefierte Porträt gibt trotz der bequemen Kleidung (Samtkäppchen und Schulterumhang) in den energischen Gesichtszügen eine treffende Charakterisierung des Papstes. Die typisch im Renaissancesinne gestaltete Rs., auf der sich Pax mit Ölzweig und Fortuna mit Ruder über einem Feueraltar die Hände reichen, erinnert an Concordia-Darstellungen auf römischen Münzen. Sie könnte sich auf den 1504 durch Vermittlung des Papstes geschlossenen Frieden zwischen Ludwig XII. von Frankreich und Ferdinand von Aragon beziehen und ist Ausdruck der klassizistischen Intention des Künstlers. Die Medaille wird bald nach Romanos Ankunft in Rom Ende 1505 entstanden sein; in einem Brief von Jacopo d'Arti an Isabella d'Este 1507 findet sie erste schriftliche, rühmende Erwähnung. L. B.

Habich, Italien, S. 91; Hill Nr. 222; Weiss, S. 172, Taf. 31a, b; Panvini Rosati Nr. 48; Hill and Pollard S. 51

B 96 Pier Maria Serbaldi

Papst Julius II. 1508

Vs.: IVLII.II.ARCIS.FVNDAT. (Julius II., Erbauer der Burg)
Rs.: CIVITA VECHIA
Bronze, geprägt. Ø 3,05 cm
Berlin, Hauptstadt der DDR, Staatliche Museen, Münzkabinett

Die Medaille mit der Ansicht des von Michelangelo entworfenen fünftürmigen Kastells von Civitavecchia wurde in Anwesenheit des Papstes 1508 in den Grundstein der Befestigung gelegt, die als Hafen und Stützpunkt im Kampf gegen die Türken eine wichtige Funktion hatte. L. B.

Hill Nr. 224; Weiss, S. 177, Taf. 32d, e

B 97.1 Pier Maria Serbaldi

Papst Julius II. 1509

Vs.: IVLIVS.SECVNDVS.PONTIFEX.MAXI.
(Julius II., oberster Priester)
Rs.: IVRI.REDD (Der Gerechtigkeit überlassen)
Bronze, geprägt. Ø 3,1 cm
Berlin, Hauptstadt der DDR, Staatliche Museen, Münzkabinett
Hill Nr. 225; Weiss, S. 117, Taf. 32f, g; Rash-Fabbri Abb. 1

B 97.2 Pier Maria Serbaldi

Papst Julius II. 1509

Vs.: Umschrift und Bildnis wie Kat.-Nr. B 96
Rs.: Schriftlos
Bronze, geprägt. Ø 3,1 cm
Berlin, Hauptstadt der DDR, Staatliche Museen, Münzkabinett

Der nach Plänen Bramantes nicht vor 1509 begonnene und nicht fertiggestellte Bau des Justizpalastes in der römischen Via Giulia war Anlaß zur Prägung der Medaillen, die in den Grundstein gelegt wurden. Die Rückseiten zeigen das Gebäude, auf der zweiten Medaille zusammen mit einer weiblichen Gestalt mit Schwert und Waage, der Gerechtigkeit, und mit dem Gott Vulkan als einem auf einen Amboß hämmernden Schmied. Diese lange ungedeutet gebliebene Gegenüberstellung hat N. Rash-Fabbri 1975 interpretiert: Das neue goldene Zeitalter löst das eiserne, durch Vulkanus symbolisierte, ab, wenn Justitia zurückkehrt. Julius II. eröffnet mit seinem Pontifikat das goldene Zeitalter, er will sich bewußt von seinen skrupellosen Vorgängern unterscheiden, wie es bald nach seiner Wahl der Dichter Pietro Bembo ausdrückte und in welchem Sinne auch Giancristoforo Romanos Medaille (Kat.-Nr. B 95) zu verstehen ist, die den Papst als Wiedererwecker der Gerechtigkeit preist. Die früher als Romanos Arbeiten geltenden Prägemedaillen sind in neuerer Forschung von Weiss dem römischen Stempelschneider Pier Maria Serbaldi zugeschrieben worden, der 1499 bis 1522 an der Münze in Rom angestellt war und auch die Münzstempel der Päpste schnitt (Kat.-Nr. B 98, 99). Sowohl die Porträts auf den kleinen Medaillen wie auf den Münzen gehen auf die päpstliche Bildnismedaille von Cristoforo Caradosso Foppa zurück (Kat.-Nr. B 93). L. B.

Hill Nr. 227; Weiss, S. 178, Taf. 32h, i

B 98 Pier Maria Serbaldi, Münzstätte Rom

Doppeldukat Papst Julius II.

Vs.: IVLIVS.II.LIGVR.–P.M.
(Julius II. aus Ligurien, oberster Priester)
Rs.: NAVIS.AETERNAE.SALVTIS.
(Das Schiff des ewigen Heils).
Die Apostel Petrus und Paulus im Boot
Gold, geprägt. ∅ 3,5 cm; 6,74 g
Berlin, Hauptstadt der DDR, Staatliche Museen, Münzkabinett
Corpus Nummorum Italicorum, 15, S. 318, Nr. 3

B 99 Pier Maria Serbaldi, Münzstätte Rom

Doppelgiulio Papst Julius II.

Vs.: IVLIVS II.PONTIFEX.MAXIMVS.
(Julius II., oberster Priester)
Rs.: PAX.RO–MANA. (Der römische Friede). Wappen
Silber, geprägt. ∅ 2,9 cm; 7,65 g
Berlin, Hauptstadt der DDR, Staatliche Museen, Münzkabinett
Corpus Nummorum Italicorum, 15, S. 324, Nr. 46

B 100 Vettore Gambello, genannt Camelio

Papst Julius II. Um 1513

Vs.: IVLIVS.LIGVR.–PAPA SECVNDVS.MCCCCCVI.
(Papst Julius II. aus Ligurien, 1506)
Rs.: PASCITE QVI IN VOBIS GREGEM DEI
(Weidet die Herde Gottes, die bei euch ist)
Bronze, gegossen nach geprägtem Urstück. ∅ 3,4 cm; gelocht
Berlin, Hauptstadt der DDR, Staatliche Museen, Münzkabinett

Die Bildnisseite ist der Medaille von Caradosso Foppa (Kat.-Nr. B 93) nachgeschaffen. Das Datum 1506 ist von diesem Stück übernommen und gibt nicht das Entstehungsjahr an, das nach 1510 anzunehmen ist, als Camelio von Venedig fortstrebte und sich möglicherweise mit dieser Medaille beim Papst als Stempelschneider einführen wollte. Ab 1513 ist er in Rom nachweisbar. Auf der Rs. wird mit der Schlüsselübergabe durch Petrus an den vor ihm knienden Papst, welche Szene der thronende Christus segnet, an die Nachfolge Petri erinnert, wozu auch in Anspielung auf das päpstliche Hirtenamt die Umschrift gehört, die ein Bibelzitat aus dem ersten Brief des Petrus ist. L. B.

Hill Nr. 445; Weiss, S. 171

B 101 Niccolo Forzore Spinelli genannt Niccolo Fiorentino *Abbildung*

Kardinal Giovanni de' Medici, später Papst Leo X.

Vs.: IOANNES.S.MARIE.INDOMNICA.DIACONI.CAR.DE.MEDICIS
(Johannes de' Medici, Kardinaldiakon in San Maria in Domnica)
Rs.: .CHARITAS.SPE–S.–FIDES (Liebe, Hoffnung, Glauben)
Bronze, gegossen. ∅ 8,5 cm
Berlin, Hauptstadt der DDR, Staatliche Museen, Münzkabinett

Kardinal Giovanni de' Medici ist vermutlich nicht lange vor seiner Wahl zum Papst 1513 in einem lebendigen, großzügig angelegten Porträt festgehalten, das zu den spätesten des Florentiner Bildhauers gehört. Die nach Art des Künstlers oder seiner Werkstatt sorglos konzipierte Figur der Rs. mit Kelch in der Linken und einen Palmzweig tragendem Putto zu ihren Füßen ist als Personifikation von Nächstenliebe, Hoffnung und Glauben zu verstehen. L. B.

Habich, Italien, S. 71; Hill Nr. 1053

B 101

B 102 Römischer Meister

Papst Leo X. (1513 – 1521)

Vs.: LEO.X.P.MAX. (Leo X., oberster Priester)
Rs.: GLORIA ET HONORE CORONASTI EV.DE
(Mit Ruhm und Ehre kröntest du ihn)
Bronze, gegossen. ∅ 7,9 cm
Berlin, Hauptstadt der DDR, Staatliche Museen, Münzkabinett
Hill Nr. 880; Kress Collection Nr. 239; Hill and Pollard, S. 84

B 103 Römischer Meister

Papst Leo X.

Vs.: LEO.X.–PONT.MAX (Leo X., oberster Priester)
Rs.: C – P (Consensu populi = mit Genehmigung des Volkes)
Im Abschnitt: ROMA
Bronze, gegossen. ∅ 3,4 cm
Berlin, Hauptstadt der DDR, Staatliche Museen, Münzkabinett
Hill Nr. 885

B 104 Niederländischer Meister

Papst Hadrian VI. (1522 – 1523)

Vs.: M.ADRIAEN VAN GOD GHEKOREN PAVS VA ROMA TVTRECHT GEBOREN
Bronze, gegossen, einseitig. ∅ 8,35 cm
Berlin, Hauptstadt der DDR, Staatliche Museen, Münzkabinett

Die Medaille mit dem Bildnis des aus den Niederlanden stammenden Papstes in Tiara und Chormantel zwischen den Wappen von Utrecht und des Papstes hat niederländische Umschrift und ist die Arbeit eines unbekannten, im Siegelschnitt bewanderten Niederländers. Nach Ansicht von van Gelder muß der Meister das asketische Bildnis aus mehrjähriger Erinnerung geschaffen haben, da Hadrian seit 1515 nicht mehr in Utrecht, sondern in Spanien und Italien weilte. Die Bildnistreue ist daher nicht gesichert. L. B.

E. van Gelder, Het Penningportret van Paus Adrianus VI, De Geuzenpenning, 10, 1960, S. 1–3; Kress Collection Nr. 629

B 105 Stempelschneider aus Parma

Giulio Papst Hadrian VI.

Vs.: HADRIANVS.SEXTV'.P.MAX.
(Hadrian VI., oberster Priester)
Rs.: DOMINVS. – PARMAE. (Herr von Parma). Wappen
Silber, geprägt. ∅ 2,7 cm; 3,75 g
Berlin, Hauptstadt der DDR, Staatliche Museen, Münzkabinett
Corpus Nummorum Italicorum, 9, S. 416, Nr. 2; E. van Gelder, Het Penningportret van Paus Adrianus VI, De Geuzenpenning, 10, 1960, S. 1

B 106

B 106 Römischer Stempelschneider *Abbildung*

Dreifacher Giulio Papst Clemens VII. (1523 – 1534)

Vs.: .CLEMENS.VII.PONTIFEX.MAX.
(Clemens VII., oberster Priester)
Rs.: .IVSTI.INTRA/RVNT.IN.EAM
(Die Gerechten sind durch sie hindurchgegangen)
Silber, geprägt. ∅ 3,1 cm; 2,72 g
Berlin, Hauptstadt der DDR, Staatliche Museen, Münzkabinett

Die einzige zeitgenössische geprägte bildliche Beziehung zum Jubeljahr 1525 stellt keine Medaille, sondern die in Rom geprägte Münze her mit der von den Heiligen Petrus und Paulus flankierten heiligen Pforte. Die Münze bringt entgegen den von Medaillen bekannten bärtigen Porträts Clemens' VII. einen jugendlichen, idealisierten Typ, der erst auf 1527 datierten Münzen dem Alter des 49jährigen angepaßt wurde. L. B.

Armand II. S. 165.1; Corpus Nummorum Italicorum, 15, S. 379, Nr. 8

B 107

B 107 Giovanni Paladino *Abbildung*

Papst Clemens VII.

Vs.: CLEMENS.VII.PONT.MAX. Unten: MDXXV.AN.II.
(Clemens VII., oberster Priester, 1525 im 2. Jahr)
Rs.: RESERAVIT.ET.CLAVSIT.ANN.IVB.
(Er hat im Jubeljahr geöffnet und geschlossen)
Silber, geprägt. ∅ 4,3 cm
Berlin, Hauptstadt der DDR, Staatliche Museen, Münzkabinett
Armand III. S. 144. Q (Variante)

B 108

B 108 Francesco di Girolamo dal Prato *Abbildung*

Papst Clemens VII.

Vs.: .CLEMENS.VII.PONTIF.MAX.
(Clemens VII., oberster Priester)
Rs.: .POST MVLTA PLVRIMA – RESTANT
(Nach vielem bleibt das meiste)
Silber, gegossen. ∅ 5,15 cm
Berlin, Hauptstadt der DDR, Staatliche Museen, Münzkabinett

Als Maler, Goldschmied und Bildhauer war Francesco dal Prato abwechselnd in Florenz und Rom tätig, nur zwei Medaillen sind von seiner Hand bekannt: Clemens VII. und Alessandro de' Medici, die auch von Vasari erwähnt werden. L. B.

Armand I. S. 141.2; Habich, Italien, S. 118

B 109 Benvenuto Cellini

Papst Clemens VII. 1534

Vs.: CLEMENS.VII.PONT.MAX.AN.XI.M.D.XXXIIII.
(Clemens VII., oberster Priester im 11. Jahr 1534)
Rs.: VT/BIBAT/POPVLVS (Damit das Volk trinke)
Bronze, vergoldet, gegossen nach geprägtem Urstück ∅ 3,8 cm
Berlin, Hauptstadt der DDR, Staatliche Museen, Münzkabinett

Auf der Rs. ist dargestellt, wie Moses vor den Augen des durstenden Volkes Israel Wasser aus dem Felsen schlägt. Das vom Papst selbst vorgeschlagene Bild war weniger wegen seines biblischen Gehaltes gewählt worden, vielmehr sollte die Medaille an den berühmten Brunnen von Orvieto erinnern, der auf Veranlassung Clemens' VII. zwischen 1527 und 1537 angelegt wurde. L. B.

Armand I., S. 148.8; Habich, Italien, S. 114

B 110 Benvenuto Cellini

Papst Clemens VII. 1534

Vs.: CLEMENS.VII.PONT.MAX.AN.XI.M.D.XXXIIII.
(Clemens VII., oberster Priester im 11. Jahr 1534)
Rs.: CLAVDVNTVR.BELLI.PORTA.
(Die Pforte des Krieges wird geschlossen)
Rechts auf der Säule: BENVENVTV/F.
(Benvenuto hat es gemacht)
Bronze, geprägt. ∅ 4,0 cm
Berlin, Hauptstadt der DDR, Staatliche Museen, Münzkabinett

Der Papst aus dem Hause Medici, dessen Pontifikat durch Geheimverträge, Intrigen und Kriege zur Stärkung seiner Hausmacht, nicht aber durch kirchenstaatliche Interessen gekennzeichnet ist, der mit Kaiser Karl V. im Streit lag, das grausame Morden und Plündern in Rom 1527 durch des Kaisers Söldner mitverschuldete, diesen schließlich 1530 in Bologna krönte, läßt sich in seinem letzten Lebensjahr als Friedensbringer feiern: Der personifizierte Frieden als weibliche Gestalt mit Füllhorn und Fackel zündet am Boden liegende Waffen an, die Kriegsfurie als wilde männliche Gestalt ist an den geschlossenen Janustempel gekettet. L. B.

Armand I., S. 148.9; Habich, Italien, S. 114

B 111 Alessandro Cesati

Papst Paul III. (1534 – 1549). 1546

Vs.: PAVLVS.III.PONT.MAX.AN.XII./
(Paul III., oberster Priester im 12. Jahr.)
ΑΛΕΞΑΝΔΡΟΣ/ΕΠΟΕΙΕ *(Alexander hat es gemacht)*
Rs.: OMNES REGES SERVIENT EI
(Alle Könige werden ihm dienen)
Bronze, gegossen nach geprägtem Urstück. ∅ 5,7 cm; gelocht
Berlin, Hauptstadt der DDR, Staatliche Museen, Münzkabinett

Die einzige signierte Medaille des Stempelschneiders Cesati stellt dem würdevollen Altersbildnis des Papstes auf der Rs. in theatralischer Gestik den Hohenpriester von Jerusalem gegenüber, vor dem Alexander der Große auf den Knien liegt. Die Medaille fand, wie Vasari berichtet, Michelangelos höchstes Lob. L. B.

Armand I., S. 171.4; Habich, Italien, S. 116; Hill and Pollard S. 90

B 112 Alessandro Cesati *Abbildung*

Papst Paul III. 1547

Vs.: PAVLVS III.PONT.MAX.AN.XIII
(Paul III., oberster Priester im 13. Jahr)
Rs.: PETRO.APOST.PRINC./PAVLVS.III.PONT/MAX.
(Der oberste Priester Paul III. dem ersten Apostel Petrus)
Silber, geprägt. ∅ 4,15 cm
Berlin, Hauptstadt der DDR, Staatliche Museen, Münzkabinett

B 112

B 116

Der Petersdom war in der Zeit intensiver Planungs- und Bautätigkeit immer wieder Anlaß für Medaillenprägungen. Hier wird er akkurat nach einem von Antonio da Sangallo Ende der dreißiger Jahre des 16. Jahrhunderts vorgelegten Plan abgebildet. L. B.

Armand I., S. 172.7; ähnlich: Ausstellungskat. »Bauten Roms« Nr. 344

B 113 Gian Federigo Bonzagna

Papst Paul III. 1549/50

Vs.: PAVLVS.III.PONT.OPT.MAX.AN.XVI.
(Der oberste Priester Paul III. im 16. Jahr)
Rs.: TVSCVLO./REST. *(Dem erneuerten Tusculum)*
Oben: RVFINA
Silber, geprägt. ∅ 3,7 cm
Berlin, Hauptstadt der DDR, Staatliche Museen, Münzkabinett
Armand II., S. 168.19 und III., S. 229,K (Variante); Ausstellungskat. »Bauten Roms« Nr. 264

B 114 Römischer Stempelschneider

Papst Paul III. 1550

Vs.: PAVLVS.III.PONT.MAX.AN.XVI.
(Der oberste Priester Paul III. im 16. Jahr).
Auf dem Pluviale: ANNO IVBILAEI.MDL *(Im Jubeljahr 1550)*
Rs.: ALMA.ROMA *(Segenspendendes Rom)*
Silber, geprägt. ∅ 4,2 cm
Berlin, Hauptstadt der DDR, Staatliche Museen, Münzkabinett
Armand II., S. 168.17; Panvini Rosati, Nr. 144 (Gian Federigo Bonzagna zugeschrieben; Armand-Zitat irrig); Ausstellungskat. »Bauten Roms« Nr. 184

B 115 Cristoforo Caradosso Foppa

Medaille Donato Bramante

Vs.: BRAMANTES ASDRVVALDINVS
(Bramante, der Asdrualdiner [Asdrualdo ist der Geburtsort Bramantes])
Die Schrift steht auf dem Kopf
Rs.: FIDELITAS LABOR *(Zuverlässigkeit, Arbeit)*
Silber, gegossen. ∅ 4,25 cm; später Nachguß
Berlin, Hauptstadt der DDR, Staatliche Museen, Münzkabinett
Habich, Italien, S. 96; Hill Nr. 657; Panvini Rosati Nr. 96; Kress Collection Nr. 193; Hill and Pollard S. 65

B 116 Giancristoforo Romano *Abbildung*

Medaille Lucretia Borgia. Um 1505

Vs.: LVCRETIA.BORGIA.ESTEN.FERRARIAE.MVT.AC.REGII.D.
(Lucretia Borgia d'Este, Herzogin von Ferrara, Modena und Reggio)
Rs.: VIRTVTI AC FORMAE PVDICITIA PRAECIOSISSIMVM
(Das Wertvollste von Tugend und Schönheit ist Sittsamkeit)
Bronze, gegossen. ∅ 5,8 cm
Berlin, Hauptstadt der DDR, Staatliche Museen, Münzkabinett

Das einzige authentische Bildnis der Lucretia Borgia (1480 – 1517), der natürlichen Tochter von Papst Alexander VI., zeigt sie in dritter Ehe, nachdem die erste geschieden, der zweite Mann durch Cesare ermordet worden war, um 1505 als Frau Alfonso d'Estes, Herzogs von Ferrara, an dessen Hof sie von Dichtern und Gelehrten wie Ariosto und Bembo umgeben war. Von besonderem Reiz und voll sinnreichem Renaissancegeist ist die Rs. mit dem an einen Lorbeerbaum gefesselten Amor, dessen Augen verbunden, dessen Werkzeuge unbrauchbar geworden sind: Der Köcher mit Pfeilen ist zerbrochen, die Sehne des Bogens zerrissen ebenso wie die der Geige, das Notenblatt ist unvollständig. Amor ist unschädlich geworden. Selbstüberwindung von Lucretia will das vielleicht von Pietro Bembo erfundene Bild ausdrücken, zu dem Lucretia brieflich 1503 vom Dichter eine passende Umschrift erbittet (J. Friedländer, Italienische Schaumünzen, 1882, S. 166). Die Buchstaben auf der Tafel BC–FPHFF–EN bleiben trotz verschiedener Auflösungsvorschläge ungedeutet. Die Zuschreibung an Giancristoforo Romano ist nicht voll gesichert. L. B.

Habich, Italien, S. 92; Hill Nr. 233; Hill and Pollard S. 51; Salton Collection Nr. 15

B 117

B 117 Pasquale da Caravaggio *Abbildung*

Porträtbüste Papst Alexanders VI. Um 1495

Büste, Rückseite ausgearbeitet, Carrara-Marmor
H. 80,5 cm, Br. 67,5 cm
1846 in Berlin erworben
Durch Kriegseinwirkung teilweise zerstört
Berlin, Hauptstadt der DDR, Staatliche Museen,
Skulpturensammlung; Inv.-Nr. 256

Dieses Werk galt ehemals als Porträt Papst Pauls II. (1464 – 1471); durch Vergleiche mit Bildnismedaillen und Münzen konnte es jedoch als Darstellung Papst Alexanders VI. (1492 – 1503), der aus dem spanischen Hause Borgia stammte, identifiziert werden.
Alexander ist im päpstlichen Ornat wiedergegeben: Die kunstvoll gestaltete Schließe des Pluviales war ursprünglich mit dem Wappen des Papstes verziert. Das Bildnis steht in der Reihe der Papstbüsten (Pius II., Paul II.), die im späten 15. Jahrhundert in Rom von lombardischen Bildhauern geschaffen wurden. Sie sind charakterisiert durch leere Repräsentation und gröbere Ausführung und sind typisch für die römische Plastik dieser Zeit, die sich nicht mit der florentinischen und venezianischen Bildhauerkunst des späten Quattrocento messen konnte.
Die Zuschreibung an Pasquale da Caravaggio geht auf James v. Schmidt zurück. E. Fr.

B 118 Andrea Sansovino *Abbildung*

Bildnisbüste der Teodorina Cibo. Um 1505

Büste, Rückseite abgeflacht, Carrara-Marmor. H. 63 cm
1883 in Rom erworben
Durch Kriegseinwirkung beschädigt
Berlin, Hauptstadt der DDR, Staatliche Museen,
Skulpturensammlung; Inv.-Nr. 280

B 119 Andrea Sansovino *Abbildung*

Bildnis des Kardinals Antonio del Monte Nach 1511

Rundbild, Relief, Carrara-Marmor. Ø 60 cm
1899 in Florenz erworben
Berlin, Hauptstadt der DDR, Staatliche Museen,
Skulpturensammlung; Inv.-Nr. 281

Das Reliefporträt soll aus dem Palazzo del Monte in Monte Sansovino stammen. Es zeigt das Profilbildnis des Antonio Ciocchi (1461 – 1533), der sich nach seinem Geburtsort »del Monte« nannte und der 1511 zum Kardinal und Bischof von Pavia gewählt wurde. Die umlaufende Inschrift lautet: A. DYON. CAR. S. PRAXED. EPS. PAPIEN (Antonio Dyonisio, Kardinal von Santa Prassede, Bischof von Pavia) und weist darauf hin, daß dieses Marmorrelief erst nach 1511 entstanden sein kann.

B 11

119

Auf dem Rundbild ist der Kardinal in Hochrelief und in antiker Manier als Profilporträt dargestellt. Die markanten Gesichtszüge heben sich wirkungsvoll von dem glatten Hintergrund ab. Die Vereinfachung der Formen, die großzügige Umrißführung und die Plastizität des Reliefs sprechen durchaus für die Hand eines bedeutenden Bildhauers, so daß die Urheberschaft Andrea Sansovinos als sicher gelten kann, zumal er zahlreiche Werke im Auftrage des Kardinals geschaffen hat, unter anderem auch dessen Villa in Rom.
Andrea Sansovino wurde 1504 durch Papst Julius II. nach Rom berufen. In seinem Schaffen als Bildhauer erreichte er eine Synthese der florentinischen Tradition des 15. Jahrhunderts mit der Kunst der römischen Hochrenaissance. E. Fr.

B 120 Raffael (Raffaello Santi) *Abbildung Seite 152*

Der Triumph der Religion (La Disputà del Sacramento)

Kopie von August Temmel, vollendet von August Theodor Kaselowsky, nach dem Wandbild in der Stanza della Segnatura des Vatikan
Leinwand. 226 x 314 cm
(Größe des Originals 587,5 x 818 cm)
1846 durch Friedrich Wilhelm IV. erworben
Potsdam-Sanssouci, Staatliche Schlösser und Gärten, Orangerie, Raffaelsaal; Inv.-Nr. GK I 5 819

Der Freskenzyklus in der Stanza della Segnatura, dessen Ausführung Raffael 1508 im Auftrag des Papstes Julius II. begann, umfaßt Darstellungen zu den Themen Theologie, Philosophie, Jurisprudenz und Poesie. Das der Theologie gewidmete Lünettengemälde zeigt den Triumph der christlichen Religion nach dem Glaubensverständnis der römischen Kirche. In seiner formalen Ausgewogenheit, die dem Bildinhalt in idealem Maße gerecht wird, ist das Fresko eines der vollendetsten Werke der Renaissancemalerei. In der Mitte der Himmelszone die heilige Dreieinigkeit: Gottvater, Christus mit Maria und Johannes dem Täufer und die Taube des heiligen Geistes, flankiert von Engelpaaren mit den Evangelienbüchern und einer Reihe von Vertretern des Alten und Neuen Bundes. Im Zentrum der unteren Bildzone, die die »menschliche Teilhabe an der göttlichen Präsenz durch das Mysterium der Eucharistie« symbolisiert (Dussler), der Altar mit der Monstranz. Links und rechts sitzend die vier lateinischen Kirchenväter, umgeben von Männern, die sich um die Festigung und Ausbreitung des christlichen Glaubens verdient gemacht haben. Unter ihnen der Maler Fra Angelico (am linken Bildrand) und Dante (rechts hinter dem segnenden Papst Sixtus IV.). G. B.

B 121 Raffael (Raffaello Santi) *Abbildung*

Papst Leo X. mit den Kardinälen Giulio de' Medici und Luigi Rossi

Kopie von Georg Friedrich Bolte nach der 1524 von Andrea del Sarto gemalten, im Museo Nazionale, Neapel, befindlichen Kopie des Originals in der Galleria degli Uffizi, Florenz
Leinwand. 162 x 123 cm

B 121

B 120

(Größe des auf Holz gemalten Originals 154 x 119 cm)
Bez. auf der Rückseite: Copie nach Raphael von G. F. Bolte. Museo Borbonico Napoli 1850.
1856 durch Friedrich Wilhelm IV. erworben
Potsdam-Sanssouci, Staatliche Schlösser und Gärten, Orangerie, Raffaelsaal; Inv.-Nr. GK I 5 825

Papst Leo X. aus dem Hause Medici (1475 – 1521, 1513 Papst) war ein bedeutender Förderer humanistischer Studien und der Künste. Unter seinem Pontifikat und dem seines Vorgängers Julius II. erreichte die Kunst der Renaissance in Rom ihren Höhepunkt. Zur Finanzierung des Neubaus der Peterskirche ließ er Ablaßbriefe verkaufen und gab so den Anlaß zu Luthers Thesenanschlag. Er unterzeichnete am 15. Juni 1520 auch die Bannbulle gegen den Reformator.

Auf dem zwischen 1517 und 1519 entstandenen Porträt Raffaels ist der Papst beim Studium einer alten Handschrift dargestellt. Hinter ihm stehen sein Neffe Kardinal Giulio de' Medici, der spätere Papst Clemens VII., und Kardinal Luigi Rossi.

G. B.

B 122 Girolamo dai Libri *Farbtafel Seite 126*

Thronende Maria mit dem Kind und Heiligen Vor 1515

Nicht bez.
Leinwand. 209 x 143 cm
Stammt aus der Kapelle der Buonalivi in S. Maria in Organo, Verona. 1821 aus Sammlung Solly erworben
Berlin, Hauptstadt der DDR, Staatliche Museen, Gemäldegalerie; Inv.-Nr. 30

In reiner Form belegt die Altartafel die veronesische Auffassung der sogenannten Sacra Conversazione, der »Heiligen Unterhaltung«, der italienischen Darstellung der Madonna mit Heiligen, sie läßt nur geringe Variationsmöglichkeiten zu. Hier wird die Madonna immer erhöht, so daß der Gläubige zu dem Thron aufblicken muß. Die streng symmetrische Komposition erlaubt ihr wie den zur Seite stehenden Heiligen keine Bewegung, die außerhalb zeremonieller Gestik läge. Emo-

tionslos, scheinen die Gestalten die in sie implizierten Empfindungen der Menschen zu fordern.
Dargestellt ist links im Bild der heilige Bartholomäus; seine Attribute sind das Buch und ein Messer, mit dem er im Martyrium geschunden wurde (Legenda aurea S. 674 ff.) Rechts steht der heilige Zeno, der 362 zum Bischof von Verona geweiht wurde. An einem Fisch, am Bischofsstab befestigt, ist er kenntlich, da er der Überlieferung nach mit Fischen seinen Lebensunterhalt bestritt.
Beide Heilige sind der Madonna hier wohl als namhafte Glaubensstreiter zugeordnet. Bartholomäus missionierte nach der Legende in Armenien, Mesopotamien und Indien, Zeno bekämpfte den Arianismus. Ihre ruhige, aufrechte Haltung wird durch die kunstvoll gefaltete, starre Kleidung gleichsam gestützt; demonstrative Motorik, wie sie die Renaissance seit dem Ende des 15. Jahrhunderts liebte, lag den Veronesern fern. Das Kind wirkt weich und freundlich, sein Verhalten wird der Reserviertheit der Heiligen scheinbar entgegengesetzt: Es spielt mit dem Fisch und nimmt das Attribut Zenos so gleichzeitig für sich selbst in Anspruch. Symbole der Auferstehung und des ewigen Lebens sind Granatäpfel, die den Thron schmücken. Mit diesen Sinnbildern wird die Bedeutung des nackten Knaben deutlich, den sonst wenig von einem gewöhnlichen Kind unterschiede.
Die hochgezogene Rücklehne des Thrones und eine Balustrade schirmen die Gruppe gegen den kleinteiligen Hintergrund ab. Hierin äußert sich unter anderem der starke Einfluß des Francesco Morone auf Girolamo; erst in der nachfolgenden Phase seiner Entwicklung erlangt er die Fähigkeit, bei gleichartigen Darstellungen Landschaft und Figuren in einer organischeren Komposition zusammenzufassen (Sacra Conversazione, New York, Metropolitan Museum of Art).
Der unverrückbaren Ordnung des Bildes fügen sich selbst genrehafte Elemente ein: wie die verhalten musizierenden Engel. Auch sie werden zu einer symmetrischen Dreiergruppe zusammengefaßt, so daß das Dreieck in der Architektur wie der Stellung der Gestalten – eingerüstet von strengen Parallelen – in seiner Wiederholung einen Rhythmus bestimmt, der Ausgeglichenheit und Ruhe suggeriert.
In den Engelköpfen sind Anklänge an die Formensprache Andrea Mantegnas erhalten.
1729 wurde das Altarbild von seinem Ursprungsort entfernt. Bereits damals wurde es zum Schaden des Gesamteindrucks einer Behandlung unterworfen, die die Farben veränderte.

H. N.

B 123 Vincenzo Catena *Abbildung*

Maria mit dem Kind und vier Heiligen. Um 1512

Leinwand. 87 x 152 cm
1821 erworben aus der Sammlung Solly
Berlin, Hauptstadt der DDR, Staatliche Museen, Gemäldegalerie; Inv.-Nr. 19

Das Halbfigurenbild ist zu Beginn der mittleren Schaffensperiode Catenas entstanden, die bei bewahrter Klarheit der Farben von zunehmender Warmtonigkeit gekennzeichnet wird. Die malerische Auffassung geht jedoch noch von der Eigenwertigkeit der Lokalfarbe aus, die Catena im Sinne der Frührenais-

B 123

sance als kostbare Materie, eingesetzt im Dienst einer würdigen Darstellung, begreift. Da die dünne Temperamalerei eine relativ stumpfe Oberfläche schafft, wird die Leuchtkraft durch den dunklen Hintergrund optisch gesteigert.

Gleichzeitig wird damit eine Komposition gestützt, die dem Gläubigen die heiligen Gestalten – wie in einem Fenster gesehen – näherrückt, so daß ein unmittelbarer, gefühlsbetonter Kontakt hergestellt wird. Dieses Prinzip wendeten Künstler in der Nachfolge Andrea Mantegnas und Giovanni Bellinis vorwiegend beim privaten Andachtsbild an.

Seltener als die Heiligen Joseph, Johannes der Täufer – links im Bild – und Katharina – rechts – wird Ludwig (1215–1270) dargestellt. Er ist hier in ihre Runde als Namenspatron des Stifters aufgenommen worden, um diesen der besonderen Gnade der Madonna zu empfehlen. Dieser Umstand und die Vergleichbarkeit des Porträts mit einem Holzschnitt in der Ausgabe des »Orlando furioso« (deutsch »Der rasende Roland«) von 1532 hat die Forschung bewogen, in dem Dargestellten den Dichter Lodovico Ariosto zu sehen. Urkundlich ist sein Auftrag an Catena nicht zu belegen; die kontinuierliche kulturelle Verbindung zwischen Venedig und Ferrara, seiner Wirkungsstätte, und die humanistischen Ambitionen des Malers lassen diese These jedoch zusätzlich glaubhaft erscheinen.

Das Porträt zeigt die vom Quattrocento bevorzugte strenge Profilansicht; sie gibt die markantesten physischen Merkmale einer Persönlichkeit wieder. In der Sicherheit und Großzügigkeit der Zeichnung, in der beeindruckenden Einfachheit, mit der das kluge Männergesicht mit den weit geöffneten Augen dargestellt wird, beweist sich jedoch besonders deutlich der Geist einer neuen künstlerischen Generation. H. N.

Das Reich und seine Stände

1486 wählte das Kurfürstenkollegium den Nachfolger Friedrichs III. Maximilian von Habsburg. Er nannte sich »erwählter römischer Kaiser« und zog nicht zur Krönung nach Rom. Es schien, als ob der Erneuerer der alten Idee von der Einheit zwischen Kaiser und Reich, die auch durch die Reichsreformbestrebungen während des 15. Jahrhunderts nicht verwirklicht werden konnte, gefunden worden war. Wesentliche Triebfedern dieser Bestrebungen waren ein neu erwachtes Nationalbewußtsein und das Besinnen auf die eigene Vergangenheit geworden.

Unterstützt von humanistisch-historischen Vorstellungen und Auffassungen von der Aufgabe und der Würde des deutschen Kaisers verstand man ihn als legitimen Nachfolger der römischen Imperatoren. Imperator = Caesar und Augustus = Vermehrer (des Staatswesens), Bezeichnungen des ersten römischen Kaisers Octavian, wurden zu Titeln des römischen Kaisers deutscher Nation und anspruchsvoll auf Medaillen und Münzen geprägt und den Bildnissen beigefügt.

Konrad Peutinger, der Augsburger Humanist, Rechtsgelehrte und Stadtschreiber, verfaßte ein Geschichtswerk, das die Biographien der römischen Kaiser bis zu Maximilian enthalten sollte.

Dieser selbst ließ nach dem Vorbild antiker Triumphzüge zu seiner Verherrlichung und »ewigen gedächtnusz« Ehrenpforte und Triumphzug fertigen und fand in Albrecht Dürer den Künstler, dem er die wichtigsten Werke dieser Art anvertrauen konnte. Die sehnsuchtsvolle Erwartung, die das Volk in Maximilians Kaisertum setzte, und die Anteilnahme, die es für die Person des Herrschers hatte, wird in vielen Bildnissen ausgedrückt.

Am 28. Juni 1518 fertigte Dürer auf dem Augsburger Reichstag eine Kohlezeichnung an, die dem Bildnisholzschnitt (Kat.-Nr. C 5) zugrunde lag. Damit war das erste druckgraphische Bildnis, das dem Rang und der Bedeutung eines Gemäldes gleichgesetzt werden konnte, entstanden.

An Karl V., Nachfolger und Enkel Maximilians, konnte Luther in seiner Schrift »An den christlichen Adel deutscher Nation« noch die Hoffnung knüpfen, »Gott hat uns ein junges, edles Blut zum Haupt gegeben, er hat damit viel Herzen zu großer guter Hoffnung erweckt ...«.

1521 aber entschied sich Karl auf dem Reichstag zu Worms, das Kaisertum nur auf der Grundlage eines einheitlichen christlichen Bekenntnisses zu erneuern und sprach über den »Ketzer« Luther die Reichsacht aus. Karl überließ im gleichen Jahr seinem Bruder Ferdinand die habsburgischen Länder in Deutschland. Ein einheitliches deutsches Kaiserreich konnten auch sie nicht schaffen. An der Spitze der Kurfürsten stand Friedrich der Weise von Sachsen. Lucas Cranach d. Ä. wurde zum Hofmaler berufen, schuf eine große Zahl von Bildnissen, die den landesherrlichen Ruhm verkündeten und nahm mit seiner Bildpolemik teil an den politischen Auseinandersetzungen und Reformversuchen, die sich auf die geistesgeschichtliche Basis des Humanismus gründeten.

Das Selbstbewußtsein der Städte stieg mit ihren wirtschaftlichen Handelserfolgen. Als Ergebnis dieses Wohlstandes wurden sie zu den Zentren der künstlerischen Entwicklung. Sie läßt sich am blühenden Kunsthandwerk ablesen und dem Erwerb von Tafelbildern ermessen. Das Kunstwerk wurde zur Ware. Der Künstler mußte dem Geschmack und der Bildung des Bestellers Rechnung tragen.

Die Bildnisse verbanden Ruhmesverlangen mit Repräsentationsbedürfnis und der Darstellung persönlicher Unabhängigkeit.

Die Bildnismedaille, deren Anfänge in Entwürfen von Lucas Cranach d. Ä. und Albrecht Dürer liegen, erhielt durch das Bürgertum ihr unverwechselbares Gepräge und wird zu einem Denkmal der Selbstdarstellung individuellen Menschentums.

K. F.

C 1.1 Albrecht Dürer *Farbtafel Seite 199 und Abbildung*
unter Mitwirkung der Werkstatt und Albrecht Altdorfers

Die Ehrenpforte Kaiser Maximilians I. 1515

Ausführung des Formschnittes durch Hieronymus Andreä

Bez.: Jahreszahl 1515 auf zwei Tafeln,
die am Fuße der äußeren Ecktürme lehnen. Unter dem Sockel der rechten Säule die Wappen des Dichters Johann Stabius, des Hofmalers Jörg Kölderer und (von geringeren Maßen) Dürers Wappen
Holzschnitt, aus den Abdrucken von 192 Stöcken zusammengefügt und koloriert. 340,9x292,2 cm
Druck der ersten Ausgabe von 1517–1518
Berlin, Hauptstadt der DDR, Staatliche Museen, Kupferstichkabinett; Inv.-Nr. 535 – 1980
Bartsch 138; Meder 251

Dem sehr großen, selten ausgestellten Werk ist bisher keine umfassende Würdigung zuteil geworden. Dabei ist sein besonderer Wert durch die Anbringung der Wappen der drei beteiligten Künstler hervorgehoben. Das dargestellte Werk ist wohl aus der Vermischung dreier verschiedener Bauaufgaben entstanden: des römischen Triumphbogens, des Wappenturmes oberdeutscher Ausprägung und des Belvedere. Zum Triumphbogen, etwa in Anlehnung an den Konstantinsbogen in Rom, zählt der Aufbau der Säulenstellung vor der Fassade mit der hohen Zone des Architravs. An den Wappenturm erinnert das hohe Feld über dem Hauptportal, das von einem Turm bekrönt wird. Die Anlage des verhältnismäßig flachen Gebäudes, dessen Tiefe nur zwei Hauptportalbreiten beträgt, mit den zwei Treppentürmen vor den Ecken der Fassade, dem kompliziert geschnittenen Stufenunterbau und den Freitreppen läßt kaum eine andere Deutung als die auf einen Aussichtsturm zu. Die Verbindung mit der Landschaft ist, ähnlich wie bei einer Zeichnung, die Pirckheimer vom Bogen des Septimus Severus in Rom 1495 in sein Gedächtnisbuch gezeichnet hat (H. Rupprich: Willibald Pirckheimer und die erste Reise Dürers nach Italien. Wien 1930, Tafel III), und wie bei dem Stich des Konstantinsbogens von Agostino Veneziano (Bartsch 537), durch sparsame Motive in den Bogendurchblicken gegeben. Die Anlage der Stufen vor der Fassade macht deutlich, wie wenig das Gebäude mit der Begehbarkeit durch einen Triumphzug rechnete. Der Schmuck der Ehrenpforte enthält neben den genealogischen und historischen Bildern eine Vielzahl von allegorischen Bezügen, die wohl von Pirckheimer und Stabius unter Ausdeutung ägyptischer Bilderschriften ausgearbeitet wurden. Die Fassade des Tores ist als umfassendes Gedächtnisprogramm wohl schon den Anlagen von Monumenten der Erinnerung zuzurechnen, denen das 16. und das beginnende 17. Jahrhundert so viel Bedeutung beilegten (Francis A. Yates: The Art of Memory. Harmondsworth 1978). Das Programm dient der Verherrlichung Kaiser Maximilians. Die Kaiserkrone beschließt den Aufbau, ihr zu Ehren brennen Feuer in Schalen und Fackeln. Um jede der dargestellten historischen Gestalten in ihrer Eigenart zu treffen, wurde viel Mühe aufgewendet. Das inhaltliche Programm der Bücher Maximilians, des Theuerdank und des Weißkunig, ist in einzigartiger Weise in der Auswahl der 24 Bildfelder (von denen das eine in der ersten Ausgabe zu Lebzeiten des Kaisers noch frei gelassen war) und der Darstellungen auf den Türmen zur Durchbildung einer öffentlichen Wand aufgeboten. Die heute allgemein als historische Darstellungen bezeichneten Felder enthalten Bilder, die vielleicht in ihrer Geradlinigkeit dem Zugang des Betrachters am nächsten stehen, darunter Arbeiten von Dürers Mitarbeitern und Altdorfer. Im ganzen ist die Ehrenpforte über den Triumphzug hinaus der Versuch, die historische Konstruktion des Kaisertums Maximilians I., die Vielzahl der historischen und moralischen Verknüpfungen, in übersichtlicher Anordnung zu fassen, ein Vorhaben, dem sich nur eine dem Augensinn so zugetane Zeit wie die Dürers aufschließen konnte. Der besondere Wert dieses leider an vielen Stellen beschädigten Exemplares der Ehrenpforte besteht in der sorgfältigen Kolorierung. Sie geht offenbar auf die Zeit Dürers zurück, dürfte wohl sogar unter seinen Augen entstanden sein. Abgesehen von der notwendigen heraldischen Bemalung sind kostbare Materialien wie Gold und Blau aufgeboten, wobei aber nie das Gefüge des Holzschnittes verdeckt wird und überzeugende aquarellartige Wirkungen – so bei den rauchenden Feuern auf den Dächern – angestrebt sind. W. S.

C 1.2 Hans Guldenmund *Farbtafel Seite 198*
nach Albrecht Dürer

Großer Triumphwagen. 1545

Bez. über alle Bogen in großen Typen:
Triumphalis his currus au honorem Invictiss aro floriosiss Principis D. Maximiliani Caesaris semper Augusti …
per Albertum Durer delineatus.
Lateinischer Text der Beschreibung von W. Pirckheimer
Schlußschrift auf Bogen 8:
Impressus est Currus iste Antverpiae per Viduam Cornel. Liefrink. Anno 1545.
Holzschnitt, koloriert. 45,0x228,1 cm
Berlin, Hauptstadt der DDR, Staatliche Museen Kupferstichkabinett; Inv.-Nr. 536 –1980
Bartsch 139; Meder 252

Albrecht Dürer, der in die künstlerischen Unternehmungen Maximilians einbezogen war, sollte im Triumphzug (Kat.-Nr. C 2) den Wagen des Kaisers gestalten. Bereits 1512/13 lieferte er eine Federzeichnung mit dem ersten Entwurf (Winkler 671, Albertina Wien). Sie ist ohne Zweifel das Beste, was Dürer zum Thema Triumphwagen geschaffen hat. Der Wagen ist von leichter Bauart und einnehmender Eleganz. Der Kaiser im Kreise seiner Familie ist noch nicht von jener unnahbaren Distanz des verklärten Herrschertypus, wie ihn spätere Holzschnitte zeigen. Die Pferde sind in ihrer natürlichen Lebendig-

C 1.1

keit gezeichnet. Der Wagen ist noch ohne die überschwenglichen Allegorien dargestellt. Im Rahmen der gesamten Vorphase zum Triumphzug muß es sowohl einen schriftlichen als auch einen bildlichen Entwurf zum Triumphwagen gegeben haben. Offenbar hat sich Dürer an diesem orientiert. In den Jahren 1517/18 hatte Willibald Pirckheimer sich befleißigt, dem Kaiser einen komplizierten Text zur Beschreibung des Wagens zu widmen. Er nahm dabei Anleihe bei den allegorischen und symbolischen Gestalten aus des Horapollon Hieroglyphenkunde und bei anderen antiken Schriftstellern. Pirckheimer, der sich auf den Fleiß Dürers berief, konnte sich keinen Besseren zur bildlichen Umsetzung seiner Beschreibung denken. Nichtsdestoweniger belastete er durch die Aneinanderreihung der Lobpreisungen die Qualität des Kunstwerkes. Dürer hatte sich aber entschlossen, den Entwurf seines Freundes umzusetzen.

1517/18 entstand die farbige Kolossalzeichnung (Wien, Albertina, Winkler 685) unter Berücksichtigung von Pirckheimers Ideen. Zwar blieb hier die kaiserliche Familie noch beisammen, aber die Eleganz die Darstellung ist durch Schwere ersetzt. Dennoch bewahrte sich die Zeichnung eine ihr eigene Feinheit. Erst der Holzschnitt brachte die überzüchteten Schwünge der Ornamentierung und Gesten.
Als das Unternehmen durch den Tod des Kaisers ohnehin ins Stocken geriet, entschloß sich Dürer, den Wagen in anderer Dimension als eigenständige Huldigung an Maximilian I. zum Verkauf zu geben. Er fügte den Text von Pirckheimer im Druck hinzu. Der aufwendige Holzschnitt fand die Aufmerksamkeit der Kopisten. Die Kopien von Hans Guldenmund kommen dem Original am nächsten. Das uns zur Verfügung stehende Exemplar wird durch seine qualitätvolle Kolorierung kostbar. Die Farbigkeit des Triumphwagens ist frei erfunden und lehnt sich nicht an die farbige Vorgabe Dürers in seiner Zeichnung von 1517/18 an. Der Holzschnitt von Guldenmund zeigt nur geringfügige Abweichungen vom Original, so daß der Gesamteindruck des Blattes von Dürer ganz und gar erhalten ist. E. B.

C 2

Triumphzug

»Allergnädigster Herr, auff euer Keys. Majest. befelch schick ich Derselben diesen Triumphwagen, welcher nicht mit Golt, Edelgestein oder anderm Reichthumb, so auch den Bösen wie den Frommen gemein, gezieret ist, sondern allein mit Tugenden an dem niemand dann die Ehrlichen theil mögen haben und die nicht allein in diesem gegenwertigen zergenglichen Leben, sondern auch nach eines jeglichen Menschen sterblichen abgang recht und warlich zieren und so alle andere ding vergehen, bestendig se ind und bleiben.« Pirckheimer, der diese Worte 1518 dem Kaiser Maximilian I. als Vorspruch zu der Beschreibung des Großen Triumphwagens (Kat.-Nr. C 1.2) widmete, befand sich ganz und gar in dessen Sinne. Maximilian I. hatte im Weißkunig seine Glorifizierung als Kaiser mit den Worten begründet: »Wer in seinem Leben kain Gedähtnus macht, der hat nach seinem Tod kain Gedähtnus, und desselben Mensche wird mit dem Glockendon vergessen und darumb so wird das Gelt, so ich auf die Gedechtnus ausgib, nit verloren.«
Dieser Intention folgend, setzte der Kaiser einen nicht geringen Teil seiner Kräfte ein, um entsprechende Kunstwerke, die das Gedächtnis an seine Taten würdig in die Zukunft zu tragen vermochten, entstehen zu lassen. Der Triumphzug reiht sich also in eine ganze Gruppe von Unternehmungen ein, die der Kaiser deshalb noch zu seinen Lebzeiten konzipiert hatte. Dazu gehören Theuerdank, Weißkunig, Freydank und die Genealogie und – im allgemeinen Zusammenhang der Denkmale für den Kaiser – das Grabmal Maximilians in der Innsbrucker Hofkirche.
Triumphzug und Ehrenpforte bilden innerhalb der Verherrlichungen der kaiserlichen Würde einen Höhepunkt. Schon ihre gewaltigen Ausmaße bezeugen das, aber auch inhaltlich bestärken sie durch eine ungemeine Überfrachtung mit Allegorien den elitären Anspruch des Herrschers. Für seine Vorhaben band Maximilian viele der besten Künstler Deutschlands. Die meisten Aufgaben waren nur in Gemeinschaftsarbeit lösbar. Daher war es notwendig, sich auf einen gemeinsamen Stil zu einigen. In diesem Zusammenhang ist es berechtigt, von einem stilprägenden Einfluß Maximilians I. auf die Kunst seiner Zeit zu sprechen. Wie der Große Triumphwagen deutlich zeigt, vermochte sich selbst Albrecht Dürer diesem Einfluß nicht zu entziehen. Zwar fanden sich die Künstler im geforderten Prunkstil, aber die Faszination des Triumphzuges wird auch von dem Wechselspiel zwischen Einheitlichkeit und differenzierender Eigensprachlichkeit der Beteiligten getragen.
So wie uns Pirckheimers Text in seiner ganzen Kompliziertheit erhalten ist, müssen wir uns den verbalen Entwurf zu einem großartigen Triumphzug vorstellen.
Vor der Formulierung der Gedanken zu einem derartigen Zug standen wohl aber als Voraussetzung die erlebbaren Ergebnisse ähnlicher Unternehmungen. Als am 21. April 1509 sich in Worms die Stände versammelten, erschien auf gepanzertem Hengst der Kaiser in voller Rüstung unter tausend Reitern. 1493, anläßlich seiner Vermählung mit Bianca Maria Sforza, fand in Mailand ein prächtiger Umzug statt, dessen Höhepunkt der Wagen mit der Braut bildete, welcher durch eine vor dem Chor des Domes aufgestellten Triumphpforte geleitet wurde. Künstlerische Vorbilder waren die antiken Triumphzüge. Andrea Mantegna hatte von 1486 bis 1492 den Triumph Cäsars in Mantua auf die Wand gemalt. Diesem Thema widmete sich auch Jakob von Straßburg, als er den Triumph Cäsars 1503 als Holzschnitt herausgab.
Offenbar hatte Maximilian seinen Hofhistoriographen Johannes Stabius mit dem Entwurf eines Konzeptes zu einem Triumphzug beauftragt. Diese erste Fassung ist nicht erhalten, bekannt aber ist, daß die Bildtitel und die Inschriften des Miniaturtriumphzuges von Stabius stammen. Es ist anzunehmen, daß sich Maximilian 1512, als er seine Vorstellungen vom Triumphzug diktierte, auf einen solchen Entwurf stützte. Verschiedene Zitate aus dem Briefwechsel Maximilians deuten darauf hin. Erhalten ist das Diktat des Kaisers an seinen Sekretär Marx Treitzsauerwein. Mit großer Genauigkeit sind die einzelnen Gruppen des Zuges beschrieben. Bis zu seinem Tode hat der Kaiser ständige Veränderungen an diesem Konzept vorgenommen, auch ist anzunehmen, daß er bis zum sicheren Ergebnis die Anordnung für veränderbar hielt. Die niedergeschriebene Idee ging dabei weit über das hinaus, was sich dann tatsächlich realisieren ließ. Der vorhandene Teil des Werkes umfaßt, trotz seines fragmentarisch gebliebenen Zustandes, 147 Einzelblätter, die, würden sie wie geplant aneinanderge-

reiht, einen Zug von 57 m Länge ergeben. Nun ist es selbstverständlich, daß eine solche ungeheure Arbeit nicht den Fähigkeiten eines einzigen Künstlers anvertraut werden konnte. Die bildliche Urfassung, die sich auf den ersten geschriebenen Entwurf stützte, ist wohl aus der Werkstatt von Jörg Kölderer geliefert worden. Wie aus einigen Bemerkungen des Kaisers zu entnehmen ist, hat er an diesen gelegentlich selbst Korrekturen vorgenommen. Auf diese frühen Entwürfe bauten sich die 109 Miniaturen, die zusammen einen auf Pergament gemalten Triumphzug ergeben, auf. Die Miniaturen sind mit dunkelbrauner Feder gezeichnet, mit Wasser- und Druckfarben ausgefüllt und mit Gold gehöht. Sie sind im Durchschnitt 45 x 90 cm groß (Albertina Wien). In früherer Literatur schrieb man durch ungenaues stilistisches Urteil und Dokumentationsstudium die Miniaturen dem Architekten Kölderer zu, der zweifellos am Hofe Maximilians umfangreich beschäftigt war. Bekannt ist, daß der Kaiser selbst die künstlerischen Fähigkeiten Kölderers nicht sehr hoch einschätzte. Er hätte ihm kaum ein so großes Vorhaben in die Hände gegeben. Winzinger hat überzeugend nachgewiesen, daß die Miniaturen zum Triumphzug aus der Werkstatt Albrecht Altdorfers stammen, der auch an der späteren Holzschnittfassung einen großen Anteil hatte. Stilistische Eigenarten, besonders in der Malerei Altdorfers, und Vergleiche zwischen den Darstellungen aus dem Troß des gemalten Triumphzuges und den Holzschnitten lassen diese These ganz sicher erscheinen. Daraus ergibt sich, daß die Miniaturen von der Werkstatt Kölderers vollständig zu trennen sind. Albrecht Altdorfer hätte sich wohl kaum bei diesem verdungen. Winzinger weist ebenfalls auf die Verbindungen von Stabius und Altdorfer hin, deren Zusammenarbeit eine ähnliche Form wie die zwischen Pirckheimer und Dürer in Sachen Großer Wagen gehabt haben könnte. Stabius erhielt 1512 vom Kaiser ein Haus mit Garten in Regensburg, dem Wohnort Altdorfers. Winzinger datiert die Miniaturen des Triumphzuges in die Zeit von 1512 bis zum Frühjahr 1516. Vielleicht gab es einen Plan, den Triumphzug überhaupt als Malerei ausführen zu lassen. Mantegna konnte hier anregendes Vorbild sein. Auch der später auf die Wand des Festsaales des Nürnberger Rathauses gemalte Große Wagen von Dürer könnte auf einen Plan zu einer gemalten Ausführung hindeuten. Der Anstoß, den Zug als Holzschnitt auszuführen, kam wohl von einem anderen großen Projekt. Zwischen 1512 und 1517 entstanden in Gemeinschaftsarbeit unter der Leitung von Dürer die 192 Blätter der gewaltigen Ehrenpforte. Johannes Stabius war auch hier der geistige Urheber und Kölderer höchstwahrscheinlich der Architekt des Triumphbogens. Kölderer war als Baumeister auch für den 1496 errichteten Innsbrucker Wappenturm verantwortlich.

Hans Burgkmair übernahm die ersten 57 Holzschnitte zum Triumphzug. Das kostbare Handexemplar Burgkmairs mit 63 Probedrucken und der Abschrift des Textes von Treitzsauerwein, welches in Dresden aufbewahrt wird, gibt über den Beginn der Arbeit Aufschluß. Burgkmair vermerkte handschriftlich: »H. Burgkmair Maler. Angefangen 1516 Adn. 1 Abrilis«.

Albrecht Altdorfer, der durch seine Miniaturen die besten Voraussetzungen hatte, setzte die Reihe fort und beendete auch den Zug. Den Hauptteil hatte der Kaiser Albrecht Dürer zugedacht. Dürers Anteil beschränkte sich aber lediglich auf den Hochzeitswagen, wenn man von dem Großen Triumphwagen absieht, der wohl geistig hierher gehört, praktisch aber nicht im Zug erschien. Dürer hat ihn später sogar im Maßstab distanziert. Zu den größten Kostbarkeiten und zum Frischesten, was es in der Gesamtleistung zum Triumphzug gibt, sind die Zeichnungen Dürers zu Reitern mit Trophäen und zum Großen Wagen zu zählen (Winkler 685–700). Naheliegend war es, daß Dürer Mitarbeiter aus seiner Werkstatt heranzog. Hans Springinklee werden die phantastisch anmutenden Wagen mit ihren seltsamen mechanischen Antrieben zugeschrieben. Sie verherrlichen die Kriege Maximilians und rücken sie gar durch selbstfahrende Maschinen in den Kreis einer verspielten Freude an dekorativen phantastischen Erfindungen. In den Miniaturen ersetzen sie die mitgeführten Kanonen, die in ihrer kalten Funktionstüchtigkeit einen anderen, in den Charakter der Holzschnittsammlung nicht hineinpassenden Zug vertreten hätten, obwohl Maximilian Verdienste um das Geschützwesen hatte. Hans Burgkmair, noch einmal aufgefordert, für den Triumphzug weitere Gruppen zu verwirklichen, gestaltete noch zehn Blätter, für die übrigen gewinnt er die ebenfalls in Augsburg lebenden Künstler Leonhard Beck und Hans Leonhard Schäufelein. Für die Kunstwissenschaft waren lange Jahre die Namen Burgkmair und Dürer als Künstler des Triumphzuges gesichert, die anderen Namen sind ein Ergebnis der jüngeren Forschung. Die zahlreichen Holzschneider sind durch ihre Vermerke auf den Holzstöcken bekannt. Die Stöcke wurden ausschließlich in Augsburg geschnitten.

Burgkmairs erster Teil stellt nach der Verkünderfigur die Lieblingsbeschäftigungen des Kaisers vor: Pfeifer und Trommler zu Pferd reiten den verschiedenen Jagdzügen voran. Daran anschließend die Hofämter und die verschiedensten Musikgruppen sowie einzelne, namentlich genannte Musiker und Meister der Jagd, wie der Hoforganist Paul Hofhaimer (Kat.-Nr. C 2.10). Narren und Schausteller erhöhen die Zahl der Vergnügungen. Schließlich wendet sich der Zug dem Lieblingssport des Kaisers zu: den Turnierspielen. Verschiedene Gestech- und Rennarten werden vorgeführt, zum Teil mit hochkomplizierten Apparaten an den Rüstungen, die beim Aufprall die Lanze durch einen Federmechanismus hoch in die Luft schleuderten. Burgkmair bildete diese umherschwirrenden Teile mit ab. Es ist zu vermuten, daß besonders diese Gruppen vom Kaiser kontrolliert wurden.

Dem Hochzeitswagen voran, der die Vermählung Maximilians mit Maria, der Erbin von Burgund, darstellt, reiten zahlreiche Bannerträger im Wechsel mit unterschiedlichen Pfeifern. Hinter dem Hochzeitswagen, welcher die wichtigste Verbindung der Habsburger dokumentiert, die erwähnten Maximilianischen Kriege. Trophäen werden auf Wagen hinterhergerollt. Den Abschluß bilden König Philipp und die Erbin von Spanien, gefolgt von der Ahnengalerie. Gefangene aus allen Nationen, grob zusammengedrängt, mit einer Kette umschlossen, folgen. Endlich künden Reichstrompeter und Herolde den Höhepunkt an. Im Gegensatz zum Entwurf Dürers, der die gesamte kaiserliche Familie auf dem großen Wagen versammelt hatte (Kat.-Nr. C 1.2), reiten zunächst König Philipp sowie Königin Johanna und deren Tochter Eleonore dem Wagen voran. Dann erst folgt der Kaiser, angekündigt durch sechs allegorisch verklärte Gespanne. In steifer Würde sitzt er auf dem Triumphwagen, der, entsprechend prachtvoll ausgestattet, den Sinn des gesamten Zuges in sich vereint. Die Nachhut des Zuges wird eingeleitet durch verdiente Soldaten und ihnen nachfolgende Eingeborene mit exotischen Tieren. Sie verkörpern die in die Herrschaftszeit Maximilians fallende Kunde von neuen Welten. Das unmittelbare Ende bildet der Heerestroß (Kat.-Nr. C 2.25–2.27). Er bezieht das einfache Volk in den Triumphzug des Kaisers ein. Durch seine Landschaftsdarstellungen weicht der Troß von den anderen Gruppen ab. Diese sind jeweils vor weißen Hintergrund gesetzt. Die Hochalpenlandschaft ist nicht nur aus dekorativen Gründen mit einbezogen worden, sondern bildet die Natur der kaiserlichen Heimat ab. Die letzten Blätter von Altdorfer gehören zu dem Schönsten und Lebendigsten, was der Zug insgesamt aufzuweisen hat. Die Anstrengung, die einzelnen Gruppen zu formieren, der Ordnung eines Zuges anzupassen, ist hier vollständig aufgegeben: Hinter dem Troßmeister geht das Volk eigene Wege.

Als Kaiser Maximilian I. am 12. Januar 1519 starb, fehlte für die Fortsetzung der Arbeiten am Triumphzug der entscheidende Antrieb. Erst 1526 ließ der Enkel Maximilians, Erzherzog Ferdinand, die erste Auflage von den fertigen Stöcken herstellen. Die fehlenden Inschriften sind schwarz gedruckt. Sie wurden nicht nachgeschnitten, obwohl ihr Text in den Miniaturen vorlag. Gelegentlich erging der Hinweis, daß den Figuren, insbesondere den Bannern und Kostümen, die Farbe fehle. Es ist nichts darüber bekannt, ob eine Kolorierung geplant war, aber wir können uns eine schwache Vorstellung durch die kolorierte Fassung der Ehrenpforte (Kat.-Nr. C 1.1) und die kolorierte Kopie des Triumphwagens (Kat.-Nr. C 1.2) verschaffen. Damit bestand die Möglichkeit, die Verherrlichung Maximilians überall zu verbreiten und den Kaiser als idealen Herrscher einer ersehnten Gesellschaftsutopie zu feiern.

Der Triumphzug – auf Leinen gezogen oder direkt an die Wand tapeziert – konnte dank der neuen Technik des Holzschnitts die Versammlungssäle der Rathäuser zieren. E. B.

C 2.1 Hans Burgkmair *Abbildung*

Der Verkünder des Triumphes

Bez.: Monogramm des Künstlers am Trichter des Krummhorns (es wurde nach dem Probedruck im Stock entfernt)
Holzschnitt. 33 x 37,3 cm
Dresden, Staatliche Kunstsammlungen, Kupferstich-Kabinett
Schestag 1

Der gewaltige Greif mit Preco, dem Genius des Ruhmes, schreitet bergab. Burgkmair versucht, den Schall sichtbar zu machen in dem Hauch, den er dem Trichter entströmen läßt. W. S.

C 2.2 Hans Burgkmair *Abbildung*

Die Tafel für die Titel des Kaisers

Formschnitt von Jan Taberith

Bez. im Schild unterhalb der Tragstange:
IO(HA)N(E)S BVRGKMAIR
PICTOR IN AVGVSTA VI(N)DELICOR(VM):
Hans Burgkmair, Maler in Augsburg (die Schriftzeile ist bei allen späteren Drucken aus dem Stock entfernt worden)
Holzschnitt. 38,1 x 41,6 cm
Dresden, Staatliche Kunstsammlungen, Kupferstich-Kabinett
Schestag 2

Die von zwei Pferden getragene Tafel ist in Anlehnung an die Tafel mit der Ankündigung der Eroberungen Maximilians aus der unter Altdorfers Leitung entstandenen Miniaturenfolge in Wien (Winzinger 22) entstanden. Wenig verändert ist die Gestalt der Pferde, während bei den Rosseführern die großartige Figurenerfindung Burgkmairs hervortritt.

Die Signatur Burgkmairs, die wie der Name eines Autors auf dem Titelblatt erscheint, hat beim Auftraggeber offenbar Anstoß erregt und ist wie bei zwölf weiteren Stöcken nachträglich herausgeschnitten worden. W. S.

C 2.3 Hans Burgkmair

Antonius von Dornstätt mit den Pfeifern

Bez.: Monogramm des Künstlers
an Riemenenden auf der Hinterhand des vierten Pferdes
Holzschnitt. 38,5 x 37,7 cm
Dresden, Staatliche Kunstsammlungen, Kupferstich-Kabinett
Schestag 3

C 2.4 Hans Burgkmair

Reitende Trommler

Bez.: Monogramm des Künstlers
am Riemenzeug des letzten Pferdes
Holzschnitt. 22,5 x 35,3 cm
Dresden, Staatliche Kunstsammlungen, Kupferstich-Kabinett
Schestag 4

C 2.5 Hans Burgkmair

Das Elchgespann

Bez.: Monogramm des Künstlers
auf dem Zuggurt des vorderen Elches
Holzschnitt. 35,8 x 35,2 cm
Dresden, Staatliche Kunstsammlungen, Kupferstich-Kabinett
Schestag 17

C 2.1 C 2.2

C 2.6. Hans Burgkmair

Der Wagen mit Lauten- und Gambenspielern

Formschnitt von Wilhelm Liefrinck

Bez.: Monogramm des Künstlers
befindet sich nur beim Dresdener Probedruck
auf der hinteren Wange des Rollwagens
Holzschnitt. 28,2 x 37,5 cm
Dresden, Staatliche Kunstsammlungen, Kupferstich-Kabinett
Schestag 18

C 2.7 Hans Burgkmair

Das Büffelgespann

Bez.: Monogramm des Künstlers
auf dem Zuggurt des vorderen Zugtieres
Holzschnitt. 38,2 x 37,2 cm
Dresden, Staatliche Kunstsammlungen, Kupferstich-Kabinett
Schestag 19

C 2.8 Hans Burgkmair

Der Wagen mit Rackett-, Krummhorn- und Posaunenbläsern

Bez.: Monogramm des Künstlers
auf einer Tafel an der Seite des Wagens
Holzschnitt. 27,7 x 37,7 cm
Dresden, Staatliche Kunstsammlungen, Kupferstich-Kabinett
Schestag 20

C 2.9 Hans Burgkmair

Das Dromedar als Zugtier

Formschnitt von Jan de Bom, vor 25. 11. 1516

Holzschnitt. 38,2 x 36,8 cm
Berlin, Hauptstadt der DDR, Staatliche Museen,
Kupferstichkabinett; Inv.-Nr. 812 — 10
Schestag 21

C 2.10 Hans Burgkmair

Der Wagen mit dem Orgelspieler Paul Hofhaimer

Formschnitt von Jan de Bom, vor 30. 4. 1517
Der Wagen zeigt vermutlich das Wappen des Musikers Paul Hofhaimer

Holzschnitt. 32 x 36 cm
Berlin, Hauptstadt der DDR, Staatliche Museen,
Kupferstichkabinett; Inv.-Nr. 812 — 10
Schestag 22

Das Bildnis des Organisten Hofhaimer hielt auch Dürer fest in einer Zeichnung, die sich heute in London befindet (Winkler 573). W. S.

C 2.11 Hans Burgkmair

Das Wisentgespann

Formschnitt von Jost de Negker, vor 21. 12. 1516

Holzschnitt. 38,5 x 37,7 cm
Dresden, Staatliche Kunstsammlungen, Kupferstich-Kabinett
Schestag 25

C 2.13

C 2.12 Hans Burgkmair

Der Wagen mit der Kantorei

Formschnitt von Jost de Negker, vor 27. 5. 1517

Bez.: Monogramm des Künstlers
an der Schmalseite des Wagens, nahe der Rückwand
das Wappen des Kapellmeisters Georg Slatkonia,
Bischof von Wien (1456–1522)
Holzschnitt. 38,2 x 37,6 cm
Dresden, Staatliche Kunstsammlungen, Kupferstich-Kabinett
Schestag 26

Der Wagen ist mit Bildwerken Apollos und der neun Musen kostbar geschmückt. Auch der Meister der Posaunen und der Meister der Zinken sind als Bildnisse aufgefaßt.

C 2.13 *Abbildung*

Der Wagen mit der Kantorei

Formschnitt des Jost de Negker, nach Burgkmair

Holzstock aus drei nebeneinander gefügten Platten
38,2 x 37,6 cm
Wien, Graphische Sammlung Albertina

Wie kaum ein anderer der beim Triumphzug beteiligten Formschneider verbindet de Negker höchste Genauigkeit mit gleichzeitiger malerischer Auffassung. Bezeichnend für seine Arbeit ist die feine Durchbildung der Formen, die ohne übermäßig tiefe Schattierungen auskommt. Daher scheinen ihm auch die wichtigsten Stücke des Auftrages übertragen worden zu sein. Wie bei wohl allen Stöcken des Triumphzuges ist der Grund nicht völlig abgearbeitet. Ein großzügig geführter Umriß trennt die beiden Teile, die Tiefen unmittelbar über der Figurengruppe sind mit hastigen Schnitten wechselnder Richtung ausgehoben. Wo eine stärkere Ausarbeitung erforderlich war, wie im Bereich der Bänder unterhalb der Schrifttafel, ist ein breites Hohleisen zum Einsatz gekommen. W. S.

C 2.14 Hans Burgkmair

Kunz von der Rosen als Vorreiter und das Gespann von Wildpferden

Bez.: Monogramm des Künstlers auf dem Geschirr des Reitpferdes
Holzschnitt. 38x39,4 cm
Dresden, Staatliche Kunstsammlungen, Kupferstich-Kabinett
Schestag 27

C 2.15 Hans Burgkmair

Der Wagen mit den Schalksnarren

Formschnitt von Cornelius Liefrinck

Bez.: Wappen des Künstlers und die Jahreszahl 1517 auf der Trinkflasche des Narren, das Monogramm auf dem Rücken des zweiten Narren
Holzschnitt. 33x37,3 cm
Dresden, Staatliche Kunstsammlungen, Kupferstich-Kabinett
Schestag 28

Vorreiter der Narren ist Kunz von der Rosen (um 1455–1519), der »lustige Rat« Kaiser Maximilians. Sein Bild ist ähnlich auch durch Zeichnungen von Hans Holbein d. Ä. in Berlin (West), KdZ. 2511 und KdZ. 2512, durch eine Radierung von Daniel Hopfer (Bartsch 87) und durch die verlorene Pergamentmalerei des Narziss Renner (Kriegsverlust des Berliner Kupferstichkabinetts) überliefert. W. S.

C 2.16 Hans Burgkmair

Der Vorreiter mit Fechtern

Formschnitt von Cornelius Liefrinck, vor 13. 12. 1516

Bez.: Monogramm des Künstlers am Riemenzeug des Pferdes
Holzschnitt. 38,1x37,4 cm
Dresden, Staatliche Kunstsammlungen, Kupferstich-Kabinett
Schestag 33

C 2.17 Hans Burgkmair

Fünf Fechter mit Stangen

Bez.: Monogramm des Künstlers am Oberschenkel des ersten Fechters
Holzschnitt. 27x37,1 cm
Dresden, Staatliche Kunstsammlungen, Kupferstich-Kabinett
Schestag 34

Den Vorreiter der Dreschflegelfechter, den Fechtmeister Hans Hollywars, läßt Burgkmair schräg vor der Front reiten. Dadurch erhält die Gruppe eine eigene Bedeutung.
Dem Formschnitt Cornelius Liefrincks fehlt die Ausgeglichenheit de Negkers. W. S.

C 2.18 Hans Burgkmair

Der Vorreiter mit Fechtern

Formschnitt von Cornelius Liefrinck

Holzstock aus drei nebeneinander gefügten Platten
38,1x37,4 cm
Wien, Graphische Sammlung Albertina

Die unbearbeitete Fläche des Stockes weist Spuren einer Pinselvorzeichnung auf, auch ist möglicherweise das Spruchband in anderer Weise vorgeritzt gewesen. Der Schnitt der freien Tiefen ähnelt de Negker, doch ist das Messer beim Ausheben des Grundes teilweise mit hebelnder, teilweise mit schrammender Bewegung geführt. W. S.

C 2.19 Hans Burgkmair

Turnierkämpfer mit Spießen

Formschnitt von Jost de Negker, vor 9. 6. 1517

Holzschnitt. 33,3x37,1 cm
Dresden, Staatliche Kunstsammlungen, Kupferstich-Kabinett
Bei Schestag nicht beschrieben

C 2.20 Hans Burgkmair

Turnierreiter mit Spießen

Formschnitt von Wilhelm Liefrinck, vor 23. 8. 1517

Holzschnitt. 37,7x37,4 cm
Dresden, Staatliche Kunstsammlungen, Kupferstich-Kabinett
Schestag 43

C 2.21 Formschnitt von Wilhelm Liefrinck nach Hans Burgkmair

Turnierreiter mit Spießen

Holzstock aus drei nebeneinander gefügten Platten
37,7x37,4 cm
Wien, Graphische Sammlung Albertina

Der Hintergrund der Figurengruppe ist in auffallend knapper Weise ausgeschnitten. Die Vertiefungen wirken in der Arbeitsweise Wilhelm Liefrincks nur wie ausgehoben. W. S.

C 2.22 Hans Burgkmair *Abbildung Seite 164*

Reiter des Feldrennens

Formschnitt von Jan de Bom von 1518

Bez.: Signatur [A] B (Burgkmair) auf der Rennbrust des fünften Reiters
Holzschnitt. 34,2x37,2 cm
Dresden, Staatliche Kunstsammlungen, Kupferstich-Kabinett
Schestag 54

C 2.22

C 2.23 Formschnitt des Jan de Bom nach Burgkmair *Abbildung*

Reiter des Feldrennens

Holzstock aus drei nebeneinander gefügten Platten
34,2 x 37,2 cm
Wien, Graphische Sammlung Albertina

C 2.25

C

C 2.24 Hans Burgkmair

Reiter des Feldrennens

Holzschnitt. 34,2 x 37,2 cm
Dresden, Staatliche Kunstsammlungen, Kupferstich-Kabinett
Schestag 123

Der Druckstock Jan de Boms zeigt eine kräftige, in Einzelheiten nüchtern wirkende Arbeitsweise. Auffällig ist die Methode, die Vertiefung des Grundes mit gleichmäßig geschnittener Hohleisenarbeit zu erreichen. W. S.

C 2.25 Albrecht Altdorfer *Abbildung*

Das Gefolge mit dem Leiterwagen. 1518

(Triumphzug, zweites Blatt des Trosses)

Holzschnitt. 38,7 x 38,7 cm
(Abdruck ohne den senkrechten Sprung am Ende des Wagens)
Berlin, Hauptstadt der DDR, Staatliche Museen, Kupferstichkabinett; Inv.-Nr. 812–10

C 2.26 Albrecht Altdorfer

Das Gefolge mit den beiden Reitern. 1518

Bez. auf der Rückseite mit Tinte:
»das schönste und seltenste Bl(att) des.A.Altdorf:«
Holzschnitt. 36,5 x 38,8 cm
(Wasserzeichen: Anker im Kreis – ähnlich Winzinger Wz. 9. Abdruck vor allen Ausbrüchen außer zwei Lücken in der rechten Einfassung)
Berlin, Hauptstadt der DDR, Staatliche Museen, Kupferstichkabinett; Inv.-Nr. 812–10

C 2.27 Albrecht Altdorfer *Abbildung*

Das Gefolge mit dem Kirchturm. 1518

(Triumphzug, fünftes Blatt des Trosses)

Nicht bez.
Formschnitt von Cornelis Liefrinck
Holzschnitt. 38,9 x 38,8 cm
(Wasserzeichen ähnlich Winzinger Wz. 9)
Berlin, Hauptstadt der DDR, Staatliche Museen, Kupferstichkabinett; Inv.-Nr. 812–10

Altdorfer geht liebevoll auf die Welt der einfachen Leute ein, wo Dürer kuriose Züge hervorgekehrt und damit die sozialen Grenzen betont hätte. Als künstlerische Leistung sind die Figuren des Trosses bisher nur von Winkler und Winzinger gewürdigt worden. Als Bekenntnis zu der Welt des gemeinen Mannes überragen sie alle Bauerndarstellungen der Zeit. W. S.

C 3 Jörg Muskat *Abbildung*

Porträtkopf Kaiser Maximilians I.

Nicht bez.
Bronze, hohl, Rückseite abgeflacht. H. 34 cm
Wien, Kunsthistorisches Museum, Sammlung für Plastik und Kunstgewerbe; Inv.-Nr. 5486

Bemerkenswert an dem Bildniskopf des Kaisers, der ihn in der Blüte seiner Mannesjahre zeigt, sind die physiognomischen Ausprägungen: langgestrecktes hageres Antlitz, mandelförmige Augen mit großen schweren Lidern, markante schmalrückige Nase, energischer Mund mit betonter Unterlippe sowie die scharfgezogenen Gesichtsfalten. Ehemals zierte das Haupt des Herrschers eine gesondert gegossene Krone, und die halbrunde Ausformung des Halsansatzes mit der summarischen Modellierung markiert wahrscheinlich die ehemaligen Halsreifen eines Brustharnisches (H. Jantzen 1963, S. 115).

C 2.27

C 3

Dieses Porträt Maximilians I. wird zweifelsfrei Jörg Muskat zugeschrieben, einem Augsburger Bildhauer und Bronzegießer, der seit 1498 für den Kaiser arbeitete und maßgeblichen Anteil an dem umfangreichen Figurenschmuck des Maximilian-Grabes in der Innsbrucker Hofkirche hatte. Die Forschung rechnet den Wiener Kopf zu den frühen Werken des Meisters und bezieht sich dabei auf einen Brief Maximilians vom 26. Mai 1498, worin es heißt: Jörg Muskat habe »unser Angesicht abgesnitten«, was sich offenbar auf die Anfertigung eines Holzmodells bezieht. Zwei Jahre später erhielt Muskat zwei Zahlungen – am 4. April 40 Gulden und 50 Gulden am 22. August 1500 – für die Ausführung in Bronze. Wie viele Beispiele aus dieser Zeit belegen, wurde zunächst ein hölzernes Modell geschnitzt, weil die deutschen Meister noch zu stark der Tradition der spätgotischen Bildschnitzkunst verhaftet waren, während sich die italienischen Künstler bereits auf die andersartige Beschaffenheit des Materials eingestellt hatten.

Im Gegensatz zu den für das Innsbrucker Grab bestimmten zwanzig Imperatorenbüsten, die Muskat seit 1509 in seiner Augsburger Werkstatt schuf, wirkt dieses Maximilian-Porträt noch stark von der gotischen Formenwelt beeinflußt. Das zeigt sich einmal im gewählten Ausschnitt, der lediglich die vordere Kopfhälfte umfaßt und daher eher die Wirkung eines Hochreliefs hervorruft, zum anderen durch die vom Künstler selbst vorgenommene Nachbehandlung, bei der nach dem Guß mit Stichel und Graviereisen Falten und Haarsträhnen noch stärker verdeutlicht wurden. E. Fr.

C 4 Hans Springinklee *Abbildung*

Apotheose Kaiser Maximilians I. 1519

Bez. o. r.: kaiserliches Wappen und unter der Säule links versteckt Wappen des Stabius, der das Programm und die umfangreichen Inschriften ausgearbeitet haben mag. Innerhalb des Holzschnittes gehen von Christus, Maria und dem Kaiser lateinische Spruchbänder aus in Anlehnung an den Psalter.
In der Übersetzung Luthers: »Ich überschüttete ihn mit gutem Segen und setzte eine goldene Krone auf sein Haupt« (Psalm 21, Vers 4) »und erfreute ihn mit Freuden meines Antlitzes« (Psalm 21, Vers 7) sagt Gott; »Hilf, Herr! der König erhöre uns, wenn wir rufen« (Psalm 20, Vers 10) sagt Maria; »Aber du, Herr, bist der Schild für mich, und der mich zu Ehren setzet und mein Haupt aufrichtet« (Psalm 3, Vers 4) sagt Kaiser Maximilian.
Holzschnitt. 37,6x37,7 cm
(Blattgröße: 56x40,2 cm)
Aus Sammlung von Nagler (Lugt 2529)
Berlin, Hauptstadt der DDR, Staatliche Museen, Kupferstichkabinett; Inv.-Nr. 772–10

Der Holzschnitt gibt deutlich eine Anschauung vom Herrschertum von Gottes Gnaden. Christus hält die Weltkugel, das Zeichen seiner Herrschaft, über die Welt. Vor ihm hat der kniende Kaiser Zepter, Reichsapfel und Schwert abgelegt, ähnlich wie sie auf seinem Sarg liegen auf Springinklees Holzschnitt auf den Tod des Kaisers (Geisberg 1344). Er ist in Begleitung einer Reihe ausgewählter Heiliger: der Gottesmutter, des Apostels Andreas (des Schutzheiligen des Ordens vom Goldenen Vlies), der Heiligen Georg, Sebastian, Maximilian, Leopold und Barbara. Diese sieben Heiligen sollten auch an der »Andachtspforte«, dem nicht ausgeführten Gegenstück zur »Ehrenpforte«, erscheinen. Die Beschreibung, die Stabius von dem Verstorbenen entwirft, verbindet nach Dodgson die Vergöttlichung des römischen Kaisers mit der Kanonisierung eines christlichen Heiligen. W. S.

C 5 Albrecht Dürer *Farbtafel Seite 200*

Bildnis Kaiser Maximilians I. 1519

Formschnitt von Jost de Negker

Bez. auf der Schriftrolle oben:
Imperator Caesar Divus Maximilianus/Pius Felix Augustus (Oberster Feldherr, Kaiser, in den Himmel erhobener Maximilian, der Milde, Erfolgreiche, Erhabene)
Holzschnitt aus zwei Platten in Gold und Schwarz, koloriert mit Dunkelgrau und Graugrün.
41,5x32,2 cm
(am Unterrand fehlt ein Streifen von 9 mm Breite)
Wasserzeichen: Anker im Kreise (ähnlich Briquet 490)
Restauriert 1911 im Kupferstich-Kabinett Dresden
Gotha, Museen der Stadt, Schloßmuseum; Inv.-Nr. 8, 26
Meder 255 (2. Stock I)

Imperator Cæsar diuus Maximilianus pius felix augustus Christianitatis supremus Princeps Germaniæ Hungariæ Dalmatiæ Croaciæ Bosnæq Rex Angliæ Portugalliæ & Boemiæ heres &c. Archidux Austriæ Dux Burgundiæ Lotharingiæ Brabantiæ Stiriæ Carinthiæ Carniolæ Lymburgiæ Lucemburgiæ & Gheldriæ Comes Princeps in Habspurg & Tirolis Lantgrauius Alsatiæ Princeps Sueuiæ Palatinus Hannoniæ Princeps & Comes Burgundiæ Flandriæ Goriciæ Arthesiæ Holandiæ & Comes Seelandiæ Phirretis in Kyburg Namurci & Zutphaniæ Marchio super Anasum Burgouiæ & sacri Imperij Dominus Phrysiæ Marchiæ Sclauonicæ Mechliniæ Portus Naonis & Salinarum &c. Princeps potentissimus transijt. Anno Christi Domini M.D.XIX. Die xii Mensis Ianuarij. Regni Romani xxxiij. Hungariæ uero XXIX
Vixit annis LIX. Mensibus IX. Diebus XIX.

Imperij columē Germani gloria regni:
Virtutumq decus per te clementia mūdo
Illuxit magne tribuit quam maxima terre
Omnipotens rerū manibꝫ rex sceptra benignis

Iusticie cultus: sancte simul ocia pacis
Te duce celesti populis e munere missa.
Nunc ad sidereas sedes super astra receptꝫ
Aeterna frueris vita: te gloria Christi

Luce sub immensa lustrat: sanctisq uocari
Incipis; virtus Christoq, hominiq, deoq.
Ergo age ceu nostro Rex clemens orbe fuisti
Sic pius e superis nos respice sede precantes

C 4

Dürers bekannte Bildniszeichnung vom 28. Juni 1518 ist nach dem Ableben des Kaisers am 12. Januar 1519 als Totengedächtnisbild im Holzschnitt herausgegeben worden. Darauf deuten der Titel »Divus« und die dunkelgraue Färbung von Gesicht und Haar, womit eigentlich nur Bronze gemeint sein kann. Diese Tönung ist in dem vorliegenden Exemplar (einem unreinen Druck der Schwarzplatte mit verschiedenen Farbklecksen) sehr sorgfältig ausgeführt; die Lichter auf dem abgewendeten Auge sind ausgespart, ebenso der Hutrand links. Der Grund ist in einem tiefgrauen, olivgrünen Ton abgesetzt. Das Licht fällt von oben auf den hellen Kragen, dessen Reflexe die Edelsteine der Kette des Vliesordens zum Glänzen bringen. Das Gold war ursprünglich an allen sichtbaren Stellen abgedeckt durch einen lasierenden grauen Farbauftrag bis auf einzelne Stellen der Kettenglieder mit Edelsteinen. Von der Abdeckung nicht betroffen ist ein 8 bis 10 mm breiter Streifen unten, der offenbar von einem Rahmen abgedeckt war. (Dieser Randstreifen fehlt im Faksimiledruck bei Gleisberg, wo auch an der Goldplatte Retuschen vorgenommen worden sind. Der ganze Druck etwas zu grün, im Goldton zu warm.) Allerdings sind durch Bereiben der Oberfläche Teile der Lavierung und des gedruckten Schwarz' abgefallen, so daß im Gewand und auf der Kette zufällige Goldlichter entstanden sind.
Der Druck der breiten Goldflächen war ein technisches Wagnis, das man nur einem Meister seines Faches wie dem in Augsburg ansässigen de Negker zutrauen möchte; es blieb jahrhundertelang ohne Nachfolge. Im Werk Dürers ist der Holzschnitt zusammen mit dem Kupferstich des »kleinen Kardinals« (Kat.-Nr. B 68) das erste durch Druck vervielfältigte Bildnis. Sicherlich regte er durch seine starke Verbreitung (vier verschiedene Holzstöcke wurden gearbeitet) die Herstellung von Bildnisdrucken an (bei Cranach: Luther in Drucken von 1520, 1521 und 1522). W. S.

C 6 Hans Weiditz nach Albrecht Dürer

Bildnis Kaiser Maximilians I. 1519

Bez.: Dürer-Monogramm
am rechten Säulenfuß der Architekturrahmung
Die Inschrift des Dürer-Holzschnittes (Kat.-Nr. C 5)
im Grund angebracht. Auf dem Schriftblatt der Brüstung
die Inschrift: Der Teür Fürst Kayser Maximilianus ist
auff den XII. tag des Jenners seins alters Im / LIX. Jar
seligklich von dyser Zeyt geschaiden. Anno domini. 1519
Holzschnitt. 53,8 x 37,3 cm
Aus Sammlung von Nagler (Lugt 2529)
Berlin, Hauptstadt der DDR, Staatliche Museen,
Kupferstichkabinett; Inv.-Nr. 771—10
Meder 255 (4. Stock d)

Die volkstümliche Fassung des Kaiserbildnisses fügt das Wappen mit der Andeutung eines Triumphbogens, nicht mehr als auf vielen Buchtiteln der Zeit, hinzu. Dabei werden bewußt die Zierformen tapetenhafter Riesenholzschnitte aufgegriffen.
W. S.

C 7

C 7 Hans Daucher *Abbildung*

Kaiser Karl V. zu Pferde. 1522

Bez. u. r.: HD 1522
Relief, Solnhofener Stein. 19 x 12,5 cm
Innsbruck, Tiroler Landesmuseum Ferdinandeum;
Inv.-Nr. P 168

Der für das Relief-Bildnis Karls V. verwandte Solnhofener Schiefer, der sich durch außergewöhnliche Feinkörnigkeit auszeichnet und leicht in Platten abgespalten werden kann, erfreute sich in der Zeit der beginnenden Renaissancekunst in

Deutschland besonderer Beliebtheit, war er doch für kleinformatige und künstlerisch fein durchgearbeitete Reliefs der ideale Werkstoff. Gerade Hans Daucher hat dieses Material für viele seiner Werke verwendet, die sich durch minutiöse Wiedergabe des Details und durch Glätte der Oberfläche auszeichnen, was dem Geschmack der Zeit um 1500 entsprach. Überraschend ist, daß sich aus dem Jahr 1522 eine Reihe datierter Reliefs aus Solnhofener Stein von Hans Daucher erhalten haben; neben dem Innsbrucker Werk sind eine ähnliche Darstellung Karls V. (Sammlung Rothschild, Paris) sowie zwei Rundmedaillons mit Porträts Ottheinrichs und Philipps von der Pfalz (München, Bayerisches Nationalmuseum) und ein Relief mit der Szene »Merkur weckt Paris« (Wien, Kunsthistorisches Museum) zu erwähnen. In einem Verzeichnis von 1619 befindet sich die Eintragung: »In einem schleifstein gahr konstreich eingeschnitten Kaiser Carll, reitend, mit ainer Landschaft. Der Meister HD No. 1743«. E. Fr.

C 8 Unbekannter Stecher *Abbildung*

Kaiser Maximilian I. Um 1510(?)

Medaillenbildnis

Bez.: Inschrift im Rund:
MAXIMILIANVS ROMANOR IMPATOR SEMPER AVGVSTVS
(Der allzeit erhabene römische Kaiser Maximilian)
Kupferstich. Ø 5,2 cm
Aus Sammlung Beuth (Nr. 1205)
Berlin, Hauptstadt der DDR, Staatliche Museen, Kupferstichkabinett; Inv.-Nr. B-257

Der ungewöhnlich kräftig gearbeitete Stich zeigt das Profil des Kaisers vor dunklem Grund. Die Kopfbedeckung ist ein flaches Barett. Den Abschluß der knappen Büste bildet die Kollane des St. Georgsordens, ähnlich wie auf Daniel Hopfers Radierung (Eyssen 81). Trotz des kleinen Formates ist die Behandlung der Formen breit und malerisch.
Die Zuschreibung des Stiches ist bisher offen, möglicherweise handelt es sich um die Arbeit eines Goldschmiedes. W. S.

C 8

»Verehrpfennige« Kaiser Maximilians I.

C 9.1 Benedikt Burkhart, Hall *Abbildung*

Vierfacher Königsguldiner

Umschrift der Vs.:
MAXIMILANVS DEI GRA.ROMANOR.REX.SP.AVGVST
(Maximilian von Gottes Gnaden römischer König, allzeit Mehrer des Reiches)
Umschrift der Rs.:
XP.AC.A.REG.R^{X}.HER.Q.ARCHID^{X}.AV^{E}.PLVRI. EVROP^{E}.PN.POTETI
(Christlicher und auch anderer Reiche Erb-König, Erzherzog von Österreich, mehrerer europäischer Provinzen Herrscher)
Silber, geprägt. Ø 4,4 cm. 127,88 g
Auf dem Rande eingraviert 4 GVLDN 40 Kx
Berlin, Hauptstadt der DDR, Staatliche Museen, Münzkabinett

Die 1494 und 1495 und seit 1501 in größerem Umfang betriebene Guldinerprägung in Hall fand unter besonderer Anteil-

C 9.1

nahme Maximilians statt, der die Gestaltung der Stempel beaufsichtigte und sein Bildnis auf Probeprägungen eigenhändig korrigierte. Stempelschneider war in Hall seit 1496 der Goldschmied Benedikt Burkhart als Nachfolger des 1495 verstorbenen Konrad Koch, der die ersten Porträtstempel für Maximilian geschnitten hatte. Die Ausgabe der Großsilbermünzen im Werte von etwa einem Goldgulden hatte vorerst weniger Bedeutung für den Geldumlauf, sondern sie dienten als Geschenk- und Schaustücke der Repräsentation und Politik, denn sie verbreiteten das Bildnis des Herrschers, machten durch die Wappenkombination auf der Rs. (Königsadler, Ungarn, Österreich, Burgund, Habsburg) seinen Herrschaftsbereich bekannt. Das Hüftbild mit Schwert und Zepter ist den Gemälden von Bernhard Strigel verwandt (Baldass, Abb. 13, Taf. 34). Der vierfache Königsguldiner ist nach 1503, vermutlich zwischen 1504 und 1506, entstanden. L. B.

L. v. Baldass, Die Bildnisse Kaiser Maximilians I., Jb. d. kunsthistorischen Sammlungen Wien 31, 1913/14, S. 286ff.; Egg S. 19f., 118.6

C 9.2

C 9.2 Ulrich Ursenthaler, Hall *Abbildung*

Zweifacher und zweieinhalbfacher Schauguldiner zur Kaisererhebung, sogenannter Kaiserreiter. 1509/17

Umschrift der Vs.:
MAXIMILIANVS.DEI.GRA.ROM.IMP.SEMP.AVG.ARCHIDVX.AVSTRIE.
(Maximilian von Gottes Gnaden, römischer Kaiser, allezeit Mehrer des Reiches, Erzherzog von Österreich)
Umschrift der Rs.:
PLVRIVMQ.EVROPE.PROVINCIAR'REX.ET.PRIИCEPSPOTEИTISIM
Silber, vergoldet, geprägt. Ø 5,3 cm. 61,71 g
Und Silber, geprägt. Ø 5,7 cm. 78,90 g
Berlin, Hauptstadt der DDR, Staatliche Museen, Münzkabinett

Nachdem Venedig 1508 Maximilian verweigert hatte, zur Krönung nach Rom durch sein Gebiet zu reisen, nahm er im Dom von Trient den Kaisertitel an. Aus diesem Anlaß ließ er Doppelguldiner prägen, auf deren Vs. er zu Pferde, auf deren Rs. der kaiserliche Doppeladler, von der Kette des Goldenen Vlieses und zwei Wappenkreisen (7 Königreiche und 19 Länder) umgeben, abgebildet ist. Mit gering verändertem Bild wurden sie 1509 und in den folgenden Jahren in großer Zahl ausgegeben; am 30. Juli 1509 gingen an den Kaiser 100 vergoldete »gross pfennig« zu Verehrzwecken. Auf seiner Reise in die Niederlande 1517 benötigte er für generöses Auftreten eine größere Menge von Verehrpfennigen und ließ deshalb von Hall Stempel der Schaumünzen anfordern, die in den Niederlanden, vermutlich in Antwerpen, geprägt werden sollten. Aber erst nachdem die Versicherung erging, daß die Stempel nicht zu Geldmünzenprägung benutzt werden würden, die minderwertig hätten sein und dem Ansehen der Tiroler Münzstätte hätten schaden können, wurden die Stempel, zur Sicherheit mit einer Rosette gekennzeichnet, ausgeliehen. L. B.

Egg S. 22, 39f., 154.13.14

C 9.3 Ulrich Ursenthaler, Hall

Bildnisschaumünze mit Reiter. 1514

Umschrift der Vs.:
MAXIMILIAИVS.ROMAИORVM.IMPERATOR.
SEMPER.AVGVSTVS.ARCHIDVX.AVSTRIE.
Unter dem Armabschnitt 1514
Umschrift der Rs.:
PLVRIVMQZ.EVROPE.PROVINCIARVM.REX.ET.PRINCEPS.
POTENTISSIMVS
(König mehrerer europäischer Provinzen und allerhöchster Fürst)
Silber, geprägt. Ø 4,2 cm. 45,51 g
Berlin, Hauptstadt der DDR, Staatliche Museen, Münzkabinett

Maximilian kontrollierte selbst die Porträtähnlichkeit seiner Münzbildnisse und legte Wert auf ihre altersentsprechende Änderung, der Stempelschneider soll »das Eisen mit dem Alter im angesicht faister machen«. Die an Siegelschnitte und auch an Guldiner Erzherzog Sigismunds von Tirol 1486 erinnernde Rs. zeigt den schwertschwingenden Kaiser zu Pferde hinter einem Landsknecht und über zwei hingestreckten Kriegern. Oben der Kaiseradler und Feuereisen, unten Wappen von Ungarn, Burgund, Habsburg und Österreich. L. B.

Egg S. 38, 154.8

C 9.4

C 9.4 Ulrich Ursenthaler, Hall *Abbildung*

Bildnisschaumünze mit Reiter. 1516

Silber, geprägt. Ø 3,9 cm. 29,25 g
Berlin, Hauptstadt der DDR, Staatliche Museen, Münzkabinett

Umschriften und Brustbild sind gegenüber 1514 geringfügig abgewandelt, die Ränder schüsselartig aufgebogen. Die Rs., durch einen den Kaiseradler haltenden Engel bereichert, ist von besonders feinem Stempelschnitt. L. B.

Egg S. 39, 154.10

C 9.5 Giovanni Candida *Abbildung*

Medaille Erzherzog Maximilian und Maria von Burgund. 1477(?)

Umschrift der Vs.:
MAXIMILIANVS.FR.CAES.F.DVX.AVSTR.BVRGVND.
(Maximilian, Kaiser Friedrichs Sohn, Herzog von Österreich, Burgund)
Umschrift der Rs.:
MARIA.KAROLI.F.DVX.BVRGVNDIAE.AVSTRIAE.BRAB.C.FLAN:
(Maria, Tochter Karls, Herzog(in) von Burgund, Österreich, Brabant und Flandern)

C 9.5

Im Feld gekröntes Monogramm MM (Maximilian, Maria)
Bronze, gegossen. Ø 4,8 cm
Berlin, Hauptstadt der DDR, Staatliche Museen, Münzkabinett

Die Medaille vereinigt das Bildnis des Erzherzogs Maximilian (1459–1519) mit dem Marias (1457–1482), der Erbin des Herzogtums Burgund. Sie entstand vermutlich anläßlich oder bald nach der 1477 erfolgten Hochzeit des Paares. Durch die aus hausmachtpolitischem Interesse geschlossene Verbindung wurde nach dem Tode des Vaters der Braut, Herzog Karls des Kühnen, Burgund 1477 Teil des habsburgischen Reiches. Der Meister der Medaille, Giovanni Candida aus Neapel, war kein Berufskünstler, sondern ein hochbegabter, in der Medaillenkunst dilettierender Diplomat, der seit 1472 bei Karl dem Kühnen in Diensten stand und bis 1480, auch begünstigt von Maria, am Hofe Erzherzog Maximilians in den Niederlanden lebte. Vielleicht durch guten persönlichen Kontakt gefördert, verstand es Candida, das, wie Zeitgenossen es rühmten, schönste Fürstenpaar Europas in seiner frischen Jugendlichkeit mehr intim als mit höfischer Aufmachung und Distanziertheit einfühlsam zu porträtieren. L. B.

Habich, Italien, S. 85; Hill Nr. 831; Hill and Pollard S. 72

C 9.6 Ulrich Ursenthaler, Hall

Schaumünze, sogenannter Hochzeitsguldiner Nach 1511

Umschrift der Vs.:
MAXIMILIAN.MAGNANIM.ARCHIDVX.AVSTRIE.BVRGVND.
(Der hochherzige Maximilian, Erzherzog von Österreich, Burgund)
Neben dem Bildnis ETA – TIS. 19 (Im Alter von 19 Jahren)
Umschrift der Rs.:
MARIA.KAROLI.FILIA.HERES.BVRGVND.BRAB.CONIVGES.
(Maria, Karls Erbtochter von Burgund, Brabant. Ehegatten)
Neben dem Bildnis .ETAT – IS ZO. (Im Alter von 20 Jahren)
Darunter 1479
Silber, geprägt. Ø 4,15 cm. 30,11 g
Berlin, Hauptstadt der DDR, Staatliche Museen, Münzkabinett

Im Jahre 1511, kurz nach dem Tode der zweiten Gemahlin Maximilians, Bianca Maria Sforza, erteilte der Kaiser der Haller Münzstätte den Auftrag zur Herstellung von Guldinern mit Bildnissen »seiner und seiner gemahlin frau Maria von Burgund jugent«. Die Veranlassung dazu ist ungewiß. Zum Muster diente Candidas Medaille, auf deren vermutliches Entstehungsdatum sich die Jahreszahl 1479 bezieht. Die Schaumünze gehörte auch zu den auf der niederländischen Reise 1517 verteilten Repräsentationsstücken. L. B.

Kress Collection Nr. 616; Egg S. 41f., 158.15

C 9.7 Gian Marco Cavalli *Abbildung*

Medaille (Guldiner-Modell) König Maximilian und Bianca Maria Sforza. 1506

Umschrift der Vs.:
MAXIMILIANVS.RO.REX.ET.BIANCA.M.CoNIVGES.IV.
(Maximilian, römischer König, und Bianca Maria, rechtmäßige Ehegatten)
Umschrift der Rs.:
ESTO.NOBIS.TVRRIS.FOR.A FACIE.INIMC.
(Du sollst uns ein starker Turm sein vor dem Angesicht des Feindes)
Bronze, gegossen. Ø 4,1 cm
Berlin, Hauptstadt der DDR, Staatliche Museen, Münzkabinett

Im Jahre 1494 heiratete Maximilian in zweiter Ehe die reiche Tochter des Herzogs von Mailand Bianca Maria Sforza (1472–1510). 1506 hielt sich der Goldschmied und Stempelschneider Gian Marco Cavalli aus Mantua für drei Monate in Hall auf, um im Auftrage des Königs gegen eine Entschädigung von 108 Gulden neue Münzstempel zu schneiden, die dann aber, da sie den Erwartungen nicht entsprachen, nicht zum Einsatz kamen. Besser erging es dem »Schaupfennig« zu 15 Kreuzern mit den Bildnissen des Königspaares, der allerdings auch nur in geringer Zahl produziert wurde. Daß auch eine Ausführung dieses Doppelbildnisses in Guldinergröße geplant war, beweisen ein im Wiener Münzkabinett erhaltenes unikates Silberexemplar und Bronzemodellgüsse dazu. Cavallis Entwurfszeichnungen für die Profilbildnisse nach Ambrogio de Predis und die von Putten umgebene Madonna befinden sich in der Bibliothek Venedig. L. B.

Habich, Italien S. 98; Hill Nr. 245; Hill and Pollard S. 52; Egg S. 20, 44, 54f.

C 9.7

C 11

C 10 Hans Burgkmair

Wappen des Heiligen Römischen Reiches. 1515

Bez. u.: Monogramm des Künstlers,
durch das Halbrund des Schildes geteilt
Bez. o.: zwischen den Flügeln der Helmzier Jahreszahl 1515
Holzschnitt. 19,8x14,9 cm
Aus Sammlung Beuth (Nr. 252)
Berlin, Hauptstadt der DDR, Staatliche Museen,
Kupferstichkabinett; Inv.-Nr. B 115
Passavant 121

Der kleine Wappenholzschnitt ragt hervor durch sorgfältige Zeichnung und spielerische Feinheit des Formschnittes.
Das Wappentier des Heiligen Römischen Reiches hat auch zur Zeit der frühbürgerlichen Revolution in Deutschland schon seinen Kritiker gehabt: Sebastian Frank, der im Adler ein unzähmbar wildes, kriegerisches und blutgieriges Tier sah und damit ein untaugliches Sinnbild für einen guten sanftmütigen, gerechten Fürsten; seine »Geschichtsbibel« wurde ein Opfer der Zensur. W. S.

C 11 Joos van Cleve *Abbildung*

eigentlich Joos van der Beke

Kaiser Maximilian I. Nach 1508

Holz. 39x24,4 cm
(oben abgerundet, im originalen Rahmen)
1821 durch Friedrich Wilhelm III. mit der Sammlung Solly erworben
Potsdam-Sanssouci, Staatliche Schlösser und Gärten, Bildergalerie; Inv.-Nr. GK I 1440

Wiederholung eines bald nach der 1508 erfolgten Ausrufung Maximilians zum Kaiser entstandenen Porträts. Die beste Fassung, bei der es sich möglicherweise um das Original handelt, befindet sich im Kunsthistorischen Museum Wien. Hier wie auf den meisten anderen bekannten Exemplaren hält der Kaiser in seiner Rechten eine Nelke, während er auf dem Potsdamer Bild mit einem Ring dargestellt ist. Außerdem ist auf diesem Porträt oben das Wappen mit dem kaiserlichen Doppeladler hinzugefügt. G. B.

C 12 Albrecht Dürer

Die Schutzheiligen von Österreich. 1515

Unter den Heiligen deren Benennung.

Holzschnitt. 17,2x27,1 cm
Berlin, Hauptstadt der DDR, Staatliche Museen, Kupferstichkabinett; Inv.-Nr. B 207
Bartsch 116; Meder 219 IIg

Die Kenntnis des Zusammenhanges mit den Versen von Stabius verdanken wir einem 1930 von C. Dodgson gemachten Fund. Das von ihm aufgefundene Blatt zeigt die Schutzheiligen mit den dazugehörigen 46 geschriebenen Versen (Meder, S. 185) in Hexametern. Im vorliegenden zweiten Zustand sind nicht nur die Verse weggelassen, sondern die Reihe der Heiligen wurde um zwei ergänzt. Die Gruppierung schien also keiner bestimmten Anordnung unterlegen zu haben. Sich des göttlichen Zuspruchs für einen bestimmten Herrschaftsbereich über Schutzheilige zu versichern, entsprach dem allgemeinen Bedürfnis der Zeit. Für die unterschiedlichsten Bereiche gab es Heilige, die den Mitgliedern durch ihre konzentrierte Aufgabe besonders vertraut waren. Dabei konnte durchaus die Anzahl der Schutzheiligen erweitert werden. Der dargestellte Markgraf Leopold III. wurde erst in der Regierungszeit Friedrichs II. 1485 heiliggesprochen. E. B.

C 13 Rafael Hoffhalter *Abbildung*

nach Albrecht Dürer

Kaiser Rudolf von Habsburg. 1559

Bez. an der linken Stirnwand der Nische: Jahreszahl 1559
Holzstock. 15,2x11,9 cm
Wien, Graphische Sammlung Albertina

Als Rafael Hoffhalter (Skretuski) im Auftrage des Erzherzogs Karl in Wien 1559 die dritte Ausgabe der Ehrenpforte drucken ließ, mußte ein Stock in der Bildmitte rechts vom Mittelportal ersetzt werden: die Darstellung des Kaisers Rudolf (»Rudolf der Streitbare«). Es ist zu bemerken, daß der Ersatzstock, der durch die Jahreszahl als solcher gekennzeichnet ist, nicht völlig originalgetreu ausgeführt wurde, nicht nur in Bezug auf das Wappenschild, dessen Adler sich kräftiger entfaltet, auf den Vorhang der Nische, dessen Borte verändert wurde, und den Zuschnitt des Sockels, sondern in Bezug auf die Körperproportionen, bei denen der breite Kopf mit dem gedrückten Kronhelm auffällt. W. S.

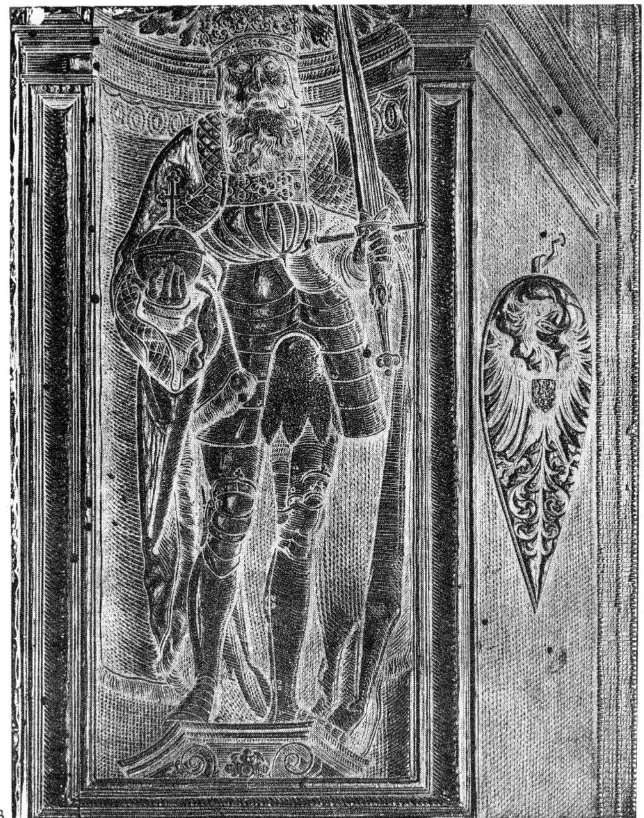

C 13

C 14 Albrecht Dürer

Die Große Kanone. 1518

Bez. o. l.: Monogramm des Künstlers und Jahreszahl 1518
Eisenradierung. 22 x 32 cm
Aus Sammlung Quiring (Lugt 1041 c) erworben 1952
Berlin, Hauptstadt der DDR, Staatliche Museen, Kupferstichkabinett; Inv.-Nr. 4 — 1952
Bartsch 99; Meder 96

In seiner spätesten Radierung schließt Dürer die über sein Werk hinausgreifende Wendung zum Breitformat im Bereich der Graphik ab. Nie vorher war es gelungen, im gedruckten Bild die Anschauung eines weitgespannten Landschaftsraumes von ähnlicher Dichte zu vermitteln. Dürer fing mit einem lokkeren Netz gleichstarker Striche die Vielzahl einzelner Gegenstände ein und vereinigte sie zu einem Bild weltumspannenden Friedens. Ähnlich wie beim heiligen Antonius von 1519 vervollständigte er eine ältere Landschaftsaufnahme (des Dorfes Kirchehrenbach). Figuren und der Gegenstand des Vordergrundes bilden einen gewissen Gegensatz zu der heimatlichen (durch einen Seehafen erweiterten) Landschaft. Waffenlose Gestalten in türkischer und ungarischer Tracht (der Orientale in Anlehnung an ein von Dürer studiertes Gemälde des Giovanni Bellini), bei ihnen ein Mann mit Hellebarde, scheinen an den im Bergtransport innehaltenden Zug einer einzelnen Kanone heranzutreten. Das Geschütz ist in schwieriger Stellung mit besonderer perspektivischer Fertigkeit gezeichnet; Steinbrocken vor den Rädern verhindern sein Abkippen und Abrollen in die Schlucht.

Hier sind Bruchstücke eines imaginären Triumphzuges in einer Weise zusammengefügt, die an Teile des im Auftrage Kaiser Maximilians I. ausgeführten Triumphzuges (Kat.-Nr. C 2) erinnern: links die höchste Errungenschaft der damaligen Militärtechnik, rechts der würdige Zug gefangener Fremder.

Im Jahre 1518 wurde auf dem Reichstag zu Augsburg, an dem Dürer mit der Nürnberger Abordnung teilnahm, zu wirksamen Maßnahmen gegen die Türkengefahr aufgerufen; im gleichen Jahr erschien Huttens Türkenrede. Doch ist der Bezug auf die Türken gewiß nur *ein* Element des Werkes. Im ganzen nähert sich Dürers Radierung doch eher der bedeutenden Aussage der 1517 gedruckten *Klage des Friedens* des Erasmus von Rotterdam mit dem nachdrücklichen Hinweis auf die dauerhaften friedlichen Bindungen der Welt, »die Freundschaft bei den Bäumen und Kräutern«, und dem wiederholten Angriff auf die Donnerbüchsen als Rüstwerk der Hölle (vgl. Wollgast, Berlin 1968, S. 4, 49). In ähnlicher Weise bezeichnen Kanonen an drei Stellen von Cranachs *Passional Christi und Antichristi* von 1521 (Kat.-Nr. B 78) einen mit höllischen Mitteln erzwungenen Anspruch auf weltliche Macht. W. S.

C 15 Sebald Beham *Abbildung*

Die Belagerung Wiens im Jahre 1529. 1530

Formschnitt von Niklas Meldemann

Bez. u. r.: von einem Lorbeerkranz umrahmt das Monogramm des Niclas Meldemann unter der Inschrift:
»Gemacht zu Nurenberg durch Niclaßen Meldeman brifmaler bey der lange(n) prucken wonhoftt, nach Christ geburt. M. ccccc. xxx. Jar.«
Bez. u. l.: im Lorbeerkranz Wappen von Nürnberg, oben die Wappen von Ungarn und Böhmen.

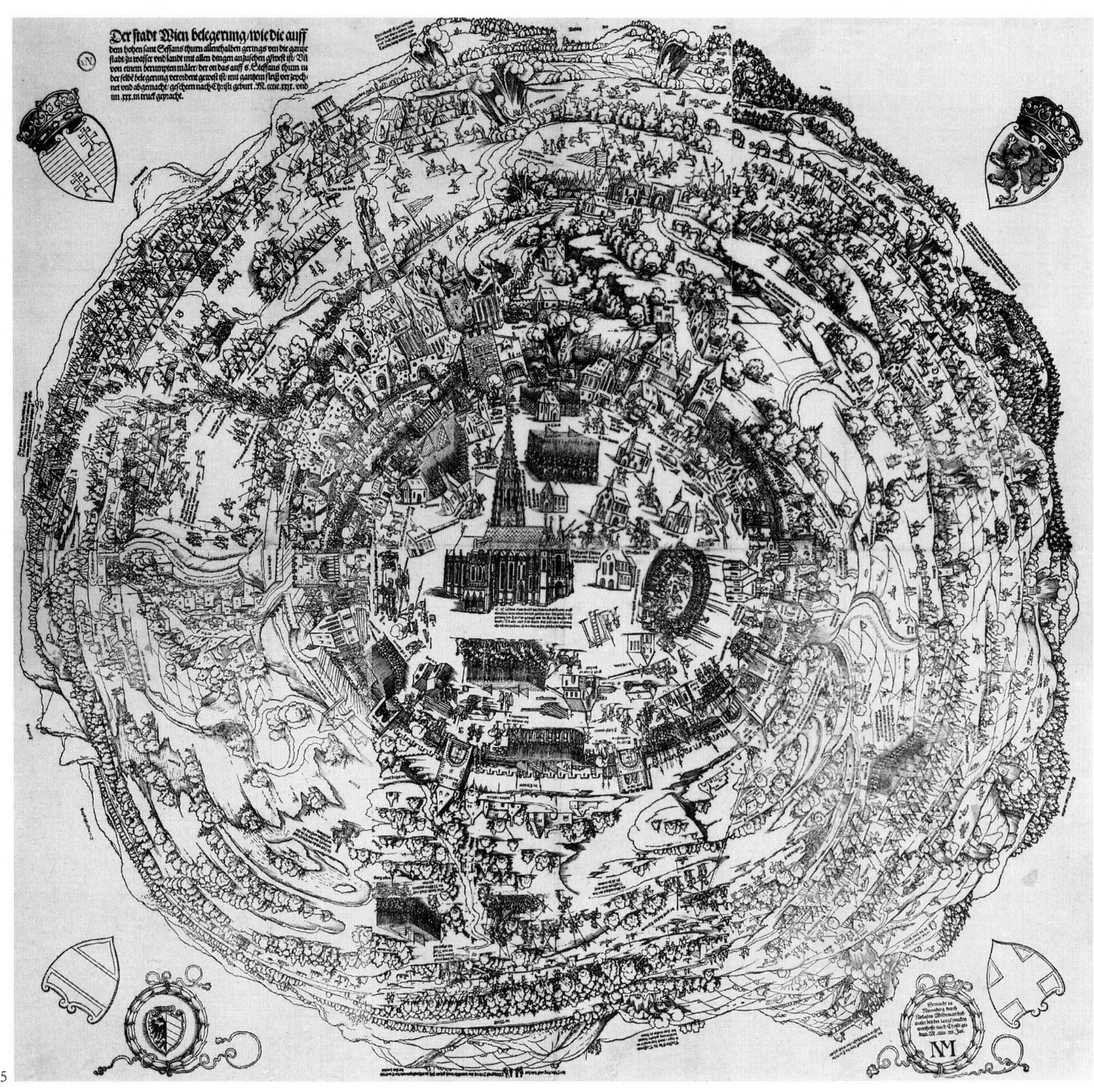

C 15

Dabei die Inschrift: »Der Stadt Wien belegerung, wie die auff dem hohen sant Steffansthurn allenthalben gerings um die gantze stadt zu wasser und landt mit allen dingen anzusehen gewest ist. Un(d) von einem berumpten mäler, der on das auff s. Steffans thurn in der selbe(n) belegerung verordnet gewest ist mit gantzem fleiß verzeychnet und abgemacht, gescheen nach Christi geburt .M.ccccc. XXIX. und im .XXX. in truck gepracht.«
Holzschnitt. 81,2 x 85,6 cm
Aus Sammlung von Nagler
Berlin, Hauptstadt der DDR, Staatliche Museen, Kupferstichkabinett; Inv.-Nr. 848–100
Geisberg 283–288

Rundblick vom Stephansdom

Gegenstand der ungewöhnlichen Darstellung ist der türkische Angriff auf Wien im Jahre 1529; dem Sturm vom 11. Oktober wohnte Sultan Soliman selbst bei. Der wichtigste Kampfplatz um das ehemalige Kärntnertor (über dem Stephansdom) ist in den Mittelpunkt der Darstellung gerückt. Hier war es den Angreifern gelungen, durch schwere Minen Breschen in die Stadtmauer zu reißen. Eine der Sprengungen ist neben der Augustinerkirche in der Höhe der nicht mehr erhaltenen Kirche St. Clara in drastischer Weise ausgemalt. Die für die Verteidigung der Stadt offenbar entscheidende Stelle hat auch Wolf Huber in einer Zeichnung von 1530 von der Gegenseite dargestellt (Winzinger, Huber, Nr. 86). Mit welcher Erbitterung der

Kampf geführt wurde, zeigen die Feuersäulen im Vorfeld. Der oberste Feldhauptmann Österreichs, Graf Niklas von Sahn d. Ä., der »bei zerstörten Mauern die ungebeugte Kraft seines hochherzigen Geistes statt der Mauer dem Sturme des Feindes entgegen stellte« (F. Winzinger, Wolf Huber, München und Zürich 1979, S. 66) erlag später der Verletzung, die er bei den Kämpfen erlitt. Die ungewöhnliche Panoramadarstellung darf als ein eigenwilliges Gegenstück zu der konstruierten Vogelschau Venedigs (Kat.-Nr. D 69) angesehen werden. Vor der Entfaltung dieses Darstellungstyps zu Beginn des 19. Jahrhunderts sind überhaupt nur wenige vergleichbare Beispiele nachzuweisen wie die 1620 von Andreas Faistenberger gezeichnete Ansicht der Stadt Kitzbühel in Tirol (P. Weniger, Österreich in alten Ansichten. Herausgeber: Graphische Sammlung Albertina. Salzburg 1977, S. 359, Taf. 84). Die Art der Zusammenfügung eines Turmrundblickes ist ähnlich, auch das große Format (80,5 x 78,5 cm), wie überhaupt wohl der Plan von Kitzbühel vom Holzschnitt Behams angeregt ist. Während die Vogelschaukarte Faistenbergers als Auftrag für ein Geschichtswerk entstand, ist ein solcher Zusammenhang für den Holzschnitt nicht nachgewiesen worden. Man kann sich Werke dieser Art eigentlich nur als Schmuck von Tischplatten vorstellen.

W. S.

C 16 Veit Arnberger *Abbildung*
Guß: Gregor Löffler

Tafel zum Gedenken an den Ausbau einer Fernpaßstraße. 1543

Bez.: mit lateinischer und deutscher Inschrift und Jahreszahl
Relief. Bronze. 88 x 87 cm
Innsbruck, Tiroler Landesmuseum Ferdinandeum; Inv.-Nr. B 203

Die dreiteilige Platte, die sich ehemals am Schloß Fernstein befand, ist zur Erinnerung an den Bau einer Straße »für einen bequemen Gebrauch der Untertanen ...«, der durch König Ferdinand veranlaßt wurde, gegossen worden. Das Mittelfeld wird von den ganzfigurigen Hochreliefdarstellungen Karls V.

C 16

und Ferdinands I. flankiert. Auf den Postamenten die jeweiligen Wappen.
Veit Arnberger war als Bildhauer in Innsbruck tätig und hat häufig Holzmodelle für Bronzewerke geschaffen. So stammen auch die Entwürfe für die großen Statuen Chlodwigs und Karls des Großen vom Innsbrucker Maximilian-Grab von seiner Hand. Er arbeitete mit Gregor Löffler zusammen, dem wohl bekanntesten Mitglied einer vom 15. bis zum 17. Jahrhundert tätigen Tiroler Erzgießerfamilie, in der sich, ähnlich wie in der Familie Vischer zu Nürnberg, dieses damals so wichtige Kunsthandwerk von Generation zu Generation weitervererbte. So erhielt Gregor Löffler auch seine Ausbildung durch den Vater Peter Löffler. E. Fr.

C 17 Adriano Fiorentino *Abbildung*
Guß: Deutscher Meister

Porträtbüste Kurfürst Friedrich der Weise von Sachsen. 1498

Bez. am Sockel:
FRIDERICVS.DVX.SAXONIAE.SACRI.IMPERII.ELECTOR
(Friedrich Herzog von Sachsen, Kurfürst des Heiligen Römischen Reiches)
Bez. auf dem Kragen: ANN.SALVT..M CCCCLXXXXVIII
Vollrund, Gelbguß. 62,7x50 cm (Standfläche)
Dresden, Staatliche Kunstsammlungen, Skulpturensammlung H 1/1

C 1

Wenn auch die Physiognomie Friedrichs getroffen ist, so bewirken doch Ungeschicklichkeiten in der Körperwiedergabe, besonders im Ansatz der Arme und im unmotivierten Faltenspiel des Gewandes den Eindruck von Unfertigkeit. Dies und die Anbringung der Inschrift – sie wirkt schildhaft vorgesetzt – veranlaßten die Forschung, Adriano Fiorentino, den eine Inschrift auf der Innenseite der Büste nennt (HADRIANVS FLORENTINUS ME FACIEBAT), wohl als den Schöpfer des Modells, nicht aber als den Gießer anzunehmen. Dafür sprechen auch die lässige Nachbehandlung und das Fehlen feiner Ziselierungen.
Ein Vergleich mit anderen Werken des Adriano Fiorentino – er war Schüler von Bertoldo di Giovanni, der als Bronze- und Geschützgießer an den Höfen von Neapel, Urbino und Mantua tätig war – zeigt, daß die Dresdner Büste in ihrer künstlerischen Qualität keineswegs den Rang der Bronzebüste des Ferdinand von Aragon (Neapel, Museo Nazionale) erreicht.
Auch das verwendete Material – Gelbguß, eine Legierung aus Kupfer und Zink – spricht gegen ein Mitwirken Adriano Fiorentinos am Guß, da dieser für seine Werke, soweit es sich überblicken läßt, nur Bronze verwandte. Angeblich soll Fiorentino 1498 in Dresden gewesen sein und dort Friedrich den Weisen porträtiert haben. Diese Nachricht ist insofern mit Vorbehalt aufzunehmen, als die Büste aus Friedrichs Residenz, Schloß Hartenfels in Torgau, stammt. E. Fr.

Das 1519 den Kaiser wählende Kurfürstenkollegium

C 18.1

Erzbistum Köln: Hermann von Wied (1515–1547)

Goldgulden 1517

Umschrift der Vs.: H MAN ARC EP S COL
(Hermann Erzbischof von Köln)
Thronender Christus über Stiftsschild
Umschrift der Rs.: MO AVR RENES 1517
(Rheinische Goldmünze)
Dreipaß und Wappenschilde
Gold, geprägt. ∅ 2,3 cm. 3,24 g
Berlin, Hauptstadt der DDR, Staatliche Museen, Münzkabinett
A. Noß, Die Münzen der Erzbischöfe von Cöln 1306–1547, Köln 1913, Nr. 585; Schulten Nr. 1627

C 18.2

Erzbistum Mainz: Albrecht von Brandenburg (1514–1545)

Goldgulden 1515

Umschrift der Vs.: AL A EP M E MEY ETC
(Albrecht Erzbischof von Mainz und Magdeburg usw.)
Thronender Christus über Stiftsschild
Umschrift der Rs: MONE AVRE REN 1515
(Rheinische Goldmünze)
Dreipaß und Wappenschilde
Gold, geprägt. Ø 2,35 cm. 3,23 g
Berlin, Hauptstadt der DDR, Staatliche Museen, Münzkabinett
Mainzisches Münzcabinet des Prinzen Alexander von Hessen, Darmstadt 1882, Nr. 235; Schulten Nr. 1959

C 18.3

Erzbistum Trier, Richard von Greiffenklau zu Volrads (1511–1531)

Goldgulden 1518

Umschrift der Vs.: RICHA ARIEPI TRE
(Richard Erzbischof von Trier)
Thronender Christus über Schild Greiffenklau
Umschrift der Rs.: MO AV RENENSIS 1518
(Rheinische Goldmünze)
Dreipaß und Wappenschilde
Gold, geprägt, Münzstätte Koblenz. Ø 2,4 cm. 3,25 g
Berlin, Hauptstadt der DDR, Staatliche Museen, Münzkabinett
A. Noß, Die Münzen von Trier 1307–1556, Bonn 1916, Nr. 613; Schulten Nr. 3525

C 18.4

Pfalz bei Rhein: Ludwig V. (1508–1544)

Goldgulden 1515

Umschrift der Vs.: LVDVV C PAL P ELE
(Ludwig Pfalzgraf, Kurfürst). Dreipaß und Wappenschilde
Umschrift der Rs.: MONET AV RENE 1515
(Rheinische Goldmünze)
Thronender Christus über Schild Pfalz / Bayern
Gold, geprägt, Münzstätte Heidelberg. Ø 2,3 cm. 3,23 g
Berlin, Hauptstadt der DDR, Staatliche Museen, Münzkabinett
F. Exter, Versuch einer Sammlung von pfälzischen Münzen und Medaillen, Bd. 2, Zweibrücken 1775, S. 305, Nr. 30; Schulten Nr. 2673

C 18.5

Sachsen: Friedrich III. gemeinsam mit Johann und Georg (1507–1525)

Goldgulden o. J.

Umschrift der Vs.: FRI IO GE D G DV SAX
(Friedrich, Johann, Georg von Gottes Gnaden Herzöge von Sachsen)
Stehender Johannes der Täufer über Kur- und Rautenschild
Umschrift der Rs.: MONETA NOVA AVREA LIPCEN
(Neue Leipziger Goldmünze). Reichsapfel im Dreipaß
Gold, geprägt, Münzstätte Leipzig. Ø 2,35 cm. 3,22 g
Berlin, Hauptstadt der DDR, Staatliche Museen, Münzkabinett
J. G. Baumgarten, Historisch-genealogisch-chronologisch-kritisches Verzeichnis aller bekannten ducatenförmigen Goldmünzen der albertinischen Hauptlinie des uralten sächsischen Hauses, Dresden 1812, Nr. 49/50 (Vs.), 42 (Rs.); Schulten Nr. 2994

C 18.6

Brandenburg: Joachim I. (1499–1535)

Goldgulden 1519

Umschrift der Vs.: IOAC P EL MAR BRAND
(Joachim Kurfürst, Markgraf von Brandenburg)
Stehender heiliger Paulus
Umschrift der Rs.: MONE NO AVR FRANEKFOR 1519
(Neue Frankfurter Goldmünze)
Blumenkreuz und Wappenschilde
Gold, geprägt, Münzstätte Frankfurt. Ø 2,4 cm. 3,23 g
Berlin, Hauptstadt der DDR, Staatliche Museen, Münzkabinett
E. Bahrfeldt, Das Münzwesen der Mark Brandenburg von 1415–1640, Berlin 1895, Nr. 290d; Schulten Nr. 290

C 18.7

Böhmen: Ludwig I. (1516–1526)

Goldgulden o. J.

Umschrift der Vs.: LVDOVICVS PRIMVS REX BO
(Ludwig I. König von Böhmen)
Böhmischer Löwe
Umschrift der Rs.: S VENCESL – AVS DVX B
(Heiliger Wenzeslaus Herzog von Böhmen)
Heiliger Wenzel mit Schwert und Schild
Gold, geprägt, Münzstätte Prag. Ø 2,2 cm. 3,56 g
Berlin, Hauptstadt der DDR, Staatliche Museen, Münzkabinett
Beschreibung der Sammlung böhmischer Münzen und Medaillen des Max Donebauer, Prag 1888, Nr. 988 Var.; Numismaticky Listy, 23, 1968, S. 95, Nr. 1

CAROLVS·VON·GOTS·GNAD·REMISCH·
KING·ERWELTER·KAISER·KING·ZVO·
HISSPANIA·VND·BAIDER·SICILEN·ECZ
ERCZHERZOG·ZVO·ÖSTERREICH·HERCZ
OG·VON·BVRGVND·BRABANT·ECZ·GRA
F·ZVO·FLANDER·TIROL·ECZ·I·H·M·D·XX

C 19

C 19 Hieronymus Hopfer *Abbildung*

Bildnis Karls V. 1521

Bez. am Ende der Schrift: I. H. 1521
Schrift unter dem Bildnis: CAROLVS VON GOTS ... TIROL ECZ
Eisenradierung. 12,8 x 15,5 cm
Berlin, Hauptstadt der DDR, Staatliche Museen, Kupferstichkabinett; Inv.-Nr. 240 – 1974
Bartsch 58

Das Bildnis zeigt den 21jährigen Enkel Maximilians I., der gegen alle Widerstände 1519 zum Kaiser gewählt, aber erst 1530 vom Papst in Bologna gekrönt wurde. In das Entstehungsjahr des Bildnisses fällt auch das Wormser Edikt gegen Luther. Durch vielerlei Geschäfte gebunden, unternahm Karl V. erst wieder 1530, im Jahr seiner Krönung, auf dem Augsburger Reichstag einen Vorstoß gegen den Protestantismus. Hieronymus Hopfer setzt das strenge Profil des jugendlichen Kaisers vor einen Hintergrund, der von einem Ornament durchzogen wird, das aus vegetabilischen und tierischen Elementen zusammengesetzt ist. Er trägt den Orden vom Goldenen Vlies, welcher 1429 von Philipp III. von Burgund gestiftet wurde. E. B.

Kaiser Karl V. in Medaillenbildnissen

C 20.1 Hans Kraft d. Ä. *Abbildung*
nach Entwurf von Albrecht Dürer

Nürnberger Ehrenmedaille für Kaiser Karl V. 1521

Umschrift der Vs.: CAROLVS:V.–:RO:IMPER:
(Karl V. römischer Kaiser)
Oben im Wappenkreis neben Feuereisen PLVS–VLTR
(Darüber hinaus)
Rs.: Neben dem Adler 15–21, unten im Wappenkreis N
(Nürnberg)
Silber, gegossen und geprägt. ∅ 7,2 cm.
Und Blei, gegossen und geprägt. ∅ 7,0 cm
Wien, Kunsthistorisches Museum, Sammlung von Medaillen, Münzen und Geldzeichen
Dresden, Staatliche Kunstsammlungen, Münzkabinett, Inv.-Nr. 3256

Über die Geschichte der wohl spektakulärsten Prägemedaille der deutschen Renaissance, »daran nicht der wert, sondern die arbait und kunst anzesehen ist«, sind wir durch schriftliche Überlieferung verhältnismäßig gut unterrichtet. Der Rat der Stadt Nürnberg beabsichtigte, dem Kaiser bei seinem Aufenthalt in der Stadt anläßlich des Reichstages 1521 mit der Übergabe eines »Ehrpfennigs« zu huldigen. Albrecht Dürer lieferte hierfür 1520 den Entwurf, bei dem ihn Willibald Pirckheimer in heraldischen Fragen beriet, auch Lazarus Spengler und Johannes Stabius in Augsburg zu Rate gezogen wurden, um Fehler in Umschrift, Wappenanordnung und beim Reichsadler zu vermeiden. Erfahrungen mit der Herstellung hoher Münzreliefs, wenn auch bei geringerem Durchmesser, hatte man in der Nürnberger Prägestätte bereits durch die sächsischen Statthaltermedaillen (Kat.-Nr. C 25.23), für deren meisterhafte Ausführung, wie auch jetzt bei der Dedikationsmedaille, Hans Krafft verantwortlich war. Das technisch einzigartige Ergebnis ließ sich durch Anwendung einer Zwittertechnik erzielen, indem die Medaille nach einem Modell erst gegossen und dann zu voller Schärfe und Präzision überprägt wurde. Alle Bemühungen des Rates und der Künstler führten jedoch nicht zu dem erhofften Ergebnis: Der Kaiser kam nicht nach Nürnberg; wegen der ausgebrochenen Pest wurde der Reichstag

C 20

nach Worms verlegt, und die hier geplante Übergabe von 100 Silberexemplaren an den Kaiser durch eine städtische Abordnung scheint nicht stattgefunden zu haben. L. B.

Habich I.1 Nr. 18; Dürer, Nürnberg 1971, Nr. 267; Dürerzeit, Dresden 1971, Nr. 592; Hill and Pollard S. 103

C 20.2 Hans Reinhart *Abbildung*

Medaille Kaiser Karl V. 1537

Umschrift der Vs.:
CAROLVS.V.DEI.GRATIA.ROMAN.IMPERATOR.SEMPER.
AVGVSTVS.REX.HIS.ANNO.SAL.M.D.XXXVII.
AETATIS.SVAE XXXVII
(Karl V. von Gottes Gnaden römischer Kaiser, allezeit Mehrer des Reiches, König von Spanien im Alter von 37 Jahren im Jahre des Heils 1537)
Inschrift der Rs.: PL–VS–OVL–TRE
(Darüber hinaus). Unten .H.–.R.
Silber, gegossen. ∅ 6,6 cm
Berlin, Hauptstadt der DDR, Staatliche Museen, Münzkabinett

20.2

Die Medaille gehört in Größe und Anlage mit weitausladendem, prachtvoll gewandetem, mit den Reichsinsignien ausgestattetem Hüftbild zu einer Mitte der 30er Jahre entstandenen, außerdem noch König Ferdinand, Johann Friedrich von Sachsen und Kardinal Albrecht gewidmeten Gruppe, die serienartig wahrscheinlich zum Verkauf produziert wurde. L. B.

Bernhart, Karl V., Nr. 93; Habich II.1 Nr. 1926

C 20.3 Unbekannter Meister *Abbildung*
»Gruppe der Fugger«

Medaille Kaiser Karl V. 1541

Umschrift der Vs.:
CAROL.V.ROM.IMP.AVG.HISP.REX.CATHOL. DVX AVST.ETC
(Karl V. römischer Kaiser, Mehrer des Reiches, christlicher König von Spanien, Herzog von Österreich usw.)

C 20.3

Umschrift der Rs.:
QVOD IN CELIS SOL HOC IN TERRA CAESAR EST M.DXLI
(Was die Sonne am Himmel, ist der Kaiser auf Erden)
Im Feld PLVS.VLTRA
Silber, gegossen. ∅ 4,75 cm
Berlin, Hauptstadt der DDR, Staatliche Museen, Münzkabinett

Die Medaille wurde in der älteren Forschung Peter Flötner zugeschrieben (Bernhart S. 18), diese Zuschreibung aber von Habich widerlegt (Habich II.1 S. 261). Die Medaille könnte beim Aufenthalt des Kaisers in Regensburg zum Reichstag 1541 oder auf dem Wege dorthin in Nürnberg entstanden sein. L. B.

Bernhart, Nr. 74; Habich I.2 Nr. 1837

C 20.4 Leone Leoni *Abbildung*

Medaille Kaiser Karl V.

Umschrift der Vs.:
IMP.CAES.CAROLO.V.CHRIST.REIP.INSTAVRAT.
(Kaiser Karl V. dem Erneuerer des christlichen Staates)
Am Armabschnitt LEO
Umschrift der Rs.: SALVS – PVBLICA *(Rettung des Staates)*
Bronze, gegossen. ∅ 5,2 cm
Berlin, Hauptstadt der DDR, Staatliche Museen, Münzkabinett

Die Medaille, wohl entstanden, nachdem der Italiener Leone Leoni von Karl V. 1549 nach Brüssel berufen worden war, huldigt dem Kaiser als Retter des Landes nach Niederwerfung des Schmalkaldischen Bundes mit der griechischen Göttin des Staatswohls Salus. Sie erfüllt somit, wenn auch in kleinerem Format, dieselbe Funktion wie die Leoni-Medaille mit dem Sturz der Titanen nach dem Angriff auf die Götter (Bernhart Nr. 163.2). L. B.

Bernhart, Karl V. Nr. 181

C 20.4

C 21 Leone Leoni

Kamee Kaiser Karl V. und Gemahlin Isabella von Portugal

Onyx, weiß auf hellblauem Grund. 2,0:1,8 cm.
In Goldreifen (2,5:2,2 cm) gefaßt, der Fingerring abgebrochen
Berlin, Hauptstadt der DDR, Staatliche Museen, Münzkabinett

Die sehr erhaben geschnittene Kamee mit dem Doppelbildnis des Kaiserpaares ist in einem Brief Leonis an Granvella vom 20. Dezember 1550 erwähnt (Bernhart S. 31). L. B.

Bernhart, Karl V. Nr. 165

C 22 Deutscher Meister *Abbildung*

Judith mit dem Haupt des Holofernes. Um 1530

Nicht bez.
Kamee aus zweischichtigem Chalcedon. H. 3 cm, Br. 2,4 cm
Berlin, Hauptstadt der DDR, Staatliche Museen, Antikensammlung; Inv.-Nr. F 11717

Darstellungen der Judith (vgl. Kat.-Nr. E 16–E 18) waren seit dem Mittelalter beliebt, erhielten aber im 16. Jahrhundert besondere Bedeutung. Sie resultierte daraus, daß Judith – eine der »neun guten Heldinnen« – als Symbol städtischer Freiheit und damit als Gerechtigkeitsbild verstanden wurde.

C 22

Die vielleicht in Augsburg entstandene Kamee zeugt mit ihren tiefen Unterschneidungen von der hohen Geschicklichkeit des Schneiders. Die Steinschneidekunst erlebte seit dem 16. Jahrhundert mit dem Eindringen der Antike diesseits der Alpen eine neue Blüte, die in engem Zusammenhang mit der Kunst des Medaillenschnitts zu sehen ist. (Häufig wurden Modelle für Medaillen in Stein geschnitten. Auch Muschelschnitt – vgl. Kat.-Nr. B 19.1 und B. 19.2 – wäre hier zu nennen.)
Kameen wurden aus einfarbigem, durchscheinendem Stein hergestellt und als Schmuckgegenstände oder Gefäßeinlagen verwendet. K. F.

C 23

C 23 Hans Daucher (?) *Abbildung*

Medaille Erzherzog Ferdinand und Anna von Ungarn. 1524

Umschrift der Vs.:
EFFIG:FERDIN:PRINCIP.ET INFANT:HISPAN:
ARCH:AVSTR RO:IMP:/VICAR:
(Bildnis von Ferdinand Fürst und Infant von Spanien,
Erzherzog von Österreich,
Statthalter des römischen Reiches)
Im Feld AN°. – AETA:/SVE – XXI (Im Alter von 21 Jahren)
Umschrift der Rs.:
EFFIGIES:SER:ANNE HVGA:REGINE ARCH:AVSTR:DVCIS:
BVRGV COM:TYRO
Ernsthaftes (wirkliches) Bildnis
von Anna Königin von Ungarn, Erzherzogin von Österreich,
Herzogin von Burgund, Gräfin von Tirol)
Im Feld AN°. – AETA:/SVE – XX (Im Alter von 20 Jahren)
Silber, vergoldet, gegossen. Ø 6,1 cm. Henkelspur
Berlin, Hauptstadt der DDR, Staatliche Museen, Münzkabinett

Ferdinand (1503–1564), der Enkel Kaiser Maximilians, Sohn König Philipps von Kastilien und Bruder Kaiser Karls V., war bis 1527 nach Karl V. Erbe des spanischen Throns, seit 1521 Herr der österreichischen Erblande Ober- und Niederösterreich, Steiermark, Kärnten, Krain, Tirol und hatte während der Abwesenheit des Kaisers im Reich dessen Stellvertretung wahrzunehmen. 1521 heiratete er die ungarisch-böhmische Königstochter Maria, die nach dem Tode ihres Bruders 1526 das ungarische und böhmische Königtum dem Haus Habsburg zubrachte. Im Jahre 1527 wurde Ferdinand zum König von Böhmen und von Ungarn gekrönt, 1531 zum römischen König gewählt. Nach der Abdankung Kaiser Karls V. 1556 trat er dessen Nachfolge an. Die durch die Altersangabe der beiden Dargestellten auf 1523/24 zu datierende dekorative Medaille wird dem Werk des Augsburger Bildhauers und Medailleurs Hans Daucher zugeschrieben, ohne daß seine Autorschaft völlig gesichert wäre. L. B.

Habich I.1 Nr. 64 und II.1 S. LXXXIX; Kress Collection Nr. 619; Dürerzeit, Dresden 1971, Nr. 384

C 24 Lucas Cranach d. Ä. *Abbildung*

Bildnis König Ferdinands. 1548

Bez.: Schlange mit liegenden Flügeln und Datum
Bez. auf der Rückseite von späterer Hand:
Carolus Quinto regierete 39 Jahre ...
gab 63 Regiment und Zug nach Hispagnien nach dem Closter
Juste mit solchem Habit
Rotbuchenholz. 20,5 x 14,5 cm
Zwischen 1836 und 1863 erworben
Schwerin, Staatliches Museum; Inv.-Nr. G 2486

C 24

Halbfigurenbildnis im Dreiviertelprofil vor türkisblauem Hintergrund (durch vergilbten Firnis verfälscht), in dem das minutiös ausgeführte Antlitz, die Gestik der Hände, die Malerei des Stoffes und des Goldes gleichermaßen beeindrucken.
Bis zu dem von Hilger (Wien 1969) geführten Nachweis war das Tafelbild als Porträt Karls V. bekannt. Ferdinand I. hatte seinen kaiserlichen Bruder bei dem Feldzug gegen den Schmalkaldischen Bund unterstützt. Laut Matthias Gunderam und Valentin Sterneboke weilte Cranach 1547 im Lager des Kaisers vor Wittenberg (Lüdecke 1953, S. 85, S. 88ff. und S. 120f.). Möglicherweise entstand damals eine Bildnisaufnahme. Das Gesicht Ferdinands mit dem über den Ohren liegenden Haar (im Gegensatz zum Bildnis Karls V.) rahmt ein noch lichter Vollbart, den er sich nach dem Tode seiner Gemahlin zu Beginn des Jahres wachsen ließ. Auf der schwarzen Trauerkleidung trägt er als einzigen Schmuck das Ordensklein-od der Ritter vom Goldenen Vlies. Als gleichen Typ (Haube, Umhang), allerdings ins Profil gerückt, zeigt ein bereits im Jahre 1547 gedruckter Holzschnitt des Monogrammisten *MR* (Hilger, Wien 1969, S. 80 und Nr. 97, Tafel 39), nach dessen Vorlage weitere Druckgraphiken und Medaillen entstanden (vgl. Hilger, Nr. 209, 210, 99 sowie Tafel 40 und 41), den König: »Abcontrafactung Ferdinandi ... In der belegerung Vor Wittenberg ...« Da der Bezug des Monogrammisten auf die im Tafelbild vorliegende Darstellung offensichtlich ist, nimmt Hilger an, daß das Schweriner Gemälde entweder nachträglich datiert sein oder ein verschollenes Original haben müsse. Die charakteristischen Gesichtszüge, die das Dreiviertelprofil so wie das Gemälde zeigen, kehren in einem Holzschnitt von Lucas Cranach d. J. wieder, der 1548 erschien und Ferdinand in höfischer Tracht in Ganzfigur zeigt. K. H.

C 25.1 Matthes Gebel *Abbildung*

Medaille Herzog Wilhelm IV. von Bayern. 1535

Umschrift der Vs.:
VVILHELM.VON.GOTS.GNADEN.PFALCZGRAF.BEI.RHEIN.
SEINS.ALLTERS.IM.XLI.IAR.
Umschrift der Rs.:
HERCZOG.IN.OBERN.VND.NIDERN.BAIRN.ZC.ANN.DOM.MDXXXV
Silber, gegossen. ∅ 4,2 cm
Dresden, Staatliche Kunstsammlungen, Münzkabinett

Herzog Wilhelm IV. (1493–1550) regierte das bayrische Herzogtum gemeinsam mit seinem Bruder Ludwig. Er war, obwohl er die Notwendigkeit kirchlicher Reformen erkannte, der strikteste Gegner der lutherischen Reformation, deren Verbreitung er unter maßgeblicher Mitwirkung seines Kanzlers Leonhart von Eck in seinem Lande entschieden unterdrückte. Er berief die Jesuiten nach Ingolstadt, leitete gegenreformatorische Maßnahmen ein und unterstützte solche auch außerhalb seines Herzogtums. L. B.

Habich I.2 Nr. 1122

C 25.1

C 25.2

C 25.2 Nürnberger Meister *Abbildung*

Medaille Leonhart von Eck. 1527

Umschrift der Vs.:
LEONHART.VON.EGKH.AET.XXXXVI
Umschrift der Rs.:
OĪS.CARO.FOENV̄ / ET.OMNIS.GLORIA.EIVS / QVASI.FLOS./ FOENI. Unten neben dem Wappen M.D – XXVII
(Alles Fleisch ist wie Gras und alle seine Herrlichkeit ist wie die Blume des Grases. 1527)
Silber, vergoldet, gegossen. Ø 4,0 cm. Gehenkelt
Berlin, Hauptstadt der DDR, Staatliche Museen, Münzkabinett

Leonhart von Eck (1480/81–1550) war seit 1519 einflußreicher, intriganter Kanzler Herzog Wilhelms IV. von Bayern. Er bestimmte die auch gegen die Habsburger gerichtete, auf Unabhängigkeit innerhalb des Reiches zielende Politik Bayerns. Als entschiedener Gegner der Reformation ließ er alle protestantischen Bewegungen unterdrücken. L. B.

Habich I.2 Nr. 954

C 25.3 Hans Schwarz *Abbildung*

Medaille Kurfürst Joachim I. von Brandenburg 1519

Umschrift der Vs.:
IOACHIMI MARCHIONIS BRAND P E AET.SVE XXXV
(Bildnis von Joachim, Markgraf von Brandenburg, Kurfürst, im Alter von 35 Jahren)
Bronze, gegossen, einseitig. Ø 7,7 cm. Sekundärguß
Berlin, Hauptstadt der DDR, Staatliche Museen, Münzkabinett

C 25.3

Die Datierung der Medaille ergibt sich aus der Altersangabe: Der 1484 geborene, 1499 seinem Vater Johann Cicero auf den Thron gefolgte Kurfürst war im Jahre 1519 35 Jahre alt. Joachim I. nahm 1518 am Reichstag in Augsburg teil, hier wird er wie viele seiner Standesgenossen Hans Schwarz begegnet sein und sein Porträt bei ihm in Auftrag gegeben haben (die Bildnisvisierung bei Gebhart, Porträtzeichnungen, Nr. 29, Taf. 5.8). Bei den Auseinandersetzungen für die Kaiserwahl 1519 trat Joachim für Franz I. von Frankreich ein und fiel bei Karl V. in Ungnade. Er war strikter Anhänger der römisch-katholischen Kirche, gehörte mit Georg von Sachsen zu den konsequenten Gegnern der neuen Lehre. Er starb 1535. L. B.

Habich I.1 Nr. 143

C 25.4 Hans Schenck, gen. Scheutzlich

Medaille Kurfürst Joachim II. von Brandenburg 1537

Umschrift der Vs.:
IOACHIM DEĪ GRA.MARCHIO BRANDE.ELECTOR SECVN / AETATIS SVAE XXXIII ANNO NOSTRI SALVATORIS MDXXXVII
(Joachim II. von Gottes Gnaden Markgraf von Brandenburg, Kurfürst im Alter von 33 Jahren im Jahre unseres Heilands 1537)
Silber, gegossen, einseitig. Ø 4,4 cm
Dresden, Staatliche Kunstsammlungen, Münzkabinett; Inv.-Nr. 2180

Unter Kurfürst Joachim II. wurde 1539 in Brandenburg die Reformation eingeführt. L. B.

Habich II.1 Nr. 2233

C 25.5 Nürnberger (?) Stempelschneider *Abbildung*

Medaille
Markgraf Albrecht von Brandenburg-Ansbach, später Herzog von Preußen. 1523

Umschrift der Vs.:
ALBERTVS.D.G.OR.TEV.SVPREMVS.MGR.MARCHIO.BRANDEN
(Albrecht von Gottes Gnaden Hochmeister des Deutschen Ordens, Markgraf von Brandenburg)
Umschrift der Rs.:
ARMA.PRESTANTIS.PRINCIPIS.ETA.33.AN.MDXXIII.
(Wappen des ausgezeichneten Fürsten, im Alter von 33 Jahren 1523)
Silber, geprägt. Ø 4,0 cm
Berlin, Hauptstadt der DDR, Staatliche Museen, Münzkabinett

Der Meister der Porträtmedaille von schlichter Arbeit, aber mit individuellen Zügen ist unbekannt. Da sich Albrecht 1522/23 mehrfach in Nürnberg aufhielt und Gebhart aus der allerdings nur losen Übereinstimmung von Buchstabentypen mit denen des Statthalterguldens Friedrichs II. von der Pfalz auf

25.5

einen gemeinsamen Stempelschneider geschlossen hat, kommt ein Nürnberger Meister in Frage, der, unter großem Vorbehalt, Ludwig Krug sein könnte.
Markgraf Albrecht (1490–1568) war seit 1510 Hochmeister des Deutschen Ordens. Nach einem das Land verwüstenden Krieg mit Polen säkularisierte er, auch auf Anraten Luthers, mit dem er seit 1521 in Verbindung stand, das Ordensland, empfing das Herzogtum Preußen 1525 als polnisches Lehen und schied damit aus dem Reichsverband aus. Albrecht bekannte sich zur Lehre Luthers und führte nach 1525 die Reformation in Preußen ein. L. B.

H. Gebhart, Die Statthalterguldiner Friedrichs II. von der Pfalz, Habich-Festschrift, 1928, S. 52; [J. Menadier], Schaumünzen des Hauses Hohenzollern, 1901, Nr. 547; Habich, I.1 Nr. 19 Anm. und I.2 S.LVIII, Fig. 77

C 25.6 Hans Krug
nach Entwurf von Lucas Cranach d. Ä.

Statthaltermedaille Kurfürst Friedrich III. von Sachsen

Umschrift der Vs.:
FRID.DVX.SAXN.ELECT.–IPERI.QVE.LOCVTENES.GENERALIS
(Friedrich Herzog von Sachsen, Kurfürst und des Reiches Generalstatthalter)
Umschrift der Rs.:
IOHES.DVX.SAXOIE.LANDGVI–THVRIGIE.ET–MARCHIO.MISNE.
(Johannes Herzog von Sachsen, Landgraf von Thüringen und Markgraf von Meißen)
Silber, gegossen. Ø 4,0 cm
Dresden, Staatliche Kunstsammlungen, Münzkabinett
Grotemeyer Nr. 4

C 25.7 Ulrich Ursenthaler
nach Entwurf von Lucas Cranach d. Ä.

Statthaltermedaille Kurfürst Friedrich III. von Sachsen

Umschrift der Vs.:
FRID'.DVX.SAX'–ELECT'.IMPER – QVE.LOCVM:TEN – E'S:GENERA':
Umschrift der Rs.:
MAXIMILIANVS.ROMANORVM.REX.SEMPER.AVGVST
(Maximilian römischer König, allezeit Mehrer des Reiches)
Silber, geprägt. Ø 4,8 cm
Berlin, Hauptstadt der DDR, Staatliche Museen, Münzkabinett
Grotemeyer Nr. 5; Cranach, Basel 1974, Nr. 31 a

C 25.8 Hans Kraft d. Ä. *Farbtafel Seite 196*
nach Entwurf von Lucas Cranach d. Ä.

Statthaltermedaille Kurfürst Friedrich III. von Sachsen. 1512/13

Umschrift der Vs.:
FRID:DVX:SAX' – ELECT:IMPER' / QVE:LOCVM:TENES:GENERAL'
Umschrift der Rs.:
MAXIMILIANVS.ROMANORVM.REX.SEMPER.AVGVSTVS:
Silber, teilvergoldet, gegossen und geprägt
Ø 4,9 cm. 57,47 g
Und Silber, gegossen und geprägt. Ø 4,9 cm. 55,74 g. Im Feld vertieft 1512
Berlin, Hauptstadt der DDR, Staatliche Museen, Münzkabinett
Grotemeyer Nr. 10 und 11

Obwohl Friedrich III. die Generalstatthalterschaft 1507/08 nur wenige Monate tatsächlich ausgeübt hat, erhielt er von Kaiser Maximilian den Titel auf Lebenszeit verliehen. Diese Würde zu propagieren, nutzte der Kurfürst auf der Grundlage der reichen Ausbeute sächsischer Silberbergwerke das in Deutschland noch kaum gebräuchliche Medium der Medaille ganz im Sinne der Haller Maximilians-Schaumünzen, um »bei menigklich ein ere, rum und gedechtnus zu erlangen«. Aber es sollten nicht flache Münzgepräge sein, sondern, vielleicht angeregt durch die Medaille des Degenhart Pfeffinger von Adriano Fiorentino (Kat.-Nr. C 25.10), erhabene Repräsentationsstücke. Der Auftrag hierfür wurde nach Nürnberg vergeben. Seit 1507 korrespondierte der Kurfürst selbst oder sein Rat Pfeffinger mit den Nürnberger Geschäftsträgern Anton Tucher und Anton Tetzel; Ende 1508 lag in Nürnberg ein von Lucas Cranach d. Ä. in Stein geschnittenes Modell vor, doch gab es technische Schwierigkeiten, das von Cranach vorgegebene hohe Relief in eine Prägung umzusetzen, so daß 1508 mit der Jahreszahl 1507 der Stempelschneider und Goldschmied Hans Krug erst einmal Gußmedaillen anfertigte, darunter auch eine Version mit dem Bildnis Herzog Georgs von Sachsen auf der Rs. Weitere Experimente brachten in den folgenden Jahren kein Ergebnis, der Kurfürst wandte sich nun nach

Hall, von wo ihm Ulrich Ursenthaler 1512 qualitätvolle Schaumünzen nach Cranachs Vorlage, jedoch in verminderter Plastizität lieferte. 1513 gelang es dann in Nürnberg Hans Kraft d. Ä., Friedrich III. zufriedenzustellen mit einem Gepräge, das sein halbplastisches Bildnis zeigt auf einem tiefer liegenden Fond, umgeben von erhöhtem Schriftkreis und vier Wappen des Herzogtums Sachsen, der Landgrafschaft Thüringen, der Markgrafschaft Meißen und der Kurwürde. Ermöglicht wurde es dadurch, daß die Medaillen nach den Formen der Stempel vorgegossen, dann geprägt wurden. 74 Exemplare konnten dem Kurfürsten geliefert werden, bevor der Bildnisstempel zerbrach. Die Prägung wurde fortgesetzt mit einem neuen Stempel mit der Jahreszahl 1514, dann auch mit neuem Rs.-Stempel, die ein wenig flacher sind und sich geringfügig von den ersten unterscheiden. Die letzte Emission der Statthaltermedaillen erfolgte 1518/19. L. B.

Grotemeyer, S. 143 und passim; Dürer, Nürnberg 1971, Nr. 268; Dürerzeit, Dresden 1971, Nr. 581–583; Cranach, Basel 1974, Nr. 31; Egg S. 46f.

C 25.9 Hans Kraft *Abbildung*
nach Entwurf von Lucas Cranach d. Ä.(?)

Medaille Kurfürst Friedrich III. von Sachsen. 1522

Umschrift der Vs.: FRD:DVX – :SAXON. – S:RO:IMP. – ELECT.
(Friedrich, Herzog von Sachsen, des heiligen römischen Reiches Kurfürst)
Umschrift der Rs.: VERBVM:DOMINI:MANET:IN:AETERNVM
(Gottes Wort bleibt in Ewigkeit)
im Zwischenkreis: M–D–XX–II
im Innenkreis: C–C/N–S *(Crux Christi nostra salus = Das Kreuz Christi ist unser Heil)*
Silber, geprägt. Ø 4,3 cm
Berlin, Hauptstadt der DDR, Staatliche Museen, Münzkabinett

1522 erteilte der Kurfürst über Anton Tucher dem Nürnberger Eisengraber Hans Kraft den Auftrag für eine neue Medaille, deren Gestalt wieder durch ein Modell vorgegeben war, das möglicherweise von Lucas Cranach stammte. Das erhaben geschnittene Altersbildnis des Kurfürsten mit Hut zeichnet sich, wie die Statthaltermedaillen, durch delikate Behandlung aus, Fond und von vier Wappenschilden unterbrochener Schriftrand stehen aber auf gleicher Ebene. Die Schrifttypen (charakteristisches A und E) sowie die Interpunktionsriegel sind denen der Statthaltermedaillen eng verwandt. Die Rs. ist nicht auf Kaiser und Reich bezogen, sondern hat eher privaten Charakter, mehr noch durch die Wahl gerade dieser beiden Sprüche legt der Kurfürst ein Bekenntnis zur Reformation ab.

Tentzel E, Tafel. 4.I; Grotemeyer S. 156

C 25.9

C 25

C 25.10 Adriano Fiorentino *Abbildung*

Medaille Degenhart Pfeffinger von Salmanskirchen Nach 1495

Umschrift der Vs.:
TEGENHART.PFEFFINGER.ZV.SALBARN.KIRCHEN.ERB. MARSCHALH.IN.NIDERBAIRN
Rs. schriftlos
Galvanoplastische Kopie des verschollenen Gothaer Originals. Ø 7,5 cm
Berlin, Hauptstadt der DDR, Staatliche Museen, Münzkabinett

Der aus einem bayerischen Geschlecht stammende, 1471 geborene Degenhart Pfeffinger erbte beim Tode seines Vaters 1503 das auf der Medaille genannte Marschallamt Niederbayerns. Er schloß sich 1493 dem Zug Kurfürst Friedrichs III. von Sachsen nach Palästina an, wurde dessen vertrauter Rat, bekleidete eine wichtige Stellung, beriet den Kurfürsten in Finanzfragen, war an Regierungsgeschäften beteiligt und hatte eine gewichtige Stimme bei reformatorischen, mit Luther in Zusammenhang stehenden Entscheidungen. Der in Florenz geborene, bei Bertoldo di Giovanni ausgebildete und anfangs für ihn arbeitende Adriano Fiorentino kam nach Stationen in Neapel und Urbino nach 1495 nach Deutschland, wo er die Bronzebüste Kurfürst Friedrichs III. schuf (Kat.-Nr. C 17.). Bei dieser Gelegenheit wird er von des Kurfürsten Vertrautem Pfeffinger, der auch Münzliebhaber und -sammler war, den Auftrag für die Porträtmedaille erhalten haben. Da Fiorentino 1499 in Florenz starb, die Medaille aber Pfeffingers Erbmarschallamt nennt, können Bildnis und Schrift nicht gleichzeitig sein. Obwohl Adriano Fiorentino in der Florentiner Medaillenkunst nur eine geringe Rolle spielte, ist das in der für ihn typischen Art in minderer Plastizität gestaltete Bildnis von großer Lebendigkeit, zu der die rohe, ungelenke Wappenrückseite jedoch im krassen Gegensatz steht. L. B.

Habich, Italien, S. 74; Hill Nr. 347; Hill and Pollard S. 81

C 25.11 Hieronymus Dietrich *Abbildung*

Medaille Kurfürst Johann und Herzog Johann Friedrich von Sachsen. 1530

Umschrift der Vs. in zwei Kreisen von vier Wappen unterbrochen:
IOANNIS.E–LECTORIS.D–VCIS.SAXON–IAE.ET.FILI–/ IOANNIS.–FRIDERICI.–EFFIGIES.–M.D.XXX.
(Bildnisse des Kurfürsten und Herzogs von Sachsen Johann und des Sohnes Johann Friedrich 1530)
Umschrift der Rs.:
IOANNES.STRAFT.DEN.EBRVC.HERODES.DRVM.MVST.ER STERBEN.MAR:VI
Silber, vergoldet, gegossen. Ø 4,5 cm. Henkelspur
Berlin, Hauptstadt der DDR, Staatliche Museen, Münzkabinett

In zwei Handlungsebenen ist die Medaillenrückseite geteilt: oben in einem gewölbten, durch Pfeiler gegliederten Raum das Gastmahl des Herodes. Tür und Treppe führen zur unteren Szene, wo ein Henker zwei herantretenden Frauen, Herodias und Salome, das Haupt Johannes des Täufers überreicht. Die in der alten numismatischen Literatur (Luckius, Juncker, Tentzel) vermutungsweise geäußerte und von Katz wiederholte Ansicht, die Medaille stehe in Bezug zu der 1530 erfolgten Übergabe der Confessio in Augsburg, scheint nicht sehr überzeugend.

5.11

Kurfürst Johann der Beständige von Sachsen (1468–1532), der seinem Bruder Friedrich III., dem Weisen, 1525 in der Kurwürde folgte, trat als überzeugter Lutheraner für die Verbreitung der Reformation ein und wurde maßgeblicher Sprecher der der lutherischen Lehre anhängenden Stände. Er überreichte auf dem Reichstag in Speyer 1529 dem König die Protestation, 1530 in Augsburg dem Kaiser die von Melanchthon verfaßte, von Luther gebilligte Confessio, das Hauptbekenntnisschreiben des lutherischen Glaubens. Er gehörte zu den Gründern des Schmalkaldischen Bundes.
Johann Friedrich (1503–1554) folgte 1532 seinem Vater in der Kurwürde und war wie dieser ein entschiedener Anhänger der Reformation. Er und Landgraf Philipp von Hessen waren die Hauptleute der Schmalkaldischen Bundesgenossen, sie wurden deshalb 1546 vom Kaiser geächtet. Johann Friedrich befehligte das Heer des Bundes gegen die kaiserlichen Truppen, geriet nach der Niederlage bei Mühlberg 1547 in Gefangenschaft, die bis 1552 dauerte, und verlor die Kurwürde und den größten Teil seines Landes. L. B.

Katz Nr. 37

C 25.12 Matthes Gebel *Farbtafel Seite 196*

Medaille Melchior von Osse. 1543

Umschrift der Vs.:
MELCHIOR.AB.OSSE.D.ET.CANCEL:SAXO:ANNO.ETA.SVE.XXXVII
(Melchior von Osse Doktor und Kanzler Sachsens, im Alter von 37 Jahren)
Umschrift der Rs.:
NON.EST.PRVDENCIA.NON.EST.CONSILIVM.CON. DOMINVM.M.DXLIII
(Keine Klugheit und kein Rat ist gegen den Herrn 1543)
Bronze, gegossen, mit alter Bemalung. Ø 4,0 cm. Gelocht
Berlin, Hauptstadt der DDR, Staatliche Museen, Münzkabinett

Melchior von Osse (1506–1557) war ein bedeutender Leipziger Jurist und Staatsmann in sächsischen Diensten, Kanzler des Kurfürsten Johann Friedrich. Die Medaille in dem für Matthes Gebel typischen kleinmeisterlichen Stil stellt insofern eine Besonderheit dar, als Gesicht, Haare und Bekleidung in natürlichen Farben leicht bemalt sind, die ganze mit einem Wappen ausgestattete Rückseitenfläche mit einem Grünton überzogen ist. Ob die Bemalung jedoch aus der Zeit stammt, ist angesichts ihrer Ungewöhnlichkeit nicht sicher. L. B.

Habich I.2 Nr. 1238

C 25.13 Sächsischer Meister

Medaille Herzog Heinrich der Fromme von Sachsen. 1539

Umschrift der Vs.:
VERBVM.DOMINE.MANET.IN.AETERNVM.ANO.M.D.XXXVIIII
(Gottes Wort bleibt in Ewigkeit, im Jahre 1539)
Umschrift der Rs.:
HANRICVS.DEI.GRACIA.DVX.SAXONIE.ANNO.M.D.XXXVIIII
(Heinrich von Gottes Gnaden Herzog von Sachsen im Jahre 1539)
Silber, gegossen. Ø 4,3 cm
Dresden, Staatliche Kunstsammlungen, Münzkabinett

Herzog Heinrich (1473–1541), Bruder des die albertinischen Landesteile regierenden Herzogs Georg des Bärtigen, erbte die Ämter Wolkenstein und Freiberg, wo er residierte. Unter dem Einfluß seiner Frau Katharina von Mecklenburg, die eine eifrige Anhängerin Luthers war, nahm er nach langdauernder Rücksichtnahme auf seinen Luther entschieden ablehnenden Bruder Georg 1536 evangelischen Glauben an und führte, nach dem Tode Georgs 1539 diesem in der Regierung folgend, die Reformation im Herzogtum Sachsen ein. L. B.

Habich II.1 Nr. 1854

GEORGIVS A FRVNTSPERG IMPEPRATORVM DECRETIS EXERCITVS GERMANICI DVX PER TIRO-
LIM ET VICINAS ALPES DEFECTIONEM COLONORVM COMPRESSIT PER LIGVRIAM ET REGIONEM
TRANSPADANAM ITALIAE VRBES POPVLOS REBELLES PERDOMVIT. AD PALVDES VENETAS VICTOR AC-
CESSIT EXERCITVMQVE AD LOCA INIQVA DELAPSVM OBSIDIONE QR · ET QN · LIBERAVIT. VICIES
PLVS MINVS SIGNIS COLLATIS PVGNAVIT. AD EVM MODVM ARMATVS PRELIVM CONCIVIT
ANTE PAPIAM GALLOS CECIDIT. CASTRA CAEPIT OESESSOS EXTREMAQVE METVENTES SERVAVIT.
VIXIT ANNOS · LIIII · MEN : X : DIES : XXVII · OBIIT AÑO CRISTIAÕ · M D X X VIII · MENSE AVG^TO : DIE XX

C 26

C 26 Christoph Amberger? *Abbildung*

Bildnis des Feldhauptmanns Georg von Frundsberg. Nach 1528

Bez.: unter dem Bildnis eine siebenzeilige lateinische Inschrift
Öl auf Rottannenholz. 151x96 cm
1821 erworben mit der Sammlung Edward Solly
Berlin, Hauptstadt der DDR, Staatliche Museen, Gemäldegalerie; Inv.-Nr. 577

Die traditionelle Zuschreibung an Amberger, die sich weder durch Signatur, noch urkundlich belegen läßt, wurde bisher nicht angezweifelt. Alte Kopien der Berliner Fassung, jedoch mit deutscher Inschrift, befanden sich 1931 in Augsburg, Privatbesitz, und auf Schloß Kirchheim bei Mindelheim in Schwaben; mehrere Bildnisse Frundsbergs, unter anderen ein Freskobildnis mit Wappen im Torwarthaus, befanden sich ehemals in der Mindelburg. Eine Deckfarben-Miniatur im kürzlich publizierten Porträtbuch des Hieronymus Beck von Leopoldsdorf zeigt Frundsberg entsprechend dem Berliner Bild in Rüstung. Als Repräsentations- und Nachruhmporträt weniger auf die Wiedergabe von Individualität als auf soziale Kennzeichnung gerichtet, vermag doch der offene und fast nachdenkliche Ausdruck des breitgeformten Gesichtes, trotz der sorgfältigen Schilderung des Küraß, des Helms mit Busch und Zieraten, der Hellebarde und des Wappens, beherrschend zu wirken. Der architektonische Hintergrund, vor allem aber das warmtonige, auf Rot stehende Kolorit lassen venezianische Einflüsse erkennen, so daß das Bildnis eventuell in die nachitalienische Zeit zu datieren ist.
Georg von Frundsberg (1473–1528) war kaiserlicher Feldherr und berühmtester Oberst, sogenannter Vater der Landsknechtsheere. Er begann seine kriegerische Laufbahn 1492 im Dienste des Schwäbischen Bundes. Erhielt die Gunst Kaiser Maximilians I., der ihn 1504 zum Ritter schlug. Etwa ab 1509 war er der Führer der Landsknechte, die er taktisch so weit ausbildete und sie den vermehrten Einsatz der Feuerwaffen lehrte, daß sie die bisher als unschlagbar geltenden Schweizer ersetzten. Er nahm an zwanzig Feldschlachten, zahlreichen Gefechten und Belagerungen in Europa teil. 1525 gewann er die Schlacht bei Pavia, in der Franz I., König von Frankreich, gefangengenommen wurde. 1527 nahm er am Marsch auf Rom teil. Als ergebener Feldherr in Habsburger Sold beteiligte er sich an der Niederwerfung des Bauernkrieges. I. G.

C 27.1 Hieronymus Hopfer

Bildnis des Franz von Sickingen. Um 1523

Titelschrift: Franciscus von Sickingen
Auf einer Tafel unten: ALLEIN GOT DI ER LIEB DEN GEMEINEN UCZ BESCHIRM DI GERECHTIKEI
Bez.: Monogramm I. H. unter der Schrift in der Tafel
Kupferstich, koloriert. 22,1x15,7 cm
Berlin, Hauptstadt der DDR, Staatliche Museen, Kupferstichkabinett; Inv.-Nr. 308 – 1980

C 27.2 Nach Hans Baldung

Bildnis des Ulrich von Hutten. Um 1521

Bez.: Vlricus Huttenus eques German (Ulrich von Hutten, deutscher Ritter) – Ich habs gewagt. –;
Mit roter Feder am linken Rand kalligraphisch geschmückt
Holzschnitt, koloriert. 15,4x11,3 cm
Auf der Rückseite des Schlußblattes einer Ausgabe von Schriften Huttens. Eingeheftet in einen Sammelband mit Flugschriften der Reformationszeit
Brandenburg, Ev.-Luth. St. Gotthardskirchgemeinde; Nr. 4, 14

C 28

C 28 Leipziger Formschneider *Abbildung*

Ritter mit bekränztem Haupt. 1520

Holzschnitt. 12,4x9,1 cm
Berlin, Hauptstadt der DDR, Staatliche Museen, Kupferstichkabinett; Inv.-Nr. 44 – 1972

Der schlichte, wirkungsvolle Holzschnitt ist wohl eigens für das Titelblatt der von Valentin Schumann in Leipzig im Jahre 1520, dem Erscheinungsjahr des Wittenberger Urdruckes, besorgten Ausgabe der Luther-Schrift »An den Christlichen Adel deutscher Nation« (Benzing 687) geschaffen worden. W. S.

C 29.1

C 29.1 Hans Schwarz *Abbildung*

Medaille Sigismund von Dietrichstein. 1519

Umschrift der Vs.:
S.V.DIETRICHSTEIN.FREIHERR.ZC.LANDSHVPTM.IN.STEIR.
Umschrift der Rs.: W.C.I.W.G.
Blei, gegossen. Ø 5,5 cm
Berlin, Hauptstadt der DDR, Staatliche Museen, Münzkabinett

Die Medaille wird 1519 entstanden sein, da die Vs. auch mit einer 1519 datierten Rückseite gekoppelt bekannt ist. Visierung des Porträts bei Bernhart (Porträtzeichnungen, Nr. 67, Taf. 7.5). Die wahrscheinlich eine Devise abkürzenden Buchstaben der Rs. sind unaufgelöst. L. B.

Habich I.1 Nr. 191; Probszt, Kärnten Nr. 79

C 29.2 Ulrich Ursenthaler nach Hans Schwarz *Abbildung*

Medaille Sigismund von Dietrichstein

Umschrift der Vs.:
SIG:V.DIETRICHSTAIN.F.H.Z.HOLNB:V.FINCKENST.
Umschrift der Rs.:
BARBARA.VON.ROTAL.FREYIN.ZV.TALBERG
Silber, geprägt. Ø 3,8 cm
Berlin, Hauptstadt der DDR, Staatliche Museen, Münzkabinett

Dem Bildnis Sigismunds liegt die in der Ausstattung etwas abgewandelte Medaille von Schwarz zugrunde. Die Stempel hat Ulrich Ursenthaler in Hall geschnitten, er erhielt 1526 den Auftrag, das »Eisen zu erneuern« (Wiener Stempelsammlung, IV. S. 1352); ob die Prägung in Hall erfolgte, geht aus den Akten nicht hervor.
Sigismund von Dietrichstein (1480–1533), in späteren Jahren Statthalter der Steiermark, war schon als Jüngling am kaiserlichen Hof und erwarb in besonderem Maße die Gunst Maximilians I. Die Hochzeit mit Barbara von Rottal fand 1515 gleichzeitig mit der habsburgisch-jagellonischen Doppelhochzeit in Wien statt. L. B.

Habich I.1 Nr. 192 bis; Probszt, Kärnten Nr. 80

C 29.2

C .

C 29.3 Hans Schwarz *Abbildung*

Medaille Kunz von der Rosen. Nach 1519

Links neben dem Kopf Monogramm HS
Bronze, gegossen, einseitig. Ø 6,45 cm
Berlin, Hauptstadt der DDR, Staatliche Museen, Münzkabinett

Die Identifizierung des Bildnisses mit Kunz von der Rosen erfolgte auf Grund einer bezeichneten Visierung (Bernhart, Porträtzeichnungen, Nr. 10, Taf. 7.8) im Profil, deren Ausführung als Medaille nicht bekannt ist. Die von Habich vermerkte rückseitige, mit Tinte ausgeführte Namensaufschrift auf dem Berliner Exemplar ist nicht mehr erkennbar.
Kunz von der Rosen, dessen Medaille bald nach seinem 1519 erfolgten Tode entstand, gehörte seit 1478, als er den Erzherzog in die Niederlande begleitete, als »vertrauter Diener« zum engsten Gefolge Kaiser Maximilians. Die sehr lebendig gestaltete Oberfläche, besonders in den Gesichts- und Halspartien, der keck über das linke Auge gezogene Hut und der sonderbar gestutzte Bart vermitteln einen überzeugenden Eindruck vom »lustigen Rat und Freudenbringer«. L. B.

Habich I.1 Nr. 120

C 29.4 Augsburger Meister

Medaillenmodell Johann Steudel

Umschrift der Vs.:
DIVI.MAXIMIL.CAES.AVG.AB.INSTRVMENT.MVSICIS.
IOANNES STEVDEL
(Johann Steudel von den Musikkapellen des Kaisers Maximilian). Im Feld ETS – LI.
Holz, einseitig. Ø 6,1 cm
Berlin, Hauptstadt der DDR, Staatliche Museen, Münzkabinett

Johann Steudel war Posaunist, wird 1504 in Augsburger Stadtakten als »Pusauner« erwähnt, in gleicher Eigenschaft im Hofstaatsverzeichnis Kaiser Maximilians 1519; im Triumphzug Maximilians erscheint er auf dem Wagen der Kantorei mit einem Zinkenisten und Sängern »item vnnder den Pusaunern soll der Steudl maister sein« (Mitt.d.Bayerischen Numismatischen Gesellschaft, 29, 1911, S. 66). Die Medaille steht stilistisch zwischen Hans Schwarz und Friedrich Hagenauer; Habich hat sie vermutungsweise dem Frühwerk Hagenauers zugeordnet und in die Jahre 1525 bis 1530 datiert. L. B.

Habich I.1 Nr. 439

C 29.5 Matthes Gebel *Abbildung*

Medaille Leopold Heyperger. 1543

Umschrift der Vs.:
LEOPOLD.HEYPERGER.RO:KV:MAT:ZC CAMERFVRIER
Umschrift der Rs.:
WARHEIT.MACHT.NEYD.ANNO.M.D.XLIII.
Bronze, gegossen. ∅ 3,0 cm
Berlin, Hauptstadt der DDR, Staatliche Museen, Münzkabinett

Leopold Heyperger (gest. 1557) war, wie auch die Umschrift aussagt, als Kammerfurier am Hofe Kaiser Karls V. für Unterkunft und Verpflegung zuständig, später wurde er Hofkammerdiener König Ferdinands, auch Hofzahlmeister und Schatzmeister sowie Burggraf von Wien. Er sammelte selbst Münzen und Antiquitäten und verwaltete die durch Kauf und Funde zusammengekommene Münzsammlung König Ferdinands, die aus 1499 Stücken bestand, wie dem um 1556 von Heyperger angelegten Verzeichnis zu entnehmen ist.
Die von A. Erman (Deutsche Medailleure, Berlin 1884, S. 31) und von Habich gelesene Signatur MG am Armabschnitt ist auf dem Berliner Exemplar nicht erkennbar. Das Bild der Rs. mit der aus einem Stadttor oder einer Burg fliehenden Frau, die in der Linken einen Vogel, in der Rechten ein Messer hält, ist nicht gedeutet. L. B.

Habich I.2 Nr. 1234; F. Kenner, Urkundliche Beiträge zur Geschichte der Münzen und Medaillen unter Kaiser Ferdinand I., Numismatische Zeitschr. Wien, 34. 1902, S. 307

.5

Teütscher Adel.
An den Christelichen Adel teütscher Nation:von des Christenlichen stands besserung.
D. Martinus Luther.
wittenberg.

C 30

C 30 Martin Flach d. J. *Abbildung*

Teütscher Adel. An den Christēlichen Adel teütscher Nation von des Christelichen stands besserung. 1520

Druckschrift. 4° 48 Bl. (letztes Blatt leer)
Gotha, Forschungsbibliothek; Theol. 4° 224/6 (10) Rara

Der einzige Straßburger Nachdruck der Adelsschrift. Er liegt in zwei Varianten vor, die sich lediglich in der Umrahmung des Titels unterscheiden. In der vorliegenden Variante (WA 6.399 I.; Benzing 691) wird sie aus zwölf rechteckigen Holzschnitten gebildet. Jeder zeigt ein Wappen mit Schildhalter und dem Namen des Wappeninhabers. Die Einfassung der anderen Variante (WA 6.399 K.; Benzing 692) setzt sich aus vier Leisten mit floralem Dekor zusammen. Die Meister dieser Schmuckelemente sind unbekannt. Es handelt sich um eine Einfassung mit gekoppelten Blattdelphinen in der Kopfleiste, aus Pflanzenornamenten wachsenden Masken in der Fußleiste und mit Pflanzen geschmücktem säulenartigem Aufbau in den Hochleisten. Eine gleichzeitige Verwendung liegt vor in dem Karlstadt-Druck Freyß/Barge 29, vgl. die Beschreibung in dieser Bibliographie. Eine Abbildung der Kopf- und Fußleiste bei Kristeller, Paul: Die Straßburger Bücher-Illustration im XV. und im Anfange des XVI. Jahrhunderts. Leipzig 1888. Reprint Nieukoop 1966, Abb. 34 (ein von Flach für Knobloch hergestellter Folio-Druck von 1521). H. C.

C 32

C

C 31 Lucas Cranach d. Ä. *Farbtafel Seite 217*

Bildnis Johanns des Beständigen. 1526

Bez. r.: geflügelte Schlange und Datum 1526
Holz. 57x37 cm
1931 im Tausch erworben
Dresden, Staatliche Kunstsammlungen, Gemäldegalerie Alte Meister; Inv.-Nr. 1908 B

Der Kurfürst ist mit einem Nelkenkranz auf dem Haupt als Bräutigamsvater dargestellt. Nach Schade (Dürerzeit, Dresden 1971, Nr. 113) könnte das Gemälde die Mitteltafel zu dem Bildnispaar Johann Friedrich I. als Bräutigam (Kat.-Nr. C 32) und Sibylle von Kleve als Braut (Kat.-Nr. C 33) gewesen sein. Die starke Unmittelbarkeit, die aus dem Bildnis spricht, wird durch die Wahl der Mittel erzeugt: Der Porträtierte erscheint in eng gewähltem Bildausschnitt. K. F.

C 32 Lucas Cranach d. Ä. *Abbildung*

Bildnis Johann Friedrichs I. als Bräutigam. 1526

Bez. r.: geflügelte Schlange und Datum
Rotbuchenholz. 55x37 cm
1852 als Geschenk der Großherzogin Maria Pawlowna erhalten
Weimar, Kunstsammlungen, Galerie im Schloß; Inv.-Nr. G 11

Johann Friedrich I., Sohn des Kurfürsten Johann von Sachsen, verlobte sich am 8. September 1526 mit Sibylle von Kleve (Kat.-Nr. C 33). Diese Heirat war für das Kurfürstentum Sachsen von enormer Bedeutung, sollte doch mit ihr der seit 1486 andauernde Streit um die Jülicher Erbfolge beigelegt werden. K. F.

C 33 Lucas Cranach d. Ä. *Abbildung*

Bildnis der Sibylle von Kleve als Braut. 1526

Bez. u. r.: geflügelte Schlange mit Datum
Rotbuchenholz. 55x37 cm
1852 als Geschenk der Großherzogin Maria Pawlowna erhalten
Weimar, Kunstsammlungen, Galerie im Schloß; Inv.-Nr. G 12

Das als Gegenstück zu Kat.-Nr. C 32 gemalte Porträt zeigt uns die 14jährige Prinzessin als Braut. Im Gegensatz zu den Bildnissen Johann Friedrichs (Kat.-Nr. C 32) und Johanns des Beständigen (Kat.-Nr. C 31) ist der Bildausschnitt größer gewählt: Die Überschneidung der Arme durch den Rahmen fehlt, das jugendliche Alter der Dargestellten verlangt noch nicht nach intensiver Charakterisierung. Die Schönheit des jungen Mädchens, das kostbare Gewand und der reiche Schmuck werden in delikater Malweise festgehalten. K. F.

C 34.1 Deutscher Meister

Ring. Um 1540

Gold, Saphir, Email
1642 erworben
Dresden, Staatliche Kunstsammlungen, Grünes Gewölbe; Inv.-Nr. VIII 96

Nach dem Inventar ist der Ring ein Ehrengeschenk des Kurfürsten Johann Friedrich an den Ritter von Trotha, der ihn nach der Schlacht von Mühlberg gefangennahm. Die Verwendung von Emaileinlagen macht schon den Wandel sichtbar, der sich seit dem ersten Drittel des 16. Jahrhunderts in der Schmuckgestaltung vollzog, das Gold wird zusätzlich durch farbige Schmelzeinlagen, die mit der Farbigkeit der Edelsteine wetteifern, verziert. In der Verwendung geschliffener Edelsteine äußert sich fürstlicher Geschmack. K. F.

C 34.2 Deutscher Meister

Luthers Siegelring Zweites Drittel des 16. Jahrhunderts

Gold, geschnittener Carneol
Dresden, Staatliche Kunstsammlungen, Grünes Gewölbe; Inv.-Nr. VIII 97

Geschenk des Kurprinzen Johann Friedrich des Großmütigen; das Wappen wurde nach Luthers eigenen Angaben geschnitten. Der Ring gelangte später in den Besitz Kurfürst Johann Georgs I. (1611–1656) und wurde von diesem getragen.

C 34.3 Deutscher Meister

Ring Melanchthons Zweites Drittel des 16. Jahrhunderts

Opal (Katzenauge), mugelig geschliffen, in schlichter Goldfassung
Dresden, Staatliche Kunstsammlungen, Grünes Gewölbe; Inv.-Nr. VII 98

C 35 Ungarischer Meister *Abbildung (Detail)*

Hobelspankette. Anfang 16. Jh.

Gold. L. 120,5 cm
Budapest, Ungarisches Nationalmuseum; Inv.-Nr. 60.205.C

Die Kette besteht aus ovalen Schaken (Kettengliedern), die den Hobelspänen ähnlich verziert und einzeln zusammengelötet sind.
Hobelspanketten gehörten nicht nur in Deutschland zum beliebtesten Schmuck am Beginn des 16. Jahrhunderts. Männer und Frauen trugen diese Ketten gleichermaßen.

C 35

C 36 Unbekannter deutscher Meister *Abbildung*

Bildnis Herzog Albrechts III. von Sachsen Nach 1491

Bez. auf der Rückseite der Tafel: Albertus Animosus (Albrecht der Beherzte)
Eichenholz. 28 x 19,5 cm
1741 noch im Inventar der Kunstkammer, 1835 zuerst im Katalog der Gemäldegalerie erwähnt
Dresden, Staatliche Kunstsammlungen, Gemäldegalerie Alte Meister; Inv.-Nr. 806 B

Als knappes, nach links gewendetes Brustbild wird Albrecht der Beherzte dargestellt: Die energischen Linien des Dreiviertelprofils künden vom entschlossenen Charakter des Dargestellten. Die Lebendigkeit der Pinselführung, die Modellierung einzelner Partien und die Wiedergabe stofflicher Besonderheiten verleihen dem Bildnis, das den von der deutschen Malerei der Dürer-Zeit bevorzugten Typus des Bildnisses vor neutralem Hintergrund variiert, seinen unmittelbaren Ausdruck. Dieser Typus sollte in den Bildnissen Dürers, Cranachs und Holbeins seinen Höhepunkt finden. Trotz des ganz persönlichen, individuellen Charakters erhält das Bildnis durch den Schmuck der Ordenskette vom Goldenen Vlies den Habitus eines Staatsbildnisses.
Albrecht der Beherzte (1443–1500), Sohn Kurfürst Friedrichs des Sanftmütigen, 1455 mit seinem Bruder Ernst durch Kunz von Kaufungen geraubt (sogenannter Prinzenraub), regierte

C 36

seit 1464 mit seinem Bruder Sachsen. 1482 fielen ihnen nach dem Tode Wilhelms III. von Sachsen die thüringischen Stammländer zu, so daß es am 26. August 1485 zur Teilung und zur Trennung in die Ernestinische und Albertinische Linie kam. Albrecht erhielt Meißen und das Herzogtum Sachsen, während sein Bruder Ernst, Vater Friedrichs des Weisen, die Kurwürde behielt und über die thüringischen Stammlande gebot. 1475 unterstützte Albrecht der Beherzte Kaiser Friedrich III. gegen Karl den Kühnen, vermittelte zwischen dem Kaiser und Matthias Corvinus von Ungarn, befreite 1488 Maximilian I. aus der Gefangenschaft der Bürger von Brügge. 1491 erhielt er die Ehrenkette des Goldenen Vlieses und 1498 die Statthalterwürde von Friesland. K. F.

C 37 Meister des Hutz-Bildnisses

Bildnis des Hans Hutz. 1505–1510

Bez.: auf der Rs. der Tafel Allianzwappen der Ulmer Familien Hutz und Strehler (?)
Holz. 41 x 30 cm
Dessau, Staatliche Galerie; Inv.-Nr. 19

Das Bildnis des Mannes in grauschwarzer Schaube mit breitem Pelzkragen und schwarzem Barett stellt uns einen typischen Bürger des beginnenden 16. Jahrhunderts vor.
In kraftvollem Selbstbewußtsein und energischer Entschlossenheit ist der Dargestellte charakterisiert.
Die auf den unteren Bildrand aufgestützten Hände, die einen Rosenkranz halten, zeugen von der Gesittung seines Besitzers und von seinem Geschmack, denn die am Rosenkranz befestigte kleine Statuette einer Maria ist von erlesener Schönheit. Buchheit hat das Bildnis früher dem Ulrich Apt zugeschrieben, einem Zeitgenossen Dürers, der der Ulmer Malerschule zugeordnet wird. K. F.

C 38 Marx Reichlich *Farbtafel Seite 220*
(Meister des Angrer-Bildnisses)

Bildnis des Domherrn Gregor Angrer. 1519

Bez. auf einem Zettel der Brüstung die Inschrift:
GREGORIVS ANGRER. D D. DOC BRIXINEN /
ET VIENEN ECCL IAR CANO ICVS AETATIS SVAE /
AN XXXVIIII. M. VII. DIES. II ./. 1519.
(Gregor Angrer stiftete dies [Bild], Doktor, Domherr von Brixen und Wien, im Alter von 39 Jahren, 7 Monaten, 2 Tagen im Jahre 1519)
Holz. 57 x 41 cm
Innsbruck, Tiroler Landesmuseum, Ferdinandeum; Inv.-Nr. Gem 122

Außerordentliche Umstände mögen bei diesem Bild zusammengetroffen sein: der überragende Künstler, der Dargestellte, »bei dessen Aufnahme der Maler durch die geistige Überlegenheit seines Auftraggebers über sich selbst hinausgehoben wurde« (Friedländer), und die Zeitstimmung bei Ausbruch der Reformation. Sie war in Tirol spürbar wie überall im deutschen Sprachgebiet. Die Inschrift erhöht das Bildnis, läßt an einen Augenblick der feierlichen Weihe denken, zu dem die Lebenszeit des Mannes – auf Jahre, Monate und Tage ausgezählt – verkündet wird. Vor dunklem, violettbraunem Grund, in Untersicht von vorn, erscheint die Büste wie aus einem Guß. Die Beleuchtung von links oben hebt einzelne Verläufe scharf hervor, wie die Mittelkante des Baretts, die Kante des Mantelumschlags, ein Stück des zum Licht gedrehten Innenfutters, die knappe Halskrause, die in jäher Verkürzung der Rundung des Halses folgt. Der Blick hebt alle Beziehungen zum Betrachter auf, auch die Brüstung trennt. Die Hände sind vermutlich ineinandergelegt, in einer Geste stiller Sammlung. W. S.

C 39.1 Albrecht Dürer *Farbtafel Seite 218*

Bildnis des Hans Tucher. 1499

Bez. an der oberen Kante des Brokatvorhanges, der das Bildnis links hinterfängt: Hans Tucher. 42jährig. 1499
Auf der Rückseite Allianzwappen der Tucher und Rieter
Gegenstück zu Kat.-Nr. C 39.2

C 42.3 Nürnberger Meister.
Deckelpokal. Vor 1519

Seite 195:

Links:
C 42.6 Nürnberger Meister. Doppelpokal. Vor 1541

Rechts:
C 42.7 Nürnberger Meister. Doppelpokal. Vor 1541

C 42.2 Nürnberger Meister. Doppelpokal. Zwischen 1495 und 1508

Oben:

C 49.4 und 49.5 Matthes Gebel. Medaillenmodelle: Hans Sebald und Anna Beham. 1540

Mitte:

C 25.8 Hans Kraft d. Ä. nach Lucas Cranach d. Ä. Medaille: Kurfürst Friedrich III. von Sachsen. 1512/13

Unten:

C 25.12 Matthes Gebel. Medaille: Melchior von Osse. 1543

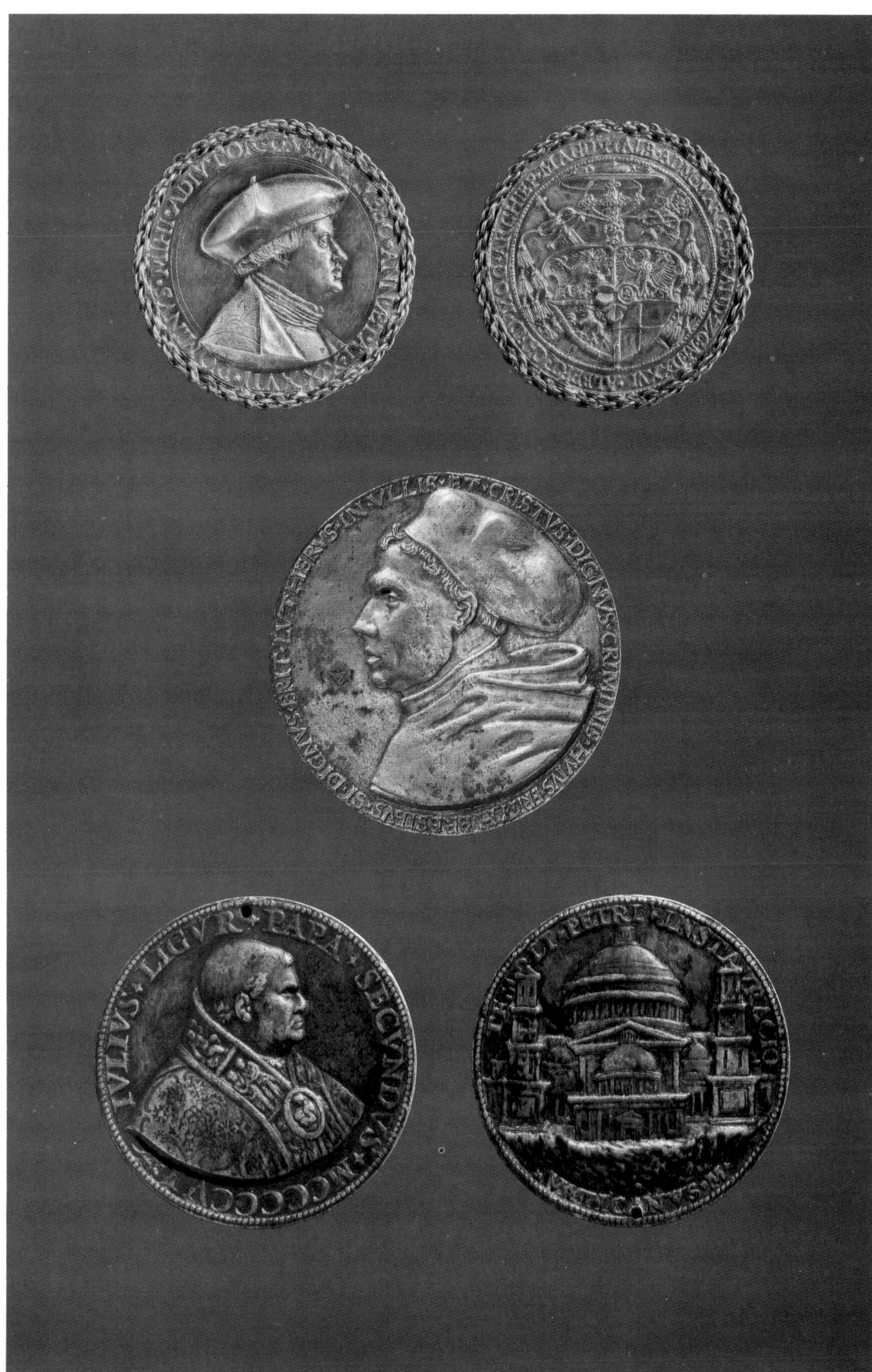

Oben:
B 71.3
Nürnberger Meister.
Medaille: Kardinal Albrecht. 1526

Mitte:
E 38.4
Monogrammist H. G.
Medaille: Martin Luther. 1521

Unten:
B 93
Cristoforo Caradosso Foppa.
Medaille: Papst Julius II. 1506

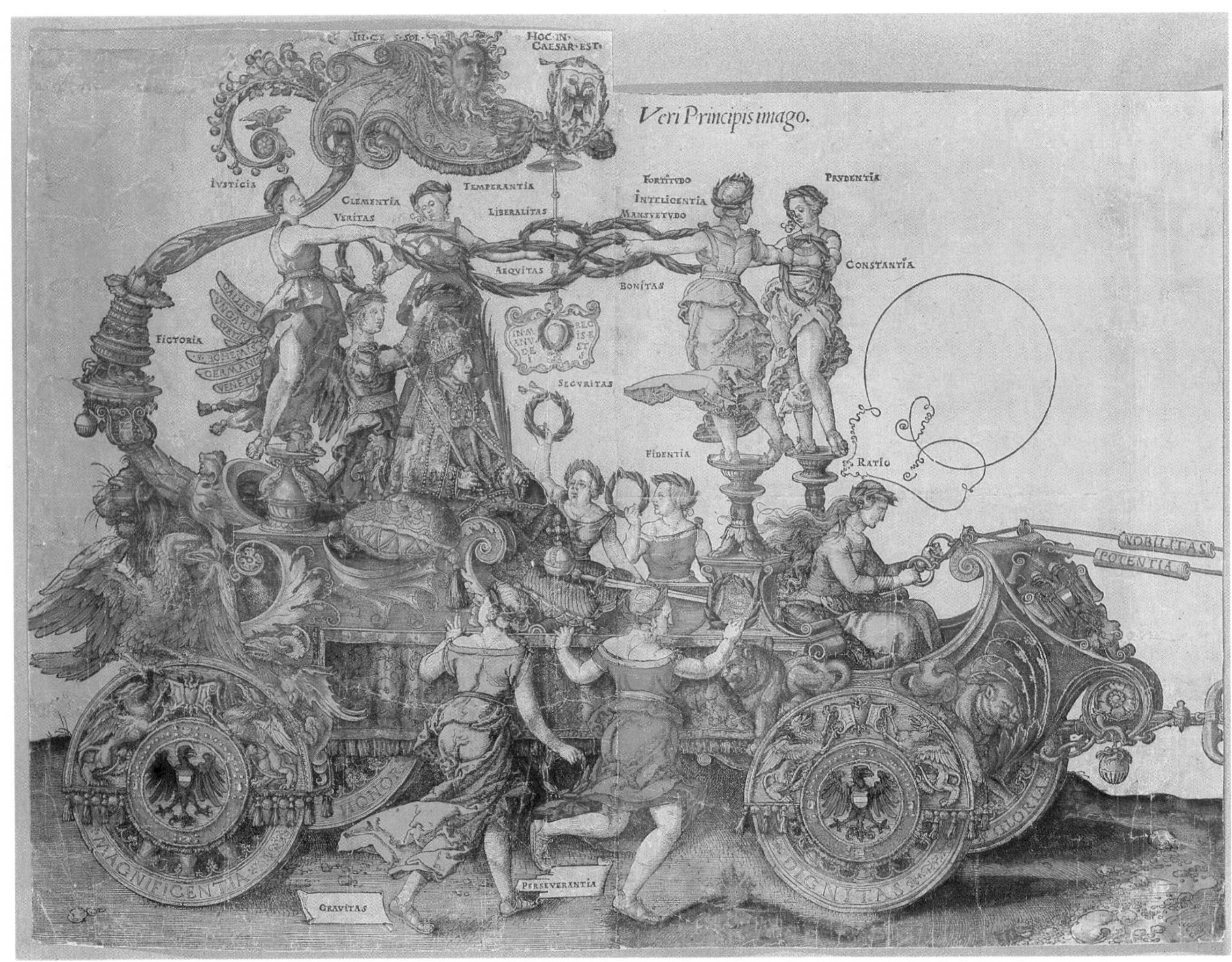

C 1.2 Hans Guldenmund nach Albrecht Dürer. Großer Triumphwagen. 1545

C 1.1 Albrecht Dürer.
Ehrenpforte Kaiser Maximilians I. (Detail).
1515

Seite 200:

C 5 Albrecht Dürer.
Bildnis Kaiser Maximilians I. 1519

Imperator Caesar Divus Maximilianus
Pius Felix Augustus

Öl auf Holz. 29,7x24,7 cm; bemalte Fläche 28x23 cm
Herkunft unbekannt
1824 erstmals im handschriftlichen Verzeichnis des Museums im Jägerhaus Weimar unter der Nr. 116 als Besitz der Großherzoglichen Sammlungen erfaßt
Weimar, Kunstsammlungen, Galerie im Schloß; Inv.-Nr. G 31

C 39.2 Albrecht Dürer *Farbtafel Seite 219*

Bildnis der Felicitas Tucher. 1499

Bez. an der oberen Kante des Brokatvorhanges, der das Bildnis rechts hinterfängt:
Felic. Hans Tucherin. 33 Jahre alt. Salus 1499
Gegenstück zu Kat.-Nr. C 39.1
Öl auf Holz. 29,8x24,4 cm; bemalte Fläche 28x23 cm
Herkunft unbekannt (vgl. Kat.-Nr. C 39.1)
Weimar, Kunstsammlungen, Galerie im Schloß; Inv.-Nr. G 32

Das Doppelbildnis des Hans und der Felicitas Tucher – ursprünglich als Diptychon angelegt – steht in der Bildnistradition des ausgehenden Mittelalters. Darauf verweist das dekorativ-flächige Prinzip des bei beiden Porträts identischen Bildaufbaues mit dem straff gegliederten Gerüst des Hintergrundes. Dieser wird über die Hälfte von einem Brokatvorhang ausgefüllt, als Fond für die Brustbildnisse, und faßt mit der niedrigen Brüstung rechtwinklig einen Landschaftsausschnitt ein, welcher über der Schulter der Dargestellten sichtbar wird. Ein solches Bildnisthema findet sich bereits vor Dürer in der niederländischen, italienischen und deutschen Malerei (vgl. hierzu Buchner, Abb. 33/34: Meister WB). Erstaunlich jedoch, welche Monumentalität den kleinformatigen Tafeln innewohnt. Dürer orientiert sich an konventionell üblichen Darstellungen, auch an den Gattenattributen Nelke und Ehering sichtbar, doch in der einfühlsamen Charakteristik der Dargestellten bei gleichzeitiger verallgemeinernder Typisierung im Sinne patrizischer Repräsentation sowie durch die konzentrierte Bildstruktur, verbunden mit einer äußerst pointierten, auf graphischen Elementen beruhenden, haarfeinen Pinselführung setzt er neue Maßstäbe. Deutlicher noch dokumentiert eine neue, freie Auffassung des individuellen Bildnisses das Porträt des »Oswald Krell« in der Alten Pinakothek München aus dem gleichen Jahr.
Neben den Augsburger Fuggern gehört die Nürnberger Patrizierfamilie Tucher zu den bedeutendsten und einflußreichsten Vertretern des frühbürgerlichen Kapitalismus in Deutschland. Als ersten Auftrag für die Tucher malte Dürer zwei Bildnisdiptychen für zwei Brüder der jüngeren Linie Tucher mit ihren Ehefrauen.
Von dem zweiten Bildnisdiptychon ist das Männerbildnis verschollen; das »Bildnis der Elsbeth Tucher« befindet sich in der Gemäldegalerie Kassel und entspricht im Bildaufbau den Weimarer Tafelbildern, nur hält Elsbeth Tucher statt der Blume den Ehering in der Hand. Die übereinstimmende Darstellung beider Familiendoppelbildnisse ist sicherlich durch den Auftrag festgelegt worden.
Auf der Rückseite der Weimarer Tafel des Hans Tucher findet sich das Allianzwappen der Familien Tucher und Rieter. Felicitas Tucher, geb. Rieter, entstammte ebenfalls einem Nürnberger Ratsherrengeschlecht, so wurden die heraldischen Zeichen beider Familien zu einem gemeinsamen Wappen verbunden.
1945 wurden aus Schloß Schwarzburg in Thüringen, dem Auslagerungsort der Staatlichen Kunstsammlungen zu Weimar während des zweiten Weltkrieges, die beiden Bildnistafeln gestohlen. 1966 tauchten sie in den USA wieder auf, wurden sichergestellt und kehrten nach einem für die Kunstsammlungen zu Weimar erfolgreich geführten Prozeß in deren Besitz zurück. L. H.

C 40 Hans Maler zu Ulm (Schwaz) *Abbildung*

Bildnis eines vornehmen jungen Mannes Siegmund von Dietrichstein (?). Um 1525

Nicht bez.
Öl auf Holz. 31x25 cm
Erworben vor 1824
Weimar, Kunstsammlungen, Galerie im Schloß; Inv.-Nr. 21

Die Zuschreibung des unsignierten Bildes geht auf L. Scheibler zurück; H. v. Makkovitz datiert es um 1525. 1971 noch als anonymes Porträt auf der Ausstellung »Deutsche Kunst der Dürerzeit«, aber schon damals auf Grund der reichen Kleidung, des Schmuckes und der standes- und selbstbewußten Ausstrahlung als Bildnis eines möglicherweise adligen jungen Mannes gedeutet, wird es heute als Porträt des Siegmund von Dietrichstein verzeichnet. Siegmund von Dietrichstein (1484 bis 1533) entstammte einem nicht eben begüterten Adelsge-

C 40

schlecht, kam früh an den Hof Kaiser Maximilians I., wurde 1514 Freiherr, kaiserlicher Silberkämmerer und erwarb sich in Maximilians Kriegen (1514 gegen Venedig, 1515 gegen die aufrührerischen Bauern des Salzburger Bundes, 1525 in der Steiermark) Verdienste, die der Kaiser durch eine günstige Verheiratung 1515 belohnte. Er galt als Favorit des Kaisers, war auch Vertrauter Ferdinands I. und beteiligte sich mit Ideen an der schriftlichen und künstlerischen Fassung des Versepos »Theuerdank« (ab 1510).
Das fast in Stechermanier prägnante und knappe Brustbild im Dreiviertelprofil nach links gewendet, dunkel abgehoben vor einem sehr hellen, gelblichen Hintergrund, gibt ohne tiefere psychologische Durchdringung dennoch die offenbar vielseitige und aktive Persönlichkeit überzeugend wieder. Der Klarheit und Sachlichkeit im Ausdruck entspricht die saubere handwerkliche Durchführung. Rechts oben im Grund vorbereitete Inschriftlinien, jedoch ohne Text. Ein Medaillon am schwarzen Samtbarett zeigt den büßenden heiligen Hieronymus. I. G.

C 41 Hans Kemmer (?) *Farbtafel Seite 221*

Bildnis einer Frau. 1548

Bez. r. auf der an einem Baumstumpf befestigten Tafel: Anno M.D. XLVIII
Lindenholz. 71 x 49 cm
1821 erworben mit der Sammlung Edward Solly
Berlin, Hauptstadt der DDR, Staatliche Museen, Gemäldegalerie; Inv.-Nr. 628

Die fragwürdige Zuschreibung des nacheinander als »oberdeutsch«, »sächsisch«, »bayrisch« und »niederdeutsch« registrierten Bildes erstmals durch H. Busch (1943). Das Bildnis einer unbekannten Frau mittleren Alters, Dreiviertelfigur, nach links gewendet, besticht durch die Verbindung von realistischer Härte in der Wiedergabe des groben, reizlosen Antlitzes der Dargestellten mit einer fast bunten, heiteren Farbgebung in der weich gemalten Landschaft und in der reichen Bekleidung.
Der statische Charakter der Porträtfigur steht in wirkungsvollem Gegensatz zur Lebendigkeit der weiträumigen Landschaft, in der links im Mittelgrund ein Rebhuhnpaar steht. Die Anlage des Bildnisses geht auf frühe Cranach-Bildnisse zurück, ist aber auch vergleichbar mit Bildnissen Hans Wertingers und Erhard Altdorfers.
Auf Grund der reichen Bekleidung und des Schmuckes läßt sich die Dargestellte als Patrizierin charakterisieren. I. G.

C 42

Gebuckelte Gefäße

Das gebuckelte Gefäß ist eine Schöpfung der profanen Goldschmiedekunst. Mit deren um 1470 einsetzender und bis in das zweite Jahrzehnt des 16. Jahrhunderts anhaltender Konzentration und Ausprägung wurde die Buckelung in der Gefäßkunst zu einem Stilmittel, das in einzigartiger Weise den bürgerlichen Inhalt der Kunst dieser Epoche auf Gefäß und Gerät zu übertragen vermochte.
Um die wichtigste künstlerische Errungenschaft dieser Zeit, die Darstellung körperlich-räumlichen Volumens, für das Gefäß nutzbar zu machen, wurde ein Gefäßkörper mit allseitig fließend-bewegtem Kontur entwickelt. In der stets wechselnden, zu raffiniertesten Möglichkeiten findenden Anordnung der Einzelbuckel, in ihrem Kontrast von Licht und Schatten, zeigen sich dynamische Spannung und malerische Wirkung gleichermaßen.
Ausschließlich wurde Silberblech verwendet. Die Buckeltechnik ermöglichte sein Austreiben bis an die Grenzen der Dehnbarkeit, hauchdünne Vergoldungen erhöhten die prächtige Wirkung. Die Güte und die Präzision der handwerklich-künstlerischen Ausführung, die nur in der Nahbetrachtung voll erkennbar wurde, bestimmte den Wert des Gefäßes und seinen künstlerischen Rang. Damit konnte das reich und selbstbewußt gewordene Bürgertum durchaus mit den Ansprüchen des höchsten Adels konkurrieren, was noch heute die erhaltenen Inventarbücher dokumentieren. So besaß zum Beispiel Willibald Pirckheimer (†1530) außer einem reichen Bestand an goldenen Löffeln, Ketten und Ringen sieben große silberne, vergoldete Buckelpokale, zum Teil Doppelpokale, und 14 silberne, vergoldete Becher sowie andere Trinkgefäße.
Die ungeheuren Aufträge des Kaisers, der Fürsten und kirchlichen Würdenträger, der immer größer werdende Bedarf des Bürgertums an silbernem Geschirr hatten ein rasches Anwachsen der Produktion zur Folge und beschleunigten die Ausbreitung dieses Gefäßstils über alle Zentren der Goldschmiedekunst im »Heiligen Römischen Reich Deutscher Nation«, wobei Nürnberg auf Grund seiner politischen und wirtschaftlichen Bedeutung im Reich Vorrangstellung einnahm.
Die Buckeltechnik trat in der Geschichte der Goldschmiedekunst gelegentlich auf, bestimmte aber erst seit dem 15. Jahrhundert den Gefäßstil einer Epoche. Der Reichtum des ehemals Vorhandenen kann aber nur noch aus wenigen erhaltenen Originalen, die heute zum kostbarsten Besitz der Kunst dieser Zeit gehören, sowie aus Bildern und Urkunden erschlossen werden. K. F.

C 42.1 Nürnberger Meister *Abbildung*

Sogenannter Matthias-Corvinus-Pokal. Nach 1500

Bez.: Beschaumarke rückläufiges N (R³ 3691)
Silber, vergoldet, getrieben, gegossen, emailliert. H. 48 cm
Budapest, Kunstgewerbemuseum; Inv.-Nr. E 61.8

Der sogenannte Matthias-Corvinus-Pokal vertritt nicht nur in der hier zusammengestellten Gruppe Nürnberger Buckelgeräte eine eigenwillige Stilstufe. Sein besonderes Gepräge erhält er durch den reichen Dekor aus plastisch aufgelegtem Blüten- und Blattzierat. Blumen- und Blattdekor bleibt im kunsthandwerklichen Schaffen dieser Zeit nicht nur auf die Goldschmiedearbeit beschränkt, sondern findet sich ebenso in der Schreinerkunst sowohl am Profanmöbel als auch in den Gesprengen der Altäre. Seine Parallelen finden sich in der gleichzeitigen Wandmalerei, dem Holzschnitt und in der Architektur. Seit der Zeit um 1470 wird das dünne, spitzig bewegte Rankenwerk immer mehr zum Ausdrucksträger des Zeitstils. Von seiner anfänglichen Rolle als untergeordneter Schmuck sich lösend, führte es bald ein Eigenleben, das in den Jahren um 1500 in einem Ornamentstil mündet, der sicher nicht losgelöst vom neuen Verständnis der Natur und ihrer Lebenskräfte zu sehen ist. In der Sonderform des Astwerkes in Architektur und Kunsthandwerk erfährt er seine spezifische Ausformung. In der Deckelbekrönung wird dieses Motiv aufgenommen: Ein aufbrechender Granatapfel wird von sich kreuzenden, kahlen Astwerkabschnitten getragen. Eichhorn, Vogel Strauß mit Hufeisen im Schnabel und gekrönter Hahn haben symbolische oder heraldische Bedeutung. In dem auf der Frucht thronenden Vogel wird allgemein ein Rabe gesehen, das Wappentier des ungarischen Königs Matthias Corvinus.
Die Goldschmiedekunst fand um 1500 zu einem überaus reichen Blatt- und Blumenornament, das sich zum Beispiel mit den subtilen Schnitzereien an Schweizer Schränken vergleichen läßt, so daß eine Entstehung dieses überaus prächtigen Pokals in dieser Zeit angenommen werden kann. K. F.

Abbildungen und Farbtafel S. 194

C 42.2 Nürnberger Meister

Doppelpokal. Zwischen 1495 und 1508

Nicht bez. (ohne Beschau)
Silber, vergoldet, getrieben, graviert. H. 38 cm
Zwolle, Provinzialmuseum der Provinz Overijssel;
Inv.-Nr. 637

Der Pokal hat eine an die Blüte der Akelei erinnernde Gefäßform. Die Akelei war ein Symbol Christi und erlangte in Gestalt des Akelei-Bechers große Bedeutung (die Begriffe Becher oder auch Scheuer stehen im zeitgenössischen Sprachgebrauch gleichbedeutend für die heute übliche Bezeichnung Pokal). Beim geistlichen und weltlichen Minne-Trinken erfreuten sich die Akelei-Pokale großer Wertschätzung. Noch in der zweiten Hälfte des 16. Jahrhunderts ist die akeleiförmige Doppelscheuer als Brautgabe bezeugt.

C 42.1

Der Symbolcharakter dieses Gefäßes bleibt aber nicht auf seine Form beschränkt, weitere Einzelheiten schließen sich an: So haben die Knotenverschlingungen der Krone am Ansatz der Kuppa böse Geister bannende (apotropäische) Bedeutung oder sind als Liebessymbole zu verstehen. Die gestochenen Bilder auf der Mündungszone sind ebenfalls symbolisch zu deuten. Kniender Bogenschütze, Hirsch, Vogel, Eichhorn, Schlange und hinter einem Hasen herlaufender Hund sind sowohl in der christlichen als auch in der profanen Ikonographie gebräuchlich. So kann zum Beispiel die Schlange als Attribut der Klugheit verstanden werden. Sie ist zugleich aber auch Vorbild für den Menschen, das Kleid der Sünde so abzulegen, wie die Schlange ihre alte Haut abstreift. Der Hase vertritt die Unkeuschheit, die Luxuria. Er wird von einem Hund gejagt, der stellvertretend für die Tugenden Wahrheit (Veritas), Gerechtigkeit (Justitia) und Barmherzigkeit (Misericordia) steht.

C 42.2

Im Fuß der beiden Becher sind emaillierte Wappen vor vergoldetem Grund in einem Medaillon eingelassen. Es handelt sich um das Wappen Maximilians I., wie es dem Wappen auf Dürers Holzschnitt 1502 (Meder 244: Conrad Celtis überreicht dem Kaiser sein Werk) entspricht: schwarzer einköpfiger Adler unter der Kaiserkrone. Das Wappen im Fuß des anderen Pokals zeigt den Drachen der Sforza innerhalb einer gespaltenen Raute mit bügelloser Krone darüber. 1494 heiratete Maximilian I. in zweiter Ehe Bianca Maria Sforza. Diese Heirat hatte große politische Bedeutung. Maximilian wollte sich der Gunst Ludovico Sforzas, genannt il Moro, versichern, hoffte der Kaiser doch auf eine Beteiligung des Herzogs an einem geplanten Feldzug gegen die Türken, die damals Kärnten, Krain und die Steiermark verwüsteten.
Der Überlieferung nach schenkte Maximilian I. diesen Pokal seinem Rat Wilhelm von Hecke. Dieser verhandelte 1486 mit dem Rat der Stadt Zwolle über das Recht, Gold- und Silbermünzen zu schlagen. 1508 starb Hecke und vermachte den Pokal der Stadt. K. F.

C 42.3 Nürnberger Meister *Farbtafel Seite 193*

Deckelpokal. Vor 1519

Bez.: mit Nürnberger Beschaumarke (R³ 3687)
Silber, vergoldet, gegossen, graviert, ziseliert
H. 35,5 cm, Ø 15,5 cm
Geschenk Boris Godunows an den Patriarchen Iowa im Jahre 1598
1920 aus der Patriarchensakristei in die Rüstkammer gelangt
Moskau, Staatliche Museen des Kreml, Rüstkammer; Inv.-Nr. 10860

Vergoldeter Silberbecher mit Deckel, durchgehend mit Buckeln versehen, auf siebenblättrigem Grund, geschmückt mit aufgelegtem und graviertem Blattwerk gotischen Charakters. Nach den Besonderheiten der Form und des Dekors gehört er zu den Bechern vom »Dürertypus«: Es bestehen Analogien zu den Zeichnungen, Stichen und der Malerei von Albrecht Dürer. Gegenständliche Analogien zu dem Becher sind bekannt im Badischen Landesmuseum Karlsruhe, im Provinzialmuseum Zwolle (Kat.-Nr. C 42.2) und in Hall in Tirol. G. A. M.

C 42.4 Nürnberger Meister *Abbildung*

Doppelpokal. Um 1500

Bez.: mit Beschaumarke, rückläufiges N (R³ 3687)
Silber, vergoldet, getrieben, graviert. H. 44,6 cm
Aus dem Ratsschatz der Stadt Leipzig
Leipzig, Museum des Kunsthandwerks; Inv.-Nr. V414

Im Gegensatz zu den Pokalen Kat.-Nr. C 42.2 und Kat.-Nr. C 42.3 hat dieser Doppelpokal senkrechte Buckel. Die gleichmäßige Reihung der Buckel und der vertikale Röhrenschaft vermitteln trotz des lebendig wirkenden Gefäßes den Eindruck betonter Statik. Doppelbecher wurden beim Willkommenstrunk gereicht. Konnte der mit dem Trunk Beschenkte aus einem Gefäß trinken, das dem des Gebers vollkommen gleich war, so bedeutete diese Geste eine besondere Wertschätzung des Gastes.
Bemerkenswert an dieser Doppelscheuer ist der gestochene Dekor auf dem breiten Mündungsrand. K. F.

C 42.5 Nürnberger Meister *Abbildung*

Doppelpokal. Um 1520

Bez.: mit Nürnberger Beschaumarke (R³ 3687) und Vermerken der Staatskasse von 1640 und 1660
Silber, vergoldet, gegossen, ziseliert, graviert
H. 41 cm, Ø 15 cm und 15,5 cm
Alter Bestand der Hauptsammlung der Rüstkammer
Moskau, Staatliche Museen des Kreml, Rüstkammer; Inv.-Nr. MS — 271/1—2

Der aus zwei in ihren Ausmaßen ungleichen Buckelgefäßen zusammengesetzte vergoldete Silberbecher repräsentiert die archaische Form, die in der Epoche der Gotik bekannt ist. Doch in seinen Proportionen und im Dekor spürt man Züge des Renaissancestils. Das Akanthusmotiv auf dem Fuß des Bechers und das Ornament mit Pelikan und Füllhorn auf dem oberen Rand gehen zurück auf Skizzen von Albrecht Dürer. Gewisse gegenständliche und graphische Analogien des Gefäßes beziehen sich auf die Zeit um 1520. G. A. M.

C 42.4
C 42.5

C 42.6 Nürnberger Meister *Farbtafel Seite 195*

Doppelpokal. Vor 1541

Bez.: mit Beschaumarke Nürnberg (R³ 3687)
Silber, vergoldet, gegossen, ziseliert, graviert
H. 49 cm, Ø 14,6 cm und 14,2 cm
1648 dem Zaren Alexej Michailowitsch von der Obrigkeit des Troize-Sergijew-Klosters überreicht
Alter Bestand der Hauptsammlung der Rüstkammer
Moskau, Staatliche Museen des Kreml, Rüstkammer; Inv.-Nr. MS – 266/1–2

Der Becher zeichnet sich durch besondere Reinheit der Linien und durch Genauigkeit des symmetrischen Aufbaus aus. Seine Formen sind energisch profiliert, die vergoldeten Flächen sind mit glatten ziselierten Wölbungen von kunstreich variiertem Ausmaß versehen, mit einer vertikal vertieften Rinne in der Mitte. Solche Becher wurden mehrfach auf den Stichen von Hieronymus Hopfer festgehalten. Zugleich ist das fein ausgeführte Muster aus sich windenden Ranken, Vogelköpfen und kleinen Putten am oberen Rand des Bechers durchdrungen vom Geist der Ornamentstudie Heinrich Aldegrevers.

G. A. M.

C 42.7 Nürnberger Meister *Farbtafel Seite 195*

Doppelpokal. Vor 1541

Bez.: mit Beschaumarke Nürnberg (R³ 3687)
Silber, vergoldet, gegossen, ziseliert, graviert, Email, Glasmalerei. H. 60 cm, Ø 14,2 und 13,9 cm
1629 bei dem Engländer Fabian Uljanow für den Schatz des Zaren Michail Fedorowitsch gekauft
Alter Bestand der Hauptsammlung der Rüstkammer
Moskau, Staatliche Museen des Kreml, Rüstkammer; Inv.-Nr. MS – 265/1–2

Vergoldeter Silberbecher, aus zwei gleichen Teilen, klar profiliert, geschmückt mit ziselierten Reliefs (»Orpheus spielt für Bäume, Vögel und Tiere«, »Schlacht der Römer gegen Hannibal«, »Triumphkavalkade«, »Der wahre Sohn schießt nicht auf den toten Vater«, »Frauen und Narr im Bad«, »Cupidos unter sich windenden Ranken«), mit aufgelegten Medaillons mit allegorischen Darstellungen der Haupttugenden (Kraft, Gerechtigkeit, Glauben, Hoffnung, Mäßigkeit), mit gepunzten Früchtebündeln, mit bemalten Glaseinlagen mit Darstellungen von Herrschern der alten Reiche. Als Dekor wurden auch gravierte Arabesken und Blattornamente mit Email benutzt. Die Bildmotive gehen zurück auf norditalienische und deutsche Plaketten von etwa 1500–1530. Das Sujet »Der wahre Sohn« wurde früher fälschlich als »Großmut des Scipio« definiert. Das Programm der Darstellungen nimmt Bezug auf die Verwendung des Doppelbechers als Hochzeitsgefäß.
Die in diesem Fall benutzten Vorlagen, aber auch die Allegorien und die Komposition mit volkstümlichen Motiven, erfüllen die Rolle eines symbolischen Glückwunsches und einer Preisung der Vereinigung der Tugenden der künftigen Ehegatten. G. A. M.

C 42.8 Nürnberger Meister *Abbildung*

Sogenannter Trinkbecher Luthers. Um 1540

Silber, vergoldet, getrieben, gegossen, ziseliert, graviert
H. 14,5 cm
1678 an die Dresdner Kunstkammer
Dresden, Staatliche Kunstsammlungen, Grünes Gewölbe; Inv.-Nr. IV 313

Der gedrungene Deckelbecher auf kurzem Schaft mit rundem Fuß verwendet in der Spätzeit noch den Buckeldekor; die Bukkel sind nicht mehr ineinander verschränkt, sondern isoliert ausgetrieben, der Grund durch feines Strichelmuster belebt.
Im Innern des Deckels befindet sich eine Gußmedaille mit dem Brustbild Luthers, der Umschrift: DO: MARTINUS LUTHER AETATIS SUAE 55. IN SILENCIO ET SPE ERIT FORTI TUDO VESTRA (Dr. Martin Luther im Alter von 55 Jahren. Im Schweigen und Hoffen wird eure Stärke sein) und der Signatur des Schneeberger Medailleurs Hans Schenck. Der Deckelknauf trägt ebenfalls eine Medaille. Die Darstellung zeigt ein Kruzifix und den knienden Jonas mit dem Walfisch. Die Signatur OE weist einen unbekannten Medailleur aus, die Jahreszahl ist als

C 42.8

[15]39 zu lesen. Es besteht die Vermutung, daß in Justus Jonas Auftraggeber und Geber des Bechers zu suchen sind. Kohlhaussen sieht in ihm alle Merkmale der Herkunft aus Nürnberg vereinigt und weist den Becher der Werkstatt des Melchior Baier zu. K. F.

C 43 Nürnberger Meister

Kesenbrot-Schale. 1508

Bez. AVG.OLOM.SIBI.ET. GRATAE.POSTE. RITATI MDVIII
oberhalb eines Wappens mit Wolf in Wellen
Gold, mit 22 eingesetzten römischen Goldmünzen. Ø 18,3 cm
Dresden, Staatliche Kunstsammlungen, Grünes Gewölbe; Inv.-Nr. IV 40

Die Schale war ein Geschenk des Augustin Kesenbrot, genannt Olmützer, Kanzler König Ladislaus' II. von Ungarn an die gelehrte Donaugesellschaft, einer von Konrad Celtis gegründeten Humanistenvereinigung für Künste und Wissenschaft.

C 44.1 Nürnberger Meister

Schwert. Um 1520

Bez.: Klingenschmiedmarke und Jahreszahlen 1521 und 1531
Silber, vergoldet. L. 97 cm; Klinge 83,5 cm
Aus dem Besitz des Kurfürsten Friedrich des Weisen
Dresden, Staatliche Kunstsammlungen, Historisches Museum; Inv.-Nr. HMD:VI/366; Inv.-Nr. 1567 S. 112

Der eiserne Knauf des Schwertes ist mit einer geätzten, silbervergoldeten Kappe versehen. Die Ätzung zeigt in je einem Wappenschild die sächsischen Kurschwerter, den Rautenkranz der Wettiner Kurfürsten und den Thüringer Löwen. Die gerade Rückenklinge wird beiderseits durch einen Kalender in vorzüglicher Hochätzung geziert. Auf der rechten Seite befinden sich die Monate Januar bis Juni; auf der linken Seite die Monate Juli bis Dezember. Jeder Monat wird von einem Monatsbild – der Darstellung des Tierkreiszeichens –, der Datumseinteilung, einem Tagesbuchstaben und dem dazugehörigen Heiligennamen beziehungsweise dem kirchlichen Feiertag wiedergegeben. Die Binnenzeichnungen der Monatsbilder sind graviert. Das Monatsbild Januar zeigt die gravierte Jahreszahl 1531; das Monatsbild Mai in Hochätzung die Jahreszahl 1521. Im Monatsbild Juni ist zweimal eine gleiche, ehemals wohl tauschierte Klingenschmiedmarke zu finden. Die Vorlagen für die Monatsbilder stammen vermutlich aus dem Umkreis Albrecht Dürers, vielleicht von Hans Springinklee.
Das Schwert ist die früheste Waffe mit einem Jahreskalender, der neben der Tageseinteilung auch die entsprechenden Heiligennamen nennt. Die Herstellung von Kalendern war um 1520 – der Entstehungszeit der Waffe – etwas außerordentlich Neues. Abgesehen von den »immerwährenden« Kalendern, die seit 1439 gelegentlich herausgebracht wurden, erschien durch den Drucker Peypus in Nürnberg 1513 erstmals ein Jahreskalender. J. Sch.

C 44.2 Süddeutscher Meister *Abbildungen*

Landsknechtsschwert mit Scheide. Um 1530

Nicht bez.
Silber. L. 101,5 cm, Klinge 88 cm, Scheide 91 cm
Aus dem Besitz des Herzogs Heinrich des Frommen (?)
Dresden, Staatliche Kunstsammlungen, Historisches Museum; Inv.-Nr. HMD: VIII/32; Inv.-Nr. 1567 S. 110

Der geätzte und getriebene Griff aus Silber zeigt auf der Vorderseite Blattornamente im Stile Heinrich Aldegrevers. Unterhalb des glatten Knaufes befindet sich ein Palmettenring. Die schwarzeisernen, strichartig gedrehten Parierbügel entsprechen der frühen Form der Landsknechtsschwerter. Die abgeflachte Gratklinge besitzt drei kurze Rinnen und trägt eine Mailänder Schmiedmarke. Auf der silbernen, getriebenen und geätzten Scheide findet sich die gleiche Blattdekoration wie am Griff und dazwischen am Oberteil die Darstellung der Aphrodite, im Mittelteil das Bildnismedaillon eines vornehmen Bürgers und darunter, zwischen Blattwerk, die zu jener Zeit beliebte Darstellung des heiligen Georg im Kampf mit dem Drachen. Am unteren Ende der Scheide – am Ort – befindet sich das Bildnismedaillon eines barhäuptigen Mannes. Die

C 44.2

C 44.3

Rückseite der Scheide, deren Dekoration geätzt ist, zeigt wiederum zwischen Blattwerk den heiligen Georg mit dem Drachenungeheuer und am unteren Ende die Darstellung eines Landsknechtes, der einem am Boden liegenden Mann, vermutlich einem Mönch, die Lanze in die Brust stößt. Am Ort – der Spitze der Scheide – befindet sich ein Medaillon mit einer zu dieser Zeit sehr häufig vorkommenden Szene: Tagvögel, die eine Eule angreifen und vertreiben. Diese Darstellung wird als eine Allegorie auf die kirchlichen Gegensätze im ersten Viertel des 16. Jahrhunderts gedeutet.In der Scheide, am Mundblech, stecken vier Besteckmesser und ein Pfriem mit silbernen, geätzten Kappen.
Das Schwert stammt vermutlich aus dem Besitz des Herzogs Heinrich, genannt der Fromme, der 1539 im Herzogtum Sachsen die lutherische Lehre als offizielle Glaubenslehre einführte. J. Sch.

C 44.3 Süddeutscher Meister *Abbildung*

Dolch mit Scheide. Um 1535

Nicht bez.
Silber, vergoldet
L. 55 cm, Klinge 40 cm, Scheide 43 cm
Aus dem Besitz des Kurfürsten Johann Friedrich von Sachsen
Dresden, Staatliche Kunstsammlungen, Historisches Museum; Inv.-Nr. HMD: p 187; Inv.-Nr. 1567 S. 122b

Der hölzerne Griff war ehemals teilweise mit rotem Samt bezogen. Der Knauf und die obere Hälfte des Griffes sind aus vergoldetem Silber und zeigen geätzte florale Ornamente. Oberhalb der kurzen, eingerollten Parierknebel befindet sich ein palmettenförmiger Ring. Die breite Gratklinge zeigt beiderseits im oberen Teil auf geschwärztem Grunde goldene Maureskenornamente in Flachtausia. Die Scheide mit ehemals rotem Samtbezug ist von silbervergoldetem Draht umwunden. Am oberen Teil der Scheide – am Mundblech – ist in zwei Ösen eine Tragekette befestigt. Dekoriert ist das Mundblech mit floraler Ornamentik und einem Medaillon mit der Darstellung »Abigails Huldigung vor David« aus dem 1. Buch Samuel Kapitel 25, Vers 23. Am unteren Ende der Scheide – am Ort – befinden sich beiderseits die Bildnismedaillons des Kurfürsten Johann Friedrich von Sachsen (1503–1554) und seiner Gemahlin Sibylle. Die Medaillons stammen von dem Nürnberger Medailleur Matthes Gebel. Die Kappen der Besteckteile – drei Messer und ein Pfriem – sind silbervergoldet und geätzt.
J. Sch.

C 45 Hans Holbein d. J.

Dolchscheide mit Totentanz. Um 1540

Nicht bez.
Feder in Schwarz, laviert. 4,2 x 28,7 cm
Aus den Sammlungen von Mechel und Beuth
Berlin, Hauptstadt der DDR, Staatliche Museen, Kupferstichkabinett; Inv.-Nr. 401 – 1980

Von der bewunderten Vorlage ist zwar keine Ausführung bekannt. Es gibt aber immerhin sechs Varianten des Blattes, darunter sicher mehrere gültige Repliken, deren genauere Rangfolge schwer festzulegen ist. Zweimal sind in späteren Jahren Reproduktionsstiche nach der Zeichnung angefertigt worden. W. S.

C 46 Albrecht Dürer

Die Wappendreiheit der Reichsstadt Nürnberg 1522

Titelholzschnitt aus: Reformacion der Stat Nüremberg ...
Nürnberg: Friedrich Peypus
Bez. o. M.: SANCTA IVSTITIA 1521
Holzschnitt. 24,5 x 17,0 cm
Gotha, Museen der Stadt, Schloßmuseum; Inv.-Nr. G 5, 51
Bartsch 162; Meder 285

Die Wappendreiheit besteht aus dem kaiserlichen Wappen mit dem doppelköpfigen Reichsadler und dem »großen« Nürnberger Stadtwappen (Königskopfadler bzw. Jungfrauenadler und halber Adler mit halbem Schild). Der doppelköpfige Reichsadler trägt auf der Brust das österreichisch-burgundische Wappen. Seit 1481 ist diese Dreiheit gebräuchlich. Das Buch, für das der Holzschnitt bestimmt war, legt erstmals das Stadtrecht Nürnbergs in gedruckter Form vor. Insbesondere fand hier das römische Recht als Kaiserrecht seine Aufnahme. Insofern erklären sich die auf einem Wolkenband über dem Wappen schwebenden Genien. Sie verkörpern die Kardinaltugenden Justitia (Gerechtigkeit), Temperantia (Mäßigkeit), Liberalitas (Freigebigkeit) und Caritas (Mildtätigkeit). Dürer hat die beiden Figuren in einer Notiz auf einer Zeichnung zur Innenausstattung des Nürnberger Rathauses (Winkler 921) beschrieben:

die 3 kindle zw de/r / rechten handt
das erst ein hauffe/n / oder Sack mitt goldt
das / ande/r / ein hertz mi/t / ein/em / svhwert
das dritt gleich ein knopff ode/r / knode/n /
darawff ein flam feue/r
zw de/r / linke seitten /?/
das erst gleich ein quadrante/n /
das ander gleich die tafel gesetz E. B.

C 47.1 Unbekannter Stempelschneider nach Hans Schwarz *Abbildung*

Medaille Jakob Fugger. 1518

Umschrift der Vs.:
IAC:FVGGER:AVGVSTA:VIN:ANNO:DNI:1518
(Jakob Fugger aus Augsburg im Jahre des Herrn 1518)
Umschrift der Rs.:
APOLLO – ADSIT (Apollo soll dabei sein)
Silber, geprägt. Ø 3,7 cm
Berlin, Hauptstadt der DDR, Staatliche Museen, Münzkabinett

Jakob Fugger (1459–1525), mit Beinamen der Reiche, war Chef des frühkapitalistischen Augsburger Handels- und Bankhauses in der Zeit von dessen größter Expansion. Durch Gewürzhandel mit Ostindien, durch Ausbeute gepachteter Erzgruben in Tirol, Ungarn und Spanien vermehrfachte er sein Kapital, als Geldgeber Kaiser Maximilians beeinflußte er entscheidend die Reichspolitik, wie er 1519 durch Stimmenkauf die Wahl Karls V. zum Kaiser ermöglichte. Er organisierte den Ablaßhandel, der Anlaß für Luthers Thesenanschlag war, und finanzierte die Truppen des Schwäbischen Bundes zur Niederwerfung des Bauernkrieges.
Die Medaille ist der kleine, geprägte Ableger einer großen Gußmedaille mit gleichen Darstellungen von Hans Schwarz. Die sowohl in Silber als auch in Gold gefertigten Prägestücke haben es vermutlich fürstlichen Vorbildern gleichtun sollen, indem Fugger sie wie »Verehrpfennige« in großer Zahl anläßlich des Augsburger Reichstages 1518 verteilen ließ. Das Bild der Rückseite ist ganz dazu angetan, den Ruhm des weltweiten Handelshauses zu dokumentieren: Der geflügelte Merkur auf

C 47.1

einer Kugel und Neptun auf einem Delphin – die beiden Götter sollen Jakob sowie seinen Neffen und zukünftigen Nachfolger Raimund Fugger symbolisieren – werden von dem aus Wolken schwebenden Apollo gekrönt, Handel und Reichtum werden erhöht durch Bildung, durch humanistische Interessen, durch Förderung von Kunst und Wissenschaft, Neigungen, die Fugger mit vielen begüterten Zeitgenossen teilte. L. B.

Habich I.1 Nr. 116, Abb. 32; Zeitler S. 90f.

C 47.2 Matthes Gebel *Abbildung*

Medaille Raimund Fugger. 1530

Umschrift der Vs.:
RAIMVNDVS.FVGGER – AVGVST.VIND.AETATIS.XXXX
(Raimund Fugger aus Augsburg im Alter von 40 Jahren)
Umschrift der Rs.:
PVDEAT.AMICI.DIEM.PERDIDISSE.
(Schämt euch, Freunde, einen Tag verschwendet zu haben)
Unten LIBERALITAS (Freigebigkeit)
Silber, gegossen. ∅ 4,1 cm
Berlin, Hauptstadt der DDR, Staatliche Museen, Münzkabinett

Der Neffe Jakob Fuggers und Mitinhaber des Unternehmens Raimund Fugger (1489–1535), der 1534 bei Kaiser Karl V. das Münzprivileg erwirkte, war ein großzügiger Förderer und

C 47.2

Liebhaber von Kunst und Wissenschaft und galt als freigebig, worauf das Rückseitenbild anspruchsvoll und sehr direkt anspielt. Eine männliche antikisch drapierte Gestalt, die Fuggersche Porträtzüge zeigt, steht auf der Erdkugel, zu den Füßen des Mannes ein Geldsack, aus dem Münzen rollen, in den Händen hält er Schüssel und Krug, auf die sich Vögel stürzen: Fugger ist reich genug, um Ärmere an seinem Wohlstand teilhaben zu lassen. Die Allegorie der Liberalitas hat Gebel 1530 von der drei Jahre zuvor entstandenen Medaille von Friedrich Hagenauer übernommen. L. B.

Habich I.2 Nr. 1014

C 48.1 Matthes Gebel *Abbildung*

Medaille Geuder. Nach 1535

Umschrift der Vs.:
.REMEDIVM.INIVRIAE.CONTEMPTVS
(Das Mittel des Unrechts ist Verachtung)
Umschrift der Rs.:
TRIBVLATIO.TOLERANTIA.INVIDIA.SPES.
(Leiden, geduldiges Ausharren, Neid, Hoffnung)
Bronze, gegossen. ∅ 3,7 cm
Berlin, Hauptstadt der DDR, Staatliche Museen, Münzkabinett

Die Identifizierung des namenlosen Brustbildes mit einem Mitglied der Familie Geuder ergibt sich aus dem Wappen (Diamant und drei Sterne) auf der Rs. einer weiteren Medaille mit gleichem Bildnis (Habich I.2 Nr. 1256); vermutlich ist einer der drei Söhne Martin Geuders, einer der Neffen Willibald Pirckheimers, dargestellt. Die Entstehungszeit ist aus Stilgründen nach 1535 anzunehmen. Die Darstellung der Rs. beruht wahrscheinlich auf einer Erfindung Pirckheimers, der sie als Buchzeichen verwendete: Auf einem Amboß liegt ein flammendes Herz, das von Invidia und Spes mit einer Zange gehal-

C 48.1

ten, von Tribulatio mit einem Hammer geschlagen wird, die vorn gelagerte Tolerantia trägt mit ihrem Leib den Amboß. Zu dieser Komposition »Herzensschmiede« gibt es eine Zeichnung und einen im Gegensinn ausgeführten Kupferstich, der 1529 von Georg Pencz angefertigt und von Matthes Gebel auf die Medaille übertragen wurde. Die Zeichnung galt als Werk Dürers, ist aber von Tietze (II.1, S. 126, A 371) aus seinem Werk ausgeschieden und seinem Schüler Georg Pencz zugeschrieben worden. Die »Pirckheimersche Allegorie« in kleinerem Maßstab hat Gebel auch bei der Medaille Ottoheinrichs von der Pfalz 1532 verwendet. L. B.

Habich I.2 Nr. 1257

C 48.2 Nürnberger Meister *Abbildung*

Medaille Johann Kleeberger. 1525/26

Umschrift der Vs.:

IOAN.KLEBERGER.NVRMB.AN.AET.S.XL.SVB.POT.MONA. KAROLO.V.AN.IMP.S.VI.

(Johann Kleeberger aus Nürnberg im Alter von 40 Jahren, während der Herrschaft Karls V. im 6. Jahr seiner Regierung)

Umschrift der Rs.:

NON.IN.ARMIS.ET.EQVIS.SED.IN.VIRTVTE.DEI.NOSTRI.

(Nicht durch Waffen und Reiterei, sondern durch die Kraft unseres Gottes)

Bronze, gegossen. ∅ 4,0 cm

Berlin, Hauptstadt der DDR, Staatliche Museen, Münzkabinett

C 48.2

Das antikisch gedachte Bildnis als nackte Büste ist römischen Kaisermünzen nachempfunden und ein Beispiel für die in der Renaissance wiederentdeckten Vorbilder und ihre Umsetzung in eigene Formen. Eine ähnliche Auffassung ist auch bei dem in Vorderansicht gegebenen Kleeberger-Bildnis von Dürer aus dem Jahre 1526 deutlich (Tietze II.2 Nr. 958), das dem Medailleur vermutlich bekannt war. Die Datierung ergibt sich aus dem Regierungsjahr Kaiser Karls V. Johann Kleeberger (1485 oder 1486–1546), Nürnberger Kaufherr und Ratsmitglied, Schwiegersohn W. Pirckheimers, hatte sein Vermögen durch Bankgeschäfte erworben und lebte ab 1527 in Lyon. L. B.

Habich I.2 Nr. 946

C 48.3

C 48.3 Unbekannter Nürnberger Meister *Abbildung*

Medaille Johann Neudörfer. 1520

Umschrift der Vs.:

IOAN NEVDORFFER ARITHMETICVS ANNO AETATIS SVE XXIII ANNO XPI MDXX

(J. N. Mathematiker im Alter von 23 Jahren im Jahre Christi 1520)

Bronze, gegossen, einseitig. ∅ 6,5 cm

Berlin, Hauptstadt der DDR, Staatliche Museen, Münzkabinett

Johann Neudörfer (1497–1563), Nürnberger Mathematiker, dessen weitaus größeres Verdienst in der Ausbildung und Verbreitung der Schreibkunst lag, war mit Dürer bekannt und arbeitete als Schreibmeister mit ihm zusammmen. Auf Veranlassung von Georg Römer verfaßte er 1547 »Nachrichten von Nürnbergischen Künstlern und Werkleuten«, die wichtige Hinweise auch zur Medaillenkunst enthalten. Die Meisterfrage der Medaille ist ungelöst, Habich schlug Peter Vischer d. J., Bernhart Ludwig Krug vor (vgl. Kat.-Nr. E 46.7). L. B.

Habich I.1 Nr. 320; Bernhart, Kunst und Künstler, S. 15

C 48.4 Hans Schwarz *Abbildung*

Medaille Melchior Pfinzing. 1519

Umschrift der Vs.:

.SPES.MEA. – IN.DEO.

(Meine Hoffnung ist in Gott)

Inschrift der Rs.:

.EFFIGIES./.MELCHIORIS./.PFINCZING.PRE./ POSITI.ECCLE.SANC./ALBANI.MOG.ET.SEB./ALDI.NVREMB. CANO./TRIDENT.ET.S.STE/PHANI.BAMB./(??)XIX

(Bildnis von Melchior Pfinzing, Propst der Kirchen St. Alban in Mainz und Sebald in Nürnberg, Kanoniker zu Trient und St. Stephan in Bamberg [15?]19)

Bronze, gegossen. ∅ 6,9 cm. Sekundärguß

Berlin, Hauptstadt der DDR, Staatliche Museen, Münzkabinett

Melchior Pfinzing (1481–1535), aus einer der ältesten, angesehensten Patrizierfamilien Nürnbergs, stand, auch nachdem er 1514 Propst von St. Sebald, 1517 von St. Alban geworden war, in Hofdiensten Kaiser Maximilians, dem er in künstlerischen und literarischen Fragen Ratgeber war, mit dem er den »Theuerdank« verfaßte. Nach Einführung der Reformation in

C 48.4

C 48.5

Nürnberg verließ er 1521 die Stadt und siedelte nach Mainz über. Als Liebhaber der Künste half er in Nürnberg der Medaillenkunst den Weg bereiten, er nahm von 1518 bis 1520 den aus Augsburg kommenden Hans Schwarz in sein Haus auf, wurde mehrfach von ihm porträtiert und vermittelte ihm Medaillenaufträge aus dem Nürnberger Bürgertum.
Eine Visierung des Hüftbildes liegt als Zeichnung vor (Bernhart, Porträtzeichnungen, Nr. 50, Taf. 6.3). Die getreue Wiederholung der Aufnahme als Brustbild und in verringertem Maß (Habich I.1 Nr. 134) möchte Bernhart (Kunst und Künstler der Nürnberger Schaumünze, Mitt. d. Bayerischen Numismatischen Ges., 54, 1936, S. 14) auf Grund der weicheren Modellierung und des flacheren Reliefs, auch wegen des bei Schwarz ungewöhnlichen Punktkreises Ludwig Krug zuschreiben (vgl. auch Kat.-Nr. E 46.7). L. B.

Habich I.1 Nr. 174

C 48.5 Nürnberger Meister *Abbildung*

Medaille Georg Römer. 1524

Umschrift der Vs.:
.IOERG:REVMER:SEINS:ALTERS:IM – NEVNCZEEDEN:IAR:
Umschrift der Rs.:
.G.V.T.H.H.O.F.N.V.N.G., im Feld M:D: – X–XIIII
Bronze, gegossen. Ø 4,5 cm
Berlin, Hauptstadt der DDR, Staatliche Museen, Münzkabinett

Georg Römer (1505–1557) aus Mansfeld studierte in Leipzig und Wittenberg bei Philipp Melanchthon, siedelte nach Nürnberg über, wo er als Jurist tätig war und Ratsmitglied wurde, korrespondierte mit verschiedenen gelehrten Zeitgenossen. Umschrift und Bild der Medaillen-Rs. sind der Hoffnung gewidmet: Die gekrönte Spes steht auf einem Anker, hält in der Rechten das Ankertau, in der Linken einen Stab. Zur Meisterfrage vgl. Kat.-Nr. E 46.7. L. B.

Habich I.1 Nr. 322

C 48.6 Joachim Forster (?) *Abbildung*

Medaille Sixtus Forster und Frau Felicitas 1521.1527

Umschrift der Vs.:
SIXT.FORSTER. – ALTER.50.
Im Feld links 1521
Umschrift der Rs.:
FELICITAS.FORSTERIN.ALT.50.1527.G.A.77 (geboren Anno 1477)
Silber, gegossen. Ø 4,4 cm. Henkelspur
Berlin, Hauptstadt der DDR, Staatliche Museen, Münzkabinett

Die Forsterschen Porträts sind im Abstand von sechs Jahren entstanden, Sixtus (1471–1524) war bereits drei Jahre tot, als seine 1521 entstandene Medaille durch das Bildnis seiner Frau (1477–1554) von gleicher Hand ergänzt wurde. Die bei aller Schlichtheit – Sixtus trägt ein Schurzfell – viel Würde ausstrahlenden Bildnisse des Augsburger Schlossermeisterehepaares sind ein augenfälliges Beispiel für die Ehrlichkeit und Aussagekraft der bürgerlichen Medaille. Als Meister des Stückes hat Habich einen Sohn des Paares, Joachim, vorgeschlagen, der Bildhauer und Goldschmied war, nach eigener Aussage auch »Bilder«, möglicherweise Bildnisse, geschaffen hat (Archiv für Medaillen- und Plakettenkunde, 1. 1913/14, S. 152f.). Ein anderer Sohn wird als Lehrling bei Burgkmair genannt, ist aber sonst unbekannt. Eine Tochter war mit dem Medailleur Christoph Weiditz verheiratet, der aber für die vereinzelt stehende Forstersche Medaille nicht in Frage kommt. Das wissenschaftliche Element in der Familie vertrat Johann Forster, der mit Luther und Melanchthon bekannte Theologe, Hebräist und Reformator Hennebergs. L. B.

C 48.6

Habich I.1 Nr. 100; Bernhart, Augsburgs Medailleure, Nr. 7

C 49.1 Hans Schwarz *Abbildung*

Medaille Hans Burgkmair. 1518

Umschrift der Vs. vertieft:
S.CAES.MAIESTAT.A.PICTVRIS IOANN. BVRGKMAIR.AVGVSTANI./ ANNO.M.D.XVIII.AETATIS – SVE.XLIIII.
(Der kaiserliche Maler Johann Burgkmair aus Augsburg/ im Jahre 1518, 44 Jahre alt)
Rs.: schriftlos
Bronze, gegossen, einseitig. Ø 6,8 cm
Berlin, Hauptstadt der DDR, Staatliche Museen, Münzkabinett

Über die Rolle Burgkmairs bei der Einführung der Medaillen gibt es kontroverse Ansichten: Während Habich (I.2 S. LXVIII) ihm eine größere Einflußnahme zuspricht, negiert sie Zeitler (S. 87f.) fast völlig. Bereits 1507 schuf Burgkmair den Bildnis-Holzschnitt des Conrad Celtis, der aus der Idee der Medaille mit – allerdings Enface – Brustbild und Schriftrückseite entwickelt ist (Habich I.1 Nr. 23). 1514 erschien ein

C 49.1

Holzschnitt-Selbstbildnis als antikische Büste in der Form einer gedachten Medaille (Habich II.1 S. XCIII, Fig. 122 und A. Burkhard, H. Burgkmair, Leipzig 1932, S. 129, Abb. 75 und S. 195, Anm. 15); auf einem Selbstbildnis Burgkmairs (abgebildet bei Suhle, S. 19) könnte auch die Medaille von Hans Schwarz basieren. Als Medaillenvisierung sah Habich eine Sepiazeichnung mit nackter, dreigebogter Büste Raymund Fuggers an (Habich I.1 Nr. 24), die als ausgeführte Medaille nicht bekannt ist und als deren Autor Burgkmair inzwischen abgelehnt wird (Burkhard S. 195, Anm. 15 und Zeitler S. 87). Ein Kupferstich Burgkmairs liegt der Radianalegende auf Salzburger Münzen zugrunde; und daß Burgkmair auch für die Münzproduktion tätig war, beweist die zweimalige Bezahlung, die er 1516 für Entwürfe der Münzen der Reichsmünzstätte Augsburg erhielt (Numismatische Zeitschrift, 6, Wien 1887, S. 21 und Burkhard S. 195, Anm. 14). L. B.

Habich I.1 Nr. 127; Dürerzeit, Dresden 1971, Nr. 625

C 49.2

C 49.2 Hans Schwarz *Abbildung*

Medaille Albrecht Dürer. 1520

Umschrift der Vs.: ALBERTVS DVRER PICTOR GERMANICVS
(A. D. deutscher Maler). Links im Feld .H.S.
Blei, gegossen, einseitig. Ø 5,6 cm
Berlin, Hauptstadt der DDR, Staatliche Museen, Münzkabinett
Habich I.1 Nr. 201; Bernhart, Kunst und Künstler, Nr. 10; R. Gaettens, Dürer-Medaillen, Bl. f. Münzfreunde und Münzforschung, NF. 9, 1957, S. 557; H. J. Erlanger, The medallic portrait of Albrecht Dürer, Museum Notes 10, 1962, S. 145ff., Nr. 2a; Dürer, Nürnberg 1971, Nr. 76; Dürers Verwandlung, Kat. Frankfurt 1981, S. 94 und Nr. 55

C 49.3 Matthes Gebel *Abbildung*

Medaille Albrecht Dürer. 1527

Umschrift der Vs.: IMAGO.ALBERT.DVRERI.AETATIS.SVAE.LVI.
(Bildnis Albrecht Dürers im Alter von 56 Jahren)
Umschrift der Rs.: INCLITA.VIRTVS.M.D.XXVII
(Berühmte Tugend 1527)
Bronze, gegossen. Ø 3,95 cm
Berlin, Hauptstadt der DDR, Staatliche Museen, Münzkabinett
Habich I.2 Nr. 959; Bernhart, Kunst und Künstler, Nr. 12; Gaettens S. 566; Dürer, Nürnberg 1971, Nr. 77; Dürerzeit, Dresden 1971, Nr. 594; Dürers Verwandlung, Kat. Frankfurt 1981, Nr. 45

Die Medaillen von Schwarz und Gebel und das Holzmodell, das ein Ulmer Meister, eventuell Martin Schaffner, nach Gebels Medaille kopierte, sind neben den Selbstbildnissen Dürers die einzigen zeitgenössischen Porträts, auf denen unsere Kenntnis von Dürers Äußerem beruht: Das Gesicht ist durch

C 49.3

die stark gebogene Nase mit eingezogener Nasenwurzel, die zurückfliehende Stirn, die ausgeprägten Wangenknochen beherrscht, gestutzter Bart und langes, auf den Pelzkragen fallendes Haar vervollständigen das Bild, das sich an wesentlichen Punkten, wie den Jochbögen, den eingefallenen Wangen, der Nasenwurzel, auf der ein Jahr vor Dürers Tod entstandenen Medaille von Gebel bestätigt. Der Unterschied der Bildnisse liegt nicht nur in der veränderten Haartracht, sondern beruht auf der verschiedenen Auffassung beider Porträtisten: Schwarz als der Meister, der sein Gegenüber in kräftigen, summarischen Schnitten im Holzmodell mit allen charakteristischen Zügen zu erfassen versteht, und der Goldschmied Gebel als der Meister der delikaten, exakt-getreuen Wiedergabe von Physiognomie und Kostüm. Beide Medaillen entstanden in Nürnberg, beiden Medailleuren war Dürer von Angesicht bekannt. Eine Bezahlung von zwei Goldgulden an Hans Schwarz für sein »angesicht« notiert Dürer 1520 im niederländischen Reisetagebuch, womit das Entstehungsdatum der Medaille 1520 gegeben ist.

Daß sich Dürer schon bald, nachdem Hans Schwarz 1519 in Nürnberg eingetroffen war, von ihm porträtieren ließ, beweist sein Interesse am Medium Medaille; daß er selbst sich mit einem Medaillenentwurf befaßte, zeigt die Nürnberger Dedikationsmedaille von 1521 (Kat.-Nr. C 20.1) und ist auch zu schließen aus der Zeichnung von zwei Medaillenrückseiten (abgebildet Habich I.1 S. 6), die eventuell ein nicht bekanntes Selbstbildnis ergänzen sollten. Die vor allem von Habich im Anschluß an vorausgehende Zuschreibungen vertretene Ansicht, daß Dürer auch selbst Medaillen geschaffen hat (Michael Wolgemut, Agnes Dürer, Dürers Vater, Pirckheimer = Habich I.1 Nr. 13–17), wird heute mit gutem Grund abgelehnt (Bange, Ztschr. f. Kunstgesch. 1. 1932, S. 357ff. Tietze II.2 S.148). L. B.

C 49.4 Matthes Gebel *Farbtafel Seite 196*

Medaillenmodell Hans Sebald Beham. 1540

Umschrift der Vs.:
SEBOLT.BEHAM.MALLER.XXXX.IAR.ALT.M.D.XXXX.
Rs.: Monogramm HSB
Stein, zweiteilig. Ø 3,7 cm und 3,6 cm
Berlin, Hauptstadt der DDR, Staatliche Museen, Münzkabinett
Habich I.2 Nr. 1180; Bernhart, Kunst und Künstler, S. 27, Nr. 2

C 49.5 Matthes Gebel *Farbtafel Seite 196*

Medaillenmodell Anna Beham. 1540

Umschrift der Vs.: ANNA.BEHAMIN.ALT.XXXXV.IAR.M.D.XXXX
Stein, einseitig. Ø 3,6 cm
Berlin, Hauptstadt der DDR, Staatliche Museen, Münzkabinett

Anna, Tochter eines Schuhmachers, war verheiratet mit Hans Sebald Beham. L. B.

Habich I.2 Nr. 1181

C 49.6

C 49.6 Ludwig Neufahrer *Abbildung*

Medaille Barthel Beham. 1531

Umschrift der Vs.: BARTOLME PEHAM ALT XXIX.AN:XXXI
Zinn, gegossen. Ø 3,5 cm. Nachguß
Berlin, Hauptstadt der DDR, Staatliche Museen, Münzkabinett

Barthel Beham (1502–1540) gehörte mit seinem Bruder Hans Sebald Beham (1500–1550) und Georg Pencz zu den drei »gottlosen Malern«, die wegen Gotteslästerung und revolutionärer Gesinnung aus Nürnberg verbannt wurden. L. B.

Habich I.2 Nr. 1322; Bernhart, Kunst und Künstler, S. 26, Nr. 1; Probszt, Neufahrer, Nr. 13

C 49.7 Nürnberger Meister *Abbildung*

Medaille Hans Kraft. 1533

Umschrift der Vs.: HANS.KRAFT.DER.–.ELTER.52.ALT.
Umschrift der Rs.:
FIAT.VOLVNTAS.TVA.1533.IAR (Dein Wille geschehe)
Bronze, gegossen. Ø 4,0 cm
Berlin, Hauptstadt der DDR, Staatliche Museen, Münzkabinett

C 49.7

Hans Kraft (1481–1542), Goldschmied und Stempelschneider in Nürnberg, war von 1509 bis 1513 an der Nürnberger Münzstätte, dann wohl freischaffend, für Kurfürst Friedrich III. von Sachsen bis 1522/23 tätig. Von den beiden Wappen unterhalb des Brustbildes kehrt die Hand mit Rebe als Wappen Krafts auf der Rückseite wieder; das zweite Wappen ist ungedeutet. L. B.

Habich I.2 Nr. 1302; Bernhart, Kunst und Künstler, Nr. 36

Medaillen der Renaissance

In der Epoche der großen Bewegung im ökonomisch-sozialen, geistigen und künstlerischen Bereich entstand als eine symptomatische, wenn auch nicht augenfällige Neuheit die Medaille. Sie ist ein im Format kleines, rundes, meist zweiseitiges Reliefkunstwerk, das in der Regel ein Porträt mit erläuternder Umschrift zeigt, dem eine Allegorie oder ein Wappen und eine meist aus der Bibel oder von antiken Schriftstellern übernommene Devise auf der Rückseite zugeordnet sein kann.
Der Mensch war sich seiner Individualität wieder bewußt geworden, und damit gelangte auch das Bildnis zu neuer Geltung und wurde zu einem wichtigen Thema für Bildhauerei, Malerei und Graphik. Hinzu kam die Medaille, die durch jetzt in ersten Sammlungen zusammengebrachte antike, meist römische Porträtmünzen in der Idee, selten nur formal angeregt war. Die Medaille erwies sich für das Anliegen des Porträts als sehr geeignet, denn das handliche, einfach aufzubewahrende Bildnis aus haltbarem Material, dem Metall, versprach, das charakteristische Äußere und damit auch die Wesenszüge eines bestimmten Menschen in der Erinnerung lebendig zu halten. Die auf einer Medaille porträtierte Person nutzte dieses »Konterfekt«, das verhältnismäßig leicht in vielen Exemplaren herzustellen war, um es Freunden, Angehörigen, Gönnern und Günstlingen als Andenken zu verehren.
Vor der Mitte des 15. Jahrhunderts entstanden in Ferrara die ersten Medaillen, deren Urheber und Meister der Maler Antonio Pisano war. Die neue Kunst verbreitete sich bald in ganz Italien und fand vor allem an den Fürstenhöfen Anhänger und Mäzene, wovon die zahlreichen monumentalen Medaillenporträts der mächtigen Renaissancefürsten, ihrer Staatsmänner, der Künstler und Gelehrten zeugen. Frühzeitig gelangte die Kenntnis der italienischen Medaille nach Deutschland, hatte beispielsweise ein in Padua studierender Augsburger Bürgerssohn bereits 1459 seinem Vater eine kleine Medaillenkollektion geschickt und hatten einige italienische Medailleure, vorwiegend unter fürstlicher Förderung, auch nördlich der Alpen ihre Kunst unter Beweis gestellt. Zu einer direkten Nachahmung kam es jedoch nicht, und erst als sich das Gedanken- und Formengut der Renaissance mit längerer Verzögerung auch in Deutschland durchsetzte, wurde hier die Medaille heimisch.
Als früheste deutsche Medaillen gelten die kurz vor und nach 1500 entstandenen »Verehrpfennige«, geprägte fürstliche Bildnisstücke, die in offiziellen Münzstätten geschlagen wurden und feudalem Repräsentationswillen, aber auch der Anteilnahme der Prägeherren an der neuen Möglichkeit der Selbstdarstellung ihre Entstehung verdanken.
Den Schwerpunkt deutscher Medaillenkunst bilden Gußmedaillen, die außerhalb offizieller Münzstätten in den Werkstätten der Künstler entstanden als Produkte freier, aber immer wieder durch Konflikte mit den Zünften, besonders der Goldschmiede, gehemmter Kunstausübung. Durch die Reformation und ihre anfängliche Bilderfeindlichkeit hatte die Kirche als Auftraggeber an Bedeutung verloren. Die Künstler brauchten neue Erwerbsmöglichkeiten, die sie sich im profanen Bereich, an den Fürstenhöfen und in den Städten, suchen mußten und die sich auch mittels der Medaillen eröffneten.
Die durch weitreichenden Handelsverkehr und blühendes Gewerbe zu Reichtum und Ansehen gelangten süddeutschen Städte, allen voran Augsburg und Nürnberg mit ihrer wohlhabenden Bürgerschaft, waren Zentren der Renaissancekunst und auch die Schauplätze, auf denen die junge Medaillenkunst ihre erste Blüte erlebte. Wohlstand und Reputation des freien Bürgers hatten sein Selbstbewußtsein gehoben und damit das Bedürfnis geweckt, sich ebenso wie der Feudalherr auf einer Medaille verewigt zu sehen. Das Medaillenporträt muß in Mode gekommen sein, und fast jeder, der etwas auf sich hielt, wird sich von einem Medailleur haben porträtieren lassen, wie die vielen Fürstenmedaillen, aber auch die Namen der Patrizier auf den Konterfekten beweisen. Auch heute unbekannte Personen, Angehörige verschiedenster Berufsgruppen, befinden sich unter den Auftraggebern, sofern ihnen nur ihre soziale Stellung die finanzielle Möglichkeit hierfür bot, die freilich bei der Menge der unteren Schichten nicht gegeben war.
Die Medailleure oder, wie sie zeitgenössisch hießen, »Konterfetter« kamen von der Holzschnitzerei, Steinschneiderei oder aus Goldschmiedewerkstätten und befaßten sich in der Regel nicht ausschließlich mit den Kleinporträts der Medaille. Die in Augsburg tätigen Meister der Medaillenfrühzeit waren vorwiegend Holzbildschnitzer, wie Hans Schwarz, Friedrich Hagenauer und Christoph Weiditz, die ihre Medaillenmodelle in Holz ausführten. Für die Nürnberger Matthes Gebel, Joachim Deschler und andere galt der weiche Stein, das bevorzugte Modellmaterial der Goldschmiede, als angemessenes Mittel zur Verwirklichung ihrer Medaillenauffassung. Der erste Meister, der das »Konterfetten« zu seinem Hauptanliegen gemacht hat, ist Hans Schwarz. Er nutzte auf dem Reichstag zu Augsburg 1518 die günstige Gelegenheit, die Mächtigen des Reiches und ihr Gefolge von Angesicht kennenzulernen, sie im Medaillenporträt festzuhalten, um die neue Kunst damit in weiten Kreisen bekannt machen zu können und ihr gleich in den Anfängen über die Grenzen Augsburgs hinaus zu einem deutlichen Echo zu verhelfen. Seine kraftvollen und großzügig angelegten Bildnisse halten sich nicht bei Einzelheiten auf, vielmehr versteht es Schwarz, mit knappen, sicheren Schnitten im Holz eine Persönlichkeit erstehen zu lassen und Akzente zu setzen bei den für das Individuum besonders charakteristischen Punkten Auge, Nase und Mund. Auch der aus dem Elsaß stammende Christoph Weiditz war Bildschnitzer, der sich in Straßburg bereits an breit und behäbig gestalteten Bildnismedaillen versucht hatte. Nach seiner Niederlassung in Augsburg 1526 verfeinerte sich seine Auffassung, sein Stil weist eine ausgeglichenere Reliefwirkung auf, er wird präziser und sorgfältiger. Ebenfalls im Elsaß geboren war der Bildschnitzer Friedrich Hagenauer, der zwischen 1527 und 1532 in Augsburg arbeitete, bevor er, neue Wirkungsstätten suchend, nach Baden und an den Niederrhein wanderte. In Nürnberg entwikkelte Matthes Gebel den Goldschmiedestil der Medaille. Seine Arbeiten passen sich bereits im kleineren Format dem Goldschmiedemäßigen an und zeichnen sich durch äußerste Finesse aus, die in der minutiösen Behandlung der Gesamtdarstellung

liegt: Gesichtszügen, Kopf- und Barthaaren und der Kleidung wird mit Akribie nachgegangen. Gebels gesicherte Medaillenproduktion setzte 1527 ein, nachdem er bereits seit 1523 in Nürnberg ansässig war. Ob die Medaillen mit den unten spitz abgekanteten Brustbildern, die ein Nürnberger Meister 1525 und 1526 geschaffen hat, dem Frühwerk Gebels zuzurechnen sind, ist ungeklärt, obwohl sie manche der von ihm zur Perfektion gebrachten Kriterien vorwegnehmen. In Leipzig verhalf ein ausgebildeter Holzbildhauer und Kunstschreiner, Hans Reinhart, seit der Mitte der dreißiger Jahre der Medaillenkunst zum Durchbruch. Er verlieh ihr eine besondere Note weniger durch seine Bildnisse, als vielmehr durch religiöse Medaillen, denen er mit aufgelötetem filigranartigem Detailwerk einen eigenen Reiz zu geben verstand und damit Sinn für dekorative Raffinesse ebenso wie den versierten Goldschmied verrät.

Weltlichen und geistlichen Fürsten, die sich bereits in der Zeit der Schaumünzen-Inkunabeln für das geprägte Bildnis interessierten und es für sich nutzbar machten, Humanisten und Gelehrten, die ideologisch den Boden bereiteten, dem Bürgertum, das neben den Fürsten zum wichtigsten Auftraggeber wurde, Künstlerkollegen wie Dürer und Cranach, die selbst schöpferisch den Entwicklungsprozeß beeinflußten, Vertretern der reformatorischen Bewegung, der nicht wenige der Medailleure nahestanden, in erster Linie aber den Meistern, die die neue Form der Persönlichkeitsdarstellung voll zu nutzen verstanden, verdankt die frühe deutsche Medaillenkunst in unterschiedlichster Weise Impulse und ihren hohen Rang. L. B.

C 50.1 Niklaus Manuel zugeschrieben

Wappen des Hans Hager. 1524

Bez.: Monogramm des Buchdruckers auf dem Wappenschild
Holzschnitt. 10,8 x 7,2 cm
Berlin, Hauptstadt der DDR, Staatliche Museen, Kupferstichkabinett; Inv.-Nr. 345 — 1980

C 50.2 Sebald Beham *Abbildung*

Allegorie zum Preise des Weibes. 1539

Bez. o. r.: Monogramm des Künstlers und die Jahreszahl 1546
Holzschnitt. 13,5 x 15,6 cm
Berlin, Hauptstadt der DDR, Staatliche Museen, Kupferstichkabinett; Inv.-Nr. 14 — 1958
Pauli 1281

C 50.2

Das vorliegende Blatt ist dem Kunst- und Lehrbüchlein Sebald Behams entnommen, das 1546 in Frankfurt bei Christian Egenolph erschien. Die dargestellte Figur ist die einzige allegorische Illustration des Buches.

Der eigentliche Sinn der Darstellung ergibt sich aus ihrer Erstverwendung als Titelblatt zu der 1540 erschienenen Schrift von Cornelius Agrippa: »Vom Adel und Fürtreffen weiblichen Geschlechts«. Das Buch ist als Beitrag zur Stellung der Frau zu verstehen. Agrippa versucht mit verschiedenen Argumenten, die Frau als Inbegriff des Lebens zu preisen.

Ihre Keuschheit verdeutlicht das ihr von einem kleinen Liebesgott emporgereichte Tuch. Das Knäblein versinnbildlicht gemeinsam mit der Haltung ihrer linken Hand, die sehr an die Hilfestellung der stillenden Mutter erinnert, die Fruchtbarkeit. Die Vase, auf die sich der weibliche Genius mit der rechten Hand aufstützt, könnte als Hinweis auf die weibliche Gabe, zu empfangen und zu bewahren, verstanden werden. Die sieben Sterne in der Krone verweisen auf die sieben Schöpfungstage. Die Krone selbst ist Ausdruck der Hochachtung vor dem Weibe. In der Erstveröffentlichung des Holzschnittes finden wir unter dem Blatt die Worte: »das Weib ein Kron, Ehr und Glori des Mannes.«

Mit der Illustration zum Werk Agrippas, das als humanistische Schrift zur Stellung der Frau einen bemerkenswerten Charakter besitzt, bekennt sich Sebald Beham zu diesem neuen Gedankengut. E. B.

C 51 Lucas Cranach d. Ä. *Farbtafel Seite 224*

Die verliebte Alte. Um 1520–1522

Bez.: mit Schlangen-Signet
Buchenholz. 37x30,5 cm
Sammlung Erzherzog Leopold Wilhelm (gest. 1662, Brüssel); Wiener Hofsammlungen; 1770 Schloß Preßburg; 1848 Ungarisches Nationalmuseum.
Budapest, Museum der Bildenden Künste; Inv.-Nr. 137

Zu den sogenannten Buhlschaften Cranachs gehörten auch die Darstellungen der ungleichen Liebespaare. Mehr als vierzig Fassungen dieses Themas sind von Cranach und seiner Werkstatt erhalten und zeigen die Beliebtheit und Aktualität des Sujets. Die meisten Bilder stellen die Variation »Alter Mann mit junger Frau« dar, die andere Variation der ungleichen Liebespaare, »Altes Weib mit jungem Mann«, ist viel seltener dargestellt.
Die Gegenüberstellung anormaler Liebesverhältnisse war in der deutschen und niederländischen Literatur des 16. Jahrhunderts ein sehr beliebtes Motiv. Die Worte von Erasmus in seinem »Lob der Torheit« 1509 sind die bekannteste Formulierung dieser Szene (Stewart, op. cit. Kat.-Nr. 52, S. 61 ff.). Schon im »Narrenschiff« des Sebastian Brant von 1494 ist das Motiv als ein Beispiel der Buhlschaft erwähnt:

Die Buhlschaft ist für jeden Stand
ein Spott, ganz närrisch und ein Schand.
doch viel schändlicher ist sie dann,
wenn buhlen tun alt Weib und Mann ... usw.

Ein Vers von Hans Sachs: Zweierlei ungleiche Ehen (1533) wird im Holzschnitt von Virgil Solis zitiert: »Wie ein altes Weib bulet umb eins Jünglings Leyb«, wo also der Text von Sachs die Darstellung »erzählt« (Stewart, S. 32).
Auf einer anderen Holzschnittdarstellung der zwei ungleichen Paare, Jacob Lucius zugeschrieben und um 1550 entstanden, lesen wir einen ausführlichen Text über die von Cranach hier dargestellte Szene. Die alte Frau spricht zum Jüngling:

Ich will euch zu einem Herren machen
Mein gut euch machen unterthan
Wass vor erspart mein alter man ...

Der Jüngling »der waz schoen glat und wol getan«, aber »allein er auff die gülden schaut ...« (Geisberg, Bd. II, S. 18, Nr. 902).
Das Thema der ungleichen Liebespaare hat im deutschen Humanismus eine wirkliche Renaissance erlebt und über Reuchlin sogar Luther beeinflußt.
Das Budapester Bild Cranachs, in seinem Œuvre die früheste Darstellung dieses Motivs, ist wohl um 1520 bis 1522 in Wittenberg entstanden. Der Jüngling hat hier sehr charaktervolle, sogar porträthafte Züge und ist mit den besten Cranach-Bildnissen zu vergleichen. In seiner fast melancholischen Haltung und seinem Ausdruck steht es Jacopo de' Barbaris Bild von 1503 nahe (Philadelphia).
Die reich gekleidete alte Frau mit ihrem grausamen Lächeln stammt wahrscheinlich von Leonardo da Vincis verlorener Fassung desselben Themas ab, die von späteren deutschen Künstlern nachgezeichnet wurde (J. Hoefnagel 1602, Wien, Albertina; W. Hollar, Stich 1646). Leonardos Komposition, in der der junge Mann das alte Weib umarmt, sowie das Spiel um den Geldbeutel als szenische Handlung sind als Motive nördlich der Alpen bekannt gewesen (Quinten Massys) und könnten auch Cranach als Vorlage gedient haben. Als Vorbilder der Cranachschen halbfigurigen Liebespaare hat man immer niederländische Darstellungen des Themas erwähnt. Jedoch sind die Figuren hinter einer Brüstung in diesem frühen Tafelbild mehr norditalienischen Vorbildern ähnlich. Die drastische Charakterisierung der Typen geht jedoch auf einheimische deutsche Darstellungen zurück, etwa in der Graphik des Hausbuchmeisters und Israels van Meckenem.
Die lachende Greisin des Budapester Bildes ist in der Dresdener Komposition »Drei Liebespaare« (L. Cranach d. J.) zu finden, wo die mittlere Gruppe eigentlich eine späte Nachahmung des Budapester Bildes oder einer anderen verlorenen Fassung ist. Eine frühe, 1522 datierte, jedoch viel schwächere Version des Themas mit altem Mann und junger Frau (Kat.-Nr. C 52) ist ebenfalls in Budapest. S. U.

C 52 Lucas Cranach d. Ä. *Abbildung*

Der verliebte Alte. 1522

Bez. o. l.: Cranach-Signet, darüber Jahreszahl 1522
Buchenholz. 84,5 x 63 cm, rechts und links neuere Anstückungen
Aus den Wiener Hofsammlungen
1848 gelangte das Bild in das Ungarische Nationalmuseum
Budapest, Museum der Bildenden Künste; Inv.-Nr. 130

In seinem Führer durch Wittenberg erwähnte Magister Andreas Meinhard 1507 unter den Sehenswürdigkeiten des Schlosses ein Bild im Schlafgemach des Herzogs Johann: »Hier wird ein greiser Liebhaber von einem Narren verspottet ...« Das auf Leinwand gemalte und verschollene Bild wird im allgemeinen Jacopo de' Barbari zugeschrieben, der von 1503 bis 1505, also vor Cranach, Hofmaler des Kurfürsten war. Barbaris Holztafel »Alter Mann und junge Frau« von 1503 in Philadelphia ist wahrscheinlich die erste Darstellung dieses Themas in der Malerei überhaupt. Die genauere Sinnesdeutung dieser mit venezianischer Melancholie dargestellten Szene fehlt jedoch und unterscheidet sich von den späteren deutschen Darstellungen dieses Themas.
»Der altt Man und Die Jung Magdt«, wie die Darstellung auf einem dem Jakob Lucius zugeschriebenen Holzschnitt benannt wird, ist schon in der deutschen Graphik des 15. Jahrhunderts zu finden. Ein Blatt des Hausbuchmeisters, um 1472 bis 1475, (Lehrs VIII. 141) wurde von Israel van Meckenem

C 31
Lucas Cranach d. Ä.
Bildnis Johanns
des Beständigen.
1526

C 39.1 Albrecht Dürer. Bildnis des Hans Tucher. 1499

C 39.2 Albrecht Dürer. Bildnis der Felicitas Tucher. 1499

C 38 Marx Reichlich. Bildnis des Domherrn Gregor Angrer. 1519

Seite 221:
C 41 Hans Kemmer(?). Bildnis einer Frau. 1548

ANNO M D XLVIII

C 53.2 Sebastian Loscher. Mann mit Pelzkappe. Büste vom Fugger-Gestühl. Vor 1518

C 53.3 Sebastian Loscher. Junge Frau. Büste vom Fugger-Gestühl. Vor 1518

C 51 Lucas Cranach d. Ä. Die verliebte Alte. 1520–1522

C 52

kopiert (Lehrs IX. 381). Letzteres war sicher die Vorlage für Cranachs Komposition. Neuere Forschungsergebnisse haben bestätigt, daß die oft erwähnte Darstellung des Themas von Quinten Massys (Washington) aus den Jahren 1522/23 stammt, also nicht als Quelle für Cranachs Tafel anzusehen sei.

Die wichtigste Fassung des Themas vor Cranach war ein Kupferstich von Hans Baldung (1507), in dem die eindeutig erotische Geste des Mannes die Komposition bestimmt. Cranachs Budapester Bild von 1522 steht am Anfang einer langen Reihe von Darstellungen, die sich später großer Beliebtheit erfreut haben. Auf dem Budapester Bild sind die elegante, fast höfisch gekleidete junge Frau und ihr unwahrscheinlich großer Geldbeutel auffällig. Der Mann ist zwar kein Greis, aber sein abscheulich lächelndes Gesicht mit zahnlosem Mund ist wie eine Illustration des Sprichwortes: »Alter schützt vor Torheit nicht ...«

Narrheit wurde immer, hauptsächlich aber im frühen 16. Jahrhundert, mit grotesk übertriebener Sexualität in Verbindung gebracht.

Die weite Verbreitung des Themas der ungleichen Liebespaare in Deutschland nach 1500 kann aber nicht nur aus ikonographisch-literaturhistorischer Sicht bewertet werden. Nicht nur das neue, bürgerliche Publikum hat diese Thematik schnell aufgegriffen. Viele sozial- und wirtschaftsgeschichtliche Gründe haben die besondere Aktualität dieses Themas zu dieser Zeit noch verstärkt, so zum Beispiel die übergroße Zahl der Frauen im 16. Jahrhundert. Cranachs ungleiches Liebespaar ist als Komposition ein Doppelporträt oder die Darstellung eines Liebespaares. S. U.

C 53 Sebastian Loscher

Drei Büsten vom Gestühl der Fugger-Kapelle bei St. Anna in Augsburg. Vor 1518

Das Hauptwerk der Augsburger Frührenaissance ist die Ausstattung der Fugger-Kapelle bei St. Anna, die zwischen 1509 und 1518 entstand. Als eine Kollektivarbeit der bedeutendsten Künstler in Augsburg und Nürnberg – Architekten, Bildhauer und Graphiker – war es in seiner stilistischen Einheit unübertroffen. Der Auftraggeber, Jakob Fugger der Reiche, bestimmte die Kapelle zu seiner und seiner Nachkommen Grablege. Die relativ frühe Aufnahme italienischer Renaissanceformen in Augsburg geht auf Jakob Fugger zurück; die engen Handelsverbindungen, insbesondere mit Oberitalien, förderten dieses Streben.
Bereits in der Zeit der Reformation wurde die ursprüngliche Form der Fugger-Kapelle verändert, da St. Anna zu einer evangelischen Kirche umgewandelt wurde, während die Familie Fugger jedoch am katholischen Glauben festhielt und ihre verstorbenen Mitglieder an einem anderen Ort beisetzen ließ. Der größte Eingriff erfolgte aber im 19. Jahrhundert; 1815 wurden die wichtigsten Teile der Ausstattung, 1832 das reichgeschnitzte Chorgestühl entfernt. Von den einstmals 16 Büsten dieses Gestühls gelangten 15 in den Besitz der Berliner Museen, eine kam in die Sammlung Figdor in Wien; heute sind nur noch drei Büsten im Besitz der Skulpturensammlung der Staatlichen Museen zu Berlin vorhanden.
Wenn auch die Bildwerke formal noch in der Tradition der hölzernen Chorgestühlbüsten der Spätgotik stehen, insbesondere in der Reihe der Ende des 15. Jahrhunderts im schwäbisch-alemannischen Raum entstandenen Arbeiten von Heinrich Yselin und Jörg Syrlin, so spricht die plastische Körperbildung und die Charakterisierung der Gesichter mit ihrem bildnishaften Gepräge für die neue Renaissanceauffassung. Der Umriß ist sehr klar und in sich geschlossen, die Räumlichkeit des Körperaufbaus von überzeugender Eindringlichkeit.
Die Benennung der 16 Büsten war niemals voll gesichert; eindeutig ist nur das Porträt des Stifters Jakob Fugger auszumachen. Die übrigen Männer- und Frauenköpfe sind eventuell als Sibyllen und Propheten beziehungsweise als allegorische Darstellungen zu deuten.
Die Zuschreibung der Büsten an Sebastian Loscher, von G. Habich in die Forschung eingeführt, hat sich allmählich durchgesetzt. Sebastian Loscher, von dem der Riß des Entwurfs zur Ausstattung der Kapelle mit den Initialen SL erhalten ist (Augsburg, Maximilian-Museum), soll nicht nur der Baumeister der Fugger-Kapelle, sondern auch der Meister der Chorgestühlbüsten gewesen sein. Allerdings sind andere bildhauerische Arbeiten als eventuelle Vergleichsobjekte von seiner Hand nicht eindeutig nachweisbar. E. Fr.

C 53.1

Frau mit Ziegenbock

Wandfigur, Rückseite ausgehöhlt. Birnbaumholz, ungefaßt
H. 60 cm
1848 aus Privatbesitz erworben
Berlin, Hauptstadt der DDR, Staatliche Museen, Skulpturensammlung; Inv.-Nr. 439

Kopfschmuck und Attribut dieser Frauenbüste sind bemerkenswert, lassen aber keine eindeutige ikonographische Bestimmung zu.
Problematisch bleibt die Ausdeutung des Tieres, weil die obere Hälfte des Kopfes ergänzt wurde. Wahrscheinlich handelte es sich ursprünglich um ein Einhorn. Als Sinnbild der treuen Liebe sowie als Christus- und Mariensymbol wäre es – zumal in Verbindung mit den Delphinen – durchaus in der Grabkapelle der strenggläubigen katholischen Familie Fugger denkbar. E. Fr.

C 53.2 *Farbtafel Seite 222*

Bartloser Mann mit Pelzkappe

Wandfigur, Rückseite ausgehöhlt. Birnbaumholz, ungefaßt
H. 57,5 cm
1848 aus Privatbesitz erworben
Berlin, Hauptstadt der DDR, Staatliche Museen, Skulpturensammlung; Inv.-Nr. 443

Bei dem bartlosen Mann ist weniger an einen Propheten als vielmehr an ein Bildnis eines Augsburger Patriziers, möglicherweise sogar eines Mitgliedes der Familie Fugger, zu denken. E. Fr.

C 53.3 *Farbtafel Seite 223*

Junge Frau mit turbanartiger Haube

Wandfigur, Rückseite ausgehöhlt. Birnbaumholz, ungefaßt
H. 59 cm
1848 aus Privatbesitz erworben
Berlin, Hauptstadt der DDR, Staatliche Museen, Skulpturensammlung; Inv.-Nr. 451

Das liebliche Gesicht der jungen Frau wird von ihrem in die Ferne gerichteten Blick beherrscht, der ihr einen Anflug von der seherischen Kraft einer Sibylle verleiht. Die turbanartige Kopfbedeckung verstärkt noch den Eindruck, daß es sich um eine der weissagenden Frauen des Altertums handelt, zumal Jörg Syrlin d. Ä. am Chorgestühl des Ulmer Münsters zehn Sibyllen in gleicher Büstenform darstellte. Birnbaumholz ließ sich sehr gut schnitzen und erlaubte daher eine subtile Herausarbeitung der Stofflichkeit. Durch seinen warmen, rötlichbraunen Farbton eignete sich das Holz besonders gut für ungefaßte Skulpturen, auch wurde es wegen seiner inneren Stabilität geschätzt. E. Fr.

C 54 Peter Flettner

Die Klage des Handwerkers. Um 1535

Bez.: Das redende Zeichen des Künstlers:
ein Haufen Unflat auf der Fahne in der Mitte neben einem Spatenblatt
Holzschnitt, koloriert. 27,4 x 19 cm
Flugblatt mit drei Spalten Text im Buchdruck:
»Ich han gehoffet reich zu werden ... Mit weych prun ist er nicht zustillen«
Gotha, Museen der Stadt, Schloßmuseum; Inv.-Nr. 40, 47

Der erfolglose Handwerker wird zu einem Sinnbild des Gegenglücks, das im Schweinsgalopp um die Welt getragen wird, vom Blick des Teufels wohlwollend verfolgt. Im Text klingt das Motiv des Glücksrades an, das der Petrarcameister eindringlich gestaltet hat. Am Boden liegen die Attribute der Künste: Orgelpfeifen, Gießpfanne, Palette, Pinsel und Stecheisen. Gerüstet ist der Handwerker noch mit Schürze, Schusterhammer, Schwert und Messer. In den Händen aber führt er die zerrissene Fahne und eine Bettlerklapper, die Zeichen seines Unglücks. Die glänzende Entfaltung der Künste am Anfang des 16. Jahrhunderts bedeutete eine Verlockung für viele Kräfte, die dem rasch fortschreitenden sozialen Differenzierungsprozeß zum Opfer fielen. W. S.

C 55 »Meister des Hederlein«

Das Schiff der Handwerker. Um 1535

Nicht bez.
Holzschnitt, koloriert. 17,7 x 23,1 cm
Illustration eines Flugblattes, das wohl nicht vor 1545 von Hans Hofer in Augsburg gedruckt wurde
Überschrift des Flugblattes:
»Das verdorben schiff der handwercksleut.«
Unter dem Holzschnitt drei Spalten Text (39,7 x 28 cm)
Gotha, Museen der Stadt, Schloßmuseum; Inv.-Nr. 39, 40

In den zwei Booten sind zwei Vertreter der Handwerkerschaft gegenübergestellt. Die guten Handwerker alten Brauchs tragen die Zeichen ihres Berufes: Hammer, Tuchschere, Taschen, Gürtel, Schere, Buchseite, Holzschnitt, Buch, Pokal, Schlegel und Palette. Die schlechten Handwerker sitzen beim Trunk im anderen Boot. Die Klage gegen die zunehmende Sorglosigkeit der Arbeiter ist verbunden mit der Anprangerung der Praktiken des Borgens und Vorschießens und der Abschlagzahlung. Deutlich ist, wie in den Städten der soziale Entwicklungsprozeß die Handwerker unter Druck setzt und in verschiedene Interessengruppen auseinanderfallen läßt. Hier erfolgt ein Angriff auf das frühkapitalistische Unternehmerwesen von seiten der alten ehrbaren Meister. Das Bild des Schiffes, analog dem Bild des Fuhrwagens, dürfte auf den theologischen Gebrauch zurückzuführen sein. W. S.

C 56 Anthony Corthois d. Ä. nach Erhard Schön *Abbildung*

Klage der drei Hausmägde. Um 1530–1535

Bez. unter dem Holzschnitt:
Anthony Formschneyder zu Augsburg
Holzschnitt, koloriert. 12,4 x 28,6 cm
(Blattgröße 28,1 x 39,9 cm)
Illustration eines Augsburger Flugblattes mit Versen von Hans Sachs. Überschrift:

Drey arme hauß meyd klagẽ auch/Die yar dinſt ſeind yn herb vñ rauch.

C 56

Clagred der Neün Muse oder künst vber Teütschlandt

C 57

Drey arme hauß meyd klage(n) auch,
Die yar dinst seind yn herb vn(d) rauch.
Gotha, Museen der Stadt, Schloßmuseum; Inv.-Nr. 39, 34

Die einfache Darstellung läßt an Schauspieldialoge denken. Die Mägde des Handwerkers, des Bürgers und des Bauern klagen über die harte Arbeit für ihre Dienstherren und beschließen, durch Heirat ihre Lage zu verbessern.
Der Holzschnitt gilt als Kopie des nur in einem späten Abdruck erhaltenen Originals in Wien, Graphische Sammlung Albertina. W. S.

C 57 Georg Pencz *Abbildung*

Die Klage der Musen über Deutschland. 1535

Formschnitt von Nikolaus Meldemann
Bez. u. l.: Monogramm des Formschneiders
Holzschnitt, koloriert. 17,2 x 28,4 cm
Benutzt als Illustration
zu einem Gedicht von Hans Sachs:
Clagred der Neun Muse oder künst uber Teutschlandt
Gotha, Museen der Stadt, Schloßmuseum; Inv.-Nr. 37, 10

Dem Jäger auf einer winterlichen Treibjagd begegnet die Gruppe der neun Musen, ein Triumphzug anderer Art. Die Edelfrauen, nach antikem Verständnis Verkörperungen der wichtigsten Künste und Wissenschaften, verlassen das Land, um nach Griechenland zurückzukehren. Kälte und Unwegsamkeit werden bei Hans Sachs mehr als bei Georg Pencz zum Gleichnis für die krisenhafte Situation nach Ausbreitung der Reformation und dem Umsichgreifen kapitalistischer Spekulationen. Auch in diesem Blatt erweist sich, wie stark die bildkünstlerische Behandlung des Stoffes an stabile Motive gebunden ist: das Motiv des Bilddialogs, des Triumphzuges. Die Wiedergabe eines tief verschneiten Waldes, die das Gedicht im Grunde fordert, lag außerhalb der damaligen Darstellungsmöglichkeiten. W. S.

C 58 Nach Barthel Beham

Das Gespräch der drei Bauern. Nach 1530

Holzschnitt. 17,8 x 30 cm
Illustration zu einem Flugblatt mit drei Spalten Text, das der Verleger Hans Güldenmund in Nürnberg herausgab
Gotha, Museen der Stadt, Schloßmuseum; Inv.-Nr. 39, 42

In einfacher Darstellung sprechen drei Bauern darüber, wie sie ihrem harten Leben entgehen könnten. Zwei beschließen, Mönch zu werden, der dritte warnt vor dem Klosterleben: »Das haben gar vil Münch betracht / Vnd die kutten hyn geworffen / Lauffen wider zu den dorffen.« Die Texte sind den Personen zugeordnet. W. S.

C 59.1 Michael Ostendorfer *Abbildung*

Bildnis des Hans Sachs. 1545

Bez. am Rande der Steinbrüstung:
1545 : HANS SACHSEN. ALTER. 51. IAR
Holzschnitt, koloriert. 31,1 x 27,6 cm
Mit dreispaltigen Texten in Latein von Leonhard Ketner und in Deutsch von Johann Betz
Der lateinische Text ist bei dem Gothaer Exemplar zusammen mit der Überschrift:
»Des Hanns Sachsen bildnuß« abgeschnitten und auf die Rückseite geklebt worden
Gotha, Museen der Stadt, Schloßmuseum; Inv.-Nr. 38, 7

C 59.1

C 59.2

Holzstock. 32 x 28,4 x 2,3 cm
(seitliche und obere Umrandung erneuert)
Berlin, Hauptstadt der DDR, Staatliche Museen, Kupferstichkabinett; Inv.-Nr. Derschau 19

C 60.1 Sebald Beham *Abbildung*

Die Klage der Geistlichen und Handwerker gegen Luther. Um 1525

Nicht bez.
Holzschnitt. 15 x 26,4 cm
Neudruck (gefälschtes Dürer-Monogramm getilgt)
Berlin, Hauptstadt der DDR, Staatliche Museen, Kupferstichkabinett
Bartsch 164; Pauli 1197

C 60.1

Der Holzschnitt diente als Illustration zu Hans Sachs. »Ein neuer Spruch, wie die Geystlicheit und etlich Handwercker vor den Luther dagen«, Nürnberg, Hieronymus Höltzel, um 1525 (?)

C 60.2

Holzstock. 15 x 26,8 x 2,4 cm
Aus Sammlung Derschau
Berlin, Hauptstadt der DDR, Staatliche Museen, Kupferstichkabinett; Inv.-Nr. Derschau 423

Im Streit um die Reformation sind auch auf der Ebene der Bürger und Bauern feste Fronten entstanden. Aus der diffusen Dialogsituation des Anfangs hat sich eine Gegnerschaft der Gruppen herausgebildet. Zwei Geistliche stehen sich als Wortführer gegenüber: der Priester mit dem Privileg und Luther mit der Bibel. Die Gegenstände selbst werden als Argumente mitgeführt. Malerwappen, Kirchenglocke, Kelch, Meßgewand und Fischernetz für die Handwerker im Dienst der alten Kirche. Dreschflegel und Eierkorb bezeichnen den Ort der Anhänger Luthers. Gerechte und Ungerechte sind wie beim Weltgericht geschieden. Die Kläger werden zu Angeklagten. Das Bild entspricht der Lage bei Beginn des Bildersturmes, als nicht nur Geistliche, Glockengießer, Organisten, Maler, Bildschnit-

zer, Rotschmiede, Seidenspinner und Pergamenter um ihr Auskommen bangen mußten, sondern auch Sänger, Schreiber und die Fischer, die zur Fastenzeit die Nahrung lieferten.
Der Druckstock zeigt die robuste Ausbildung in Nürnberger Art: große Wirkung der Flächen, die durch sicher geführte Umrisse gefaßt sind. Durch öfteres Drucken sind die Randleisten beschädigt; die linke ist abgebrochen, der Stock an dieser Stelle begradigt und der Grund nachträglich tiefer geschnitten. W. S.

C 61.1 Lucas Cranach d. Ä. *Abbildung*

Das Gleichnis von den Hasen und den Löwen Um 1532

Nicht bez.
Holzschnitt (Neudruck). 21 x 32,7 cm
Berlin, Hauptstadt der DDR, Staatliche Museen, Kupferstichkabinett

C 61.2

Druckplatte aus Holz. 20,8 x 34 cm
(seitliche Randleisten ergänzt)
Berlin, Hauptstadt der DDR, Staatliche Museen, Kupferstichkabinett; Inv.-Nr. Derschau 115

Die Erklärung der Darstellung gibt die Beischrift der freien Kopie im Holzschnitt (Kat.-Nr. C 61.3). Nach Aristoteles benutzte Antithenes zur Kennzeichnung der Stellung überragender Menschen innerhalb des Staates das Bild der Hasen, die in der Versammlung der Tiere (gegenüber den Löwen) für alle den gleichen Anteil fordern. Das Gleichnis findet sich auch bei Äsop, der die Löwen antworten läßt: die Forderung der Hasen sei berechtigt, sofern sie durch Krallen und Zähne verteidigt werden könnte. Bei Cranach sind die Hasen durch Bücher als Gelehrte gekennzeichnet, die Löwen verkörpern die weltlichen Herrscher; sie befinden sich merkwürdigerweise in der Überzahl. Die drohenden Wolken und der Baumstumpf im Vordergrund (wohl als Bild der gescheiterten Hoffnung) lassen keinen Zweifel über den Ausgang der Handlung. Zum Wappenbild verdichtet findet sich die Darstellung auf einer Buchmalerei aus Cranachs Werkstatt im Matrikelbuch der Universität Wittenberg (s. Abb.). Dabei handelt es sich um das Schild des Juristen Franz Burchart, der 1532 Rektor und später Kanzler Herzog Johann Friedrichs des Mittleren war. Hier erscheint der stehende Hase mit dem Buch isoliert in der Gesellschaft von vier Löwen, in einer für das Selbstverständnis des Gelehrten zu dieser Zeit bezeichnenden Darstellung.

Über die Verwendung des Holzschnittes ist nichts bekannt. Einen älteren Abdruck, nach dem die Reproduktion hergestellt worden ist, hatte 1981 das Baseler Kupferstichkabinett erworben. W. S.

C 61.3 Nach Lucas Cranach d. Ä. *Abbildung*

Das Gleichnis von den Hasen und den Löwen Um 1550–1560

Holzschnitt. 14,8 x 22,5 cm
Bez. über der Darstellung im Typendruck:
CONCIO LEPORVM AD LEONES, CVIVS MEMINIT ARISTOTELES TER/TIO POLITICORVM, ALLEGORICO CARMINE EXPOSITA A FRIDERICO WEYDEBRANDO ET/
dedicata Henrico Husano Isenacensi, fratri suo charissimo
(Rede der Hasen an die Löwen,
die Aristoteles im dritten Buch seiner »Politik« erwähnt,
von Friedrich Weydebrand in einem allegorischen Gedicht
dargestellt und seinem teuersten Bruder Heinrich Husanus
aus Eisenach gewidmet
Aus Sammlung Eszterházy (Lugt 1966)
Budapest, Museum der Bildenden Künste, Graphische Sammlung; Inv.-Nr. 4/720

Der Holzschnitt gibt eine willkürliche Zusammenstellung der wichtigsten Bildmotive der Cranachschen Darstellung (Kat.-Nr. C 61.1), ebnet das Motiv des angedeuteten »Tugendberges« ein, opfert Baumstumpf und Wolkenpaar, deren Bedeutung inzwischen wohl verlorengegangen war. Heinrich Hanssen (Husanus), der von 1536 bis 1587 lebte, war ein bekannter Rechtsgelehrter; er studierte 1551 in Jena, wurde nach Studien in Wittenberg, Ingolstadt, Bourges und Padua 1561 Professor in Jena und 1568 mecklenburgischer Kanzler. W. S.

C 62 Albrecht Dürer

Der Teppich von Michelfeld. 1526

Bez.: Beischriften der Szenen
Holzschnitt in drei Teilen. Neudruck
Links: 13,5 x 20 cm; Mitte: 13,5 x 12,5 und 13,5 x 14,7 cm; rechts 13,5 x 11,8 cm
Bautzen, Museen der Stadt, Stadtmuseum; Inv.-Nr. 15 566/69
Meder 241

Die Darstellung des Michelfelder Teppichs gehört zu den sogenannten Gerechtigkeitsbildern, wie sie als Wand- oder Tafelgemälde und als Wirkereien in Gerichtslauben, Ratsstuben oder Schöffenkammern zu finden gewesen waren. Sie sollten

C 61.1

C 61.3

sowohl den Richter mahnen, gutes Recht zu sprechen, als auch den Beschuldigten bewegen, an die Umkehr zur Tugend zu denken.

Der Holzschnitt gliedert sich in drei Szenen: Die erste zeigt das von der Allegorie der Zeit bewegte Glücksrad. Es ist mit Vögeln besetzt, die die Bösartigkeit der Menschen, dargestellt an Vertretern einzelner Stände, verkörpern: Hoffart, Gewinnsucht, Gewalttätigkeit und Rechtsverletzung.

Die zweite Szene stellt die Vertreter des Ständestaates vor: den Ritter, den Fürsten, den Bürger, den Handwerker und den Bauern. Eng zusammengerückt die drei ersten Vertreter, selbstbewußt auftretend der Handwerker, abgerissen und abgekämpft der Bauer: Die Tragik des verlorenen Aufstandes spricht aus Haltung und Gebärde der nach unten geöffneten Hand.

Die dritte Szene zeigt die Ursache des Übels an: In den Block eingespannt sind die Allegorien der Vernunft, der Gerechtigkeit und der Wahrheit, neben ihnen sitzt auf hohem Thron der Richter. Er ist nicht als weiser, das Recht hütender Mann dargestellt, sondern er wird als Betrüger bezeichnet: »Ich bin die Betrugnus«. Wie eine Peitsche schwingt sich lebhaft rollend aus seiner Hand ein Spruchband über die gefesselten Tugenden: »Mit List meiner behenndikait: hab ich bracht die Gerechtigkaitt / Mitsambt der Vernunft und warhait: zu meiner Unterthenigkaitt.« Er ist der »wahre Antichrist der öffentlichen Ordnung« (Fraenger 1977, S. 50). Die »Frumkait« (Frommheit) ist ihm ebenfalls zum Opfer gefallen. Sie ist als eine »weltfromme Humanität, die auf Vernunft, auf Wahrheit und Gerechtigkeit gegründet ist« (Fraenger ebenda S. 51), zu verstehen, die im Keime, als Wickelkind, erstickt werden soll. Die von rechts an den Richter herantretenden Vertreter der weltlichen und geistlichen Gerichtsbarkeit lassen daran keinen Zweifel. Die Inschrift auf dem über ihnen wehenden Wimpel bezeugt es: »Herr ewr rede die hör wir gern / In ewr Schull beger wir zlern.«

Den Abschluß bildet die Gestalt der Ewigen Vorsehung. Sie verkörpert die ursprüngliche Vollkommenheit der Welt, christlich-theologische Vorstellung mit dem antiken Gedankengut der unbesiegbaren Sonne der Gerechtigkeit verbindend.

Der Holzschnitt wird in einer Inschrift als Wiedergabe eines vor hundert Jahren gewirkten Teppichs bezeichnet, der in Schloß Michelfeld gefunden worden sei.

Die Darstellung Dürers ist eine freie Wiedergabe des in das Ende des 15. Jahrhunderts zu datierenden Teppichs gewesen. Dürer hat seine pessimistische Aussage, die aus einer umgekehrten Abfolge der Szenen ersichtlich war, »in die Glaubenszuversicht des Reformationsjahrhunderts und in die Handlichkeit des Bilderbogens übertragen« (Fraenger 1977, S.65), als er die Darstellungen mit der Gestalt der Ewigen Vorsehung abschloß.

Die vier Druckstöcke befanden sich im Stadtmuseum Bautzen. Seit 1945 sind nur noch die der mittleren und der rechten Szene erhalten. K. F.

Die Entdeckung der Welt und des Menschen

Seit der zweiten Hälfte des 15. Jahrhunderts wurde das Bildnis zu einer der wichtigsten Aufgaben in der Kunst. In einem neuen Bewußtsein seines Eigenwertes wollte der Mensch die Würde seiner Persönlichkeit, seines Standes, sein Verhältnis zur Umwelt abgebildet sehen. Diese Entwicklung war erst möglich geworden, als mit der frühkapitalistischen Produktionsweise der Individualisierungsprozeß gefördert wurde, der sich seit der Mitte des 14. Jahrhunderts abzeichnete und den Menschen von feudalistischen Abhängigkeitsverhältnissen befreite, denn Handel und Gelderwerb verlangten nun freie, persönliche Entscheidungen. Der Mensch begann, einem christlich-philosophischen Denken kritisch gegenüberzutreten, das die Unabhängigkeit des Individuums ablehnte.
Das hatte nicht nur zur Vermenschlichung des Heiligenbildes, sondern auch zur Herausbildung des Porträts geführt.
Die Bildniskunst entwickelte sich vornehmlich in den Reichsstädten. Nürnberg, Augsburg und Ulm waren die wichtigsten Zentren, Dürer, Holbein, Hans Maler die herausragenden Porträtisten. Waren die Bildnisse im ausgehenden 15. Jahrhundert noch durch naturalistische Detailtreue bestimmt, so wird mit fortschreitender Entwicklung immer mehr das Typische erfaßt. Die natürliche Gegenüberstellung von Mann und Frau wird im Verlöbnis- oder Gattenbild gezeigt. Die klassisch proportionierten Gestalten, wie sie uns Dürers Adam und Eva (Kat.-Nr. D 41) zeigen, formulieren ideale Verallgemeinerung und verbinden Selbstbewußtsein mit dem unter italienischem Einfluß sich ausbreitenden humanistischen Erkenntnisdrang. Dürer strebte danach, in der Proportionierung der Teile die Schönheit des Ganzen zu erfassen.
Mit Zirkel und Richtscheit wurde die Erkenntnis der Welt nutzbar gemacht und in der Zentralperspektive die Möglichkeit gefunden, den Raum so darzustellen, wie ihn der Betrachter sieht. Man bemächtigte sich seiner durch exakte Messungen, die die Grundlage für Landkarten und Stadtpläne boten. Mit dem sich gleichzeitig entwickelnden Interesse, die Umwelt bildlich festzuhalten, entstanden die ersten selbständigen Stadtansichten. – Die Zeichnung erhielt als Mittel, die Naturbeobachtungen unmittelbar festzuhalten, Eigenwert. K. F.

D 1 Meister des Hausbuches *Farbtafel Seite 241*

Das Gothaer Liebespaar. Um 1484

Nicht bez.
Lindenholz. 118 x 82,5 cm
Gotha, Museen der Stadt, Schloßmuseum; Inv.-Nr. 749/703

Die Halbfiguren sind in reicher Tracht hinter einer rötlichbraunen Brüstung vor schwarzem Grund dargestellt. Liebevoll umfaßt der Mann die Frau. Die Gesichter entsprechen dem Schönheitsideal der Zeit kurz vor 1500. Die fein und zurückhaltend erfaßte Wesensart drückt höfisch-feudale Lebensart aus; nach Wappen und Entstehungszeit handelt es sich um den Grafen Philipp d. J. von Hanau-Münzenberg mit seiner zweiten Frau, Margarete Weißkircher aus Hanau, die bürgerlicher Herkunft war. Als Verlöbnisbild muß es unmittelbar vor einer Pilgerfahrt Philipps 1484 entstanden sein.
Über den Dargestellten geben zwei Spruchbänder in reicher ornamentaler Verschlingung die Zwiesprache der Liebenden wieder:
Die Frau (rechts): »Sye hat vch nyt gantz veracht Dye vch daß schnurlin hat gemacht« (Sie hat euch nicht ganz veracht, die euch das Schnürlein hat gemacht).
Der Mann (links): »Vn byllich het Sye eß gedan Want ich han eß sye genissen lan« (Und recht hat sie daran getan, denn ich hab es ihr vergolten).
Der junge Mann, der sich innig der Geliebten zuwendet, trägt zum Zeichen des Verlöbnisses einen Kranz aus wilden Rosen. Die Frau hält in der Linken eine kleine Heckenrose. Mit der Rechten reicht sie dem jungen Mann einen goldenen, kunstvoll geflochtenen breiten Reif, durch den ein rotes gefranstes Tuchende gesteckt ist, das links in einer Quaste endet. Der Geliebte greift behutsam in dieses kostbare Schnürlein, von dem auch im Zwiegespräch die Rede ist. Dieses Schnürlein wurde als biblisches Merkzeichen gedeutet, das an der Kleidung angebracht wurde und an die Gebote des Herrn erinnern sollte. Zugleich ist es wohl in diesem Zusammenhang ein Symbol der Treue. B. G.

D 2 Meister des Hausbuches *Abbildung*

Liebespaar mit einem Falken. Um 1480

Bez. u. r. von fremder Hand: H. v. Mechel
Silberstift, mit grauem Pinsel verstärkt auf grundiertem Papier. 17,8 x 13,5 cm
Leipzig, Museum der bildenden Künste, Graphische Sammlung; Inv.-Nr. NI 30

Das Leipziger Blatt des Hausbuchmeisters ist eng verwandt mit der Zeichnung des »Stehenden Paares«, z. Z. in Berlin (West). Die Figuren sind plastisch und voller lebensnaher Körperlichkeit. Das Poetische der Darstellung wird durch die zarte, malerische Technik unterstrichen. Der Falke auf der Schulter des Mannes gilt als Symbol des Weidwerks. Er findet sich auch auf Stichen des Hausbuchmeisters. Die Falknerei, als bevorzugte Jagdform, war ein Privileg des Adels. Kleidung, Haltung und Gestik zeugen von der höfischen Lebensart des Paares. Als sichtbares Zeichen des Verlöbnisses können die Blätter- und Blütenkränze auf den Häuptern des Paares gedeutet werden. Die Forschung datiert die Zeichnung um 1480, und es wird angenommen, daß sie mit dem Berliner Blatt zu einem Skizzenbuch gehören könnte. B. G.

D 2

D 3 Österreichischer Maler *Abbildung*

Verlobungsbild des Ladislaus Postumus und der Magdalena von Frankreich 2. Hälfte des 15. Jahrhunderts

Nicht bez.
Lindenholz. 38,5 x 54 cm
1857 Geschenk der Kinder von Lorenz Jankovich an das Ungarische Nationalmuseum, übernommen 1936
Budapest, Museum der Bildenden Künste; Inv.-Nr. 6960

Ladislaus Postumus, in Ungarn Ladislaus V., 1453 als König von Ungarn und Böhmen gekrönt, war Sohn von Albrecht II. Herzog von Österreich und von Elisabeth, Tochter des Kaisers Sigismund. Er wurde 1440 nach dem Tode seines Vaters geboren und starb 1457 in Prag. Unter der Vormundschaft Friedrichs III. wurde Ladislaus am kaiserlichen Hof erzogen. Die Verlobung des 17jährigen Ladislaus mit der 14jährigen Magdalena (1443–1495), Tochter König Karls VII. von Frankreich, war in der österreichischen Machtpolitik ein wichtiger Schritt. Sie fand 1456 statt, Ladislaus starb jedoch unvermutet kurz vor der Hochzeit.

Der junge Hochzeiter trägt ein Verlobungskränzchen, sein Hochzeitskleid ist aus italienischem Samt mit einem besonders hohen Stehkragen (ähnliches auch auf dem Bildnis von Friedrich III. als Erzherzog, um 1460). Seine rechte, etwas ungeschickte Hand ist ähnlich auf Dürers Brautwerbungs-Selbstbildnis (Paris, Louvre). Magdalenas liebliches Kindergesicht ist eine bisher noch kaum gewürdigte frische Porträtaufnahme des 15. Jahrhunderts. Die dichten Flechten finden sich noch in Dürers Mädchendarstellungen. Magdalenas Kronreif, oben mit figuralem Schmuck, und ihre Kette mit Anhänger wären noch für die Geschichte des Kunstgewerbes zu erforschen und vielleicht auch zu identifizieren. Die Nelke in ihrer Hand als Liebes- und Fruchtbarkeitssymbol hat eine bestimmte apotropäische Bedeutung in den Verlobungsbildern des 15. und 16. Jahrhunderts.

Die Meisterfrage des Budapester und Ambraser Doppelporträts ist noch ungeklärt. Früher für eine Kopie des 16. Jahrhunderts gehalten, von Stange dem Wiener Meister am Gestade zugewiesen, ist nicht auszuschließen, daß es ein Werk des 15. Jahrhunderts ist. Auf jeden Fall ist das fast tadellos erhaltene Budapester Exemplar, verglichen mit dem vor kurzem veröffentlichten Ambraser, das frühere und qualitätvollere.

Das bekannte, auf Pergament gemalte Wiener Einzelporträt stellt Ladislaus Postumus ebenfalls als Bräutigam dar. Das Bild stammt jedoch nicht von demselben Maler wie das Doppelporträt.

Der Beitrag Österreichs zur Entwicklung der Gattung des Fürstenporträts im 15. Jahrhundert ist von europäischer Bedeutung. Die höfische Bildnismalerei blühte hier gleichzeitig mit derjenigen in Frankreich und den Niederlanden, und ihre Entwicklung führte hier zu einer starken Verbürgerlichung. Doppelporträts in dieser Form sind sehr selten in dieser Zeit. Neben dem Gothaer Liebespaar ist das Budapester Ladislaus-Verlo-

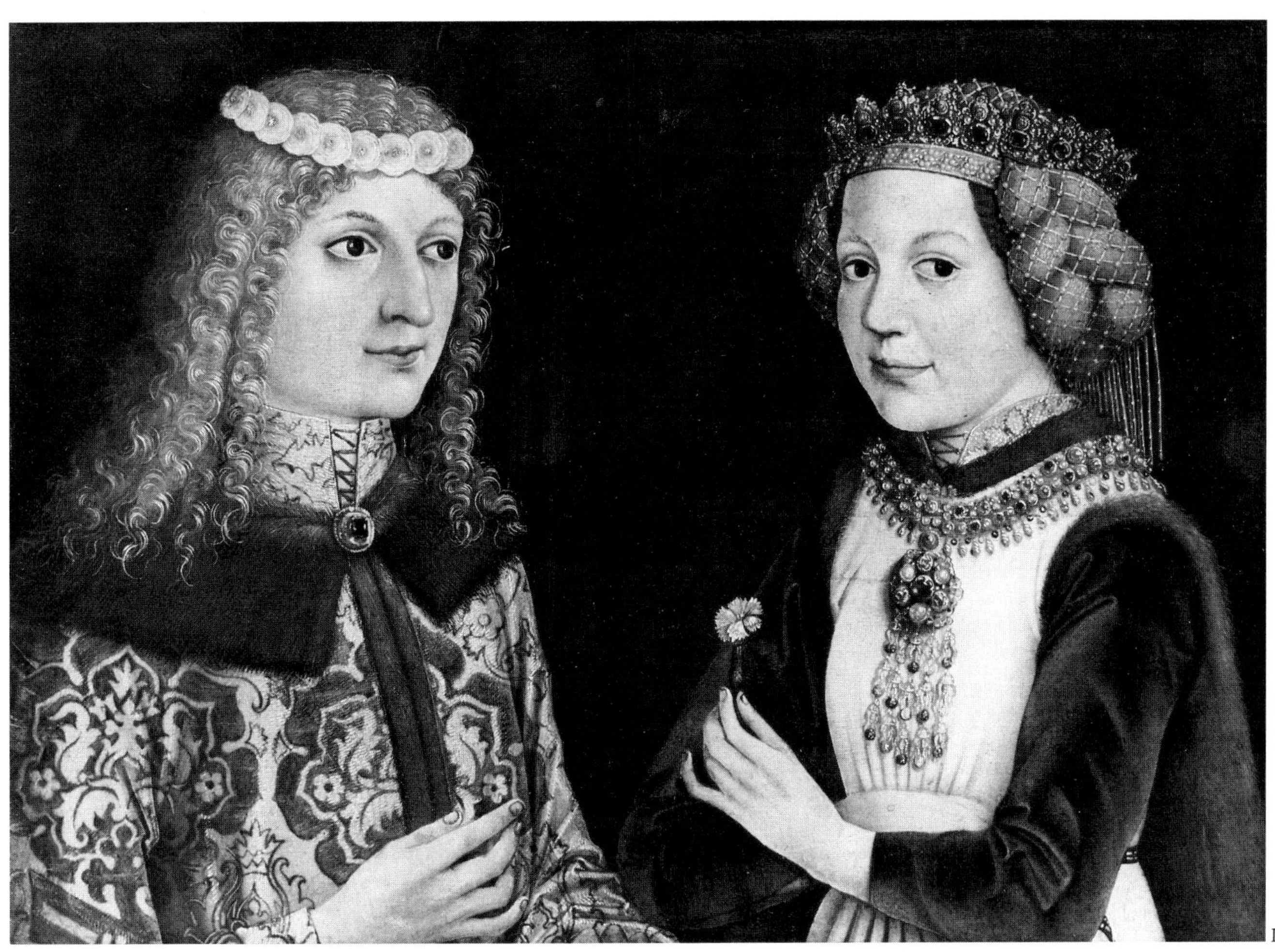

D 3

bungsbild das wichtigste Denkmal dieser Gattung. Darum ist es fraglich, ob es sich nicht um zwei zusammengefügte Einzelporträts handelt, also eine Kompilation, wie sie K. Schütz und G. Heintz im Wiener Katalog vermuten (in der niederländischen Kunst blieb bis zum 16. Jahrhundert das auf zwei Tafeln gemalte Porträtdiptychon als Verlobungsbild üblich).
Die Vorbilder von Doppelporträts sind in den in Österreich so beliebten Stammbaumdarstellungen zu suchen. Auf dem Babenberger Stammbaum, Klosterneuburg, oder auf den beiden Habsburger-Stammbäumen (1497, 1507) sind die Ehepaare in Halbfiguren einander gegenüber dargestellt.
Die Meisterfrage des Bildes ist noch immer offen. Allerdings hatte der jung verstorbene, eigentlich nur fünf Jahre lang regierende »teenager«-König einen beglaubigten Hofmaler, dem er 1457 »in Anbetracht der willigen und getreuen Dienste« eine lebenslängliche Rente gewährt hatte. Dieser Hans von Zürich genannte Maler ist in Wien von 1457 bis 1476 nachweisbar, jedoch mit Werken nicht zu identifizieren. Obwohl keines der erhaltenen Ladislaus-Porträts authentisch diesem Meister zugeschrieben werden kann, dürfen wir seine als Hypothese aufgestellte Autorschaft nicht ausschließen. S. U.

D 4 Hans Maler zu Ulm (Schwaz) *Abbildung Seite 237*

Bildnis des Joachim Rehle. 1524

Bez. o. M.: dreizeilige Inschrift mit goldenen Lettern:
DO MAN. M.D.XXIIII. ZALT.
WAS. ÍCH. ÍOACHIM REHLE. XXXIIII. ÍAR ALT.
AUFF ADÍ. XIIII LUÍGO.
Öl auf Lindenholz. 33,5 x 28,5 cm
Specificatio 1707; geliefert 1728 durch Moulin
Dresden, Staatliche Kunstsammlungen, Gemäldegalerie Alte Meister; Inv.-Nr. 1902

Als Bild Dürers in die Galerie gekommen. Im Vergleich mit gesicherten Porträts von Hans Maler diesem als typisches Werk zuzuschreiben. Brustbild ohne Hände, nach links gewendet im Dreiviertelprofil. Klare, objektivierende Menschen-Auffassung wird mit ebenso sachlicher, betont auf zeichnerischer Basis stehender Handwerkstechnik vorgetragen. Der strenge Umriß der Büste hebt sich dunkel von einem hellen, nach oben variierten Grund ab, was eine gewisse Räumlichkeit bewirkt. I. G.

D 5 Hans Holbein d. J. *Abbildung*

Doppelbildnis Thomas und John Godsalve. 1528

Bez. o. l. auf dem Zettel: Anno.Dni.M.D.XXVIII
Eichenholz. 35 x 36 cm
Dresden, Staatliche Kunstsammlungen, Gemäldegalerie Alte Meister; Inv.-Nr. Galerie 1889

Im Herbst 1526 reiste Holbein d. J. zum ersten Mal nach England, um neue künstlerische Aufträge und Verdienstmöglichkeiten zu suchen, nachdem durch die Einführung der Reformation in seiner Heimatstadt Basel eine Krise im Auftragswesen entstanden war. Durch Thomas Morus gefördert, arbeitete er vorwiegend als Bildnismaler. Die wichtigste erhaltene Leistung dieses ersten Aufenthaltes in England ist wohl das 1528 datierte Doppelbildnis des Thomas Godsalve und seines Sohnes John. Beide Männer waren im Staatsdienst tätig, Thomas Godsalve als Notar und Registerrichter in Norwich und sein Sohn seit 1532 als Siegelbewahrer und Sekretär im Dienste Thomas Cromwells, des Schatzkanzlers Heinrichs VIII. von England. Überzeugend hat Holbein d. J. in diesem Doppelbildnis die Unterschiede und Ähnlichkeiten zwischen Vater und Sohn, die sich aus Charakter, Generation und Lebensauffassung ergeben, sichtbar gemacht. Der Vater schreibt seinen Namen und sein Alter auf ein Papier: »Thomas Godsalve des Norwico Etatis sue Anno quadragesimo septo« (Thomas Godsalve des Staates Norvick im Alter von 47 Jahren). Mit hohem handwerklichem Können und seiner besonderen Begabung zu kühler, objektiver Beobachtung ist Holbein zu einem völlig freien großen Stil gelangt, ohne seine individuelle Selbständigkeit und den nationalen Charakter aufzugeben. In seinen Bildnissen vollzog sich eine Wandlung zu klarer, klassisch einfacher und großer Auffassung. Seine Porträtkunst blieb in England bis in das 17. Jahrhundert vorbildlich. B. G.

D 5

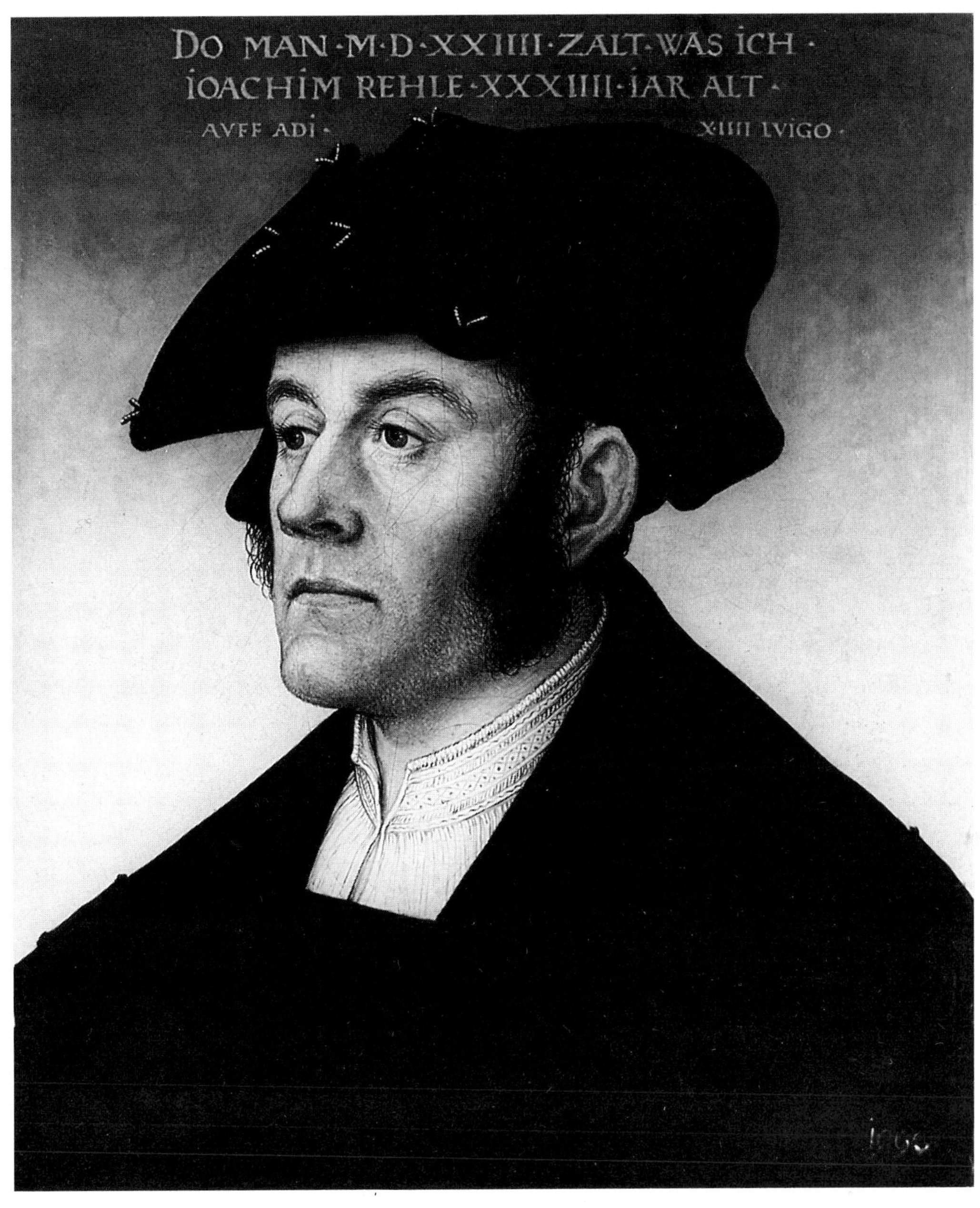

DO MAN · M · D · XXIIII · ZALT · WAS ICH ·
IOACHIM REHLE · XXXIIII · IAR ALT ·
AVFF ADI · XIIII LVIGO ·

D 4

D 6 Hans Holbein d. J.

Bildnis des Charles de Solier, Sieur de Morette Um 1534/35

Nicht bez.
Kohle, schwarze und farbige Kreide, Aquarell und Feder in Braun, auf rosa grundiertem Papier. 33 x 24,9 cm
Dresden, Staatliche Kunstsammlungen, Kupferstich-Kabinett; Inv.-Nr. C 1977 – 156

1532 hatte sich Holbein endgültig in London niedergelassen und malte zwischen April 1534 und Juli 1535 das Bildnis des Charles de Solier, Sieur de Morette, das sich heute in der Dresdener Gemäldegalerie Alte Meister befindet.
Als Bildnisaufnahme ist wohl die im Dresdener Kupferstich-Kabinett aufbewahrte Zeichnung entstanden. Sie zeigt uns das Antlitz des französischen Gesandten, der sich in den Jahren von 1534 bis 1535 am englischen Hofe aufhielt. Die eindrucksvolle Charakterisierung des Bildnisses wird durch die strenge Frontalität und die völlige Konzentration auf die Wiedergabe der Gesichtszüge erreicht. Sie erzeugen den Eindruck großer Unmittelbarkeit und Selbstbeherrschung, die trotz aller Distanz lebendig wirkt.
Wesentlichen Anteil an dieser Wirkung hat die Verwendung von Kreide auf farbigem Papier, die äußerst differenzierte Strichlagen und differenzierten Auftrag ermöglichte. Die Bildniszeichnung ist Ausdruck einer Zeit, die die naturalistische Überbetonung des Individuellen als Ausdruck bürgerlichen Selbstbewußtseins auf die Höhe ihrer Entwicklung geführt hat.

K. F.

D 7

D 7 Deutscher Meister *Abbildung*

Bildnis eines Mannes vor blauem Grund. 1538

Bez.: inschriftlich datiert
Eichenholz. 71 x 55 cm
1936 erworben durch staatliche Überweisung
Berlin, Hauptstadt der DDR, Staatliche Museen, Gemäldegalerie; Inv.-Nr. B 94

Weder der Maler noch das Modell des bisher unveröffentlichten Bildnisses sind namentlich bekannt. Bei Überweisung in die Galerie galt das Bild fragweise als von Barthel Beham gemalt. Eine gewisse Porträtähnlichkeit wurde mit dem Bildnis des Charles Brandon, Duke of Suffolk, vom »Meister der Queen Mary Tudor« vermutet, was unser Bild in die Umgebung von Hans Holbein verweisen würde.
In Stil und Auffassung hat das Bild enge Beziehungen zur Augsburger Porträtmalerei. Der noch unbekannte Maler zeigt in der dichten warmen Farbgebung, aus der leuchtende Rottöne in den bauschigen Ärmeln gegen den intensiven, in der Tat an Holbein-Bildnisse erinnernden grünblauen Grund abstechen, venezianischen Einfluß.
Das Datum unseres Bildes, 1538, fällt zusammen mit dem Jahre der sogenannten Geschlechtervermehrung in Augsburg,

bei der das bestehende Patriziat um Familien aus dem Kreise der »Mehrern-Gesellschaft« erweitert wurde. Manche der so arrivierten Augsburger Bürger nahmen dies zum Anlaß, ihr Bildnis in Auftrag zu geben. Möglicherweise ist der Dargestellte unseres Bildes in diesem Kreise zu ermitteln. I. G.

D 8 Lucas Cranach d. Ä.

Bildnis des Johannes Carion. Um 1530

Bez. o. r.: Si quid est lectis mea cognita eum libellis
quos mea solerti cura labore dedit ille ego su Carion
coeli qui sydera tracto clarus et astror nomen ab arte fero
Rotbuchenholz. 52 x 37,3 cm
Berlin, Hauptstadt der DDR, Deutsche Staatsbibliothek

Das Bildnis des Mathematikprofessors der Universität in Frankfurt an der Oder und Freundes Philipp Melanchthons gehört zu den bedeutendsten Humanistenporträts dieser Zeit. Der energische Ausdruck des im Dreiviertelprofil nach rechts gewendeten Bildnisses wird durch die Einbeziehung der Hände aktiviert: Die Linke greift bewußt in die Schaube. Johannes Carion (eigentlich Nägeli) lebte von 1499 bis 1537/38 und war seit 1521/22 kurbrandenburgischer Hofastronom.
Das Selbstbewußtsein des humanistischen Gelehrten spricht aus der Inschrift, deren Übersetzung lautet: Ich bin Carion, der berühmte Verfasser von vielgelesenen Werken, die ich auf Grund meiner Arbeit und meines Studiums verfaßt habe, ich untersuche die Gestirne und rühme die Namen der Sternbilder. K. F.

D 9.1 Cariani

Bildnis eines Astronomen. 1519 (?)

Bez.: Inschrift und unklare Datierung rechts unten auf der Brüstung in griechischen Buchstaben und lateinischen Zahlen:
Σ ΕΠΙΓΙΝΟΜΕΝΟΙΣ (sic) AN XI VIII
(»den Nachkommenden«)
Öl auf Leinwand. 92 x 82 cm
1958 erworben durch Überweisung
1943 im Besitz der Galerie Haberstock, Berlin
Berlin, Hauptstadt der DDR, Staatliche Museen, Gemäldegalerie; Inv.-Nr. 2201

Die beigefügten Gegenstände weisen den Dargestellten als einen Gelehrten aus, der sich mit Astronomie beschäftigte. Während das Buch seit der Antike allgemein als Hinweis auf Weisheit oder Wissenschaft gelten kann, war die Armillarsphäre ein in dieser Zeit entwickeltes dreidimensionales Modell des Kosmos. Hier wird deutlich, daß die Astronomie zu neuen, umwälzenden Erkenntnissen über das Universum gelangte.
Seit dem 15. Jahrhundert war es in Italien üblich, zum Gedenken an einen Menschen von Verdienst ein Bildnis in Auftrag zu geben. Dies wird hier durch die Inschrift belegt: Die Tätigkeit des humanistischen Wissenschaftlers galt in der Renaissance als ruhmvoll und zukunftweisend; Lorbeer, das Symbol der Auszeichnung, wird sinnbezogen zum Auftakt der Landschaftsdarstellung im Hintergrund.
Halbfigurenporträts wie das Berliner Stück sind bezeichnend für die erste bergamasker Schaffensphase des Cariani. In ihnen wird Plastizität und eine überschaubare Raumwirkung erstrebt, die durch eine exakte Gliederung in helle und dunkle Bildpartien unterstrichen wird. Die kräftigen Farben werden deutlich voneinander unterschieden, Komplementärfarben bevorzugt. Das Gruppenbildnis der Familie Albani von 1519 (Bergamo, Privatbesitz) zeigt die gleiche Palette, das Bildnis des Baldassare Donati (New York, Sammlung Stern) eine vergleichbare Raumkomposition. Diesen Arbeiten Carianis wäre das Berliner Stück zeitlich und stilistisch zuzuordnen. H. N.

D 9.2 Sebastiano del Piombo *Abbildung*

Bildnis eines Mannes. Um 1530/1540

Nicht bez.
Öl auf Schiefer. 70 x 52 cm
1829 in Italien aus der Sammlung Nerli, Florenz erworben durch Carl Friedrich Rumohr
Berlin, Hauptstadt der DDR, Staatliche Museen, Gemäldegalerie; Inv.-Nr. 234

Das Stück wurde als »Bildnis des Pietro Aretino« erworben — nur eine sehr vage Ähnlichkeit verbindet es jedoch mit den be-

D 9.2

kannten Porträts des Schriftstellers. Der Dargestellte gehörte wahrscheinlich zu den römischen Humanistenkreisen.
Die vormals auf Grund des besonderen Bildträgers geäußerte Vermutung, das Bildnis sei als Bestandteil für ein Grabmal bestellt worden, ist nicht zu belegen; Schiefer wurde von Sebastiano seit den dreißiger Jahren für die Ausführung verschiedenartiger Bildthemen häufig benutzt.
Das streng gegliederte Halbfigurenbild schließt kompositionell an die reifen Arbeiten des Malers an, während in der Farbbehandlung eine Beschränkung auf wenige Töne Tendenzen des Spätwerks anklingen läßt. Schwarze Kleidung und ein grauer Hintergrund werden durch den seitlichen Lichteinfall als kubische Raumkomplexe modelliert. Der Körper des Modells wird wie in der Porträtplastik als großformiger Sockel behandelt. So genießt das Gesicht ohne Ablenkung die Aufmerksamkeit des Betrachters: Es ist scharf und genau gezeichnet, das Interesse gilt nicht der Bewegung, sondern dem Ausdruck. Der Dargestellte wird als überlegen, jedoch nicht kühl erscheinender Beobachter gezeigt. H. N.

D 10 Albrecht Dürer

Allegorie der Justiz. 1497/98

Bez. u. l.: das späte Monogramm AD
Feder in Schwarz. 24,2 x 20,8 cm
Aus Sammlung K. Kobenzl in Brüssel (Lugt 2858b)
1768 in die Ermitage (Lugt 2061)
Leningrad, Staatliche Ermitage; Inv.-Nr. 16

Nach der Natur ausgeführte Studie für den Stich »Die Sonne der Gerechtigkeit«. Ihr ging ein Kompositionsentwurf voraus (Dresden, Kupferstich-Kabinett). Der Komposition »Die Sonne der Gerechtigkeit« liegt die alte astrologische Vorstellung vom Sonnengott als dem obersten Richter zugrunde. Als unmittelbare literarische Quelle diente Dürer das Buch von Petrus Berhornus »Repertorium Morale«, das 1489 und 1498 von Koberger in Nürnberg herausgegeben wurde. J. K.

D 12

D 11.1 Albrecht Dürer *Farbtafel Seite 245*

Der heilige Christophorus. Um 1495

Nicht bez.
Pinsel und Feder in Schwarz, aquarelliert. 43,1 x 18,9 cm
Budapest, Museum der Bildenden Künste, Graphische Sammlung; Inv.-Nr. 77

Das große, mit wenigen farbigen Akzenten gegliederte Blatt gehört zu den verkannten Dürer-Zeichnungen. Weinberger und Winzinger haben sich für die Anerkennung des Blattes als Entwurf für eine Glasmalerei Dürers eingesetzt. Unter seinen Visierungen für Glasscheiben ist diese in der Tat eine der hervorragendsten. Dies gilt auch für die großartigen Motive des Dialoges zwischen dem Riesen und dem Christuskind, mit denen ausgedrückt ist, daß Christophorus in dem Kind den mächtigsten Herrscher der Welt erkannt hat. Dürer hat damit das monumentale Bewegungsmotiv seines Vorbildes, der Aktfigur aus Mantegnas Bacchanal bei der Kufe, mit einer neuen Bedeutung erfüllt.
Der besondere Rang der Darstellung kommt auch darin zum Ausdruck, daß außer dem Holzschnitt noch drei Nachbildungen erhalten sind: eine wohl nach der Budapester Zeichnung angefertigte Kopie des Hans Süss von Kulmbach (Winkler 16), ein Glasgemälde in Ansbach, St. Gumpertkirche, aus dem Jahre 1518 und eine Teilkopie des Kopfes in farbiger Ausführung von Lucas Cranach d. Ä. (Rosenberg A 10) aus dem ersten Jahrzehnt des 16. Jahrhunderts. W. S.

D 11.2 Albrecht Dürer

Der heilige Christophorus. Um 1495

Bez. o. l.: nachträglich eingesetztes Dürer-Monogramm und Jahreszahl 1525
Angesetzter Holzstock der Fußpartie. Holzschnitt. 39,9 x 18,5 cm (zusammen mit dem angesetzten Stück 45,1 x 18,4 cm)
Aus Sammlung Friedrich August II. (Lugt 971)
Berlin, Hauptstadt der DDR, Staatliche Museen, Kupferstichkabinett; Inv.-Nr. 321 — 1974
Bartsch 105

D 12 Hans Süss von Kulmbach *Abbildung*

Die Madonna im Kornfeld. Um 1510–1515

Nicht bez.
Schwarze Kreide. Ø 22,1 cm
Vermutlich aus Sammlung Sergel; 1918 von Christian Langaard erworben
Stockholm, Nationalmuseum; Inv.-Nr. 16/1918

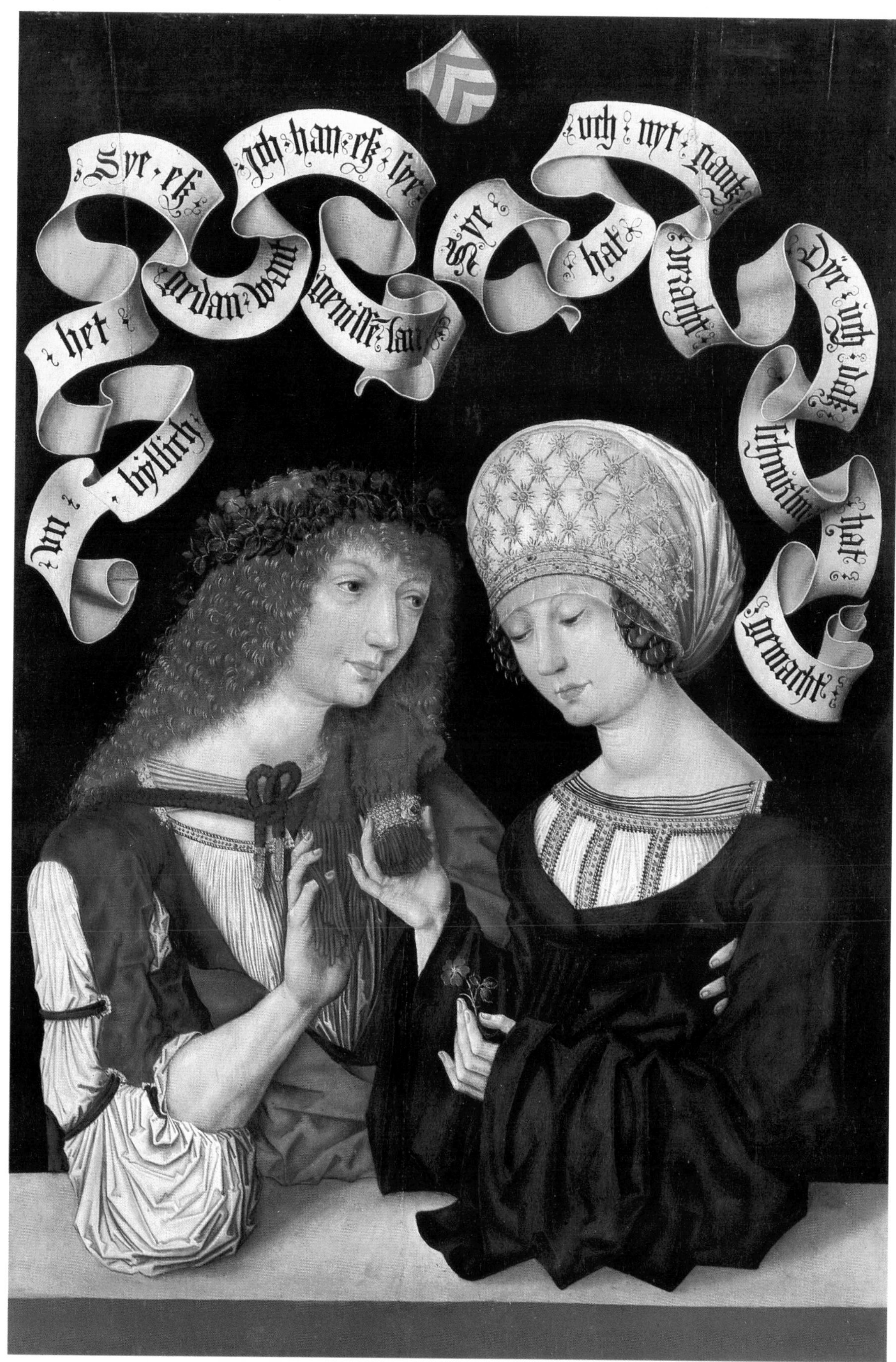

D I
Meister des Hausbuches.
Das Gothaer Liebespaar.
Um 1484

Seite 242:
D 30
Deutscher Meister. Bildnis eines Geistlichen. Um 1515

Seite 243:
D 28
Albrecht Dürer. Brustbild einer Bäuerin in mittleren Jahren. 1505

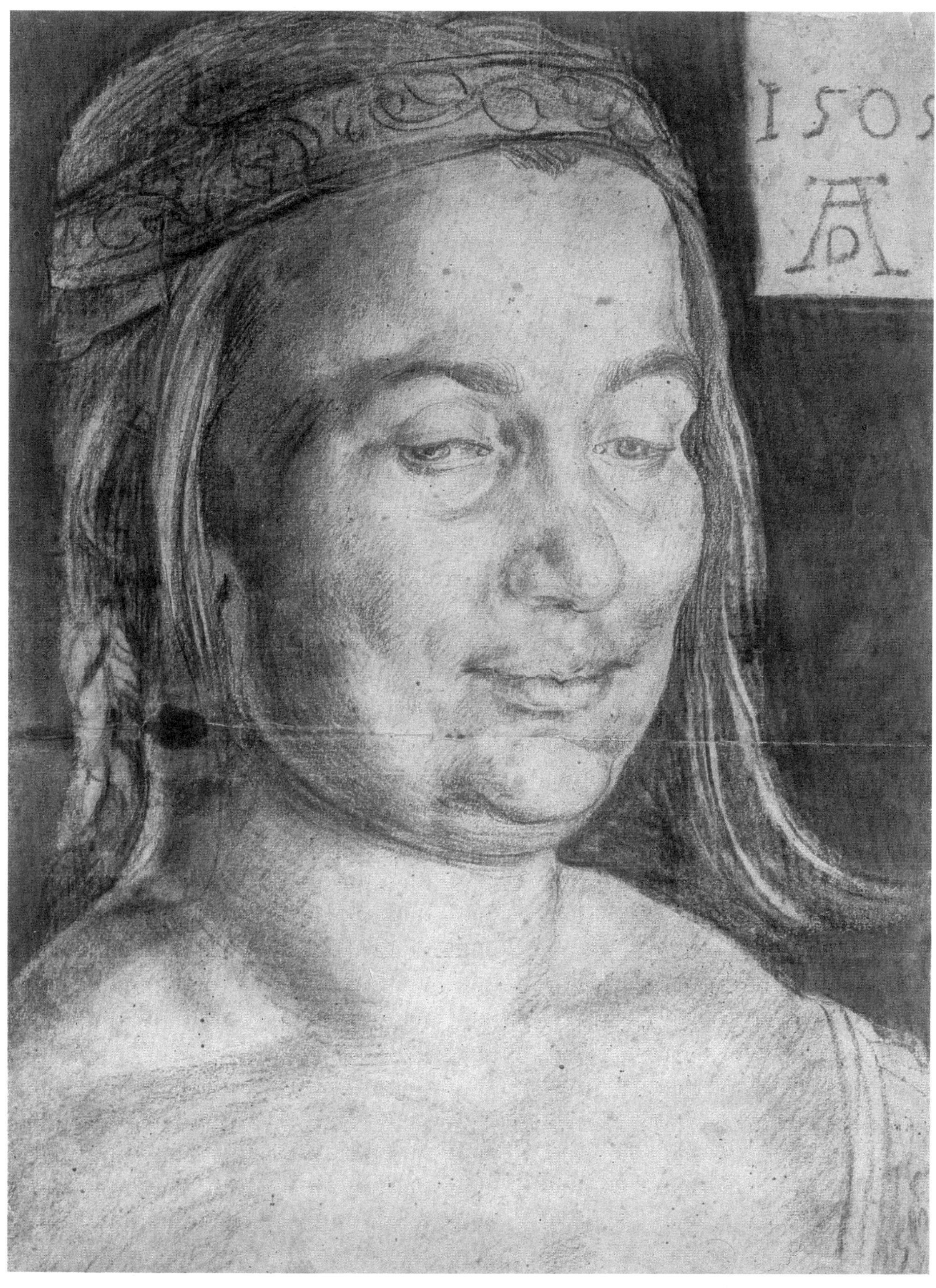
1505

1512

Seite 244:

D 47 Albrecht Dürer.
Heiliger Hieronymus in der Felsengrotte (vergrößerte Wiedergabe).
1512

Seite 245:

D 11.1 Albrecht Dürer.
Der heilige Christophorus.
Um 1495

D 18 Barent van Orley. Höfisches Gelage nach der Jagd. Um 1525

D 17 Albrecht Altdorfer. Bauerntanz. Vor 1518

Seite 248:
D 61 Meister I. P. Der Sündenfall. Um 1525

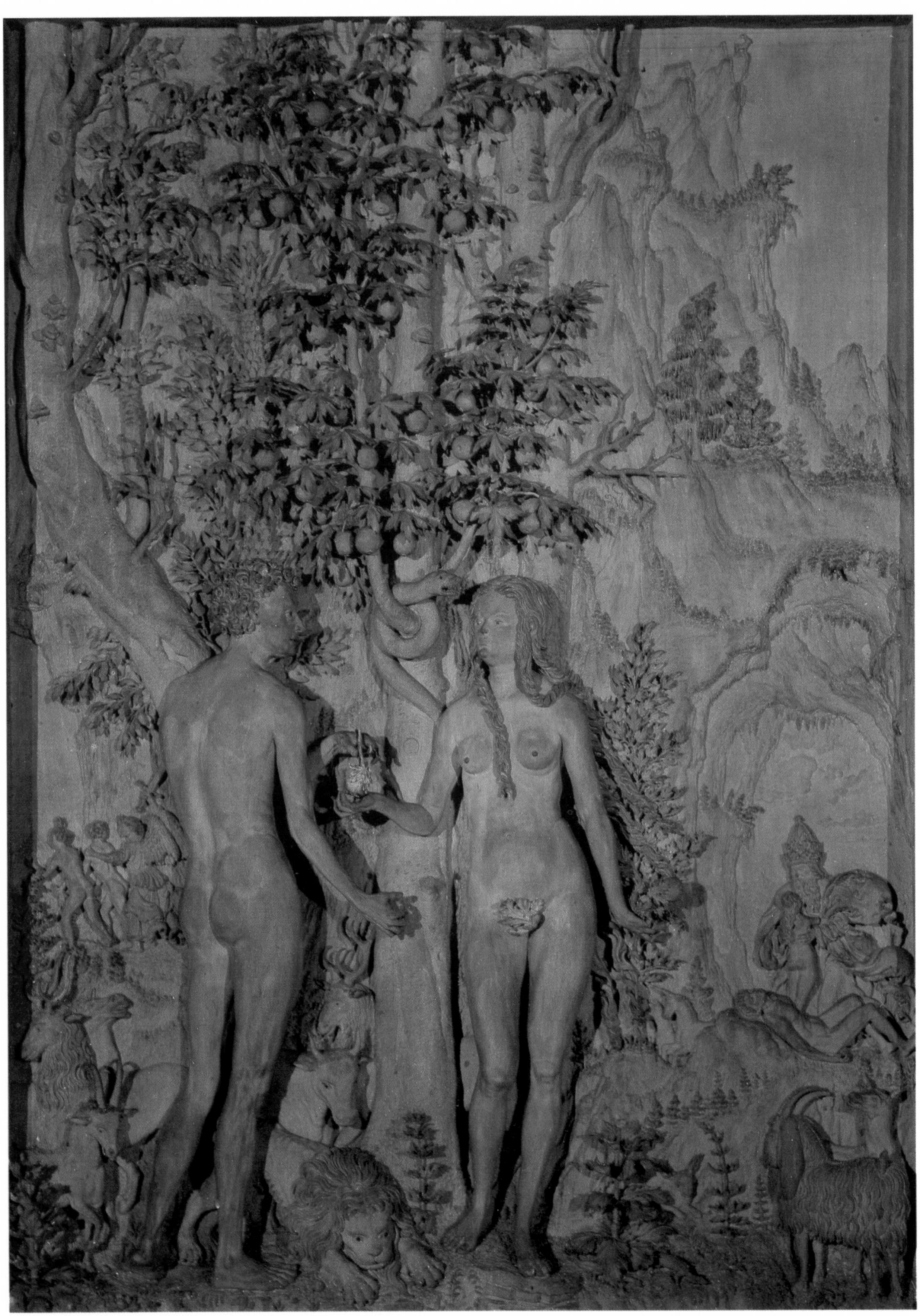

Die Zeichnung ist mit hervorragender Einfühlung in das Rund der beabsichtigten Kabinettscheibe hineingearbeitet. Der Schwung der hohen Halme, das dagegen verspannte Faltenwerk des Gewandes und die abschließende Umzäunung des Gartens ergeben eine freie, wirksame Anordnung. Es sind vor allem Kreidezeichnungen, mit denen verschiedene Künstler aus der Umgebung Dürers ein selbständiges Ergebnis vorweisen können. W. S.

D 13 Hans Holbein d. J. *Abbildung*

Sitzende Madonna mit dem Kinde. 1519

Bez. u. l.: HH
Bez. u. r.: 1519
Feder in Schwarz, laviert, weiß gehöht auf dunkelgrau grundiertem Papier, mit Gold umrandet. 19,6 x 14,3 cm
Leipzig, Museum der bildenden Künste, Graphische Sammlung; Inv.-Nr. NI 25

Das Leipziger Blatt der »Sitzenden Madonna mit dem Kinde« von 1519 gehört zu den wenigen Zeichnungen Holbeins mit religiöser Thematik. Er schuf dieses Blatt nicht aus dem Gefühl religiösen Empfindens, sondern suchte eine dem Wirklichkeitsbild entsprechende Wiedergabe der christlichen Heilsvorstellung. So rückt bei der Gestaltung der marianischen Szene die natürliche Mutter-Kind-Beziehung in den Vordergrund. Nur der zarte Nimbus der Maria erinnert noch an den sakralen Ursprung des Motivs. Die Bewegtheit der Figuren wird beruhigt durch die Frontalität der Gruppe und die horizontale Anordnung des Kastens und der Fußbodenfelder. Zwischen 1519 und 1520 schuf Holbein noch zwei weitere Madonnendarstellungen, die in ihrer Auffassung dem Leipziger Blatt sehr nahestehen. B. G.

D 13

D 14.1 Hans Burgkmair *Abbildung*

Die Heilige Familie. 1510

Nicht bez.
Kohle und härterer Kreidestift in Schwarz und Braun
41 x 32,9 cm
Vermutlich aus Sammlung Sergel, um 1916 in Berliner Privatbesitz, 1918 von Christian Langaard erworben
Stockholm, Nationalmuseum; Inv.-Nr. 15/1918

Die Zeichnung ist eine der ganz seltenen kartonartigen Vorstudien für ein deutsches Gemälde der älteren Zeit. Das dazugehörige Gemälde von gleichen Abmessungen ist in Nürnberg erhalten. Es zeigt Maria mit dem Kinde allein, wobei der erhobene Arm Josephs mit entsprechender Abwandlung der Madonna zugewiesen worden ist, eine gewagte Montage, die für die Arbeitsweise Burgkmairs bezeichnend ist. Um die Beweglichkeit der Glieder zu studieren, waren Kohle und Kreide die geeigneten Mittel. Für Gruppierung und Einzelmotive lassen sich Vorbilder aus dem Kreise Leonardo da Vincis nachweisen. W. S.

D 14.1

D 14.2

D 14.2 Hans Burgkmair *Abbildung*

Die Versuchung des heiligen Antonius. Um 1503 (?)

Nicht bez.
Feder in Schwarz über Kreidevorzeichnung. 24,6x20 cm
Vermutlich Sammlung Sergel, 1918 von Christian Langaard erworben
Stockholm, Nationalmuseum; Inv.-Nr. 115/1918

Burgkmairs Versuchung des heiligen Antonius steht in der Nachfolge von Schongauers Kupferstich und scheint sich mit Cranachs Holzschnitt von 1506 im Motiv des Liegenden zu berühren. Es ist aber trotz der etwas spröden Ausführung eine eigenartige, zutiefst beseelte Komposition. Seelenpeinigungen dieser Art bezeichnen die Stimmung vor Ausbruch der Reformation. Sie reichen über Grünewalds Versuchung des Antonius auf dem Isenheimer Altar nicht hinaus, lösen sich in den Bekenntnissen und Kämpfen der Reformation offenbar zunächst auf. W. S.

D 15 Hans Burgkmair *Abbildung*

Landsknecht und junge Frau. Um 1520

Nicht bez.
Feder in Braun, grau laviert. 25,3x19,2 cm
(auf der Rückseite Bruchstücke eines handschriftlichen Textes)
Vermutlich aus Sammlung Sergel; 1918 von Christian Langaard erworben
Stockholm, Nationalmuseum; Inv.-Nr. 141/1918

Die Zeichnung geht zurück auf Burgkmairs Holzschnitt zu Thomas Murners dritter Ausgabe der Schelmenzunft, die 1513 in Augsburg erschien. »Schuften für den arss schlagen« heißt das ins Bild gesetzte Sprichwort. Bjurstrom übernahm die von Halm unter Vorbehalt ausgesprochene Zuschreibung an Burgkmair, während Falk sich für den Schweizer Ursprung des Blattes entschied. W. S.

D 16 Ludwig Krug zugeschrieben *Abbildung*

Streitende Gestalten. Um 1510 (?)

Nicht bez.
Schwarze Kreide. 22,3x16,5 cm
Wasserzeichen: Krone und Schwert, ähnlich Briquet 5 143
Vermutlich aus Sammlung Sergel, 1918 von

D 15

Christian Langaard erworben
Stockholm, Nationalmuseum; Inv.-Nr. 17/1918

Die Darstellung ist nicht zuverlässig erklärt. Sicherlich handelt es sich um einen Tugendkampf, wie etwa die Darstellung des Herkules zwischen Wollust und Tugend. Mit Ludwig Krugs Graphiken, besonders den beiden Holzschniten zum Sündenfall, bestehen in Proportionen, Bewegungsmotiven und Hintergrund die engsten Berührungen, wie Anzelewski erkannt hat. Das Blatt fügt sich gut in eine Gruppe breit angelegter Stiftzeichnungen, die aus der näheren Umgebung Dürers hervorgegangen sind. Es dürfte die Vorzeichnung zu einem Stich sein, wofür die Linkshändigkeit der dargestellten Personen spricht. W. S.

D 17 Albrecht Altdorfer *Farbtafel Seite 247*

Bauerntanz. Vor 1518

Nicht bez.
Federzeichnung
Budapest, Museum der Bildenden Künste, Graphische Sammlung; Inv.-Nr. 1917 – 314

Wie die meisten Zeichnungen Altdorfers bis 1518 ist auch dieses Blatt in der sogenannten Helldunkeltechnik ausgeführt. Auf einem rötlichbraun getönten Grund ist mit schwarzer Feder und Weißhöhung ein Bild von großem malerischem Reiz entworfen: Vier Tanzpaare und ein Dudelsackbläser vergnügen sich im Freien. Unangefochten scheint aber hier das friedliche Treiben nicht zu sein. Denn rechts hinter dem Baum wird – vom Bildrand überschnitten – ein Reiter sichtbar, der die Hand in Richtung auf die Bauern ausstreckt. Beachtet man, daß die Bauern Waffen tragen und daß im Vordergrund ein Hund ein Huhn jagt, so kann man die scheinbare Nebenszene nicht als bedeutungslos abwerten. Sinnbilder in Tiergestalt waren zudem gebräuchliche und allgemein verständliche Gepflogenheiten, sogar im Flugblatt. I. M.

D 18 Barent van Orley *Farbtafel Seite 246*

Höfisches Gelage nach der Jagd. Um 1525

Bez. o. l.: An mennckens dans
Feder in Braun; braun, blau, blaßgrün und gelb laviert
38,7x53,7 cm
Aus Sammlung Eszterházy (Lugt 1965)
Budapest, Museum der Bildenden Künste, Graphische Sammlung; Inv.-Nr. 1365

D 16

Die Zeichnung ist der Entwurf zu der Darstellung des Monats November für eine Folge von Wandteppichen. Der nach van Orleys Karton gewirkte Teppich ist in Paris im Louvre erhalten. Weitere Entwürfe zu anderen Monatsbildern der Folge befinden sich in Leyden (zwei Zeichnungen) und in Berlin (West), Neuerwerbung von 1973, Nachzeichnungen der ganzen Folge von zwölf Blättern im Louvre in Paris.
Die Budapester Zeichnung ist in besonders weiträumiger Weise angelegt, wozu die Feinheit des Striches und die wohlabgewogene Abstufung der farbigen Tönung wesentlich beitragen. Ähnlich wie bei Jagdgemälden Cranachs ist das Erinnerungsbild an eine historische Jagd Gegenstand des Entwurfs. In diesem Falle sind es die Jagden Kaiser Maximilians, die wohl von seinem Nachfolger Karl V. in dieser Weise verherrlicht wurden. W. S.

D 19 Grünewald *Abbildung Seite 252*
eigentlich Mathis Nithardt, genannt Gothart

Kniender Apostel (Petrus). Um 1505–1510

Nicht bez.
Schwarze Kreide, weiß gehöht. 14,7x26,7 cm
Wasserzeichen: Ochsenkopf
Aus Sammlung von Winkler 1910 erworben
Dresden, Staatliche Kunstsammlungen, Kupferstich-Kabinett; Inv.-Nr. C 1910 – 41

D 19

D 20

D 20 Grünewald *Abbildung*
eigentlich Mathis Nithardt, genannt Gothart

Kniender Apostel (Jakobus). Um 1505–1510

Bez. o. l.: mit Tinte geschrieben: frankfurt
Schwarze Kreide, weiß gehöht. 14,5 x 20,8 cm
Aus Sammlung von Winkler 1910 erworben
Dresden, Staatliche Kunstsammlungen, Kupferstich-Kabinett; Inv.-Nr. C 1910 – 42

Beide Studien sind Vorarbeiten für eine verlorene Tafel mit der Verklärung Christi für die Dominikanerkirche in Frankfurt am Main. Es sind verhältnismäßig kleine, sorgfältig durchgeführte Zeichnungen, deren Bewegung und Beleuchtung die Anordnung der Gestalten auf dem Gemälde erkennen lassen. Auffällig ist der Gleichklang der Bewegungsmotive bei beiden Figuren. Anscheinend hat der Künstler zweimal die gleiche Modellfigur benutzt und nur die Draperie dabei stärker verändert. W. S.

D 21 Grünewald, eigentlich Mathis Nithardt, genannt Gothart

Sitzender Antonius. Um 1515

Bez. o. r.: Inschrift mit brauner Tinte: Ißnaw (Isenheim)
Rs: Aktstudie eines Oberkörpers
Schwarze Kreide über grauer Lavierung, mit Pinsel weiß gehöht. 28,9 x 20,3 cm
Aus der Sammlung G. Winkler (Leipzig), Campe (Lugt 1391), Ehlers
Berlin, Hauptstadt der DDR, Staatliche Museen, Kupferstichkabinett; Inv.-Nr. K. d. Z. 17659

D 22 Grünewald, eigentlich Mathis Nithardt, genannt Gothart

Sitzender Antonius. Um 1515

Nicht bez.
Rs.: Studie eines Unterarmpaares
Schwarze Kreide über grauer Lavierung, mit Pinsel weiß gehöht. 23,7 x 18,9 cm
Wasserzeichen: Ochsenkopf mit Kreuzstab und Schlange
Aus der Sammlung G. Winkler (Leipzig)
Dresden, Staatliche Kunstsammlungen, Kupferstich-Kabinett; Inv.-Nr. C 1910 – 43

Die beiden Zeichnungen in Berlin und Dresden dienten zur Vorbereitung der Gestalt des Eremiten Antonius auf dem Gemälde des Isenheimer Altars, das die Begegnung des Antonius mit Paulus in der Wüste darstellt. Sie befinden sich auf der Rückseite eines Blattes, auf dem zunächst – nur in viel größerem Maßstab – eine Studie zu Oberkörper und Armen des heiligen Sebastian einer anderen Tafel des gleichen Altars gezeichnet war. Die Bedeutung der Studie besteht hauptsächlich in der Herausarbeitung des Motives der ineinandergefaßten Hände. Die Gewandstudien der Rückseite sind mit großer Eindringlichkeit gezeichnet und gemalt. W. S.

D 23 Grünewald, eigentlich Mathis Nithardt, genannt Gothart

Johannes der Evangelist

Nicht bez.
Schwarze Kreide, mit dem Pinsel weiß gehöht; Teile des Gewandes vielleicht eigenhändig mit roter Wasserfarbe bemalt. 24,4 x 11,8 cm
Aus dem Besitz des Hans Plock
Später in den Berliner Bibliotheken A. F. Bhün und Philippi, danach Ratsbibliothek
Aus dem Märkischen Museum 1952 dem Kupferstichkabinett Berlin übereignet
Berlin, Hauptstadt der DDR, Staatliche Museen, Kupferstichkabinett; Inv.-Nr. 21 – 1953

D 24 Grünewald, eigentlich Mathis Nithardt, genannt Gothart

Steigender mit ausgebreiteten Armen

Nicht bez.
Schwarze Kreide, grau laviert, weiß gehöht, der Grund von fremder Hand grün abgedeckt. 32,4 x 18,1 cm
Wasserzeichen: Ochsenkopf
Aus dem Besitz des Hans Plock
Später in den Berliner Bibliotheken A. F. Bhün und Philippi, danach Ratsbibliothek
Aus dem Märkischen Museum 1952 dem Kupferstichkabinett Berlin übereignet
Berlin, Hauptstadt der DDR, Staatliche Museen, Kupferstichkabinett; Inv.-Nr. 22 – 1953

Die Bedeutung der Darstellung ist trotz verschiedener Versuche der Deutung ungewiß. Wie auch sonst verselbständigt der Maler seine Studienfiguren in starkem Maße. Hier faßt er das Wesen des Propheten, wie Hieronymus es in seinem Kommentar zu Habakuk ausdrückte: »Schön ist das gesagt: *Ich will aufsteigen,* denn immer steigt man hinauf zum Volk, das sich anschickt zum Kampf.« (J. Steinmann, Hieronymus, Leipzig [1973], S. 193) Die Bereitschaft des Aufbruchs, der Mut, seinem Gott auf dem Gipfel eines Berges gegenüberzutreten, ist der Inhalt der Studie. Die von Plock vorgenommene Adaption zu einer Moses-Gestalt mit den Gesetzestafeln ist nur eine Ausdeutung dieser Möglichkeit. W. S.

D 25 Grünewald, eigentlich Mathis Nithardt, genannt Gothart

Weisender Prophet

Nicht bez.
Schwarze Kreide, mit dem Pinsel weiß gehöht, unregelmäßig ausgeschnitten (der Zwischenraum unter den Armen war bis zur Restaurierung von 1963 mit dunkelbraunroter Wasserfarbe abgedeckt). 28 x 12,9 cm
Aus dem Besitz des Hans Plock
Später in den Berliner Bibliotheken A. F. Bhün und Philippi, danach Ratsbibliothek
Aus dem Märkischen Museum 1952 dem Kupferstichkabinett Berlin übereignet
Berlin, Hauptstadt der DDR, Staatliche Museen, Kupferstichkabinett; Inv.-Nr. 23 — 1953

Die nur bruchstückhaft erhaltene Zeichnung anders als eine im Disput befindliche Prophetengestalt zu deuten ist schwierig. Aus der Einklebung Plocks scheint hervorzugehen, daß er in ihr eine Darstellung Arons sah. W. S.

D 26.1 Raffael

Studien zu einem stehenden Hieronymus Um 1504—1508

Nicht bez.
Feder in Schwarz. 24,1 x 14,5 cm
(Ein halbgelöschter Tintenfleck, der die Brust entstellt, scheint vom Zeichner in die Studie einbezogen zu sein)
Aus Sammlung Eszterházy
Budapest, Museum der Bildenden Künste, Graphische Sammlung

Das Blatt gehört zu dem Florentiner Skizzenbuch des Künstlers, von dem noch über zwanzig Zeichnungen (Fischel 81—102) erhalten sind. Raffael benutzte es zum Aktzeichnen nach dem Modell, einer Übung, die in Umbrien nicht gelehrt wurde. Obgleich die Ausführung rasch hingeworfen scheint, sind bestimmte Einzelheiten, wie der Umriß des verkürzten Unterarmes, sorgfältig ausgearbeitet. Auch in späterer Zeit hat Raffael bei Figurengruppen auf die lebensvollen Aktzeichnungen dieses Skizzenbuches zurückgegriffen. W. S.

D 26.2 Polidoro da Caravaggio

Figurenstudien. Um 1530

Nicht bez.
Feder in Braun. 19,5 x 13 cm
Ehemals Sammlung Wiegersma (Lugt 1552 b)
Berlin, Hauptstadt der DDR, Staatliche Museen, Kupferstichkabinett; Inv.-Nr. 72 — 1957

Polidoro ist einer der vielseitigsten Zeichner, die aus der Werkstatt Raffaels hervorgegangen sind. Seine freien Figuren modelliert er in kleinem Maßstab, wie ein Bildhauer etwa Wachsfiguren knetet. Der Seher und der Gläubige könnte die Gruppe heißen, die schräg über das Blatt verlaufend mehrmals gezeichnet ist und auch noch auf der Rückseite. W. S.

D 27 Venezianischer Meister *Abbildung*

Bildnis eines Jünglings. Um 1500

Nicht bez.
Schwarze Kreide. 37 x 28,1 cm
Leipzig, Museum der bildenden Künste, Graphische Sammlung; Inv.-Nr. I. 381

Das aus kräftigem Volumen zusammengefügte Bildnis steht ganz in der Tradition, die Antonello da Messina in Venedig begründet hat. Gegenüber dem Stil des Alvise Vivarini, dem die Zeichnung zugeschrieben worden ist, wirkt das Blatt jünger. Von Arbeiten des Lorenzo Lotto, dem es ebenfalls zugeschrieben worden ist, unterscheidet es die geringere psychologische Betonung. W. S.

D 28 Albrecht Dürer *Farbtafel Seite 243*

Brustbild einer Bäuerin in mittleren Jahren. 1505

Bez.: Monogramm des Künstlers und Jahreszahl 1505
Kohle, teilweise gewischt, auf gelblichem Papier, der Grund mit Pinsel in Olivgrün abgedeckt
35 x 26,6 cm
Wasserzeichen: Waage im Kreis, ähnlich Briquet 2524
Aus den Sammlungen Campe (Lugt 1391), Vieweg, Bisler, Koenigs
Rotterdam, Museum Boymans-van Beuningen; Inv.-Nr. D I 161

Mit der Begeisterung des Reisenden hat Dürer während seiner zweiten italienischen Reise das Bildnis einer stattlichen Frau gezeichnet, deren breites mit Ranken verziertes Kopfband mit dem nur hinter dem rechten Ohr zu einem Zopf geflochtenen Haar den Schluß auf eine Bäuerin zuläßt. Die Bezeichnung »una vilana windisch« (eine windische Bäuerin) auf einer anderen großartigen Zeichnung des gleichen Jahres hat Friedrich Winkler daher auch auf dieses Blatt beziehen können. W. S.

D 29 Lucas van Leyden *Abbildung Seite 256*

Bildnis einer niederländischen Frau. 1521

Bez. o. r.: Monogramm des Künstlers und Jahreszahl 1521
Kohle und Rötel, Hintergrund braun laviert
35,9 x 32,8 cm
Weimar, Kunstsammlungen, Galerie im Schloß; Inv.-Nr. KK 1558

D 27

Die hervorragende Zeichnung ist ein Ergebnis der persönlichen Bekanntschaft mit Dürer, der am 6. Juni 1521 seinen holländischen Kollegen besuchte und auch zeichnete. Bei dieser Gelegenheit ist Lucas offenbar beeindruckt worden von großformatigen Kohlezeichnungen, die in Dürers Werk dem Bildnis seiner Mutter von 1514 folgen. Lucas ist bemüht, die Monumentalität Dürers noch zu überbieten. Mit Arbeiten dieser Art ist der neue Typ des gezeichneten bürgerlichen Bildnisses auch außerhalb Deutschlands zur Entfaltung gekommen.

W. S.

D 30 Deutscher Meister *Farbtafel Seite 242*

Bildnis eines Geistlichen. Um 1515

Bez. o. r.: unechtes Dürermonogramm und Jahreszahl 1517
Kohle, Rötel, weiße Kreide und Feder in Schwarz
27,7 x 18,3 cm
Aus Sammlung Beuth
Berlin, Hauptstadt der DDR, Staatliche Museen, Kupferstichkabinett; Inv.-Nr. 400 – 1980

Die Zeichnung steht Bildniszeichnungen von Dürer nahe, verrät aber einen ungewöhnlichen technischen Aufbau. Die Technik scheint noch am nächsten einzelnen Zeichnungen von Wolf Huber (Bildnis einer Frau mit Lorbeerkranz, Winzinger

D 29

123). Daß der Zeichner die große Form der Bildniskomposition zu meistern verstand, mag durch die Schulung an Kohlezeichnungen Dürers erklärt sein. In der eigenwilligen Verbindung von Kohle-, Rötel- und Federzeichnung liegt eine Freiheit und Kühnheit, die besondere Hervorhebung verdient. W. S.

D 31 Lucas Cranach d. Ä. *Abbildung*

Bildnis eines jungen Mannes. Um 1510

Nicht bez.
Kohlezeichnung, gewischt, 28,2 x 18,4 cm
Wien, Graphische Sammlung Albertina; Inv.-Nr. 3005

Die Zeichnung ist angeregt durch Bildnisse, die Dürer seit 1503 mit Zeichenkohle ausführte (bekanntestes Beispiel: die Zeichnung der Mutter von 1514).
Bevor Dieter Koepplin die Hand Cranachs an dessen ausgeprägten Eigenheiten erkannte, galt das Blatt als »oberdeutsch«, um 1510/1520. W. S.

D 31

D 32

D 32 Nikolaus Kremer *Abbildung*

Bildnis des Ludwig Costenz. Um 1531

Bez. o. l.: 1531 Conterfactur Pfaff Ludwig Costnitz disser hatt den / Ersten Teutsch passion vff dem / lettner Inn Dem Münster ge-/sung(en). Ist nochgehens ein/ württ Zum Seyden/faden worden/
Kreide und Rötel, farbig laviert, auf gelblichem Papier, an den Umrissen ausgeschnitten. 44 x 29,5 cm
Weimar, Kunstsammlungen, Galerie im Schloß; Inv.-Nr. KK 200

In der etwas undifferenzierten, großzügigen Arbeitsweise ist die Hand des Nikolaus Kremer, eines Schülers des Hans Baldung, zu erkennen, von dem ein Dutzend Zeichnungen in Hamburg, Paris, Göttingen und Wien bekannt sind. Eine gewisse Formenverwandtschaft besteht auch mit dem Holzschnittbildnis des Veit Rudolf Speckle (Leonhard Fuchs: De historia stirpium. Basel 1542). Die Beschriftung der Zeichnung ist ein für die Reformationszeit typischer Beleg; sie scheint auf Sebald Büheler zurückzugehen, von dem auch die Inschriften des Karlsruher Skizzenbuches von Baldung stammen. Die Jah-

D 34

reszahl 1531 ist als Zeugnis des Bekenntnisses zur Reformation über dem Lettner des Straßburger Münsters angebracht worden; die Tat des Vikars Ludwig (von) Costenz steht damit im Zusammenhang, sie wird in wörtlicher Übereinstimmung mit der Beschriftung des Blattes überliefert (J. Ficker, Das Bekenntnis zur Reformation im Straßburger Münster). Über die Person des Dargestellten gibt das Bürgerbuch der Stadt Straßburg unter dem 5. April 1524 an, daß er der Sohn des Schneiders Hans von Costenz war und sich der Zunft der Schneider anschloß; die Herberge zum Seidenfaden lag im Seidenfadengäßlein, später Neugasse oder Schiffentgasse. W. S.

D 33 Grünewald *Abbildung*
eigentlich Mathis Nithardt, genannt Gothart

Kopf eines bärtigen Mannes. Um 1515

Nicht bez.
Schwarze Kreide über leichter grauer Lavierung (Oberfläche berieben). 34,1 x 25,3 cm
Wasserzeichen: bekröntes Wappen mit den Initialen IB, zwei Lilien und anhängendem c
Auf der Rückseite die Wappenentwürfe, einzelne Worte und Zahlen, mit Kreide niedergeschrieben, wohl von der Hand des Künstlers
Aus Sammlung Rochlitz
Weimar, Kunstsammlungen, Galerie im Schloß; Inv.-Nr. KK 118

Grünewalds Zeichnungen bestätigen, daß der Künstler eine besonders enge Beziehung zur Natur hatte. Was in seinen Gemälden als sonderbare Eingebung bewundert wird, ist in der Regel durch intensives Zeichnen nach dem Modell vorbereitet gewesen und läßt eine ungewöhnlich zähe, sorgfältige Arbeitsweise erkennen.
Vielleicht ist der Kopf des heiligen Antonius auf der Isenheimer Tafel der Versuchung aus einer Abwandlung der Weimarer Zeichnung hervorgegangen. Diese Beziehung scheint jedenfalls einleuchtender als die Bindung der Zeichnung an einen bestimmten Bildnisauftrag im Sinne des 16. Jahrhunderts. W. S.

D 34 Albrecht Dürer *Abbildung*

Studie des eigenen Körpers. Um 1505

Bez. o. l.: nachträgliches Monogramm des Künstlers
Feder und Pinsel in Schwarz über Kreidevorzeichnung, weiß gehöht, auf grün grundiertem Papier (auf der Rückseite grüne Farbflecke). 29,1 x 15,3 cm
Aus Sammlung Erzherzog Albert, Grünling
Weimar, Kunstsammlungen, Galerie im Schloß; Inv.-Nr. KK 106

Die Weimarer Zeichnung ist oft als Selbstbildnis besprochen worden. Das stimmt, insofern Dürer sich selbst Modell gestanden hat. Gezeichnet aber wurde der Torso eines Gefesselten, was man leicht überprüfen kann, sobald man versucht, die gleiche Haltung vor dem Spiegel einzunehmen. Dürer hat die gleiche Haltung, seitenverkehrt, in der Zeichnung Christus an der Säule (Winkler 179, Strauss 1505/14) zu Papier gebracht (Hinweis von Matthias Winner). Die Deutungen, die das Abgezehrte des Körpers oder gar die Andeutung der Seitenwunde des gekreuzigten Christus zum Angelpunkt der Darstellung machen, verkennen die stark abgeknickte Haltung des Rumpfes, ein Motiv, das für ein bequemes Selbstbildnis unwahrscheinlich ist, das Dürer aber zur Darstellung des gefesselten Christus brauchen konnte. W. S.

D 33

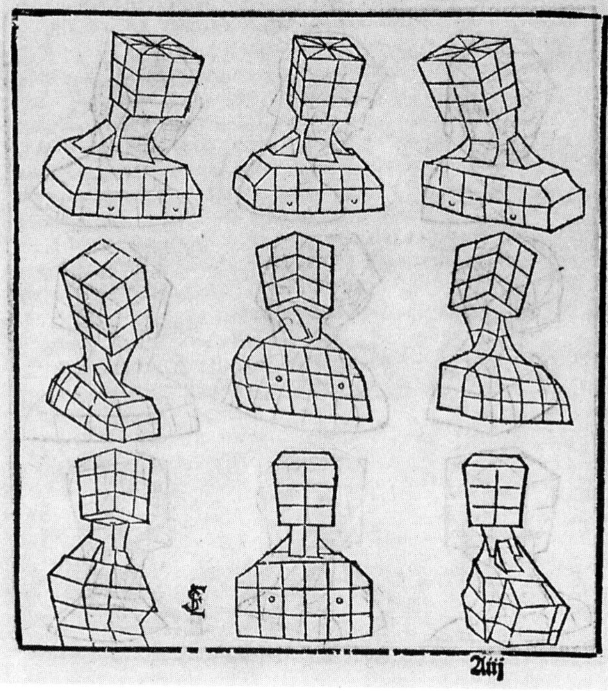

Die ander vigur.
Die angesicht wil ich Neünerla weys anzaigenn vnntersich nebeinn sich fursich vnnd vbersich wie du sihe dann vor augen sicht.
Aiij

D 36.1

Die zehennd vigur.
Die zehennd Figur zaygt an von Fünf possen / in einem Geheus von dreyen ligenden / vnd Zweyen knieenden / mit Iren dreyen beweglichen geliderē wie sie in der vierung begriefen sind so wayst du dich darnach zu richten
Cii

D 36.2

D 35 Albrecht Dürer

Die Proportionslehre. 1523

Alberti Dureri clarissimi pictoris et Geometrae de Symetria ...
Nürnberg MDXXXII
Blattgröße H. 30,2 cm, Br. 20 cm
Dresden, Staatliche Kunstsammlungen, Zentrale Kunstbibliothek; K 200 a

Beeinflußt durch die Anregungen, die Dürer beim Studium der Antike empfangen hatte, und die Beschäftigung mit ihrem Schönheitsideal suchte er, über den Weg der geometrischen Konstruktion, diesem Ziel näher zu kommen. Diese Arbeitsweise, die mit »Zirkel und Richtscheit« – dem Lineal – erfolgen mußte, war Dürer von der Tradition des spätmittelalterlichen Werkstattbetriebes her vertraut. Die Arbeit an diesen Grundlagen fiel in die Zeit von 1500 bis 1504, die Zusammenkunft mit Jacopo de' Barbari, seine Mitteilungen und die Kenntnis konstruierter Figuren durch ihn waren für Dürer von entscheidender Bedeutung. Der Apoll als antike Idealgestalt wurde zum Vorbild für den »neuen« schönen Menschen, wie er im Adam des Kupferstiches von 1504 (Kat.-Nr. D 41) entstand.

Nach dem zweiten Aufenthalt in Venedig (1505–1507) wurden Dürers Studien ganz wesentlich durch die Erkenntnis beeinflußt, daß nicht ein absolutes Ideal, sondern die Verhältnismäßigkeit der Proportionen die Schönheit des menschlichen Körpers bestimmt. Nur die Einheit von Natur und Gesetzmäßigkeit führt zur Wahrhaftigkeit, zur eigentlichen Schönheit der Darstellung.

Die Arbeiten an der Proportionslehre haben Dürer fast während seines gesamten Lebens begleitet: 1507/08 entstanden die

D 36.3

ersten Pläne im Zusammenhang mit dem Beginn der Arbeit am »Lehrbuch der Malerei«, 1523 war die erste Reinschrift fast vollendet, und 1527/28 wurde die endgültige Fassung in Druck gegeben. Am 31. Oktober 1528, ein halbes Jahr nach Dürers Tod, erschien das Werk, das seinen Ruhm als Kunsttheoretiker begründete. Dürer bestimmt darin die Maßverhältnisse unterschiedlicher männlicher und weiblicher Körperproportionen, faßt sie in Tabellen zusammen, variiert die gefundenen Typen und ergänzt sie durch Vorder-, Seiten- und Rückenansichten. Zusätzlich werden die exakten Maße des Kopfes, der Hand und des Fußes angegeben. Schon bald nach Dürers Tod besorgte J. Camerarius die lateinische Übersetzung. Sie erschien 1532 und 1534 in zwei Teilen und ermöglichte so die weite Verbreitung des Werkes (Übersetzungen in französischer, italienischer, holländischer und portugiesischer Sprache folgten). K. F.

D 36 Erhard Schön

Anleitung zum Zeichnen. 1538

Vnderweissung der / Proportion und stellung
der bossen, / ligent und stehent,
abgestolen wie man das vor augen sicht, /
in dem büchlein durch Erhart Schön von Nürnberg.
Nürnberg: Christoph Zell 1538
Dresden, Staatliche Kunstsammlungen, Kupferstich-Kabinett; Inv.-Nr. B 301,1

D 36.1 *Abbildung*

Neun Kopfhaltungen in eckigen Bossen

Bez. u. l.: Monogramm des Künstlers
2. Holzschnitt auf Blatt A III., Vorderseite
11,8 x 11 cm

D 36.2 *Abbildung*

Fünf liegende und kniende Figuren in Bossen unter einem Tonnengewölbe

Bez. u. l.: Monogramm des Künstlers
10. Holzschnitt auf Blatt C II, Vorderseite
12,7 x 11 cm

D 36.3 *Abbildung*

Druckstock der vorhergehenden Darstellung

Bez.: Numerierung 10 auf der Oberkante der Platte
Feines, festes Holz. 12,8 x 11 x 2,1 cm
Berlin, Hauptstadt der DDR, Staatliche Museen, Kupferstichkabinett; Inv.-Nr. Derschau 203.1

D 36.4

Ein liegender Mann und zwei stehende mit Stäben in einem Raum mit zwei Fenstern

Bez. u. r.: Monogramm des Künstlers
Numerierung 12 auf der Oberkante der Platte
Holzstock. 11,1 x 12,9 x 2,2 cm
Berlin, Hauptstadt der DDR, Staatliche Museen, Kupferstichkabinett; Inv.-Nr. Derschau 203.2

D 36.5

Zwei nackte stehende Frauen

Bez.: Numerierung 20 auf der Oberkante der Platte
und 22 auf der Rückseite
Holzstock. 11,9 x 11,2 x 2,2 cm
Berlin, Hauptstadt der DDR, Staatliche Museen, Kupferstichkabinett; Inv.-Nr. Derschau 235

Erhard Schöns Büchlein bietet eine Sammlung von einfachen praktischen Vorbildern. Es benutzt stereometrische Vereinfachungen, um die Hauptpositionen des Künstlers hervorzuheben: Aufsicht, Untersicht, Schrägsicht. Der Fußboden ist durch ein Gitternetz in Verkürzung, außerdem durch Diagonalen gekennzeichnet, damit die Figuren im Verhältnis untereinander vergleichbar bleiben. Neben den zergliederten Figuren und Anleitungen zur Konstruktion (von Wappenschilden) enthält der Band auch einige freie Mustergestalten (Kat.-Nr. D 36.5). W. S.

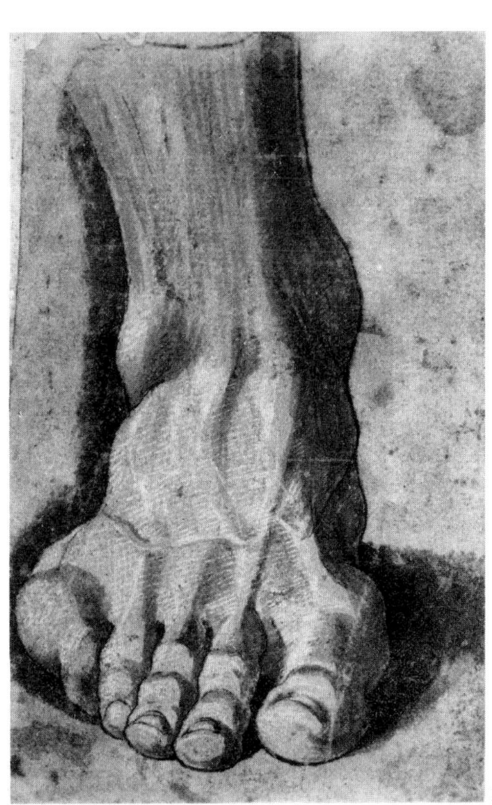

D 37

Abbildung Seite 261

D 37 Alesso Baldovinetti zugeschrieben

Studie eines Fußes. Um 1470–1480

Nicht bez.
Feder in Braun, mit Rot und Braun laviert, weiß gehöht
13,7x8,7 cm
Berlin, Hauptstadt der DDR, Staatliche Museen, Kupferstichkabinett; Inv.-Nr. 122 – 1979

Die Studie nach dem Gipsabguß eines Bildwerkes gehört in die Tradition Florentiner Musterbuchzeichnungen. Ein solches Buch, in der Werkstatt des Benozzo Gozzoli um 1450 bis 1470 entstanden, enthält Zeichnungen nach dem gleichen Modell. Der Abguß eines rechten Fußes gehörte auch später noch zu den üblichen Ausstattungsstücken italienischer Zeichensäle. Zeichnungen wie die vorliegende konnten Verwendung finden bei gemalten Kruzifixen in Florenz, wo von einer bestimmten Zeit an die exakte Verkürzung des rechten Fußes beachtet worden ist. Ein frühes Beispiel bietet Baldovinettis »Heilige Dreifaltigkeit« aus der Kirche Santa Trinità, die 1470/71 entstand. W. S.

D 38 Wolf Huber

Zwei Studien der linken Hand. Um 1525–1530

Nicht bez.
Schwarze und weiße Kreide auf rötlich getöntem Papier; auf der Hand rechts Flecken einer Ölvergoldung. 18,8x27,3 cm
Dresden, Staatliche Kunstsammlungen, Kupferstich-Kabinett; Inv.-Nr. C 1960 – 123

Die Zeichnung gehört zu den am besten erhaltenen Studienblättern der Dürer-Zeit. Sicher handelt es sich um Aufnahmen der linken Hand des Künstlers, der sie in Verkürzung nach dem Spiegelbild auch auf einem in London befindlichen Skizzenblatt (Winzinger 149) festgehalten hat. W. S.

D 39 Conrad Meit

Adam und Eva. Um 1515/1520

Vollrund. Buchsbaumholz, poliert, ungefaßt
H. 36,5 cm; H. 33,7 cm
1817 in Nürnberg erworben
Gotha, Museen der Stadt, Schloßmuseum; Inv.-Nr. 1175, 1176

Die beiden Statuetten sind durch das Motiv der Darreichung des Apfels vom Baum der Erkenntnis miteinander verbunden. Meisterhaft spiegelt sich das dramatische Geschehen des Sündenfalls im Gesichtsausdruck der beiden Gestalten wider.
Die Darstellung des unbekleideten ersten Menschenpaares bot der mittelalterlichen Kunst die einzige Möglichkeit, den nackten menschlichen Körper künstlerisch zu gestalten. Die lange Reihe der Adam- und Eva-Figuren in der Plastik reicht von den Bamberger Portalskulpturen (Bamberger Dom, Adamspforte, um 1230) bis zu Riemenschneiders Menschenpaar an der Marienkapelle in Würzburg (Würzburg, Mainfränkisches Museum, 1491/92) und findet einen gewissen Höhepunkt in diesen Schöpfungen von Conrad Meit. Die Meitschen Figuren weisen eine beträchtliche Kenntnis des anatomischen Körperbaus auf und sprechen für eine voll entfaltete intensive Naturbeobachtung.
Das Motiv der drei Äpfel ist bei Cranach vorgebildet (Würzburg, Mainfränkisches Museum). Da Meit um 1510 in Wittenberg am Hofe des sächsischen Kurfürsten Friedrich des Weisen tätig war und nachweisbar 1507 Cranachs Werkstatt benutzt hat, ist eine thematische Vorbildwirkung Cranachs durchaus verständlich.
Aber nicht nur zu Cranach bestanden persönliche Beziehungen, sondern auch zu Dürer, der von Meit sagte, er sei ein guter Bildschnitzer, »desgleichen er keinen gesehen«; er hat ihn sogar auf seiner niederländischen Reise zweimal porträtiert. Damals war Conrad Meit als Hofbildhauer der Margarethe von Österreich, Statthalterin der Niederlande, in Mecheln tätig. E. Fr.

D 40 Albrecht Dürer

Apollo und Diana. Um 1502

Bez.: Monogramm des Künstlers auf einem Zettel an dem Bodenstück, auf dem Diana sitzt
Kupferstich. 11,5x7 cm
Dresden, Staatliche Kunstsammlungen, Kupferstich-Kabinett; Inv.-Nr. A 1888 – 13, A 794
Bartsch 68; Meder 64

D 41 Albrecht Dürer *Abbildung*

Adam und Eva. 1504

Bez. l. auf der Schrifttafel:
ALBERT₉ DVRER NORICVS FACIEBAT 1504
(Albrecht Dürer, der Nürnberger, hat es 1504 gemacht)
und Monogramm des Künstlers
Kupferstich. 25,2x19,5 cm
Berlin, Hauptstadt der DDR, Staatliche Museen, Kupferstichkabinett; Inv.-Nr. Beuth 303
Bartsch 1; Meder 1

Die Darstellung des ersten Menschenpaares wirkt in dem Kupferstich Dürers wie eine Hymne auf die Schönheit der menschlichen Gestalt. Den Menschen als selbstbewußtes, sich zu seiner Nacktheit bekennendes Individuum zu zeigen, war das Ergebnis einer veränderten geistigen Haltung. Hatte für die Kunst des Mittelalters der menschliche Körper keinerlei Bedeutung, so wurden im Zeitalter der vollen Entfaltung der frühbürgerlichen Kunst die menschlichen Proportionen als harmonische Beziehungen göttlichen Ursprungs verstanden. Mit diesem humanistischen Anspruch läßt Dürer das erste Menschenpaar auftreten. Es ist das Ergebnis der vierjährigen Arbeit Dürers an der Klärung menschlicher Proportionen mit

D 41

Hilfe geometrischer Konstruktion. In dem Kupferstich Adam und Eva gelingt Dürer eine künstlerische Beweisführung für die Richtigkeit des neuen Selbstbewußtseins.

Studien nach der Antike gingen dieser Arbeit voraus (Zeichnung des Apollo, um 1500, Britisches Museum, London). Ebenso waren die theoretischen Konstruktionen Leone Battista Albertis, Leonardo da Vincis und Piero della Francescas von Bedeutung. Trotz der Konstruktion der Körper vermittelt das Blatt doch menschliche Wärme: Die schöne Dehnung des Kopfes und die Ausbreitung der Arme bei Adam werden zur deutlichen Hinwendung zu Eva als Frau.

Der Sündenfall wird zum positiven, selbstbewußten Handeln. Wir müssen uns klarmachen, daß nirgends vor Dürer der Beginn der Menschheitsgeschichte in dieser bejahenden Form dargestellt werden konnte.

Die Tiere werden als Verkörperung der vier Temperamente gedeutet: Der Elch steht für das melancholische, die Katze für das cholerische, der Hase für das sanguinische und der Ochse für das phlegmatische Temperament.

Der Papagei, der auf einem Ast des Lebensbaumes sitzt, deutet schon auf Maria, die künftige Überwinderin der Sünde, voraus.

E. B.

D 42 Albrecht Dürer *Abbildung*

Melancholie. 1514

Bez. u. r.: Monogramm des Künstlers und Jahreszahl 1514
Bez. o. l.: MELENCOLIA I
Kupferstich. 24,3 x 18,7 cm
Berlin, Hauptstadt der DDR, Staatliche Museen, Kupferstichkabinett; Inv.-Nr. 8 — 1953
Bartsch 74

Der Kupferstich Melencolia I ist eins der bekanntesten und am häufigsten reproduzierten Werke Dürers. Dennoch herrscht große Unsicherheit in der Interpretation vieler Details. Der Stich hat humanistisch-enzyklopädischen Charakter mit seiner Fülle von gelehrten Emblemen und Symbolen. Er wurde zu einem beliebten Gegenstand der Auslegung, bei der sich die Interpreten gegenseitig an Scharfsinn übertroffen haben.
Nach der zu Dürers Zeit verbreiteten Lehrmeinung soll es mehrere Phasen der Melancholie geben, in der Hauptsache einen milden und gutartigen Zustand und einen Zustand von großer Heftigkeit und Verzweiflung.
Diese Deutung läßt aber die Frage nach einem Stich mit einer Melancholie II offen. Immer wieder wird die Melancholie mit zwei anderen Stichen Dürers als Einheit betrachtet: »Der heilige Hieronymus im Gehäuse« (Kat.-Nr. D 43) und »Ritter, Tod und Teufel« (Kat.-Nr. A 18). Indessen kann man diese drei, ziemlich gleichzeitig entstandenen Werke nicht gut zu einer Serie zusammenstellen: Sie sind im Format verschieden, und nur bei der Melancholie ist der Name auf der Bildfläche eingezeichnet.
Es ist natürlich denkbar, daß Dürer eine Fortsetzung der ersten Melancholie geplant hatte. Trotz verschiedener Darstellungen der Verzweiflung (Verzweifelnde, Eisenradierung um 1516; Nemesis, Traum des Doktors, Kupferstiche um 1497—1503), kann man dennoch keine zusammenhängende Serie in Dürers Werk konstruieren, von der Art etwa der vier Stadien der Grausamkeit, wie Hogarth sie dargestellt hat. Wenn die in der Dürerforschung vorherrschende Auffassung über die Melancholie richtig wäre, müßte dieser Kupferstich das erste Blatt einer Serie sein, die aber nie abgeschlossen wurde. Hierzu hätte Dürer noch vierzehn Jahre vor sich gehabt, aber offenbar hat er das Werk nicht fortgesetzt.
Wie bei »Hieronymus im Gehäuse« und »Ritter, Tod und Teufel« häufen sich auf dem Bild der Melancholie die Gegenstände. Es ist ein anschaulich erzählendes Werk, das mit zeitgenössischen literarischen Strömungen zusammenhängt: Bei Sebastian Brandt, Erasmus von Rotterdam und später bei Rabelais finden wir Ähnliches. Endlose Aufzählungen dienten als überzeugende und ernsthafte Elemente der Erzählung, manchmal konnten sie aber auch komisch wirken. In seinen drei Kupferstichen ist Dürer durchaus ernst. Die Hauptgestalt der Melancholie trägt zwar Flügel, sitzt aber, mit dem Kopf in die linke Hand und dem Ellenbogen auf das Knie gestützt, in grüblerischer Haltung, während sie in der rechten Hand achtlos einen Zirkel hält. Die Gestalt starrt mit einem reglosen Blick vor sich hin, der an den Blick erinnert, mit dem Dürer seine Mutter im gleichen Jahr gezeichnet hat. Die Mutter starb, während Dürer an diesem Blatt arbeitete.
Vor der geflügelten Gestalt liegen Geräte und Werkzeuge am Boden verstreut: Neben einem schlafenden Hund eine Kugel, eine geometrische Figur, eine Leiter; hinter ihr erhebt sich ein Gebäude, an dem eine Waage, ein Stundenglas, ein magisches Quadrat mit sechzehn Zahlen und eine Glocke hängen. Links oben ist eine Seelandschaft mit Ufer dargestellt. Der Himmel erhält sein Licht von einem Gestirn, das man als Komet gedeutet hat, und trägt einen Regenbogen, in dem man eine Art Mondhof sehen möchte. Unter ihm fliegt das Nachttier, die Fledermaus, die das Schild mit dem Bildnamen trägt.
Eine sichere Interpretation des Bildes wäre höchstwahrscheinlich möglich, wenn uns eine verschollene Darstellung der Melancholie von Mantegna erhalten geblieben wäre. Auf seinen Reisen nach Italien dürfte Dürer das Bild gesehen haben (vgl. Bandmann, Köln 1960). Auch gibt es Ähnlichkeiten zu Raffaels Sankta Cecilia (Bologna, Pinakothek), die vielleicht darauf beruhen, daß beide Bilder von Mantegna angeregt sind.
Mir erscheint es unbefriedigend, daß die heute geläufigen Deutungen, die sich auf äußerst sorgfältige Detailarbeit gründen, die Frage ganz übergehen, ob es eins oder mehrere Werke in einer Serie gegeben haben kann, die mit der »Melencolia I« beginnen sollte. Das ist die Schwäche des herrschenden Dogmas, das vor allem in Erwin Panofskys energischer Deutung vorliegt. Ich möchte statt dessen eine andere Interpretation vorschlagen, die den Vorteil hat, daß sie uns Dürers Stich als ein einziges, abgeschlossenes Werk mit einer einheitlichen und stark persönlichen Symbolik verständlich macht.
Die Inschrift MELENCOLIA I läßt sich nämlich auch so lesen, daß es sich nicht um die römische Ziffer I, sondern um den Buchstaben i handelt. Die Bedeutung wäre dann »Geh (hinweg, weiche), Melancholie!«, da I als Imperativ des lateinischen Verbums ire (gehen) gelesen werden kann.
Betrachten wir die Komposition des Stichs, so flieht die Fledermaus zum Rahmen nach links hinaus. Warum flieht sie, dies Tier der Nacht? Meine Antwort ist, daß es das starke Licht der Sonne über der Seelandschaft ist, das sie vertreibt, mit Shakespeares Worten, »me thinks I scent the morning air«. Über dem starken Gestirn, oder besser über der Sonne, wölbt sich ein Regenbogen, ein wenig metallisch in der graphischen Technik. Der Regenbogen war bis dahin nur in seiner Abstraktion auf den Darstellungen des Jüngsten Gerichts unter dem Thron Gottes vorgekommen, der naturalistische Regenbogen war neu auf dem Gebiet der Kunst: so etwa Pinturicchios Regenbogen in der Bibliothek des Domes von Siena. Das Sonnenlicht, der Regenbogen und die Leiter sind Symbole der Hoffnung. Diese Hoffnung steht im Kontrast zu der Melancholie, die den weiblichen Genius der Wissenschaft niederdrückt. Sie hat die Werkzeuge zur Errichtung des Gebäudes hinter sich achtlos zu Boden geworfen und kann die Geräte, die den wissenschaftlichen Berechnungen dienen, nicht mehr mit Enthusiasmus gebrauchen. Ihr getreuer Begleiter, der Hund, liegt im Schlaf. Aber flieht nicht das Tier der Finsternis vor dem Licht des Glaubens, vor dem Regenbogen der Hoffnung und von der Leiter, die zu höherer Vollkommenheit führen soll, hinweg, so

D 42

daß die Göttin der Wissenschaft ihre Zuversicht zur Forschung zurückgewinnen kann? Die Inschrift des Kupferstichs ist eine apotropäische, abwehrende Bitte, daß die Melancholie weichen möge.

Mit dieser Deutung erhält der Kupferstich persönliche und dramatische Kraft. Außer dem Bild der Mutter können wir auch das Selbstbildnis in Halbfigur heranziehen, auf dem der nackte Dürer auf eine Stelle seitlich am unteren Teil des Torsos deutet und dazuschreibt: »Do der gelb fleck ist und ich mit dem Finger drauff dwet, do ist mir we.« Nach diesem Blatt, einer aquarellierten Federzeichnung von 1512/13 (Kunsthalle Bremen), hatte die Melancholie in Dürers eigenem Körper ihren Sitz.

Die Deutung der Inschrift auf dem Kupferstich als apotropäische Bitte ist nicht neu: Johann David Passavant hatte sie in Les Peintres Graveurs, 1860, vorgeschlagen. Wölfflin lehnte sie seinerzeit als unwahrscheinlich ab. Sprachlich ist sie korrekt, wenn auch nicht besonders idiomatisch; man würde abi an Stelle von i erwarten. Wilhelm Waetzoldt sagte (Wien 1935): »Das Wort Melencolia trägt das Dämmerungsgetier, die Fledermaus, auf ihren Flügeln: sie ist also ein redendes Tier, wie der Vogel ›Wehe‹ in der Apokalypse ... Schon Passavant hat die Behauptung aufgestellt, es sei keine I, sondern ein i gemeint ...« Saxl und Panofsky haben Wölfflins Kritik in einer Anmerkung ohne Begründung wiederholt. Seitdem hat Panofskys Deutung die Forschung durchaus beherrscht.

Wenn ich hier eine andere Interpretation als die übliche aufgreife und weiterführe, bin ich mir dessen bewußt, daß beide ihre Schwächen haben. Bei Panofsky besteht sie darin, daß er keine zweite, dritte oder vierte Darstellung der Gemütslagen nachweisen kann. Bei meiner Deutung ist die sprachliche Formulierung nicht einwandfrei, aber man sollte wohl nicht voraussetzen, daß Dürer das Lateinische perfekt beherrschte.

Ein weiterer Grund dürfte für meine Interpretation sprechen. Mantegnas Melancholie vor Dürer und Cranachs viele Variationen des Themas später werden nie als erster, zweiter oder dritter Zustand derselben bezeichnet, sondern schlicht als Melancholie. Auch Dürer spricht später immer nur von dem Blatt als der Melancholie, nie als Melancholie I. In Vasaris Biographie über Marc Antonio Raimondi gilt Dürers Melancholie als in sich geschlossenes Werk und nicht als Einleitung einer Serie. So ist es auch in Sandrarts Biographie über Dürer. Und wenn man die vier Apostel als eine Veranschaulichung der vier Temperamente betrachtet, ist nie die Rede davon, daß Dürer mit mehreren Zuständen der Melancholie gerechnet habe.

Als zusammenfassende Wertung der beiden Interpretationen, die sich schwerlich mit gutem Willen vereinbaren lassen, sei auf das Gesetz der Ökonomie der Gedanken, das der mittelalterliche Philosoph Occam als das Prinzip des Rasiermessers formuliert hat, verwiesen, das für meine Deutung spricht: Entia non sunt multiplicanda sine necessitatem (Entitäten sollen nicht ohne Notwendigkeit vervielfältigt werden). Man sollte also Dürers Melancholie nicht mehr als notwendig vervielfältigen. Das Blatt ist besser mit der Lesung »Melancholie geh!« zu verstehen.

Daß die Zeit um 1514 für Dürer eine Periode der Grübelei und der Melancholie war, ist offenbar. Dürer hatte eine neue Gattung der Malerei geschaffen, das Selbstporträt, ein Thema, das er in Bildern seiner selbst als einer universal gültigen Person so variiert hat, daß er die eigenen Züge auf das Bild Christi übertragen konnte. Seine Bitte in Bild und Wort, die Melancholie möge aus seiner Welt verschwinden, damit er frei im Schutz der Göttin der Wissenschaft und Kunst schaffen kann, erhielt ein persönliches Gepräge, wenn der Text des Bildes nicht als Titel, sondern als eine selbst zum Bilde gewordene Anrufung gedeutet wird.

So gesehen, ist Dürers Meisterstich nicht rätselhaft, sondern deutlich und klar. Er weist voraus auf Zweifel und Seelenqual, in die ihn später die Reformation bei seiner positiven Einstellung zu Luther und seinem schwierigen Verhältnis zu Karl V. stürzen sollte.

T. B.

D 43 Albrecht Dürer *Auf dem Innentitel*

Der heilige Hieronymus im Gehäuse. 1514

Bez. r.: Auf einem perspektivisch ausgelegten Täfelchen hinter dem Löwen Monogramm des Künstlers und Jahreszahl 1514
Kupferstich. 24,8 x 19,1 cm
Dresden, Staatliche Kunstsammlungen, Kupferstich-Kabinett; Inv.-Nr. A 789
Bartsch 60; Meder 59

Die Darstellung gehört zu den Lehrstücken, mit denen der Kupferstich seine höchste Ausprägung erreichte. Ihre Vorzüge sind oft hervorgehoben worden. Die Schwächen in konstruktiver Hinsicht (Ivins 1948) fallen dagegen weniger ins Gewicht, weil es sich doch um ein Stück erdichteten Raumes handelt. Der Kürbis an der Decke scheint an den Übersetzungsstreit mit dem heiligen Augustin zu erinnern (siehe Parshall 1971).

W. S.

D 44 Albrecht Dürer *Abbildung*

Der heilige Hieronymus in der Wüste. 1496

Bez. u.: Monogramm des Künstlers
Kupferstich. 30,5 x 22,4 cm
Dresden, Staatliche Kunstsammlungen, Kupferstich-Kabinett; Inv.Nr. A 791
Bartsch 61; Meder 57

Hieronymus war einer der beliebtesten Heiligen in der Zeit Dürers. Johannes von Neumarkt, der Kanzler Kaiser Karls IV., hatte sich bereits im 14. Jahrhundert literarisch um die Verehrung des Heiligen verdient gemacht. Hieronymus, der in der Mitte des 4. Jahrhunderts geboren wurde, war einer der gelehrtesten Väter der Kirche und ein hervorragender Bibelübersetzer. Den Humanisten war er ein Vorbild für den auf den Intellekt bauenden und gleichzeitig frommen Gelehrten. Die

Kenntnis des Lebens von Hieronymus erlangte Dürer wohl aus der »Legenda aurea«, die Koberger deutsch und illustriert 1488 herausgab, und dem von Spengler übersetzten Text des Bischofs Eusebius (Kat.-Nr. D 47).
Inmitten einer zerklüfteten Felsenlandschaft (nach einer Naturstudie mit dem Pinsel, Winkler 108), die rechts den Blick auf einen großen See freigibt, kniet der Heilige vor einem Kruzifix, das in einen Baumstumpf gesteckt ist. Der Löwe wehrt mit finsterer Miene von dem Eremiten Störungen ab.
Die von Dürer genauestens beobachtete Natur mit ihrem Reichtum unterschiedlichster Formen ist scheinbar das vordergründige Anliegen der Darstellung. Hieronymus hat es schwer, sich in den bizarren Formen zu behaupten. Wölfflin hat darauf verwiesen, daß der Hieronymus neben dem »Verlorenen Sohn« (Kat.-Nr. A 17) die zweite frühe büßende Kniefigur in offener Landschaft darstellt. In der Modellierung ist der Hieronymus sehr viel reicher. Das Motiv fand in Italien früher als in Deutschland das Interesse der Künstler. E. B.

D 44

D 45 Albrecht Dürer

Der heilige Hieronymus am Weidenbaum. 1512

Bez. M. l.: Monogramm des Künstlers
Bez. M. o.: Jahreszahl
Kaltnadelarbeit. 20,8 x 18,5 cm
Dresden, Staatliche Kunstsammlungen, Kupferstich-Kabinett; Inv.-Nr. A 1920 – 33
Bartsch 59; Meder 58

Der Hieronymus von 1512 zählt zu den wenigen Versuchen Dürers, in der neuen Technik der kalten Nadel zu arbeiten. Mit der Nadel konnte freier als mit dem Grabstichel gearbeitet werden. Betonte der Grabstichel mehr das kalligraphische Moment, so war es mit der Kaltnadeltechnik möglich geworden, die malerische Wirkung herauszuarbeiten. In dieser Hinsicht sind die wenigen Versuche, die Dürer gemacht hatte, großartige Leistungen, die schon auf die Höhepunkte, die Rembrandt setzte, hinweisen.

Das Motiv ist ganz ähnlich wie in dem Kupferstich von 1496 aufgefaßt (Kat.-Nr. D 44). Die genaue Naturbeobachtung ist auch in dem Blatt von 1512 von großer Wichtigkeit. Der Hieronymus aber ist gleichrangig mit der ihn umgebenden Natur verbunden, während er in dem Blatt von 1496 ihr ausgeliefert scheint. Diese Rangerhöhung verbindet sich mit der Idee, sowohl den Eremiten als auch den Gelehrten der Studierstube (Kat.-Nr. D 43) zu zeigen. Die Natur, das Beten und die Kleidung betonen sein Einsiedlerdasein. Auf dem Tisch liegen aber bereits die Attribute seiner künftigen Lebensweise: Das Buch ist aufgeschlagen, Kardinalshut und Robe liegen bereit. E. B.

D 46 Albrecht Dürer

Die Buße des heiligen Chrysostomos. 1496

Bez. u. M.: Monogramm des Künstlers
Kupferstich. 18 x 11,9 cm
Dresden, Staatliche Kunstsammlungen, Kupferstich-Kabinett; Inv.-Nr. A 791
Bartsch 63

Wie bei dem heiligen Hieronymus (Kat.-Nr. D 44) ist das Interesse an den Formen der Natur besonders betont. Der Felsen im Vordergrund ist denn auch nach einer Naturstudie (Winkler 107) gestochen.

Der heilige Chrysostomos, der die durch ein Unwetter in seine Einsiedelei verschlagene Tochter des Kaisers verführt hatte, ist kaum sichtbar in den Hintergrund gedrängt. Er, der sich fortan als Buße für seine Sünde wie ein wildes Tier auf allen vieren bewegt, wird von dem Blattrand und dem Felsen eingezwängt. Das Motiv stammt offenbar aus Günther Zainers Druck des Heiligenlebens, Augsburg 1471/72. E. B.

D 47 Albrecht Dürer *Farbtafel Seite 244*

Heiliger Hieronymus in der Felsengrotte. 1512

Bez.: Auf glattem Felsenabsatz Monogramm und Jahreszahl hinter dem Buch des Heiligen
Holzschnitt, koloriert. 16,4 x 11,7 cm
Berlin, Hauptstadt der DDR, Staatliche Museen, Kupferstichkabinett; Inv.-Nr. B 215
Bartsch 113; Meder 229

Der Holzschnitt diente als Titelblatt zur Übersetzung der Lebensbeschreibung des heiligen Hieronymus, geschrieben von seinem Schüler, dem Bischof Eusebius. Der Übersetzer war Dürers Freund Lazarus Spengler (1497–1534), mit dem Dürer auch in der gleichen Straße wohnte (Beschreibung des heyligen Bischoffs Eusebij: der ain junger un dizipel des heyligen Sancti Hieronymi gewest ist ... aus dem Latein in das tewtsch gezogen). Fast scheint es, als ob sich der heilige Hieronymus in einem aus Felsen und Stämmen gebildeten natürlichen Raum befände. Zudem türmen sich die Steine derart zusammen, daß sie ein Fenster bilden, das in seiner Form an ein Kirchenfenster erinnert. Es gibt den Blick auf einen weiten See frei. Hieronymus ist wie in der ebenfalls 1512 entstandenen Kaltnadelarbeit (Kat.-Nr. D 45) sowohl als Eremit wie als Gelehrter gezeigt. Das aufgeschlagene Buch, Kardinalshut und Robe verweisen auf seine künftige Tätigkeit. Die Graphik ist von schöner frischer Kolorierung, die den Charakter des Holzschnittes nicht überdeckt, sondern zurückhaltend unterstreicht. E. B.

D 48 Lucas Cranach d. Ä. *Abbildung*

Der heilige Hieronymus in der Landschaft. 1509

Bez. u. l.: Wappenzeichen und Monogramm des Künstlers mit der Jahreszahl 1509, darüber am Baum das kursächsische Wappenpaar. Holzschnitt. 33,5 x 22,6 cm
Dresden, Staatliche Kunstsammlungen, Kupferstich-Kabinett; Inv.-Nr. A 6523
Bartsch 63

Die reifste Landschaftsdarstellung unter den graphischen Arbeiten des Künstlers. Viele Vorstufen sind in ihr zusammengefaßt, der ausgebreitete Reichtum durchaus gebändigt. Die Selbständigkeit der Komposition gegenüber Dürer ist mit Recht hervorgehoben worden, doch scheint im Motiv des knienden Heiligen Dürers Gemälde (Anzelewsky 14) nachzuwirken. W. S.

D 49 Albrecht Dürer *Abbildung*

Felslandschaft mit Schloß. Um 1493–1495

Nicht bez.
Feder in Schwarzbraun auf weißem Papier. 22,5 x 31,6 cm
Aus Sammlung de Ligne
über Sammlung Herzog Albert 1920 erworben
Wien, Graphische Sammlung Albertina; Inv.-Nr. 3055, D 40

D 48

D 49

Das Studium der schön bewegten Felsformation ist besonderes Anliegen der Zeichnung. Die Verdichtung der Motive läßt weitschweifende Deutungen zu bis hin zu Dürers »Ritter, Tod und Teufel« (Kat.-Nr. A 18). Das Motiv des Wehrbaus als Ort der Geborgenheit in unsicheren Zeiten hat ähnlich wohl auch Luther vor Augen gestanden bei der Übersetzung des 46. Psalms: Ein feste Burg ist unser Gott. Bergzüge und Baumsäume in großzügiger Andeutung betten den trutzigen Bau in den Zusammenhang eines hellen weiten Raumes. Es wird deutlich, daß das aufbrechende Studium der Natur mit einer tieferen Einsicht in die geschichtlichen Möglichkeiten menschlichen Wirkens verbunden ist. Die unbändige Hoffnung der neuen Generation und das Gefühl des Zweifels im Angesicht großer Zeiträume und Gesetzlichkeiten sind bei diesem Werk in außerordentlicher Weise vereinigt. W. S.

D 50 Albrecht Dürer *Farbtafel Seite 277*

Die drei Heilkräuter. Um 1503

Nicht bez.
Wasserfarben und Deckfarben auf Pergament. 29,2x15 cm
Aus der Kaiserlichen Schatzkammer über Hofbibliothek und Sammlung Herzog Albert 1920 erworben
Wien, Graphische Sammlung Albertina; Inv.-Nr. 3183, D 161

Das Blatt ist ein gutes Beispiel für die Versenkung in die unscheinbarsten Hervorbringungen der Natur am Anfang des 16. Jahrhunderts. Dichterworte des Conrad Celtis oder Luthers überliefern sie in ähnlicher Weise.
Zarte Einzelstengel von Stiefmütterchen (Viola tricolor L.) und Brunelle (Brunella vulgaris L.) sind nahe dem Wurzelpunkt verbunden durch das Gerank des niedrigen Ackergauchheil (Anagallis arvensis L.) über einem Häufchen dunkler Erde. Der Aufbau ist von äußerster Einfachheit. Auffällig ist die geradlinige Führung der Formen, die alle farbigen Betonungen gut zur Geltung kommen läßt. Überschneidungen sind kaum räumlich hervorgehoben. Die Blätter scheinen teilweise wie an eine Unterlage gepreßt. Die flächige Wirkung und der naive Aufbau der Pflanzengruppen haben bei der Beurteilung in Bezug auf die Eigenhändigkeit Dürers oftmals Zurückhaltung auferlegt. Doch spricht die großartige Verstrebung der Formen für Dürer. Unter den Pflanzenaquarellen der Albertina schließen die drei Heilkräuter in der bewältigten Formenverflechtung am engsten an das große Rasenstück von 1503 an, ein unbestrittenes Hauptwerk des Künstlers. W. S.

D 51 Albrecht Dürer *Farbtafel Seite 276*

Rasenstück. Um 1500

Bez. u. r. von fremder Hand: Monogramm Dürers
Wasserfarben auf Papier; Wasserzeichen: Waage im Kreis
31,8x21,4 cm; beschnitten
Früher Wilhelmshöhe bei Kassel
Potsdam-Sanssouci, Staatliche Schlösser und Gärten, Aquarellsammlung; Inv.-Nr. 536b

Die aus Rauhhaariger Gänsekresse (Arabis hirsuta SCOP.), Efeu-Ehrenpreis (Veronica hederifolia L.), Gemeinem Ruchgras (Anthoxanthum odoratum L.) und Wiesen-Rispengras (Poa pratensis L.) bestehende kleine Pflanzengesellschaft, die man an Wegrändern finden kann, ist nicht aus der Perspektive des Spaziergängers dargestellt, sondern aus der Sicht eines auf dem Erdboden liegenden Betrachters. Ihm erschließt sich die Pflanzenwelt als eigenständiger Lebensbereich, der die unterschiedlichsten Pflanzenarten vereint, deren spezifische Eigenart ebenso beobachtet ist, wie ihre räumliche Verstrickung miteinander. Sein Bemühen, die Anatomie der Pflanzen möglichst naturgetreu wiederzugeben, führte den Künstler dazu, Form und Struktur der Blätter direkt durch einen farbigen Abklatsch festzuhalten – siehe unten links Blatt vom Efeu-Ehrenpreis, ein zweites an einem der nach rechts kriechenden Stengel, rechts davon ein einzelnes Blatt vom Kriechenden Hahnenfuß (Ranunculus repens L.). Während die Blätter vom Efeu-Ehrenpreis noch mit ziemlich dicker Farbe gedruckt wurden und dadurch nur ihre Form in natürlicher Größe auf das Papier übertrugen, zeigt der Abdruck des Hahnenfuß-Blattes bereits das feine Geflecht der Blattnerven. Obwohl das Dürer-Monogramm nicht von der Hand des Meisters stammt, dürfte Dürer dennoch der Urheber des Blattes sein.
Als Vergleichsstück bietet sich sein Großes Rasenstück von 1503 in der Albertina in Wien (Winkler 346) an. Da dieses jedoch bildmäßiger aufgebaut ist und nicht nur den unmittelbaren Natureindruck wiederzugeben scheint, wird es nach dem Potsdamer Rasenstück entstanden sein. Für Dürers Autorschaft spricht ferner die wolkige Behandlung des Erdreiches, die F. Winkler 1937, S. 72 (354) nur bei Dürer zugeschriebenen Pflanzenstudien beobachtete: Schwertlilie, Escorial (Winkler 348); Liebäugel, Kunsthalle Bremen (Winkler 349); Große Ranunkel, ehemals London, Sammlung Bale (Winkler 350); Akelei, Schöllkraut, Drei Heilkräuter und Kleines Rasenstück, Albertina (Winkler 354–357). Auffällig ist die originalgroße Wiedergabe der Pflanzen des Potsdamer Rasenstücks. Nach Winkler 1937, S. 69 (348) hat in der gesamten Kunst der Dürerzeit nur Dürer selbst den Versuch unternommen, Pflanzen originalgroß wiederzugeben (vgl. Schwertlilien, Winkler 347 und 348). R. K.

D 52

D 52 Wolf Huber *Abbildung*

Golgatha. 1502

Bez. o. r.: Jahreszahl 1502
Feder in Grau. 10,9 x 15,7 cm
Wasserzeichen: Hohe Krone mit zweikonturigem Bügel (Piccard XII, 16, 17)
Budapest, Museum der Bildenden Künste, Graphische Sammlung; Inv.-Nr. 194

Die früheste erhaltene Arbeit des Künstlers überrascht durch kühne Sinnbildlichkeit. Die »Inspiriertheit aller Elemente« (Koepplin) läßt dreihundert Jahre vor Caspar David Friedrich eine Vorstellung vom Bild einer Erlösungslandschaft entstehen. Huber, der später viele Jahre fürstbischöflicher Hofmaler in Passau war, war sicherlich von Geistlichen beraten, als er diese Darstellung zeichnete. Sie steht am Beginn der Landschaftsmalerei wie einer individuellen vergeistigten Auffassung von der Passion Christi. W. S.

D 53 Wolf Huber

Ansicht von Urfahr bei Linz. Um 1510

Nicht bez.
Feder in Braun. 13,3 x 14,8 cm
Budapest, Museum der Bildenden Künste, Graphische Sammlung; Inv.-Nr. 189

Diese Gestaltung des Landschaftsraumes ist innerhalb der deutschen Kunst dieser Zeit ohne Beispiel und wirkt wie eine Vorahnung der Auffassung Pieter Brueghels d. Ä. W. S.

D 54 Wolf Huber *Farbtafel Seite 275*

Landschaft mit Dorf. 1517

Bez. o. M.: Jahreszahl 1517
Pinsel in Graublau und Weiß auf rotbraun getöntem Papier, Rückseite rot getönt. 17,3 x 11,3 cm
Budapest, Museum der Bildenden Künste, Graphische Sammlung; Inv.-Nr. 26

Die Zuschreibung des Blattes an Huber ist zu Recht unter Berufung auf ein Gemälde, den Abschied Christi von Maria, datiert 1519, vorgenommen worden. Bei der durch Alterung sichtbar gewordenen Vorzeichnung der Bildtafel ist die Arbeitsweise des Künstlers deutlich zu sehen.
Unter den wenigen gemalten Baumstudien des Künstlers (Winzinger 62, 63) ist dieses Blatt die einzige bildmäßig abgeschlossene Arbeit. W. S.

D 55 Wolf Huber

Gebirgslandschaft. 1535

Bez. o. l.: Jahreszahl 1535
Feder in Schwarz. 20x25,1 cm
Wasserzeichen: Hohe Krone
Aus Goethes Sammlung
Weimar, Nationale Forschungs- und Gedenkstätten der klassischen deutschen Literatur

In Hubers Gruppe von frei erfundenen Landschaftszeichnungen, zwischen 1541 und 1552 entstanden, weitet sich der Raum ins Unendliche. Die zur Zeit Goethes noch Merian zugeschriebene Zeichnung von 1535 ist ein wichtiger Vorläufer dieser Gruppe. W. S.

D 56 *Farbtafel Seite 274*
Albrecht Altdorfer zugeschrieben

Buschwerk und Tannen am Hang. Um 1507

Nicht bez.
Pinsel in Grün, Braun, Blau auf bläulich grundiertem Papier. 21,4x15,3 cm
Budapest, Museum der Bildenden Künste, Graphische Sammlung; Inv.-Nr. 359

Die unvollendete Malerei auf Papier ist ungewöhnlich großzügig angelegt. Das Hervorheben des Laubwerkes und der Gräser weisen auf Altdorfer. In der Anordnung der Motive, im Aussparen der Zwischenräume und in einzelnen Bildungen besteht ein enger Zusammenhang mit dem etwa gleichgroßen Gemälde der Landschaft mit Satyrfamilie aus dem Jahre 1507, einem der Frühwerke Altdorfers. Soweit bekannt, sind einzelne derartige Vorarbeiten zwar bei Wolf Huber (Kat.-Nr. D 55) erhalten, nicht aber bei Altdorfer. Erst die schönen gemalten Landschaften der Zeit um 1522 (Landschaft mit dem Holzhacker, Winzinger 67) bieten in der Ausführung Vergleichbares, allerdings in einem viel höheren Grad der Durchbildung. Mit Altdorfers Federzeichnungen der frühen Jahre besteht allerdings kein engerer Zusammenhang. W. S.

D 57

D 57 Albrecht Altdorfer (?) *Abbildung*

Der heilige Hieronymus zwischen Ruinen. 1513

Bez. l.: Durch Beschneiden verstümmelte Jahreszahl .513
Feder in Schwarz, weiß gehöht auf rotbraun grundiertem Papier. 23,5x17,4 cm
Aus den Sammlungen Praun und Eszterházy
Budapest, Museum der Bildenden Künste, Graphische Sammlung; Inv.-Nr. 22

In eigenwilliger Weise kniet der heilige Einsiedler vorn im Bild. Seine Zwiesprache ist hervorgehoben durch die ungewöhnliche Größe des Kruzifixes, dem er sich nähert. Figur und Umgebung sind in besonderer Weise miteinander verspannt. Trotz der von Winzinger geäußerten Bedenken gegen die Eigenhändigkeit der Zeichnung ist es unwahrscheinlich, daß ein Nachahmer Altdorfers die Kraft zu einer so außergewöhnlichen Arbeit hätte haben können. W. S.

D 58 Albrecht Altdorfer

Der heilige Christophorus. 1513

Bez.: Auf einem Zettel am Baumstamm Monogramm des Künstlers, darüber die Jahreszahl 1513

D 58.1

Holzschnitt. 16,8x12 cm
Leipzig, Museum der bildenden Künste, Graphische Sammlung
Bartsch 53

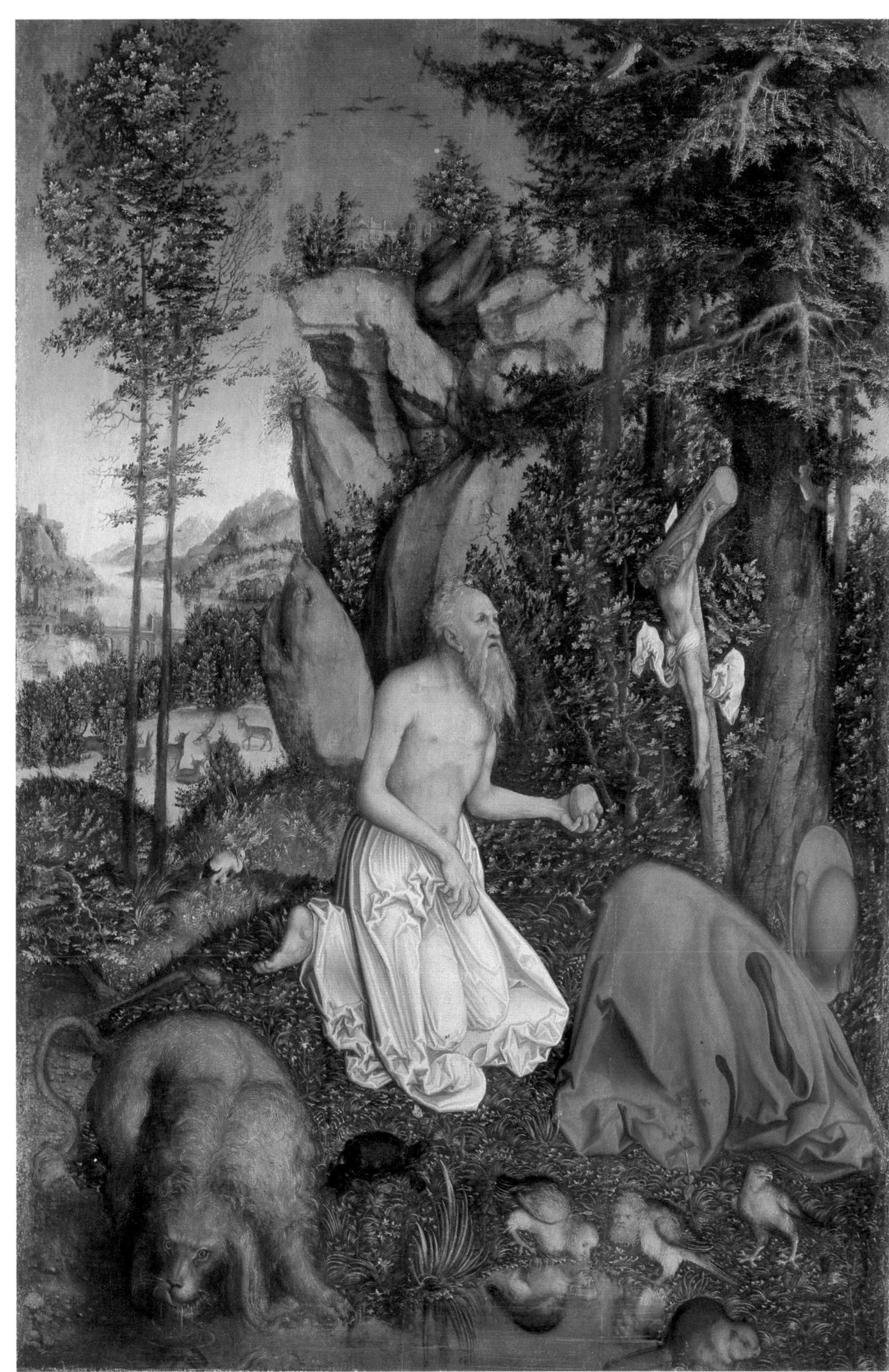

D 62
Lucas Cranach d. Ä.
Der büßende Hieronymus in reicher Landschaft.
Um 1525

Seite 274:

D 56 Albrecht Altdorfer. Buschwerk und Tannen am Hang. Um 1507

Seite 275:

D 54 Wolf Huber. Landschaft mit Dorf. 1517

D 51
Albrecht
Dürer.
Rasenstück.
Um 1500

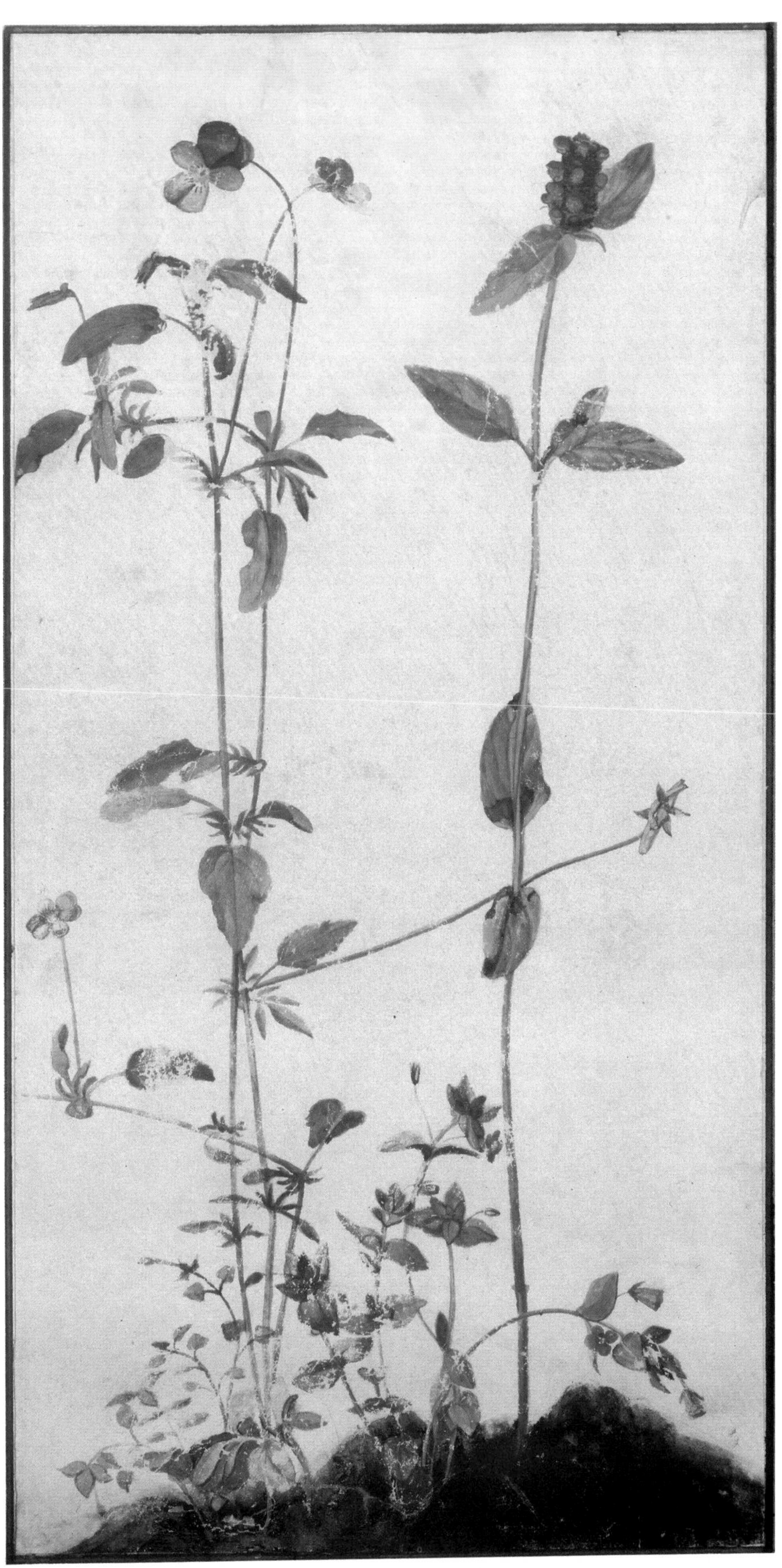

D 50
Albrecht Dürer.
Die drei
Heilkräuter.
Um 1503

E 11 Lucas Cranach d. Ä. Das Paris-Urteil. Nach 1537

E 24 Cranach-Werkstatt. Madonna mit dem Kinde und dem eine Traube bringenden Johannesknaben. 1551

D 65
Fra Bartolommeo. Der heilige Hieronymus in felsiger Landschaft. 1504–1508

D 58.2

Druckstock aus Birnbaumholz. 17x12,1x2 cm
(An mehreren Stellen mit Siegellack ausgebessert)
Aus Sammlung Derschau
Berlin, Hauptstadt der DDR, Staatliche Museen, Kupferstichkabinett; Inv.-Nr. Derschau 291

Der Holzschnitt überliefert eine der erstaunlichsten Bildfassungen der älteren Graphik. Die Handlung wird als ein »landschaftlicher« Vorgang dargestellt. Der offene Umriß des Baumes rechts oben läßt im Grunde die Ergänzung durch eine Tonplatte erwarten, doch fehlt ein entsprechender Beleg bisher. W. S.

D 59 Hans Leu *Abbildung*

Heiliger Hieronymus in der Landschaft. Um 1530

Nicht bez.
Feder in Schwarz, weiß gehöht auf graubraun grundiertem Papier
Budapest, Museum der Bildenden Künste, Graphische Sammlung; Inv.-Nr. 307

D 60 Oberrheinischer Meister

Heiliger Hieronymus. Um 1520

Relief. Lindenholz, Fassung abgelaugt
H. 126,5 cm, Br. 55 cm
1920 aus Sammlung Uhlmann in Hamburg erworben
Berlin, Hauptstadt der DDR, Staatliche Museen, Skulpturensammlung; Inv.-Nr. 7969

Das Relief stammt wahrscheinlich aus einem Altarflügel. Die Gestalt des Büßenden ist von ungewöhnlicher Ausdruckskraft; die innige Zwiesprache mit dem Gekreuzigten, die hier bis zur Selbstvergessenheit gesteigert ist, spiegelt sich in seinem Antlitz wider. Die große innere Erregung wird sogar von den starkbewegten Haaren aufgenommen. Eine solche bildhafte Vergegenwärtigung von Seelenzuständen gab es bislang in der mittelalterlichen Kunst nicht; erst mit der Herausbildung des neuen Menschenbildes in der Zeit der gesellschaftlichen Umwälzungen am Ende des 15. und zu Beginn des 16. Jahrhunderts wurden Gemütsbewegungen immer stärker verdeutlicht.
Die oberrheinische Herkunft wurde von Th. Demmler erkannt, der anfänglich das reichgestaltete Relief Hans Bongart von Kolmar, dem Meister des Kayserberger Altars, zuschrieb, sich dann jedoch korrigierte und einen unbekannten Schnitzer als Urheber annahm. Für das Oberrheinische spricht insbesondere die detailreiche Landschaft und die markante Darstellung der Vegetation, deren Realismus ein wichtiges Kriterium ist.
E. Fr.

D 59

D 61 Meister I. P. *Farbtafel Seite 248*

Der Sündenfall. Um 1525

Relief. Birnbaumholz, ungefaßt, Augen getönt
H. 62,5 cm, Br. 46,5 cm
Zur Zeit der Herrschaft Friedrichs II. von Sachsen-Gotha-Altenburg (1676–1732) für die Kunstkammer in Gotha erworben
Gotha, Museen der Stadt, Schloßmuseum; Inv.-Nr. 1204/P 29

Vor einer Felsenlandschaft mit reicher Vegetation stehen als bildbeherrschende Figuren Adam und Eva. Zusammen mit dem hinter ihnen aufragenden Baum der Erkenntnis bilden sie die betonte Mittelachse des Reliefs. Eva reicht Adam die verbotene Frucht dar. Als Hauptakteurin des Geschehens ist Eva bewußt herausgestellt. In strenger Frontalansicht und in fast klassischer Haltung bildet sie den optischen Mittelpunkt. An beiden Figuren beeindrucken die ausgewogenen Körperproportionen, die – stärker als beispielsweise bei Conrad Meit – den Eindruck realistischer Körperlichkeit vermitteln. Die Komposition der Hauptgruppe geht auf Dürers berühmten Kupferstich »Adam und Eva« von 1504 zurück. Die Erschaffung der Eva und die Vertreibung aus dem Paradies sind als Nebenszenen dargestellt. Die mit größter Sorgfalt gestaltete Naturkulisse, ihre Plastizität und die Anwendung der Perspektive erzeugen den Eindruck von Raumtiefe. Der Schnitzer dieses bedeutenden Werkes ist als Meister I. P. bekannt. Von seiner Hand haben sich einige Reliefs erhalten, aber nur eines (Sündenfall, 1521, Wien, Österreichische Galerie) trägt sein Monogramm. Das qualitätvollste in dieser Gruppe aber ist zweifellos dieses Gothaer Relief. Typisch für den Meister I. P. ist der starke Einfluß der Malerei seiner Zeit, vornehmlich der der sogenannten Donauschule mit ihren märchenhaft anmutenden Landschaften, stimmungsvoller Naturschilderung und lebhaftem Licht- und Schattenspiel. Die Forschung lokalisiert deshalb den Meister I. P. in die salzburgische oder niederbayrische Kunstlandschaft. E. Fr.

D 63

D 64

D 62 Lucas Cranach d. Ä. *Farbtafel Seite 273*

Der büßende Hieronymus in reicher Landschaft Um 1525

Bez.: Vielleicht nachträglich retuschiertes Zeichen des Künstlers
Lindenholz. 89,8 x 66,5 cm
Aus dem Besitz von H. G. Fincke in Bamberg 1864 erworben
Innsbruck, Tiroler Landesmuseum Ferdinandeum

Das Bild besitzt nicht die wuchtige Aussage früherer Darstellungen Dürers oder Cranachs. Die Dehnungen der Motive, einzelne Härten und manche Ungereimtheit ihrer Zusammenstellung dürften durch die Zwänge des relativ großen Formats veranlaßt sein. Die Ausbreitung des Paradieshaines mit dem Harpyenpaar und der reichen Tierwelt geht sicherlich auf besondere Wünsche des Bestellers zurück. Dieser Hieronymus in seiner Selbstprüfung ist zugleich ein vom Bilderreichtum der antiken Autoren erfüllter Gelehrter. W. S.

D 63 Wolf Huber *Abbildung Seite 282*

Abschied Christi von Maria. 1519

Bez. o. r.: Jahreszahl 1519
Lindenholz. 36,7 x 26,8 cm
Aus Kloster Tegernsee. Seit 1852 Sammlung Sepp, München
1917 durch den Verein der Museumsfreunde in Wien erworben
Wien, Kunsthistorisches Museum; Inv.-Nr. 1753
(Eigentum des Vereins der Museumsfreunde)

Der Abschied Christi von seiner Mutter vor dem Beginn der Passion ist ein Motiv individueller Frömmigkeit, das sich erst spät herausgebildet hat.
Die Landschaft fängt die Stimmung des Abschieds auf. Es sind ebensosehr die Bäume und die Wolken, die das Geschehen verkörpern, wie die Figuren. W. S.

D 64 Pietro Perugino *Abbildung Seite 283*

Der büßende heilige Hieronymus. Um 1495

Nicht bez.
Olivenholz. 29,7 x 22,8 cm
1663 im Schloß zu Innsbruck nachgewiesen, später auf Schloß Ambras bei Innsbruck
Wien, Kunsthistorisches Museum, Gemäldegalerie; Inv.-Nr. 5823

Das zarte, auf Raumtiefe angelegte Bild verkörpert den Typ eines privaten Andachtsbildes, das im Grunde nur der Maria mit dem Kind und einzelnen volkstümlichen Heiligen wie dem Hieronymus galt. Ein etwas späteres Beispiel, das der gleichen Florentiner Tradition zugehört, ist das Gemälde des Fra Bartolommeo (Kat.-Nr. D 65). W. S.

D 65 Fra Bartolommeo *Farbtafel Seite 280*

Der heilige Hieronymus in felsiger Landschaft Um 1504–1508

Nicht bez.
Leinwand auf Holztafel aufgezogen. 40 x 26 cm
1841/42 in Italien erworben durch Gustav Friedrich Waagen
Berlin, Hauptstadt der DDR, Staatliche Museen, Gemäldegalerie; Inv.-Nr. 124

Unter verschiedenen Möglichkeiten der Darstellung des heiligen Hieronymus findet man in der italienischen Renaissance die des Büßers am häufigsten. Im Gegensatz zur gleichzeitig üblichen Auffassung wird der Heilige im vorgestellten Beispiel nicht als Heros begriffen, der die Bußübung als Ausdruck eines Willensaktes demonstrativ vollzieht. So ist er zwar in das Büßerhemd gekleidet, es fehlen jedoch der auf diesen Zusammenhang hinweisende Totenschädel und das Gebetbuch. Der Stein, zur Kasteiung bestimmt, wird kaum sichtbar an die Brust gedrückt, ein kleiner Kruzifixus ist wenig auffällig an ein dünnes Bäumchen im Vordergrund geheftet.
Betont wird allein die andachtsvolle Haltung des Greises; im religiösen Ritus wird in diesem Fall eine sehr persönliche Empfindung ausgedrückt. Die zartgliedrige Gestalt ist der Umgebung eingefügt; die Wüste, als einsamer, aber nicht unwirtlicher Ort begriffen, erscheint in der Komposition als Ausschnitt aus der unendlichen Natur, der Mensch und Tier als Teil angehören. Dieser ideellen Einheit wird die tonige Farbbehandlung gerecht. Seitlich einströmende Helligkeit hebt Licht- und Schattenpartien zwar deutlich voneinander ab, die Übergänge sind jedoch fein gestuft. Das Licht verstärkt den lyrischen Zug der Darstellung.
Nach verschiedenen anderen Vorschlägen wird das Stück allgemein Fra Bartolommeo zugeschrieben, bestärkt durch die Existenz einer zweiten, gleichartigen Darstellung (London, Sammlung Benson). Im stilistischen Vergleich ist das Gemälde den Jugendwerken Fra Bartolommeos einzugliedern. H. N.

D 66 Umkreis Tizians *Abbildung*

Waldrand mit Ausblick auf eine Stadt. Um 1520

Nicht bez.
Feder in Braun, auf vergilbtem Papier
Aus den Sammlungen Crozat und Eszterházy
Budapest, Museum der Bildenden Künste, Graphische Sammlung; Inv.-Nr. 1972

Das Blatt überliefert, wohl nur in der Nachzeichnung, eine der eigenartigsten Landschaftskompositionen des Tizian-Kreises. Es scheint, als wären drei, vier Motive dicht aneinander geschoben: das Waldstück mit den gereihten Stämmen, das steinige Flußbett rechts, das Stadtbild oberitalienischen Gepräges mit den Bergzügen darüber. Ähnlich wie bei Tizians Abrahamsopfer (Kat.-Nr. D 67), bleiben die einzelnen Bereiche in starkem Maße getrennt und die Montage der Motive dadurch erkennbar. W. S.

D 66

D 67 Tizian *Abbildung*

Das Opfer Abrahams. Um 1514

Bez. o. l. auf der Schrifttafel:
La historia de Abraam. Come per coman / damento del signor Dio Abraam meno Isaac / suo vnigenito fiolo sul monte p(er) sacrificarlo al / signor Dio.
Come nel Genesiis troverai a Io / XXII capitulo.
Stampata in la Christianissi / ma cita di Venetia per Bernardino benalio / e Bartholamio bianzago compagni.
(Die Geschichte Abrahams. Wie auf Geheiß des Herrgotts Abraham den Isaak, seinen einzigen Sohn, auf den Berg führte, um ihn Gott zu opfern.
Wie du findst in der Genesis, im 22. Kapitel.
Gedruckt in der allerchristlichsten Stadt Venedig von Bernardino Benalio und Bartholomeo Bianzago, Teilhaber)
Bez. o. r.: Auf einem Baumblatt Signatur des Formschneiders VGO
Holzschnitt auf blaugrauem Tonpapier
Wasserzeichen: Anker im Kreis, darüber sternähnlich Briquet 485
Von vier Stöcken auf vier Bögen gedruckt, die gedruckten Ränder der vier Stöcke größtenteils erhalten)
78,3 x 108,3 cm
Unikum der 1. Ausgabe
Gotha, Museen der Stadt, Schloßmuseum; Inv.-Nr. G 76,1

In Tizians bedeutendstem Bilddruck liegt eine Kraft, die sich erst 1516 bis 1518 in einem seiner malerischen Hauptwerke, der Himmelfahrt der Maria in der Frarikirche in Venedig, Bahn bricht. Die Anlage dieses »revolutionären Manifestes« der Hochrenaissance (M. Levey: High Renaissance, 1975, S. 287) ist bereits im stufenweisen Aufstieg der Figuren des Abrahamsopfers vorgebildet, wenn auch etwas verschachtelt und gegenständlich anders motiviert. Wahrscheinlich bildete die Opferszene selbst ursprünglich eine abgeschlossene Komposition, die nachträglich in den großen Landschaftsrahmen gepreßt wurde. Zu den Bäumen dieses Kernstückes ist eine Tizian zugeschriebene Zeichnung im Metropolitan Museum, New York, erhalten, während einzelne Elemente des Fernblikkes mit dem hellen flachen Wolkenball und der zurückblikkende Wandersmann links sich auf Holzschnitte Dürers zurückführen lassen.

Das Abrahamsopfer ist vor dem 9. Februar 1514 entstanden. Von diesem Tag datiert das Privileg des Senates von Venedig für den Drucker Benalio. Es gehört wie der ebenfalls dadurch beglaubigte Holzschnitt »Durchzug durch das Rote Meer« zu den Werken Tizians, in denen Handlungen von tiefem Glaubensernst – das Abrahamsopfer galt als Gleichnis der Kreuzigung, der »Durchzug durch das Rote Meer« als Parallele zur Taufe Christi – mit einem weiten Landschaftsrahmen verbunden worden sind.

Von dem Holzschnitt sind sechs verschiedene Ausgaben gedruckt worden. Die hier zum ersten Mal gezeigte erste Ausgabe war zwar bereits Mariette (1694–1774) bekannt, galt aber danach als verschollen. Nur die beiden ersten Ausgaben besitzen die ursprüngliche Breite des Formats. Seit der dritten Ausgabe (mit der Inschrift: Sacrificio del Patriarca Abraham) sind die Holzstöcke seitlich verkürzt und mit neuer Randleiste

versehen worden; dadurch fehlen Streifen von 2,5 cm Breite am linken Rand und von fast 2 cm am rechten Rand. Bernardino Benalio war der Verleger des Werkes, er erhielt 1514 das Privileg für den Druck. Bianzago wird als Verwandter in seinem Testament von 1517 erwähnt. Durch das Gothaer Exemplar auf Tonpapier ist deutlich, wie bei dem Abrahamsopfer das neue Verfahren des Tonholzschnittes bereits im Keim angelegt war.
Ein zweiter Zustand mit veränderter Schrifttafel, Unikum der 2. Ausgabe, in Berlin, Hauptstadt der DDR, Staatliche Museen, Kupferstichkabinett; Inv.-Nr. 868–100. W. S.

D 68 Lucantonio degli Uberti *Abbildung*

Ansicht von Florenz. Um 1500

Bez. o. r. auf einem Schriftband: FIORENZA
(der Buchstabe E beschädigt) und mit vielen, oft fehlerhaften, Beischriften
Holzschnitt von acht Druckstöcken; aus acht Blättern zusammengesetzt. 58,5 x 131,5 cm
Berlin, Hauptstadt der DDR, Staatliche Museen, Kupferstichkabinett; Inv.-Nr. 899–100

Die älteste Ansicht der Stadt Florenz aus der Vogelschau geht zurück auf einen nach 1482 entstandenen Kupferstich von Francesco Rosselli. Der Holzschnitt Ubertis ist eine grobe, teilweise verkürzte Wiederholung des Stiches. Aus den vielen Fehlern bei der Wiedergabe der Inschriften ist geschlossen worden, daß der Formschneider des Lesens nicht kundig war. Die Disposition der Stadt ist einer Arena gleich, der Lauf des Flusses bleibt überschaubar, die Kuppel des Domes bildet den Mittelpunkt. Der Mauerring ist stark hervorgehoben, mit diesem Motiv beginnt auch der Zeichner im Vordergrund sein Bild im Bilde (Hinweis von Matthias Winner). Die Kette, die als Umrahmung um die Darstellung gelegt ist, ist eine Zutat des Formschneiders. Ihr Schloß hängt, zusammen mit dem Ende der Kette, durch Schattenschlag vom Grund der Landkarte abgehoben, von der linken Ecke herab. Für das Motiv fehlt die überzeugende Erklärung: unterstreicht es noch einmal die Wehrhaftigkeit der Stadt (Winner), oder hat man es als Emblem des Landvermessers aufzufassen, der zu seiner Arbeit Ketten benutzte? Der Formschnitt ist aus der Buchillustration der Zeit abgeleitet, auffallend die weißen Linien beim Laubwerk. Die Darstellung ist nur in diesem ungleichmäßigen Abdruck erhalten, der starke Abnutzungsspuren aufweist und auf verschiedenen Papieren gedruckt ist. W. S.

D 67

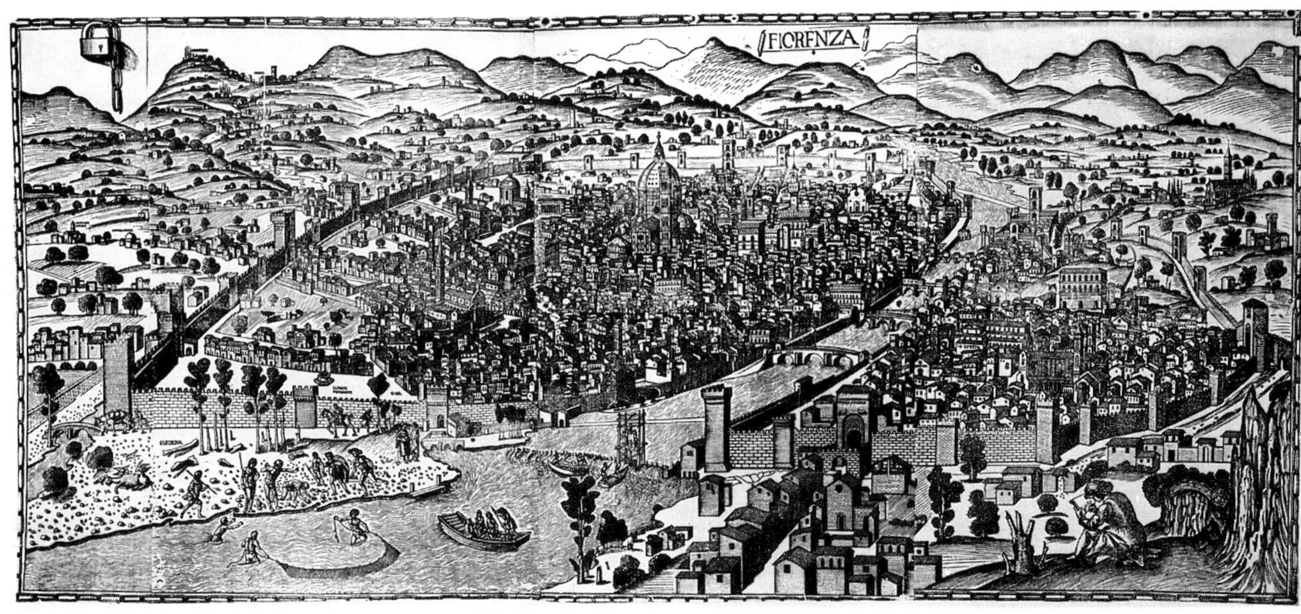

D 68

D 69 Jacopo de' Barbari *Abbildungen Seite 288*

Ansicht von Venedig. 1500

Bez.: VENETIE.M.D. *(In Venedig 1500)*
Außerdem Beschriftungen der acht Winde und der wichtigsten Örtlichkeiten. Merkur, oben in der Mitte, ist charakterisiert durch die Umschrift:
MERCVRIVS PRECETERIS HVIC FAVSTE EMPORIIS ILLVSTRO.
Neptun darunter trägt auf einer Tafel den Spruch:
AEQVORA TVENS/PORTV. RESIDEO/HIC NEPTVNVS.
Holzschnitt von sechs Druckstöcken, aus sechs Blättern zusammengefügt. 134,5 x 281,8 cm
Berlin, Hauptstadt der DDR, Staatliche Museen, Kupferstichkabinett; Inv.-Nr. 866 — 100

Die insulare Lage Venedigs bot der exakten Kartenaufnahme besondere Schwierigkeiten. Andererseits standen praktische Erfahrungen aus der Navigation zur Verfügung. Ein Nürnberger Kaufmann, Anton Kolb, hatte die Absicht, die lokalen Möglichkeiten mit den Erfahrungen Nürnberger Kartographen zu verbinden, und fand in Jacopo de' Barbari den geeigneten Künstler für die Redaktion. Die Ausführung des Werkes brauchte drei Jahre und erfolgte in höchster Gediegenheit, bis hin zur Vorbereitung der sechs großen Platten aus Walnußholz, auf denen der Künstler die Zeichnung aufzubringen hatte. Der Blickpunkt ist so hoch gewählt, daß die vielen Platz- und Hofräume der Stadt zur Entfaltung kommen. An diesem Punkt allein wird deutlich, warum Dürer Barbari seiner mathematischen Kenntnisse wegen aufsuchte.
In dem verlegerischen Großunternehmen des Venedigplans werden wohl zum ersten Mal die Möglichkeiten der frühkapitalistischen Wirtschaft im Einklang mit einer künstlerischen Aufgabenstellung ausgeschöpft. W. S.

D 70.1 Claudius Ptolemaeus

Cosmographia

Lateinisch von Jacobus Angelus
Herausgegeben von Nicolaus Germanus
Ulm: Lienhart Holle, 16. 7. 1482
Berlin, Hauptstadt der DDR, Deutsche Staatsbibliothek

Claudius Ptolemäus, ein berühmter ägyptischer Mathematiker, Astronom, Astrologe und Geograph, lebte im 2. Jahrhundert in Alexandria. Sein Hauptwerk, das ursprünglich »Großes astronomisches System« genannt wurde und sein astronomisches und trigonometrisches Lehrgebäude umfaßt, erwuchs auf der Grundlage des gesammelten Wissens des Altertums. Es wurde viel benutzt, kommentiert und übersetzt. Von der um 827 vorgenommenen arabischen Übersetzung stammt die Bezeichnung »Almagest« für das Werk. Der Almagest wurde seit dem 12. Jahrhundert verschiedentlich aus dem Arabischen ins Lateinische übertragen. Dort wurden die Titel »Syntaxis mathematica« oder »Constructio mathematica« für ihn verwendet. Jacobus Angelus nannte ihn schlicht »Cosmographia« (Weltbeschreibung). — Der Almagest blieb als Standardwerk bis zum 16. Jahrhundert im Gebrauch. Er bildete die Grundlage der abendländischen Astronomie. Erst Kopernikus erschütterte das ptolemäische Weltsystem, in dem die Erde unbeweglich im Mittelpunkt des Weltalls steht, während sich die Sonne in einem exzentrischen Kreis um die Erde dreht. R. K.

D 70.2 Bernhard von Breidenbach

Reise ins Heilige Land. 21. Juni 1486

Mainz. Erhard Reuwich. 4°
Berlin, Hauptstadt der DDR, Deutsche Staatsbibliothek

Erhard Reuwich, Maler aus Utrecht, illustrierte die Peregrinatio in terram sanctam, die Reise ins Heilige Land, des Mainzer

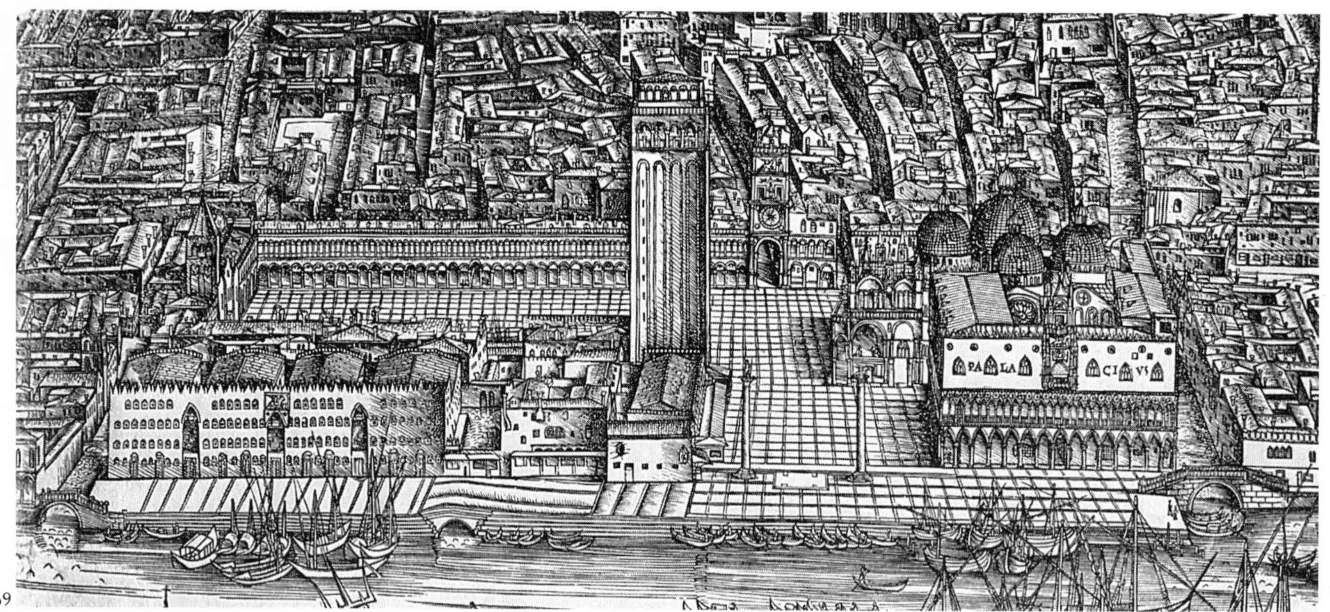

D 69

D 69

Domdekans Bernhard von Breidenbach und legte mit der Ansicht von Venedig die älteste Stadtansicht in der Technik des Holzschnitts vor. Reuwich schuf eine neue Gattung der Buchillustration, die auf der Grundlage von Skizzen nach der Natur entstanden war. Kannte man die Stadtansicht bisher nur aus Hintergrundsdarstellungen von Altartafeln, so verselbständigte Reuwich erstmals dieses Thema. K. F.

D 70.3 Hartmann Schedel

Liber chronicarum (Buch der Chroniken). 1493

Mit 1809 Holzschnitten von Michael Wolgemut und Wilhelm Pleydenwurff. 326 Bl. 2°
Aufgeschlagen: Ansicht von Erfurt
Zwickau, Ratsschulbibliothek; 2.3.6
Hain 14510

Die Weltchronik (vgl. Kat.-Nr. A 1) des Hartmann Schedel brachte eine Vielzahl von Stadtansichten, ein Bildthema, das am Ausgang des 15. Jahrhunderts noch keineswegs üblich war. Vorausgegangen war diesem Buchunternehmen die »Reise ins Heilige Land« des Mainzer Domdekans Bernhard von Breidenbach aus dem Jahre 1486. (vgl. Kat.-Nr. D 70.2) Erhard Reuwich, ein Maler aus Utrecht, begleitete Breidenbach und illustrierte den Text des Buches mit Holzschnitten, darunter ein Riesenholzschnitt mit der Ansicht von Venedig. Wolgemut übernahm ihr Darstellungsprinzip, wenn auch nicht im Riesenformat, und verursachte damit eine rasche Verbreitung der selbständigen Stadtansicht. Die Ansichten, die nach den verschiedensten Vorlagen entstanden, werden als Veduten (aus der Sicht des Wanderers) wiedergegeben; die wichtigsten Baulichkeiten sind durch Beischriften bezeichnet. K. F.

D 71 Unbekannter Meister *Abbildung*

Druckstock zu einem Wegweiser. Nach 1510

Nicht bez.
Holz. 27,6x27,4 cm
Aus Sammlung Derschau
Berlin, Hauptstadt der DDR, Staatliche Museen, Kupferstichkabinett; Inv.-Nr. Derschau 153

D 71

D 72

Der Wegweiser, der eine Ansicht der freien Reichsstadt Nürnberg in seinem Zentrum zeigt, gibt die Reiserouten von hier zu folgenden 14 Städten an: Landshut, Regensburg, Prag, Dresden, Leipzig, Erfurt, Kassel, Frankfurt am Main, Speyer, Worms, Strasbourg, Ulm, Augsburg und München. Die Ortsangaben sind in konzentrischen Kreisen angeordnet, die in 13 Segmente geteilt sind. Jedes Kreissegment enthält eine Wegbeschreibung. Die Wege nach Speyer und Worms trennen sich erst in Heidelberg, weshalb die Wegangabe nur ein Kreissegment füllt. Die Anordnung der Wegbeschreibungen ist abhängig von der Himmelsrichtung, in der die Zielorte liegen. Die Himmelsrichtungen sind gekennzeichnet durch die Windgötter in den Eckzwickeln – im äußersten Kreis die zugehörige Angabe des Sonnenstandes: »Aufgang, Mittag, Nidergang, Mittnacht«. Die Entfernungen zwischen den einzelnen Reisestationen sind in Stunden angegeben. Zu ihrer Ermittlung war eine genaue Zeitmessung erforderlich, die die von Peter Henlein entwickelte tragbare Uhr erleichterte. Weil die Angabe der Reisestunden geländeabhängig ist – ein Pferdewagen fährt bergauf langsamer als bergab –, hat der Wegweiser nur Gültigkeit von Nürnberg aus. Leipzig war von hier in 37 Stunden erreichbar, Dresden in 36 Stunden und Erfurt in 26 Stunden. Daraus ergibt sich eine durchschnittliche Reisegeschwindigkeit von 7 km pro Stunde. Der Wegweiser zeigt Nürnberg im Schnittpunkt bedeutender Handelsstraßen, die die Verbindung der Stadt mit allen wichtigen Handelsplätzen der damaligen Welt ermöglichten. R. K.

D 72 Lucas Cranach d. Ä. *Abbildung*

Die Planetentafel. Um 1515

Bez.: Ein ewig nutzbarlich Planetisch werck: von magistro Bonifacio vo(n) Czorbegk; außerdem viel Schrift im Buchdruck. Engel halten auf Fahnen das kursächsische Wappenpaar Holzschnitt. 28,4 x 36,7 cm Wien, Graphische Sammlung Albertina; Inv.-Nr. 1929/190

Die kaleidoskopartige Darstellung der sieben Planeten als Götter mit ihren »Planetenkindern« ist nur die nebensächliche Ausfüllung einer astronomischen Tabelle. Am Rande der schmalen Abschnitte stehen wie Wächter nochmals zwei Götterfiguren in der Landschaft (Mars und Merkur). Die Planetenkinderdarstellungen boten Gelegenheit zu Szenen aus dem Alltag, die sonst kaum überliefert sind: Müller, Fleischer, Jäger, Angler und Badende (bei Luna); Schulmeister, Händler (?), Astronom, Bildhauer und Maler (bei Merkur); Drukker (?), Dichter, Liebhaber, Lautenspieler (bei Venus); Ringer und Turnierkämpfer (bei Sol); Mörder, Erhängter und Geräderter (bei Mars); Richter und Regent (bei Jupiter); Gerber, Gerichtsdiener und Fuhrmann (bei Saturn). Zu bewundern ist die Anordnung, die es ermöglichte, die Vielzahl der Figuren im kleinen Format in erkennbarer Handlung wirksam werden zu lassen.

Der Autor des Blattes war sicherlich Bonifacius Rode von Zörbig (N. Müller: Wittenberger Bewegung, 2. Auflage 1911, S. 344). W. S.

D 73.1 Albrecht Dürer *Abbildung*

Die nördliche Halbkugel des Himmels. 1515

Bez.: Imagines Coeli septentrionales cum duodecim imaginibus Zodiaci Holzschnitt, koloriert. 45,5 x 43,1 cm Dresden, Staatliche Kunstsammlungen, Kupferstich-Kabinett; Inv.-Nr. A 1893 – 201 Bartsch 151

Es muß angenommen werden, daß nur die Bildnisse der Astronomen in den vier Bildecken Dürer zuzuschreiben sind. Oben: Aratus Cilix und Ptolemaeus Aegyptus; unten: M. Mamilius Romanus und Azophi Arabus (Addorrhaman Al-Suphi).

D 73.2 Albrecht Dürer *Abbildung*

Die südliche Halbkugel des Himmels. 1515

Bez. o.: Imagines coeli Meridionales; Wappen Kardinal Lang von Wellenburg und Widmung Bez. u. r.: Ioann Stabius ordinavit / Conradus Meinfogel stellas posuit / Albertus Dürer imaginibus / circumscripit und Wappen Bez. r.: kaiserliches Schutzprivileg und Jahreszahl 1515

D 73.1

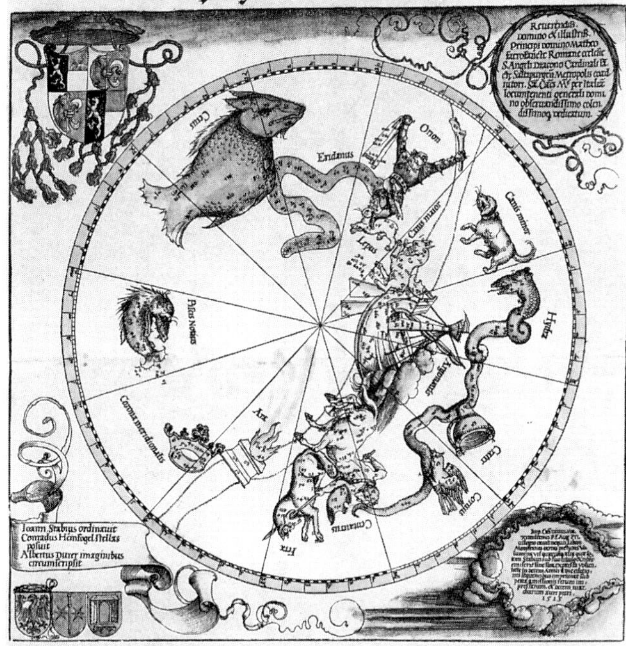

D 73.2

Holzschnitt, koloriert. 42,7x43,1 cm
Dresden, Staatliche Kunstsammlungen, Kupferstich-Kabinett; Inv.-Nr. A 1893 – 200
Bartsch 152

Die beiden Holzschnitte haben als wesentliche Zeugnisse humanistischer Interessen Dürers zu gelten. Dürer, der mit einem Kreis von Gelehrten, zu denen außer Willibald Pirckheimer auch Konrad Meinfogel, Martin Beham und Johannes Stabius zu zählen sind, befreundet war, hatte Zugang zu den neuen astronomischen und geographischen Erkenntnissen, die den Umsturz des ptolemäischen Weltbildes, nach dem die Erde und nicht die Sonne den Mittelpunkt des Alls bildete, bedeuteten.

Die Himmelskarten sind im Auftrag von Johann Stabius nach einem gezeichneten Vorbild von 1503 entstanden und beziehen sich wohl auf das Sternenverzeichnis des Mathematikers, Astronomen und Geographen Regiomontanus (1436–1476), der seit 1471 in Nürnberg ansässig war.

Die gegenüber der Vorlage nachgewiesenen Veränderungen hat Konrad Meinfogel nach einem Sternenverzeichnis, das für das Jahr 1499 oder 1500 galt, und das sich bei Regiomontanus fand, geliefert. Es ist anzunehmen, daß beide Karten für den Sekretär Maximilians, Jacob de Pannissis, bestimmt waren, aber später dem Salzburger Kardinal Matthias Lang von Wellenburg gewidmet wurden. K. F.

Humanismus und Reformation

Waren mit den weltanschaulichen und philosophischen Leistungen des Humanismus, der als Ergebnis des sich stürmisch entwickelnden Bürgertums an der Ausarbeitung eines neuen Menschenbildes und einer neuen Weltsicht mitwirkte, in der Kunst die Wiedergabe der sachlichen Realität und die Schilderung emotionaler Gehalte möglich geworden, so war damit zwangsläufig die Ablehnung mittelalterlicher Denkinhalte verbunden. Sie mußte zur Besinnung auf Bildung und Wissen der Antike führen. »Die Renaissance der Antike war kein Selbstzweck, sondern ... schuf Voraussetzungen für die Entwicklung einer neuen, den bürgerlich-kapitalistischen Bedürfnissen entsprechenden Wissenschaft«, wobei »es immer zugleich um die Abwehr der geistigen Despotie der Papstkirche, die Befreiung des Menschen ... aus den Fesseln der klerikalen Mächte ...« ging (Kunst und Reformation 1982, S. 9). In der Malerei führte das zur Übernahme des Körperideals der antiken Plastik, das auch auf die Darstellung biblischer Figuren übertragen wurde.

Manieristische Tendenzen sind schon frühzeitig in dieser Entwicklung erkennbar. Mit ihnen verbunden ist aber auch höfische Repräsentation. Profane Themenkreise, die nur in der angewandten und dekorativen Kunst möglich schienen, wurden vor allem durch Cranach in das größere Format des Bildes übertragen. So übernahmen Darstellungen wie Venus und Cupido, das Paris-Urteil, das Silberne Zeitalter, die Kämpfe und Taten des Herkules lehrhafte Funktionen. Sie galten als Mahnbilder und sollten zur Entscheidung zwischen Tugend und Sinnlichkeit auffordern.

Im Aufgreifen dieser Sujets, vor allem in den Darstellungen von Judith und Lukretia, machte sich die neue protestantische Bildpropaganda diese Tendenz nutzbar. Sie stand gleichberechtigt neben dem religiösen Bild, bei dem im verstärkten Hinwenden zum Alten Testament die tradierten Bildthemen zu Trägern neuer Ideen wurden. Martin Luther sah in der Beibehaltung des Marienbildes, der Darstellung bestimmter Heiliger, allen voran der des heiligen Christophorus, die Möglichkeit, neue Glaubensinhalte zu popularisieren. Darstellungen des Abendmahls und des gekreuzigten Christus werden von den Bezügen auf die Papstkirche befreit und auf den Grundgedanken der lutherischen Lehre, die unmittelbare Rechtfertigung des Menschen vor Gott, bezogen.

Die wichtigste künstlerische Aussage war Lucas Cranach d. Ä. gelungen: In der bildlichen Formulierung des Sündenfall- und Erlösungsgedankens schuf er das protestantische Lehrstück. Im Aufgreifen des mittelalterlichen Gedankenbildes, das die gleichzeitige Darstellung zeitlich und räumlich getrennter Ereignisse zeigt, wird die Übernahme von Traditionen und ihre Verschmelzung mit humanistischen Tendenzen und reformatorischen Anliegen deutlich.

Die große Bedeutung, die das junge Wittenberger Buchdrukkergewerbe für die Verbreitung von Luthers Lehre und die Ausbreitung der reformatorischen Bewegung in allen Teilen Deutschlands hatte, ist kaum abzuschätzen. Neben Schriften der frühen Reformationsjahre finden sich immer wieder Bibelauslegungen und Predigten Luthers und der mit ihm befreundeten Reformatoren. Die von ihnen den Künstlern nahegelegte Thematik wird auch für den Schmuck des Bucheinbandes verbindlich. Damit war ein neues Feld bildkünstlerischer Äußerung und Propaganda erschlossen. K. F.

E 1 Garofalo *Abbildung*

Poseidon und Athene. 1512

Bez. u. r.: 1512. NOV
Leinwand. 211 x 140 cm
1746 aus der herzoglichen Galerie in Modena erworben
Aus dem Schloß der Este in Ferrara
Dresden, Staatliche Kunstsammlungen, Gemäldegalerie Alte Meister; Inv.-Nr. 132

Ferraresische Künstler schufen für den Palast der humanistisch gebildeten Fürstenfamilie Este eine Reihe von Allegorien und mythologischen Bildern, zu denen auch die Darstellung von Poseidon und Pallas Athene gehörte. Wahrscheinlich illustriert sie eine Begebenheit, die der Römer Ovid in den »Metamorphosen« (VI, 75–82) schildert: Der Meeresgott wie die

Göttin der Künste und Wissenschaften bewarben sich gleichermaßen um die Schirmherrschaft der Stadt Athen. Ersterer ließ auf der Akropolis eine Quelle entspringen; da sie Salzwasser spendete, gaben die Athener der Göttin den Vorzug, die einen Ölbaum wachsen ließ.

Nicht der Wettkampf selbst, sondern die Kontrahenten werden auf dem Gemälde dargestellt, so daß die formale Einheit der ursprünglichen dekorativen Bildfolge gewahrt ist. Diese Auffassung entsprach einem Empfinden, das gerade in dieser Entwicklungsphase ferraresischer Malerei beruhigte, klassische Kompositionen nach dem Vorbild Raffaels anstrebte, wobei die Erinnerung an die Kunst Giorgiones lebendig blieb: In dem Werk Garofalos wird es besonders deutlich.

Die betont artistische Komposition ist nicht lediglich als Demonstration künstlerischer Befähigung zu werten, sondern sucht mit formalen Mitteln Gegensätzliches auszudrücken, den Disput über die Stadt Athen im Hintergrund trotz äußerer Ruhe doch als Konfrontation zu schildern. Hierbei wird Pallas Athene als die Überlegene, im wörtlichen Sinne Überragende, dargestellt. – Eine exakte Konturierung und die großformige Plastizität der Göttergestalten sucht den Geist der für die Künstler der Hochrenaissance vorbildlichen antiken Skulpturen zu ergründen. H. N.

E 1

E 2 Jan Gossaert, genannt Jan van Mabuse *Abbildung*

Neptun und Amphitrite. 1516

Bez. auf dem Sockel: JOANNES . MALBODIUS . PINGEBAT . 1516
Eichenholz. 188 x 124 cm
1821 erworben aus der Sammlung Edward Solly
Berlin, Hauptstadt der DDR, Staatliche Museen, Gemäldegalerie; Inv.-Nr. 648

Die Tafel entstand im Auftrag des Herzogs Philipp von Burgund. Zusammen mit anderen Darstellungen mythologischer Liebespaare, von denen sich jedoch nur »Herkules und Dejanira« (Birmingham) und »Salmacis und Hermaphrodit« (Rotterdam) in kleinformatigen Beispielen erhalten haben, bildete die Berliner Tafel einen Teil des Ensembles innerhalb der künstlerischen Ausstattung des Schlosses Suytborg bei Middelburg, das Philipp im Stile römischer Kardinalspaläste schmükken ließ. Eines Sinnes mit den von der klassischen Antike und erasmischem Humanismus geprägten Kunstanschauungen seines Gönners, Philipp von Burgund, verarbeitete Gossaert hier die auf seiner Italienreise empfangenen Eindrücke. Obwohl für die Figur Neptuns der 1504 geschaffene Kupferstich »Adam« von Albrecht Dürer vorbildlich gewesen ist und für die Figur der Amphitrite die Venus aus »Mars und Venus« von Jacopo de' Barbari anregend gewirkt hat – Werke, die ihrerseits auf Antikenstudien dieser Künstler zurückgehen –, entsprechen beide Gestalten vor allem dem Körperideal antiker Plastik, das der Künstler malerisch umsetzt. In dem Kopf des Neptun wird Bildnisähnlichkeit zu Philipp von Burgund vermutet, dem körperliche Schönheit und lebendiger Geist nachgerühmt werden. Seit 1498 besaß der Herzog, später Bischof von Utrecht, auch die Admiralswürde. Darauf könnte neben dem allgemeinen thematischen Bezug und neben der oben rechts am Architrav angebrachten Devise: »A.plus.Sera.phe.bourgne« gerade die Porträtnähe hinweisen.

Das Berliner Bild, in jeder Hinsicht ein programmatisches Werk des niederländischen Romanismus, nimmt vor allem als eine der ersten großen Aktdarstellungen nördlich der Alpen einen bedeutenden Platz ein. Erstmalig signierte der Maler hier – erfüllt vom humanistischen Geist seiner Epoche – in lateinischer Form. I. G.

E 3 Jan Gossaert, genannt Jan van Mabuse *Abbildung*

Der Sündenfall. Adam und Eva. Nach 1520

Nicht bez.
Eichenholz. 170 x 114 cm
1830 erworben durch Tausch aus der Sammlung Edward Solly
Berlin, Hauptstadt der DDR, Staatliche Museen, Gemäldegalerie; Inv.-Nr. 661

Jan Gossaert hat das alttestamentliche Thema (1. Buch Mosis, Kapitel 3) mit einem vordergründigen Interesse am Erotischen mehrfach gestaltet, wobei die Berliner Version formal die harmonischste Lösung zeigt. Keines der Bilder ist inschriftlich datiert. Auftraggeber sind nicht namhaft zu machen. Im Berliner

E 2

E 4

Gemälde ist nach neuer Erkenntnis die Landschaft von dem Meister der weiblichen Halbfiguren (tätig 1. Viertel des 16. Jahrhunderts in Antwerpen) gemalt. Wie in Gossaerts Bildern mit heidnischen Götterpaaren ist auch in dieser Darstellung des biblischen ersten Menschenpaares das an antiken Skulpturen geschulte Körperideal angestrebt. Die Bewegungen der kolossalen Gestalten Adams und Evas scheinen dabei dem strengen Statuencharakter eher zu widersprechen, als natürliche Belebung zu bewirken. Im einzelnen gehen sie auf Stiche des Italieners Marcantonio Raimondi zurück, der für die Verbreitung der italienischen Renaissance in der nördlichen Kunst von größter Bedeutung war.
Das durch Monumentalität und Aktion der Hauptfiguren forcierte Thema des »Sündenfalls« wird inhaltlich durch Satans- und Sündensymbole, wie Eule und Affe im Wurzelbereich des Baumes der Erkenntnis, begleitet. Der Affe frißt eine Birne an und entwertet damit dieses alte Christi-Menschwerdungs-Symbol in sündhafter Weise. Lebensbrunnen, Tierpaare und Einhorn sind dagegen Mariensymbole. Zwei kämpfende Böcke an der Paradies-Pforte weisen auf das Neue Testament (Matthäus Kapitel 25, Vers 31–46) hin: auf die Trennung der Gläubigen von den Ungläubigen, der Gerechten von den Sündern, der Schafe von den Böcken während des Jüngsten Gerichtes. I. G.

E 4 Francesco Francia  *Abbildung*

Lukretia. Um 1508

Nicht bez.
Leinwand. 64 x 48 cm
1916 als Vermächtnis Otto Lingners erworben
Aus der Sammlung Charles Newton Robinson, London
Dresden, Staatliche Kunstsammlungen, Gemäldegalerie Alte Meister; Inv.-Nr. 49

Baldassare Castiglione (1478–1529) nannte in seinem Werk »Der Höfling« (ital.: Il Cortegiano, 1528 erschienen) Anforderungen, die man an den charaktervollen und gebildeten Menschen stellte. Das dritte Buch beschäftigte sich mit den Frauen, die – zunächst in höfischen und gehobenen bürgerlichen Kreisen – danach strebten, sich aus ihrer untergeordneten Stellung zu befreien. Castiglione schildert mehrfach Situationen aus seiner Gegenwart, in denen Frauen sexueller Willkür ausgesetzt waren. In diesem Zusammenhang werden auch fiktive oder historische Ereignisse aus der Antike benannt. Dies war in der humanistischen Literatur eine häufig angewandte Methode, bestehende Verhältnisse näher zu erläutern und neu entstandene Ansprüche zu bekräftigen. Die bildende Kunst nimmt derartige Anregungen auf; es entstehen Serien der berühmten Männer (ital.: uomini famosi) und Bilder tapferer und tugendhafter Frauen. Diese neuen Themen werden häufig unmittelbar durch die Erzählungen von den »Taten der Römer« (lat.: Gesta Romanorum) angeregt, eine weit verbreitete Anthologie, die vorwiegend Sagen und Märchen enthält.
Hier findet man die Geschichte der Lukretia, Frau des L. Tarquinius Collatinus; sie nahm sich das Leben, als sie von Sextus Tarquinius entehrt wurde. Auf dem Gemälde des Francesco Francia wird die vorausgehende dramatische Szene nicht einmal als Schilderung einer Gemütsbewegung Lukretias deutlich. Sie nimmt den Freitod als notwendige Folge der Verletzung ihrer Würde auf sich wie eine Heilige das Martyrium.
Der Künstler beabsichtigte, in Gestalt der Lukretia eine Symbolfigur weiblicher Tugend wiederzugeben, vernachlässigte den Bezug auf die literarische Quelle und suchte seiner Idee mit einer unkomplizierten, harmonischen Komposition gerecht zu werden, unterstützt durch eine vorwiegend auf der Wirkung kühler Blautöne aufbauenden Malerei, die wenige, klare und ruhige Kontraste einbezieht.
Von seinen Zeitgenossen wurde die auf solche Weise unmittelbare und anschauliche Darstellung verstanden. Ihre Beliebtheit wird durch – ehemals mehrere – Repliken dokumentiert; eine im Detail variierte Fassung ist erhalten (York Art Gallery).
Mit Sicherheit gehörte das Stück ursprünglich zu einer dekorativen Bildfolge, möglicherweise waren die übrigen von vergleichbar anspruchsvollen moralischen Inhalten getragen.
H. N.

E 3

E 5 Baccio Bandinelli *Abbildung*

Herakles im Kampf mit Kakos. Um 1520 (?)

Freigruppe. Wachs, mit originaler Fassung. H. 73 cm
1901 erworben (als Geschenk)
Berlin, Hauptstadt der DDR, Staatliche Museen, Skulpturensammlung; Inv.-Nr. 2612

Der Kampf mit dem dreiköpfigen Ungeheuer Kakos gehört zu den zwölf Heldentaten des Halbgottes Herakles, die er im Auftrag des griechischen Königs Eurysthos ausführte.
Die Gruppe ist so komponiert, daß sich von allen Seiten gleichermaßen die überzeugende Modellierung der Körper mit ihrem Muskelspiel sowie die Folgerichtigkeit der Bewegungsmotive wirkungsvoll präsentiert.
Mit diesem Bildwerk haben wir wahrscheinlich den ersten Entwurf Baccio Bandinellis für die berühmte Marmorgruppe vor dem Palazzo Vecchio in Florenz vor uns, die er von 1530 bis 1534 im Auftrage von Cosimo I. Medici für den Einzug Papst Leos X. in seine Vaterstadt Florenz schuf. Der Wachsbozzetto zeigt die bildhauerische Begabung Bandinellis viel überzeugender als das ausgeführte Marmorwerk, das schon von den Zeitgenossen als langweilig und unbefriedigend eingeschätzt wurde. Der Bildhauer, ein Bewunderer und Nachahmer Michelangelos, war oft dessen neidischer Nebenbuhler, und so übernahm er den ehrenvollen Auftrag für das wichtige Staatsdenkmal in bewußtem Wettbewerb zu seinem genialen Kontrahenten.

E 5

Anfänglich Giovanni Bologna zugeschrieben, konnte der Wachsbozzetto durch Vergleich mit Zeichnungen von Bandinelli eindeutig als dessen Arbeit ausgewiesen werden. Das bestätigte auch Vasaris Beschreibung dieser Gruppe in seiner Vita des Bandinelli. Der florentinische Kunsthistoriograph, Maler und Baumeister hatte den Bozzetto im Hause des Großherzogs von Florenz und berühmten Kunstmäzens Cosimo II. Medici gesehen.
Die Motivwahl durch Cosimo I. erfolgte nicht zufällig, identifizierten sich doch die Fürsten in der Zeit des beginnenden Absolutismus gern mit dem antiken Heros und seinen übermenschlichen Taten, um selbst zu einem Sinnbild der siegreichen Kraft im Kampf gegen das Böse zu werden. E. Fr.

E 6 Italienischer Meister, nach Michelangelo

Kopf einer Madonna. 16. Jahrhundert

Vollrund. Gebrannter Ton, ungefaßt. H. 5,5 cm
1869 in Dresden erworben
früher Praunsches Kabinett, Nürnberg
Berlin, Hauptstadt der DDR, Staatliche Museen, Skulpturensammlung; Inv.-Nr. 266

Dieser Frauenkopf stammt von einer im zweiten Weltkrieg zerstörten Tonstatuette, die eine verkleinerte Wiedergabe von Michelangelos berühmter Medici-Madonna (Grabkapelle der Medici in San Lorenzo, Florenz) war. Beeindruckend ist die meisterliche Modellierung, die auch im kleinen Format etwas von der Großartigkeit des Marmororiginals ahnen läßt.
Die außerordentliche Qualität der Statuette – auch das Sitzmotiv von Mutter und Kind – veranlaßte ursprünglich die kunsthistorische Forschung, in diesem Werk das kleinformatige Tonmodell der Medici-Madonna von der Hand Michelangelos zu vermuten. Außer der Madonna erwarb der deutsche Kunstsammler Paul von Praun 1598 in Bologna noch weitere ähnliche Terrakotten von Werken der Medici-Grabkapelle, darunter »Nacht« und »Morgendämmerung«, die 1616 in Nürnberg ausgestellt wurden. 1842 gelangte diese Gruppe durch einen Nürnberger Kunsthändler an Ernst Julius Haehnel in Dresden und wurde seit dieser Zeit als Arbeit Michelangelos geführt. Während die Madonna 1869 von den Berliner Museen erworben wurde, kamen »Nacht« und »Morgendämmerung« in das Victoria and Albert Museum in London, wo sie sich heute noch befinden.
Zunehmend gelangte die Forschung jedoch zu der Erkenntnis, daß es sich bei den Terrakotten nach den Bildwerken der Medici-Kapelle nicht um eigenhändige Arbeiten Michelangelos handeln kann, sondern daß wir es vielmehr mit verkleinerten Kopien aus unbekannter Hand zu tun haben, deren genaues Entstehungsdatum sich nicht ermitteln läßt, die aber zweifelsohne im 16. Jahrhundert entstanden sein müssen. E. Fr.

E 7 Italienischer (römischer) Meister

Laokoongruppe. Um 1550

Hohlguß. Bronze. H. 31 cm
1958 erworben
Berlin, Hauptstadt der DDR, Staatliche Museen, Skulpturensammlung; Inv.-Nr. 8735

1506 wurde die Laokoongruppe, ein monumentales Marmorbildwerk der hellenistischen Bildhauer Hagesandros, Polydoros und Athanadoros, wahrscheinlich um 50 v. u. Z. entstanden, bei Ausgrabungen auf dem Esquilin in Rom aufgefunden. Die Gruppe zeigt den Priester Laokoon mit seinen beiden Söhnen im heftigen Kampf gegen gewaltige Seeschlangen. Laokoon hatte die Trojaner vor dem hölzernen Pferd des Odysseus gewarnt; als Strafe dafür sandte die Göttin Athene die Ungeheuer, die alle drei Männer erwürgten.
Dieses bedeutende Werk aus der Spätzeit der griechischen Antike übte wegen seiner vollendeten Komposition und der Harmonie der Formen und Bewegungen großen Einfluß auf die Bildhauer der Renaissance aus; es wurde sogar ein Wettbewerb für die Herstellung der besten kleinformatigen Kopie ausgeschrieben. Nachbildungen antiker Bildwerke in Form von Kleinbronzen waren seit der zweiten Hälfte des 15. Jahrhunderts vor allem in der alten Universitätsstadt Padua in Mode gekommen, da hier viele Kenner der antiken Kunst, vor allem die Humanisten, interessierte Abnehmer solcher Sammlungsobjekte waren. Nach dem Auffinden der Laokoongruppe wurde Rom zu einem weiteren Zentrum für Antikenkopien in der Form von Kleinbronzen; das beherrschende Thema blieb bis ins 17. Jahrhundert hinein das hellenistische Bildwerk. So finden wir kleine Laokoongruppen in fast allen Bronzesammlungen der bedeutenden Museen; auch die Berliner Skulpturensammlung besitzt heute noch zwei Exemplare unterschiedlichen Maßes, von denen die größere gezeigt wird.

E. Fr.

E 8 Lucas Cranach d. Ä.

Venus und Amor
Rückdatierung 1506. Entstanden 1509

Bez.: auf der Tafel am Baum: Cranachs Signet und Datum
Clair-obscur-Holzschnitt. 27,7 x 18,9 cm
Dresden, Staatliche Kunstsammlungen, Kupferstich-Kabinett; Inv.-Nr. A 6614
Bartsch 113

Der Holzschnitt geht auf ein Gemälde gleichen Themas von 1509 (Kat.-Nr. E 9) zurück. Dem Vorbild der italienischen Kunst folgend, versuchte sich Cranach in der Darstellung des freien Aktes außerhalb der Bindung an ein biblisches Thema. Die Modellierung des Körpers ist besonders in der zweiten, verbesserten Fassung (verstärkt durch die Weißhöhung im Clair-obscur-Holzschnitt) überzeugend vorgetragen. Die von Cranach vorgenommene Rückdatierung ist im Zusammenhang mit dem Wettlauf um die Clair-obscur-Technik zu sehen.

E. B.

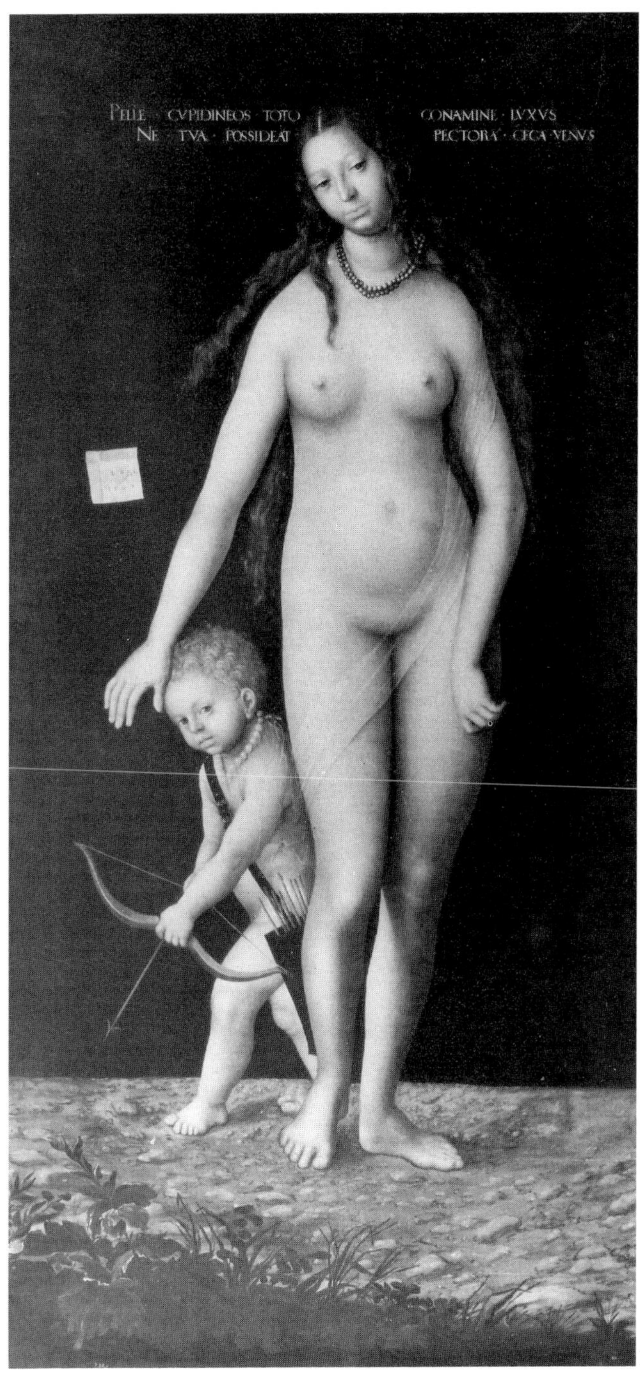

E 9

E 9 Lucas Cranach d. Ä. *Abbildung*

Venus und Amor. Um 1509

Bez. u. r.: L. C. 1509 und Schlangenzeichen;
Auf dem Hintergrund r. und l. vom Kopf der Venus der lateinische Zweizeiler:
Pelle Cupidineos totoconamine luxus
Ne tua possideat pectore ceca Venus

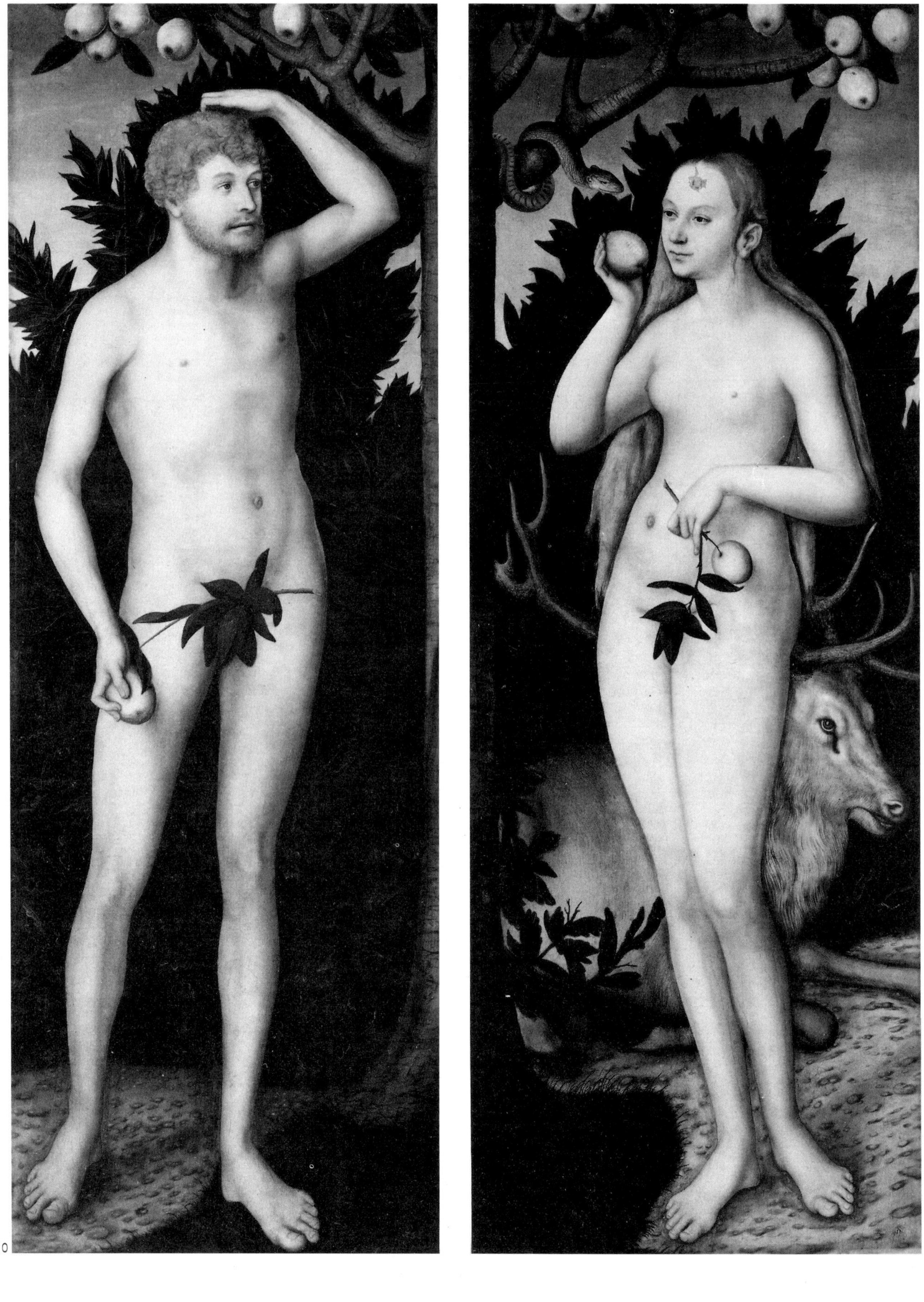

E 10

Öl auf Leinwand, von Holz übertragen. 213 x 102 cm
Das ursprüngliche Format vermutlich bei der Übertragung von Holz auf Leinwand im Jahre 1850 durch angesetzte Stücke von unten und an den Seiten vergrößert
Aus unbekannter Herkunft zwischen 1763 und 1774 in die Ermitage gelangt
Leningrad, Staatliche Ermitage; Inv.-Nr. GE 680

W. Schade verweist auf eine mögliche Benutzung des Stichs »Allegorische Figur« von D. A. da Breccia (Bartsch 21) und J. de' Barbaris »Sieg und Ruhm« (Bartsch 18). Im selben Jahr (1509) schuf Cranach einen analogen Holzschnitt, der sich in Details leicht unterscheidet und als Hintergrund eine Landschaft hat.
Später haben sich der Künstler und seine Werkstatt viele Male diesem Sujet zugewandt. Es gibt etwa fünfunddreißig Gemälde von der Hand Cranachs, seiner Schüler, Nachfolger und Nachahmer, die Venus mit Amor darstellen.
Nach dem Gemälde wurden 1809 und 1879 Stiche angefertigt. N. N.

E 10 Lucas Cranach d. Ä. *Abbildungen*

Adam und Eva. Nach 1537

Bez. u. r. auf dem Eva-Bild: Schlange
Lindenholz. Je 171 x 63 cm
Dresden, Staatliche Kunstsammlungen, Gemäldegalerie Alte Meister; Inv.-Nr. G. 196 A/AA

Die beiden Tafeln, die Adam und Eva zeigen, reihen sich in die thematischen Möglichkeiten ein, Bilder der nackten menschlichen Gestalt überhaupt zu liefern (vgl. Venus und Amor, Kat.-Nr. E 9; Kampf der wilden Männer – Das Silberne Zeitalter, Kat.-Nr. E 12; Paris-Urteil, Kat.-Nr. E 11).
Dürer war es, der in seinem Kupferstich, resultierend aus genauen Proportionsstudien, das erste Menschenpaar als Individuen aus dem behüteten Paradies treten ließ (Kat.-Nr. D 41).
Cranach folgte dieser Intuition. Eva hebt den Arm mit dem Apfel in der Hand, der Verführung durch die Schlange gehorchend. Ihr Blick verliert sich im Unbestimmten. Adam hat die Hand auf den Kopf gelegt, eine Geste, die angespannte Erwartungshaltung signalisiert. In den zahlreichen Adam-und-Eva-Darstellungen werden die paradiesischen Tiere, deren Namensgeber Adam war, beigefügt. Insbesondere der Hirsch als imposantes Jagdtier wird hervorgehoben. Die beiden schlanken, überlangen Figuren sind von Cranach als menschliche Idealtypen gestaltet. E. B.

E 11 Lucas Cranach d. Ä. *Farbtafel Seite 278*

Das Paris-Urteil. Nach 1537

Bez. u. l. auf dem Stein: Schlange mit liegenden Flügeln
Gotha, Museen der Stadt, Schloßmuseum; Inv.-Nr. 718/672

Der mythologische Stoff des Paris-Urteils ist eines der beliebtesten Themen im Kreise der Humanisten.
Neben der Bildtradition sind es vorwiegend literarische Zeugnisse, auf die sich die wiederholte Gestaltung des Stoffes durch Cranach stützte. Das Paris-Urteil tauchte in den spätmittelalterlichen Fastnachtsspielen ebenso auf wie in mimischer Darstellung beim Einzug Philipps des Schönen in Antwerpen 1494. Es war auch der Inhalt einer Festrede von Nikolaus Marschalk an der Wittenberger Universität. E. B.

E 12 Lucas Cranach d. Ä. *Abbildung*

Das Silberne Zeitalter. 1527

Bez. u. M.: Schlange und Jahreszahl
Rotbuchenholz. 50,5 x 37,5 cm
Weimar, Kunstsammlungen, Galerie im Schloß; Inv.-Nr. G 398

Der Titel des Bildes verweist auf des griechischen Dichters Hesiod Vorstellungen von den Weltzeitaltern. Das erste – das Goldene Zeitalter – bringt die Harmonie eines Lebens ohne Arbeit, Gesetze, Streit und Sorge. Das zweite – das Silberne Zeitalter – bringt Arbeit, Hausbau und Gottlosigkeit.
Die auf dem Gemälde Cranachs abgebildeten Streitigkeiten würden eher in das letzte, in das Eiserne Zeitalter, passen. Hier töten sich die Menschen gegenseitig. Der Titel ist also mit Recht angefochten worden. Koepplin verwendet die Bezeich-

E 12

E 14

nung »Kampf wilder Männer und ihre klagenden Frauen« und schreibt: »Die Spannung zwischen beiden (Kultur/Wildheit) wurde von den Zeitgenossen gewiß konkreter empfunden als vom heutigen Betrachter.« E. B.

E 13 Hendrik van Cleve

Antikengarten. 1564

Bez.: HVC Jahreszahl 1564
Holz. 61,5 x 107 cm
1939 erworben
Prag, Nationalgalerie; Inv.-Nr. 01748

E 14 Flämischer Bildwirker *Abbildung*

Römischer Triumphzug. Um 1520

Nicht bez.
Wolle. 367x360 cm. Kettfäden: 5 cm
Aus der Sammlung Ipolyi
Esztergom, Christliches Museum; Inv.-Nr. 58.2.1

Der Entwurf zu diesem Bildteppich geht auf Kartons zu einer Teppichserie »Der Triumphzug Julius Cäsars« zurück, die Andrea Mantegna zwischen 1480 und 1495 im Auftrag der Isabella d'Este, Gemahlin Francesco Gonzagas von Mantua, geschaffen hatte (die Kartons befinden sich in Hampton Court).

Teppichfolgen mit allegorischer oder antiker Thematik sind seit der zweiten Hälfte des 15. Jahrhunderts vor allem in Italien beliebt und führten zu großen Aufträgen an die flämischen Wirkereien. Neben Darstellungen, die sich auf das Versepos Francesco Petrarcas »I Trionfi« beziehen, boten auch Vorlagen aus der römisch-antiken Geschichte reiche Gelegenheit zur bildlichen Gestaltung für großformatige Wandteppichfolgen, die zum bevorzugten Schmuck zeitgenössischer repräsentativer Innenräume gehörten.

Der Teppich des Esztergomer Museums zeigt die für die Bildwirkerschule Tournai typische dichtgedrängte Fülle der Figuren: Krieger mit auf Stangen getragenen Modellen der besiegten Städte und Standbildern des Merkur, der Venus, Ceres und der Diana ziehen durch einen Landschaftsgrund, dessen perspektivische Illusion nur durch Grasbüschelreihen im Hintergrund angedeutet wird. K. F.

E 15 Lucas Cranach d. Ä. *Abbildung Seite 305*

Salome mit dem Haupt Johannes' des Täufers Um 1530

Pappelholz. 87x58 cm
Sammlung Eszterházy, im Katalog von 1812 I. Nr. 9
Budapest, Museum der Bildenden Künste; Inv.-Nr. 132

Cranachs graziöse Frauengestalten sind stets raffiniert-erotisch und repräsentieren den Geist der höfischen Kunst Kursachsens.

Die Komposition eines halbfigurigen Porträts mit Fensteröffnung und Landschaftsblick geht auf die niederländische Porträtmalerei zurück und ist auch in den frühen Bildnissen von Dürer zu finden. Cranach benutzte dieses Schema für sein 1526 datiertes Damenbildnis (Leningrad, Ermitage). Ob auch die Budapester Salome ein historisch verkleidetes Porträt ist, ist schwer zu beweisen. Végh stellte die Ähnlichkeit der Budapester Salome mit dem Bildnis der Sidonia von Sachsen (Wien, um 1535) fest, es könnte aber auch mit dem Porträt der Christiane von Eulenau verglichen werden (Dresden, Gemäldegalerie). Jedenfalls zeigt schon die erste halbfigurige Salome Cranachs (um 1510, Lissabon) wie auch die Salome aus der Cranach-Werkstatt in Halle (um 1525) stark porträthafte Züge einer deutschen Bürgersfrau. Die Lissaboner Salome bildete das Gegenstück zu einem halbfigurigen Lukretia-Bild (Kreuzlingen: Cranach, Basel 1976, Nr. 576).

Jene Bilderfolgen, zu denen die zahlreichen, zwischen 1509 und 1538 gemalten Judith-, Salome- und Lukretia-Fassungen von Cranach gehören, sind kaum zu rekonstruieren. Zur Konfrontation von Laster und Tugend könnte Salome, als eine Personifikation der Luxuria, der Sinnlichkeit oder der Unkeuschheit, der Judith, die im florentinischen Quattrocento zu einer Tugendheldin wurde, gegenübergestellt sein.

Der neue halbfigurige Typ, der die Salome isoliert und in zeitgenössischer Tracht zeigt, entstand aus szenischen Darstellungen, den »Heldentaten«, wie sie auch Cranach malte. Ob diese Darstellungen unmittelbar von oberitalienischen Vorlagen abzuleiten sind, ist fraglich. Es ist möglich, daß Cranach diesen Kompositionstyp schon während seines Aufenthaltes in den Niederlanden kennengelernt hatte. Die erotisch-zweideutige Gestalt der Salome fügte sich auch sehr gut dem Gedankenkreis der »Weibermacht« ein und wurde in der deutschen Literatur der Zeit oft bearbeitet. Volksspiele und humanistische Schulspiele dramatisierten den bekannten biblischen Vorgang, Johannesspiele sind auch von Hans Sachs bekannt (1550).

Auch noch eine christliche Deutung der Darstellung müssen wir in Betracht ziehen. Die aus dem Bild hinausblickende, porträtähnliche, fast selbstbildnisartige Darstellung des Johannes ist ein Motiv bei Cranach, das in mehreren Bildern erscheint und wohl auf eine verschollene Werkstattzeichnung zurückgeht. Die Johannesschüssel war im 16. Jahrhundert ein noch wohl bekanntes Symbol: caput Johannis in disco corpus Christi. Die Johannesschüssel war nicht nur ein eucharistisches Andachtsbild, sondern auch Gegenstück zu dem imago pietatis, das heißt zu dem Schmerzensmann. Darstellungen der Johannesschüssel waren auch noch in Wittenberg lebendig, wo Cranach früher das Wittenberger Heiltumsbuch illustriert hatte. S. U.

E 16 Michael Ostendorfer *Abbildung*

Judith mit dem Haupt des Holofernes. 1530

Bez.: IVDIT M.D. XXX: M O (verschlungen)
C (?) HOLOFERNIS
Lindenholz. 30,3x24,7 cm, beschnitten
Durch Geschenk des Erzbischofs Johann Ladislaus Pyrker 1836 an das Ungarische Nationalmuseum
Budapest, Museum der Bildenden Künste; Inv.-Nr. 129

Judith, eine heroische Frauengestalt des (apokryphen) Alten Testaments, wurde in der Renaissance als Tyrannenmörderin oft dargestellt. Die Enthauptung des assyrischen Feldhauptmanns Holofernes durch die tapfere Witwe aus Bethulia symbolisierte im Mittelalter den Sieg der Demut (Humilitas) über den Hochmut (Superbia) und die Sinnlichkeit (Luxuria).

Die Geschichte Judiths war seit dem Mittelalter als Ereignisbild ein beliebtes Bildthema. Nicht unabhängig von der mittelalterlichen Interpretation wurde ihre Gestalt im florentinischen Quattrocento zu einem Sinnbild der städtischen Freiheit. Judith als isolierte halbfigurige Einzelgestalt wurde nördlich der Alpen wohl erst nach 1500 dargestellt. Höchstwahrscheinlich war die Darstellung auch in den deutschen Städten mit einer ähnlichen Bedeutung verknüpft: Jedenfalls ist die Hypothese Schades, daß auch Cranachs Judith-Darstellungen letzten Endes Symbole der protestantischen Städte gewesen seien, sehr bemerkenswert. Cranachs erstes datiertes Judith-Bild ist 1530 entstanden ebenso wie Ostendorfers Judith-Bilder in Budapest und Köln. 1530, das Jahr des Schmalkaldischen

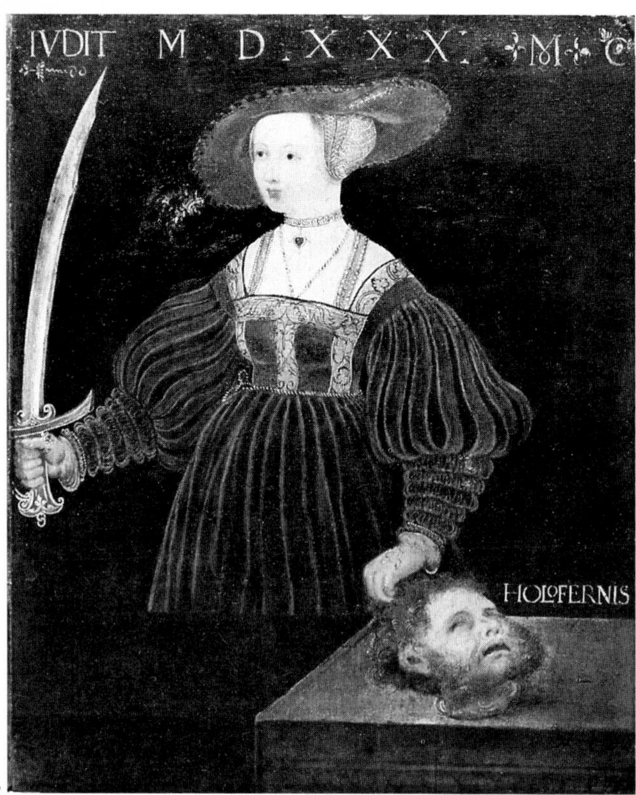

E 16

Bundes, scheint für die Entwicklung der Judith-Ikonographie wichtig zu sein. Die Künstler der Reformationszeit hatten die biblische Judith und die römische Tugendheldin Lukretia oft nebeneinandergestellt: Cranachs verschollene Dresdener Judith- und Lukretia-Tafeln sind nach 1537 entstanden. Ostendorfers Regensburger Lukretia-Tafel von 1530 könnte auch Gegenstück zur Kölner Judith-Tafel gewesen sein (Kunst der Donauschule, Linz-Sankt Florian, 1965, Nr. 181).
Judith war aber nicht nur Tugendheldin in der deutschen Kunst, sondern galt besonders in der Kunst Cranachs zusammen mit Salome, Delilah und Jael auch als Verkörperung der Weibermacht.
Ostendorfer, wahrscheinlich ein Schüler und Mitarbeiter Altdorfers, ist 1519 in Regensburg schon als Meister erwähnt. Im Vergleich mit den Judith-Darstellungen von Cranach sind die seinen nicht nur von kleinerem Format, sondern haben auch weniger raffinierte und erotische Haltung. S. U.

E 17.1 Lucas Cranach d. Ä. *Abbildung Seite 306*

Judith an der Tafel des Holofernes. 1531

Bez.: Signet des Künstlers und Jahreszahl 1531 auf dem Baumstamm unterhalb der Gabelung
Lindenholz. 98,5 x 72,5 cm
Gotha, Museen der Stadt, Schloßmuseum; Inv.-Nr. 720/1674

Eine Besonderheit der Darstellung ist das Selbstbildnis Cranachs am linken Bildrand. Der aufwartende Höfling vor der Tafel trägt die Züge des Landgrafen Philipp von Hessen. Sicherlich ist das Bilderpaar für ihn geschaffen worden. Die von Koepplin in Zweifel gezogene These von der Verbindung mit der Gründung des Schmalkaldischen Bundes erhält mit dieser Beobachtung eine weitere Bestätigung. W. S.

E 17.2 Lucas Cranach d. Ä. *Abbildung Seite 307*

Der Tod des Holofernes. 1531

Bez. u. r.: Signet des Künstlers und Jahreszahl 1531 auf der Trommel (Gegenstück zu »Judith an der Tafel des Holofernes«, Kat.-Nr. E 17.1)
Lindenholz. 97 x 72 cm
Gotha, Museen der Stadt, Schloßmuseum; Inv.-Nr. 721/675

Cranachs Gothaer Bilder »Judith an der Tafel des Holofernes« und »Der Tod des Holofernes« bilden zusammen ein Bilderpaar, ähnlich wie die Martyrien des Johannes und der Katharina in Kremsier (Kat.-Nr. B 3), die ebenfalls durch ein Selbstbildnis des Künstlers eingeleitet werden. Die Hauptdarstellung dieses Bildes findet sich bereits vorweggenommen in kleinen Figuren im Hintergrund der ersten Tafel. Zu dem Kopf der Judith hat Cranach eine Modellstudie benutzt, die in Truro, England, erhalten ist. Cranachs Komposition mit der Ansammlung der Zelte in der linken Bildhälfte dürfte auf Buchillustrationen in der Art des »Beschlossen Gart«, Nürnberg 1505, zurückgehen.
Unter den verschiedenen Bedeutungen der Judith-Gestalt war die Gleichsetzung mit Maria die gewöhnliche. In dem Gothaer Bilderpaar dürfte Judith jedoch als Schutzpatronin des 1531 gegründeten Schmalkaldischen Bundes erscheinen. W. S.

E 18 Augsburger Meister

Judith enthauptet Holofernes. Um 1540/1550

Nicht bez.
Holz. 74 x 50 cm
1957 im Leipziger Kunsthandel erworben
Potsdam-Sanssouci, Staatliche Schlösser und Gärten, Bildergalerie; Inv.-Nr. GK I 50420

Die patriotische Tat Judiths als einen auch durch göttliche Vorsehung gerechtfertigten Akt: (FE)CIT POTENTI (AM IN BRACCHIO SUO, DISPER) SIT SUP(ERBOS MENTE CORDIS SUI) — Er übet Gewalt mit seinem Arm und zerstreuet, die hoffärtig sind in ihres Herzens Sinn (Lukas Kapitel 1, Vers 51), wird auf den Schriftbändern des Gewandes interpretiert. Die Malweise des Bildes, die in einigen Partien Beziehungen zu Christoph Amberger aufweist, macht Augsburg als Entstehungsort wahrscheinlich. Dagegen spricht auch keineswegs die zweifellos italienische Herkunft der Komposition, denn in der künstleri-

E 15

E 17.1

schen Atmosphäre der reichen süddeutschen Handelsstadt waren italienische Einflüsse in besonderem Maße wirksam. Das in der Galeria Nazionale di Sicilia in Palermo befindliche Exemplar, in der Ausführung schwächer als das Potsdamer Bild, schreibt R. Delogu (1962) unter Hinweis auf Frauenbildnisse von Raffael einem italienischen Meister des 16. Jahrhunderts zu. »Die Existenz der Fassungen in Potsdam und Palermo legt den Schluß nahe, daß es sich in beiden Fällen um Wiederholungen nach einem (verschollenen) Gemälde eines italienischen Meisters aus dem zweiten Viertel des 16. Jahrhunderts handelt« (G. Eckardt). G. B.

E 19 Augsburger Meister

Acht allegorische Frauengestalten. Um 1520

Die Reliefs mit allegorischen Frauenfiguren stellen Tugenden, Laster und alttestamentliche Gestalten dar und sind Teil eines größeren Zyklus, der angeblich zur Ausstattung der Fugger-Kapelle bei St. Anna in Augsburg gehörte. Die Überprüfung der vorhandenen bildlichen und schriftlichen Zeugnisse stellt diese Zuweisung jedoch in Frage, stilistische Merkmale lassen aber ihre Zusammengehörigkeit ohne Zweifel. Ihre Herkunft aus Augsburg kann zudem als gesichert gelten.

E 17.2

Auffallend und allen gemeinsam ist die starke Herausarbeitung des Dekorativen und die minutiöse Darstellung der Details, die die Hand eines Medailleurs vermuten lassen. Einer der führenden Meister dieses Gewerbes in Augsburg war der Medailleur und Bildschnitzer Hans Schwarz, der unter anderem auch an der Ausstattung der Fugger-Kapelle mitgearbeitet haben soll. Für einen gewissen Einfluß dieses Meisters auf unsere Reliefs sprechen der kompositorische Aufbau und die Feinheit der Ausführung.

Der Begriff Tugend, griechisch Arete, lateinisch Virtus, bedeutete ursprünglich Tauglichkeit oder Tüchtigkeit. In der Philosophie Platos wurden die vier Grundtugenden des Menschen, Weisheit, Besonnenheit, Tapferkeit und Gerechtigkeit, als höchstes Lebensideal gefordert. Die christliche Religion nahm drei göttliche Tugenden – Glaube, Liebe, Hoffnung – auf, in denen sich das Bemühen des Menschen um gute Werke ausdrückte. Unter dem Einfluß der Scholastik wurde die Zahl der Tugenden seit dem 13. Jahrhundert sogar noch vermehrt.

In der Kunst fanden die Tugenden – meist als weibliche Figuren personifiziert – schon sehr früh eine bildliche Darstellung, wie Beispiele aus der griechischen und römischen Antike belegen. Die christliche Kunst übernahm die Sinnbilder der Tugenden entsprechend den Ansichten der Kirchenlehrer, unter anderen denen des Paulus (Epheser Kapitel 6, Vers 11 ff.), und fügte gemäß den Lehren vom Guten und Bösen als Widerpart der Tugenden die Laster hinzu. E. Fr.

E 19.1

Abbildung

Prudentia (Klugheit)

Relief. Lindenholz, ungefaßt. H. 47 cm
Berlin, Hauptstadt der DDR, Staatliche Museen, Skulpturensammlung; Inv.-Nr. B 13

In der rechten Hand hält die Frauengestalt eine Schlange, die sie am Busen nährt. Mit der Linken stützt sie sich auf einen geflügelten Helm, neben dem zwei Hände zu sehen sind. Das Gesicht mit seinen weichen, etwas teigig anmutenden Zügen zeigt einen versonnenen Ausdruck. E. Fr.

E 19.2

Abbildung

Fortitudo (Stärke, Tapferkeit)

Relief. Lindenholz, ungefaßt. H. 47 cm
Berlin, Hauptstadt der DDR, Staatliche Museen, Skulpturensammlung; Inv.-Nr. B 14

Die zerbrochene Säule bezeichnet die Frauengestalt als Allegorie der Stärke (Tapferkeit). Sie steht als starres Element in optischem Gegensatz zur Faltenführung des stoffreichen Kleides. Das Gesicht zeigt einen Ausdruck von Gespanntheit und Aufmerksamkeit und verstärkt den Eindruck von gesammelter Kraft. E. Fr.

E 19.3

Abbildung

Temperantia (Mäßigkeit)

Relief. Lindenholz, ungefaßt. H. 47 cm
Berlin, Hauptstadt der DDR, Staatliche Museen, Skulpturensammlung; Inv.-Nr. B 15

Die allegorische Figur der Mäßigkeit ist als lebensfrohe, aufgeschlossene Frau präsentiert. Die differenzierte Gestaltung der Details läßt durchaus die Hand eines Medailleurs vermuten. E. Fr.

E 19.4

Abbildung

Justitia (Gerechtigkeit)

Relief. Lindenholz, ungefaßt. H 47 cm
Berlin, Hauptstadt der DDR, Staatliche Museen, Skulpturensammlung; Inv.-Nr. B 16

Das Sinnbild der Gerechtigkeit wird durch die Attribute Schwert und Waage ausgewiesen, hinzu kommt noch die Kugel, die meist als Darstellung der Welt charakterisiert wird, hier jedoch mit dem Zeichen der Gestirne Sonne und Mond versehen ist. Die Augen der Justitia sind noch nicht, wie später üblich, mit einer Augenbinde als Zeichen der Unbestechlichkeit bedeckt. E. Fr.

E 19.5

Vanitas (Eitelkeit)

Relief. Lindenholz, ungefaßt. H. 47 cm
Berlin, Hauptstadt der DDR, Staatliche Museen, Skulpturensammlung; Inv.-Nr. B 18

Das Relief ist ohne Zweifel das qualitätvollste dieser Reihe. Im kompositorischen Aufbau fallen zwei sich kreuzende Diagonalen auf. Sie werden einmal durch den schräggestellten Oberkörper des Todes und das andere Mal durch den ausgestreckten rechten spiegelhaltenden Arm der Frau mit der Fortsetzung der Linienführung im Faltenspiel des Gewandes gebildet. E. Fr.

E 19.6

Salome

Relief. Lindenholz, ungefaßt. H. 47 cm
Berlin, Hauptstadt der DDR, Staatliche Museen, Skulpturensammlung; Inv.-Nr. B 21

Die dramatische Geschichte vom Tanz der Salome (Markus Kapitel 6, Vers 21–28) fand schon bei den Kirchenvätern Ambrosius, Hieronymus und Augustinus literarische Gestaltung und wurde vor allem im späten Mittelalter zu einem beliebten Thema von Malerei und Plastik.
Der Meister hat die verführerische Tänzerin hier als reiche Augsburger Prinzessin gestaltet. E. Fr.

E 19.7

Judith

Relief. Lindenholz, ungefaßt. H. 47 cm
Berlin, Hauptstadt der DDR, Staatliche Museen, Skulpturensammlung; Inv.-Nr. B 19

In strenger Profilansicht ist Judith dargestellt. Judith galt in der mittelalterlichen Kunst als Verkörperung der Ekklesia, wurde aber auch durch ihre Keuschheit und ihren Mut zu einem Sinnbild der Maria, die das Böse besiegt. Im Zeitalter der Renaissance erlangte sie zusammen mit Jael und Esther im Zyklus der neun guten Heldinnen zunehmende Beliebtheit. E. Fr.

E 19.2

E 19.3

E 19.4

E 19.1

E 19.8

Jael

Relief. Lindenholz, ungefaßt. H. 47 cm
Berlin, Hauptstadt der DDR, Staatliche Museen, Skulpturensammlung; Inv.-Nr. B 22

Voller Aktivität hat der Meister die Gestalt der Jael wiedergegeben. Sie war die Gattin des Keniten Heber und erlangte durch die Tötung des Feldherrn Sisera aus Kanaan Achtung und Wertschätzung in ihrem Volk. Sisera hatte sich nach einer Niederlage seines Heerhaufens in ihr Zelt geflüchtet und war dort vor Ermattung eingeschlafen. Diesen Augenblick nutzte die mutige Frau, ihn zu töten, indem sie einen großen Nagel in seine Schläfe schlug. Auffallend sind die mächtigen gepufften Ärmel, die der Frauengestalt den Eindruck von Kraft und Stärke verleihen; dieser wird noch durch die augenfälligen Größenunterschiede der beiden Gestalten unterstrichen.

E. Fr.

E 20

E 20 Nürnberger Meister *Abbildung*

Brunnen. Um 1540/1550

Bronze. H. 202 cm, Ø des Beckens 135 cm
1850 aus der königlich-preußischen Kunstkammer übernommen
Berlin, Hauptstadt der DDR, Staatliche Museen, Skulpturensammlung; Inv.-Nr. 513

Bei diesem Bronzewerk handelt es sich um einen Schalenbrunnen, wie er unter dem Einfluß der italienischen Renaissance zunehmend auch in Deutschland Verbreitung fand. Haltung und Attribut der Frauenfigur auf der Mittelsäule deuten auf eine Verkörperung der Prudentia (Klugheit) hin, die zusammen mit den gleichfalls unbekleideten Frauengestalten am Zwischensockel über der Beckenschale als die vier Kardinaltugenden anzusehen sind. Hinweis darauf gibt das Attribut der gebrochenen Säule, das eine der Figuren als Stärke (Fortitudo) ausweist; die Attribute der anderen Statuetten sind zwar verlorengegangen, aber vermutlich handelt es sich bei ihnen um die Versinnbildlichung von Mäßigkeit (Temperantia) und Gerechtigkeit (Justitia). Als besonderes Detail ist der gekrümmte Salamander auf dem Beckenrand zu erwähnen, der nach dem Physiologos – einer griechischen Schrift des 4. Jahrhunderts mit religiösem und naturwissenschaftlichem Inhalt – das Feuer löscht, sobald er hineinkommt.
Die vielfältigen Blattformen gehen auf antike Vorbilder zurück und sind typisch für die deutsche Renaissance der ersten Hälfte des 16. Jahrhunderts. Der Brunnen, der ursprünglich im Hofe eines Leipziger Handelshauses gestanden haben soll, trägt an seinem Sockel das Wappen der sächsischen Familie Milckau, die demnach als Auftraggeber anzusehen ist.
Die Bronzekunst blühte in den deutschen Territorien seit der zweiten Hälfte des 15. Jahrhunderts vor allem in Nürnberg, das bis ins 17. Jahrhundert hinein ein Zentrum des Bronzegusses in Deutschland blieb. Einen ersten Höhepunkt erreichte er in der großen Werkstatt von Peter Vischer d. Ä., der seit 1489 der Vischerschen Gießhütte vorstand. Auch dieser Brunnen stammt unverkennbar aus einer Nürnberger Werkstatt; das weisen sowohl die Qualität der Arbeit als auch die Übernahme von Entwürfen Peter Flötners aus.

E. Fr.

E 21 Hans von Cöln *Farbtafel Seite 322*

Christus und die zwölf Apostel. 1510

Bez. u. M.: Jahreszahl 1510
Holz. 69 x 150 cm
Wahrscheinlich aus der Kirche in Einsiedel bei Karl-Marx-Stadt
Karl-Marx-Stadt, Städtische Museen, Schloßberg-Museum

Die Bedeutung der als Altarpredella gemalten Tafel liegt nicht nur in ihrer realistischen Malweise – die Apostel werden sonst als antikisierende Gestalten charakterisiert –, sondern auch im Bildtypus selbst. Obwohl die auf Petrus hinweisende Geste Christi an die »Übergabe der Schlüssel zum Himmelreich« erinnert, wird das Thema des von den Aposteln umgebenen

E 23

Christus später von der protestantischen Kunst aufgegriffen und, bevorzugt an Kanzeln dargestellt, zu einem ihrer wichtigsten Themen weiterentwickelt, da mit der Darstellung der Apostel an die Verbreitung der christlichen Lehre erinnert werden sollte. Für die Predella des protestantischen Altares wurde später die Schilderung des Abendmahles bevorzugt.

K. F.

E 22 Lucas Cranach d. Ä.

Christus und Maria. Um 1512–1514

Nicht bez.
Auf Pergament. 33x51 cm
Gotha, Museen der Stadt, Schloßmuseum; Inv.-Nr. 54/14

Christus und Maria erscheinen durch die Konzentration auf die Gesichter – Hintergrund und Kleidung sind unbetont – als geistig verbundenes Paar. Nichts überhöht den Gottessohn, lediglich Bart- und Haupthaar geben ihn äußerlich zu erkennen. Das Gesicht Christi ist in strenger Frontalität dem Betrachter zugewandt, während Maria den Kopf nach links neigt, so wie es Darstellungen weltlicher Liebespaare zeigen. Friedländer und Rosenberg stellen die Abhängigkeit des Typus von Dürer fest. Weiter erheben sie die Vermutung, daß der frontale Christustyp von Jacopo de' Barbari angeregt worden sein könnte. Sie stellen auch eine zeitliche und formale Verwandtschaft zu einer sitzenden Lukretia heraus (Friedländer/Rosenberg 1979, Nr. 42).

E. B.

E 23 Lucas Cranach d. Ä. (Werkstatt) *Abbildung*

Der heilige Christophorus

Nicht bez.
Holz. 71,5x40 cm
Aus der Sammlung Ipolyi
Esztergom, Christliches Museum; Inv.-Nr. 55 395

Luther wollte nicht unmittelbar die Verehrung der Heiligen unterbunden wissen und sah deshalb in der Gestalt des Christophorus eine besondere Möglichkeit, vorhandene Thematik der neuen Lehre anzupassen: »jeder einzelne sei ein wahrer ›Christusträger‹« (Christophorus).
Die schmale Tafel könnte der Seitenflügel eines Altars gewesen sein.

K. F.

E 24 Lucas Cranach d. Ä. (Werkstatt) *Farbtafel Seite 279*

Madonna mit dem Kinde und dem eine Traube bringenden Johannesknaben

Bez. u. l.: Jahreszahl und Schlangenzeichen
Holz. 120x84 cm
Gotha, Museen der Stadt, Schloßmuseum; Inv.-Nr. 724/678

Das Thema der Maria mit dem Jesuskind bleibt für Lucas Cranach d. Ä. und seine Werkstatt bis 1552 wichtig, wird es doch nicht nur von den Anhängern des alten Glaubens gefordert, sondern auch von Vertretern der neuen Lehre akzeptiert. Nur wurde durch Luther eine wesentliche Entscheidung in der Bedeutung der Marienfigur getroffen, indem er sie nur um der Ehre, nicht aber um der Gnadenvermittlung willen angebetet wissen wollte.
Darstellungen der Maria mit dem Jesuskind und dem Johannesknaben sind in der Kunst diesseits der Alpen weniger häufig anzutreffen als in der gleichzeitigen italienischen Malerei.
Der Johannesknabe – durch ein Fellgewand als der spätere Prediger in der Wüste ausgewiesen – reicht dem Jesuskind eine Weintraube dar. Sie ist ein Motiv, das auf den Opfertod Christi hinweist und als eucharistisches Symbol gilt. Das Motiv des Samtvorhangs, der die Hauptgruppe hinterfängt, ist schon der italienischen und deutschen Malerei des 14. Jahrhunderts bekannt. Er gilt als Baldachin, als ein Gehäuse, das die agierenden Personen abschirmt. Auf ihre Heiligkeit wird nur durch die Anwesenheit der beiden Engel hingewiesen. Der Ausblick in die weite Landschaft ist letzte Erinnerung an den Hortus conclusus, den beschlossenen Garten, der als Symbol der Unberührtheit Mariens verstanden wurde.

K. F.

E 25 Georg Lemberger/Cranach-Werkstatt *Abbildung*

Paulus-Altar. Um 1516/1521

Nicht bez.
Öl auf Holz. H. 264 cm
Mitteltafel: 165 x 126,5 cm
Gemalter Altar mit zwei beweglichen Flügeln und zwei Standflügeln
Mitteltafel: Bekehrung des Paulus
Bewegliche Flügel innen:
Petrus (Schlüssel); Paulus (Schwert)
Bewegliche Flügel außen:
heilige Barbara (Kelch); heilige Hedwig (Schuh)
Standflügel: leer
Predella: die vier Kirchenväter
(Gregor, Hieronymus, Ambrosius, Augustin)
Aufsatz: das von Engeln gehaltene Schweißtuch der Veronika
Domkapitel der vereinigten Hochstifte Naumburg und Merseburg und des Kollegiatstifts Zeitz

Das Retabel, das sich laut Kayser noch 1742 auf dem Barbara-Altar im südlichen Seitenschiff des Naumburger Domes befand, ist kein einheitliches Werk. Wie Grote 1933 feststellte, wurde nach Einführung der Reformation die ursprüngliche Mitteltafel, die der neuen Lehre nicht mehr entsprach, durch ein vorhandenes Epitaphbild ersetzt, das die Bekehrung des Paulus zeigt. Dieses Thema wurde als reformatorisch angesehen, weil Luther sich bei seinem neuen Gottesverständnis auf Paulus berief. Die Darstellung von Petrus und Paulus, den Titelheiligen des Naumburger Domes, auf der Innenseite der Altarflügel hat den Einbau des Epitaphs wahrscheinlich inspiriert. Das Antlitz Christi auf dem Schweißtuch im Altaraufsatz erscheint in dem gewandelten Kontext als Zeichen des Heils. Das beigefügte Psalmwort entstammt wohl erst der Restaurierung des Altares 1933/34.
Die Tafel mit der Bekehrung Pauli war um 1520 von Georg Lemberger, einem Meister aus dem Umkreis der Donauschule, geschaffen worden. Er schildert mit großer Vehemenz in epischer Breite den Moment der Gotteserkenntnis.
Predella, Flügel und Aufsatz des Altares entstammen der Cranach-Werkstatt. Die weiblichen Heiligen der Flügelaußenseiten entsprechen dem dort um 1516 verwendeten Figurentyp.
R. K.

E 26 Hans Schäufelein *Farbtafel Seite 322*

Das Abendmahl Christi. 1511

Bez. r. an der Bank: ligiertes Monogramm H S und Jahreszahl 1511
Weißtannenholz. 79 x 106 cm
1821 erworben aus der Sammlung Edward Solly
Berlin, Hauptstadt der DDR, Staatliche Museen, Gemäldegalerie; Inv.-Nr. 560

Nach der Datierung entstand das Bild in der Augsburger Zeit Schäufeleins, ist jedoch formal von Dürer-Holzschnitten des gleichen Themas beeinflußt. Von Dürer übernommen ist die Gestalt des Mundschenks, der im Holzschnitt (Bartsch 5) vorn links auftritt.
Buchner betont bei dem Berliner Bild Einflüsse Hans Holbeins, was sich jedoch am ehesten auf Malweise und Kolorit, nicht aber auf Komposition und Figuren-Auffassung beziehen kann. Die dem Abendmahl-Thema (Neues Testament, Lukas-Evangelium Kapitel 22, Vers 14–38) innewohnende Dramatik vermag Schäufelein trotz einer ausgewogenen, fast symmetrischen Komposition mit klaren architektonischen Elementen nicht durch geistige Zentrierung auszudrücken. I. G.

E 27.1 Albrecht Dürer *Abbildung Seite 314*

Das Abendmahl Christi. 1523

Bez. l.: Jahreszahl 1523 und Monogramm des Künstlers
Feder in Schwarz. 22,7 x 32,9 cm
Aus der Kaiserlichen Schatzkammer; 1920 erworben
Wien, Graphische Sammlung Albertina; Inv.-Nr. 3178, D 153

Dürer weicht mit der Hauptgestalt auf die Außenposition aus (nach dem östlichen Schema, dem auch Cranach in seinem Wittenberger Altarwerk folgte). Leonardo da Vincis Gruppierung um die Mitte bleibt erhalten, wird formal ausgebaut durch die Gestalt des aufgesprungenen Jüngers. Der Abendmahlskelch erscheint an hervorgehobener Stelle links vor dem Winkel des Raumes, genau über dem Doppelfuß des Tisches. Christus scheint auf ihn zu weisen. Ein mildes Leuchten strahlt von der Wand zurück, vor der er mit den nächsten drei Jüngern versammelt ist. Der Hinweis gilt im reformatorischen Sinne der Einsetzung des Sakraments. W. S.

E 27.2 Albrecht Dürer

Das Abendmahl Christi. 1523

Bez. r. auf dem perspektivisch gelegten Täfelchen: Monogramm des Künstlers und die Jahreszahl 1523
Holzschnitt. 21,4 x 30,2 cm
Berlin, Hauptstadt der DDR, Staatliche Museen, Kupferstichkabinett; Inv.-Nr. Beuth 461
Bartsch 53

In diesem prägnanten Blatt zieht der Künstler die Schlußfolgerung aus der in inhaltlichem Sinne nicht ausgereiften Konzeption der Wiener Zeichnung (Kat.-Nr. E 27.1). Er läßt unter Berufung auf den Bericht des Johannes (Kapitel 13, Vers 30) den Judas abtreten und stellt die Einsetzung des Gebotes der Nächstenliebe dar (Johannes Kapitel 13, Vers 34). Die Wahl dieses Augenblickes ist die bedeutsamste Neuerung dieser Darstellung. Das Abendmahl ist zu Ende, der Kelch ragt an der Stelle hoch, wo der Verräter saß. Der Holzschnitt ist ein Muster für die schöpferische Aneignung der Anregungen Leonardos. W. S.

DU GIEBST MIR DEN SCHILD DEINES HEILS·UND DEINE RECHTE
STÄRKT MICH·UND WENN DU MICH DEMÜTIGST·MACHST DU MICH GROSS

E 25

E 27.1

E 28 Hans Burgkmair

Christus bei Maria und Martha. 1510

Bez. o. M.: Monogramm des Künstlers und Beischriften: Laserus, Magdalena, Marta

E 28.1

Holzschnitt. 17,3 x 12,2 cm (koloriert)
Berlin, Hauptstadt der DDR, Staatliche Museen, Kupferstichkabinett; Druck von 1922; Inv.-Nr. H 276
Bartsch 16

E 28.2

Druckstock aus Holz. 17,3 x 12,2 x 2,4 cm
Benutzt zu Johann Geiler von Kaisersberg, Das Buch Granatapfel, Augsburg, Hans Otmar, 1510
Aus Sammlung Derschau
Berlin, Hauptstadt der DDR, Staatliche Museen, Kupferstichkabinett; Inv.-Nr. Derschau 89

Der Widerstreit zwischen praktischem Handeln und erbaulichem Gespräch bildet das Thema des Bildes, das Burgkmair in kluger Disposition vorträgt. Die Flächen des Holzschnitts erscheinen mit malerischen Mitteln gegliedert, wobei Rauch und Flammen des Herdfeuers im Weißlinienschnitt erscheinen. Beim Formschnitt ist deutlich, mit welch handwerklicher Genauigkeit das Holz behandelt ist, wie es einmal tief ausgehoben worden ist und an anderer Stelle nur angerissen erscheint.

W. S.

E 29 Sebald Beham

Entwürfe für Glasscheiben. Um 1520

Budapest, Museum der Bildenden Künste, Graphische Sammlung; Inv.-Nr. 44–47

E 29.1

Hiob im Elend

Aquarellierte Federzeichnung. Ø 15,8 cm

E 29.2

Die Erweckung des Lazarus

Aquarellierte Federzeichnung. Ø 15,8 cm

E 29.6

E 29.7

E 29.8

E 29.10

E 29.3

Thronende Madonna mit Stiftern

Aquarellierte Federzeichnung. Ø 15,8 cm

E 29.4

Das Jüngste Gericht

Aquarellierte Federzeichnung. Ø 16,0 cm

Mit großer Eindringlichkeit hat Sebald Beham zwei Prüfungen des Glaubens gekennzeichnet: die Kränkung des standhaften Hiob durch seine Frau und die Erweckung des bereits begrabenen Lazarus dank dem Glauben seiner Schwestern. Die Klarheit seiner Bilder erinnert an die Titelblätter von Dialogschriften der Reformationszeit. Die Madonnendarstellung und die Darstellung Christi als Weltenrichter zwischen Maria und Johannes sind dagegen als die Verkörperungen der herkömmlichen Frömmigkeit aufzufassen, die den alten Bildern vertraut. An ihnen fällt die Ruhe und die körperliche Nähe der Gestalten auf. Diese Gelassenheit ist ein vielleicht unbeabsichtigtes Ergebnis der Reformation. Die Verwendung als Glasmalereien beeinflußte wohl den großzügigen, kühlen Stil der Entwürfe. W. S.

Nachfolger des Sebald Beham

Eine Folge aus dem Leben Jesu. Um 1530

Budapest, Museum der Bildenden Künste, Graphische Sammlung; Inv.-Nr. 49–56

E 29.5

Die Versuchung Christi (zwei Szenen)

Lavierte Federzeichnungen. 15,7 x 11,4 cm; 17,0 x 11,5 cm

Nach einer Fastenzeit von vierzig Tagen erscheint der Teufel und schlägt Jesus vor, Steine in Brot zu verwandeln. Danach verspricht er ihm von der Höhe eines Berges die Herrlichkeiten der Welt unter der Bedingung, daß er ihn, den Teufel, anbete. Beide Versuchungen bezeichnen den Anfang der Sendung Christi im Augenblick der Gefangennahme des Johannes. W. S.

E 29.6

Abbildung Seite 315

Christus bei Simon

Lavierte Federzeichnung. 17,0 x 11,4 cm

Im Hause des Pharisäers Simon erlangt die Sünderin, die mit ihren Tränen dem Gast die Füße wäscht, die Vergebung ihrer Sünden. Das Beispiel einfacher Glaubenskraft ist in deutlicher Anlehnung an Dürers Abendmahl-Holzschnitt von 1523 (Kat.-Nr. E 27.2) gezeichnet. W. S.

E 29.7

Abbildung Seite 315

Das Gleichnis vom Sämann

Lavierte Federzeichnung. 17,1 x 11,5 cm

Das Bild des säenden Bauern benutzt Jesus als Gleichnis für die Erfüllung der Lehre vom Himmelreich. Den Jüngern gegenüber verteidigt er den Zweck der Gleichnisrede, die gerichtet ist an die Menschen, die »sehend nicht sehen« und hörend weder hören noch verstehen können. W. S.

E 29.8

Abbildung Seite 315

Petri Gang über das Meer

Lavierte Federzeichnung. 17,0 x 11,3 cm

Nach einem Gebet auf dem Berge erscheint Christus seinen Jüngern über den See wandelnd. Petrus ruft ihn an, versinkt aber beim Versuch, dem Meister entgegenzugehen – Sinnbild des wankenden Vertrauens. W. S.

E 29.9

Die Heilung des besessenen Knaben

Lavierte Federzeichnung. 16,9 x 11,6 cm

Jesus heilt einen Knaben, dem die Jünger wegen ihrer Kleingläubigkeit nicht hatten helfen können.

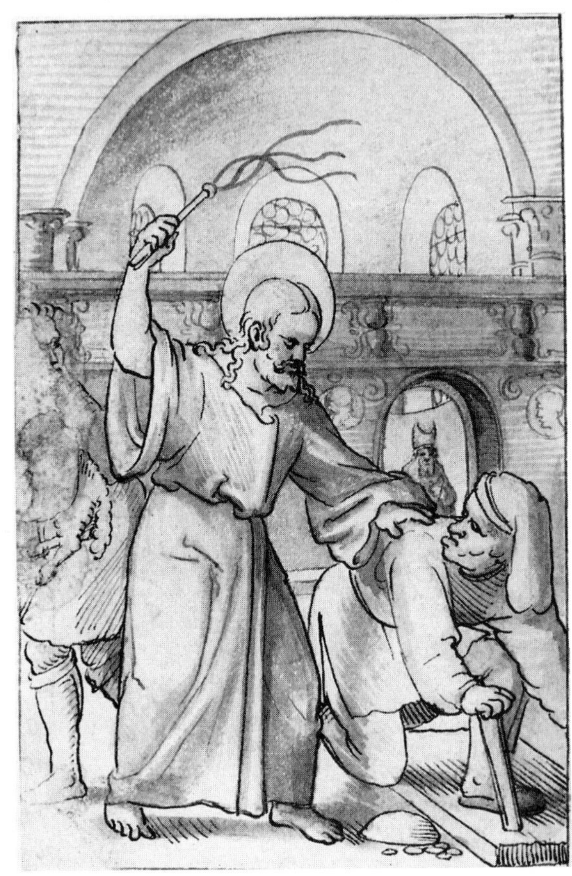

E 29.11

E 30

E 30 Aertgen Claesz (Aertgen van Leyden) *Abbildung*

Die Verklärung Christi. Um 1525

Falsche Bezeichnung u. l.: L. v. Leyden. Feder in Braun
Aus Sammlung Eszterházy (Lugt 1965)
Budapest, Museum der Bildenden Künste, Graphische Sammlung; Inv.-Nr. 1315

E 31 Hans Schäufelein *Vorsatz*

Erweckung des Lazarus

Bez. u.: Monogramm des Künstlers
Holzschnitt. 74,1 x 106,7 cm
Berlin, Hauptstadt der DDR, Staatliche Museen, Kupferstichkabinett; Inv.-Nr. 853–100
Bartsch 17

Die Erweckung des Lazarus ist seit dem 3. Jahrhundert Gegenstand der bildenden Kunst. Schäufelein widmet dieser Wundertat Christi einen großformatigen Holzschnitt mit erzählerischem Reichtum. Die literarische Vorlage ist der Bericht des Evangelisten Johannes im Neuen Testament (Kapitel 11, Vers 1–45). Schäufelein folgt der Erzählung mit ausgesprochener Genauigkeit. Der Möglichkeit, mehrere Szenen in zeit-

E 32

E 29.10 *Abbildung Seite 315*

Das Gleichnis vom verlorenen Schaf

Lavierte Federzeichnung. 16,9 x 11,5 cm

Die Rechtfertigung des Umgangs mit Sündern und Zöllnern ist in dem Bild vom verlorenen Schaf gefaßt, das Christus als guter Hirte zur Freude aller zur Herde zurückbringt. W. S.

E 29.11 *Abbildung*

Die Vertreibung der Wechsler aus dem Tempel

Lavierte Federzeichnung. 17,0 x 11,5 cm

Der Kampf Christi gegen die Händler im Tempel ist als Ablehnung des Ablaßhandels und darüber hinaus jeder Verbindung von Frömmigkeit und Handel zu deuten. W. S.

E 34.1

E 34.2

licher Abfolge zu schildern, entspricht er in der simultanen Darstellung unterschiedlicher Ereignisse. Lazarus, in ein Leichengewand eingehüllt, das Schweißtuch über dem Kopf, hockt auf der Steinplatte des Grabes und wird zur Präfiguration der Auferstehung Christi. Auf Geheiß Christi werden ihm die Leichenbinden gelöst. Das gesamte Blatt schildert die Ereignisse, wie sie in der Bibel berichtet werden. Schäufeleins Intention läßt sich am ehesten in der Haltung der Familie links hinter Lazarus erkennen. So mag sich der Künstler die Betrachter seines Blattes vorgestellt haben, die Familie findet in der Kunst den Mittler für das Verständnis des Wortes. E. B.

E 32 Hans Baldung *Abbildung Seite 317*

Christus, von Christoph Scheurl verehrt Um 1503/04

Nicht bez.
Feder in Schwarz auf bräunlichem Papier. 28,3 x 19,9 cm
Aus den Sammlungen Praun und Eszterházy (Lugt 1965)
Budapest, Museum der Bildenden Künste, Graphische Sammlung; Inv.-Nr. 36

Ausgehend von Dürers Vorbild entwickelte Baldung einen knappen Zeichenstil. Der junge Zeichner übertreibt die Pose des Schmerzensmannes, dessen Schrittstellung an einen Landsknecht denken läßt. In der Beziehung zwischen der Figur und dem anbetenden Stifter, der alter Überlieferung nach mit Christoph Scheurl identifiziert wird, zeigt sich die zu kühler Großartigkeit neigende Stimmung der Generation nach Dürer.
W. S.

E 33 Lucas Cranach d. Ä.

Bildnisse Martin Luthers und Katharina von Boras. 1526

Bez.: Schlange und Datum unter dem Rahmen
Öltempera (?) auf Rotbuchenholz. 19,5 x 13,5 cm
Vorritzungen im Antlitz Luthers (Nase und Kinn; Falten) sichtbar. Schnüre der Kleidung Katharinas nur leicht aufgetragen
Zwischen 1836 und 1863 vom Buch- und Kunsthändler Otto Grundlach, Rostock, erworben
Schwerin, Staatliches Museum; Inv.-Nr. G 2489 und 2488

Nach der Hochzeit Martin Luthers mit Katharina von Bora entstanden in den Jahren 1525/26 eine Anzahl von Bildnispaaren, die Luther barhäuptig und seine Frau mit Netzhaube zeigen. Die Schweriner Gemälde zählen zum seltenen Typ der kleinformatigen rechteckigen Bildnispaare, dem noch die Tafeln auf der Wartburg und ein von Koepplin (Cranach, Basel 1976, Tafel 26, S. 503f.) erstmals publiziertes Paar in Schweizer Privatbesitz angehören. Über die Farbe des Hintergrundes (Luther – grün; Katharina – blaugrün) läßt sich wegen des nachgedunkelten Firnis zur Zeit keine eindeutige Aussage treffen. In der Literatur wurden sie bislang kaum beachtet. Möglicherweise wiederholt das ehemals in der Sammlung Baronin v. Rothschild-Goldschmidt befindliche Tafelpaar mit den unförmigen Händen der Katharina (Cranach, Basel 1974, Nr. 179–180; Friedländer/Rosenberg, 1979, Nr. 189–190) den Schweriner »Prototyp«. Details der Netzhaube, die Anzahl der Ringe sowie die ähnliche Physiognomie Luthers und der grüne Hintergrund sprechen dafür. K. H.

E 34.1, E 34.2 Lucas Cranach d. Ä. *Abbildungen*

Bildnisse Martin Luthers und Katharina von Boras 1528

Bez.: auf dem Luther-Bildnis mit Schlangenzeichen
Holz. Je 37,5 x 23,5 cm
Weimar, Kunstsammlungen, Galerie im Schloß

Luther wird von Cranach »monumenthaft« ins Bild gesetzt. Die beiden großen Flächen, Hintergrund und Mantel, unterstreichen die Konzentration auf das Gesicht. Der »vergeistigte« Blick, sinnierend in die Ferne gerichtet, betont den Intellektuellen. Das Bildnis der Katharina von Bora wirkt kleiner, betont die Bescheidung im Anspruch und bildet die Hände mit ab. Die Frau sucht aufmerksam die Blickverbindung mit dem Betrachter.

E 36

E 35

Offenbar haben die Bildnisse großen Anklang gefunden. Sie sind mehrmals, man kann sagen serienhaft, entstanden. Bei der Herstellung verwendete man offensichtlich Pausen, von denen die Konturen der Abzubildenden mit Nadeleinstichen auf den Malgrund übertragen wurden. Eine durchlöcherte Zeichnung in dieser Art befindet sich in Weimar. E. B.

E 35 Lucas Cranach d. Ä. *Abbildung*

Martin Luther. Nach 1528

Bez. l.: Schlange mit aufrechtstehenden Flügeln
Holz. 38x23,5 cm
Nach 1945 in den Besitz der Staatlichen Schlösser und Gärten gelangt. Seit 1961 in der Bildergalerie Potsdam-Sanssouci, Staatliche Schlösser und Gärten, Bildergalerie; Inv.-Nr. GK I 50476

Am oberen Bildrand die Inschrift: IN SILENCIO ET SPE ERIT FORTITUDO VESTRA – Durch Stillesein und Hoffen würdet ihr stark sein (Jesaja Kapitel 30, Vers 15). Werkstattausführung des Luther-Bildnisses mit Barett von 1528, das in zahlreichen weiteren, serienmäßig hergestellten Exemplaren überliefert ist (vgl. Friedländer/Rosenberg 1979, Nr. 312). G. B.

E 37.1

E 37.2

E 36 Lucas Cranach d. Ä. *Abbildung Seite 319*

Rundbildnis der Katharina von Bora. 1525

Nicht bez.
Holz. Ø 11 cm
Berlin, Hauptstadt der DDR, Staatliche Museen, Gemäldegalerie; Inv.-Nr. 637

Die kleinen Rundbildnisse Martin Luthers und seiner Frau Katharina sind im Zusammenhang mit einer humanistisch beeinflußten Mode zu sehen, die sich am Bildnis-Medaillon orientierte und zu Geschenkzwecken gebraucht worden ist. Die Vermählung der Nonne Katharina von Bora mit dem Mönch Martin Luther wurde durch diese Bildnisse in gewisser Weise zu Propagandazwecken ausgenutzt. Das feingemalte Bildnis stammt in seinen wesentlichsten Teilen von Cranach selbst.

K. F.

E 37.1 Lucas Cranach d. Ä. (Werkstatt) *Abbildung*

Bildnis Martin Luthers. 1532

Bez. o. r.: 1532 etatis sue 45, darüber hinzugefügt: Obdormivit in año 1546: 10. Feb. Aetatis suae 63
Eichenholz. 18,5 x 15 cm
Dresden, Staatliche Kunstsammlungen, Gemäldegalerie Alte Meister; Inv.-Nr. 1918

E 37.2 Lucas Cranach d. Ä. (Werkstatt) *Abbildung*

Bildnis Philipp Melanchthons. 1532

Bez. l.: Obdormivit in año 1560. 19. Aprilis etatis sue 63 et 63 Dierum. Bez. r.: 1532 etatis sue 30
Eichenholz. 18,5 x 15 cm
Dresden, Staatliche Kunstsammlungen, Gemäldegalerie Alte Meister; Inv.-Nr. 1919

Gegenstück zu dem Bildnis Martin Luthers Kat.-Nr. E 37.1. Die Bildnisse gehören nicht mehr der kämpferischen Periode der Zeit um 1522 an. Nach der Reihe der Ehebildnisse erscheint Luther als Gelehrter in Gesellschaft Melanchthons. Wie die Rundbildnisse wurden diese Bildnisse in kleinem Format hauptsächlich zu Geschenkzwecken bestellt. K. F.

E 38

Martin Luther in Medaillenbildnissen

E 38.1 Unbekannter Meister

Medaille eines Ordensbruders, evtl. Martin Luther

Umschrift der Vs.: .ANN.ETA.36 (Im Alter von 36 Jahren)
Inschrift der Rs.: .SIC.TANDEM. (So endlich)
Bronze, gegossen. Ø 5,7 cm
Berlin, Hauptstadt der DDR, Staatliche Museen, Münzkabinett

Oben:
E 21 Hans von Cöln. Christus und die zwölf Apostel. 1510

Unten:
E 26 Hans Schäufelein. Das Abendmahl. 1511

E 56 Jörg Breu d. Ä. Verspottung Christi. Um 1534

Seite 321:

B 75.2 Lucas Cranach d. Ä. Bildnis Luthers als Junker Jörg. Um 1521

Seite 324:
E 57 Georg Lemberger. Epitaphbild mit Kreuzigung. 1522

Seite 325:
A 24 Jörg Breu d. Ä. Die Kreuzaufrichtung. 1524

INRI

VATER IN DEIN HENT BEFIL ICH
GAIST
I. N. R. I.

Seite 326:

E 58 Lucas Cranach d. Ä. Kreuzigung. Vor 1537

Seite 327:

E 60 Cranach-Werkstatt. Kreuzigung mit gläubigem Hauptmann und bittender Frau. 1538

E 52.1 Lucas Cranach d. Ä. Verdammnis und Erlösung. 1529

Die Medaille ist erstmals durch A. Erman (Deutsche Medailleure des 16. und 17. Jahrhunderts, Berlin 1884, S. 40) mit Luther identifiziert worden, ohne daß dafür eine Tradition bestanden hätte. Verglichen mit den wohl getreuen Bildnisaufnahmen durch Lucas Cranach erscheint die Identifizierung mit Luther zumindest zweifelhaft, obwohl das Ordensgewand den Eindruck begünstigt, hier Luther zu sehen. Für Luther spricht der aus seiner Asche auferstehende Phönix auf der Rückseite mit der Beischrift, die auf den endlich erschienenen Reformator weisen könnte. Stilistisch steht die Medaille Arbeiten von Christoph Weiditz nahe und ist Ende der zwanziger Jahre zu datieren. Die Altersangabe von 36 Jahren bezeichnet, falls es sich um Luther handelt, nicht die Entstehungszeit. L. B.

Habich I.1 Nr. 304; Ficker Nr. 30 und Nr. 110

E 38.2 Unbekannter Meister in der Art von Hans Schwarz

Medaille Martin Luther. 1520

Umschrift der Vs.:
DOCTOR.MARTINVS.LVTHERVS.ECCLES WITTEN
(Doktor Martin Luther, Prediger in Wittenberg)
Inschrift der Rs.:
.OB./SERVATAM.ET / RESTITVTĀ.REM / PVBLICAM.VINDI/ CATAMQVE.LIBER/TATEM.CHRISTIA / .ANNO MDXX./.F.F.
(Zum Gedächtnis des erhaltenen und verbesserten Gemeinwesens und der geretteten christlichen Freiheit hat er sie im Jahre 1520 machen lassen)
Blei, gegossen. Ø 4,0 cm. Sekundärguß
Weimar, Kunstsammlungen, Schloßmuseum;
Inv.-Nr. Sp 34
Habich I.1 Nr. 293; Ficker Nr. 53

E 38.3 Nürnberger Meister *Farbtafel Seite 197*

Medaille Martin Luther. 1520

Umschrift der Vs.: wie Kat.-Nr. 38.2
Inschrift der Rs.: wie Kat.-Nr. 38.2
Bronze, gegossen. Ø 4,1 cm
Berlin, Hauptstadt der DDR, Staatliche Museen, Münzkabinett

Eine getreue Wiederholung der Medaille in der Art des Hans Schwarz, jedoch mit asketischem Ausdruck in den tiefliegenden Augen und von feinerem Stil. L. B.

Habich I.2 Nr. 956; Ficker Nr. 54

E 38.4 Monogrammist H. G. *Farbtafel Seite 197*

Medaille Martin Luther. 1521

Umschrift der Vs.:
HERESIBVS.SI.DIGNVS.ERIT.LVTHERVS.IN.VLLIS.ET. CHRISTVS.DIGNVS.CRIMINIS.HVIS.ERIT.
(Heißt es, Luther sei der Ketzerei schuldig, so ist Christus dieses Lasters auch schuldig.)
Links neben dem Kopf vertieft 1521; unter dem Brustabschnitt vertieft und auf dem Kopf stehend H G
Silber, gegossen, einseitig. Ø 6,1 cm
Berlin, Hauptstadt der DDR, Staatliche Museen, Münzkabinett

Vorbild für das Medaillenbildnis war der Kupferstich Luther mit Doktorhut von Cranach. Die Jahreszahl bezeichnet das Entstehungsdatum des Kupferstichs, sie muß nicht mit dem der Medaille identisch sein. Der Name, der sich hinter dem Monogramm H G verbirgt, ist nicht bekannt, und da die Medaille ohne Parallelen ist, kann auch nicht auf ihren Entstehungsort geschlossen werden. L. B.

Habich I.1 Nr. 721; Ficker Nr. 50

E 38.5 Unbekannter Meister

Medaille Martin Luther

Bronze, gegossen, einseitig. Ø 4,4 cm
Weimar, Kunstsammlungen, Schloßmuseum;
Inv.-Nr. Sp 38

Habich vermutet, daß der Cranach kopierende Holzschnitt von Daniel Hopfer aus dem Jahre 1523 dem Medailleur als Vorlage gedient hat. L. B.

Habich I.1 Nr. 722

E 38.6 Hans Schenck, genannt Scheutzlich

Medaille Martin Luther. 1524

Umschrift der Vs.:
MARTINVS.LVTHER.APOSTOLVS.ANNO.DOMINI.1524
(Der Apostel Martin Luther im Jahre des Herrn 1524)
Inschrift der Rs.:
links VENTER / DEVS / MICHI (Der Bauch ist mir Gott),
rechts VERBV̄ / LVCERNA / PEDIBV / MEIS
(Das Wort ist meines Fußes Leuchte),
unten NVLLI RECEDAM (Ich werde niemandem weichen),
rechts HSK (gedeutet als Hans Schenck Konterfetter)
Silber, gegossen. Ø 3,3 cm
Dresden, Staatliche Kunstsammlungen, Münzkabinett;
Inv.-Nr. 2131

Das jugendliche Bildnis im Dreiviertelprofil im Ordensgewand mit Kapuze hat unter den Medaillen keine Parallele. Die von Habich gegebene Auslegung der auch in kompositorischer Hinsicht einmaligen Rückseite als Allegorie von Luthers Kampf mit dem Papsttum macht den kämpferischen Gehalt dieser eindrucksvollsten Reformationsmedaille deutlich. Der bis auf eine Kapuze nackte Mann rechts, durch das einzige Kleidungsstück als Mönch, durch die andeutungsweise porträthaften Gesichtszüge als Luther zu erkennen, tritt, unterstützt durch einen Engel mit dem Schwerte Gideons (Luthers Ausspruch vor dem Wormser Reichstag 1521: Ich bin nicht gekommen, den Frieden zu bringen, sondern das Schwert), in der

Rechten ein strahlendes Buch vor sich haltend (Verbum lucerna ...), einer nackten, korpulenten, wohl weiblichen Figur entgegen (Venter deus). Diese symbolisiert als babylonische Hure die Papstkirche und schwingt zwei Schwerter, die die geistliche und die weltliche Macht darstellen, gegen den durch das Bibelwort wirkenden Luther. Die Medaille, die nur durch das Dresdner Exemplar bekannt ist, wird, falls die Auflösung der Signatur richtig ist, das Erstlingswerk von Hans Schenck sein. L. B.

Habich II.1 Nr. 2198; Ficker Nr. 87 und Nr. 104; Dürerzeit, Dresden 1971, Nr. 622

E 38.7 Hieronymus Dietrich

Medaille Martin Luther. 1533

Umschrift der Vs.:
OS.ET.SAPIECIA.DABO.VOBIS CVI.NŌ.POTERT.CŌTDICERE.ZC.
(Ich gebe euch Mund und Weisheit, dem können sie nicht widersprechen usw.)
Über dem Kopf .LV.21 (Lukas Kapitel 21)
Im Feld neben dem Bildnis MA – LVT/ECS–WIT
(Martin Luther, Prediger in Wittenberg)
Umschrift der Rs.:
IN.SILENCIO.ET.SPE.ERIT.FORTITVDO.VESTRA.ESA.30
(Durch Stillesein und Hoffen würdet ihr stark sein, Jesaja Kapitel 30)
Silber, teilvergoldet, geprägt. ∅ 4,2 cm
Berlin, Hauptstadt der DDR, Staatliche Museen, Münzkabinett

Dem Profilbildnis Luthers im Barett und Predigergewand ist auf der Rückseite der Medaille das »Merckzeichen meiner Theologiae« zugesellt, das er in einem Brief an Lazarus Spengler in Nürnberg selbst interpretierte (Juncker, Ehren-Gedächtniß Lutheri, Frankfurt 1706, S. 228). Das Kreuz als Zeichen des Gekreuzigten liegt auf dem christusgläubigen Herzen, das von einer Rose als Zeichen der Freude umschlossen wird. Einen Petschaftring mit diesem Emblem ließ Kurfürst Johann Friedrich von Sachsen in Augsburg arbeiten und überreichte ihn 1530 Luther (Kat.-Nr. C 34.2), der darüber Philipp Melanchthon berichtete.
Die Datierung der Medaille ergibt sich aus einem 1533 datierten Exemplar mit geringfügig abgewandelter Rückseite (Katz Nr. 65). L. B.

Habich II.1 Nr. 1895; Katz Nr. 66; Ficker Nr. 176

E 38.8 Hans Schenck, genannt Scheutzlich

Medaille Martin Luther. 1537

Umschrift der Vs.:
DO.MARTINVS LVTHER.AETATIS SVAE 55
IN SILENCIO ET SPE ERIT FORTITVDO VESTRA.
(Doktor Martin Luther im Alter von 55 Jahren. Durch Stillesein und Hoffen würdet ihr stark sein)
Am Armabschnitt 1537 und Kännchen
(Zeichen von Hans Schenck)
Umschrift der Rs.:
DO.PHILIPPVS MELANCTHON.AETATIS SVAE.XLIII.ANNO CHR.1537
(Doktor Philipp Melanchthon im Alter von 43 Jahren. Im Jahre 1537 nach Christus) Kännchen
Bronze, gegossen. ∅ 3,8 cm
Weimar, Kunstsammlungen, Schloßmuseum; Inv.-Nr. Sp 41
Habich II.1 Nr. 2231; Ficker Nr. 178

E 38.9 Wolf Milicz

Medaille Martin Luther. 1537

Umschrift der Vs.:
DOCTOR.MARTINVS.LVTHERVS.PROPHETA.GERMANIAE. MDXXXVII.
(Doktor Martin Luther, Prophet Deutschlands 1537)
Umschrift der Rs.:
IN.SILENTIO.ET.SPE.ERIT.FORTITVDO.VESTRA.MDXXXVII
(Durch Stillesein und Hoffen würdet ihr stark sein. 1537)
Silber, geprägt. ∅ 4,6 cm
Weimar, Kunstsammlungen, Schloßmuseum; Inv.-Nr. Sp 38c
Silber, vergoldet, gegossen nach geprägtem Original ∅ 4,5 cm
Berlin, Hauptstadt der DDR, Staatliche Museen, Münzkabinett

Es ist die erste Luther-Medaille mit Hüftbild von vorn im Predigerhabit mit übereinandergelegten Armen und Buch in der Rechten, wie sie in späteren Jahrhunderten auf Jubiläumsmedaillen mehrfach wiederholt wurde. Ein in Kupfer gestochenes Luther-Bildnis des Monogrammisten IB von 1530 (Katz S. 148) könnte die Vorlage gewesen sein. Die Luther-Rose auf der Rs. ist als Wappen in einem Rollwerkschild wiedergegeben. L. B.

Habich I.1 Nr. 846 bis; Katz Nr. 277

E 38.10 Hans Schenck, genannt Scheutzlich

Medaille Martin Luther. 1546

Umschrift der Vs.:
DOCTOR MARTINVS LVTHERVS ANNO AETATIS SVAE LXIII.
(Doktor Martin Luther im Alter von 63 Jahren)
Inschrift der Rs.:
IN SILEN/TIO ET SPE / ERIT FORTI/TVDO VESTRA / ESAIAE / XXX
(Durch Stillesein und Hoffen würdet ihr stark sein, Jesaja Kapitel 30)

Silber, gegossen. Ø 3,7 cm
Gotha, Museen der Stadt, Schloßmuseum
Habich II.1 Nr. 2237; Ficker Nr. 267

E 38.11 Unbekannter Meister
aus der Werkstatt Hans Reinharts(?)

Medaille Martin Luther. 1547

Umschrift der Vs.:
DOCTOR.MARTINVS.LVTHERVS.PROPHETA.GERMANIAE. PESTIS.ERAM.VIVVS.MORIENS./ERO.MORS.TVA. PAPA. M.D.XLVII
(Doktor Martin Luther, Prophet Deutschlands. Ich war, Papst, lebend [dein] Verderben, sterbend werde ich dein Tod sein. 1547)
Rs.: Schriftlos
Silber, vergoldet, gegossen. Ø 4,8 cm
Dresden, Staatliche Kunstsammlungen, Münzkabinett; Inv.-Nr. 7620

Die postume Luther-Medaille mit barhäuptigem Altersbildnis von vorn im Predigergewand zeigt auf der Rückseite die Anbetung des Kindes unter in Wolken schwebenden »himmlischen Heerscharen«, die ein langes, gewundenes, schriftloses Band halten. L. B.

Habich II.1 Nr. 1954; Ficker Nr. 439

E 38.12 Unbekannter Meister

Siegelpetschaft der Universität Wittenberg. 1502

Umschrift: WITEIBERG – DOCERE – ME AVSPICE – CEPIT
(Wittenberg hat unter meinem Schutz die Lehrtätigkeit aufgenommen)
Auf einem Band: VNIVERSI – .1. – .5.II
Silber, gegossen. Ø 4,2 cm. Mit Griff
Berlin, Hauptstadt der DDR, Staatliche Museen, Münzkabinett

Das Petschaft entstand zur 1502 erfolgten Gründung der Universität, deren Stifter Kurfürst Friedrich III. der Weise von Sachsen auf dem Siegelbild erscheint. Er ist im Hüftbild im Kurornat mit geschultertem Kurschwert dargestellt. Die Umschrift ist unterbrochen durch die Wappenschilde des Herzogtums Sachsen, der Landgrafschaft Thüringen, der Markgrafschaft Meißen und der Kurwürde. L. B.

A. Suhle, Petschafte des Münzkabinetts aus dem 13. bis 16. Jahrhundert, Berlin 1964, Nr. 42

E 39

E 39 Albrecht Dürer *Abbildung*

Bildnis Philipp Melanchthons. 1526

Bez. auf der schmalen Schrifttafel:
1526 / VIVENTIS. POTVIT. DVRERIS. ORA. PHILIPPI / MENTEM. NON. POTVIT. PINGERE. DOCTA / MANUS
(Die Züge des Philipp konnte Dürer nach dem Leben zeichnen mit kundiger Hand, doch den Geist nicht)
Kupferstich. 17,5 x 12,8 cm
Dresden, Staatliche Kunstsammlungen, Kupferstich-Kabinett; Inv.-Nr. A 1901 – 830
Kupferplatte. 17,3 x 12,6 cm
Gotha, Museen der Stadt, Schloßmuseum
Bartsch 105; Meder 104

Melanchthon war für Dürer eine Heldengestalt der Reformation. Seine persönliche Auffassung von der Kraft der neuen Bewegung hat er dem Bildnis mitgeteilt. Auch der Johannes der gemalten vier Apostel bewahrt die Erinnerung an Melanchthons Stirn. In Beschreibungen Luthers und in Bildern Cranachs lebt eher ein kleiner, schmächtiger Mann – nach Luthers Vorstellung ähnlich dem Apostel Paulus – mit außerordentlichen Geistesgaben. W. S.

BILIBALDI·PIRKEYMHERI·EFFIGIES
·AETATIS·SVAE·ANNO·L·III·
VIVITVR·INGENIO·CAETERA·MORTIS·
·ERVNT·
·M·D·XX·IV·

E 40

E 40 Albrecht Dürer *Abbildung*

Bildnis Willibald Pirckheimers. 1524

Bez. auf der steinernen Schrifttafel:
BILIBALDI. PIRKEYMHERI. EFFIGIES / .AETATIS. SVAE. ANNO. L. III / VIVITVR. INGENIO. CAETERA. MORTIS. / .ERVNT./ .M.D.XX.IV.
(Bildnis des Willibald Pirckheimer im 53. Lebensjahr. Wir leben durch den Geist, das übrige wird dem Tod gehören.)
In der Ecke Monogramm des Künstlers
Kupferstich 18,2 x 11,5 cm
Dresden, Staatliche Kunstsammlungen, Kupferstich-Kabinett; Inv.-Nr. A 825
Bartsch 106; Meder 103

Dürer und Pirckheimer waren in lebenslanger Freundschaft verbunden. Das Bildnis des Freundes im Kupferstich ist ruhig und schlicht, wenn auch nicht ohne Idealisierung. Pirckheimer hat es als Exlibris in viele seiner Bücher einkleben lassen. Wegen seiner aufrechten Haltung in der Luthersache mit belastet und in der Bannandrohungsbulle des Papstes genannt, hat er in entschiedener Weise auch seiner Enttäuschung über den Verlauf der Reformation Ausdruck gegeben: »So ist die Sache derart ins Auge gegangen, daß die evangelischen bösen Buben die päpstlichen fromm erscheinen lassen. Die Vorigen haben uns mit Gleisnerei und Listigkeit betrogen; die Jetzigen wollen öffentlich ein schändliches und päpstliches Wesen führen und dabei die Leute mit sehenden Augen blind reden, indem sie ihnen sagen, man könne sie nicht nach ihren Werken beurteilen« (Panofsky 1977, S. 311). W. S.

E 41 Albrecht Dürer

Bildnis Erasmus von Rotterdams. 1526

Bez. auf der gerahmten Tafel an der Stubenwand Inschrift:
IMAGO, ERASMI. ROTERODA = / MI . AB. ALBERTO. DVRERO. AD / VIVAM. EFFIGIEM. DELINIATA.
(Bildnis des Erasmus von Rotterdam, gezeichnet von Albrecht Dürer entsprechend einer Aufnahme nach dem Leben)
ΤΗΝ. ΚΡΕΙΤΤΩ. ΤΑ. ΣΓΓΡΑΜ / ΜΑΤΑ. ΔΕΙΞΕΙ
(Das bessere Bild werden seine Schriften zeigen.)
MDXXVI (1526); darunter das Monogramm des Künstlers
Kupferstich. 24,9 x 19,3 cm
Dresden, Staatliche Kunstsammlungen, Kupferstich-Kabinett; Inv.-Nr. A 1925 — 319
Bartsch 107; Meder 105

Dürers Darstellung des großen Humanisten ist weniger ein Bildnis als eine Huldigung. Die Begegnung beider lag bereits über fünf Jahre zurück, als der Stich entstand; die erhaltenen Bildnisaufnahmen lassen erkennen, daß sich die Physiognomie des Gelehrten dem Maler nicht öffnete. Bewertet sein will daher weniger das Gesicht als die Wahl der Motive und der Gesten: das Zurückziehen der kleinen, rundgliedrigen Hände, die Feder und Tintenfaß umschließen, die Versenkung des Gesichts beim Überdenken des Niedergeschriebenen. Selten ist das Nachdenken genauer umschrieben worden. Die Motive lenken auf ein geistiges Wirken, ähnlich wie wenn Erasmus bekennt, daß ihm das gemalte Bild Christi keinen lebhafteren Eindruck zu verschaffen vermag als das Wort der Bibel. W. S.

E 42 Albrecht Dürer *Abbildung*

Bildnis Kurfürst Friedrichs des Weisen. 1524

Bez. l.: Monogramm des Künstlers (das D seitenverkehrt angelegt und unvollkommen korrigiert);
oben das kursächsische Wappenpaar (das Kurwappen, links, noch mit der nur bis 1509 gültigen Farbteilung);
unten auf einer vorgesetzten Steintafel:
CHRISTO. SACRVM. / ILLE. DEI VERBO. MAGNA PIETATE. FAVEBAT. / PERPETVA. DIGNVS. POSTERITATE. COLL. / D(omino). FRID(e)R(ico). DVCI. SAXON. S. R. IMP. / ARCHIM ELECTORI. / ALBERTVS. DVRER. NVR(imbergensis). FACIEBAT. / .B. M. F. V. V. / .M.D.XXIIII
(Christus geweiht. Dieser liebte Gottes Wort in großer Frömmigkeit, würdig in alle Zukunft verehrt zu werden. Dem Herrn Friedrich, Herzog von Sachsen,

E 42

des Heiligen Römischen Reiches Erzmarschall, Kurfürst schuf es Albrecht Dürer aus Nürnberg.
Dem Hochverdienten, schuf es als Lebender dem Lebenden 1524)
Kupferstich. 19,3 x 12,7 cm
Dresden, Staatliche Kunstsammlungen, Kupferstich-Kabinett; Inv.-Nr. A 845
Bartsch 104; Meder 102I

Als Dürer das Bildnis seines alten Förderers, den er 1496 in einem großartigen Leinwandbildnis dargestellt hatte, in Kupfer stach, versuchte er offenbar eine Erhöhung durch Steigerung der Details. Überhöht sind alle Einzelbildungen gegenüber der in Paris erhaltenen Silberstiftzeichnung. Durch Lichtführung und Überschneidungen ist dafür gesorgt, daß die Formen sich plastisch voneinander abheben. Dürers Inschrift nimmt wohl Bezug auf die Förderung der Bibelübersetzung durch den Kurfürsten (in diesem Sinne ist jedenfalls die Interpretation Hans Plocks zu verstehen [vgl. Kat.-Nr. E 43]). Da der Künstler viele Jahre keine Aufträge für Kursachsen ausgeführt hatte, war ihm die Veränderung der Wappenfarben entgangen, die übrigens Luther einmal, 1522, zu allegorischer Ausdeutung angeregt hat: Das Heft des Schwertes im weißen Feld erinnert an die Freundlichkeit und Barmherzigkeit, von der alles Recht geleitet sein soll – die Schwertspitze im schwarzen Feld an den Ernst und die Strenge, mit der es gehandhabt werden soll (WA 10 III S. 254 1–12, S. 255 9–12). W. S.

E 43 Klebebild des Hans Plock

Friedrich der Weise und die Reformatoren

Buchseite aus dem Vorsatzteil
des ersten Bandes der Plock-Bibel von 1541. 34,9 x 33,2 cm
Unter Verwendung folgender Kupferstiche:

1. *Friedrich der Weise von Albrecht Dürer 1524 (Meder 102)*
2. *Philipp Melanchthon von Heinrich Aldegrever 1540 (Bartsch 185)*
3. *Martin Luther von Heinrich Aldegrever 1540 (Bartsch 184)*
4. *Pallas Athene von Lucas van Leyden 1530 (Bartsch 139 I)*
5. *Putten bei der Weinlese (Fragment) vom Monogrammisten IB 1529 (Bartsch 35)*
6. *Mars mit Stier und Pferd als Kriegsbeute, aus einer Planeten-Folge Heinrich Aldegrevers von 1533 (Bartsch 76)*
7. *Mars mit der Fackel in der Landschaft, von Heinrich Aldegrever 1529 (Bartsch 82)*

Berlin, Hauptstadt der DDR, Staatliche Museen, Kupferstichkabinett; Inv.-Nr. 20 – 1953

Eine der schönsten Collagen der Plock-Bibel besteht aus der Zusammenstellung des Reformatorenpaares mit dem Kurfürsten, der Luther beschützte. Dabei ist die Schrifttafel des Dürer-Stiches wegen des Bezuges auf Friedrichs Bibeltreue durch Aussparen der Aquarellierung hervorgehoben (vgl. Kat.-Nr. E 42). Es ist wahrscheinlich, daß das Blatt nachträglich beschnitten worden ist. W. S.

E 44 Lucas Cranach d. Ä. (Werkstatt) *Abbildung*

Bildnis Kurfürst Friedrichs des Weisen. 1532

Bez. o. l.: Schlange mit Kopf nach rechts und stehendem Flügel, darüber Jahreszahl 1532
Bez. o. r.: (angeklebter Papierzettel mit gedruckter Inschrift) Friedrich der Drit / Churfürst und Hertzog zu Sachssen
Unten fehlt die gedruckte Inschrift, wurde wahrscheinlich später abgerissen
Holz. 20,7 x 14,8 cm
Erworben 1894 aus den Sammlungen Gebrüder Bourgeois, Köln; früher in Sammlung Magniac, London
Budapest, Museum der Bildenden Künste; Inv.-Nr. 1341

Friedrich der Weise vor hellblauem Hintergrund, mit grauem Haar und Bart, in Schaube und mit schwarzem Barett und breitem Pelzkragen. Cranach arbeitete für ihn seit 1505 als Hofmaler. 1507 entstand das erste Porträt Friedrichs (heute verschollen). Ein Porträt, das den Kurfürsten schon als älteren,

E 44

E 45

korpulenten Mann mit Schnurrbart darstellt, ist um 1522 entstanden und war vielleicht das letzte, das »nach dem Leben« gemalt war (ehemals Gotha, Schloßmuseum, Friedländer/Rosenberg 1979, Nr. 151). Alle späteren Darstellungen des Kurfürsten lassen sich auf diese halbfigurige Komposition vor der Brüstung zurückführen, nur die Haare werden immer weißer gemalt. Eine Variante dieser Komposition, das Modell im weißen Hemd darstellend, ist wohl im Todesjahr des Kurfürsten entstanden (Friedländer/Rosenberg 1979, Nr. 179, 180). Nach dem am 5. Mai 1525 erfolgten Tod des beliebten Kurfürsten gab Johann zahlreiche Bildnisse des Verstorbenen in Auftrag. Als Urbild dieser postumen Bildnisse dürfen wir das auf 1527 datierte Porträt bezeichnen. Eine reduzierte Variante des alten Kurfürsten als Brustbild ist wahrscheinlich um 1532/33 zusammen mit dem Bildnis Johanns des Beständigen als Gegenstück entstanden. Der urkundliche Beleg dafür ist wohl bekannt: 1533 wurde Cranach für »60 par teffelein daruff gemalt sein die bede churfürsten selige und lobliche gedechtnis« bezahlt.

Solche in sehr vielen Exemplaren erhaltenen Bildnispaare wurden – wie die Budapester Tafel – in der Cranach-Werkstatt hergestellt, wobei die Cranach-Signatur nur als »Firmenzeichen« gilt. Das Bedürfnis nach Vervielfältigung von Herrscherbildnissen als politische Allegorie ist ein ganz modernes Phänomen: Darstellungen der beiden Kurfürsten als Verteidiger der Reformation im deutschen Reich wurden auch als Propagandamittel verwendet. Später, um 1535, waren alle drei Kurfürsten (Friedrich der Weise, Johann der Beständige und Johann der Großmütige) zusammen in Halbfigur (Hamburg, Kunsthalle, Friedländer/Rosenberg 1979, Nr. 338) vor breitem Landschaftshintergrund dargestellt. Unter die beiden ersten Bildnisse sind noch immer die gedruckten Lobtexte aufgeklebt. Eine genauere Bearbeitung oder gar Zusammenstellung aller erhaltenen Exemplare fehlt. Im neuen Œuvre-Verzeichnis von Friedländer/Rosenberg sind leider nur die Exemplare der Uffizien Florenz erwähnt (Nr. 338, siehe auch Gli Uffizi. Catalogo generale, Firenze, 1980, Inv.-Nr. 1150, 1149, S. 230, von 1533. Koepplin/Falk (Cranach, Basel 1974–76) erwähnen mehrere Exemplare. Das Bild in Bern von 1532 zeigt kleinere Abweichungen vom Budapester Exemplar. H. Wagner: Gemälde des 15. und 16. Jahrhunderts. Bern 1977, S. 202 f.).

Inwieweit die Budapester Tafel unter der Mitwirkung Hans Cranachs entstanden ist, kann nicht genau beurteilt werden. Auf jeden Fall aber können wir feststellen, daß das einzig datierte Porträt Hans Cranachs von 1534 in Lugano die selten stark modellierten Gesichtszüge und die gleiche Zeichnung des Pelzkragens aufweist wie das Budapester Bild. Auch die Wiedergabe des weißen Hemdes und der Ornamentik zeigt große Verwandtschaft (Cranach, Basel 1976, Nr. 625, Abb. 347–348). S. U.

E 45 Lucas Cranach d. Ä. (Werkstatt) *Abbildung*

Bildnis Kurfürst Johanns I. (des Beständigen) von Sachsen

Bez. o. l.: (angeklebter Papierzettel mit gedruckter Inschrift)
Johans der Erst / Churfurst und Herzog zu Sachssen
Bez. u.: (aufgeklebtes stark gefirnistes Papierblatt
mit einem gedruckten Gedicht)
Erste Zeile: Nach meines lieben bruders end...
Letzte Zeile: ... Den sieg er doch zuletzt behelt.
Holz. 20,4 x 14,6 cm
Provenienz wie bei Kat.-Nr. E 44
Budapest, Museum der Bildenden Künste; Inv.-Nr. 1340

Johann der Beständige, 1468–1532, seit 1525 Kurfürst von Sachsen, war Mitregent seines Bruders Friedrich III., des Weisen, und wurde nach dessen Tod sein Nachfolger. Seine von Cranach gemalten Bildnisse sind Meisterwerke der Bildniskunst, unter denen die charaktervollen Porträts der reifen Jahre besonders zu erwähnen sind (Friedländer/Rosenberg 1979, Nr. 338).
Schon 1510 hat Cranach die beiden Kurfürsten Friedrich den Weisen und Johann als halbfiguriges Doppelbildnis auf dem Titelblatt des Wittenberger Heiltumsbuches dargestellt (Schade, 1974, S. 54ff.; Cranach, Basel 1974, Nr. 95).
Auch Bildnispaare wie Luther und seine Frau wurden nicht nur als Gedächtnis- oder Repräsentationsbilder, sondern als religiöse Propagandabilder vervielfältigt. Die Darstellung eines Herrschers mit einer Inschrift, die von seinen Taten und Tugenden berichtet, stammt letzten Endes von den römischen Porträtbüsten ab und wurde in der Renaissance wieder aufgenommen. Koepplin und Falk weisen als Vorlage für diesen Typus auf die Porträtbüste Adriano Fiorentinos von 1498 hin (Kat.-Nr. C 17). Dürers Kupferstich von 1524 mit dem Bildnis Friedrichs des Weisen (Kat.-Nr. E 42) kann als direkte Vorlage der in Sachsen so verbreiteten Darstellung dienen. Anstatt humanistischer, lateinischer topoi wurde hier ein in deutscher Sprache gedrucktes Flugblatt mit volkstümlichem Text auf die Bildnisse geklebt. Eine solche Zusammenstellung von »Konterfei« und gedruckter »Selbstaussage« ist fast einmalig und sollte in der Forschung weiter untersucht werden. S. U.

E 46.1 Quinten Massys

Medaille Erasmus von Rotterdam. 1519

Umschrift der Vs.:
IMAGO AD VIVĀ EFFIGIĒ EXPRESSA –
THN KPEITTΩ TA ΣΥΓΓΡΑΜΜΑΤΑ ΔΕΙΞΕΙ
(Anschauliches Bildnis nach dem Leben –
Seine Schriften werden es besser zeigen)
Unten 1519; im Feld neben dem Brustbild .ER. – ROT.
(Erasmus von Rotterdam)
Umschrift der Rs.:
MORS VLTIMA LINEA RERV̄ – ΟΡΑ ΤΕΛΟΣ ΜΑΚΡΟΥ ΒΙΟΥ
(Der Tod ist das letzte Ziel der Dinge –
Bedenke das Ende eines langen Lebens)
Im Feld CONCEDO – NVLLI (Ich weiche keinem)
Auf dem Sockel der Büste TERMI/NVS
Bronze, gegossen. Ø 10,6 cm. Später, überarbeiteter Guß
Berlin, Hauptstadt der DDR, Staatliche Museen,
Münzkabinett

Die wohl eindrucksvollste nördlich der Alpen entstandene frühe Medaille, die das Medaillenschaffen deutscher Künstler nicht unerheblich beeinflußt hat, war, wie aus brieflichen Mitteilungen des Humanisten hervorgeht, ein Auftragswerk, für das Erasmus dem Quinten Massys über 30 Gulden bezahlte (Habich, Archiv 4, S. 119). Es fand seine uneingeschränkte Billigung, anders als das 1526 entstandene Bildnis von Dürer (Tietze II. Nr. 961), an dem er die fehlende Porträtähnlichkeit bemängelte. Eine antike Gemme mit Terminus, die ihm 1509 auf einer Italienreise zum Geschenk gemacht worden war, war für Erasmus die Anregung, den Gott der Grenzen zu seinem Symbol zu wählen. Zusammen mit der auf Vergänglichkeit und Grenzen zielenden Umschrift erscheint der Gott auf der Rückseite der Medaille. Mißdeutungen unterlag bereits bei Erasmus' Zeitgenossen das »Concedo nulli«, so daß er schriftlich 1528 in einem Brief an Alfonso Valdes eine Richtigstellung für notwendig hielt, nämlich nicht er selbst, sondern der Gott Terminus, das heißt der Tod, sei derjenige, der keinem weiche (Panofsky S. 216). L. B.

Habich, Die Erasmus-Medaille, Archiv für Medaillen- und Plakettenkunde, 4, 1923/24, S. 119f.; Habich I.2 S. XLVIII; Kress Collection Nr. 629 a; Erwin Panofsky, Erasmus and the visual arts, Journal of the Warburg and Courtauld Institutes 32, 1969, S. 200ff., zur Medaille S. 214f.; Hill and Pollard S. 119; Dürerzeit Dresden 1971, Nr. 613

E 46.2 Hieronymus Dietrich

Medaille Erasmus von Rotterdam. 1531

Umschrift der Vs.:
IMAGO.AD.VIVĀ.EFFIGIĒ.EXPRESSA.1531.
Im Feld ER. – RO (Anschauliches Bildnis
nach dem Leben. Erasmus von Rotterdam)
Umschrift der Rs.:
MORS.VLTIMA.LINEA.RERVM. Im Feld CON – CEDO / NV – LLI.
Auf dem Sockel TERM / INVS (Übers. s. Kat.-Nr. E 46.1)
Silber, geprägt. Ø 3,5 cm
Berlin, Hauptstadt der DDR, Staatliche Museen,
Münzkabinett

Das in einer erzgebirgischen Münzstätte entstandene Prägestück kopiert die monumentale Medaille von 1519 auch unter Übernahme der Beschriftung und beweist die Popularität des Humanisten. L. B.

Habich II.1 Nr. 1893; Katz Nr. 45

E 46.3 Nürnberger Meister, nach Albrecht Dürer (?)

Medaille Willibald Pirckheimer. 1517

Umschrift der Vs.: BILIBALDVS – PIRCKHEYMER
Inschrift der Rs.: MDXVII / INICIV SAPIAE / TIMOR DOMINI
(1517, Der Anfang der Weisheit ist die Furcht des Herrn)
Bronze, gegossen. ∅ 7,9 cm. Gelocht, Sekundärguß
Berlin, Hauptstadt der DDR, Staatliche Museen, Münzkabinett

Die 1517 entstandene Medaille hat Habich mit einer Bildniszeichnung Dürers aus dem Jahre 1503 in Zusammenhang gebracht (Lippmann Nr. 376). Wahrscheinlich handelt es sich um die Medaille, die Pirckheimer Erasmus dedizierte und die 1523 und 1525 von Erasmus brieflich erwähnt wird.

Habich I.1 Nr. 17; Zeitler S. 95; Hill and Pollard S. 104; Dürer, Nürnberg 1971, Nr. 695; Dürerzeit, Dresden 1971, Nr. 591

E 46.4 Matthes Gebel

Medaille Willibald Pirckheimer. 1530

Umschrift der Vs.:
BILIBALDVS – PIRCKHEYMERVS.AETATIS.LX
(Willibald Pirckheimer im Alter von 60 Jahren)
Umschrift der Rs.:
CARNIS.CORVPTIO.SPIRITVS.INSTAVRATIO.
Im Feld MD – XXX
(Verderbtheit des Fleisches – Erneuerung des Geistes 1530)
Bronze, gegossen. ∅ 2,8 cm
Berlin, Hauptstadt der DDR, Staatliche Museen, Münzkabinett
Habich I.2 Nr. 1035

E 46.5 Hans Schwarz

Medaille Konrad Peutinger. 1517/18

Umschrift der Vs.:
CHVONRADI.PEVTINGER.IVRISCONSVLTI.AETAT.LII
(Konrad Peutinger Rechtsgelehrter im Alter von 52 Jahren)
Bronze, gegossen, einseitig. ∅ 8,9 cm. Gelocht
Berlin, Hauptstadt der DDR, Staatliche Museen, Münzkabinett
Habich I.1 Nr. 111; Hill and Pollard S. 106; Zeitler S. 85

E 46.6 Friedrich Hagenauer

Medaille Konrad Peutinger. 1527

Umschrift der Vs.:
CHVONRADVS. PEVTINGER.AVGVSTAN. IVRIS. VTRIVSQVE. DOCTOR. AETATIS.ANNO.LX
(Konrad Peutinger Augsburger Doktor beider Rechte im Alter von 60 Jahren)
Bronze, gegossen, einseitig. ∅ 7,6 cm
Berlin, Hauptstadt der DDR, Staatliche Museen, Münzkabinett
Habich I.1 Nr. 479

Peutinger (1465–1547), der in Padua studiert hatte, in Florenz in Verbindung mit Pico della Mirandola stand, Sammler antiker Münzen war, italienische Medaillen aus eigener Anschauung kannte, gehörte zu den Anregern und Förderern der frühen deutschen Medaille, wenn es auch unsicher ist, ob Hans Schwarz mit seinem Medaillenporträt das Augsburger Medaillenœuvre eröffnet hat. Römischen Kaisermünzen ist die nackte, mit gebogtem Abschnitt versehene Büste nachempfunden. Dem antikisierenden Humanistenporträt Schwarz' steht der vornehme, weltgewandte Augsburger Staatsmann und Diplomat gegenüber, wie ihn Friedrich Hagenauer 1527 in seinem flach gehaltenen, eleganten Bildnis sah. L. B.

E 46.7 Unbekannter, wohl Nürnberger, Meister

Medaille Johannes Stabius. Um 1520

Umschrift der Vs.:
IOHANNES:STABIVS:POETA:LAVREATVS:ET HISTORIOGRAPHVS:
(Johannes Stabius, lorbeerbekränzter Dichter und Geschichtsschreiber)
Bronze, gegossen, einseitig. ∅ 7,25 cm
Berlin, Hauptstadt der DDR, Staatliche Museen, Münzkabinett

Johannes Stabius (gest. 1522), Mathematiker, Astronom, Geograph, lateinischer Poet, 1502 von Conrad Celtis mit dem Lorbeer gekrönt, Berater Kaiser Maximilians und Historiograph, war der Verfasser des Textes zu Dürers Triumphbogen und arbeitete auch sonst – wie beispielsweise bei der Nürnberger Dedikationsmedaille für Kaiser Karl V. (Kat.-Nr. C 20.1) – mit Dürer zusammen. Die Medaille geht vermutlich auf eine Zeichnung Dürers zurück, der den bärtigen, lorbeerbekränzten Kopf für einen reitenden Herold auf einer Triumphbogen-Zeichnung 1518 (Tietze II.1 S. 133, Nr. 721) verwendete. Als Meister der Medaille schlägt Habich frageweise Peter Vischer d. J. vor. L. B.

Habich I.1 Nr. 318; Tietze II.1 S. 167, W 108; Dürerzeit, Dresden 1971, Nr. 635

E 47

Medaillen mit biblischen Themen

Neben den deutschen gegossenen Renaissancemedaillen, in denen Künstler und deren Auftraggeber die Verbreitung des Bildnisses als vorderstes Anliegen sahen, kam seit der Mitte des 3. Jahrzehnts des 16. Jahrhunderts eine Kategorie von Medaillen auf, die nicht einen bestimmten Menschen meinten und daher nicht nur für einen begrenzten Personenkreis von Interesse waren: die biblischen Medaillen.
Christlich-religiöse Themen, besonders in Form von Heiligenbildern und deren Attributen, gehörten seit dem Mittelalter zum Bildgut des geprägten Geldes. Die Breitschrötlinge der Brakteaten des 11. und 12. Jahrhunderts erlaubten sogar, ganze Szenen aus den Heiligenviten abzubilden, doch blieben sie Ausnahmeerscheinung und ohne Nachfolge. Erst durch das

Aufkommen der Großsilbermünze und der damit verbundenen verbesserten Prägetechnik erhielten Stempelschneider die Möglichkeit zu mehrfigurigen Münzbildern. Das seit dem Ende des 15. Jahrhunderts in erzgebirgischen Gruben in großer Menge geschürfte Silber bildete die Grundlage für die massenweise böhmische und sächsische Talerprägung, als deren – zumindest im Anfang – Nebenprodukte szenische und auch Bildnismedaillen entstanden.

Daß diese Medaillen in einer Zeit der religiösen Auseinandersetzungen Käufer fanden, liegt neben ihrer Gebrauchsfähigkeit am neu erwachten Interesse für Glaubensfragen; daß es nicht wenige Käufer gewesen sein können, ergibt sich aus der Vielzahl der Medaillen und auch daraus, daß etwa gleichzeitig mit den erzgebirgischen Stempelschneidern in Kremnitz (Kremnice) mit dieser Thematik geprägt wurde, daß ein Meister der Gußmedaille und Goldschmied wie Hans Reinhart in Leipzig sich damit beschäftigte. Ihre langanhaltende Beliebtheit führte dazu, daß sie, als ihre Prägung etwa nach 1570 eingestellt wurde, in Nachgüssen reproduziert wurden.

Charakteristisch für einen großen Teil der biblischen Medaillen sind typologische Gegenüberstellungen von Bildern des Alten und des Neuen Testaments, wie sie in der christlichen Bilderwelt stets aktuell in den Armenbibeln vorgegeben waren und auch von der reformatorischen Kunst übernommen wurden. Wenn auch nicht völlig geklärt ist, ob die geprägte biblische Medaille aus reformatorischem Geist entstanden ist, so spricht allein schon die Themenwahl für diese Annahme. Ihr Ursprungsgebiet ist Böhmen, in dem die reformatorische Bewegung bereits eine lange Tradition hatte, und Sachsen, das Kernland der Reformation. Zudem gehörten zum Programm der Stempelschneider Bildnisse der Reformatoren Hus, Luther, Melanchthon, auch Erasmus von Rotterdam sowie Bildnisse der die Reformation aktiv unterstützenden Fürsten.

Den Anfang machten die sogenannten Pesttaler, die angeblich Schutz gegen die Seuche bieten sollten, mit der ehernen Schlange und der Kreuzigung Christi. Es sind flache, unperspektivische Bilder, die ihre Nähe zur Münze nicht leugnen. Als Beweis ihrer Herkunft tragen sie häufig ein Münzmeisterzeichen. Sie wurden im Talergewicht, in dessen Teilen oder Mehrfachem, herausgebracht. Die ersten Pesttaler sind 1525 entstanden; im Jahre 1531 beginnt die große Reihe der biblischen Medaillen, die von Meistern des Stempelschnitts mit größerem künstlerischem Anspruch gestaltet wurden.

Das technisch-handwerkliche Können und künstlerische Empfinden der beteiligten Meister steht weit über dem Durchschnitt der landläufigen Eisenschneider. Ob sie jedoch eigene Erfindungen in die Stempel schnitten, ist für den größten Teil ihrer Arbeiten zu bezweifeln. Mit einzelnen Blättern und ganzen Zyklen lieferten vor allem die Kleinmeister mannigfaches Anschauungsmaterial, das durch seine weite Verbreitung auch den nach neuen Möglichkeiten Ausschau haltenden Stempelschneidern zur Kenntnis gekommen ist. Bei einer ganzen Reihe von Medaillen ist es möglich, die Verarbeitung von Anregungen oder die getreue Umsetzung von Kupferstich oder Holzschnitt in das kleine Medaillenfeld zu verfolgen. Es ist das Verdienst von Viktor Katz, einen großen Teil dieser Urbilder und Vorlagen aufgespürt zu haben. L. B.

Viktor Katz, Die erzgebirgische Prägemedaille des 16. Jahrhunderts, Prag 1932

E 47.1 Unbekannter Stempelschneider

Eherne Schlange – Gekreuzigter Christus (Pesttaler) 1528

Umschrift der Vs.:
DER.HER.SPRAG.3V.MOSE.MAC.DIR.EIN.ERNE.SLANG.
VND.RICT.SI.3VM.ZU/G/EN.AVF.WER.GEPISN.IST.VND.SIET.
SI.AN.DER.SOL.LEBEN.
Unter dem Kreuzesbalken NVM – RI
(Numeri Kap. 21 – 4. Buch Mose). 21.
Oben, die zwei Umschriftkreise trennend, Kreuz über Halbmond
Umschrift der Rs.:
GLEIC.WI.DI.SLANG.SO.MVS.DES.M-ENSEN.SON.ERHOET.
WERDEN.VF./ DAS.AL.DI.AN.IN.GLAV-BEN.HABEN.DAS.E-WIG.LE.
Neben dem Gekreuzigten IOAN – NES.3.
Oben Kreuz über Halbmond.
Silber, geprägt. ∅ 4,7 cm. 28,89 g
Und Silber, geprägt. ∅ 4,7 cm. 29,17 g
Über dem Kreuzesbalken 1528
Berlin, Hauptstadt der DDR, Staatliche Museen, Münzkabinett
Katz Nr. 8 Var.

E 47.2 Unbekannter Stempelschneider

Gekreuzigter Christus – Auferstehung Christi (Osterpfennig). 1528

Umschrift der Vs.:
GLEIC.WI.DI.SLANG.SO.MVS.DESS.MENSEN.SON.ERHOET.
WERDENN/VF.DAS.AL.DI.AN.IN.GLAVBEN.HABEN.DAS.EWIG.LEB.
Im Feld IOAN-NES 3. *Unten 2–8*
Oben zwischen den zwei Schriftzeilen Kreuz über Halbmond
Umschrift der Rs.:
RO.6.CHRISTVS.IST.AVFER WECT.VON.DEN.TOTN.
DVRC.DI.HERLIKET.DES.VATRS/ ALSO.SOLN.AVC.WIR.
IN.EIM.NEVEN.LEBN.WANDELN.I.COR.15.IOI.
Oben Kreuz über Halbmond
Silber, geprägt. ∅ 4,1 cm. 28,95 g
Berlin, Hauptstadt der DDR, Staatliche Museen, Münzkabinett

Der unter dem Münzmeister Utz Gebhart geprägte »Osterpfennig« vereinigt das für das reformatorische Glaubensverständnis besonders wichtige Karfreitags- und Ostergeschehen. Der Stempelschneider ist vermutlich Melchior Peuerlein aus Leipzig. L. B.

Katz Nr. 14

E 47.3 Hieronymus Dietrich

Sarai übergibt Abraham die Magd Hagar – Abraham vertreibt Hagar mit ihrem Sohn

Umschrift der Vs.:
DO:NAM.SARAI.IR.EGIPTISCHE.MAGD.VND:GAB.SI.
ABRAHAM.ZV.WEI+
Im Abschnitt .GE.16. *(Genesis 16)*
Umschrift der Rs.:
ABRAHAM.STVND.FRVE.AVF.NAM.BROD.WASSER.
LEGETS.HAGR+AVF+
(das letzte Wort oben im Feld)
Im Abschnitt GE.21., *ganz links Kreuz auf* H.
Silber, geprägt. Ø 3,9 cm
Berlin, Hauptstadt der DDR, Staatliche Museen, Münzkabinett
Katz Nr. 134; V. Katz, Bemerkungen zu den erzgebirgischen Stempelschneidern des 16. Jahrhunderts. Mitteilungsblatt der sudetendeutschen numismatischen Gesellschaft 9, Fachwissenschaftliche Beilage Juli/Sept., Gablonz 1936

E 47.4 Hieronymus Dietrich

Jonas und der Wal – Auferstehung Christi

Umschrift der Vs.:
SICVT.IONAS.FVIT.IN.VENTRE.CETI.&:
SIC ERIT.FILI.HOIS:CORDE.TE
(So wie Jonas im Bauch des Wales war usw., so wird der Menschensohn im Schoß der Erde sein)
Im Feld oben .MAT.12. *(Matthäus Kapitel 12)*
Umschrift der Rs.:
DEO.GRACIAQ.DEDIT.NOBIS.VICTORIAM.P.IESV.CHRM.
DO.NRM.I.CO.15
(Gott Dank, der uns den Sieg gegeben hat durch Jesus Christus unseren Herrn. 1. Korintherbrief Kapitel 15)
Silber, geprägt. Ø 4,1 cm. Und Silber vergoldet, gegossen. Ø 4,1 cm
Berlin, Hauptstadt der DDR, Staatliche Museen, Münzkabinett
Katz Nr. 126 a und Nr. 125

E 47.5 Hieronymus Dietrich

Paulus – Bekehrung des Saulus

Umschrift der Vs.:
ORGANV· ELECTV̅· EST· MIHI· ISTE· VT· PORTET· NOMEN·
MEV· CORA̅· GENTIB, *(Dieser da ist mir ein auserwähltes Instrument, damit er meinen Namen trage vor den Heiden)*
Im Feld: ·ACT· –· 9·, *unten* ·PAWLVS·
Umschrift der Rs.:
AC.9:SAVL:SAVL:Q̅D̅:ME.PERSE̅QRIS:G̅A̅:I:SVPRA.MOD̅:
PSE̅QBAR:ECCLE:DE:
(Apostelgeschichte 9: Saul, Saul, warum verfolgst du mich. Galaterbrief 1: Ich habe über die Maßen die Gemeinde Gottes verfolgt)
Unten: .SAVLVS. / *Kreuz auf* H.
Silber, geprägt. Ø 4,0 cm
Berlin, Hauptstadt der DDR, Staatliche Museen, Münzkabinett
Katz Nr. 121

E 47.6 Christoph Fueßl

Eherne Schlange – Gekreuzigter Christus (Pestmedaille). 1530

Inschrift der Vs.:
DER.HER.SPRACH.ZV.MOSE: / MACHE.DIR.EIN.ERNE.SLA /
NGE.VN.RICHT.SI.ZVM ZA / ICHEN.AVF.WER.GEBISSE /
IST.VND.SICHT.SI.AN / DER.SOL.LEBEN./ NVMERI.21 / 1530
Inschrift der Rs.:
WIE.DI.SLANG:SO.MOSE.ER / HOHET:SO.MVS.DES.MEN /
SCHEN.SON.ERHOHET.WE / RDEN.AVF.DAS.ALL.DI / AN.IN.
GLAVBN:HAB / DAS.EWIG.LEBE / IOHA.3 *(Johannes Kapitel 3)*
Silber, geprägt. Ø 4,15 cm
Berlin, Hauptstadt der DDR, Staatliche Museen, Münzkabinett
Huszar Nr. 17

E 47.7 Christoph Fueßl

Passahmahl – Letztes Abendmahl. 1534

Inschrift der Vs.:
ERIT.AVT.AGNVS.ABSQVE / MACVLA.MASCVLVS.AN/
NICVLVS.EST.ENIM.PHA/SE.IDEST.TRANSITVS /
DOMINI.EXO.12
(Es wird ein Lamm sein ohne Makel, männlich, einjährig. Es ist nämlich Passah, die Verwandlung des Herrn. Exodus Kapitel 12)
Inschrift der Rs.:
DESIDERIO.DESIDERAVI /HOC.PASCA.MANDVCA/
RE.VOBISCVM.ANTE /QVAM.PACIAR /LVCE.XXII
(Ich habe sehr verlangt, dieses Passah mit euch zu essen, bevor ich leiden werde. Lukas Kapitel 22)
Silber, geprägt. Ø 4,5 cm
Berlin, Hauptstadt der DDR, Staatliche Museen, Münzkabinett
Huszar Nr. 21

E 47.8 Hans Reinhart

Sündenfall – Kreuzigung Christi. 1536

Umschrift der Vs.:
ET.SICVT.IN.ADAM.OMNES.MORIVNTVR.ITA.ET.IN.CHRISTVM.
OMNES.VIVIFICABVNTVR.VNVSQVISQVE.IN.ORDINE.SVO.
(Und so wie alle in Adam sterben, so werden in Christus alle lebendig, ein jeder in seiner Reihenfolge)
Unten auf einem Schriftband:
IOANNS.FRIDERICVS.ELECTOR.DVX.SAXONIE.FIERI.FECIT
(Johann Friedrich Kurfürst und Herzog von Sachsen ließ [die Medaille] machen)

Umschrift der Rs.:
VT.MOSES.EREXIT.SERPĒTĒ, ITA.CHRS.IN.CRVCE.EXALTATVS.
ET.RESVSCITATVS, CAPVT.SERPĒTIS.CŌTRIVIT,
VT.SALVARET.CREDETES
(Wie Moses die Schlange errichtet hat, so hat der am Kreuz erhöhte und wiedererweckte Christus das Haupt der Schlange zertreten, damit er die Gläubigen rette)
Unten SPES.MEA.IN.DEO.EST (Meine Hoffnung ist bei Gott)
Unterhalb des Kreuzesfußes Signatur HR / 1536
Silber, gegossen, Laubwerk der Vs. aufgelötet. Ø 6,8 cm
Berlin, Hauptstadt der DDR, Staatliche Museen, Münzkabinett

Die Medaille wurde im Auftrag des Kurfürsten Johann Friedrich von Sachsen angefertigt. L. B.

Habich II.1 Nr. 1968; Salton Collection Nr. 65; Dürerzeit, Dresden 1971, Nr. 619

E 47.9 Hans Reinhart – Werkstatt

Opferung Isaaks – Kreuzigung Christi. 1537

Umschrift der Vs.:
PATER MI ECCE IGNIS ET.LIGNA.VBI.EST.VICTIMAM.
DIXIT.ABRAHAM.DOMINVS.PROVIDEBIT.FILI.MI
(Mein Vater, da sind Feuer und Holz. Wo ist das Opfertier? Abraham sagte: der Herr hat gesorgt, mein Sohn)
Umschrift der Rs.:
PECCATA.NOSTRA IPSE.PERTVLIT.IN.CORPORE.SVO.
SVPER.LIGNVM.VT.PECCATIS.MORTVI.IVSTICIE.VIVAM.
(Unsere Sünde hat er selbst an seinem Leib erduldet oben am Holz, damit wir, den Sünden gestorben, in Gerechtigkeit leben)
Über dem Kreuzesbalken .I.PE.Z.
(1. Petrus-Brief, Kapitel 2)
Silber, vergoldet gegossen. Ø 7,0 cm
Berlin, Hauptstadt der DDR, Staatliche Museen, Münzkabinett

Die Jahreszahl 1537 fehlt auf diesem Exemplar, das stark mit dem Stichel überarbeitet ist, dadurch an Delikatesse verloren hat und gegenüber dem bei Habich abgebildeten Exemplar in Details verändert ist. L. B.

Habich II.1 Nr. 1984

E 47.10 Hans Reinhart

Moses am Dornbusch – Anbetung der Weisen 1538

Vs.: DOMINVS.MOYSI.DE.RVBRO /LOQVITVR.ET.IN.EGIPTVM /MITTIT.AD.PHARONEM /EXOD.III
(Der Herr spricht zu Moses vom Dornbusch aus und schickt ihn nach Ägypten zum Pharao. Exodus Kapitel 3)
Rs.: INVENERVNT.PVERVM.CVM.MARIA /ADORAVERVNT.ET.OBTVLE /RVNT.MVNERA.AVRVM. /THVS.ET.MIRRA./MAT.II
(Sie fanden das Kind mit Maria, beteten an und brachten Gold, Weihrauch und Myrrhe. Matthäus Kapitel 2)
An der Abschnittsleiste MDXXXVIII,
links am Futtertrog Signatur HR.
Silber, gegossen. Ø 7,0 cm
Berlin, Hauptstadt der DDR, Staatliche Museen, Münzkabinett

Die Medaille fällt formal insofern aus dem Werk Reinharts, als die Schrift nicht als rahmender Buchstabenkranz, sondern als erläuternde Unterschrift im Abschnitt angebracht ist, ein Schema, das er vermutlich von erzgebirgischen und Kremnitzer Medaillen übernommen hat. L. B.

Habich II.1 Nr. 1971; Bernhart und Kroha 1966, S. 51

E 47.11 Hans Reinhart

Apokalypse. 1539

Umschrift der Vs.:
RELEVATIO.CHRISTI.QVAM.DEDIT.ILLE.DEVS.VT.PALAM.
FACERE.SERVIS
(Offenbarung Christi, die ihm Gott gegeben hat, um sie den Dienern zu eröffnen)
Im Feld IO:AP–OC.–CA:I.
(Offenbarung des Johannes Kapitel 1)
Unten vertieft 1539
Rs.: Unten vertieft Signatur HR und IDEM–CA–IIII
(Ebenda Kapitel 4)
Silber, vergoldet, gegossen. Ø 6,85 cm
Berlin, Hauptstadt der DDR, Staatliche Museen, Münzkabinett

Die Aufnahme der Offenbarung Johannis in den biblischen Medaillenzyklus von Hans Reinhart mag dafür sprechen, daß das Thema für die Menschen der Reformationszeit von anhaltender Bedeutung blieb. Es ist nicht bekannt, ob es sich um eine freie Arbeit oder um ein Auftragswerk handelt. Für die Darstellungen griff der Medailleur auf die vier Jahre zuvor bei Hans Lufft in Wittenberg gedruckte erste vollständige Bibelübersetzung zurück, deren Holzschnittillustrationen der unbekannte Meister MS schnitt. Dieser wiederum fußte auf Cranachs Holzschnitt des Eröffnungsbildes der Johannes-Offenbarung aus dem September-Testament von 1522. Auch die Rs. der Medaille mit der Vision des Johannes hat ihre weitgehende Entsprechung im Holzschnitt der Bibelausgabe von 1535 (Schramm Abb. 341), die sogar noch in den kleinen Köpfen der 24 Ältesten und des Johannes und deren Blickrichtung zu beobachten ist. L. B.

Habich II.1 Nr. 1973

E 47.12 Hans Reinhart

Dreifaltigkeit. 1544

Umschrift der Vs.:
PROPTER SCELVS POPVLI MEI PERCVSSI EVM ESAIAE LIII
(Wegen der Sünde meines Volkes ist er getötet worden. Jesaja Kapitel 53). Unten vertieft Signatur H – R
Das Kruzifix ist separat gegossen und aufgelötet
Umschrift der Rs.:
REGNANTE.MAVRICIO.D.G.DVCE.SAXONIAE.ZC.
GROSSVM HVNC LIPSIAE HR CVDEBAT.
ANo.M.D.XLIIII.MENSE.IANV.
(Während der Regierung von Moritz von Gottes Gnaden Herzogs von Sachsen hat H. R. den Groschen in Leipzig geprägt im Monat Januar des Jahres 1544)
Silber, gegossen. Ø 10,3 cm. Nachträglich gehenkelt
Berlin, Hauptstadt der DDR, Staatliche Museen, Münzkabinett

Die wahrscheinlich im Auftrag des Herzogs Moritz von Sachsen 1544 entstandene Medaille hat, was Raffinesse der Goldschmiedearbeit betrifft, keine Parallele in der Medaillenkunst und wurde schon zu Lebzeiten des Künstlers so hoch geschätzt, daß er sie 1556 und für Kurfürst August 1561, 1569 und 1575 wiederholen mußte. Wie Habich ausführt, entsprach die Medaille der vermittelnden Haltung des sächsischen Herzogs zwischen der katholischen und evangelischen Seite vor Ausbruch des Schmalkaldischen Krieges. Die Trinität als beide Konfessionen bindende Glaubenslehre mochte für die Vermittlerrolle stehen, ebenso die in 21 Zeilen auf einer Schrifttafel der Rs. wiedergegebenen Teile des Athanasianischen Glaubensbekenntnisses.
Die Anlage des Gnadenstuhls könnte inspiriert sein vom Schema der Titelrahmen der Wittenberger Bibelübersetzungen, wie sie etwa in dem von Georg Lemberger geschnittenen Portalrahmen von 1522 vorliegt (Schramm Abb. 36): Ein auf Pfeilern ruhender Nischenbogen, von zwei Säulen und Engeln begleitet. L. B.

Habich II.1 Nr. 1962; Babelon, S. 111f.; H. Grunthal, The Trinity Medal by Hans Reinhart, in Museum Notes 18. New York 1972, S. 109ff.; Hill and Pollard 1978, 113f.; M. Jones, The Art of the Medal, London 1979, S. 44, Abb. 92.

E 47.13 Concz Welcz

Erschaffung Evas – Jüngstes Gericht. 1545

Umschrift der Vs.:
ANNO.M.D.XLV./CONDITORI.ET CONSERVATORI/
ORBIS.DEO.TRINO.ET.VNO./HOC.FACIE.C.W.
(Im Jahre 1545 fertigte dieses [Stück] dem Schöpfer und Erhalter der Erde, dem dreieinigen Gott, Concz Welcz an)
Umschrift der Rs.:
VENITE BENEDICTI.PATRIS.MEI./IN.REGNVM VESTRVMMA 25 –
ITE MALEDICTI.IN.IGNEM./ETERNVM.MATHE XXV.
(Kommt, Gesegnete meines Vaters, in euer Reich – Gehet, Verdammte, in das ewige Feuer. Matthäus Kapitel 25)
Unten am Rande Signatur C.W.
Silber, gegossen und geprägt. Ø 6,25 cm
Berlin, Hauptstadt der DDR, Staatliche Museen, Münzkabinett

Der Erschaffung Evas im kleinteilig ausgefüllten Feld dürfte ein Holzschnitt Hans Holbeins zugrunde liegen (Katz, Abb. 35). L. B.

Habich I.1 S. LIII, Fig. 60, 61; Katz Nr. 233

E 47.14 Nickel Milicz

Adam und Eva vor Gottvater – Vertreibung aus dem Paradies. 1549

Umschrift der Vs.:
DIXIT DOMINVS ECCE ADAM QVASI VNVS EX NOBIS FACTVS
EST SCIENS BONVM ET MALVM GEN III
(Der Herr sprach: siehe Adam, wie einer aus uns gemacht ist und von gut und böse weiß. Genesis Kapitel 3)
Umschrift der Rs.:
DOMINVS F(sic!)IECIT ADAM EX PARADISO ET COLLOCAVIT
ANTE PARADISVM CHERV ET GE III
(Der Herr warf Adam aus dem Paradies und stellte vor das Paradies Engel und – Genesis Kapitel 3)
Silber, geprägt. Ø 6,2 cm. Später montierter Henkel
Berlin, Hauptstadt der DDR, Staatliche Museen, Münzkabinett

Vorlagen für beide Paradiesszenen, besonders für Haltung und Gestik der Figuren, sind in Heinrich Aldegrevers Kupferstichen von 1540 (Urteil Gottes [Bartsch 4] und Vertreibung aus dem Paradies [Bartsch 5]) zu sehen. L. B.

Katz Nr. 355

E 48.1 Lucas Cranach d. Ä. *Abbildung*

Das Wappen Cranachs im Rund. 1538

Verwendet auf dem Titelblatt von Johannes Stigel:
IN IMMATV-/RVM OBITVM ORNATISSIMI/
IVVENIS ET EXIMII PICTO-/
ris Ioannis Cranachij, Lucae filij, qui in/ Italiam
profectus Bononiae obijt/Epicedion
Wittenberg: Joseph Klug 1538
Holzschnitt. Ø 5,1 cm
Brandenburg, Gotthardkirche, Bibliothek; Sammelband M 1, 5

Der kleine Wappenholzschnitt ziert das Titelblatt des seltenen, gewöhnlich nur in den Nachdrucken bekannten Gedichtes auf den Tod des Hans Cranach. Dank der Auffindung durch Konrad von Rabenau kann die kleine Gruppe der Wappenholzschnitte Cranachs um ein besonders fein ausgeführtes Beispiel erweitert werden. Die angedeutete Wölbung des Schildes kommt ähnlich vor auf einem bisher ebenfalls nicht veröffentlichten Holzschnitt des Wappens von Schwarzburg von 1538 (Kat.-Nr. E 48.2) sowie beim Wappen des Johannes Scheiring von 1534 (Geisberg 646), bei dem es sich allerdings nur um

IN IMMATV-
RVM OBITVM ORNATISSIMI
IVVENIS ET EXIMII PICTO-
ris Joannis Cranachij, Lucæ filij, qui in
Italiam profectus, Bononiæ obijt
Epicedion.

Authore Joanne
STIGELIO.

M. D. XXXVIII.

E 48.1

eine Arbeit aus der Umgebung Cranachs handeln dürfte. Die Wappenform mit dem »Adlerflug« ist die von Cranach 1537 aus nicht geklärtem Grund angenommene. Verändert ist übrigens auch die Richtung der Wappenfigur; das Krönlein auf dem Kopf der Schlange ist in dieser Fassung nur noch als ein Hautkamm angedeutet. Der Holzschnitt ist neben der entstellten Wiedergabe auf dem Wappenbrief und einer Zeichnung in Erlangen, die die ältere Form überliefert, eine der ganz seltenen heraldisch vollständigen Wiedergaben des Cranach-Wappens, die zu Lebzeiten des älteren Cranach entstanden sind.

W. S.

E 48.2 Lucas Cranach d. Ä.

Das Wappen von Schwarzburg. 1538

Verwendet auf dem Titelblatt zu Johannes Stigel:
AD ILLUS/TREM DOMINAM CHATARINAM/
Ducem Hennenbergensem ... carmen
(Der berühmten Herrin Katharina,
Herzogin von Hennenberg ... Preislied)
Wittenberg: Joseph Klug 1538, 12. Januar
Holzschnitt. 10,2 x 7,2 cm
Brandenburg, Gotthardkirche, Bibliothek; Sammelband M 1, 5

Der Druck des Wappens gehört zu einer nur vier Seiten starken Schrift Johannes Stigels, die in Brandenburg in dem gleichen Band wie das Gedicht auf Hans Cranach eingebunden ist. Es handelt sich hierbei um die Leichenpredigt auf Katharina von Schwarzburg. Zusammen mit dem Cranach-Wappen gehört der Holzschnitt zu den feinsten graphischen Arbeiten aus den späten Schaffensjahren des Meisters.
Der unveröffentlichte Druck ist von Konrad von Rabenau aufgefunden worden.

W. S.

E 49.1 Lucas Cranach d. Ä. *Abbildung*

Titelrahmen mit Einsiedler und Nonne (Verwendung von 1520–1523)

Verwendet zu Martin Luthers
»Eyn Sermon von dem / vnrechten Mam-/ mon« Luce. XVI.
Wittenberg: Melchior Lotter d. J. 1523 (Benzing 1189)
Holzschnitt. 17,2 x 12,3 cm
Brandenburg, Gotthardkirche, Bibliothek; Sammelband D 2, 10

Luthers kleine Schrift ist eine Auslegung des Bibelwortes: »Machet euch Freunde mit dem ungerechten Mammon, auf daß, wenn ihr nun darbet, sie euch aufnehmen in die ewigen Hütten.« (Lukas Kapitel 16 Vers 9). Sie enthält weder die Ver-

Eyn Sermon von dem
vnrechten Mam-
mon Luce. xvi.

Doctor Martinus
Luther.

Wittemberg.
M. D. xxiij.

E 49.1

Warhafftig be-
richt/ Das das wort Gotts/
ohn tumult/ ohn schwer-
merey/ zu Goßler vnd Braun-
schweigk gepredigt wird/
durch
Anto. Coruinum
Zitho-
gallum/ zu
Goßler predicanten
ynn S. Steffans Pfarr.

M. D. XXIX.

E 49.2

Der Prophet Jona/ aus-
gelegt durch Mart. Luth.

E 49.3

Der Se-
gen/ so man nach
der Messe spricht vber
das Volck/ aus dem
vierden buche Mosi/
am .vj. Cap. Aus-
gelegt durch
D. Mart. Luth.
Wittemberg.
M D XXXII.

E 49.5

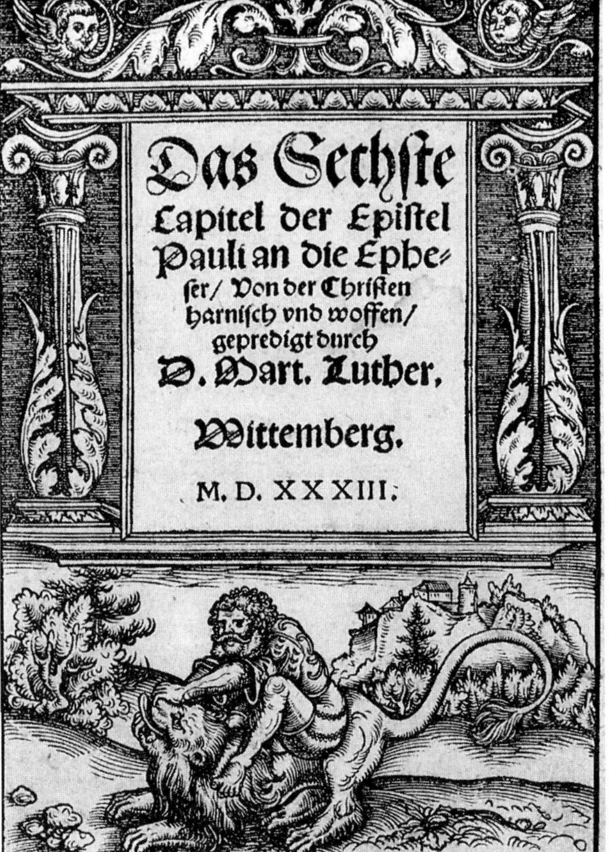

Das Sechste
Capitel der Epistel
Pauli an die Ephe-
ser/ Von der Christen
harnisch vnd woffen/
gepredigt durch
D. Mart. Luther.

Wittemberg.

M. D. XXXIII.

E 49.6

dammung noch die Rechtfertigung materiellen Reichtums, sondern seine Einordnung in Luthers Anschauung von »Christlicher freyheyt«. Nicht das Lob des unrechten Haushälters, sondern das Nutzbringende der sozialen Handlung (die »weyßheyt«) wird in der Interpretation hervorgehoben.
Cranachs durchsichtig angelegter Titelrahmen erscheint dem Inhalt der Schrift gegenüber indifferent, handelt es sich doch hierbei auch um eine spätere Verwendung des Holzschnittes. Vielleicht ist in dem Motiv des Dialoges zwischen Einsiedler und Nonne im allgemeinen Sinne ein Bezug zum Überzeugungscharakter der Schrift zu erkennen. W. S.

E 49.2 Lucas Cranach d. Ä. (Werkstatt) *Abbildung*

Titelrahmen mit Abschied der Apostel. 1525

Einzelblatt aus:
Warhafftig bericht/ Das das wort Gotts/ ohn tumult/ ohn schwer merey/
zu Gosler und Braunschweigte gepredigt wird ... 1529
Holzschnitt. 16,6 x 12,5 cm
Erfurt, Bibliothek des Ev. Ministeriums; U 283

Bemerkenswert bei der Gestaltung dieser Titelrahmen ist die durchgehende, bis in die Kopfleiste hineinreichende Landschaft. Das Thema des »Apostelabschieds« erscheint seit 1525 mehrmals und könnte im Zusammenhang mit Predigten Luthers zur Apostelgeschichte stehen, die er 1524 gehalten hatte.
Die Gestaltung könnte auf einen Titelholzschnitt des Hans Weiditz zurückgehen (Benzing 34). K. F.

E 49.3 Lucas Cranach d. Ä. *Abbildung*

Die Geschichte des Propheten Jonas. 1526

Titelblatt zu:
Der Prophet Jona, aus-/ gelegt durch Mart. Luther.
Wittenberg: Michel Lotter 1526
Holzschnitt. 16,5 x 12,1 cm
Zwickau, Ratsschulbibliothek; XVI, VII, 8

Das Titelblatt zu Luthers Übersetzung des Propheten Jonas gehört zu einer auch inhaltlich aufeinander bezogenen Gruppe, bei der die Schriftsätze auf eine schmale Tafel am Oberrand eingeschränkt sind, um das Szenarium zur freien Entfaltung kommen zu lassen. Die volkstümliche Geschichte ist in sechs Stationen ausgebreitet: Aufforderung zur Bußpredigt durch Gott, Flucht auf dem Schiff mit der Aussetzung auf dem stürmischen Meer, das Abenteuer mit dem Fisch, die Bußpredigt, der Dialog mit Gott und das Erlebnis mit der Kürbislaube. Der kleine Figurenmaßstab rückt das Titelblatt nahe an den »Abschied der Apostel« (Kat.-Nr. E 49.2) heran, doch muß das nicht unbedingt auf die Ausführung durch die gleiche Werkstatthand schließen lassen, wie Falk annimmt. W. S.

E 49.4

E 49.4 Leipziger Formschneider *Abbildung*

Titelrahmen mit lagerndem Löwen. 1527

Bez. o. M.: Jahreszahl
Verwendet zu:
Das Ander/Teyl der Kirchen / gesenge, von dem /
Ersten Sontage / nach der heyligen / Dreifaltigkeit bis /
auff das Ad-/ uent. /
1529 (Leipzig: Jakob Thanner 1529)
Holzschnitt, leicht koloriert. 11,7 x 7,9 cm
Berlin, Hauptstadt der DDR, Staatliche Museen, Kupferstichkabinett; Inv.-Nr. 338 — 1980

Bei dem Buch handelt es sich nach einem Hinweis von Helmut Claus um Flurheyms deutsche Übersetzung des Missale Romanum. Der Holzschnitt ist recht grob und scheint aus verschiedenen Vorlagen zusammengesetzt. Für den unteren Streifen mit dem Löwen zwischen Balustersäulen fand ein Titelrahmen Verwendung, der zuerst in Erfurt 1525 (bei Melchior Sachse d. Ä.) nachzuweisen ist (Pflugk-Harttung 93). W. S.

Abbildung Seite 342

E 49.5 Lucas Cranach d. Ä. (Werkstatt)

Titelrahmen mit Trinität, zwei Propheten und Geburt Christi. 1532

Verwendet zu:
Der Segen/ so man nach/ der Messe spricht über das Volk
Wittenberg: Michel Schirlentz
Holzschnitt. 17,0x12,0 cm
Erfurt, Bibliothek des Ev. Ministeriums; U 199

Das Titelblatt wird seit 1526 bei Michel Schirlentz verwendet. Johann der Beständige wandte sich nach dem Tode Friedrichs des Weisen entschieden den Reformen der Kirche zu und führte zu Weihnachten 1525 die von Luther ausgearbeitete deutsche Gottesdienst- und Meßordnung ein.
Das Titelblatt zeigt in den unteren Ecken die Wappen Luthers und Melanchthons und in der Mitte die Initialen des Druckers Schirlentz.
In der Kombination versatzstückhaft angeordneter Motive, die sich nicht zu einer klaren Komposition zusammenfügen, macht sich die für die späten Titelblätter der Cranach-Werkstatt typische Tendenz zur Auflösung des Rahmenschemas bemerkbar. K. F.

Abbildung Seite 342

E 49.6 Lucas Cranach d. Ä. (Werkstatt?)

Titelrahmen mit Simsons Löwenkampf

Verwendet zu:
Das Sechste/Capitel der Epistel/Pauli an die Epheser/ von der Christen harnisch und woffen/ gepredigt durch D.Mart.Luther. 1533
Wittenberg: Georg Rhau
Holzschnitt. 16,1x11,1 cm
Erfurt, Bibliothek des Ev. Ministeriums; U 208

Der Titelrahmen wurde in der Druckerei des Georg Rhau von 1532 bis 1546 verwendet. Wahrscheinlich ist der Entwurf der szenischen Darstellung eine eigenhändige Arbeit Cranachs (Jahn, S. 66).
Die Weiterwirkung des schon im Spätmittelalter beliebten Themas ist aus seiner inhaltlichen wie auch formalen Vielfalt heraus zu verstehen: Simson wird mit Christus verglichen; das Bewegte der Kampfszene eignete sich als dekoratives Element, wie das auch bei diesem Titelblatt zu ersehen ist. Die Zusammensetzung des Rahmens aus mehreren Teilen steht für die Titelblätter des späteren Stils. K. F.

E 50

Einbandkunst in der Reformationszeit

Einbandkunst und Geschichte des Buches haben sich wechselseitig beeinflußt. Mit der Erfindung und Verbreitung des Buchdrucks in Europa in der zweiten Hälfte des 15. Jahrhunderts war in weiten Kreisen das Bedürfnis gewachsen, dem wertvollen Text eine angemessene, feste und schöne Umhüllung zu geben. Dazu wurden die einzelnen Druckbögen, ergänzt durch Vorsatzblätter am Anfang und Ende, mit starken, über den Rücken des Buchblocks gezogenen Bünden aus Hanffäden und am oberen und unteren Ende mit Kapitalfäden, die oft noch mit einem bunten Faden umstickt wurden, zusammengefügt. Dann legte man die gesamte Papiermasse zwischen kräftige Holzdeckel und befestigte sie, indem man die Bünde in das Holz verkeilte. Den Rücken des Buches verbarg und schützte ein Überzug aus Schweins- oder Kalbsleder, der bei einfacher gestalteten Bänden nur halb über die Holzflächen der Deckel gezogen war, sie aber bei den meisten vollständig bedeckte. Da bei dieser Art des Einbands die Deckel auseinanderklafften, wurden sie mit Lederbändern und Metallschließen, sogenannten Klausuren, oder Stoffbändern zusammengehalten, die allerdings oft verlorengegangen sind. Zur Schonung der Bände, die besonders in Bibliotheken auf Pulten auflagen und bewegt wurden, hat man die empfindlichen Lederflächen, vor allem Ecken und Mitte des Deckels, oft durch Metallstücke geschützt und manchmal zusätzlich Röhren oder Metallschienen an den Seiten aufmontiert. An dieser Technik der Buchbinderei im späten Mittelalter hat auch das Jahrhundert der Reformation wenig geändert. Freilich strebte man zu kleineren Formaten und leichteren Einbänden und benutzte daher als Material für den Buchdeckel manchmal eine Papplage, die durch Zusammenpressen und Leimen unbrauchbaren Papiers, sogenannter Makulatur, entstanden war.
Die zuerst sehr großen, mit Leder überzogenen Flächen der Buchdeckel haben schon früh zur Dekoration eingeladen. Im ausgehenden Mittelalter überwog in Deutschland das Bestreben, die Flächen mit dem sogenannten Streicheisen aufzuteilen und die dadurch entstehenden Einzelfelder mit regelmäßigen Mustern von kleinen ornamentalen Einzelstempeln zu füllen, die an Tapeten oder Gewandstoffe erinnern. Die bedeutungshaltigen Schmuckelemente – Sinnbilder, Wappen und Spruchbänder –, die neben den ornamentalen verwendet wurden, blieben meistens unauffällig und wurden dem dekorativen Muster untergeordnet. Ein charakteristisches Beispiel für diesen Stil ist ein von Luther benutzter Band des Augustiner-Klosters in Erfurt (Kat.-Nr. B 81.2). Neben Stempeln mit großen und kleinen Rosetten, Blüten, Hasen und Löwen finden sich hier auch solche mit dem alten Christus-Symbol des Pelikans, der seine Jungen mit dem eigenen Blute nährt, sowie auf Schriftbändern angedeutete Bekenntnisse zu Gott und dem Ordenspatron Augustinus.
In Deutschlands Nachbarländern wurden seit dem Anfang des 16. Jahrhunderts andere Stilrichtungen der Einbandkunst gepflegt. In den Niederlanden suchte man durch das Aufpressen

großer Bildplatten die gesamte Fläche der Deckel für die Darstellung von Heiligen auszunutzen und entlehnte die Vorbilder beliebten Buchillustrationen und Holzschnitten der Zeit. In Italien und Frankreich ahmte man die reich ornamentierten Einbände der islamischen Länder nach und bildete sie zu einem eigenen »welschen« Stil um, wie er in Deutschland genannt wurde. In Mitteleuropa dagegen kündigte sich zur gleichen Zeit in anfangs voneinander unabhängigen Einzelschritten ein tiefgreifender Stilwandel an. In Nürnberg und Augsburg, Lübeck, Wien, Prag und Krakau wurden als zentraler Schmuck des Deckels kleine vergoldete Platten benutzt, auf denen zunächst die Madonna oder Heilige abgebildet waren, bald aber auch, dem Geist der Renaissance entsprechend, Fürsten und personifizierte Tugenden.

Der Übergang zu Renaissance-Motiven und -Formen wurde wesentlich durch die vermutlich in Nürnberg gemachte Erfindung der Buchbinderrolle befördert. Mittels einer erhitzten Metallwalze konnten nun die Muster dem angefeuchteten Leder in einem einfachen technischen Akt eingeprägt werden, wobei man die ornamentalen Einzelstempel der Spätgotik zu Ornamentbändern zusammenfügte, einer Ranke etwa oder einem Laubstab, bei dem das Laubwerk von einem durchgeführten Ast ausgeht. Mit der technischen Erleichterung ging eine Verminderung der vielfältigen Variationsmöglichkeiten der Deckelaufteilung einher, die den spätgotischen Einband so reizvoll gemacht hatten. Fortan bildeten die Rollen fast immer einen einfachen oder mehrfachen Rahmen um eine mittlere Fläche. Blinde Streifen, die zwischen den Mustern der Rollen entstanden, konnten mit kleineren Einzelstempeln geschmückt werden. Die zeitgenössische Vorliebe für architektonische Gestaltung äußerte sich in dem Bemühen, räumliche Tiefe dadurch zu erreichen, daß man die blinden Streifen an den Ecken mit Diagonallinien versah und so das Auge auf das Mittelstück leitete.

Bei dieser neuen Art der Anordnung mußte vor allem die Mittelfläche angemessen gefüllt werden. In Mitteldeutschland behielt man zuerst die spätgotische tapetenartige Musterung aus Einzelstempeln bei, setzte dann die Bänder der Rolle zu zweit oder dritt nebeneinander in das Zentrum, entwickelte sogar Rollen, von denen eine breit genug war, um diese Mitte zu bedecken, und verwendete schließlich die blindgeprägte Platte mit einem zentralen figürlichen Motiv.

Aber schon bevor das künftige Normalschema des Buchdeckels aus rahmenden Rollen und einer figuralen Mittelplatte entwickelt worden war, hatte sich, etwa um 1510, die Renaissance-Ornamentik das neue Instrument zunutze gemacht. Vor allem der Baseler Urs Graf, der selbst Metallarbeiten ausführte, aber auch Augsburger und Nürnberger Künstler veranlaßten die Siegelschneider und -stecher, auf den Metallwalzen der Rollen Vasen mit großen Blüten, Kettengehänge oder Folgen von kriegerischen Trophäen ablaufen zu lassen. Dazu kamen, als erste figürliche Darstellungen, spielende und kletternde Putten, wie sie Hans Holbein d. J. für die Rahmenleisten von Titelblättern auf Baseler Drucken vorgezeichnet hatte. Anfangs herrschte noch die abschnittlose Verflechtung der Einzelmotive vor; da aber die Sonderung und Betonung der Einzelfiguren stärker dem Formgefühl der Renaissance entsprachen, wurden auf den Rollen Einzelabschnitte mit einzelnen Putten, schreitenden und tanzenden Paaren oder Büsten von Mann und Frau im Wechsel gebildet. Fast immer übernahm man dabei Anregungen der Buchgraphik oder von Vorlageblättern und Modeln der Nürnberger Kleinmeister, wie es auch bei Möbeldekorationen und Ofenkacheln geschah. Dabei haben sich die Siegelschneider außerordentlich geschickt den Bedingungen des Materials und dem Format der Buchbinderrolle angepaßt.

Auch in Wittenberg wurde die Renaissance-Ornamentik von den Buchbindern aufgenommen. Unter dem Einfluß der Reformation hatte sich hier schnell eine umfangreiche Buchproduktion entwickelt. Neben Johann Rau-Grunenberg, der anfangs allein die Werke Luthers, Karlstadts und Melanchthons gedruckt hatte, waren bald andere leistungsfähige Druckereien getreten wie die von Melchior Lotter d. J. und seinem Bruder Michael, von Nickel Schirlentz, Georg Rhau und Hans Lufft; Lucas Cranach und seine Werkstatt, der Leipziger Georg Lemberger und andere Künstler lieferten die Vorlagen für die Titelblätter und die übrige Buchgraphik, »Buchführer«, die damaligen Buchhändler, richteten sich in der Stadt ein, vertrieben von hier aus das reformatorische Schrifttum und sorgten wohl auch dafür, daß einige Bücher zur Ansicht für die Kunden vor dem Verkauf gebunden wurden. So zogen Buchbinder nach Wittenberg, deren Hauptauftraggeber Professoren und Studenten waren, da man damals die Bücher meist in rohen Bogen kaufte und selbst binden ließ. Studenten kamen in großer Zahl zu der neugegründeten Universität, unter ihnen auch ältere, um nach einer Zeit der Berufstätigkeit eine Art Qualifizierung zu erreichen. Manche haben sich während des Studiums Privatbibliotheken aufgebaut, andere wollten wenigstens *ein* in Wittenberg gebundenes Buch als Erinnerung nach Hause mitbringen.

Wenig später als die Renaissance-Ornamentik haben auch Bildnisse, menschliche Gestalten und ganze Szenen auf den Rollen der Wittenberger Buchbinder ihren Einzug gehalten, offenbar auf Grund von Anregungen aus Süd- und Westdeutschland. Man begann, die christlichen und weltlichen Kardinaltugenden durch symbolische Figuren, aber auch mit Hilfe mythologischer Szenen wie dem Urteil des Paris abzubilden. Zwischen 1520 und 1530 wurden in diesen Serien Voll- oder Halbfiguren noch etwas unbeholfen aneinandergereiht und blieben unbeschriftet. Später faßte man sie in Architekturteile ein und sonderte sie voneinander ab. Inschriften, die entweder nur kurz das Thema benennen oder es in lateinischen oder deutschen Bibelzitaten und humanistischen Sprüchen deuten, traten hinzu.

Es besteht kein Zweifel, daß die humanistischen Anliegen, die sich in dieser Art der Buchdekoration äußern, von Kurfürst

Friedrich dem Weisen gefördert worden sind, der mit humanistisch gesinnten Gelehrten und Künstlern in Süddeutschland Kontakt hielt und in Georg Spalatin einen Mann dieser Richtung zu seinem Hauskaplan und Sekretär gemacht hatte. Bereits 1508 hatte er in Nürnberg Medaillen mit seinem Bildnis prägen lassen, die zum Vorbild für Buchgestalter wurden, wie der Medaillenstempel mit seinem Kopf und der reformatorischen Umschrift » V(erbum) D(ei) M(anet) I(n) E(ternum)« (Das Wort Gottes bleibt in Ewigkeit) beweist, der bereits 1520 zusammen mit einem Bildnisstempel Luthers auf Einbänden erscheint. Eine sicher in engem Zusammenhang mit dem Hof entstandene Bildnisrolle mit dem Porträt des Kurfürsten neben den beschrifteten Köpfen des Herkules und der römischen Kaiser Septimius Severus und Antoninus Pius, die damals als antike Beschützer des Christentums galten, verrät seinen Wunsch, durch Gestalten der Antike sein eigenes Wirken zu interpretieren, wie es auch sonst bei den Fürsten der Renaissance üblich war.

Charakteristisch für den Wittenberger Einbandstil der Reformationszeit sind aber nicht die humanistischen Motive, sondern die christliche Bildwelt in ihrer besonderen reformatorischen Ausprägung, die ebenfalls zuerst auf den Rollen zu beobachten ist. Möglicherweise sind auch dazu die Anregungen von außen gekommen, wie aus einem Vergleich mit Buchbinderrollen hervorgeht, die etwa seit 1525 in Breslau, Krakau und Königsberg benutzt wurden und die biblischen Szenen Kreuzigung, Auferstehung, Sündenfall und Opferung Isaaks zusammenstellen. Sie werden zunächst kommentarlos abgebildet, dann aber mit den Unterschriften Satisfactio (Genugtuung), Iustificatio (Rechtfertigung), Peccatum (Sünde) und Fides (Glaube) versehen, das heißt durch die Zentralbegriffe der Reformation interpretiert. Es ist gut möglich, daß diese Rollen in Wittenberg bekannt geworden sind und dort die Entstehung des Rechtfertigungsbildes von Lucas Cranach d.Ä., auch »Sünde und Erlösung« genannt, beeinflußt haben.

Dieser wichtigste Bildtypus der Reformation ist etwa zehn Jahre nach seiner Entstehung um 1529 von den Wittenberger Stechern übernommen worden. Dabei spielte die Benutzung von Bildplatten eine wichtige Rolle. Die in Böhmen besonders verbreitete Technik der negativ gestochenen Platten für den Goldaufdruck hatte auch in Wittenberg Eingang gefunden, wobei vielleicht der Buchbinder Conrad Neidel aus Prag eine Rolle spielte, der auch für Luther gebunden hat. Der Wittenberger wie der Dessauer Hof haben lohnende Aufträge für derartige Prachteinbände erteilt. Genaueres ist über den Buchbinder Joachim Linck und seine Arbeit für den Dessauer Fürsten bekannt, zu der Lucas Cranach d.Ä. die Vorlagen geliefert hat, vor allem zu den vorzüglichen Fürstenporträts.

Folgenreicher für die Entwicklung der neuen protestantischen Ikonographie, als es der negative Aufdruck auf den Bucheinbänden war, sollte der positive, reliefartige Stich der Platten werden, der weniger kostspielig und leichter zu handhaben war. Die Themen der christlichen Überlieferungen, die Luther den Künstlern empfohlen hatte, wurden zuerst in dieser Technik auf Einbänden dargestellt: Schon um 1525 kommen der Gute Hirte und ein Typus der Auferstehung, der Christus als Überwinder des Todes zeigt und für die protestantische Ikonographie bestimmend geworden ist, auf Platten eines Leipziger Buchbinders vor. Im Repertoire der Wittenberger Einbandkunst erscheint die Blinddruckplatte um 1535, und gleichzeitig werden die Themen im Sinne der Reformation sorgfältig ausgewählt und in der Art der Cranach-Schule wiedergegeben. Vielleicht hat man sich dabei nur von Holzschnitten und Gemälden des Wittenberger Meisters inspirieren lassen, vielleicht hat seine Werkstatt den Stechern auch unmittelbare Vorlagen geliefert.

Wichtigste biblische Themen auf Platten wie auf Rollen der Wittenberger Buchbinder waren Kreuzigung und Auferstehung in der Formulierung des Rechtfertigungsbildes; außerdem kommen die Ankündigung der Geburt Jesu und seine Taufe sowie Einzelgestalten wie Christus als Salvator und guter Hirte, Johannes der Täufer, Petrus und Paulus vor. Neben biblischen Darstellungen sind Brustbilder und ganzfigurige Darstellungen Luthers und seines Mitstreiters Philipp Melanchthon zu finden, auf Rollen außerdem Johannes Hus als Vorläufer der Reformation und überraschenderweise auch Erasmus von Rotterdam. Trotz des Bruches zwischen ihm und Luther im Jahre 1525 sollte der wichtigste Repräsentant des Humanismus – offenbar unter Melanchthons Einfluß – nicht aus dem Kreis der Reformatoren entlassen werden. Auch die Beibehaltung humanistischer Bildthemen, besonders der Tugenden, der Lebensmächte Venus und Fortuna und heroischer Gestalten des Altertums wie Simson, Mutius Scaevola, Lukretia, Jael und Judith in oft direkter Verbindung mit Reformationsmotiven, entspricht wohl mehr Melanchthons als Luthers Auffassungen. Dabei hat man auch die Darstellung des nackten Körpers nicht gescheut und Cranachsche Formulierungen benutzt.

Um 1540 hatte sich der Wittenberger Einbandstil in allen Teilen Europas durchgesetzt, soweit sie lutherisch bestimmt waren. Er hat noch bis in die erste Hälfte des 17. Jahrhunderts hinein gewirkt, obwohl sich bereits gegen Ende des 16. Jahrhunderts neue Einflüsse bemerkbar machten. Die ornamentale Rahmung der Motive paßte sich dem manieristischen Beschlagwerk an, die ovale Kartusche wurde zu einer beliebten Einfassung für die Bilder, die dekorative Manier des »welschen Stils« der Italiener und Franzosen breitete sich aus. Das geschah zunächst in unbeholfenen Imitationen, so auf Bänden, die weltläufige Adlige wie Nikolaus von Ebeleben in Auftrag gegeben hatten, später in der vollkommenen und eigenständigen Art von Jakob Krause und Caspar Meuser, den Hofbuchbindern des Kurfürsten August von Sachsen in Dresden, deren Kunst ihrerseits auf den Geschmack von Buchbindern und Kunden zurückwirkte. Immer mehr traten die ornamentalen Mittelstücke an die Stelle der Bildplatten, die ornamentalen Rollen an die Stelle der bedeutungshaltigen figürlichen. Schließlich haben nur noch Bibeln und Luther-Ausgaben den alten Reformationsstil festgehalten, aber noch im 18. Jahrhundert mußten künftige Meister des Buchbinderhandwerks mit derartigen Probestücken beweisen, daß sie außer der modernen auch die traditionsreiche Manier des 16. Jahrhunderts zu beherrschen gelernt hatten. K. v. R.

E 50.1

E 50.1 Unbekannter Baseler Buchbinder *Abbildung*

Einband mit Rollen des Urs Graf. 1515

Bez. auf dem Titelblatt: Est Guilielmi Neseni AN(no) MXV
Pappdeckel mit hellbraunem Kalbsleder; drei Bünde;
Kapitale rot umstochen; gelblicher Schnitt; zwei Lederbänder als Schließen.
Oktav (17,3 x 10,1 cm)

Inhalt des Bandes:
Manuel Chrysoloras; Erotemata graece.
Venedig: Aldus Manutius 1512 (Panzer VIII, 409, 589)
Berlin, Hauptstadt der DDR, Deutsche Staatsbibliothek;
VZ 8693 = Einbandsammlung 47 – 4/30

Vorderer und hinterer Deckel sind gleich gestaltet
Stempel: kleine Blüten
Rollen: Ein nackter Bogenschütze mit Kinnbart zielt auf einen Adler, der sich auf ihn stürzt; dazwischen üppiges Rankenwerk. 12,3 x 1,8 cm (Schunke 8)
Vier Vögel – Adler, Storch, Kranich (?), Elster – in einer Ranke. 12,6 x 1,6 cm (Schunke 11)

Das Buch hat Wilhelm Nesen gehört, der 1524 bei einer Bootsfahrt auf der Elbe ertrunken ist. Er galt als eine große Verstärkung des Kollegiums der Wittenberger Universität, da er ein begabter Schüler des Erasmus war und sich als Professor in Löwen und als Rektor einer neuen Lateinschule in Frankfurt am Main aktiv für die Anliegen der Reformation eingesetzt hatte. Luther ist durch seinen Tod wahrscheinlich zu der Übersetzung und Erweiterung des Liedes »Mitten wir im Leben sind von dem Tod umfangen« veranlaßt worden.
Den Einband für dieses griechische Übungsbuch aus der Presse des Aldus Manutius in Venedig hat er sich während seines Studiums in Basel anfertigen lassen. Die Blüte des Humanismus in dieser Stadt brachte auch eine sehr phantasievolle und hochstehende Neugestaltung der Einbandkunst. Die Anregung, das neue Instrument der Rolle für originellere Gestaltungen, als sie aus der späten Gotik bekannt waren, zu nutzen, scheint von dem bedeutenden Drucker Johannes Froben ausgegangen zu sein. Die prächtigen Rollen voller Naturbeobachtungen mit nackten Körpern, Vögeln, Blumen sind von Urs Graf (um 1485–1527) entworfen und vielleicht auch selbst gestochen worden. K. v. R.

E 50.2 Wittenberger Buchbinder *Abbildung*

Einband mit Medaillenstempeln Luthers und Friedrichs des Weisen. 1520

Bez. auf dem Titelblatt:
Emptus aureo I et v gr. Compaginatio grossi vii M.D.XX.
Holzdeckel mit braunem Kalbsleder; vier Bünde;
Kapitale weiß umstochen;
geschweifte Ansatzstücke für Metallklausuren erhalten
Folio (37,0 x 21,0 cm)

Inhalt des Bandes:
Marcus Antonius Floccius Sabellicus, Rapsodia Historiarum. Posterior pars
Paris: Jean Petit & Josse Bade 1517 (Panzer XI, 485, 844)
Wittenberg, Predigerseminar der Ev. Kirche der Union; f. 670

Vorderer und hinterer Deckel sind gleich gestaltet
Einzelstempel: kleine, nicht umrandete Rosette;
vierblättrige, nicht umrandete Blüte;
Medaillenstempel mit Luthers Porträt sowie Umschrift:
MARTINNVS LVTHER ECLESIA (stes)
(Martin Luther, der Prediger).
∅ 2,5 cm (Haebler 2, 225, IV);
Medaillenstempel Kurfürst Friedrichs des Weisen mit Umschrift VDMIE *(Verbum Domini Manet in Eternum: Das Wort des Herrn bleibt in Ewigkeit)*
∅ 2,5 cm (Haebler 2, 225, V)
Rollen: Laubstab mit Rosette. 13,6 x 1,8 cm

E 50.2

Der Einband zeigt noch die spätmittelalterliche Rautenaufteilung des Mittelfeldes, benutzt aber schon ornamentale Rollen als Rahmung. Das Neuartige an ihm ist aber die Herausbildung eines Mittelfeldes, um Medaillen von Kurfürst Friedrich dem Weisen und Martin Luther hervorzuheben. Da der Band sicher datiert ist, gehört die Luther-Medaille zu den frühesten Bildniswiedergaben Luthers. Vorangegangen sind nur eine Medaille von 1519 oder 1520, die Luther im Profil und auf der Rückseite einen Phönix mit der Inschrift »Sic tandem« zeigt, und der medaillenförmige Holzschnitt auf dem Druck der Predigt Luthers bei der Leipziger Disputation, der von Wolfgang Stöckel in Leipzig (Benzing 398) herausgebracht wurde. Der Kopf Luthers auf dem Medaillenstempel im Profil nach links mit dem Doktorhut entspricht der Darstellung des Kupferstichs von Lucas Cranach d. Ä. aus dem Jahr 1521 (Hollstein 6). Vermutlich hat es auch eine Medaille dieser Art gegeben, für die eine Vorzeichnung Cranachs für den Kupferstich die Vorlage gewesen sein wird. Die Umschrift, die Luther als Ecclesiastes (Prediger) bezeichnet, ist eine Selbstbezeichnung Luthers (vgl. WA 10, 2, S. 105 f.), die die Bedeutung seiner Lehre für die ganze Kirche hervorhebt. Der Medaillenkopf Friedrichs des Weisen mit Kappe, Lippen- und Vollbart, im Profil nach rechts gewandt, entspricht dem Bildnistyp, der von Lucas Cranach d. Ä. nach der bisherigen Datierung seit 1522 verwendet wird (Friedländer/Rosenberg 1979, Nr. 151).
Die Umschrift benutzt zum ersten Mal die von Spalatin dem Kurfürsten angebotene und von ihm bestätigte neue Devise »Verbum Domini Manet in Eternum« (1. Petrus-Brief Kapitel 1, Vers 25 nach Jesaja Kapitel 40, Vers 8), die an die Stelle der älteren »Crux Christi Nostra Salus« getreten ist (Tenzel 1, S. 30–31). Dagegen ist auf der Medaille, die der Kurfürst mit seinem Bild nach der gleichen Vorlage für seine Reise zum Reichstag in Nürnberg 1522 prägen ließ, die neue Devise mit der alten vereint worden (Tenzel Tab. 3).
Angesichts des engen Zusammenhanges der Medaillenstempel mit dem kursächsischen Hof ist auch der Buchbinder in Wittenberg zu suchen. K. v. R.

E 50.3 Unbekannter Buchbinder *Abbildung*

Einband. Um 1521

Holzdeckel mit gelbem Schweinsleder; fünf Bünde;
Kapitale rosa und grün umstochen;
ungefärbter Schnitt ohne Beschriftung; oben und unten Reste eines braunen Bandverschlusses
Oktav (19,7 x 14,0 cm)

Inhalt: Novum Testamentum graece (Neues Testament griechisch)
Hagenau: T. Anselm
(Panzer, Annales VII, 91, 188)
Wittenberg, Bibliothek des Predigerseminars der Ev. Kirche der Union; 8° Th 26 a

Vorderer und hinterer Deckel fast gleich gestaltet
Zum Schmuck werden nur Rollen verwendet:
Rautenranke mit Blüte. 12,0 x 1,7 cm;
spiralige Blütenranke. 11,2 x 0,8 cm;
Vasen mit stilisierten Blüten. 11,2 x 1,3 cm
(vgl. die ähnliche Rolle bei Barthel Gerngross in Zwickau, Haebler I 134, 4)

Der Einband dokumentiert den Übergangsstil der ersten drei Jahrzehnte des 16. Jahrhunderts. Die für die Folgezeit maßgebliche Deckelaufteilung und das neue Dekorationsinstrument der Rolle werden schon konsequent angewendet. Die Vasenrolle zeigt die neuartige Ornamentik der Renaissance, die Rankenrollen dagegen noch den Stil der Spätgotik. Der Band ist in Mitteldeutschland, vermutlich in Leipzig, gebunden worden. K. v. R.

E 50.4 Französischer Buchbinder

Ein Buch als Geschenk für Martin Luther und Katharina von Bora. Um 1525 (?)

Bez.: Supralibros auf dem vorderen Deckel »C & M // LUTHE(r)«.
Auf dem Spiegel des vorderen Deckels:
»DOMINE ZEBAOT beatus homo, qui speravit in t(e) // Psal. 33 // In te DOMINE spero // nom confundar in aeter(num) // A.B.C.D.E.F. // Johannes Ernestus // Lutherus.«

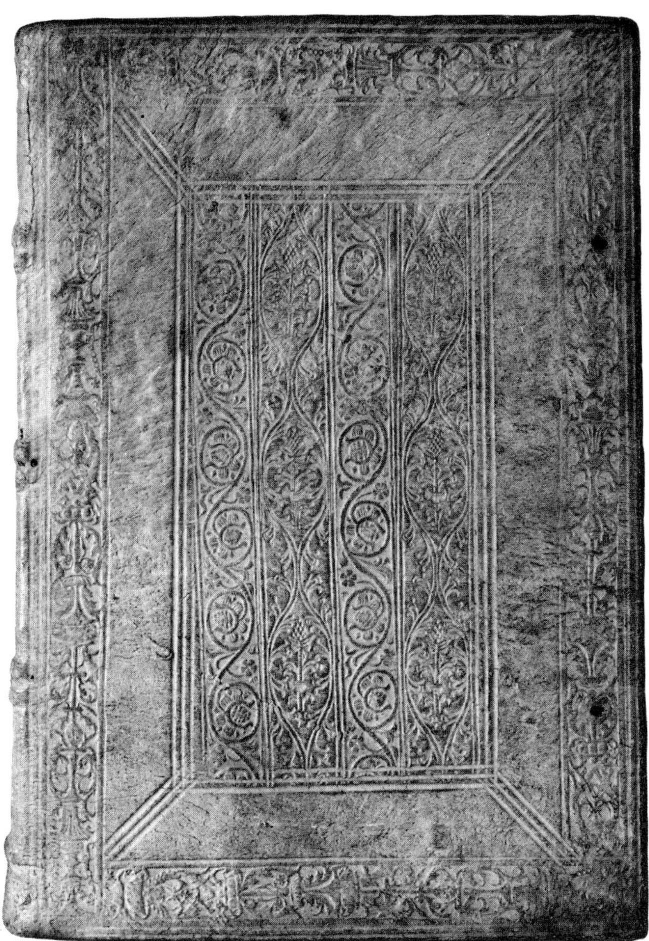
E 50.3

Auf dem Vorsatz:
»Ex Bibliotheca M.G. Weimanni Lipsiensis 1707«.
Holzdeckel mit buntgefärbtem Kalbsleder; drei Doppelbünde; zwei schmale Metallklausuren
Duodez (15 x 10 cm)

Inhalt des Bandes:
Vulgata; sogenannte Brigittenbibel, Pergamenthandschrift
Seit 1707 in der Stadtbibliothek Leipzig
Leipzig, Karl-Marx-Universität, Universitätsbibliothek; MS Rep II 143

Das Mittelfeld des Deckels füllt mit einer Bandwerkplatte fast die ganze Fläche. Zwei schmale Streifen, ein weißes blindes Lederband und eine Ornamentrolle bilden den Rahmen.
Schmuckmaterial:
Platte: 11,0x6,2 cm. In der Mitte entfaltet sich mit weiten Ranken und langen Spitzen eine stilisierte vergoldete Blüte. Sie wird eingefaßt und zum Teil überschnitten von zwei roten, schwarzen und weißen Bändern, die an den Seiten in einfachen Bogen, oben und unten in geometrisierten Knoten verschlungen sind. Vergoldete Balusterrolle 0,7 cm breit.

Das Buch stammt nach sicherer Bezeugung aus dem Besitz von Luthers Enkel Johannes Ernst Luther, Domherr in Zeitz. Deshalb sind die Initialen C & M mit großer Wahrscheinlichkeit als Catharina und Martin zu deuten. Da eine derartige kostbare Handschrift mit so außerordentlich kunstreichem Einband sicher nicht von Luther erworben wurde, wäre für ein Geschenk an beide Eheleute Luther die Hochzeit der geeignetste Termin gewesen.
Bezeugt ist zum Beispiel, daß ihm Kardinal Albrecht von Mainz damals ein Geldgeschenk gemacht hat.
Dem steht entgegen, daß der Einband im Stil des großen französischen Bibliophilen Grolier gehalten ist, von ihm aber erst um 1530 angewendet wurde. Der unbekannte Schenker wird also in Paris zu suchen sein oder einen Auftrag dorthin vergeben haben. In dem Band hat sich auch ein Stammbaum Christi von Luthers Hand befunden.
Der Band wurde im zweiten Weltkrieg durch Brand beschädigt, von dem Jenaer Restaurator Günter Müller aber 1970 originalgetreu wiederhergestellt. K. v. R.

E 50.5 Leipziger (?) Buchbinder

Widmungsband für Friedrich den Weisen

Bez. auf dem Titelblatt:
D. FRIDERICO PRINCIPI ELECTORI SAX (oniae) DVCI
und Wappen mit Kurschwertern
Pappdeckel mit braunem Kalbsleder; vier Bünde;
Kapitale braun-weiß umstochen; Goldschnitt; an der Seite zwei Ansatzstücke für einen breiten Bandverschluß
Quart (20x15 cm)

Inhalt des Bandes:
Isocrates, Oratio, de bello fugiendo …
(Rede, daß man den Krieg fliehen … soll),
übersetzt von Petrus Mosellanus
Peter Schade (Mosellanus), Oratio de variarum linguarum cognitione paranda
(Rede, daß Kenntnis verschiedener Sprachen vorzubereiten ist), Leipzig: Valentin Schumann, 1518
Jena, Universitätsbibliothek; 4° Phil III.1

Deckelaufteilung: Mittelfeld mit Ornamentmuster; blinde Streifen
Einzelstempel: in der Mitte kleine Rautenranke mit Blüte in freier Gestaltung
Rolle: Fries mit stilisiertem Blatt, fünffacher Rapport. 12,2 x 1,8 cm;
Fries mit stilisierten Blüten, achtfacher Rapport. 11,1 x 1,6 cm.

Der Band ist offensichtlich vom Autor des Werkes, dem bekannten Leipziger Humanisten Peter Schade oder Petrus Mosellanus, bald nach seinem Erscheinen im Jahre 1518 dem Kurfürsten Friedrich dem Weisen gewidmet worden, der als Freund der Künste und der humanistischen Bestrebungen galt. Zu Ehren des Fürsten ist der Einband mit der damals aufkommenden Vergoldung und mit moderner Ornamentik gestaltet worden. Wenn nicht gar ein italienischer Buchbinder herangezogen worden ist, wurde vermutlich ein Leipziger Buchbinder dazu bewegt, diesen Widmungsband im modernsten Stil zu gestalten. K. v. R.

E 50.6

E 50.6 Wittenberger Buchbinder C. L. *Abbildung*

Einband aus Luthers Besitz. 1535

Bez:
auf dem Vorderdeckel mit vergoldeten Buchstaben das Supralibros: »M. L. 1535«
auf dem 1. Titelblatt: »M. L.«
Holzdeckel mit braunschwarzem, stark abgegriffenem Kalbsleder; drei Bünde; farblose Kapitale;
ungefärbter Schnitt mit Beschriftung: IN ESAIAM,
Ansatzstücke für zwei verlorene Metallklausuren erhalten
Oktav (15,5 x 8,5 cm)

Inhalt des Sammelbandes:
Martin Luther, Randbemerkungen zum Propheten Jesaia. Wittenberg: Johannes Luft 1534 (Benzing 2986);
Martin Luther, Der Prediger Salomo mit Anmerkungen. Wittenberg: Johannes Luft 1532 (Benzing 2979)
Wittenberg, Bibliothek des Predigerseminars der Ev. Kirche der Union, 8° ETh 427

Vorderer und hinterer Deckel im wesentlichen gleich gestaltet
Einzelstempel: vier Köpfe und vier Wappen:
Friedrich der Weise – Wettin –
Adler der Pfalzgrafen von Thüringen –
Kopf mit Barett nach rechts – Löwe der Pfalzgrafen von Meißen – Kopf mit Barett – Kurschwerter.
13,0 x 1,3 cm (Haebler I 257, 2)

Der Einband erhält seine besondere Bedeutung dadurch, daß er wahrscheinlich (wie Kat.-Nr. E 50.4) für Martin Luther, allerdings von einem noch nicht identifizierten Buchbinder C. L. in Wittenberg, gebunden worden ist, der vermutlich auch das »M. L.« als Anhaltspunkt für das Supralibros auf das Titelblatt gesetzt hat. Luther hat also damals seinen Büchern durch die Verwendung von Kalbsleder und die Vergoldung des Supralibros ein ansehnliches Aussehen geben lassen. Für die Ordnung seiner Bücher hat er die Titelangabe auf den Schnitt schreiben lassen. Die Rolle, die als Hauptschmuck verwendet worden ist, drückt die Verbundenheit mit den sächsischen Kurfürsten, den Beschützern der Reformation, aus. K. v. R.

E 50.7 Wittenberger Buchbinder C. L.

Einband aus Luthers Besitz. 1535

Bez.: auf dem Vorderdeckel mit vergoldeten Buchstaben das Supralibros »M. L. 1535«
Holzdeckel mit braunschwarzem, stark abgegriffenem Kalbsleder, 3 Bünde; farblose Kapitale;
ungefärbter Schnitt mit Beschriftung:
COMETA IN EPISTO PAVLI AD ROMA
Ansatzstücke für zwei verlorene Metallklausuren erhalten
Oktav (15,5 x 8,5 cm)
Inhalt des Sammelbandes:
Philipp Melanchthon,
Commentarius in epistolare Pauli ad Romanos (Kommentar zum Brief des Paulus an die Römer).
Wittenberg: Joseph Klug 1532
(CR XV. 492: 1. Ausg.)
Philipp Melanchthon,
Schola in epistulum Pauli ad Colossenses (Randbemerkungen zum Brief des Paulus an die Kolosser).
Wittenberg: Joseph Klug 1534 (CR XV, 1221: Nr. 5)
Philipp Melanchthon unter dem Pseudonym Faventinus, Adversus Thomam Placentinum pro Luthero Theologo oratio (Rede für den Theologen Luther gegen Thomas Placentinus).
Wittenberg, Bibliothek des Predigerseminars der Ev. Kirche der Union; 8° ETh 470 a

Die Deckelaufteilung entspricht Kat.-Nr. E 50.1
Einzelstempel: Blüten mit Knospe im Mittelfeld, Schellen auf dem mittleren Streifen, vergoldete Rosetten an den Ecken des mittleren Streifens.
Rolle: Tugenden: IVSTIC*(ia) –* LVCRECI*(a) –* VENVS *mit Amor als Schütze darüber –* PRVDEN*(cia).*
17,2 x 16 cm (Haebler 1, 257, 2; vermutlich identisch mit Haebler 2, 133, 1)

Im gleichen Jahr, in dem er eigene Schriften zur Bibelauslegung einbinden ließ (vgl. Kat.-Nr. E 50.6), hat Luther auch zwei wichtige Schriften Melanchthons zur Auslegung der Paulus-Briefe an die Römer und an die Kolosser zusammen mit Melanchthons Verteidigungsschrift aus dem Jahre 1521 einbinden lassen. Dabei ist der gleiche Wittenberger Buchbinder C. L. tätig gewesen; er hat die Einbände nach gleichem Muster gebunden. Ob in der Verwendung einer Tugendrolle auf einem Band mit Melanchthon-Schriften Absicht lag? Melanchthon hat in seiner Theologie stärker als Luther auf die Tugenden als Frucht christlichen Lebens Bezug genommen. Dabei werden wichtige weltliche Tugenden wie Klugheit und Gerechtigkeit neben Lukretia als Verteidigerin ihrer Keuschheit und neben Venus mit Amor gestellt, an deren Macht sich rechte Tugend beweisen soll. Die Rolle zeigt die Gestaltungsart der Cranach-Werkstatt. K. v. R.

E 50.8 Hallenser oder Wittenberger Buchbinder

Einband mit einer Venus-Antäus-Rolle. 1527

Bez. auf Vorderdeckel:
INICIVM // TIMOR DOMINI
(»Anfang der Weisheit ist die Furcht des Herren« Prov. 1, 7)
Bez. auf dem Rückdeckel:
V.D.M.I.E. (Verbum Domini Manet In Eternum.
»Das Wort des Herrn bleibt in Ewigkeit«
1. Petrus-Brief Kapitel 1, Vers 25 nach Jesaja Kapitel 40, Vers 8)
G S // M V XXVII (!)
Holzdeckel mit braunem Kalbsleder; drei Bünde;
Kapitale grün-rosa umstochen; ungefärbter Schnitt;
Ansatzstücke für zwei Metallklausuren erhalten
Oktav (16,5 x 10,5 cm)

Inhalt des Sammelbandes:
Philipp Melanchthon,
Solomonis sententiae (Salomos Sprüche) [Übersetzung].
Hagenau: Johannes Setzer 1525
(Panzer, Annales VII, 94, 216)
Philipp Melanchthon, In obscuriora aliquot capita Genesis ... annotationes (Anmerkungen zu einigen dunkleren Kapiteln des 1. Buches Mose). Hagenau: Johannes Setzer 1524
(Panzer, Annales VII, 94, 211: 2. Ausg.)
Halle, Marienkirche, Bibliothek; W 1, 20;

Die beiden Deckel sind gleich gestaltet, das Mittelfeld von breiter Rolle gefüllt, innere Rahmen aus doppelten Streicheisenlinien
Einzelstempel: kleine fünfblättrige Rosette auf dem blinden Streifen des hinteren Deckels
Rollen: Venus und Amor – Herkules und Antäus. 15,2 x 2,6 cm; Fortuna und andere Gestalten (stark beschädigt). ? x 1,6 cm

In dem Einband spiegelt sich die Geisteshaltung einer Persönlichkeit der Reformationszeit. Das Supralibros weist Georg von Selmnitz als Besitzer des Buches aus. Seine Mutter, früh verwitwet, war in Halle eine entschiedene Anhängerin der Reformation und stand auch in freundschaftlichen Beziehungen zu Martin Luther. Sie hat ihren Sohn in gleichem Geiste erzogen, ihm in den Jahren von 1524 bis 1526 den zur Reformation neigenden Berater des Kardinals Albrecht, Melchior Kling, zum Lehrer gegeben und ihn von 1529 an in Wittenberg studieren lassen. Er hat durch die ungewöhnliche Beschriftung des Einbandes deutlich humanistische Vorstellungen (Venus und Amor, Herkules und Antäus, Fortuna) mit einer biblischen Orientierung entsprechend dem Inhalt des Buches und einem Bekenntnis zur Reformation verbinden wollen.
Die Rolle mit Venus und Herkules ist nach Leipziger Vorbild breit gehalten und für die figurale Gestaltung des Mittelfeldes bestimmt. Die verlorenen Bildvorlagen dafür stammen von Lucas Cranach d. Ä. und zeigen, daß er das Herkules-Antäus-Motiv und die Venus mit dem tellerartigen Hut schon vor 1530 konzipiert hat. Der unbekannte Buchbinder wird in Wittenberg oder Halle gearbeitet haben. K. v. R.

Abbildung

E 50.9 Leipziger oder Wittenberger Buchbinder

Einband mit Platten: Der gute Hirt und Die Höllenfahrt Christi. 1529

Bez. o. auf Titelblatt:
Christus spes mea. P (praepositus) D (e) B (redow)
(Christus ist meine Hoffnung. Propst von Bredow)
Pappdeckel mit braunem Kalbsleder; drei Bünde; Kapitale naturfarben umstochen; farbloser Schnitt mit Aufschrift »In Euangelia/Marulus«; Ansätze von zwei Bandverschlüssen
Oktav (15,5 x 10,0 cm)

Inhalt des Sammelbandes:
Marcus Marulus, Evangelistarium.
Köln: Eucharius Cervicornus 1529 (Panzer VI, 406, 536);
Alcuinus, D. Albini Caroli illius magni olim praeceptoris, in Genesim Quaestiones, a Menrado Molthero restitutae.
(Des Doktor Albinus, d.i. Alcuin, des einstigen Lehrers Karls des Großen, Fragen zum 1. Buch Mosis, wiederhergestellt von Menrad Molther)
Hagenau: Johannes Setzer 1529
Brandenburg, Archiv des Domstifts; theol. 107

Die Deckelaufteilung zeigt ein Mittelfeld mit positiv gestochenen Platten mit starkem Relief
Außerdem blinde Streifen auf dem vorderen Deckel
Einzelstempel: Dreigesichtiger Kopf mit Blattbedeckung, Melusine, Blattwerk mit Knospe
Rolle: Salvator mit Kreuzigung, Petrus und Paulus, darüber die Evangelistensymbole Adler, Stier, Löwe, Engel, unbeschriftet. 17,3 x 1,4 cm (Haebler 2, 57, I)
Platten: Christus als guter Hirt, umgeben von Strahlenkranz und Wolken. 8,9 x 4,6 cm (Haebler 2, 57, I);
Höllenfahrt Christi ohne Unterschrift. 8,8 x 4,6 cm
(Haebler 2, 57, II).

E 50.9

Vermutlich handelt es sich um einen Leipziger oder Wittenberger Einband, der für den späteren Brandenburger Domherren Liborius von Bredow während seines Studiums gebunden worden ist. Der Meister hat auf einer Rolle die Marke Z benutzt. Die Anregungen, die von Luther und Melanchthon den Künstlern gegeben wurden, sind vom Stecher der Rolle und der Platten aufgenommen worden. Die Rolle geht auf einen Entwurf von Urs Graf zurück (Passavant 142), der für eine Augsburger Titeleinfassung benutzt worden ist. Sie entsprach mit ihrer Betonung der Kreuzigung und der Konzentration auf die Apostel und Evangelisten der Konzentration der Reformation auf die heilige Schrift und das Kreuz. Die Darstellung des Guten Hirten, seit der frühchristlichen Kunst tradiert, hat Luther besonders empfohlen. Vielleicht geht auf seine Anregung auch die Erhebung dieses Bildes zu einer himmlischen Offenbarung zurück. Am auffälligsten ist aber die Verwendung und Verwandlung der Höllenfahrtsszene. Auf die Herausführung der in der Vorhölle gefangenen Väter ist verzichtet. Alles ist auf die Fesselung des Teufels an eine Säule und die Überwindung von Tod und Schlange durch den Auferstandenen konzentriert. Die Szene spielt unter einem nächtlichen Himmel mit Mond und Sternen, ist also auf die Erde verlegt worden. Die Vorlage ist leider unbekannt, stammt aber, nach der kraftvollen Bewegung Christi zu urteilen, nicht von Lucas Cranach. Wahrscheinlich hat dieser aber von diesem Bild die Gestaltung seiner Auferstehungsszene auf dem Rechtfertigungsbild abgeleitet.

K. v. R.

Abbildung

E 50.10 Leipziger oder Wittenberger Buchbinder

Einband mit Platten von der Auferstehung und der Begegnung des Auferstandenen mit Maria Magdalena. 1529

Bez. auf dem Titelblatt: Christus Spes mea P.D.B.
(vgl. Kat.-Nr. E 50.9)
Holzdeckel mit braunem Kalbsleder; drei Bünde; Kapitale grünbraun umstochen; gelblicher Schnitt; Ansätze für zwei verlorene Metallschließen; Blechbeschläge an den vier Ecken der Deckel

Inhalt des Sammelbandes:
Drei Schriften von Thomas von Aquin:
Enarratio ... in Iob prophete librum
(Auslegung zum Buch des Propheten Hiob);
Commentarij in Soliloquia sive hymos davidicos
(Kommentar zu den Gebeten oder Hymnen Davids);
Problemata, que quodlibeticas quaestiones inepete Neoterici vocant (Problemerörterungen, die neuere Schriftsteller unrichtig »beliebige Fragen« nennen)
Lyon: Jacobus und Franciscus de Gionta, 1520 Jacobus Myt
Brandenburg, Archiv des Domstiftes; theol. 81

Die Deckelaufteilung zeigt auf beiden Deckeln als Rahmen eine Puttenrolle mit Abgrenzung durch Streicheisenlinien
Der obere Streifen wird auf dem vorderen Deckel für den Aufdruck des Titels
»THO(mas) AQVI(natus) IN IOB PB (Psalmen) QVODL(ibeticas)« mit vergoldeten Buchstaben benutzt, auf dem hinteren Deckel für fünf Blütenstempel
Auf dem hinteren Deckel wird die Platte ganz von einem blinden, mit Rosetten besetzten Rahmen umgeben
Einzelstempel: Blatt am Ast, Haken, Rosette, Blüte mit Knospen
Rolle: Putten mit Trommel, Steckenpferd, Pfeife, bez. 1528. 16,7 x 1,5 cm (Haebler 2, 4, 3)
Platten: Auferstehung mit Wächtern – über dem Bogen in der Mitte Taube des Heiligen Geistes, rechts Putto mit Kreuz, links mit Martersäule, Geißel und Dornenzweigen bez. 1528, unbeschriftet. 9,3 x 5,4 cm (Haebler 2, 5, I).
Der Auferstandene mit einer Schlange unter seinen Füßen begegnet Maria Magdalena (Noli me tangere) – unter dem Bogen die Taube des Heiligen Geistes, darüber in den Zwickeln zwei Putten mit Martersäule und Geißel sowie mit Kreuz, Hammer und Nagel, unbeschriftet. 9,3 x 5,4 cm (Haebler 2, 5, II)

E 50.10

Es handelt sich um einen Band mit den ältesten datierten deutschen Platten mit einer szenischen Darstellung. Er ist für den Brandenburger Domherrn Liborius von Bredow während seines Studiums in Leipzig oder Wittenberg gebunden worden. Die Rolle wie die Platten halten sich noch an die Bildthemen des späten Mittelalters. Christus steigt, während die Wächter schlafen, aus dem Grabe. Jesus gibt sich der Jüngerin zu erkennen, die nach ihm sucht. Eigentümlich ist die Zufügung der Geisttaube auf den beiden ein Paar bildenden Szenen. Die Gestaltung der Vorgänge durch den unbekannten Zeichner ist ebenso wie die Puttenrolle vom Stil der Renaissance bestimmt. Damit ist der Zustand bezeichnet, der der Entwicklung der Reformationskunst unmittelbar vorausging. K. v. R.

E 50.11 Conrad Neidel *Abbildung*

Einband mit Rolle, die Karl V., Friedrich den Weisen, Luther und Wilhelm Nesen zeigt. 1528

Bez.: Titelverzeichnis von der Hand des Kaspar von Köckritz auf dem Vorsatzblatt
Auf dem hinteren Spiegel »7. April Anni 28«

Holzdeckel mit Schweinsleder, drei doppelte Bünde; Kapitale naturfarben; ungefärbter Schnitt mit Resten einer Signatur; von zwei Metallschließen eine erhalten.
Quart (20,2 x 14,2 cm).

Inhalt des Sammelbandes:
Vier Schriften Luthers aus den Jahren 1527 und 1528
Die erste Schrift ist:
Martin Luther: Der Prophet Sacharja ausgelegt.
Wittenberg: Michael Lotter 1528 (Benzing 2471)
Berlin, Konsistorium der Ev. Kirche Berlin-Brandenburg, Zentralbibliothek, Depositum Wittbrietzen; X

Beide Deckel sind gleich gestaltet
Quadratisches Mittelfeld, gebildet aus einer blinden Fläche, dicht besetzt mit Blütenstempeln und Rosetten
Dazu ein Rahmen aus blinden Streifen
Stempel: Bogen, Blüte, kleinere und größere Rosette
Rolle: vier Köpfe und vier Wappen: Kaiser Karl V. unbeschriftet – Kurschwerter – Friedrich der Weise mit Umschrift »FRIDERICVS DVX SAXO(niae)« – Wettin – Wilhelm Nesen mit Umschrift »GVILELMVS NISENVS« – – Lamm mit Siegesfahne –
Martin Luther mit Umschrift »MAR(tinus) LV(therus) ECCLE(siastes)«. 18,4 x 1,9 cm

Der Besitzer dieses Bandes war der Lausitzer Adlige Kaspar von Köckritz (gest. 1567), der sich früh der Reformation zuwandte und Luther vielleicht schon seit seiner Kavaliersausbil-

E 50.11

dung am kursächsischen Hof kannte. Mit Luther war er dann so eng befreundet, daß dieser ihm eine Schrift über Psalm 111 widmete und er selbst 1537 nach Wittenberg zog und dort als Tischgast Luthers bezeugt ist. Luthers Schriften hat er planmäßig angeschafft und fleißig gelesen, wie die vielen Randbemerkungen in den Sammelbänden, die er hinterlassen hat, beweisen.

Wie eine Prüfung seiner Bibliothek ergeben hat, stammt der vorliegende Band von dem aus Prag kommenden Wittenberger Buchbinder Conrad Neidel, der mit der Deckelgestaltung und der neuartigen Kopfrolle den neuen Einbandstil mit vorangetrieben hat. Die Rolle wird etwa 1525 entstanden sein und bedeutet auf der einen Seite das politische Bekenntnis, daß man trotz der freien Glaubensverkündigung in Sachsen vom Reich und dem Kaiser nicht lassen will. Auf der anderen Seite enthält die Rolle auch ein Totengedenken. 1524 war der junge Gelehrte Wilhelm Nesen ertrunken, und 1525 ist der erste Beschützer der Reformation, Kurfürst Friedrich der Weise, gestorben. Die Rolle benutzt für die Medaillons mit dem Kopf des Kurfürsten und Luthers die gleiche Vorlage, die den früheren Einzelstempeln (vgl. Kat.-Nr. E 50.1) zugrunde lag.

K. v. R.

E 50.12 Conrad Neidel *Abbildung*

Einband mit einer Putten-Rolle nach Hans Holbein d. J. 1531

Bez.: Supralibros »C.V.K. MDXXXI«
Auf dem Titelblatt Schriftenverzeichnis des Bandes und die Bemerkung beim ersten Titel »an Mich«
Auf dem hinteren Spiegel »Bindtlon 5 gr 4 pf«
Holzdeckel mit gelblichem Schweinsleder; drei Doppelbünde; Kapitale naturfarben umstochen; ungefärbter Schnitt mit Signatur »6«; Ansätze von zwei verlorenen Metallschließen
Quart (21,0 x 15,0 cm)

Inhalt des Sammelbandes:
14 Lutherschriften aus den Jahren 1530 und 1531
Am Anfang:
Martin Luther: Der Hundert und eilffte Psalm ausgelegt
Wittenberg: Georg Rhau 1530 (Benzing 2894)
Berlin, Konsistorium der Ev. Kirche Berlin-Brandenburg, Zentralbibliothek, Depositum Wittbrietzen; XII

Beide Deckel sind gleich gestaltet
Schmuckmaterial: Blüte, Rosette, hakenförmiger Trenner
Rollen: Putten, die an einer von einem Weinstock umrankten Säule emporklettern und Trauben pflücken. 17,8 x 2,3 cm
Vier unbeschriftete Köpfe und sächsische Wappen: Kaiser Karl V. – Adler – junger Mann mit Kappe (Johann Friedrich als Prinz?) – Löwe – Johann der Beständige – Kurschwerter – Friedrich der Weise – Wettin. 14,2 x 1,2 cm.

Wie Kat.-Nr. E 50.11 stammt auch dieser Einband aus der Bibliothek des Kaspar von Köckritz. Der Vergleich läßt eine Stilentwicklung des Wittenberger Meisters Conrad Neidel erkennen. Das Mittelfeld wird nun der Größe des Bandes angepaßt.

E 50.12

Die Benutzung der Rolle im Mittelfeld deutet das Bedürfnis nach figürlicher Darstellung im Blickpunkt des Deckels an. Das Supralibros setzt sich durch. Besonderen Wert hat der Band durch die Benutzung einer Rolle nach einem Motiv von H. Holbein d. J. Neidel hat sie nach einer Titeleinfassung stechen lassen, die 1523 für den Baseler Drucker Cratander geschaffen worden ist. Auch das Bauerntanzmotiv der gleichen Titeleinfassung hat Neidel für eine Rolle benutzt. Dem Auftraggeber war wohl bewußt, daß er damit ein besonders schönes Ornament für den Einband des Buches gewinnen konnte, das die ihm von Luther persönlich gewidmete Schrift enthält. Seine übrigen Bände sind alle schlichter gestaltet. Von Kaspar von Köckritz gibt es ein gutes Porträt im Pariser Louvre (Friedländer/Rosenberg 1979, Nr. 324). K. v. R.

E 50.13 Nürnberger Ratsbuchbinder *Abbildung*

Einband mit Renaissance-Ornamentik. Um 1530

Bez. auf dem Spiegel des vorderen Deckels: Wappenexlibris des »Andreas Beham der Elter« und »Anno Domini 15.95« sowie »POSTILLA«
Holzdeckel mit braunem Kalbsleder; vier Bünde; Kapitale oben weiß-hellblau, unten weiß-hellbraun umstochen; ungefärbter Schnitt; zwei Ansatzstücke für Metallklausuren erhalten
Folio (34 x 20 cm)

Inhalt des Bandes:
Martin Luther, Erzählungen oder Predigten zu den Lesungen aus dem Evangelium. Straßburg, Georg Ulricher 1530 (Benzing 1150)
Wittenberg, Bibliothek des Predigerseminars der Ev. Kirche der Union; 2° PTh 39

Deckelaufteilung des vorderen und hinteren Deckels fast gleich
Einzelstempel: König mit Zepter, Krone und Narrenkappe in der Mitte des oberen Feldes auf dem vorderen Deckel;
Eichel, kleine fünfblättrige Rosette auf den blinden Streifen
Rollen: Ornamentvasen, Figurenpaar, Einzelfigur.
13,4 x 1,3 cm (Haebler, 2, 110, 22)
Engel, Ampel, Füllhorn, Trommel. 112 x 1,4 cm (Haebler 2, 110, 23)
Vase, Blattwerk, Gehänge mit Quasten. 12 x 13 cm (Haebler 2, 109, 16)

Der Einband stammt aus Nürnberg von einem Buchbinder, der von 1526 bis 1540 für den Rat gebunden hat. Während sich zu dieser Zeit in Wittenberg schon der Übergang zu der Einbandgestaltung mit figuralen Rollen und Platten vollzieht, herrscht in Nürnberg noch ein elegant dekorativer Stil. Die Deckelgestaltung will sowohl den Eindruck räumlicher Tiefe erzeugen, als auch das längliche Mittelfeld in die der Renaissance gemäßere Form des Quadrats überführen. Nürnberg ist früh für die Reformation gewonnen worden. Vermutlich war ein Nürnberger Patrizier der Auftraggeber für diesen ansehnlichen Einband. K. v. R.

E 50.13

E 50.14 Nürnberger oder Wittenberger Buchbinder

Einband mit Paris- und Auferstehungs-Rolle. 1536

Bez. auf dem Vorsatzblatt: Klaus Stoteroggen 1536
Holzdeckel mit braunem Kalbsleder; vier Bünde; Kapitale weiß umstochen; farbloser Schnitt mit der Signatur No. 63 seitlich und oben; zwei Messingklausuren
Folio (31,8 x 19,5 cm)

Inhalt des Sammelbandes:
Tertullian, Opera (Werke). Basel, Froben 1518 (Panzer, Annales VI, 262, 685)
Desiderius Erasmus, Ecclesiastes sive de ratione concionandi (Der Prediger oder über die rechte Art zu predigen)
Basel: Hieronymus Froben und Nikolaus Episkopus 1535 (Panzer, Annales VI, 305, 1004)

Erfurt, Bibliothek des Ev. Ministeriums; Tu VII 64 a
Deckelaufteilung: Vorderer und hinterer Deckel fast gleich
Einzelstempel: Blattwerk mit dicker Knospe (Mittelfeld); kleine und große fünfblättrige Rosette
Rollen: Auferstehung – David und Paulus in Ganzfiguren ohne Inschrift. 16,5 x 1,9 cm; (die gleiche Rolle auf einem Einband Salzwedel, St. Katharinen, nach 1551);
Paris-Urteil: PAR(is) – VE(nus) – IV(no) – PA(llas Athena). 14,3 x 1,5 cm (Haebler 2, 279, 23)

Der Einband wird 1536 entstanden sein und zeigt an, daß sich der figurale Stil in dieser Zeit schon durchgesetzt hat. Da das Mittelfeld ohne Bildmotiv ist, verlagert sich der Akzent auf die mittleren Streifen der breiten Rahmung. Dabei werden das humanistische Motiv vom Paris-Urteil, das Gelegenheit gibt, den nackten Frauenkörper in drei verschiedenen Ansichten zu zeigen, und ein reformatorisches Motiv unvermittelt nebeneinandergestellt. Die Auferstehung wird zwar noch traditionell als Heraussteigen aus dem Grabe gezeigt; ihre Hervorhebung ist aber durchaus im Sinne der Reformation. David weist mit seinen Errettungspsalmen (z. B. Psalm 16, Vers 10) auf dieses Ereignis voraus. Paulus ist sein Verkündiger (1. Korintherbrief, Kapitel 15). Als Ursprungsort des Einbandes kommen Nürnberg und Wittenberg in Frage. K. v. R.

E 51

E 51 Lucas Cranach d. Ä. *Abbildung*

Der Fuhrwagen. 1519

Nicht bez.
Holzschnitt. 30,0 (28,5)x40,0 cm
Ein vollständiges Exemplar mit deutschem Text:
Wittbrietzen, Kirchenbibliothek; jetzt Konsistorium der Ev. Kirche Berlin-Brandenburg, Zentralbibliothek, Depositum
Ein nur in zwei Fragmenten erhaltenes Exemplar mit lateinischem Text:
Nordhausen, Kirche St. Blasii, Bibliothek

Als beschlossen war, daß die erste große theologische Auseinandersetzung über die neue Wittenberger Theologie zwischen Johannes Eck aus Ingolstadt und Andreas Karlstadt stattfinden sollte – Luther hat sich erst später als zweiter Disputant eingeschaltet –, war Karlstadt daran gelegen, nicht nur wissenschaftliche Thesen zu bieten, sondern für seine Sache auch durch eine Bilddarstellung und durch sentenzartige Aussagen zu werben. Durch den Briefwechsel mit dem Kaplan und ständigen Berater des Kurfürsten Friedrich II., des Weisen, Georg Spalatin, ist etwas über das Werden dieses Werkes bekannt geworden, das als gewagt galt und auch den Zorn der Gegner herausforderte. Als es erschien, ist es auf der Kanzel zerrissen worden. Bei den Beichtkindern wurde nach seiner Lektüre geforscht. In dem diplomatischen Nachspiel zwischen Eck und dem Kurfürsten spielte das Blatt eine Rolle, weil Eck es auch als persönliche Beleidigung empfand. Nach einer Verzöge-

rung, weil es schwierig war, auf dem Holzstock die vielen Schriftfelder, die Karlstadt wünschte, anzubringen, ist zuerst eine für die studentische Jugend bestimmte lateinische Fassung im März 1519 erschienen. Bald darauf ist eine deutsche Ausgabe für breite Volksschichten gefolgt. Es war eine so interessante Produktion, daß man sie auch Dürer in Nürnberg zuschickte.
Als Gestalter für sein Werk hatte Karlstadt »celeberrimus noster pictor« (unseren hochberühmten Maler) Lucas Cranach gewonnen. Die Grundidee und auch die meisten Einzelangaben für die Bildgestaltung stammen aber von Karlstadt. Er hatte sich von einem Augustinus-Zitat, das die Heilige Schrift ein vehiculum (Gefährt) nennt, in einer damals verbreiteten Erbauungsschrift, dem von Hans Schäufelein illustrierten »Himmel- und Hellwag« des Johannes von Leonrodt (erschienen 1517, in zweiter Auflage 1518), zu einer Antithese inspirieren lassen: Ein Wagen fährt mit einem frommen Büßer auf den leidenden Christus, das Vorbild sich selbst preisgebender Frömmigkeit, zu. Paulus und Augustinus sind die Kutscher, die den Wagen trotz den Steinen auf dem Weg und den hemmenden Teufeln an den Rädern voranbringen. Auf der unteren Zone des Blattes fährt ein zweiter Wagen ohne Hindernisse und gut geschmiert mit einem heiligen Streiter in der Art des heiligen Georg dem offenen Höllenrachen entgegen. Auf dem Wagen steht ein Mönch mit großem Redegestus. Damit soll die scholastische Theologie angeprangert werden, die den eigenen Willen und das Vermögen des Menschen bei der Erlangung des göttlichen Heils hervorhob.
In der lateinischen Fassung des Blattes stecken tatsächlich persönliche Angriffe auf Eck im Stil der Dunkelmännerbriefe. Die deutsche Fassung ist stärker auf die Frömmigkeit gerichtet, die bei Karlstadt deutliche Anlehnungen an Bernhart von Clairvaux und die deutsche Mystik hat. Cranach ist der schwierigen Aufgabe, ein ständig durch Inschriften unterbrochenes Bild zu schaffen, mit Wendigkeit gerecht geworden. Es handelt sich bei dem Fuhrwagen um die erste Bildpolemik der Reformationszeit, die sowohl für das Passional wie für das Rechtfertigungsbild einen Ansatzpunkt geliefert hat. Außer den gezeigten Exemplaren ist nur ein weiteres in der Hamburger Kunsthalle bekannt geworden. K. v. R.

E 52.1 Lucas Cranach d. Ä. *Farbtafel Seite 328*

Verdammnis und Erlösung. 1529

Bez.: am Baumstamm in der Bildmitte die Schlange mit stehenden Flügeln und einem Ring im Maul, darüber die Jahreszahl 1529
Öltempera auf Lindenholz. 80x115 cm
Gotha, Museen der Stadt, Schloßmuseum; Inv.-Nr. 722/676

Allegorisches Lehrbild (Dogmenallegorie, Dogmenbild) von der Rechtfertigung des Sünders vor dem Gesetz durch die Gnade Gottes und den Glauben; sogenannter Gothaer Typ, andere Benennungen »Sündenfall und Erlösung« oder »Gesetz und Evangelium«.

E 52.2 Lucas Cranach d. Ä. (Werkstatt)

Sünde und Gnade. 1529

Nicht bez.
Öltempera auf Holz
Prag, Nationalgalerie

Vermutlich annähernd gleichzeitig entstandene Variante zu dem Gothaer Dogmenbild (Kat.-Nr. E 52.1), sogenannter Prager Typ. Über die Abweichungen der Bildmotive vergleiche die nachstehenden Erläuterungen.

E 52.3 Lucas Cranach d. Ä. (Werkstatt) *Abbildung*

Sündenfall und Erlösung. Um 1530

Nicht bez.
Öltempera (?) auf Holz. 51x99 cm
Weimar, Kunstsammlungen, Galerie im Schloß

Dogmenbild nach dem »Gothaer Typ« (Kat.-Nr. E 52.1). Über die Veränderung und Erweiterung der Motive und ihrer Anordnung vgl. die nachstehenden Erläuterungen.

Das im Schloßmuseum zu Gotha unter dem Titel »Verdammnis und Erlösung« geführte Gemälde Lucas Cranachs d. Ä. aus dem Jahre 1529 wird als das früheste jener Bilder angesehen, auf denen Luthers Lehre von der Rechtfertigung des Sünders durch den Glauben eine allegorische Darstellungsform gefunden hat. Grundlage dieser Dogmenallegorie ist die biblisch belegte (Lukas Kapitel 24, Vers 44: »Es muß alles erfüllt werden, was von mir geschrieben ist im Gesetz Mosis, in den Propheten und in den Psalmen«) und durch die Kirchenväter entwickelte Heilslehre, nach der im Alten Testament vorbereitet und vorgebildet ist, was sich im Neuen Testament verwirklicht (Augustinus: »Was ist das Alte Testament anderes als die Verhüllung des Neuen und das Neue Testament anderes als die Erfüllung des Alten?«). Diese Lehre hat im Mittelalter nicht nur Bilderfolgen typologischen Charakters, in denen alttestamentliche Szenen den neutestamentlichen als Vorbilder zugeordnet sind, sondern auch allegorische Bilder hervorgebracht, in denen die Zeichen des Alten Bundes – Tod, Gesetz, Synagoge – den Zeichen des Neuen Bundes – Leben, Gnade, Ekklesia – gegenüberstehen. Ähnlich verhält es sich auf dem ersten protestantischen Dogmenbild: Der Seite der Sünde, des Todes und des Gesetzes steht die Seite der Gnade, der Erlösung und des Ewigen Lebens entgegen. War das Thema im Mittelalter mehr im Sinne der Vorbereitung und der Vollendung, also im Sinne der Zusammengehörigkeit von Altem und Neuem Testament verstanden worden, so sah die protestantische Auslegung mehr die Konfrontation der beiden Seiten und dazwischen den Menschen mit seiner Verantwortung und Entscheidung.
Auf der Gothaer Tafel ist das Thema mit äußerst lehrhafter Prägnanz behandelt. Ein Baumstamm (daran die geflügelte Schlange, Cranachs Signatur, und das Datum 1529) teilt das querrechteckige Bildfeld in die linke Hälfte als die Seite des Gesetzes und die rechte als die Seite des Evangeliums. Die Äste

des Baumes sind zur linken Bildseite hin dürr, zur rechten hin dagegen belaubt. Diese symbolische Darstellung entspricht einer Formulierung Luthers: Der Baum des Todes ist das Gesetz, der Baum des Lebens ist das Evangelium oder Christus. Von ihr ist die an sich zutreffendste Benennung der Allegorie »Gesetz und Evangelium« abgeleitet (Thulin), es überwiegt jedoch der Bildtitel »Sündenfall und Erlösung« (u. a. Friedländer/Rosenberg 1979, Nr. 221).

Das wesentliche Bildmotiv der linken Bildhälfte ist der von Tod und Teufel auf das Höllenfeuer zu gejagte nackte Mensch. Moses, zu dem er Hilfe suchend zurückzublicken scheint, weist ihm die Gesetzestafeln; gegen die Gebote hat er sich vergangen. Von den um Moses versammelten Propheten erhebt einer beschwichtigend die Hand; auf anderen Bildern weist dieser selbst den reuigen Sünder auf den rettenden Christus hin.

Die Ursache allen Übels, der Sündenfall des ersten Menschenpaares, ist im Mittelgrund dargestellt. Der Bildtopos entspricht dem des Cranachschen Gemäldes »Adam und Eva« von 1526 in London (Friedländer/Rosenberg 1979, Nr. 191) und dem des Paradiesbildes von 1530 in Dresden (Friedländer/Rosenberg 1979, Nr. 357).

Im Hintergrund der linken Bildhälfte erscheint das Zeltlager der Israeliten, davor die Anbetung der ehernen Schlange. Dieses Motiv, das auf das 4. Buch Mosis Kapitel 21 im Alten Testament zurückgeht, wurde zum typologischen Vorbild des gekreuzigten Christus, ist seit dem 12. Jahrhundert nachweisbar und durch die Kunst des Protestantismus mit Entschiedenheit weiterverwendet worden. Den Abschluß des Themas vom Gesetz bildet die Darstellung des Jüngsten Gerichts mit Maria und Johannes dem Täufer, von Jungfrauen und Aposteln (?) begleitet. Johannes der Täufer begegnet auf der Seite des Evangeliums und der Erlösung abermals. Hier weist er den nackten Menschen auf den Gekreuzigten hin, von dessen Seitenwunde ein Blutstrahl zusammen mit der Taube des Heiligen Geistes ausgeht und den reuigen Sünder errettend trifft. Zu Füßen des Kruzifixes triumphiert das Lamm, »das der Welt Sünde trägt«, über Tod und Teufel in der Gestalt eines Gerippes und eines Drachens. Hinter dem Gekreuzigten sieht man den leeren Sarkophag in der Höhle, der Auferstandene schwebt über dem Grabhügel in einer Lichtgloriole. Den Hintergrund bildet eine echt Cranachsche Landschaft. Auf der Wiese davor empfangen die Hirten durch den Engel die Weihnachtsbotschaft. Das Gothaer Bild entbehrt bei aller Didaktik nicht der Volkstümlichkeit. Die von Cranach zur Illustration eingesetzten Topoi, Sündenfall und Jüngstes Gericht, Johannes der Täufer und das Lamm, Kreuzigung und Auferstehung – Luther nennt sie die »Zeichen« (Preuß) –, waren dem Anschauenden geläufig aus der bisherigen Bilderwelt, von Altartafeln und Wandbildern ebenso wie aus der Buchkunst und aus den seit dem beginnenden 16. Jahrhundert hinlänglich verbreiteten graphischen Blättern und Zyklen. Neuschöpfungen wie die geradezu brüderliche Gruppe von Tod und Teufel hinter dem in rührender Hilflosigkeit und Nacktheit fliehenden Adam oder die um Moses gruppierten, nach ihrer Kleidung zu urteilen, wohlhabenden Männer mit den Kaufmanns- und Gelehrtengesichtern dürften das Interesse auch des mehr oder weniger naiven Betrachters gefunden haben. Schließlich ist der Inhalt noch durch Textstellen aus den Briefen des Paulus und des Petrus in deutscher Sprache erläutert, so daß an der Verständlichkeit des Bildes für den Zeitgenossen nicht gezweifelt werden braucht: Es war für ihn »lesbar« wie eine Bilderbibel.

Durch die Signatur ist die Entstehung der Gothaer Tafel in Wittenberg gesichert. Die Eigenhändigkeit Cranachs scheint in den vorzüglich gemalten Details und der Verwirklichung der gestellten Aufgabe, ein Lehrprogramm zu verbildlichen, nicht anfechtbar.

Das Bildprogramm wird von Wittenberger Reformatoren entwickelt worden sein. Naheliegend ist die Beteiligung Luthers, doch ist auch für Melanchthon als Urheber plädiert worden (Thöne). Von Luther ist bekannt, daß er in den zwanziger Jahren in seiner Auseinandersetzung mit Andreas Bodenstein (genannt Karlstadt) und den Bilderstürmern (»Wider die himmlischen Propheten«) nach anfänglicher Ablehnung von Bildern im gottesdienstlichen Gebrauch zu einer Auffassung gelangt war, die ein Zeichen »zum Ansehn, zum Zeugnis, zum Gedächtnis, zum Zeichen ... sofern ichs nicht anbete«, erlaubte. Luther nahm damit eine in frühchristliche Zeit zurückreichende Rechtfertigung wieder auf, die Bilder religiösen Inhalts als »der Laien Bibel« gelten ließ. Als solche bezeichnete Luther auch das mit Holzschnitten reich illustrierte Betbüchlein, das 1528 mit seiner Vorrede in Wittenberg erschienen war. Diesem »Bilderlesen« entspricht auch die Darstellungsform der Rechtfertigungsallegorie, sie ist ein echter Bilderkatechismus und könnte Luther sehr wohl zum Initiator haben.

Kein Zweifel allerdings auch, daß Cranach an der Bildfindung beteiligt war. Eine Federzeichnung, die sich im Dresdener Kupferstich-Kabinett befand und das Monogramm L. C. trug (Rosenberg Nr. 52), darf als Ausdruck des Bemühens um die Gestaltung des Lehrbildes angesehen werden.

Die Dresdener Zeichnung war auf der Rückseite mit einer eigenhändigen Widmung Cranachs versehen: »Der durchlauchtigen hochgeborenen Fürstin und Frawen Fraw Katharina geborene Herzogin zu Meckelburgk und Herzogin zu Sachsen und meiner gnädigen Frawen.« Katharina von Mecklenburg war seit 1512 die Frau des reformationsfreundlichen Herzogs Heinrich des Frommen. Das Herzogspaar mußte seine Neigung jedoch auf die Residenz in Freiberg beschränken und ein öffentliches Bekenntnis mit Rücksicht auf den regierenden Bruder Georg den Bärtigen, der ein erbitterter Luther-Gegner war, vermeiden. Cranachs Zeichnung bekommt in diesem Zusammenhang den Charakter eines Andachtsbildes für die Herzogin, und man wird auch für die Tafelbilder in Art der Gothaer Allegorie einen mehr privaten Verwendungszweck vermuten dürfen.

Eine zweite, ganz sicher auch eigenhändige Zeichnung des älteren Cranach zum in Frage stehenden Thema stammt aus der

E 52.3

ehemaligen Sammlung Lehmann in Dresden und befindet sich jetzt im Städelschen Kunstinstitut zu Frankfurt am Main (Rosenberg Nr. 53). Sie zeigt zwar die – bildkompositorisch gar nicht so vorteilhafte – Teilung durch den Baumstamm in der Mitte, weist aber bereits Veränderungen in der Anordnung und eine Vermehrung der Motive auf, die sogar über die ersten Gemäldefassungen in Gotha und in Prag hinausgehen. Es ist also an eine spätere Entstehungszeit zu denken. Vielleicht wird man sie am ehesten zwischen der Gothaer und der Weimarer (s. u.) Bildfassung ansetzen können.

Ein Holzschnitt, der wohl auch erst nach der Gothaer Gemäldefassung entstanden und dessen Zuweisung an Lucas Cranach d. Ä. nicht unbestritten, aber doch sehr wahrscheinlich ist – erhalten haben sich nur zwei Abdrucke in Weimar und in London (Cranach, Basel 1976, Nr. 353, nur dieser mit erläuternden Texten) –, erweist die flugblattartige Graphik als weitaus besseres Medium für die Verbreitung der Lehre, als es das Tafelbild sein konnte.

Daß es sich für Cranach bei der Lösung der Bildaufgabe nicht nur um ein inhaltliches, sondern auch um ein künstlerisches Problem gehandelt hat, stellt die von Friedländer/Rosenberg (1979, Nr. 221 C) ebenfalls in das Jahr 1529 datierte Prager Tafel unter Beweis. Hier ist deutlich das Bemühen um eine vereinheitlichende Komposition zu spüren, mit der die schematische Teilung in zwei Bildhälften überwunden werden soll. Der sündige, aber reuige »Mensch in Gnad«, wie ihn die ehemals vorhandene Beischrift bezeichnet hat, sitzt am Fuße des links dürren, rechts belaubten Baumes. Den Körper wendet er der Gesetzes- und Todesseite zu, den Kopf aber dreht er nach der Evangeliums- und Erlösungsseite, auf die er vom Propheten und von Johannes dem Täufer gleichzeitig gewiesen wird, auf Christus, das Lamm, den Gekreuzigten und Auferstandenen. Auf der Seite des Todes sind gegenüber dem Gothaer Gemälde neu der im Grab liegende Adam und die Gesetzesübergabe an Moses auf dem Berg Sinai. Die Szene des Sündenfalles und die Aufrichtung der Schlange bei den Zelten der Israeliten entsprechen den bekannten Motiven. Auf der Seite der Erlösung erscheint neben der Verkündigung an die Hirten im Hintergrund eine Mädchengestalt als Sinnbild der Jesus empfangenden Jungfrau. Der Londoner Abdruck des erwähnten Holzschnittes, auf dem sich diese Szene ebenfalls findet, im Gegensatz zum Gothaer Bild, nennt auch die biblische Quelle, Jesaja Kapitel 7, Vers 14. Alle Wiederholungen des Dogmenbildes, sei es nach dem Gothaer oder nach dem Prager Muster, benutzen dann diese Szene als Hinweis, als »Zeichen« der Menschwerdung des Gottessohnes und der damit verbundenen Erlösungsverheißung. Auf dem Prager Gemälde ist sie zugleich die kompositorische Entsprechung zu der Moses-Szene auf der entgegengesetzten Bildseite.

Kompositorisch wie inhaltlich ist das Prager Bild dem Gothaer überlegen, in der malerischen Qualität mag es geringer und die Zuweisung an die Cranach-Werkstatt deshalb zutreffend sein (Friedländer/Rosenberg). Die einzelnen Szenen waren durch Beischriften gekennzeichnet, und ein Textband mit Bibelzitaten war ähnlich wie bei dem Gothaer Bild unter der Darstellung angeordnet. Beides, Beischriften wie auch das Textband, fehlen heute nach einer in den letzten Jahren erfolgten Restaurierung der Tafel.

Das Weimarer Bild steht zwar der Gothaer Tafel nahe – gewiß gehört es noch der Werkstatt des älteren Cranach an (Cranach, Basel 1976, Nr. 334; Friedländer/Rosenberg 1979, Nr. 221 A) –, folgt aber mehr dem Holzschnitt, sowohl in dem

Verzicht von Hintergrundlandschaft auf der linken Bildhälfte wie auch in der Verlagerung der Szene mit der Aufrichtung der Schlange auf die rechte Bildhälfte und mit der Aufnahme der den Immanuel erwartenden Jungfrau einschließlich des zugehörigen Textes. Neu ist auf dem Weimarer Bild gegenüber allen bisher besprochenen Fassungen die Hinzufügung des »Zeichens« für die Himmelfahrt Christi, die Füße in einer Lichtgloriole am oberen Bildrand der rechten Seite. Das Motiv ist seitdem häufig Bestandteil von Wiederholungen des Dogmenbildes geworden (vgl. die Zusammenstellung bei Thulin). Es findet sich auch auf der oben erwähnten Frankfurter Zeichnung, die – und nicht nur deshalb – kaum als Vorlage für das Gothaer Bild anzusprechen sein dürfte (Schade).

Die Ausbildung der Rechtfertigungsallegorie »Sündenfall und Erlösung« oder »Gesetz und Evangelium« läßt sich an den Tafeln in Gotha, Prag und Weimar, der Dresdener Zeichnung und dem Weimarer bzw. Londoner Holzschnitt recht gut ablesen. Fest datiert ist nur das Gothaer Bild in das Jahr 1529. Die Dresdener Zeichnung dürfte früher entstanden sein, der Holzschnitt hat die Gothaer wie die Prager Tafel, deren Datierung auf 1529 wohl zu Recht besteht (Friedländer/Rosenberg), zur Voraussetzung und könnte seinerseits die Vorlage für die Weimarer Tafel abgegeben haben. Allerdings muß hier auch die Frankfurter Zeichnung eingeordnet werden, während die ebenfalls aus der Lehmannschen Sammlung stammenden, jetzt im Braunschweiger Herzog Anton Ulrich-Museum befindlichen Zeichnungen erst von Cranach d. J. stammen (Cranach Basel 1976, Nr. 356). Sie betreffen die Erlösungsseite und dürften Entwurfszeichnungen für den Schneeberger Altar von 1539 sein (vgl. Kat.-Nr. E 61). So ergibt sich eine relative Chronologie dieser Inkunabeln protestantischer Ikonographie im wesentlichen aus der Zeit um 1530.

Das Programm ist seit den dreißiger Jahren des 16. Jahrhunderts in der protestantischen Bilderwelt verbreitet. Es findet sich in der Buchmalerei und der Buchgraphik ebenso wie auf Epitaphien, an Kanzeln und Altären. Als »aktive« Symbolfiguren aus der Rechtfertigungsallegorie beherrschen Moses und Johannes der Täufer als die Zeugen von Altem und Neuem Bund, als die sie an die Stelle der im Mittelalter üblichen Figuren von Synagoge und Ekklesia getreten waren, die protestantischen Bilddarstellungen an Ausstattungsstücken wie an Gebäuden bis in das 19. Jahrhundert. E. Ba.

E 54.1

E 54.2

E 53 Johann Kreuter

Predigt Johannes' des Täufers im Walde. Um 1530

Nicht bez.
Öl auf Holz. 80x55,3 cm
Bautzen, Museen der Stadt, Stadtmuseum; Inv.-Nr. 2628

Dem von der Charakterisierung der Typen her in einfach-eindringlicher Bildsprache formulierten Gemälde liegt der Holzschnitt Cranachs von 1516 zugrunde. Die Thematik war sicherlich von den zahlreichen Wander- und Bußpredigern, die vor allem auf die unteren Bevölkerungsschichten große Wirkung hatten, beeinflußt.
Luther griff schon auf die Lehre des von ihm verehrten Kirchenvaters Augustinus zurück, daß Johannes der Täufer als Mittler zwischen Altem und Neuem Testament zu verstehen sei, und maß den Gemälden dieser Art im Sinne von »Merkbildern« große Bedeutung bei.
Johann Kreuter war bis 1551 in Schneeberg tätig und als berühmter Maler und Schüler Lucas Cranachs d. J. von dem Chronisten Chr. Meltzer genannt. K. F.

E 54.1 Peter Dell d. Ä. *Abbildung*

Kreuzigung Christi. Datiert 1528

Bez.: Monogramm des Künstlers
Relief. Lindenholz, ungefaßt. 39x50,5 cm
Dresden, Staatliche Kunstsammlungen, Grünes Gewölbe; Inv.-Nr. I 49

Eine Vielzahl von Figuren und landschaftlichen Details belebt die Kreuzigungsszene, die den im Evangelium des Johannes Kapitel 19, Vers 34 geschilderten Augenblick festhält, als einer der Kriegsknechte mit seiner Lanze in die rechte Körperseite Christi sticht, um seinen Tod festzustellen. Der genau auf Mit-

telposition gesetzte Kruzifixus, umgeben von einem Wolkenkranz, wird von den beiden Schächerkreuzen flankiert; die Seelen der zwei Hingerichteten – in Form von kleinen Menschen – werden von einem Engel in den Himmel und von einem Greifvogel in die Hölle gebracht.
Rechts von Johannes steht der gläubige Hauptmann, der – wie in den Evangelien berichtet wird – mit den Worten: »Wahrlich, dieser ist Gottes Sohn gewesen!« (Evangelium des Matthäus Kapitel 27, Vers 54) zu dem Gekreuzigten aufblickt. Neben ihm stehen vier Kriegsknechte, mit Lanzen bewaffnet, einer von ihnen hat den Essigschwamm, mit dem er den dürstenden Christus labte, aufgespießt.
Peter Dell war 1501 als Lehrling bei Tilman Riemenschneider tätig und arbeitete auf seiner Wanderschaft auch bei Hans Leinberger im niederbayrischen Landshut. Während dieser Jahre des Lernens muß er sich auch in Sachsen aufgehalten haben, wie drei stilverwandte Reliefs in Dresden (Staatliche Kunstsammlungen, Grünes Gewölbe), davon eins mit einer Widmungsinschrift für den sächsischen Herzog der albertinischen Linie, Heinrich den Frommen, ausweisen. Bereits 1587 wurden sie im Inventar der Dresdener Kunstkammer vermerkt. Charakteristisch für Dells Stil, dem durch Vermittlung Leinbergers auch einige Züge der Donauschule anhaften, ist die Flächigkeit und der Einsatz perspektivischer Mittel zur Schaffung einer gewissen Raumtiefe. E. Fr.

E 54.2 Peter Dell d. Ä. *Abbildung Seite 361*

Auferstehung Christi. Datiert 1529

Bez.: Monogramm des Künstlers
Relief. Lindenholz, ungefaßt. H. 39 cm, Br. 50,5 cm
Dresden, Staatliche Kunstsammlungen, Grünes Gewölbe; Inv.-Nr. I 48

Beherrschende Figur des Flachreliefs ist der auferstandene Christus mit Kreuzesfahne und Segensgestus als »Salvator mundi«. Der Mann in reicher Kleidung (rechts) ist wohl als Personifizierung Herzog Heinrichs des Frommen von Sachsen zu deuten. Die beiden gewaltigen flammenbekrönten Feueröfen sind die Inkarnation der Hölle. In den Fensteröffnungen werden Luzifer als Fürst der Welt mit Krone und Zepter sowie weitere teuflische Gestalten mit Tierköpfen sichtbar, darunter ist »Frau Welt« als Luxuria (Wollust) vergegenwärtigt. Aus den unteren Toren aber strömen die vom Fegefeuer Erlösten hervor, ihren Blick voller Hoffnung und Glauben zum Auferstandenen erhoben. Diese vielgestaltige Szene wird im Hintergrund von einer Landschaftskulisse begrenzt.
Bemerkenswert an diesem Relief ist eine Widmungsinschrift am Pfeiler:
DEM.D.H.FVRSTEN.VND.H.H.HEINRICH.H.ZV.SACHSEN.
L.G.IN.DORINGEN.VND.M.G.ZV.M.VNSEREN.G.H. 1529
(Dem durchlauchtigsten hochlöblichen Fürsten und hochgebornen Herrn Heinrich, Herzog von Sachsen, Landgraf in Thüringen und Markgraf zu Meißen, unserem gnädigen Herrn. 1529). Darüber befindet sich das Wappen Herzog Heinrichs. Weitere lateinische Inschriften nennen Bibeltexte, so Kolosser Kapitel 9,2, Psalm 25 und eine Textstelle aus Zacharia, die sich auf Vergebung der Sünden, Erlösung und Gnade Gottes beziehen. Das Meistermonogramm PD befindet sich auf einer Tafel, die in der linken Felsenhöhle auf dem Erdboden liegt. E. Fr.

E 55 Hans Schäufelein *Abbildung*

Das Kreuz Christi und die Freuden der Welt Um 1520/30

Nicht bez.
Weichholz. 73,2 x 97,8 cm (Firnis stark vergilbt)
Zwischen 1836 und 1863 als Werk des Hans Burgkmair vom Kunsthändler Finck erworben
Schwerin, Staatliches Museum; Inv.-Nr. G 202

Das Thema der Tafel besteht in dem Kampf himmlischer und teuflischer Mächte um die Seele des Menschen. Ehrfürchtig, den Rosenkranz abbetend, kniet ein schwarz gekleideter Mann vor dem Kreuz Christi. Von den Wundmalen ausgehende Strahlen vereinigen sich in seinem Mund; Engel belehren und beschützen ihn. Auf der anderen Seite des Kreuzes wendet sich mit flüchtigem Kniefall ein Herr zum Gebet, gehindert von zwei Ausgeburten der Hölle, die seinen Blick zurück auf die Laster und Freuden der Welt lenken; rote Linien leiten zu ihnen hin. Landsknechte bei Spiel, Trunk und Streit symbolisieren die Laster der Prahlerei und Völlerei, Liebespaare die Unkeuschheit. Festzug, Turnier, Jagd, Fischfang, Kriegsspiel etc. schmücken das Thema aus. Wenn auch die roten Strahlen das lehrhaft-religiöse Anliegen betonen, so erlangen doch die eingefügten Motive Selbständigkeit und vordergründige Gewichtigkeit.
Schlie schrieb dieses Bild im Vergleich mit dem 1515 in der Bundesstube des Nördlinger Rathauses angebrachten Wandbild, speziell dessen Kopie im Germanischen Nationalmuseum Nürnberg (Inv.-Nr. HG 937), dem Hans Schäufelein zu: »In beiden Bildern dieselbe Szcenen- und Gruppenordnung über Hügel und Berge weg, dieselben Trachten, dieselben Trommeln und Kanonen, dieselbe Luft, und endlich überall in der Ausführung jene dem Schäuffelin eigenthümliche Anwendung von Strichen und Schattierungen nach einer mehr zeichnenden als malenden Manier.« In dem dekorativ-serpentinenartigen Aufbau, bei dem übrigens Rot als dominierende Farbe auftritt, und der lockeren, schnörkelig-schwungvollen Detailzeichnung steht es der nach 1530 entstandenen Federzeichnung im University College London (Winkler 1942, Nr. 80) nahe. Religiös-moralisierende Darstellungen und Bergserpentinen finden wir auch auf den zwei Illustrationen Schäufeleins zu der 1517 in Augsburg erschienenen Moralschrift des Hans von Leonrodt »Hymelwag auff dem, wer wol lebt vn wol stirbt fert in das reich der himel. Hellwag auff dem, wer übel lebt vn übel stirbt fert in die ewige verdamnuß ...« K. H.

E 55

E 56 Jörg Breu d. Ä. *Farbtafel Seite 323*

Verspottung Christi. Um 1534

Nicht bez.
An der Hauswand im Hintergrund folgende Inschrift:
CALIGAVERVNT . OC / VLI . MEI . INFLETV. /
MEO . QVIA . ELONGA / BITVR . AME . QVI . CO /
NSOLATVR ME / IOB . 16
(Meine Augen sind vom Weinen verdunkelt, weil diejenigen, die mich trösteten, mich verlassen haben. Hiob Kapitel 16)
Öl auf Holz. 69 x 78 cm
Innsbruck, Tiroler Landesmuseum Ferdinandeum; Inv.-Nr. 953

Dargestellt ist ein Ereignis aus der Leidensgeschichte Christi, nämlich die in den Evangelien Matthäus Kapitel 26, Vers 67–68; Markus Kapitel 14, Vers 65; Lukas Kapitel 22, Vers 63–65 beschriebene Verspottung Christi während des Verhöres vor dem Hohen Rat. Die Tafel, die weder Teil eines Passionsaltares ist noch einem Passionszyklus angehört, ist kein mittelalterliches Andachtsbild mehr, das die Gläubigen emotionell motiviert zu Mitleiden mit dem Opfer und Haß auf die Peiniger, sondern ein protestantisches Agitationsbild. Entsprechend Luthers Auffassung vom Zweck religiöser Bilder führt es dem Betrachter das Heilsgeschehen vor Augen, verbildlicht den »Ratschluß Gottes von der Erlösung des Menschen durch Christi Leiden«, wie es G. Krämer 1981, S. 119, treffend formulierte.

Eine Inschrift an der Wand im Hintergrund, ein Zitat aus dem Buch Hiob, offenbart den theologischen Sinn des Bildes: Gleich wie Hiob, der trotz aller Prüfungen an Gott festhielt, wird der Betrachter aufgefordert, sich zu Christus, dem Gesandten Gottes zu bekennen, um dadurch seiner Heilstat teilhaftig zu werden. Die vorne rechts am Bildrand liegende Dornenkrone und die Säule, vor der Kaiphas steht und auf die der eine Scherge deutet, sind Hinweise auf den zur Erlösung angetretenen Leidensweg.

Im Mittelalter war es üblich gewesen, Christus bei der Verspottung, dem Bericht der Bibel gemäß, mit verbundenen Augen darzustellen. Der sehende Christus in dieser Szene ist keine Erfindung Breus. Er kommt unter anderem schon um 1520 bei Lucas Cranach auf einer Tafel in Weimar (Schade 1974,

Abb. 84–86) vor. Breu übernahm das Motiv bereits für sein heute als Dauerleihgabe in den Städtischen Kunstsammlungen Augsburg befindliches Bild, das von Buchner und Krämer um 1522 datiert wird. Dort sind die Schergen noch als Folterknechte im mittelalterlichen Sinne dargestellt. Im Innsbrucker Bild wird nicht mehr ausgeklügelte Bosheit geschildert, der Christus ausgeliefert ist, sondern eine ganze Palette menschlicher Verhaltensweisen, die er souverän überschaut.
Krämer machte 1981 darauf aufmerksam, daß der Berater von Kaiphas die Züge des Humanisten Rudolph Agricola trägt, wie sie Darstellungen von Cranach überliefern (Schade 1974, Abb. 146f.). Da R. Agricola nachweisbar jedoch keinerlei Beziehungen zu Augsburg gehabt hat, meinte Krämer, Breu hätte sein Porträt nur des Typs halber verwendet. Mir scheint es dagegen denkbar, daß der Künstler die Gesichtszüge des Humanisten zur Charakterisierung des am Kloster St. Anna in Augsburg wirkenden Predigers Agricola benutzte, der die Wittenberger Richtung vertrat. Die Masse der Augsburger Bevölkerung war damals nämlich zwinglisch gesonnen. Nur das Patriziat hing, soweit es nicht überhaupt papistisch geblieben war, der Lehre Luthers an. Jörg Breu, aus niederem Handwerkerstand stammend, empfand die auf Ausgleich bedachte Realpolitik der evangelischen großen Herren als Verrat am wahren christlichen Glauben. Deshalb malte er ihren geistlichen Vertreter als Judas und gesellte ihn Kaiphas als teuflischen Berater zu. R. K.

E 57 Georg Lemberger *Farbtafel Seite 324*

Epitaphbild mit Kreuzigung (Schmidburg-Epitaph) 1522

Bez.: zahlreiche Inschriften auf Vorder- und Rückseite und Jahreszahl
Holz. 142,7x84,5 cm
Aus der Nikolaikirche in Leipzig
Leipzig, Museum der bildenden Künste; Inv.-Nr. 609

Lembergers Tafel wurde als Epitaphbild von Simon Pistor für die Angehörigen des 1490 verstorbenen Arztes Valentin Schmidburg gestiftet. Links sind Heinrich Schmidburg, Kanzler des Bischofs von Naumburg (gest. 1520), Valentin Schmidburg (gest. 1490) und rechts Simon Pistor (1489–1562), Christoph Pistor (gest. 1519), Martha Pistor (gest. 1497) und Ursula Schmidburg (gest. 1495) dargestellt.
Im Gegensatz zu Cranachs Epitaph für Valentin Schmidburg von 1518 (Kat.-Nr. A 5), das er ganz im Sinne der katholischen Lehre von den guten Werken gemalt hat, ist Lembergers Tafel von der lutherischen Lehre geprägt: Nicht mehr das Streben nach guten Werken und die Anbetung der Maria stehen im Vordergrund, sondern die Aussage wird von der unmittelbaren Anbetung des Kreuzes Christi durch die Stifter bestimmt. Der Jesus am Kreuz ist nicht, wie sonst üblich, mit gesenktem, sondern mit himmelwärts gerichtetem Haupt dargestellt. Das bedeutungsvolle Geschehen wird durch die Expressivität der Malweise nachdrücklich betont: die lebhafte, volkreiche Szene, das heftig bewegte, mit den erregten Wolkenbildungen korrespondierende Lendentuch Christi. Dem in starker Verkürzung exponiert in den Vordergrund gestellten Lanzenträger Longinus, der eine blutige Träne weint, kommt besondere Bedeutung zu.
So ist Lembergers Tafel nicht nur als »eines der glänzendsten bürgerlichen Gedächtnismale in Deutschland« zu verstehen, sondern auch als ein frühes Bekenntnis zur Reformation Luthers. K. F.

E 58 Lucas Cranach d. Ä. *Farbtafel Seite 326*

Kreuzigung. Vor 1537

Bez. r. von der knienden Beterin:
geflügelte Schlange (Flügel aufrecht)
Öl auf Rotbuchenholz. 120x83 cm
Ehemals Wörlitz, Gotisches Haus
Dessau, Staatliche Galerie; Inv.-Nr. 16

Das Thema der Kreuzigung hat Cranach häufiger beschäftigt. Zunächst experimentierte er mit der räumlichen Anordnung der Kreuze. Diese Phase wurde um 1515 mit der Zeichnung in Cambridge (Rosenberg 8) abgeschlossen. Die dort gefundene Lösung – das Kreuz Christi frontal in der Bildmitte, flankiert von den rechtwinklig zu ihm stehenden, weiter zurückgesetzten Kreuzen der Schächer – blieb für Jahrzehnte in der Cranach-Werkstatt in Gebrauch, ebenso die Christusdarstellung: Christus mit gestreckten Beinen, übereinander genagelten Füßen, Seitenwunde und geneigtem Haupt mit geschlossenen Augen frontal gesehen. Ausgehend von dieser Cambridger Zeichnung wurde das Kreuzigungsthema vielfältig variiert und weiterentwickelt. Bei der ca. 5 Jahre später entstandenen Frankfurter Tafel (Friedländer/Rosenberg 1979, Nr. 92) verengte Cranach den Bildausschnitt bis an die Kreuze, die sogar angeschnitten wurden. Dadurch wurde das Bild nahsichtig und gewann eine größere Unmittelbarkeit, der eine Konzentration auf weniger Begleitfiguren entsprach. Ein um 1520 entstandenes kleines Triptychon (Friedländer/Rosenberg 1979, Nr. 95) zeigt die weitere Entfaltung des Themas. Sie bringt wieder eine Vermehrung der Zuschauer, über denen ein Wald von Stangenwaffen wogt, in dem auch, wie in Dessau, der sogenannte Morgenstern nicht fehlt. Im Vordergrund rechts taucht der Reiter der Cambridger Zeichnung erneut auf, nun aber parallel zur Bildkante. Bei der 1532 datierten Kreuzigung in Indianapolis (Friedländer/Rosenberg 1979, Nr. 218) ist die Szenerie um die Gruppe der würfelnden Kriegsknechte vorn rechts erweitert, dafür aber außer Maria mit ihrem Anhang links nur eine Gruppe Berittener zugegen, die hinter dem Kreuz Christi Aufstellung genommen hat, links außen der zu Christus aufblickende Hauptmann, rechts Longinus mit erhobener Lanze. Das Gewoge der Stangenwaffen fehlt, dafür sind an den Seiten Ausblicke in die Landschaft vorhanden. Bei der Dessauer Tafel wurde auf diese Ausblicke verzichtet zugunsten einer großen bewaffneten Zuschauermenge im Hintergrund. Die Reiter umringen nun das Kreuz im Mittelgrund.

Die Gruppe der Frauen um Maria und die der um den Rock Christi würfelnden und sich raufenden Kriegsknechte sind in den Vordergrund vorgeschoben bis an den Bildrand. Die Darstellung wirkt daher wie die Momentaufnahme aus einem Bildbericht. Nicht völlig geklärt ist, welche Funktion die betende Frau vorn links hat. Formal leitet sie sich von der bei allen früheren Kreuzigungsdarstellungen das Kreuz umklammernden Figur der Maria Magdalena her. R. K.

E 59 Cranach-Werkstatt

Kreuzigung mit bekennendem Hauptmann. 1538

Bez. u. r. auf einem größeren Stein:
1538, geflügelte Schlange (Flügel liegend)
Schriftzeile o. l.:
VATER IN DEIN HANDT BEFIL ICH MEIN GAIST
Schriftzeile in der Bildmitte:
WARLICH DISER MENSCH IST GOTTES SVN GEWEST
Öl auf Holz. 85 x 56 cm
Sevilla, Museum der Schönen Künste

Nach Lukas Kapitel 23, Vers 46, ist Christus als Lebender am Kreuz dargestellt, der bewußt handelnd das Erlösungswerk vollbringt, indem er seinen Geist in die Hände des Vaters zurückgibt.

Wie seit 1515 typisch für die Cranach-Werkstatt, stehen die Kreuze der Schächer im rechten Winkel zum Kreuz Christi. Christus hängt daran in Frontalansicht mit gestreckten Beinen und übereinandergenagelten Füßen. Sein Körper ist noch nicht vom Tode gezeichnet, die Seitenwunde fehlt. Er schaut zum Himmel empor, dabei ist sein Mund sprechend geöffnet. Seine Worte erscheinen als Schriftzeile links über dem Kreuz. Der verdunkelte Himmel entspricht den Evangelienberichten (Matthäus Kapitel 27, Vers 45; Markus Kapitel 15, Vers 33; Lukas Kapitel 23, Vers 44). Als einziger Zeuge ist der Hauptmann auf dem steigenden Schimmel links unter dem Kreuz zugegen. Zu Christus aufschauend, schwört er mit der erhobenen Rechten. Sein Zeugnis entspricht der Überlieferung von Matthäus Kapitel 27, Vers 54. Rechts von ihm geht der Blick in die Landschaft.

Wie die aus verschiedenen Evangelien stammenden Textstellen anzeigen, stellt das Bild keine Ereignisschilderung dar, sondern das Bekenntnis zu Christus als dem am Kreuz gestorbenen Heiland. Das Bildthema wurde 1536 erstmals in der Cranach-Werkstatt gestaltet auf einer Tafel, die sich heute in Washington befindet (Friedländer/Rosenberg 1979, Nr. 378 C). Dort ist die Darstellung gänzlich auf die notwendigen Personen konzentriert und die Ortsangabe auf die Andeutung der Bergkuppe beschränkt, ebenso auf einer zweiten, 1539 datierten Tafel in Aschaffenburg (Friedländer/Rosenberg 1979, Nr. 378). Dem Bild in Sevilla entspricht dagegen die Fassung in New Haven, Connecticut (Friedländer/Rosenberg 1979, Nr. 378 B).

Die beiden Schächer in Sevilla ähneln in Haltung und Gesichtstyp denen der Dessauer Kreuzigungstafel (Kat.-Nr. E 58). R. K.

E 60 Cranach-Werkstatt *Farbtafel Seite 327*

Kreuzigung mit gläubigem Hauptmann und bittender Frau. 1538

Bez. u. r. auf dem Erdboden:
geflügelte Schlange (Flügel liegend),
links von ihr 15, rechts 38
Schriftzeile o. l.:
VATER IN DEIN HENT BEFIL ICH MEIN GAIST
Schriftzeile M. r.:
WARLICH DISER MENSCH IST GOTES SVN GEWES
Öl auf Holz. 86 x 58 cm
Dessau, Staatliche Galerie; Inv.-Nr. 17

Der Hauptmann ist nicht mehr – wie auf den Bekenntnisbildern in Washington, Aschaffenburg, Sevilla (Kat.-Nr. E 59) oder New Haven (Friedländer/Rosenberg 1979, Nr. 378 A–C) – unter dem Kreuz links auf steigendem, von der Seite gesehenem Roß dargestellt, sondern rechts auf einem dem Beschauer zugewandten Pferd, aus dem Bilde herausblickend. Links sitzt die zusammengebrochene Maria, gestützt von Johannes und zwei Begleiterinnen. Ihr wendet sich eine betende Frau zu, während eine zweite, die neben Johannes steht, mit bittend erhobenen Händen zu Christus emporschaut.

Die Mariengruppe der Dessauer Tafel ohne die Beterinnen begegnet in einer vielfigurigen Kreuzigungsszene in Chicago wieder (Friedländer/Rosenberg 1979, Nr. 377), die ebenfalls 1538 gemalt wurde. Dort ist Christus auch als Lebender am Kreuz dargestellt, wie es bis dahin nur bei reinen Bekenntnisbildern üblich war.

Das Bekenntnisbild ist zum protestantischen Agitationsbild weiterentwickelt worden durch die Einfügung der beiden betenden Frauen, Vertreterinnen der alten und der neuen Lehre. Die traditionsgebundene Frau sucht Hilfe bei der selbst hilflosen Maria, die lutherisch gesinnte bittet Christus direkt in der Erkenntnis, daß nur der sich gläubig Christus zuwendende Mensch teilhat an der Erlösung. R. K.

E 61 Lucas Cranach d. J.

Kreuzigung. 1538/39

Mitteltafel des Schneeberger Altars
Nicht bez.
Öl auf Holz. 258 x 208 cm
(im 17. Jahrhundert verkürzt um ca. 27 cm)
Schneeberg, Ev.-Luther. St. Wolfgangskirchgemeinde

Kurfürst Johann Friedrich stiftete im Verein mit seinem Halbbruder Johann Ernst den Schneeberger Altar für die Wolfgangskirche der jungen Bergstadt, die infolge der Silbererzfunde am Schneeberg 1471 aufgeblüht war. Als die seit 1515 im Bau befindliche große Hallenkirche ihrer Vollendung entgegenging, wurde im Frühjahr 1539 ein vierflügliges Altarwerk aus Wittenberg angeliefert. Es bestand aus zwölf Tafeln. Diese wurden während des Dreißigjährigen Krieges von kaiserlichen Truppen nach Prag verschleppt. Obwohl sie 1649 nach

Schneeberg zurückkehrten, wurde der Flügelaltar nicht wieder aufgestellt, sondern einzelne seiner Tafeln für einen neuen Altaraufbau verwendet, darunter die mit der Kreuzigungsdarstellung.

Der Schneeberger Altar, mit dem die Reihe der großen Reformationsaltäre der Cranach-Werkstatt beginnt, hatte zwei Flügelpaare und konnte demzufolge zweimal geöffnet werden. Auf der Vorderseite der Predella war das Abendmahl dargestellt. Der erste Öffnungszustand zeigte auf vier Tafeln die Situation des Menschen zwischen Gesetz und Evangelium (Adam in die Hölle gejagt – Moses und Propheten – Johannes d. T. auf Christi Opfertod weisend – Christi Sieg über Tod und Teufel), der zweite Öffnungszustand das Erlösungswerk (linker Seitenflügel: Christus im Garten Gethsemane – Mitteltafel: Kreuzigung – rechter Seitenflügel: Auferstehung Christi) und die Rückfront des Altars Gericht und Gnade (Lots Töchter – Jüngstes Gericht – Sintflut).

Das Kreuzigungsbild der Mitteltafel hat im Aufbau große Ähnlichkeit mit dem Dessauer Bild (Kat.-Nr. E 58). Selbst einzelne Figuren scheinen von ihm abzustammen, so die Schächer, der Hauptmann (nur jetzt auf einem Schimmel), der mit ihm im Gespräch befindliche Alte mit dem Hermelinkragen, der Geharnischte hinter dem Hauptmann. Andere Typen begegnen dafür erstmalig. Interessant ist die Gruppe der sich um den Rock Christi zankenden Soldaten mit ihren ausfahrenden Bewegungen. Sie steht im starken Kontrast zu der fast reglosen Frauengruppe links, deren Bewegung eine innerliche, auf Christus bezogene ist. Diese Frauen kommen schon auf einer 1538 datierten Tafel mit dem gläubigen Hauptmann unter dem Kreuz in Dessau (Kat.-Nr. E 60) vor. Die Darstellung des Hauptmanns folgt aber nicht dieser Tafel, sondern vertritt den älteren Typ, der sich von den reinen Bekenntnisbildern herleitet (vgl. Kat.-Nr. E 59). Die betenden Frauen wurden dem bekennenden Hauptmann so zugeordnet, daß auf der linken Seite unter dem Kreuz die Gläubigen versammelt sind, denen sich der tote Christus zuneigt. Ihnen sind auf der rechten Seite die Ungläubigen gegenübergestellt.

Die Komposition des Bildes aus den verschiedensten in der Cranach-Werkstatt heimischen Motiven verrät einen in ihrer Tradition erzogenen Künstler, dessen jugendliches Temperament sich mit einer gewissen Unbekümmertheit äußert. Daß dieser Künstler Lucas Cranach d. J. ist, bekunden seine erhaltengebliebenen Entwurfszeichnungen für fünf Tafeln der Seitenflügel in Oslo, Nationalgalerie (Rosenberg A 18) und Braunschweig, Herzog Anton Ulrich-Museum (Rosenberg A 16–17). R. K.

E 62

E 62 In der Art des 16. Jahrhunderts *Abbildung*

Christus am Kreuz
Ende 18., Anfang 19. Jahrhundert

Bez. am Fuße des Kreuzes: 1500 / Monogramm AD; unten auf einem Schriftstreifen hinter dem Kreuz:
PATER. Ī. MANVS. TVAS. CO MENDO. SPIRITV̄. MEV̄.
(Vater in deine Hände befehle ich meinen Geist)
Öl auf Birnbaumholz. 19,9 x 15,8 cm
Von Erasmus Engert bei einem Wiener Antiquar gefunden und an Joseph Daniel Böhm vermittelt; abgegeben an Sammlung S. von Féstetics, aber 1859 zurückgenommen und 1865 an die Königliche sächsische Gemäldegalerie veräußert
Dresden, Staatliche Kunstsammlungen, Gemäldegalerie Alte Meister; Inv.-Nr. 1870

Dargestellt ist der Tod Jesu nach der Schilderung im Lukas-Evangelium Kapitel 23, Vers 44–46.

Vor einer Küstenlandschaft ragt ein riesiges, aus Baumstämmen gezimmertes Kreuz auf, an dem Christus in Frontalansicht hängt. Um ihn ganz dicht an den Betrachter heranzurükken, ist das Kreuz oben und unten angeschnitten und der Augenpunkt so niedrig gelegt, daß die Horizontlinie in Höhe der Fußspitzen des Gekreuzigten verläuft. Seine mit drei Nägeln an das Kreuz geheftete Gestalt steht hell vor dem dunklen Himmel. Der schlanke Leib Christi trägt noch keine Kennzeichen des Todes. Christus hängt nicht mit gesenktem Haupt passiv am Kreuz, sondern wendet sich zu Gott. Sein Kopf ist aus der Senkrechten, die der Körper mit den gestreckten Beinen bildet, in die Diagonale gerückt und das Gesicht erhoben, während er sich dem Vater anvertraut, dessen göttliches Licht Dornenkrone, Stirn und Nase des Sohnes trifft, seine erhobenen Arme übergießt und seinen Körper wie ein feines Netz überzieht. Der Lichtkranz ist das Zeichen der Erwähltheit, und seine dreipaßähnliche Form erinnert an die Trinität (Vater, Sohn und Heiliger Geist). Das Schild am Kreuzesstamm etikettiert den Gekreuzigten (INRI – Jesus Nazarenus Rex Judaeorum). Die Astwunde des waagerechten Kreuzarmes weist als Wunde im »Holz des Lebens« auf seinen Opfertod hin. Die letzten Worte Christi stehen auf dem Schriftstreifen, der sich unten hinter dem Kreuz hinzieht und die Landschaft wie hinter einer Brüstung erscheinen läßt.

Das Täfelchen zeigt also den lebenden Christus am Kreuz. Die Seitenwunde fehlt noch. Als Zeichen des eingetretenen Todes gehörte sie im 16. Jahrhundert zum Bild des gekreuzigten Christus. Der lebende Christus am Kreuz taucht als Darstellungstyp erst zwischen 1535 und 1540 fast gleichzeitig in Deutschland und Italien auf, in der Cranach-Werkstatt und bei Michelangelo. Der Cranachsche Christus ist dargestellt im Augenblick der Vollendung seines Erlösungswerkes, als Mittler zwischen Menschheit und Gott, voller Vertrauen zum Vater. Der Christus Michelangelos dagegen windet sich schmerzvoll aus größter Verlassenheit zu Gott empor. Michelangelo stützte sich nämlich nicht auf das Evangelium des Lukas, sondern auf das des Markus. Das dort überlieferte Christuswort »Eli, Eli lama asabthani?« (Markus Kapitel 15, Vers 34: Mein Gott, mein Gott, warum hast du mich verlassen?) wurde als Gebet Christi als Haupt des mystischen Leibes der Kirche verstanden. Michelangelos Schöpfung erwuchs aus der mittelalterlicher Frömmigkeit entspringenden Vertiefung in das Leiden Christi. Anders bei Cranach. Er veranschaulichte nicht das Leiden, sondern dessen Zweck, die Erlösung, den Opfertod als Heilstat, die die Rechtfertigung der Sünder durch den Glauben ermöglichte.

Die Christus-Darstellung des Dresdener Täfelchens entspricht dem von Cranach geprägten Typ, der ab 1536 in seiner Werkstatt oft gemalt wurde. Das Dresdener Täfelchen trägt aber nicht das Schlangenzeichen Cranachs, sondern das Monogramm Dürers mit der Jahreszahl 1500. Weil bei Dürer jedoch dieser Christus-Typ sonst nicht vorkommt, das Dürer-Monogramm eine eigentümliche Form aufweist (A und D sind durch den Anstrich des D verbunden) und die zugehörige Jahreszahl retuschiert aussieht, muß die Urheberschaft Dürers in Zweifel gezogen werden.

Schon 1916 hatte H. Zimmermann auf die Abhängigkeit der Tafel von Cranachs 1540 datiertem Dubliner Kreuzigungsbild aufmerksam gemacht. Im Gegensatz zu ihm hielt W. Schade noch 1971 an der Autorschaft Dürers mit der Begründung fest, daß das Dresdener Bild dem Dubliner in gedanklicher und formaler Geschlossenheit weit überlegen sei.

Diese Sachlage machte eine erneute Untersuchung des Dresdener Täfelchens erforderlich. Zunächst besticht die brillante Malweise. Betrachtet man aber eine Röntgenaufnahme des Bildes, so stellt man erstaunt fest, daß der dunkle Himmel wie in Dublin als Wolkenhimmel angelegt ist. Dieser wurde aber keineswegs ausgeführt. Wie mikroskopische Untersuchungen erkennen lassen, sitzen die Konturlinien des Körpers auf der schwarzen Fläche des Himmels. Sie ist also ursprünglich. Vergleicht man das Dresdener und das Dubliner Bild miteinander, so fällt sofort der gänzlich andere Charakter der Landschaft auf. Während in Dublin das Kreuz in der Landschaft steht, ist es in Dresden durch den brüstungartigen Schriftstreifen von ihr getrennt. Die Landschaft, in Dublin eine Flußlandschaft, in Dresden eine Küstenlandschaft, hat trotz der drei Bäume vorn rechts auf beiden Bildern nichts Verwandtes. Die Flußlandschaft ist typisch für Cranach in ihrem Aufbau und kommt in Variationen auf verschiedenen Bildern um 1540 aus der Cranach-Werkstatt vor. Die Dresdener Küstenlandschaft wirkt dagegen seltsam modern. Auch die Wolkenzone, die zwischen Licht und Dunkelheit vermittelt, erscheint recht eigenartig für ein Bild des 16. Jahrhunderts. Bei Cranach erläutern die letzten Worte Christi als Schriftzeile über dem Kreuz das Geschehene unmittelbar. In Dresden sind sie nicht mehr mit der Handlung verbunden. Sie stehen wie ein Bildmotto am unteren Bildrand auf dem brüstungartigen Schriftstreifen, der von Bildern Giovanni Bellinis angeregt scheint. Der Dubliner und der Dresdener Christus unterscheiden sich bei gleicher Körperhaltung doch sehr in der Auffassung. Das dürfte nicht nur eine Frage der Qualität sein. Der Dresdener Christus ist graziler, sein Kopf empfindsamer. Der seelenvolle Blick läßt an Guido Reni denken. Der Körper von idealer Schönheit – breitschultrig und schmalhüftig – ist mit einem besonderen Gefühl für die lebendige Oberfläche gemalt und seine Plastizität durch den schwarzen Hintergrund noch gesteigert. Das himmlische Licht hat einen ganz anderen Schmelz als in Dublin.

Alle diese Veränderungen entsprechen nicht dem Geist des 16. Jahrhunderts. In ihnen verrät sich eine spätere Zeit mit einer verfeinerten Geschmackskultur. Das Dresdener Täfelchen ist demnach eine verbesserte Kopie des Dubliner Bildes. Der Kopist begnügte sich aber nicht mit einem Cranach. Ihm verhieß ein »echter Dürer« weit größeren Gewinn. Deshalb brachte er statt der geflügelten Schlange das Dürer-Monogramm am Stamm des Kreuzes an. Um seinem Werk die Priorität zu sichern, wählte er ein früheres Datum, dessen letzte Ziffer er retuschierte, um etwaige Zweifel abzulenken. Eigenartigerweise ist die Rinde des Kreuzstammes unten, wo das Monogramm sitzt, senkrecht strukturiert und oberhalb des Kopfes des Gekreuzigten waagerecht. Die Kopie entstand bewußt als Fälschung. Dafür spricht auch die Verwendung eines abgehobelten alten Druckstockes als Malfläche. Die Zeit für eine derartige Fälschung war herangereift, als in der zweiten Hälfte des 18. Jahrhunderts das Interesse an der Kunst des 16. Jahrhunderts auflebte und man unter anderem anfing, die Druckstöcke des 16. Jahrhunderts zu sammeln. R. K.

E 63 Peter Heymanns *Farbtafel Seite 412*

Croy-Teppich. 1554

Bez.: Initialen des Teppichwirkers, die Namen der dargestellten Personen und Jahreszahl
Wirkerei; Leinen, Wolle, Seiden- und Metallfäden.
446 cm x 690 cm
Greifswald, Ernst-Moritz-Arndt-Universität

Der Bildwirker Peter Heymanns stand in Diensten des pommerschen Herzogshauses, seine Werkstatt war in Stettin (Szczecin), wahrscheinlich lernte er in Flandern. Den Teppich fertigte er im Auftrag Philipps I. von Pommern-Wolgast an. Seit seiner Vollendung wurde er im Herzogsschloß zu Wolgast aufbewahrt. Nach dem Aussterben der Wolgaster Herzogslinie 1625 gelangte er nach Stolp in Pommern, wo Anna von Croy, die Schwester des letzten, 1637 verstorbenen Pommernherzogs, ihren Witwensitz hatte. 1683 vermachte ihr Sohn, Herzog Ernst Bogislav von Croy, das gewebte Bildwerk der Universität Greifswald. Solche Bildwirkereien, aufgehängt in repräsentativen Gemächern, ersetzten Wandmalereien.
Das Hauptfeld des Teppichs ist in einem Stück, die umlaufenden Bordüren sind gesondert gewebt und dann angesetzt worden. Die Farben haben ihre ursprüngliche Leuchtkraft fast völlig behalten, die Festigkeit des Gewebes hat gelitten. Dargestellt sind 23 Personen in Lebensgröße: in der Mitte, zum Kruzifix gewandt, Luther predigend auf der Kanzel; rechts Angehörige des pommerschen Herzogshauses, unter ihnen Bugenhagen, links Angehörige des sächsischen Herzogshauses, unter ihnen Melanchthon. Über den Gruppen die Wappen der Herrscherhäuser, unter ihnen auf einer Leiste die Namen der Dargestellten. Die obere Leiste trägt drei Schriftblöcke; von links nach rechts gelesen ist der erste eine Bibelstelle, der zweite erinnert an Luthers Thesenanschlag zu Wittenberg, der dritte gedenkt der Einführung der Reformation in Pommern durch Bugenhagen; dazwischen die Familienwappen Melanchthons (Christuskreuz mit Schlange), Luthers (weiße Rose) und Bugenhagens (Harfe auf blauem Grund). Links neben Luther eine Inschriftkartusche mit dem Text: »Sihe das ist Gottes Lam ...«, der sich auf das Kruzifix bezieht. Rechts von Luther eine Kartusche, deren Inschrift bei der Restaurierung des Teppichs 1891/94 anstelle des im 18. Jahrhundert herausgeschnittenen Feldes eingesetzt wurde. Ob dieses Feld ursprünglich eine Inschrift trug oder eine Szene, wissen wir nicht. Zwischen dem Frucht- und Laubwerk der Seitenbordüren kommen Wahlsprüche Friedrichs des Weisen, Philipps I. und Johann Friedrichs von Pommern vor.
Die Personen, Sinnzeichen, Inschriften und die Szenerie, die sich durch sie herstellt, ergeben ein eindrucksvolles Bild, das geschichtliche Beziehungen und geistige Bedeutungen aufweist. Inhaltliche Akzente sind die Repräsentation der beiden Herzogshäuser vor dem historischen Hintergrund der Reformation, das Bekenntnis zu Luther und die Verbundenheit beider Herrscherhäuser durch die Reformation sowie familiäre Bande. 1536 hatte Luther im Schloß Hartenfels zu Torgau Philipp I. von Pommern und Maria von Sachsen getraut.

Die drei historisch konkreten Themen sprechen nicht nur für sich selbst, vielmehr sind sie zum Träger der Idee wesentlicher Geschichtlichkeit gemacht worden – einer neuen, für die Kunstentwicklung wichtigen Auffassung. Wegen seiner Grundidee darf man den Croy-Teppich als Historienbild bezeichnen. Er steht als monumentales Zeugnis am Beginn der Entfaltung dieser Gattung. Die Szenerie spielt sich, trotz der Kanzel, eher in einem neutralen Haus denn in einer Kirche ab. Sämtliche Personen erscheinen in Staatsgewändern, die Gesichter haben Porträtcharakter. Die Frage nach dem künstlerischen Initiator des Teppichbildes ist mit dem Hinweis auf die Werkstatt Cranachs beantwortet worden; dabei ist vorausgesetzt, daß der Gobelinwirker Heymanns und der Kartonmeister nicht identisch sind. Das Motiv zweier Menschengruppen unter der Kanzel des predigenden Luther und dem Kruzifix kommt auf dem Holzschnitt »Abendmahl der Evangelischen« von Lucas Cranach d. J. vor, ähnlich ist die Szene auf der Predella des Wittenberger Stadtkirchenaltars. Porträts von Cranach d. Ä. dienten als Vorlagen für die Bildnisse auf dem Teppich. Vor allem die Konzeption dieser Synthese von profanem Gruppenbild und Geschichtsdenkmal läßt auf das Gestaltungsprogramm der Cranachs schließen. N. Z.

Konsolidierung protestantischer Bildthematik

Als nach dem Scheitern der frühbürgerlichen Revolution sich mit dem Erstarken des Landesfürstentums der Protestantismus und die protestantischen Landeskirchen herausbilden konnten, blieb diese Tatsache auch nicht ohne Folgen für die bildende Kunst. Die kämpferische Aktivität der ersten Etappe des Angriffs des deutschen Bürgertums und der Volksmassen auf die römisch-katholische Kirche, wie sie in dem Holzschnitt »Der Himmelwagen und Höllenwagen des Andreas Bodenstein von Karlstadt« sich niedergeschlagen hatte, wich konsolidierter Selbstdarstellung. War in den Darstellungen von »Sündenfall und Erlösung« oder »Gesetz und Gnade« Luthers Rechtfertigungslehre erstmalig im Tafelbild formuliert worden, so folgten diesen »Merkbildern« des neuen Glaubens eine Reihe von Bildthemen, die ebenfalls die Aufgabe hatten, der Verbreitung der lutherischen Lehre zu dienen.

In Illustrationen des Gleichnisses vom kanaanäischen Weib wurde der wunderwirkende Glaube nachdrücklich dargestellt. In der Auseinandersetzung mit den Wiedertäufern, die die Kindertaufe ablehnten, entstanden Tafelbilder, die die Segnung der Kinder durch Christus zeigen. Gleichzeitig wurde mit diesen Bildern auf den neuen, auf die Familie und die Kindererziehung gerichteten ethischen Sinn des Luthertums hingewiesen. Auch die Themenkreise aus dem alten Testament wie David und Bathseba oder das Urteil König Salomos erhielten durch Luthers Lehre eine neue Bedeutung.

Alttestamentliche Darstellungen wurden aber auch von Holzschnitt-Illustration und Flugblattgraphik übernommen und für Propagandazwecke in den drohenden militärischen Auseinandersetzungen zwischen den Anhängern der katholischen und der evangelischen Lehre verwendet.

In dieser Zeit wurde auch ein neues Verständnis für die »böhmischen Ketzer« offenbar. Luther selbst hatte schon in seiner Schrift »An den christlichen Adel deutscher Nation« unmißverständlich seine Haltung ihnen gegenüber ausgedrückt: »Es ist hoh zeyt, das wir auch einmal ernstlich und mit warheyt der Behemen sach fürnehmen, sie mit uns und uns mit yhnen zuvoreynigen, das ein mal auffhoren die grewlich lesterung, hasz und neyd auff beyder seytten ...«. Darstellungen des Abendmahls, dem für die lutherische Lehre wichtigsten Sakrament, das die katholische Auffassung von der Transsubstantiation (der Verwandlung von Brot und Wein in Leib und Blut Christi) ablehnt, erhielten vor allem nach Luthers Tod besondere Bedeutung.

Im Holzschnitt mit der Austeilung des Sakraments in beiderlei Gestalt durch Hus und Luther in Gegenwart der sächsischen Fürsten und in der Altartafel mit dem Reformatoren-Abendmahl, einer Stiftung Joachims von Anhalt für die Dessauer Schloßkirche, erhielt die bildliche Darstellung dieses Themas eine Ausprägung, die nicht ohne den Hintergrund eines unabhängig gewordenen Landesfürstentums möglich gewesen wäre. Die Darstellungen sind zu Bekenntnisbildern geworden. Auch in einer Reihe von Wittenberg ausgehender Holzschnitte mit der Taufe Christi in Gegenwart von weltlichen und geistlichen Vertretern der protestantischen Lehre wird der Anspruch des Bekenntnisses zur Lehre Luthers nachdrücklich betont. Bezeichnend aber ist, daß diese Bilder erst nach Luthers Tod entstanden und in der Herausbildung der protestantischen Ikonographie einen bedeutungsvollen Platz einnehmen konnten.

Auch die Darstellungen des predigenden Luther oder die Bildnisse der Reformatoren sind zu Bekenntnisbildern geworden. Bekenntnischarakter tragen auch die Bildmotive des sächsischen Bucheinbandes. Von Wittenberg und Dessau ausgehend, entstand in der Verbindung von ikonographischen Darstellungen, die durch Luthers Lehre beeinflußt waren, Motiven aus der humanistischen Gedankenwelt und Bildnissen der Reformatoren und der Landesfürsten ein Einbandstil, der typisch für die protestantische Kunst geworden ist, aber im Verlauf des 16. Jahrhunderts bald zu Formelhaftigkeit erstarrte. Die veränderten Bedingungen, denen sich die Kunst gegenübergestellt sah, boten vorerst keine Möglichkeiten, große bildkünstlerische Leistungen zu vollbringen. An ihre Stelle traten das Wort und die Musik. Bibeldrucke, Predigtsammlungen, sog. Postillen, und deutsche Gesangbücher dienten der Lösung der neuen Aufgaben.

K. F.

F 1 Lucas Cranach d. J. *Farbtafel Seite 392*

Das Abendmahl. 1565

Bez.: Schlange im Siegelring des Mundschenks
Holz. 247x202 cm
Aus der Schloßkirche Dessau
Ev.-Luth. Kirchgemeinde Dessau-Mildensee

Der Anfang des Leidensweges Christi ist das letzte Abendmahl mit seinen Jüngern. In dieser Tafelrunde wird das erste Mal vom kommenden Verrat gesprochen. Ein jeder der Jünger erfährt eine vertiefte Befragung seines Verhältnisses zum Sohn Gottes.

Dieser neutestamentlichen Grundlage folgend, aktualisiert Cranach eines der Hauptthemen der protestantischen Theologie. Die elf Apostel, Judas verbleibt als allgemeiner Verrätertypus, sind durch Reformatoren ersetzt. Sie sitzen gemeinsam mit Christus, dessen göttlicher Machtanspruch formal durch die Säule hinter seinem Rücken betont wird, an einer quer in den Raum gestellten Tafel. Eine mit einem Ornamentfries versehene davorgestellte Bank dient dem Judas und einer noch nicht benannten Person als Sitzgelegenheit. Der Stifter der Tafel für die Dessauer Schloßkirche, Joachim von Anhalt, kniet vor der Tischrunde. Ihm gegenüber steht der Künstler selbst als Mundschenk. Der Bruder des Stifters, der fromme Georg von Anhalt, nimmt die Stelle des Johannes an der rechten Seite Christi ein (die Brüder Joachim, Johann und Georg von Anhalt hatten 1530 die Reformation nach Dessau gebracht). Neben ihm sitzen Martin Luther, Johannes Bugenhagen, Justus Jonas und Caspar Cruciger. Auf der anderen Seite sind es Philipp Melanchthon, Johann Forster, Johann Pfeffinger, Georg Major und Bartholomäus Bernhardi (Cranach überlieferte der Nachwelt in diesem Abendmahlsbild eindrucksvolle Bildnisse der Reformatoren). Obwohl es im Sinne der Abendmahlsdarstellung um die Verratsproblematik geht, sind die sonst üblichen lauten, abwehrenden Gesten nicht spürbar. Die Reformatoren als Jünger Jesu erscheinen vielmehr fest in ihrem Glauben und in der Kraft, ihn bedingungslos zu vertreten. Die gestisch starke Beziehung zwischen Judas und Christus, der ihm den Bissen reicht, scheint den historischen Bezug der Darstellung zu erläutern, während die Reformatoren als wissende, den Fortgang der Handlung kennende Theologen einen aktuellen, sicheren Gegenpol zum Verrat an Christus bilden. E. B.

F 2 Lucas Cranach d. Ä. *Abbildung*

Die Martyrien der Apostel. Um 1512

Holzschnitte. Je 25,5 x 18 cm
Verwendet als Illustrationen zu Georg Rhau:
Das Symbolum oder ge- / meine Bekentnis der zwelff / Aposteln, darinn der grund / gelegt ist des Christlichen / glaubens, auffs kürtzte aus- / gelegt vnd erkleret./
Für die Leyen vnd einfelti- / gen, mit schönen lieblichen / Figuren
Wittenberg, Georg Rhau 1539

F 2

Aufgeschlagen: Der neunte Artikel, Martyrium des Apostels Jakobus d. J. (fol. XXII verso / XXIII recto)
Berlin, Hauptstadt der DDR, Staatliche Museen, Kupferstichkabinett; Inv.-Nr. ZB 56/106

Rhaus protestantische Interpretation des Glaubensbekenntnisses ist als Hausbuch geschaffen, vielleicht auch im Hinblick auf Gläubige, die sich verschiedener Bedenken wegen nur zögernd der Reformation angeschlossen haben.

Die Verwendung von Cranachs Holzschnitten zu den Apostelmartyrien, an sich schon bedeutsam, ist wohl nur vor diesem Hintergrund verständlich, blieb ohne Folgen und ist kaum als Beginn einer neuen protestantischen Ikonographie anzusehen.

Dem Verfasser geht es in erster Linie um die Befestigung des neuen Glaubens: »Wer da gleubt / der vrteilt nicht / sondern lesset sich vrteilen / vnd gibt sich gefangen jnn eins andern vrteil. Drumb sagt die Epistel zun Ebreern also / Glaub / ist eine gewisse zuversicht / des / des man hoffet / vnd richtet sich nach dem / das nicht scheinet« (1. Artikel).

Im neunten Artikel findet sich der für das Selbstverständnis der Protestanten bezeichnende Satz: »Darumb irren alle die / so die Kirche an einen ort / zeit / person / Kappen / Orden / oder jrgent eine Satzung binden. Denn (wie gesagt) die Kirche ist aller Heiligen Gemeinschaft (jnn einem Glauben / Hoffnung / vnd liebe des Geistes) sie sein wo sie wöllen / nicht allein die Römsche und Antiochische Kirche etc«.
Bei der Wiederverwendung der Holzschnitte ist, wie Tilman Falk nachgewiesen hat, eine Verwechslung vorgekommen. Das Martyrium des Apostels Paulus ist vor dem achten Artikel als Martyrium des Matthäus abgedruckt worden (ein Irrtum, der in das kunsthistorische Schrifttum übernommen wurde). Dabei erscheint merkwürdig, daß diese Verwechslung den für die Reformatoren wichtigsten Apostel betraf und daß sie unter den Augen Cranachs vor sich gehen konnte. Dies deutet auf ein erlahmtes Interesse am Inhalt der Holzschnitte selbst hin. W. S.

F 3 Lucas Cranach d. Ä. *Abbildungen Seiten 372/373*

Bilder zum Vaterunser. 1527

Acht Holzschnitte mit je zwei bis fünf Zeilen Text
Je 10,3 x 9,4 cm
Aus Sammlung Hans Grisebach über Boerner erworben 1905
Dresden, Staatliche Kunstsammlungen, Kupferstich-Kabinett; Inv.-Nr. A 1905 – 371/378

Die nur in einem Exemplar erhaltene Folge ist im Zusammenhang mit Arbeiten Melanchthons und Luthers für den Kleinen Katechismus im Jahre 1527 entstanden. Dem Schöpfungsbild, einem Vorläufer der wichtigen, ohne Beteiligung Cranachs ausgeführten Wittenberger Bibelholzschnitte von 1534 und 1540, folgen Illustrationen zu den sieben Bitten des Vaterunsers. Überwiegend handelt es sich dabei um Darstellungen biblischer Ereignisse.
Der siebente Holzschnitt verbindet das Petrus-Wort »denn euer Widersacher, der Teufel, geht um wie ein brüllender Löwe und sucht, welchen er verschlinge« (1. Buch Petrus Kapitel 5, Vers 8) mit der Gegenüberstellung von Christus und dem Satan. Der zweite Holzschnitt bringt die erste Darstellung des protestantischen Gottesdienstes im Wittenberger Bereich (eine weitere enthielt die Holzschnittfolge der zehn Gebote, doch wurde die Darstellung des gekreuzigten Christus herausgeschnitten), der später die Predella des Altars in der Stadtkirche zu Wittenberg folgt.
Die Besonderheiten einzelner Motive (bei der Ausgießung des Heiligen Geistes erscheinen zerteilte Feuerzungen in buchstäblicher Umsetzung von Luthers Übersetzung) haben zur unsicheren Beurteilung der Folge beigetragen, die in der Dresdener Sammlung unter Hans Cranach eingeordnet wurde. W. S.

F 4 Lucas Cranach d. Ä. *Abbildung*

Das Urteil des Salomo. Um 1526

Nicht bez.
Feder in Braun, grau laviert. 19,0 x 13,8 cm
Leipzig, Museum der bildenden Künste, Graphische Sammlung; Inv.-Nr. NI 12

Der Gegenstand der Zeichnung geht auf ein Geschehen zurück, das im Alten Testament (1. Buch der Könige Kapitel 3) erzählt wird. Einer von zwei Frauen, die ihre neugeborenen Kinder zu sich ins Bett nahmen, geschah es, daß sie ihr Kind versehentlich im Schlaf erdrückte. Entsetzt darüber, tauschte sie ihr totes Kind gegen das lebende. Die schreckliche Tat aber wurde von der anderen Mutter, die das tote Kind nicht als das ihre annahm, aufgedeckt. König Salomo hatte in dem später sprichwörtlich gewordenen »Salomonischen Urteil« den Rechtsstreit zu klären. Die Darstellung scheint den Augenblick festzuhalten, in dem Salomo befiehlt, das lebende Kind mit dem Schwert zu zerteilen. Der Knecht im Vordergrund hält den Arm des Kindes und ist dabei, das Schwert zu ziehen. Während die falsche Mutter dem Urteil zustimmt, überläßt die rechtmäßige Mutter der anderen das Kind. Salomo erkennt in der um das Leben bemühten die wahre Mutter. 1526 entstand ein Gemälde Cranachs zum gleichen Thema (Friedländer/Rosenberg 1932, Nr. 174; 1979, Nr. 211). E. B.

F 4

Das ist/Ach du almechtiger/ gnediger vnd gütiger vater / der du allenthalben / vmb vns vnd bey vns bist/ schaffest/ernerest/erhaltest vnd beschirmest.

Das ist/ Dein name werde recht erkand/ durch rechte lere vnd glauben/vnd dadurch gelobet vnd gepreiset.

F 3 Das ist/Regire du vns/durch deinen heiligē geist/ Deñ wo wir von dir verlassen sind/so fallē wir jn alle sunde/ laster vnd vnfal/ Wie geschrieben ist/On mich künd jhr nichts thun.

Das ist / Wir wolten / das vns alle wege nach vnserm willen gieng/das wir on Creutz weren/Aber Herr Gott schaffe deinen willen an vns / vnd gib vns gehorsam vnd gedult.

Das ist/O Herre versorge auch den leib/gib vns narũg/
klugheit/guten leumbd/gesundheit vñ alle leibliche not/
turfft/ Wie du versprochen hast/ Sůcht zum ersten das
himelreich/so werden alle andere gůter euch zugegeben.

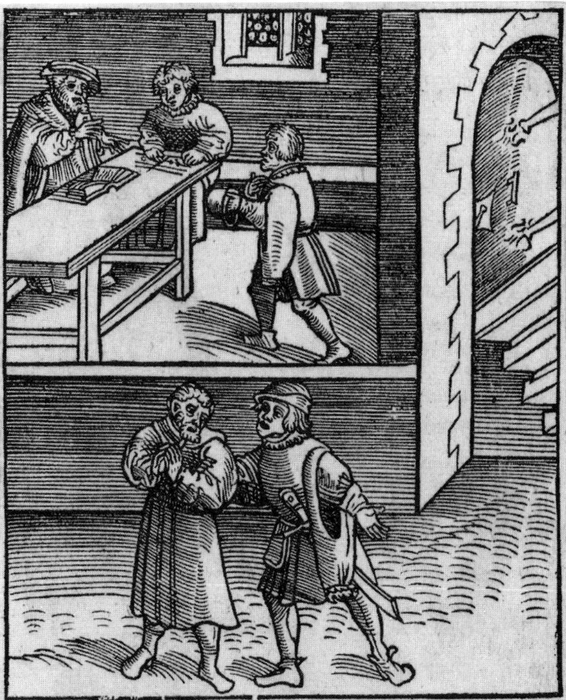

Dieweil nu der Herr vns leret/ vnd gebeut vns/ vmb ver
zeihung der sunde zu bitten/ so sollen wir nicht zweiffeln/
er wölle auch vergeben/ Dagegen aber foddert er / das
wir auch verzeyhen vnd friedlich sein/ Wie er spricht/
Vergebet/ so wird euch auch vergeben.

Das ist/Las vns nicht fallen/so wir versucht werden/
Denn nicht zweiffel ist / der Teufel begere vns jnn alle
schande zu werffen/ Wie Petrus spricht/ Das er/ wie ein
zorniger lewe/ sucht etc. Dafür wir vns mit vnsern kreff
ten nicht mügẽ beschirmẽ/ Darůmb Herr behůt du vns.

Das ist/ Hilff vns aus allerley not vnd widderwertig
keit/ Vnd sonderlich errette vns vom Teufel vnd tod.
Amen.

F 3

F 5

Im Alten Testament (2. Buch Samuel Kapitel 11) wird von König David (um 1042–979 v. d. Z.), dem König von Juda und Israel, berichtet. David belauschte Bathseba, die Frau des Uria, beim Bade, verführte sie, und sie gebar ihm einen Sohn (Salomo). Um sich Urias zu entledigen, sandte David ihn an die Front und nahm nach dem Tode Urias Bathseba zur Frau. Die lavierte Zeichnung diente dem Gemälde gleichen Inhalts (Friedländer/Rosenberg 1979, Nr. 357F, Nr. 288f) offenbar als Vorlage. Schade schrieb beide Cranach d. J. zu. E. B.

F 5 Lucas Cranach d. Ä. (oder d. J.) *Abbildung*

David und Bathseba

Nicht bez.
Feder in Braun und Schwarz, grau laviert. 20,6 x 16,6 cm
Leipzig, Museum der bildenden Künste, Graphische Sammlung; Inv.-Nr. I. 9050

F 6 Lucas Cranach d. Ä. *Abbildung*

Das kanaanäische Weib. Um 1530

Bez. u. l.: Monogramm LC
Feder in Braun mit Stiftvorzeichnung. 13,2 x 28,1 cm
Leipzig, Museum der bildenden Künste, Graphische Sammlung; Inv.-Nr. NI 15

Das Geschehen hat seine literarische Quelle im Evangelium des Matthäus (Kapitel 15, Vers 21 ff.). Im lockeren Charakter der Vorzeichnung hat Cranach zwei Ereignisse simultan verbunden. Links eilt die Mutter aus dem Haus, zurück bleibt die tobende, wahnsinnige Tochter. Das Ziel der Mutter ist Christus, der mit seinen Jüngern auf einem Weg daherkommt. Durch eine hohe Baumgruppe wird dieses Ereignis von dem darauffolgenden getrennt. Rechts kniet die Mutter bereits vor Christus, um ihm ihr Leid zu klagen. Der Hund im Vordergrund bezieht sich auf ein Gleichnis, das Christus seinen dem Ansinnen des kanaanäischen Weibes widerstrebenden Jüngern erzählt. Im Zentrum der Darstellung steht nicht das Wunder der Heilung, sondern der feste Glaube an die Kraft Christi. Das Blatt ist eine Vorzeichnung zu einem Gemälde aus der Cranach-Werkstatt in Aschaffenburg, das vermutlich 1537 entstanden ist (Friedländer/Rosenberg 1979, Nr. 366 E). E. B.

F 6

F 7

F 7 Lucas Cranach d. J. *Abbildung*

Christus als Kinderfreund. Um 1540

Bez. u. r.: auf dem Sockel L.C.
Feder in Schwarz, grau laviert. 32,7x35,3 cm
Leipzig, Museum der bildenden Künste, Graphische Sammlung; Inv.-Nr. NI 16

In den Evangelien des Matthäus (Kapitel 19, Vers 13–15) und des Markus (Kapitel 10, Vers 13) wird von dem dargestellten Ereignis berichtet. Christus läßt die Kinder zu sich kommen, um sie zu segnen. Die in der Zeichnung gefundene Anordnung wiederholt sich bei Cranach d. J. mit nur wenigen Abweichungen. Die gemalten Fassungen zeigen meist Halb- oder Dreiviertelfiguren in der Tracht der Cranachzeit (Kat.-Nr. F 8). Vor Luther und Cranach kommt das Thema in der Tafelmalerei anscheinend nicht vor. Es wurde höchstwahrscheinlich als Gegendarstellung zu den Wiedertäufern aufgegriffen, die die Kindertaufe ablehnten. Luther argumentierte, daß der Glaube nicht des Intellekts und des Lernens bedarf. Die seitenverkehrte Darstellung des Torgauer Schlosses, die seitenvertauschte Verwendung der Wappen und die Quadrierung der Zeichnung weisen darauf hin, daß die Zeichnung ein Entwurf zu einem Teppich für die Ausstattung des Schlosses Hartenfels in Torgau ist, wo der sächsische Kurfürst gern residierte. Er wird der Auftraggeber gewesen sein. E. B.

VND SIE BRACHTEN KINDLIN ZV IM DAS ER SIE ANRVRETE MARCVS AM X

F 8

F 8 Cranach-Werkstatt *Abbildung*

Christus segnet die Kinder

Bez. o. M. auf weißem Zettel:
SIE BRACHTEN KINDLIN ZV IM DAS ER SIE ANRVRETE. MARCVS AM X.
Darunter geflügelte Schlange
Lindenholz. 83 x 122 cm
Dresden, Staatliche Kunstsammlungen, Galerie Alte Meister; Inv.-Nr. G 1927

Das Gemälde folgt dem Aufbau, der in der Zeichnung von 1540 (Kat.-Nr. F 7) und parallelen Darstellungen des Themas vorgegeben wurde. Christus steht inmitten von Müttern, die ihm ihre Kinder anvertrauen. Die diskutierenden Apostel stehen in der linken Ecke. Ihre eher mürrischen Gesichter bilden einen Gegensatz zu den unschuldig offenen der Kinder und der vertrauenden Haltung der Mütter (ganz ähnlich das Bild in Naumburg, Wenzelskirche). E. B.

F 9 Erhard Schön

Das Gleichnis von den Weingärtnern. Um 1524

Holzschnitt, koloriert. 17,7x26,8 cm
Flugblatt mit typographischer Überschrift und zwei Spalten Text und der Adresse des Druckers Hans Glaser, der die Ausgabe nach 1540 in Nürnberg besorgte
Gotha, Museen der Stadt, Schloßmuseum; Inv.-Nr. 37, 24

Das Gleichnis vom Weinberg als Bild der wahren christlichen Kirche ist in der protestantischen Ikonographie erst durch Cranach d. J. vollständig ausgebildet worden. Holzschnitte wie dieser, auf denen die Geistlichen durch Mönchskutte und Papstkrone den Pharisäern gleichgesetzt werden, bilden eine wichtige Vorstufe auf diesem Wege. Wie in vielen Fällen des Bilderkampfes der Zeit wird dem biblischen Gleichnis ein aktueller Bezug unterlegt. W. S.

F 10 Erhard Schön

Der Teufel mit der Sackpfeife. Um 1535

Holzschnitt, koloriert. 32,5 x 24,7 cm
Flugblatt mit acht Zeilen typographischem Text:
Vor zeytten pfiff ich hin und her ...
Stündtlich dückisch vol arger list
Gotha, Museen der Stadt, Schloßmuseum; Inv.-Nr. 37,2

Der Teufel mit einem monströsen Hahnenkopf, Vogelkrallen und einem zähnefletschenden Maul zwischen den Beinen spielt auf einem Mönchskopf-Dudelsack. Schärfer ist die Kritik am Mönchswesen auch in dieser Zeit grober Bilder nicht ausgedrückt worden. Der beigegebene Text erklärt zwar die Zeit, da Fabel, Träume und Phantasien von diesem Monstrum ausgingen, für überwunden, warnt aber vor ihrer Wiederkehr.

W. S.

F 11 Cranach-Schule *Abbildung*

Zwei Wölfe, als Kleriker und Mönch gekleidet, zerreißen ein Schaf. 1539

Titelholzschnitt zu Urban Rhegius,
Wie man die falschen Propheten erkennen, ja greiffen mag ...
Bez. über der Darstellung: Canonicus und monachus
Wittenberg: Hans Frischmut
Erfurt, Bibliothek und Archiv des Ev. Ministeriums; U 389

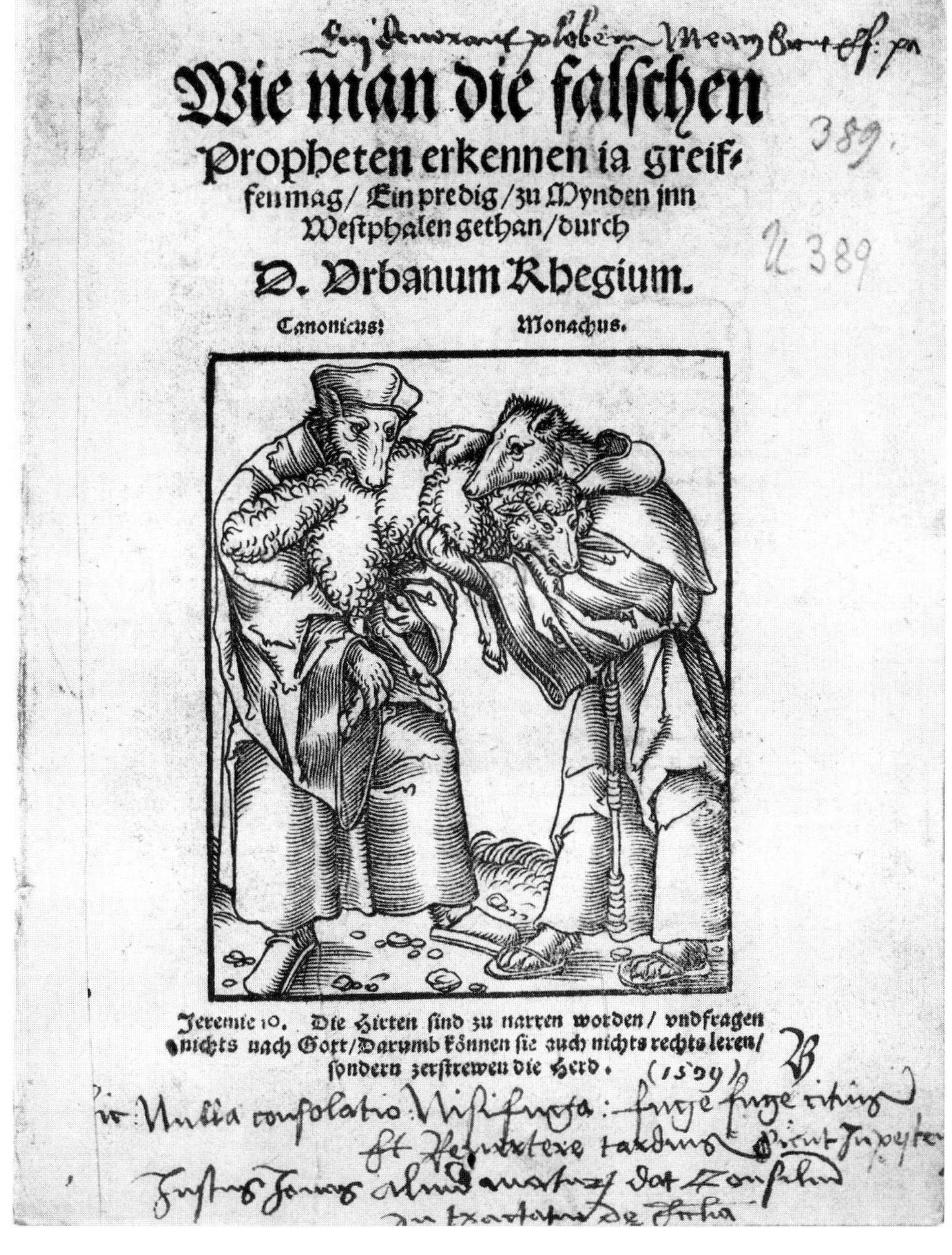
Wie man die falschen Propheten erkennen ia greiffen mag/ Ein predig/ zu Mynden jnn Westphalen gethan/ durch D. Vrbanum Rhegium.

Canonicus: Monachus.

Jeremie 10. Die Hirten sind zu narren worden/ vnd fragen nichts nach Gott/ Darumb können sie auch nichts rechts leren/ sondern zerstrewen die Herd.

F 11

Der Holzschnitt ist als ein Angriff auf das Papsttum zu verstehen: »Die Hirten sind zu massen worden / und fragen nichts nach Gott / Darumb können sie auch nichts rechts leren / sondern zerstrewen die Herd.« Der Stil ist durchaus im Zusammenhang mit der Flugblattgraphik der Cranach-Werkstatt zu sehen. K. F.

F 12

F 12 Wittenberger Zeichner *Abbildung*

Der Sieg der Israeliten über die Amalekiter. 1541

Illustration zu einem durch Joseph Klug in Wittenberg 1541 gedruckten Flugblatt:
»Wider die leidige Sicherheit ein Verma-/ nung aus dem XVII cap.Exodi«
(mit 80 Zeilen eines zweispaltigen Textes)
Holzschnitt. 12,7 x 19,3 cm. Blattgröße: 39,9 x 28,3 cm
Gotha, Museen der Stadt, Schloßmuseum; Inv.-Nr. 37, 53

Die Darstellung der Schlacht aus dem Alten Testament erhält eine aktuelle Ausdeutung dadurch, daß die kämpfenden Parteien mit den Feldzeichen des Papstes (Tiara über gekreuzten Schlüsseln) und der Kreuzesfahne (offenbar bezogen auf die Protestanten) gegenübergestellt sind. Die schwelende militärische Auseinandersetzung veranlaßt den Verfasser des Gedichtes, zu Wachsamkeit und Gebet aufzurufen. Der Bezug auf den Altar, der mit Christus gleichgesetzt wird, und auf den Priester am Ende des Textes ist wohl als Mahnung an protestantische Sekten zu verstehen, die Altar und Priester wenig Bedeutung beimaßen. W. S.

F 13 Lucas Cranach d. Ä.

Titelblatt mit Durchzug durch das Rote Meer. 1538

Bez.: in zwei Tafeln über dem Bild und unter dem Bild zwischen den Wappen von Kursachsen und Hessen Inschriften in Buchdruck, dabei oben die Jahreszahl 1538
Holzschnitt. 19,3 x 13,2 cm
Aus: Ausschreiben an alle Stende des / Reichs jnn der Christlichen Religion aynungs / verwandten nahmen. etc... Wittenberg: Georg Rhau 1538
Brandenburg, Gotthardkirche, Bibliothek; B 4, 17

In Entsprechung zu der Darstellung der Amalekiter-Schlacht (Kat.-Nr. F 12) ist auch bei dem Durchzug der Ägypter durch das Rote Meer die Geschichte im aktuellen Sinne umgedeutet: Papst, Kardinal, Bischof und Feldhauptmann, dazu das Maultier des Papstes und seine Fahne mit den gekreuzten Schlüsseln verschwinden im Schlund des Meeres. Trotz des groben Formschnittes scheint der Holzschnitt noch auf den älteren Cranach zurückzugehen. Die gedrungenen Proportionen der Figuren wären für Cranach d. J. ungewöhnlich. Die beiden Wappen weisen hin auf die Verfasser der Schrift, den Kurfürsten von Sachsen und den Landgrafen von Hessen. W. S.

F 14 Jacob Lucius

Spottbild auf das Mönchtum. Um 1555

Bez.: über dem Holzschnitt in der Mitte eine griechische Schriftzeile im Buchdruck:
EIS TOVS PAPISTAS (Gegen die Päpstlichen), möglicherweise Schlußzeile eines abgeschnittenen Textes
Holzschnitt (mit Fehlstelle neben dem Kopf des Mönches links). 15,3 x 20,1 cm
Berlin, Hauptstadt der DDR, Staatliche Museen, Kupferstichkabinett; Inv.-Nr. 256 – 1974

Der Druck zeigt einen Mönch, der von drei schreienden Eseln bedrängt wird, außerdem im Hintergrund einen Mönch, der Almosen entgegennimmt, und zwei disputierende Mönche. Er ist durch die nur auf dem Berliner Exemplar erhaltene Schriftzeile als Kampfbild gegen die katholische Kirche gekennzeichnet und scheint für die verschärfte Spannung zur Zeit des Tridentinischen Konzils bezeichnend. W. S.

F 15 Obersächsischer Meister *Abbildung*

Christi Predigt vom Schafstall. Um 1530

Relief. Birnbaumholz, spätere Fassung. 43 x 34,3 cm
1705 für die ehemalige königlich-preußische Kunstkammer erworben
Berlin, Hauptstadt der DDR, Staatliche Museen, Skulpturensammlung; Inv.-Nr. 462

Der Schnitzer dieses Flachreliefs hat mit seinem Werk eine treffende Satire auf die Verfallserscheinungen der katholischen Kirche der damaligen Zeit geschaffen. In der Form des Gleichnisses vom Guten Hirten und seinen Schafen (Evangelium des Johannes, Kapitel 10, Vers 1–16) wurden die gesell-

F 15

schaftlichen Mißstände angeprangert. Das bildbeherrschende große Gebäude mit seinen Anbauten soll den Hort des wahren Glaubens darstellen, zu dem man nur durch das Wort des Evangeliums gelangt.

Für dieses Thema des Schafstalles als Hort des Glaubens gibt es in der Bildhauerkunst keine Parallele, vermutlich hat der Schnitzer sich graphische Blätter zum Vorbild genommen. So geht zum Beispiel die Architektur des Schafstalles auf Dürers Stich »Ruhe auf der Flucht« zurück, während die Anordnung der Figuren in drei Personenkreise – der lesende Engel und seine Zuhörer, Christus und die Gläubigen sowie der aus Vertretern der Geistlichkeit bestehende »gottlose Haufe« – offenbar in einem Holzschnitt von 1524 mit Versen von Hans Sachs vorgeprägt worden ist. Die Komposition dieses interessanten Flugblattes allerdings hat mit unserem Relief eben nur bedingte Ähnlichkeit.

Bemerkenswert am Relief ist das Nebeneinander von treffender Wiedergabe der Wirklichkeit – die Detailtreue der Kleidung, die lebhaften Bewegungen der Figuren und das häufige Einstreuen von Genreszenen – und die im Flächigen verharrende Darstellungsweise, die der kleinen Tafel teilweise altertümliche Züge verleihen.

Die Zuweisung der Bildtafel an einen obersächsischen Meister beruht vor allem auf der nüchternen Sachlichkeit, wie sie in den Gesichtern zum Ausdruck kommt, und in einer guten Naturbeobachtung.

E. Fr.

F 16.1

F 16.1 Bartholomäus Dill Riemenschneider *Abbildung*

David und Goliath. Nach 1532

Bez.: I. SAMVEL : 17: ; ISRAHEL, PHILISTE, DAVIT, GOLIATH
Fayence-Kachel mit Blaumalerei
Innsbruck, Tiroler Landesmuseum Ferdinandeum

Die Kacheln des jüngsten Sohnes von Tilman Riemenschneider gehören zu einem besonderen Ofentyp, der sich im zweiten Viertel des 16. Jahrhunderts in Südtirol herausgebildet hatte. Er war aus flachen Kacheln aufgebaut und bot geschickten Malern günstige Möglichkeiten zur dekorativen Bemalung. Sie ist bei den beiden Kacheln in Innsbruck einfach und treffsicher und läßt das zeichnerische Können des wohl in Augsburg geschulten Meisters erkennen. W. S.

F 16.2 Bartholomäus Dill Riemenschneider

Saul und David in der Höhle von Engedi Nach 1532

Bez.: I. SAMVEL. 24:; AVL, DAVIT; DAVIT, SAVL
Fayence-Kachel mit Blaumalerei
Innsbruck, Tiroler Landesmuseum Ferdinandeum

Bei der Verfolgung seines jungen Rivalen David gerät König Saul unversehens in dessen Gewalt. Der begnügt sich damit, einen Zipfel vom Rock des Gesalbten abzuschneiden, und beschämt damit den König. Die Darstellung des Herrschers, der wie ein Bauer sein Bedürfnis verrichtet, ist selten. Riemenschneiders Kachel ist offenbar von einem Heinrich Vogtherr d. Ä. zugeschriebenen Holzschnitt aus einer Straßburger Bibel von 1532 angeregt worden. Selbständig ist die Ausmalung der Umgebung »auf den Felsen der Gemsen« (1. Buch Samuel Kapitel 24, Vers 3), die dem Maler aus eigener Anschauung vertraut war. W. S.

Reformatoren in Medaillenbildnissen

F 17.1 Hieronymus Dietrich *Abbildung*

Postume Medaille Johann Hus. Um 1530

Umschrift der Vs.:
CREDO. VNAM. ESSE. ECCLESIAM. SANCTAM. CATHOLICAM.
(Ich glaube an die Existenz der heiligen allgemeinen [oder christlichen] Kirche). Im Feld IOA – HVS
Umschrift der Rs.:
CENTVM. REVOLVTIS. ANNIS. DEO. RESPVNDEBITIS. ET. MIHI./ ANNO. A. CHRISTO-NATO. 1415. IO. HVS., im Feld CON-DEM/NATVR
(Nach vergangenen 100 Jahren werdet ihr Gott und mir antworten. Im Jahre 1415 nach Christi Geburt wird Johann Hus verurteilt). Oben Kreuz über H
(Stempelschneiderzeichen Hieronymus Dietrich)
Silber, teilvergoldet, geprägt. ∅ 4,15 cm
Berlin, Hauptstadt der DDR, Staatliche Museen, Münzkabinett

Die in großer Zahl (später auch in Nachgüssen) unter das Volk gekommene, das heißt von ihm gekaufte, Medaille ist ein Beweis für das lange Fortwirken des reformatorischen und revolutionären Geistes Hus'. Sie entstand etwa 1530 in einer erzge-

F 17.1

birgischen Prägestätte, eine mögliche Vorlage für das Bildnis hat Katz (Abb. 14) beigebracht. Die Rs. zeigt die Verbrennung des böhmischen Reformators nach dem Konzil in Konstanz 1415. L. B.

Habich II.1 Nr. 1896; Katz Nr. 70

F 17.2

F 17.5

F 17.2 Friedrich Hagenauer *Abbildung*

Medaille Hermann von Wied, Erzbischof von Köln 1537

Umschrift der Vs.:
HERMANNVS DEI GRATIA ARCHIEPISCOPVS COLONIENSIS
(Hermann von Gottes Gnaden Erzbischof von Köln)
Inschrift der Rs.:
S.ROM./IMP.PER ITAL./ARCHIC.PRIN EL.WEST.
ET ANG. DVX/LEG: NATVS ADMI/PAD/M.D.XXXVII
(Des Heiligen Römischen Reiches Erzkanzler für Italien,
Kurfürst, Herzog von Westfalen und Engern,
päpstlicher Legat, Administrator von Paderborn)
Silber, vergoldet, gegossen. ∅ 4,2 cm
Berlin, Hauptstadt der DDR, Staatliche Museen,
Münzkabinett
Habich I.1 Nr. 617

F 17.3 Friedrich Hagenauer

Medaillenmodell, Philipp Melanchthon. 1543

Holz, einseitig. ∅ 4,85 cm
Berlin, Hauptstadt der DDR, Staatliche Museen,
Münzkabinett
Habich I.1 Nr. 652; Dürerzeit Dresden 1971, Nr. 610

F 17.4 Friedrich Hagenauer

Medaille Philipp Melanchthon. 1543

Umschrift der Vs.:
PHILIPPVS MELANCTHON.A°.AETATIS SVAE.XLVI.I.
(Philipp Melanchthon im Alter von 47 Jahren)
Links im Felde Künstlersignatur FH
Inschrift der Rs.:
PSAL.36./SVBDITVS ESTO/DEO ET ORA EVM./ANNO.M.D.XLIII.
(Psalm 36: Sei Gott untertan und bete zu ihm. Im Jahre 1543)
Silber, gegossen. ∅ 4,6 cm
Berlin, Hauptstadt der DDR, Staatliche Museen,
Münzkabinett
Habich I.1 Nr. 652

F 17.5 Friedrich Hagenauer *Abbildung*

Medaille Philipp Melanchthon. 1543

Um- und Inschriften wie Kat.-Nr. F 17.4
Silber, gegossen. ∅ 3,9 cm; Henkelspur
Berlin, Hauptstadt der DDR, Staatliche Museen,
Münzkabinett
Habich I.1 Nr. 651

F 17.6 Friedrich Hagenauer *Abbildung*

Medaille Martin Butzer. 1543

Umschrift der Vs.:
MARTIN BVCERVS MINISTER EVANGELII D.N.I.CHRISTI.
AETAT.SVAE.LIII.
(Martin Butzer Diener des Evangeliums unseres
Herrn Jesus Christus, im 53. Lebensjahr)
Inschrift der Rs.:
I.COR.II./NIHIL IVDICO ME/SCIRE.QVAM IESVM/
CHRISTVM ET HVNC/CRVCIFIXVM./M.D.XXXXIII.
(Ich glaube von mir keineswegs etwas zu wissen,
als Jesus Christus, diesen Gekreuzigten.
Luther übersetzt 1. Korintherbrief, Kapitel 2, Vers 2:
Denn ich hielt mich nicht dafür, daß ich etwas wüßte
unter euch, ohne allein Jesum Christum, den Gekreuzigten)
Bronze, gegossen. ∅ 4,7 cm
Berlin, Hauptstadt der DDR, Staatliche Museen,
Münzkabinett
Habich I.1 Nr. 656

F 17.6

F 17.7

F 17.7 Friedrich Hagenauer *Abbildung*

Medaille Kaspar Hedio. 1543

Umschrift der Vs.:
CASPAR HEDIO DOCTOR.MINISTER EVANGELII.D.N.I.C.A. AETAT.SVAE./XLVIII.
(C. H. Diener des Evangeliums unseres Herrn Jesus Christus im 48. Lebensjahr)
Inschrift der Rs.:
PSAL.36./EXPECTA DEVM / ET CVSTODI VIAM /EIVS. /A°.M.D.XLIII.
(Harre auf Gott und halte seinen Weg)
Bronze, gegossen. Ø 4,7 cm
Berlin, Hauptstadt der DDR, Staatliche Museen, Münzkabinett
Habich I.1 Nr. 654

F 17.8 Augsburger (?) Meister *Abbildung*

Medaille Ambrosius Bla(u)rer. 1539

Umschrift der Vs.:
AMBROSIVS. BLAVRER. ANNO.AETATIS .XLVI MDXXXIX
(Ambrosius Blaurer im 46. Lebensjahr. 1539)
Inschrift der Rs.:
AETAS / MEA TANQ / NIHILVM EST CO/RAM TE. CERTE TOTA / VANITAS EST VNI/VERSVS HOMINIS STATVS / PSAL 39
(Mein Leben ist wie nichts vor dir,
die ganze Beschaffenheit des Menschen ist gewiß Schein.
Luther übersetzt Psalm 39, Vers 6: Wie gar nichts
sind alle Menschen, die doch so sicher leben)
Silber, gegossen. Ø 4,7 cm
Berlin, Hauptstadt der DDR, Staatliche Museen, Münzkabinett

F 17.8

Die Medaille des Reformators der Nordschweiz und der oberschwäbischen Städte entstand vermutlich in Augsburg; das Bildnis war ähnlich bereits auf einer älteren Augsburger Medaille (Habich I.1 Nr. 105) und wurde später auch von Jakob Stampfer (Habich I.1 Nr. 860) wiederholt. Die gebogene Linie mit Stern soll das Zeichen der »licentia«, der Freiheit und der christlichen Lehre sein. L. B.

Habich I.1 Nr. 811

F 18 Unbekannter Stempelschneider *Abbildung*

Zürcher Kelchtaler. 1526

Umschrift der Vs.:
MON'.NO'.THVRICENSIS.CIVIT'.IMPERIALIS.1526
(Neue Münze der Reichsstadt Zürich)
Rs.: unbeschriftet
Silber, geprägt. Ø 4,35 cm
Berlin, Hauptstadt der DDR, Staatliche Museen, Münzkabinett

Nach Einführung der Reformation in Zürich 1524 wurde zur Auffüllung der Staatskasse das im neuen Ritus nicht mehr benötigte Kirchengerät aus Gold und Silber eingeschmolzen, das nach Bericht von Heinrich Bullinger »ob sechs Zentner« gewo-

F 18

gen haben soll (Hahn S. 6). Das Metall wurde 1526 zu Talern, den ihre Herkunft bezeichnenden »Kelchtalern«, in den folgenden Jahren auch zu Kleinmünzen verprägt. Über die ordnungsgemäße Silberqualität der Münzen wachte der Goldschmied Hans Ulrich Stampfer, Vater des Medailleurs Jakob Stampfer. L. B.

Asper-Katalog Zürich 1981, Nr. 262 (mit weiterer Literatur).

F 19.1 Jakob Stampfer *Abbildung*

Medaille Ulrich Zwingli. 1531

Umschrift der Vs.:
IMAGO HVLDRICHI ZVINGLII ANNO ETATIS EIVS. 48.
(Bildnis des Ulrich Zwingli im Alter von 48 Jahren)
Inschrift der Rs.:
HELVET/IE ZVINGLI/DOCTOR PASTO/RQVE CELEBRIS/ VNDENA OCTO/BRIS PASSVS IN/AETHRA VO/LAS. I–S
(Zwingli, berühmter Lehrer und Hirte der Schweizer, du fährst als Märtyrer am 11. Oktober in den Himmel. Jakob Stampfer)

F 19.1

Silber, gegossen. ∅ 3,7 cm. Sekundärguß
Berlin, Hauptstadt der DDR, Staatliche Museen, Münzkabinett

Die Medaille entstand, wie die Inschrift der Rs. besagt, nach dem Tode des Reformators in der Schlacht bei Kappel. Das Bildnis hat eine Entsprechung im Werk des Malers Hans Asper (Asper-Katalog Zürich 1981, Nr. 3), ob jedoch das Ölbild die Medaille zur Voraussetzung hat oder umgekehrt, konnte bisher nicht entschieden werden.

Hahn Nr. 2; Habich I.1 Nr. 848; Asper-Katalog Zürich 1981, Nr. 221

F 19.2 Jakob Stampfer *Abbildung*

Medaille Heinrich Bullinger. 1542

Umschrift der Vs.:
IMAGO HEINRYCHI – BVLLINGERI ANNO AETATIS EIVS XXXVIII.
(Bildnis Heinrich Bullingers im Alter von 38 Jahren)
Im Feld A.D. – 1542
Inschrift der Rs.:
IESVS./HIC EST FILI/VS MEVS DILEC/TVS.IN QVO PLA/ CATVS SVM IP/SVM AVDITE/.MAT.17. I-S.
(Jesus, das ist mein geliebter Sohn, an dem ich Gefallen habe, höret [auf ihn] Matthäus 17. Jakob Stampfer)
Silber, vergoldet, gegossen. ∅ 4,4 cm. Henkelspur
Hahn Nr. 10; Habich I.1 Nr. 859; Asper-Katalog Zürich 1981, Nr. 230

F 19.2

F 19.3 Jakob Stampfer *Abbildung*

Selbstbildnis. 1540

Umschrift der Vs.:
IMAGO.IACOBI.STAMPF.AETATIS.SVAE.XXXV:
(Bildnis des Jakob Stampfer im Alter von 35 Jahren)
Inschrift der Rs.:
DES/MENSCHEN/GSTALLT IST HIE/EIN SCHAT.
ERST/DORT DER FROM/SIN KLARHEIT/HAT.
Unten eingraviert 15–40.
Silber, gegossen. ∅ 4,4 cm. Henkelspur
Berlin, Hauptstadt der DDR, Staatliche Museen, Münzkabinett

Dem Zürcher Goldschmied, Medailleur und Stempelschneider Jakob Stampfer (1505–1579), der in seinen Wanderjahren in Augsburg oder Nürnberg war, dort auch die Medaillenkunst

F 19.3

erlernt haben könnte, sind die Bildnismedaillen Schweizer Reformatoren zu verdanken. Diese sind zwar im einander angeglichenen Schema konzipiert, vermitteln aber von den Individualitäten ein lebendiges Bild, das nur durch die persönliche Bekanntschaft möglich war. Auf Grund seiner Ausdruckskunst rückt Stampfer in die vordere Reihe der Porträtmedailleure.

L. B.

Habich I.1 Nr. 855; Asper-Katalog Zürich 1981, Nr. 225

F 20.1 Hans Reinhart *Abbildung*

Medaille Kurfürst Johann Friedrich von Sachsen 1535

Umschrift der Vs.:
IOANNS.FRIDERICVS.ELECTOR.DVX SAXONIE.
FIERI.FECIT. ETATIS SVE 32
(Johannn Fridrich Kurfürst und Herzog von Sachsen ließ die Medaille machen im Alter von 32 Jahren)
Unter der Hand HR.
Umschrift der Rs.:
SPES MEA IN DEO EST ANNO NOSTRI SALVATORIS M.D.X.X.X.V
(Meine Hoffnung ist bei Gott im Jahre unseres Heils 1535)
Silber, gegossen, teilvergoldet. ∅ 6,5 cm
Und Silber, gegossen. ∅ 6,6 cm
Berlin, Hauptstadt der DDR, Staatliche Museen, Münzkabinett

F 20.1

Die Medaille des Leipziger Goldschmiedes Hans Reinhart entstand in strenger Anlehnung an die auch im Holzschnitt verbreiteten, in mehrfacher Ausführung 1532/33 hergestellten Bildnisse des Kurfürsten von Lucas Cranach d. Ä. (Cranach, Basel 1974, Nr. 192, Abb. 161). Sie gehört zu den Repräsentations- und Propagandastücken Johann Friedrichs, über ihren offiziellen Charakter läßt die Umschrift mit fieri fecit keinen Zweifel. Eine heraldische Prachtarbeit, die Hans Reinharts technisches Können unter Beweis stellt, ist die Rs. mit dem zwölffeldigen Wappen im Rollwerkschild. L. B.

Habich II.1 Nr. 1935

F 20.2 Hieronymus Dietrich *Abbildung*

Medaille Landgraf Philipp von Hessen und Herzog Johann Friedrich von Sachsen. 1535

Umschrift der Vs.:
VON.GOTTES.GNADEN.PHILIPS.LANTGRAVE.ZV.HESSEN.
Im Feld 15 – 35
Umschrift der Rs.:
VON.GOTS.GNADEN.IOHANS.FRIDERICH.HERZOG.ZV.SA.
Im Feld 15 – 35
Silber, geprägt. ∅ 4,1 cm
Berlin, Hauptstadt der DDR, Staatliche Museen, Münzkabinett

Die Medaille wurde anläßlich der Erneuerung des Schmalkaldischen Bundes 1535 mit den Bildnissen der beiden Bundeshauptleute geprägt und stammt aus einer sächsisch-erzgebirgischen Prägeanstalt. Das Vorderansichtsbildnis Philipps von Hessen mit geschlitztem Hut und Federbuschen geht zurück auf einen 1534 erschienenen Holzschnitt Brosamers (A. Drach, Die Bildnisse Philipps des Großmütigen, Marburg 1905, S. 29, Abb. 46).

F 20.2

Philipp von Hessen (1504–1567) stand 1521 mit Luther, später auch mit anderen Reformatoren in persönlichem Kontakt, beschäftigte sich mit Melanchthons Schriften, bekannte sich seit 1524 zur Reformation, die er 1526 in seinem Lande einführte, warf 1525 in Hessen und Thüringen den Bauernaufstand nieder, bildete mit Johann Friedrich von Sachsen die Hauptmacht im 1531 gegründeten protestantischen Fürstenbund, trat auf Reichstagen entschieden für die Reformation ein und bemühte sich um die Einigung in der Abendmahlsfrage zwischen Luther und Calvin. Nach der Schlacht bei Mühlberg unterwarf er sich Kaiser Karl V. L. B.

Hoffmeister Nr. 281; Katz Nr. 78

F 20.3 Hieronymus Dietrich oder Concz Welcz

Medaille Landgraf Philipp von Hessen. 1537

Umschrift der Vs.:
VON GOTTES GNADEN PHILIPP LANDTGRAF ZV HESSEN
Umschrift der Rs.:
MEIN STERCKE GLVC VND LOB IST MEIN HER GOT.EXO.15, unten 15–37
Silber, gegossen nach Prägung. ∅ 3,8 cm
Berlin, Hauptstadt der DDR, Staatliche Museen, Münzkabinett
Katz Nr. 86; Hoffmeister Nr. 286

F 20.4

F 20.4 Unbekannter Stempelschneider *Abbildung*

Schmalkaldischer Siegestaler Kaiser Karls V. 1546

Umschrift der Vs.:
VICTORIA.INVICTISS.CAROLI.V.
IMPERATORIS.GERMANICI.SEMPER AVG
(Sieg des unbesiegbarsten Kaisers Germaniens, Karls V.)
Im inneren Kreis:
VICTVS.MOERET – VICTOR.GAVDET.M.D.XLVI./XXII.NOVEMBRIS
(Der Besiegte trauert – der Sieger freut sich, 22. November 1546)

F 28 Michael Ribestein. Bildnis Herzog Johann Friedrichs von Sachsen. 1547

F 23 Augustin Mellis nach Hans Asper. Bildnis Huldrych Zwinglis. 1540–1550

F 24.1
Lucas Cranach d. J.
Bildnis
Philipp
Melanchthons.
1546

E 33.1 Lucas Cranach d. Ä. Bildnis Martin Luthers. 1526

E 33.2 Lucas Cranach d. Ä. Bildnis der Katharina von Bora. 1526

F 29.1 Georg Pencz. Bildnis des Malers Erhard Schwetzer. 1545

F 29.2 Georg Pencz. Bildnis der Gattin des Malers Erhard Schwetzer. 1545

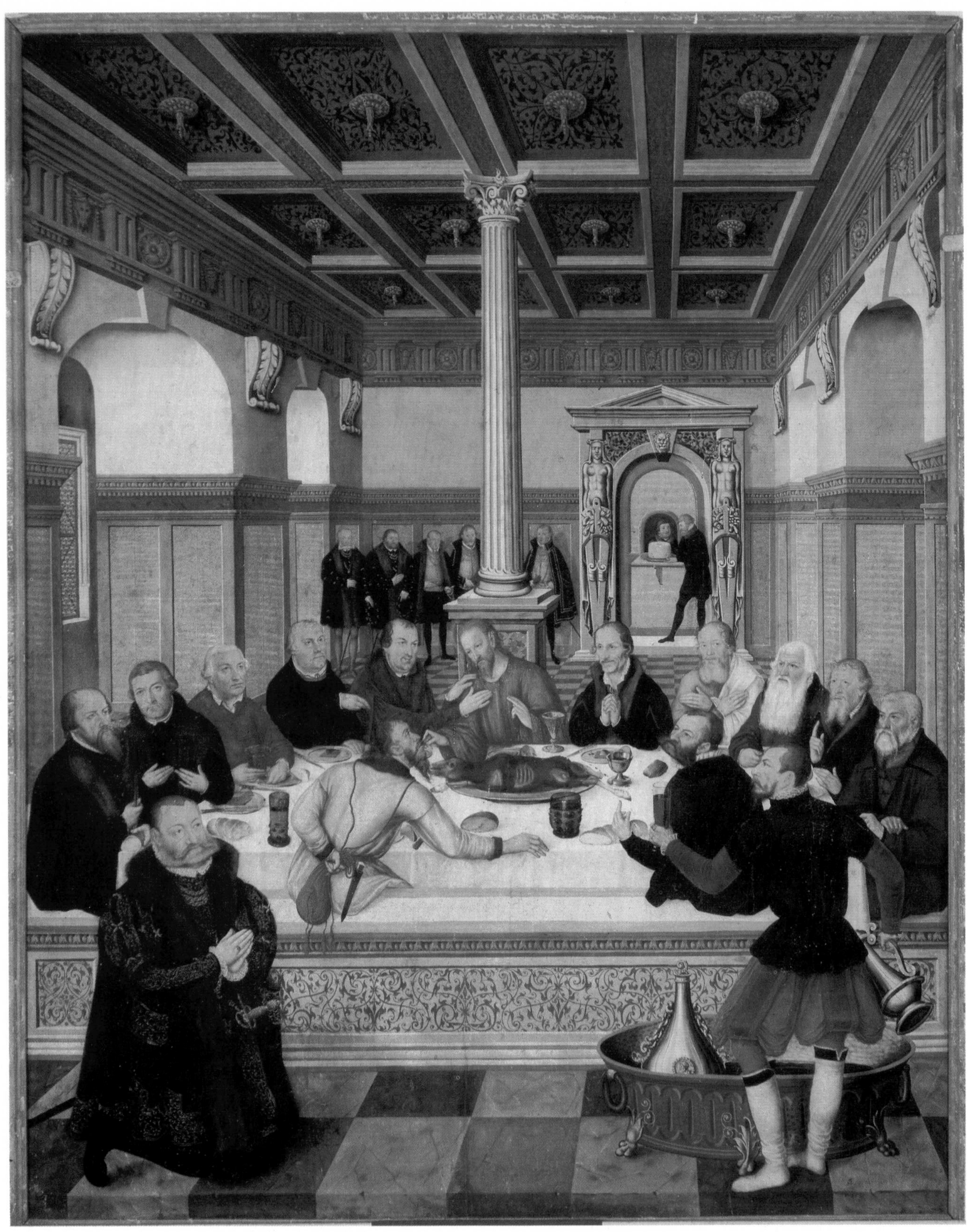

F 1 Lucas Cranach d. J. Das Abendmahl. 1565

Umschrift der Rs.:
LAQVEVS SCHMALKALDIENSIS
CONTRITVS EST ET NOS LIBERATIS SVMVS
(Die Schlinge der Schmalkalder
ist abgenutzt, und wir sind befreit)
Silber, geprägt. Ø 4,4 cm. 29,58 g
Berlin, Hauptstadt der DDR, Staatliche Museen,
Münzkabinett

Das im Talergewicht ausgebrachte, aber als Medaille mit Propagandazweck gedachte Gepräge bezieht sich auf den ersten Erfolg kaiserlicher Truppen gegen die des Schmalkaldischen Bundes. Das Wappen der Vs. gilt Karl V. mit Kastilien-Leon, Aragon-Sizilien, Österreich-Burgund, Brabant, Flandern und Tirol. Der gekrönte doppelköpfige Reichsadler auf der Rs. hat in jedem Schnabel einen Menschenkopf als Friedrich III. von Sachsen und Landgraf Philipp von Hessen. Von diesen hängen, durchgetrennt, vier Bänder herab, die sich unten um vier Stadtansichten schlingen, mit denen dem Schmalkaldischen Bund angehörende oberdeutsche Städte gemeint sind, die nun gezwungen waren, ihre Mitgliedschaft im Bunde aufzukündigen und dem Kaiser erhebliche Geldbußen zu zahlen.
Als Prägeort gilt in der Überlieferung ohne nähere Begründung Augsburg; der feine Stempelschnitt deutet auf einen versierten Eisenschneider, wie er hier denkbar wäre. L. B.

Tentzel E S. 162; Köhler III. S. 57; Madai Nr. 18; Schultheß Nr. 50.

F 20.5 Nickel Milicz *Abbildungen*

Medaille Kaiser Karl V. und König Ferdinand I., Schlacht bei Mühlberg. 1547

Umschrift der Vs.:
LVMI.ET.ORA.CAROLI.V. IMPERATOREIS.GRE. (sic!)
FERDINANDVS.D.G.ROMANO.BOE.HVNG.Z.REX.
(Gesicht und Gestalt Karls V.
des Kaisers und Königs von Deutschland.
Ferdinand von Gottes Gnaden römischer, böhmischer,
ungarischer usw. König)
Inschrift der Rs.:
CAPTIVITAS / IOANIS.FRIDERICI / DVCIS SAXONIAE / .M.D.XLVII.
(Gefangennahme Johann Friedrichs, Herzogs von Sachsen 1547)
Bronze, vergoldet, gegossen. Ø 5,8 cm
Berlin, Hauptstadt der DDR, Staatliche Museen,
Münzkabinett

Die ursprünglich geprägte, der Joachimsthaler Münzstätte entstammende Medaille zeigt die Brustbilder der beiden am Geschehen der Schlacht bei Mühlberg beteiligten Brüder. Mit der auf Medaillen dieser Zeit ungewöhnlichen Gegenüberstellung der Bildnisse ist die nur auf erzgebirgischen Medaillen vorkommende architektonische Umrahmung gekoppelt. Im unteren Bogenzwickel halten zwei Putten die Wappen von Kastilien-Österreich und Österreich. Die Schlachtdarstellung auf der Rs. gruppiert sich um das im rechten Mittelgrund liegende Städtchen, an dem die Elbe vorbeifließt. Auf beiden Seiten stehen Truppen oder reiten aufeinander zu. Die Medaille hat schon früh Eingang in die Literatur gefunden, wurde erstmals 1645 in der zweiten Ausgabe von Friedrich Hortleders »Anfang und Fortgang des deutschen Krieges« beschrieben, dann von Christian Juncker in der 1699 erschienenen »Vita D. M. Lutheri«, 1705 in W. E. Tentzels »Saxonia Numismatica« und im ersten, 1737 herausgekommenen Band von J. H. Lochners »Sammlung merkwürdiger Medaillen«. Schon Hortleder weist auf die bildliche Wiedergabe der Schlacht bei Mühlberg hin, die er in Luis de Avilas 1550 in Antwerpen verlegtem »Commentario de bello Germanico« gesehen habe und die dem Medaillenbild entspräche, was sich im Vergleich bestätigt. An der Abhängigkeit der Medaille vom Holzschnitt kann kein Zweifel bestehen, und so gibt der Befund den terminus post quem: Sie kann nicht, wie sie mit dem Ereignis der Schlacht bei Mühlberg datiert ist, 1547 entstanden sein, sondern erst nach 1550.

Bernhart Nr. 135; Katz Nr. 313

F 20.5

CAROLI V. CAES. POST ALBIN SVPERATVM
cum Ioan. Fæderico conflictus. Anno. 1547. Fol. 114.

F 20.5

F 21.1 Erhard Schön

Bildnis des Jan Hus. Um 1530

Holzschnitt, koloriert. 23,3 x 21,4 cm
Mit vier Zeilen typographischem Text
und der Adresse des Formschneiders Hans Guldenmund
Gotha, Museen der Stadt, Schloßmuseum; Inv.-Nr. 38,4
Geisberg-Strauss 1296

Das grobe Bildnis, das ähnlich auch als Buchillustration vorkommt, ist durch Röttinger von Medaillenbildnissen des seit 1526 tätigen Michael Hohenauer abgeleitet worden. W. S.

F 21.2 Deutscher Zeichner *Abbildung*

Die Verbrennung des Johann Hus. Um 1550

Illustration zu einem Flugblatt: »Johannes Huß«
Holzschnitt, koloriert. 31 x 22 cm; Blattgröße: 40,5 x 29,6 cm
Gotha, Museen der Stadt, Schloßmuseum; Inv.-Nr. 38,5

Die Bilder des böhmischen Reformators scheinen zum größten Teil erst im Zusammenhang mit der 1558 in Nürnberg herausgegebenen Schrift: »Johannis Hus et Hieronymi Pragensis Historia« entstanden zu sein. Der Text des Flugblattes ist von entsprechender, chronikartiger Ausführlichkeit. W. S.

F 22 Hans Guldenmund

Bildnis des Jan Hus

Holzschnitt, koloriert. 32 x 18,6 cm
Flugblatt mit einem Text von 46 Zeilen
in tschechischer Sprache:
Mistr Jan Hus Mu- ... Jan Guldenmundt
Gotha, Museen der Stadt, Schloßmuseum; Inv.-Nr. 38,6

Das Bildnis des böhmischen Reformators gewann besonderen Einfluß mit der Herausbildung der evangelischen Kirche. Daher findet sich hier auch der Hinweis auf den Schwan (Luther), der hundert Jahre, nachdem die Gans (Hus) verbrannt worden ist, sich behaupten wird. Aus brennender Gans und Schwan entsteht ein dem Phönix ähnliches Motiv. W. S.

Farbtafel Seite 386

F 23 Augustin Mellis, nach Hans Asper

Bildnis Huldrych Zwinglis. Um 1540–1550

Bez.: Inschrift im Grunde links:
ANNO DOMINI/ M.D.XXXI. DIE OCTO/
BRIS VNDECIMA. AE-/TATIS SVAE XL VIII
(Gestorben im Jahre des Herrn 1531, am 11. Oktober, in seinem 48. Lebensjahr)
Illustration eines Flugblattes mit der Überschrift:
»Huldrych Zwinglin.« Unter dem Bildnis ein lateinischer Pentameter und ein deutscher Reimtext in drei Spalten
Holzschnitt, koloriert. 24,9 x 22,5 cm
Blattgröße: 34,3 x 25,8 cm
Gotha, Museen der Stadt, Schloßmuseum; Inv.-Nr. 38,20

Als Vorlage des Holzschnittes diente Hans Aspers Bildnis von 1531, das – auf Pergament gemalt – in Winterthur erhalten ist. Der Maßstab wurde dabei leicht vergrößert. Die Modellierung (beim Gemälde vermutlich nicht gut erhalten) wurde in etwas trockene graphische Formeln übertragen. Das Gothaer Exemplar ist zurückhaltend koloriert. Gegenüber dem Exemplar in Zürich, Zentralbibliothek (Ms. A 21 Bl. 11 recto), sind die erste Zeile der Inschrift im Satz neu zusammengefügt und ein schräger Doppelstrich hinter den Silben OCTO eingefügt worden.

In gelehrten Reimen werden die Namen der Wegbereiter der Reformation gedeutet: Reuchlin: »Den Rouch erwackt er in Tütschland ...«, Erasmus (=der Liebenswerte): »Gar lieplich ers zuhanden nam ...«, Luther: »Der schrie so lut in aller Welt/ Das es noch allenthalb erhelt ...«, Zwingli: »Noch warend vil der Wilden lüt ... Man müßt sy Zwingen mit gewalt ...«
W. S.

F 21.2

F 24.1 Lucas Cranach d. J. *Farbtafel Seite 387*

Bildnis Philipp Melanchthons. 1546

Bez. u. l.: geflügelte Schlange und Jahreszahl 1546
Über dem Holzschnitt die gedruckte Überschrift:
Des Achtbaren, Hochgelarten Herren
D./Philippi Melanchthonis, warhafftige abconterfehung,
mit/besonderm fleiß gemacht zu Wittemberg.
Unter dem Holzschnitt der Vermerk: Magdeburgk.
Christianus Rödiger
Holzschnitt, koloriert. 33,5 x 21,7 cm
Gotha, Museen der Stadt, Schloßmuseum; Inv.-Nr. 38, 1

Das früheste Bildnis Melanchthons in ganzer Figur ist offenbar als Gegenstück zu dem zu gleicher Zeit beim gleichen Verleger herausgegebenen Bildnis Luthers entstanden. Anlaß für beide Darstellungen war sicherlich Luthers Tod. Eine zweite Verwendung des Stockes erfolgte, nachdem die Jahreszahl entfernt worden war, unter dem Titel: Imago clarissimi viri D. Philippi Melanchthonis ... (P. 178). W. S.

F 24.2 Lucas Cranach d. J.

Brustbild Philipp Melanchthons. 1560

Bez. u. l.: Schlange mit liegendem Flügel
Titelschrift:
Warhafftige Abconterfeiung des Herrn Philippi Melanthonis
Unter dem Bild: So sichs vielleicht... ex latinus.
Holzschnitt. 27,5 x 21,3 cm

Das Brustbild in Dreiviertelansicht zeigt Melanchthon im Jahr seines Todes. Ganz im Gegensatz zu Dürers Stich aus dem Jahre 1526, der den jungen, auf der Höhe seiner Kräfte stehenden Reformator zeigt, haben wir hier den von Krankheit Gezeichneten vor uns. Betont ist der feingliedrige, vergeistigte Typus des Intellektuellen. Das Gesicht strahlt die innere Weisheit aus, die der unter dem Bildnis stehende Text noch einmal ausdrücklich hervorhebt. Gleich zu Beginn betont die Schrift die Wahrhaftigkeit des Bildnisses und erläutert darüber hinaus die Vorzüge der Persönlichkeit Melanchthons. Cranach hatte Melanchthon schon 1548 durch ein ganzfiguriges Bildnis in den Rang eines Geistesfürsten erhoben. E. B.

F 25 Albert von Soest *Abbildung*

Brustbild Philipp Melanchthons. Nach 1560

Bez.: DES HERREN PHILIPP MELA/THONIS WARE CONTRAFECT
Relief. Buchsbaum (?), gefaßt. 38 x 29,8 cm
1918 erworben
Schwerin, Staatliches Museum; Inv.-Nr. Pl. 247

F 25

Holzmodel für eine Gipsform, aus der serienweise Papiermassereliefs gepreßt werden konnten. Das Melanchthon-Bildnis entstand nach dem Holzschnitt von Lucas Cranach d. J. aus dem Jahre 1560, der auch mit der Schriftzeile »Warhafftige Abconterfeiung des Herrn Philippi Melanthonis« erschien. Das seitenverkehrte Bildnis wurde um einen Fensteranschnitt und eine von links nach rechts geführte Draperie bereichert. Die Papiermassereliefs des Albert von Soest zeigen Darstellungen christlicher Thematik, vor allem reformatorischen Inhalts, und Porträts von Vertretern des Protestantismus. K. H.

F 26 Michael Ribestein

Bildnis Kaiser Karls V. 1547

Bez. o. M.: Wappen des Kaisers,
auf der Wand daneben die Devise PLVS OVLTRE (Noch weiter)
zwischen dem Emblem der Herkulessäulen;
l. u. redendes Zeichen des Künstlers:
ein Reibestein mit seinem Monogramm
Unter dem Holzschnitt die Inschrift:
Abcontrafactung kaysser Carols des/ Fünfften
In der belegerung Vor Wittenberg Anno etc. /XLVII.
im Manat mayo Gedrnckt zu Berlin
Holzschnitt. 34,2 x 24,9 cm
Gotha, Museen der Stadt, Schloßmuseum
Bartsch 1 (Bd. IX, S. 156)

F 27 Michael Ribestein *Abbildung*

Bildnis König Ferdinands. 1547

Bez. o.: Wappen von Österreich zwischen den Wappen von Kastilien und Böhmen; r. u. redendes Zeichen des Künstlers: ein Reibestein mit seinem Monogramm, darunter auf einem Täfelchen die Jahreszahl 1547
Unter dem Holzschnitt weitgehend die gleiche Inschrift wie bei Kat.-Nr. F 26, nur mit der Änderung: ... Ferdinandi/ Römischer Vngerischer etc. Behemischer König ...
Holzschnitt, koloriert. 31 x 25,1 cm
Gotha, Museen der Stadt, Schloßmuseum; Inv.-Nr. G 15, 24

F 27

F 28 Michael Ribestein *Farbtafel Seite 385*

Bildnis Herzog Johann Friedrichs von Sachsen 1547

Bez. o.: Wappen von Sachsen und Thüringen; r. u. redendes Zeichen des Künstlers: ein Reibestein mit seinem Monogramm (durch die Kolorierung ist rotes Farbpulver auf der Steinplatte angezeigt)
Unter dem Holzschnitt die Inschrift unter Verwendung des gleichen fehlerhaften Satzes wie bei Kat.-Nr. F 26 und F 27 mit der Änderung: Johans/ Friedrichs Hertzogen zu Sachsen etc. ...
Holzschnitt, koloriert. 31,3 x 25,4 cm
Gotha, Museen der Stadt, Schloßmuseum; Inv.-Nr. G 15, 54

Die drei seltenen Drucke halten das Ereignis der Gefangennahme des Kürfürsten Johann Friedrich nach der Schlacht bei Mühlberg fest. Offenbar hat der Künstler das kaiserliche Lager vor Wittenberg aufgesucht (wie es ähnlich auch von Cranach d. Ä. berichtet wird). Die Darstellung des barhäuptigen Kurfürsten mit der Wangennarbe meint in diesem Zusammenhang den Unterlegenen, dem Titel und Kurwappen genommen worden sind. Die Holzschnitte sind in Berlin offenbar in Eile gedruckt worden, man hat sich nicht einmal die Mühe gemacht, die beiden Druckfehler des kurzen Satzes (Manat, Gedrnckt) zu korrigieren. Künstlerisch sind die Holzschnitte von gewisser Kraft und Sicherheit, was zugleich auch für die Kolorierung gilt. Sie ist so wohl abgestuft und verständig eingesetzt, wie man es eigentlich nur bei einer eigenhändigen Ausführung erwarten darf. Auch erinnert die Zusammenstellung von hellem Inkarnat und blaugrünlichem Steinwerk an Gemälde Ribesteins in der Berliner Marienkirche.
Die Auflösung des Monogramms war bereits von Brulliot (Dictionnaire des Monogrammes III, München 1834, Appendice No. 330) richtig vorgenommen worden: M. Reiber oder M. Reibstein, hat aber keinen Eingang in die Literatur gefunden. W. S.

F 29.1 Georg Pencz *Farbtafel Seite 390*

Bildnis des Malers Erhard Schwetzer. 1545

Bez. o. l.: 15 PG 45
o. r.: Inschrift ERHARD SCHWETZER
Lindenholz. 82 x 63 cm
1821 erworben aus der Sammlung Solly
Berlin, Hauptstadt der DDR, Staatliche Museen, Gemäldegalerie; Inv.-Nr. 582

F 29.2 Georg Pencz *Farbtafel Seite 391*

Bildnis der Gattin des Malers Erhard Schwetzer 1545

Bez. o. r.: 15 PG 45
o. l.: Inschrift ELISABETA.VXOR.ERHARDI
Lindenholz. 82 x 63 cm
1821 erworben aus der Sammlung Solly
Berlin, Hauptstadt der DDR, Staatliche Museen, Gemäldegalerie; Inv.-Nr. 587

Gegenstück zu Kat.-Nr. F 29.1

F 30

F 30 Georg Pencz *Abbildung*

Das Jüngste Gericht. Um 1540

Nicht bez.
Feder in Schwarz, Pinsel in Braun, weiß gehöht, auf braunem Papier; Zweitausführung auf Leinen
46 x 32,9 cm
Aus Sammlung von K. Kobenzl, Brüssel (Lugt 2858 b)
1768 für die Ermitage erworben
Leningrad, Staatliche Ermitage; Inv.-Nr. 4719

In der Sammlung von Kobenzl und auch später bis 1920 wurde das Werk traditionsgemäß für eine Arbeit von Michelangelo gehalten, dann wurde sein Schöpfer richtig als Georg Pencz festgestellt. Die Zeichnung entstand offenbar in der Mitte der 1540er Jahre, während der zweiten Reise nach Italien, und spiegelt tatsächlich den Einfluß des »Jüngsten Gerichts« von Michelangelo wider, wodurch es auch fälschlich dem italienischen Künstler zugeschrieben wurde.
Ungewöhnlich ist die Ikonographie des Sujets. Die Szene ist von oben dargestellt, gleichsam vom Blickpunkt des Gericht haltenden Gottvaters. Zweifelhaft ist daher die Vermutung, die Zeichnung sei der Entwurf für ein Deckengemälde. J. Ku.

F 31 Heinrich Vogtherr d. J. *Abbildung*

Das Sterben und die Werke der Barmherzigkeit Um 1540

Nicht bez.
Holzschnitt. 104 x 71,2 cm
Berlin, Hauptstadt der DDR, Staatliche Museen, Kupferstichkabinett; Inv.-Nr. 33 – 1934
Passavant 30

Vogtherr schildert das Sterben und die unterschiedliche Art des Todes: Während der Gerechte mit gefalteten Händen den Blick zum Himmel richtet, muß der Gottlose den qualvollen Tod des Ungläubigen erleiden. Sein Arm ist schon vom Teufel ergriffen, der Tod hält die Siegesfahne in der Hand. Mit Schrifttafeln unterstreicht Vogtherr die Hoffnungslosigkeit des Bildes: »Das ist der Ort von denen, die Gott nicht erkennen« oder: »... der Teufel geht umher wie ein brüllender Löwe, sucht, wen er verschlingen kann.« Die Personifikation der Welt verläßt den Sünder. In der Landschaft hinter ihm tummeln sich Ziegenböcke als Symbole des Lasters. Der Engel zwischen den beiden Sterbenden weist mit beschwörenden Gesten auf beide. Die Personifikationen von Hoffnung, Liebe und Glauben sind um ihn. Das brennende Herz in den Händen der Liebe, ein Symbol für besonders entsagungsvolle Dienste, finden wir auch als Attribut der Katharina von Siena. Schauen wir in den Himmel, so erblicken wir das Motiv der von einer Mandorla umgebenen Majestas Domini, den thronenden Christus. »Der Himmel ist mein Stuhl und die Erde meine Fußbank«, (Jesaja Kapitel 66, Vers 1). Von Christus gehen das Schwert als Symbol der Gerechtigkeit und die Lilie als Zeichen für die Gnade Gottes aus. Um Christus sind Bilder gruppiert, die die Form der Weltkugel aufgreifen und somit auf den weltlichen Bezug ihres Inhaltes verweisen. Sie zeigen in lehrhafter Form die Taten der Barmherzigkeit als die Voraussetzung für die Aufnahme des Geistes in die göttliche Ewigkeit. Die Anwesenheit Christi in den einzelnen Szenen deutet auf den göttlichen Beistand und das Wissen um jede gute Tat. Die erzieherische Funktion des Blattes ist offensichtlich. E. B.

F 32 Matthias Gerung *Abbildung Seite 400*

Der Weg des Heils

Bez. u. M.: Monogramm des Künstlers
Holzschnitt. 104,9 x 72 cm
Berlin, Hauptstadt der DDR, Staatliche Museen, Kupferstichkabinett; Inv.-Nr. 846 – 100

Die im Berliner Kupferstichkabinett vorhandene Fassung nimmt die reformatorischen Tendenzen des früheren Zustandes (Basel) stark zurück. Alle Anspielungen auf die weltlichen Vergehen der kirchlichen Obrigkeit sind sorgfältig getilgt. Der großformatige Holzschnitt Gerungs erinnert in starkem Maße an eine Art Lehrtafel, in der dem Betrachter erläutert wird, wie der Weg zur ewigen Glückseligkeit zu beschreiten ist. Der zentrale Bezugspunkt ist die Himmelstreppe, um die sich eine große Anzahl unterschiedlichster Szenen abspielt. Sie beginnen an der Himmelspforte, die von Petrus, der als Zeichen seiner Verantwortung die Schlüssel emporhebt, bewacht wird. Beistand erfährt er von Paulus und Johannes dem Täufer, die ihn links und rechts flankieren. Vor den drei Heiligen befinden sich in einem Rund aus Wolken die wahrhaft Gläubigen. Sie empfangen rechts von zwei Heiligen die Taufe und links die Kommunion. Außerhalb dieses Kreises finden wir die Sündhaften, die in wilder Verzweiflung dem Höllenrachen zu entfliehen suchen, um über Irrwege in das himmlische Reich Einlaß zu finden. Die himmlischen Richter schlagen sie unerbittlich zurück. Während der Kampf der Engel gegen die teuflischen Mächte tobt – oben links stößt der heilige Michael den Drachen nieder –, steht Christus bereits als Sieger auf dem geschlagenen Teufel. Links von ihm sitzt Gottvater auf seinem Thron, und rechts haben sich die 144000 Auserwählten um das Lamm Gottes versammelt, das mit der Siegesfahne auf dem Berg Zion steht. Der Moses in der rechten unteren Hälfte des Blattes verweist auf das theologische Dogma von Gesetz und Evangelium. Die Gesetzestafeln sind dem Krug mit Wein und dem Brot gegenübergestellt. Gezeigt wird die eucharistische Feier am Altar, die Austeilung des Abendmahls als Hinweis auf das erlösende Blutopfer Christi. Im protestantischen Sinne beschränkt sich das Meßgerät auf den Kelch für den Wein und den Teller für das Brot. Die nurmehr geringen reformatorischen Tendenzen des Blattes waren in der früheren Fassung erheblich stärker. Karl V., der neben Moses steht (Dodgson), hat seine Krone gegen einen Turban eingetauscht. Den Klerikern hat Gerung die äußeren Attribute ihres Standes genommen, soweit sie zu den Sündhaften zählten. Dem stürzenden Mönch rechts neben der Leiter hat er die Tonsur mit einem Hut verdeckt. Dem Geistlichen neben Karl V. hat er den Kardinalshut durch einen Helm ersetzt. Etliche Geistliche, die sich durch ihre Mitra als Bischöfe auswiesen, hat er durch profane Attribute degradiert. Das schweinsartige Ungeheuer, das rechts aus dem Wasser taucht und ein kleines Teufelchen von sich speit, trug ehemals die päpstliche Tiara zusammen mit der verbliebenen Narrenkappe. Auch die Bekrönung des Höllenrachens ist entfernt, ebenso sind die Gegenstände, die auf die kirchliche Hierarchie Bezug nehmen, ausgelöscht. Jetzt gibt er nur noch eine Woge bewegten Wassers ab, während er vordem Mitra, Kardinalshut und dergleichen aufsog.
Die Veränderungen sind unter dem Einfluß der Gegenreformation entstanden. Gerungs spätere Fassung des Weges zum Heil ist ein interessantes Beispiel zensurierter Kunstwerke unter verändertem ideologischem Einfluß. E. B.

DANCKSAGṼG
HOFNVNG
DIE WELT
LIEBE
GLAVB
Sind·nüchter·und·wacker
Dan·Ewer·wider·sächer·
Der·teufel·gaet·umbher·
wie·Ein·brülender·Löw
Sücht·welchen·er·ỽschlind
Des·ist·das·ort·von·
den·die·godt·nit·
Erkendt·Job·xviii·

F 31

F 32

F 33 Franz Crabbe

Das Leben Johannes' des Täufers. Um 1540–1545

Nicht bez.
Holzschnitt. 27,5 x 38,4 cm
Dresden, Staatliche Kunstsammlungen, Kupferstich-Kabinett; Inv.-Nr. 1898 – 95

Die drei Szenen aus dem Leben des Heiligen sind eingelassen in eine eigenwillige Landschaft: Der Felsen in der Mitte öffnet sich zu einer Höhle, in der sich die Zuhörer befinden. Der Blick über die Schulter des redenden Johannes ist ungewöhnlich, er erzwingt Beteiligung und macht die Gemeinde zum Mittelpunkt. Rechts ist in schlichter Weise die Taufe Christi dargestellt, links die Enthauptung des Johannes vor den Mauern einer Stadt.
Es ist zu vermuten, daß die merkwürdige Darstellung, die in ihrem Aufbau auf Brueghel d. Ä. gewirkt zu haben scheint, in einem gewissen Zusammenhang mit der Bewegung der Wiedertäufer steht, deren Rückhalt bei der scharfen Unterdrükkung in Deutschland die Niederlande bildeten. W. S.

F 34 Nürnberger Formschneider *Abbildung*

Christus als Guter Hirte. Um 1560

Holzschnitt, koloriert. 29,5 x 14,5 cm
Als Flugblatt herausgegeben mit der Überschrift:
EGO SVM PASTOR BONVS. IOHANNIS X.
(Ich bin der gute Hirte. Johannes 10)
und mit 37zeiligem Text im Buchdruck. 34 x 22,2 cm
Eingeklebt in den zweiten Band der Bibel des Hans Plock und mit der Schriftleiste versehen:
ICH BIN DER WEGK DIE WARHEIT VND DAS LEBEN.
Aus dem Märkischen Museum, Berlin
Berlin, Hauptstadt der DDR, Staatliche Museen, Kupferstichkabinett; Inv.-Nr. 20 – 1953

Die Darstellung des Guten Hirten gehört zu den von Luther ausdrücklich empfohlenen Bildthemen. Er sagte 1533, Cranach male Moses, wie er den Schafen in der Einöde droht, und Christus, wie er das Schaf aus der Einöde herausträgt: »Iucundior non est pictura« – erfreulicher ist kein Bild – (M. Luthers Werke. Tischreden Band 1, Weimar 1912, S. 248, Nr. 533). Außer einem kleinen Täfelchen in Erfurt, das Cranach d. J. zuzuschreiben ist, sind Bilder des Guten Hirten aus Cranachs Werkstatt nicht bekannt. Der seltene Holzschnitt ist die Arbeit eines schwachen Formschneiders. Zeichnung und Drucktypen weisen auf Nürnberg. W. S.

F 34

F 35 Nürnberger Schreibmeister

Schmuckblatt mit Bibelwort. Um 1550

Bez. zwischen Bändern mit Maureskenranken und Flechtwerk: »Verbum domini manet in aeternu(m)« und »Des Herren wort bleibt ewigklich«
Holzschnitt. 22 x 40,5 cm. Wasserzeichen: Hohe Krone mit Kreuz
Aus Sammlung von Nagler
Berlin, Hauptstadt der DDR, Staatliche Museen, Kupferstichkabinett; Inv.-Nr. 475 – 1980

Schriftblätter wie das vorliegende sind vermutlich massenweise in Gebrauch gewesen; auch dieses einzige erhaltene Exemplar zeigt Faltungen, Verschmutzungen und Einrisse vom Rand her. Der Spruch, eine Abwandlung der Bibelworte: »Herr, dein Wort bleibt ewiglich« (Psalm 119, Vers 89) und: »... aber das Wort unseres Gottes bleibt ewiglich« (Jesaja Kapitel 40, Vers 8), war in Luthers Zeit sehr beliebt. Man ließ ihn mit den Anfangsbuchstaben auf Gewänder sticken.
Er war die Losung des Landgrafen Philipp von Hessen, eines Hauptes des Schmalkaldischen Bundes. Kaum in früherer Zeit besaß das gesprochene Wort eine so große Bedeutung, wie in den Jahren der Reformation in Deutschland. Es hat hier tiefere Bedeutung, wenn in Anlehnung an das Wort das Ornament jede figürliche Ausschmückung verdrängt. W. S.

F 36

F 36.1 Peter Roddelstet genannt Gottlandt *Abbildung*

Gesetz und Gnade. 1552

Bez. u. l. mit der Jahreszahl 1552. Monogramm des Künstlers auf dem Steinwürfel unterhalb des Kruzifix rechts
Kupferstich. 14,9 x 20,6 cm
Dresden, Staatliche Kunstsammlungen, Kupferstich-Kabinett; Inv.-Nr. A 5019
Bartsch 2

Gottlandt ist, soweit bekannt, der einzige Kupferstecher unter den aus Cranachs Werkstatt hervorgegangenen Malern. Seine zwölf Kupferstiche gehören zu den Seltenheiten der graphischen Sammlungen. Die Darstellung von Gesetz und Gnade folgt der von Cranach im Jahr 1529 ausgebildeten Bildordnung, wobei allerdings fast alle Nebenszenen mehr oder weniger tief in die Landschaft gerückt sind. Der Vordergrund bleibt der Gruppe der Propheten, angeführt von Mose und Jesaja (in einem Gewand mit Hermelinbesatz), überlassen und der Gruppe des Johannes, der den sündigen Menschen auf Kruzifix und Opferlamm (beide Motive sind zu einer Art von Denkmal zusammengefaßt) hinweist. W. S.

F 36.2 Lucas Cranach d. J. *Farbtafel Seite 414*

Die Rechtfertigung des Sünders durch den Glauben 1544

Bez.: Schlange mit liegendem Flügel am Fuße des Baumstamms, darüber die Jahreszahl 1544
Buchmalerei auf Pergament (die Weißhöhung ist nachträglich geschwärzt). 28,5 x 21 cm
Die Darstellung wird von zwei Bibelsprüchen oberhalb des Rahmens und von zehn Sprüchen innerhalb des Sockelfeldes begleitet.
Im dritten Teil der Bibel von 1541 enthalten
Aus der Bibliothek des Fürsten Georg von Anhalt
Dessau, Stadtbibliothek; Georg 1476

In der Dessauer Miniatur ist die wohl früheste signierte Fassung des bekannten, weniger durch Luther als durch Melanchthon angeregten Reformationsthemas von der Hand des jüngeren Cranach erhalten. Eigenartig ist die düstere Farbstimmung, vorwiegend in Grün und Blau. In der Erhaltung übertrifft die Dessauer Fassung das Bild der Jenaer Johann-Friedrich-Bibel von 1543. W. S.

F 37.1 Unbekannter Hallenser Buchbinder und der Seidensticker Hans Plock

Mit Wappen beklebter Einband. Nach 1538

Bez.: mit den als Supralibros anzusehenden aufgeklebten Wappen des Hans Plock
Holzdeckel mit gelbem Schweinsleder; drei Bünde; rosa-weiß-grün beziehungsweise hellbraun umstochene Kapitale; farbloser Schnitt; Ansatzstücke von zwei Metallklausuren
Quart (21,0 x 14,7 cm)

Inhalt des Sammelbandes:
16 Schriften aus den Jahren 1530–1538
Am Anfang steht das Augsburgische Bekenntnis:
Confessio odder Be-Kantnus des Glaubens etlicher Fürsten vnd Stedte: Ober-//antwort keiserlicher Majestat://zu Augspurg.Anno M.D. XXX. Apologia der Confessio
Wittenberg: Georg Rhaw 1531
Wittenberg, Predigerseminar der Ev. Kirche der Union; CG 538

Beide Deckel sind gleich gestaltet
Rollen: zwei Köpfe in Blütenranke. 11,6 x 1,6 cm; Männer- und Frauenköpfe in Kreuzband mit Blüte. 14,9 x 1,5 cm; Tugenden, unbeschriftet (Iustitia – Fides – Suavitas – ? Fortitudo). 15,0 x 1,9 cm

Hans Plock (1490–1570), der Auftraggeber und Mitgestalter dieses Bandes, stammt aus Mainz und hat deshalb auf dem hinteren Deckel das Wappen dieser Stadt aufgeklebt. Er war Seidensticker am Hof des Kardinals Albrecht von Mainz, der zugleich Erzbischof von Magdeburg und Bischof von Halberstadt war und deshalb oft in Halle an der Saale residierte. Plock war der Testamentsvollstrecker von Grünewald, der mit den Perlenstickereien an dem Bischofshut und dem Wappenkissen zu Füßen des Erasmus auf seiner »Erasmus-Mauritius-Tafel« seinem Freunde ein Denkmal gesetzt hat. Beiden war offenbar die Hinwendung zur Reformation gemeinsam.
Im Nachlaß Grünewalds haben sich eine ganze Reihe von Lutherschriften gefunden. Plock hat seiner Überzeugung durch ausführliche Eintragungen in dem ausgestellten Bande und in der großen Lutherbibel von 1541, die jetzt im Kupferstichkabinett der Staatlichen Museen zu Berlin aufbewahrt wird, durch die Gestaltung dieser Bibel und durch ausführliche Randbemerkungen Ausdruck gegeben. Eine deutsche Bibel in der Ausgabe von Andreas Frisner und Johann Sensenschmidt 1476 bis 1478 (Hain 31–32) ist 1587 aus seinem Besitz in den der Bibliothek der Marienkirche in Halle gekommen. Der Vergleich der Einbände zeigt, daß überall das gleiche Schmuckmaterial für das Gepräge der Deckel benutzt worden ist. Es zeigt einen behutsamen, mehr ornamentalen, humanistischen Zug. Der Einfluß der Wittenberger Reformation hat sich auf diesen zwischen 1535 und 1542 entstandenen Einbänden eines unbekannten Hallenser Meisters nicht ausgewirkt.
Hans Plock hat auf der Luther-Bibel und der Augsburgischen Konfession die Arbeit des Buchbinders auch nur zum Untergrund für die Gestaltung durch die Klebearbeit genommen, ein ganz ungewöhnliches Vorgehen, das nur aus dem Selbstbewußtsein des Kunsthandwerkers verständlich wird. Auf dem Wappen des vorderen Deckels hat er sein »redendes Wappen« angebracht: den Block als Hinweis auf den Namen Plock und drei Rosetten aus Perlen als Hinweis auf seine Kunst. K. v. R.

F 37.2 Joachim Linck *Farbtafel Seite 411*

Einband mit Bildnisplatte Luthers. Um 1530

Holzdeckel mit braunem Kalbsleder; drei Bünde; Kapitale grün-rosa umstochen; gelber Schnitt; zwei schmale Metallklausuren
Oktav (22,5 x 16,0 cm)

Inhalt des Sammelbandes:
Martin Luther, Außlegung, der Euangelien, an den fürnemsten Festen im gantzen jare gepredigt.
Augsburg: Heinrich Steiner 1529 (Benzing 1119);
Martin Luther, Der Prophet Jesaia Deutsch.
Wittenberg: Johannes Lufft 1528
Dessau, Stadtbibliothek; Georg 1002

Vorderer und hinterer Deckel sind gleich gestaltet
Einzelstempel: Friesbogen, Blüte, Schelle, Rosette
Rolle: Tugenden (Justitia-Occasio-Prudentia-Lucrecia) 20,3 x 1,8 cm (Haebler 1, 265, 4)
Platten negativ: Luther mit Barett nach links. 7,2 x 4,7 cm (Haebler 1, 266, XV);
David sieht Bathseba. 7,0 x 4,7 cm (Haebler 1, 265, 4)

Da der Einband aus der Georgsbibliothek stammt und von Joachim Linck in Dessau gebunden worden ist, wird Fürst Georg von Anhalt oder sein Berater Magister Georg Helt der Auftraggeber gewesen sein. Vermutlich sind die Schriften schon um 1530 gebunden worden. Die Luther-Platte stammt aus dieser Zeit und richtet sich nach dem Cranach-Bild Luthers mit Barett aus dem Jahre 1528 (Friedländer/Rosenberg 1979, Nr. 312). Sie weist auf Luther als den Autor der Schriften des Bandes und Lehrer der Kirche hin. Die auf der anderen Platte abgebildete Szene von Davids Verlangen nach Bathseba, ausgeführt nach einem Cranach-Holzschnitt von 1524, hat eine ähnliche Bedeutung wie die Darstellung vom Sündenfall.
K. v. R.

F 37.3 Joachim Linck

Einband mit Bildnisplatten Luthers und Melanchthons. 1536

Bez.: H 1536 H
Holzdeckel mit dunkelbraunem Kalbsleder; drei Bünde; Kapitale weiß-rosa umstochen; farbloser Schnitt mit der seitlichen Aufschrift: LOCI COMMV:
zwei schmale Metallklausuren
Oktav (21,0 x 14,5 cm)

Inhalt des Sammelbandes:
Philipp Melanchthon, Loci communes, das ist, die furnemesten Artikel, christlicher lere ...
Aus dem Latein verdeutscht, durch Justum Jonam.
Wittenberg: Georg Rhaw 1536;
Martin Luther, Ein Briff, an die, zu Franckfort am Meyn.
Wittenberg: Hans Lufft 1533 (Benzing 3033)
Dessau, Stadtbibliothek; Georg 1577

Vorderer und hinterer Deckel sind gleich gestaltet
Einzelstempel: Schelle, Rosette, Blatt am Ast, Blüte
Rolle: Tugenden (Justitia-Occasio-Prudentia-Lucrecia) beschriftet. 20,3 x 1,8 cm (Haebler 1, 265, 4)
Platten negativ, vergoldet: Martin Luther nach links sehend mit Barett, mit lateinischer Unterschrift
»Dies Bild zeigt das Angesicht des lebendigen Luthers, der mit reinem Herzen Dogmen Christi lehrt«
8,1 x 4,2 cm (Haebler 1, 181, III);
Philipp Melanchthon, Brustbild nach rechts mit lateinischer Unterschrift
»Die kleinen Künste versucht Melanchthon zu schmücken, doch darfst du dieses Verdienst nicht für gering halten«.
8,1 x 4,2 cm (Haebler 1, 181, XIV)

Die beiden Bildnisplatten mit Luther und Melanchthon sind sorgfältig gestochen und haben lateinische Gedichte als Unterschrift, die sonst auf den Einbandplatten nicht benutzt worden sind. Das deutet darauf hin, daß Fürst Georg von Anhalt die Platten für einen Band seiner Bibliothek bei einem sonst unbekannten Stecher H. H. 1536 in Auftrag gegeben hat. Er hat Luther als den grundlegenden Lehrer, Melanchthon als den Mann der pädagogischen Kleinarbeit herausgestellt. Die Art der Ehrung Melanchthons paßt sich so gut einem Band mit Melanchthons Zusammenfassung der lutherischen Lehre, den Loci communes, an, daß die Vermutung naheliegt, seine Bildnisplatte könnte zunächst für diesen Zweck geschaffen worden sein.
Die Platten geben seitenverkehrt das Bildnispaar wieder, wie es Cranach 1532 entwickelt hat (Friedländer/Rosenberg 1979, Nr. 314–315). K. v. R.

F 37.4 Joachim Linck

Einband mit Kreuzigungsplatte und Tugendrolle 1539

Bez.: Supralibros »F.(ürst) GEORG ZV. ANHA (lt) M.D. XXXIX«
Holzdeckel mit braunem Kalbsleder; drei Bünde; Kapitale gelb-braun umstochen; gelblicher Schnitt mit Beschriftung oben: »Dialog Vrb: Reg:«;
zwei laschenförmige Messingklausuren
Quart (22,0 x 18,0 cm)

Inhalt des Sammelbandes:
Urbanus Rhegius, Dialogus von der schönen predigt, die Christus Luc. 24 von Jerusalem bis gen Emaus den zweien jüngern am Ostertag aus Mose vnd allen Propheten gethan Hat, newlich wol corrigirt vnd gemehret.
Wittenberg: Joseph Klug 1539;
Das Jhesus Nazarenus der ware Messias sey.
Ein Sendbrieff Samuelis von Israel.
Wittenberg: Georg Rhau 1536;
und drei Luther-Schriften (Benzing: 3321. 3293. 1539)
Dessau, Stadtbibliothek; Georg 1486

Die Aufteilung der beiden Buchdeckel unterscheidet sich durch die Verwendung verschieden großer Platten und Rollen
Vorderer Deckel: Mittelfeld mit großer Platte
Einzelstempel: kleines Blatt, kleine Rosette
Rollen: Tugenden (IVSTICIA 1526 – OCCASIO – PRVDENCIA – LVcrecia).
20,2 x 1,9 cm (Haebler 1, 265, 4)
Paris-Urteil (PA/ /RIS 1526 – PAL[las] – IV[no] – VEN[us].
15,7 x 1,4 cm (Haebler 1, 265, 8)
Platten: Kreuzigung mit Maria und Johannes, Gebirgslandschaft im Hintergrund; in den Zwickeln des Rahmens zwei Wappen Anhalts (Askanien und Bernburg); lateinisch, griechisch und hebräisch
»Sie werden auf mich sehen, den sie durchbohrt haben.« (Sacharja Kapitel 12, Vers 10); negativ gestochen; 10,6 x 6,0 cm (Haebler 1, 266, VIII),
Fünfteiliges Wappen Anhalts, negativ. gestochen;
8,9 x 5,2 cm (Haebler 1, 226, XI)

Die Schriften dieses Bandes von Urbanus Rhegius, dem Braunschweiger Reformator, von Luther und dem Rabbi Samuel sind unter dem Thema Christen und Juden zusammengestellt worden und stammen nach Supralibros des Fürsten Georg von Anhalt aus dem Jahre 1539. Zu diesem Thema paßt die Verwendung der Kreuzigungstafel besonders, weil in der dreisprachigen Beschriftung der hebräische Text als Unterschrift und durch große Lettern besonders hervorgehoben worden ist. Die Platte ist vom Fürsten, der in den Zwickeln des Bogens zwei anhaltinische Wappen anbringen ließ, selbst in Auftrag gegeben worden. Sie könnte nach einer Vorlage Cranachs gestochen worden sein, der einen ähnlichen Holzschnitt für das Missale Pragense 1508 geschaffen hat (Hollstein S. 27). Die Darstellung der Kreuzigung mit Maria und Johannes vor einer Gebirgslandschaft entspricht den Kanonblättern in den Meßbüchern des späten Mittelalters und ist noch nicht an der neuen protestantischen Ikonographie orientiert. Die Zusammenstellung von Motiven christlicher Religion (Kreuzigung) und humanistischer Ethik (Paris-Urteil und Tugenden) ist auf diesem Einband besonders auffällig. K. v. R.

F 37.5 Joachim Linck *Farbtafel Seite 409*

Einband mit Auferstehungsplatte. 1539

Bez. auf dem Spiegel des vorderen Deckels: Georgi Heldt
Pappdeckel mit braunem Kalbsleder; 3 Bünde;
Kapitale weiß-rosa umstochen; Schnitt gelblich;
zwei Verschlüsse aus hellgrünem Band
Oktav (16,5 x 10,0 cm)

Inhalt des Sammelbandes:
Martin Luther, In Cantica canticorum brevis, sed admodum dilucida enarratio (Kurze, aber recht erhellende Nacherzählung des Hohen Liedes).
Wittenberg: Johannes Lufft 1539 (Benzing 3307);
Martin Luther, Geistliche Lieder auffs new gebessert zu Wittenberg.
Magdeburg: Michael Lotther 1538 (nicht bei Benzing)
Dessau, Stadtbibliothek; Georg 1047

Vorderer und hinterer Deckel sind gleich gestaltet
Einzelstempel: Rosette, Schelle
Rolle: vier Köpfe – vier sächsische Wappen. 15,2 x 1,2 cm (Haebler 2, 17, 8)
Platten: negativ, mit Rauschel vergoldet:
Auferstehung mit Unterschrift in drei Sprachen:
»Ich werde dein Tod sein, o Tod.
Ich werde dein Spieß sein, o Hölle!«
(Hosea Kapitel 13, Vers 14). 10,6 x 6,0 cm (Haebler 1, 266, II)
Fünfteiliges anhaltinisches Wappen. 8,9 x 5,1 cm (Haebler 1, 266, XI)

Der Auftraggeber des Bandes war Magister Georg Helt (um 1480–1545), der Lehrer und wissenschaftlicher Berater des Fürsten Georg von Anhalt war. Er besaß eine Bibliothek von 500 Bänden, die der Fürst nach seinem Tode erworben hat. Auch für ihn hat Joachim Linck, der Dessauer Hofbuchbinder, gearbeitet. Bei diesem Band hat er, um die Vergoldung besser anbringen zu können, nach italienischem Vorbild Pappdeckel und Bandverschlüsse verwendet. Die Inschriften der Auferstehungsplatte stellen humanistische Sprachkenntnisse heraus. Die Gestaltung des Auferstehungsthemas betont im Sinne Luthers Christus als Sieger über Tod und Teufel. Damit wird eine Gestaltung der romanischen Kunst aufgenommen. Fürst Georg hat diese Platte, zu der auf der anderen Seite eine Kreuzigung gehörte (vgl. Kat.-Nr. F 37.4), nach einer Cranach-Vorlage in Auftrag gegeben. K. v. R.

F 37.6 Joachim Linck *Farbtafel Seite 410*

Einband mit Platte des betenden Königs David 1540

Bez.: Supralibros »FVRST. Georg. ZV. ANHALT MDXL«
Holzdeckel mit braunem Kalbsleder; 3 Bünde;
Kapitale grün-weiß-braun umstochen; gelblicher Schnitt mit Beschriftung auf der Seite: »110. Psalm Luth.«; Metallklausuren
Oktav (21,5 x 14,8 cm)
Inhalt des Sammelbandes:
Martin Luther, Der CX. Psalm Dixit Dominus gepredigt und ausgelegt.
Wittenberg: Nickel Schirlentz 1539 (Benzing 3322) und sieben weitere Luther-Schriften mit Auslegungen zu den Psalmen 110, 111, 118, 119, 127, 130 und dem Benedictus aus den Jahren 1523 bis 1529
Dessau, Stadtbibliothek; Georg 115

Auf beiden Deckeln ein Mittelfeld und ein Rahmen mit breiter Figurenrolle, abgegrenzt durch dreifache Streicheisenlinien
Einzelstempel: Rosette (auf dem hinteren Deckel),
Blatt (auf dem Supralibros des vorderen Deckels)
Rollen: Rechtfertigungsrolle (Kreuzigung mit zwei knienden Betern, SATISFACTIO [Genugtuung] – Abraham opfert Isaak – FIDES [Glaube] – Sündenfall – PECCATVM [Sünde] – Auferstehung – IVSTIFICATIO [Rechtfertigung].
(21,5 x 2,1 cm) (Haebler 2, 136, 1)
Kopf-Wappen-Rolle (vier Köpfe und vier sächsische Wappen). 15,2 x 1,1 cm (Haebler 2, 17, 8)
Platten negativ: König David, Unterschrift:
IVRAVIT DOMIN ET NON PAE TV ES SACERDOS IN AETERNI (!)
(Der Herr hat geschworen, und es wird ihn nicht gereuen: Du bist ein Priester ewiglich. Psalm 110, Vers 4).
8,3 x 4,0 cm (Haebler 2, 17, I)
Fünfteiliges anhaltinisches Wappen. 9,0 x 5,2 cm (Haebler 1, 266, XI)

Der Einband ist von Fürst Georg von Anhalt, der in Leipzig in zwei Studienabschnitten eine sorgfältige Ausbildung erhielt, in Auftrag gegeben worden. Obwohl er Domherr in Merseburg und Dompropst in Magdeburg war, hat er sich mit seinem Lehrer und Freund Magister Georg Helt nach einer Zeit des Zögerns der Reformation geöffnet und mit seinen Brüdern das Land Anhalt etwa seit 1532 der neuen Glaubensweise zugeführt. Von Luther ist er 1545 zum evangelischen Bischof von Merseburg geweiht worden, verlor aber als Folge des unglücklichen Schmalkaldischen Krieges dies Amt schon im folgenden Jahr.

Joachim Linck († 1576), der zunächst vielleicht in Wittenberg, dann in Dessau und Halle gewirkt hat, gehört zu den Buchbindern, die an der Entwicklung des besonderen Stils der wittenbergisch-lutherischen Einbandkunst besonderen Anteil hatten. Er verwendete frühzeitig Platten mit der feinen Zeichnung des negativen Schnitts. Die Vorlagen für die Stecher der Platten hat offenbar Lucas Cranach d. Ä. geliefert. Bezeichnend für das vorliegende Buch ist es, daß die Bildplatte der Vorderseite sich auf den Inhalt der 1. Schrift, den 110. Psalm bezieht, nach dem David die Verheißung des priesterlichen Königtums gegeben wird. Die breitere Rolle sucht ähnlich wie die entsprechenden Holzschnitte und Bilder Cranachs eine neue protestantische Ikonographie zu begründen, die den Begriff der Rechtfertigung bildlich ausdeuten soll. K. v. R.

F 37.7 Joachim Linck

Einband mit Porträtplatten Kurfürst Johann Friedrichs und Melanchthons. 1542

Nicht bez.
Pappdeckel mit braunem Kalbsleder; drei Bünde; Kapitale gelb-rosa umstochen; Schnitt gelblich mit Aufschrift »Margari(ta) // Theolog(ica) // Spang(enberg)i«; keine Klausuren

Oktav (16,0 x 10,5 cm)
Inhalt des Bandes:
Johannes Spangenberg, Heubtartikel reiner Christlicher lere frage weise gestellet … zuvor inn Lateinischer sprach Margarita Theologica (Theologische Perle) genannt …
Wittenberg: Georg Rhaw 1542
Dessau, Stadtbibliothek; Georg 1595

Vorderer und hinterer Deckel sind gleich gestaltet
Rolle: Christkind mit drei Putten, die anhaltinischen Wappen haltend. 18,0 x 1,5 cm
Platten negativ gestochen: Brustbild Philipp Melanchthons, nach rechts blickend vor einem aus Blattwerk gebildeten Bogen, vor ihm eine Steinbrüstung mit der Inschrift:
SI DEVS PRO NOBIS // QVIS CONTRA NOS RO 8
(Ist Gott für uns, wer mag wider uns sein? Römerbrief Kapitel 8, Vers 31).
7,2 x 4,0 cm (Haebler 1, 515, VI);
Brustbild des Kurfürsten Johann Friedrich I. von Sachsen, barhäuptig im Pelzgewand, vor ihm eine Brüstung mit der Inschrift:
IOANNES FRIDERICUS // ELEC DVX SAXONIAE.
7,1 x 4,1 cm (Haebler 1, 515, II)

Der Band wird für den Fürsten Johann von Anhalt († 1552) hergestellt worden sein, auch wenn auf ihm kein Supralibros angebracht worden ist. Die Platten waren später in der Benutzung des Zerbster Buchbinders Nickel Zin, tätig zwischen 1556 und 1579. Sie sind aber schon 1541 bis 1542 auf Einbänden des Fürsten Johann von Anhalt benutzt worden und gehen auf Porträts zurück, die Cranach 1532 geschaffen hat. Als Buchbinder ist Joachim Linck in Dessau anzunehmen. Die sorgsam gestochenen Platten mit dem dekorativen Beiwerk des Stechers, der das Schnurmotiv bevorzugt hat, gehören paarweise zusammen und betonen den Zusammenhang von Reformation und sächsischer Landesherrschaft. Die Abbildung Melanchthons auf dem Bande ist sinnvoll, weil diese Schrift Spangenbergs eine Dialogbearbeitung von Melanchthons Loci communes darstellt. Die Puttenrolle drückt gute Wünsche für das Land Anhalt aus, dessen Wappen in den Schutz des Christkindes gestellt werden. K. v. R.

F 37.8 Joachim Linck

Einband mit Bildnisplatte Fürst Joachims von Anhalt. 1543

Bez.: 1543
Pappdeckel mit braunem Kalbsleder; drei Bünde; Kapitale grün-rosa umstochen; zwei schmale Metallklausuren
Oktav (16,0 x 10,0 cm)

Inhalt des Bandes:
Martin Luther, Commentarius in Micham Prophetam, collectus ex praelectionibus … editus Per M. Vitum Theodorum … (Kommentar zu dem Propheten Micha, aus den Vorlesungen gesammelt, herausgegeben von Magister Veit Dietrich).
Wittenberg: Veit Creutzer 1542 (Benzing 3413)
Dessau, Stadtbibliothek; Georg 1032

Beide Deckel sind gleich gestaltet
Rolle: vier Köpfe und vier Wappen, jeweils von zwei Delphinen eingeschlossen (Kaiser – Adler – Frau – Kurschwerter – bärtiger Fürst mit Kappe – Wettin – Frauenkopf – steigender Löwe) (Haebler 2, 17, 8)
Platten negativ gestochen:
Brustbild des Fürsten Joachim von Anhalt mit Festkranz. Über ihm am Bogen ein Feston mit lang herabhängenden Schnüren sowie das Hauptwappen und an beiden Seiten die acht Wappen Anhalts – offenbar nachträglich vom Stecher angebracht. An der vorderen Brüstung die Inschrift:
TALIS VBI VIRIDI SEX PER // EGERAT AEVO INCLITVS ANHAL- // TI DUX IOACHIMVS ERAT .15.39
(So war, als er sechs Jahrfünfte durchlebt hatte, in kraftvollem Alter der bekannte Fürst Joachim von Anhalt. 1539).
8,9 x 5,3 cm (Haebler 1, 266, III);
Neunteiliges Wappen von Anhalt unter einem Bogen, unbeschriftet. 8,3 x 5,3 cm (Haebler 1, 266, XII)

Fürst Joachim (1509–1561), der Bruder Georgs von Anhalt, hat das Interesse seines Bruders für Bücher und ihre Einbände geteilt. Die vorliegenden Platten wurden von ihm als Supralibros, also als Eigentumszeichen seiner Bibliothek, die er seit der Mitte der dreißiger Jahre planmäßig pflegte, verwendet. Er verzichtete auf den Aufdruck seines Namens und setzte nur das Bindejahr ein. Die Platte zeigt ihn als Dreißigjährigen mit einem Kranz zur Feier des runden Geburtstages. Die langen Schnüre weisen auf einen bestimmten Stecher, der für die anhaltinischen Fürsten gearbeitet hat. Seine Vorlage war ein Porträt des Fürsten von Lucas Cranach (vgl. Friedländer/Rosenberg 1979, Nr. 339), der ihm vielleicht auch eine direkte Vorlage für die Platte geliefert hat. Der Buchbinder war sicher Joachim Linck, der erst 1548 von Dessau nach Halle gezogen ist. Der Fürst war der Reformation und Luther persönlich zugetan. 1534 wurde er Pate bei Luthers Tochter Margarete. Das Epitaph für ihn in der Dessauer Marienkirche (jetzt in Dessau-Mildensee) aus dem Jahre 1565 mit der Abendmahlsdarstellung und den Reformatoren als Jüngern (vgl. Kat.-Nr. F 1) ist ein deutlicher Ausdruck für diese Beziehung. K. v. R./W. S.

F 37.9 Joachim Linck

Einband mit Porträtplatte Prinz Johann Ernsts von Sachsen. Nach 1544

Nicht bez.
Pappdeckel mit braunem Kalbsleder; drei Bünde; Kapitale grün-rosa umstochen; gelblicher Schnitt mit Beschriftung:
»POSTILLA SPAN // genbergij«
zwei schmale Metallklausuren
Oktav (15,3 x 10,5 cm)

Inhalt des Bandes:
Johannes Spangenberg, Auslegung der Epistel
... für die jungen Christen, knaben vnnd Meidlein, jnn Fragestücke verfasset.
Magdeburg: Michael Lother 1544
Dessau, Stadtbibliothek; Georg 1591

Beide Deckel sind gleich gestaltet
Stempel: Rosette, Blatt am Ast
Rolle: Paris-Urteil mit Beischriften:
PARIS 1526 — PAL(las) — IVN(o) — VEN(us)
15,9 x 1,4 cm (Haebler 1, 265, 8)
Platten negativ gestochen:
Brustbild des Prinzen Johann Ernst von Sachsen mit großem, federgeschmücktem Hut unter einer Bogenarchitektur. Die Signatur des Stechers E oder F nahe der Handwurzel.
An der Brüstung Inschrift:
IOANNES ERNESTE PATRIS CVM // NOMEN QVIQVE IVNGAS VIR // TVTES IPSE VTRIVSQVE REFER
(Johannes Ernst, der du den Namen des Vaters mit dem des Großvaters verbindest, bringe auch wieder die Tugenden beider).
8,8 x 5,2 cm (Haebler 1, 266, X)
Fünfteiliges Wappen von Anhalt.
8,8 x 5,2 cm (Haebler 1, 266, XI)

Es ist auffällig, daß das Bildnis eines sächsischen Prinzen zusammen mit einem anhaltinischen Wappen verwendet worden ist. Vermutlich hat der Dessauer Hofbuchbinder Joachim Linck auch für den sächsischen Hof gearbeitet und für diesen die Platte beschafft, die den etwa 14jährigen Prinzen Johannes Ernst († 1553) so sorgsam darstellt. Er war ein Sohn Johanns des Beständigen und Bruder des Kurfürsten Johann Friedrich, mit dem er von 1532 bis 1542 gemeinsam regierte. Vermutlich gehört die Platte zu den ältesten Stücken der neuen Gattung und ist etwa auf 1530 zu datieren. Das Bildnis geht sicher auf einen Entwurf Lucas Cranachs d. Ä. zurück und ist von einem bedeutenden Stecher auf das Metall übertragen worden. Zu der zarten Linienführung und Raumaufteilung steht das energische Relief der Paris-Urteil-Rolle im Gegensatz. Aber auch sie ist von Cranach-Darstellungen des Themas abgeleitet, wie die Positionen der Göttinnen, ihre Hüte, Hauben und ihr Schmuck zeigen. Der Band gehört zu den besten Beispielen der vergoldeten Einbände, die für den anhaltinischen Hof gearbeitet worden sind.
Die sächsische Prinzenplatte ist für den Dessauer Hof verwendet worden, um anzuzeigen, daß es sich um ein Jugendbuch handelt. Dazu paßt auch die Paris-Rolle, die damals nicht nur Darstellung der Körperschönheit, sondern auch Beispiel für eine ethische Entscheidung bedeutete. K. v. R./W. S.

F 38.1 Conrad Neidel

Einband mit Platten des Sündenfalls und Jesu als Immanuel. 1545

Bez.: Datum »1545« auf vorderem Deckel
Pappdeckel mit braunem Kalbsleder; drei Bünde;
Kapitale grün-rosa umstochen;
farbloser Schnitt mit Inschrift »Apostel // geschichte«
zwei schmale Metallklausuren
Oktav (16,5 x 9,2 cm)

Inhalt des Bandes:
Johannes Spangenberg, Der Apostel Geschichte, kurtze Auslegung, für die jungen Christen, inn Frage verfasset.
Wittenberg: Georg Rhaw 1545
Dessau, Stadtbibliothek; Georg 1590

Vorderer und hinterer Deckel sind gleich gestaltet
Einzelstempel: Rosette, Blatt am Ast
Rolle negativ: Christkind mit Putten (? x 1,3 cm)
Platten negativ gestochen: Christkind als Immanuel, den Teufel zertretend mit Unterschrift:
SIC DEVS DILEXIT MVNDVM VT FILIVM SV
(Also hat Gott die Welt geliebt, daß er seinen einzigen Sohn dahingab. Johannes Kapitel 3, Vers 16).
6,8 x 37 cm (Haebler 1, 309, VI);
Sündenfall mit Unterschrift:
INOBEDIENCIA VNI HOMINIS OMNES PECCAT
(Durch den Ungehorsam eines einzigen Menschen sind alle Menschen Sünder. Römerbrief Kapitel 5, Vers 12).
6,8 x 3,7 cm (Haebler 1, 308, V)

Der Band gehört zur Bibliothek des Fürsten Georg von Anhalt und wird von ihm oder seinem Berater Magister Georg Helt bei dem aus Prag stammenden Wittenberger Buchbinder Conrad Neidel († 1568) in Auftrag gegeben worden sein. Der Buchschmuck enthält mit der Darstellung des Erlösers und des Sündenfalls die Hauptaussagen der Reformation. Entsprechend einem Bild Cranachs von 1533 (Friedländer/Rosenberg 1979, Nr. 222 D) ist das Christuskind in Erfüllung alttestamentlicher Verheißungen als künftiger König »Immanuel« (Jesaja Kapitel 7, Vers 14) und Schlangenzertreter (1. Buch Mose Kapitel 3, Vers 15) dargestellt. Die andere Seite weist wieder nach einer Bildvorlage von Lucas Cranach (Holzschnitt von 1509, Geisberg X, 21) im Zusammenhang damit auf den Ursprung allen Unheils, den Sündenfall, hin.
K. v. R./W. S.

F 38.2 Wittenberger (?) Buchbinder C. P.

Einband mit den Platten Sündenfall und Auferstehung. Nach 1548

Nicht bez.
Holzdeckel mit Kalbsleder; drei Bünde; Kapitale weiß-braun umstochen; gelblicher Schnitt mit Beschriftung »2 pars // postilla Johan Spang.«
zwei schmale Klausuren

Inhalt des Bandes:
Johannes Spangenberg, Postilla latina, pro christiana iuventute per quaestiones explicata (Lateinische Predigten, für die Jugend durch Fragen erklärt), Übers. Reinhard Hadamar.
Frankfurt am Main: Chr. Egenolf 1548
Wittenberg, Bibliothek des Predigerseminars der Ev. Kirche der Union; 8° PTh 152

Vorderer und hinterer Deckel sind gleich gestaltet
Einzelstempel: Blatt am Ast
Rolle: Tugenden (Maria: MATER DEI – IVDITT – [Suavitas]: 1545 C P.).
19,4 x 1,5 cm (Haebler 1, 324, 1)
Platten: Auferstehung mit Unterschrift:
MORS ERO MORS TVA M (Tod, ich werde dein Tod sein, Tod! Hosea Kapitel 13, Vers 14). 8,1 x 4,2 cm (Haebler 1, 324, I);
Sündenfall mit Unterschrift:
IVDITIV(m) VENIT EX VNO PECC
(Das Todesurteil ging aus einer einzigen Sünde hervor. Römerbrief Kapitel 5, Vers 12 und 16).
8,1 x 4,2 cm (Haebler 1, 324, II)

Einbände des Buchbinders C. P. haben sich bisher nur in Wittenberg gefunden. Vermutlich hat er auch dort gearbeitet und gehört zu denen, die den auf theologische Themen konzentrierten Einbandstil der Stadt begründet haben. Auf den besonders gut geschnittenen Platten wird der Sündenfall als Ursache allen Todes in der Welt nach einem Holzschnitt von Lucas Cranach d. J. dargestellt. Dieses Plattenpaar ist ein Versuch, das Rechtfertigungsbild unter dem Teilaspekt der Todesüberwindung der Einbandkunst zuzuführen.
Eigenartig ist auch die auf 1545 datierte Tugendrolle. Im Zusammenhang mit ihr sind aber auch Maria und Judith, Retterinnen ihres Volkes oder der Menschheit, als Repräsentantinnen von Demut und Mut zu verstehen. K. v. R.

F 38.3 Frobenius Hempel

Einband mit Platten der Rechtfertigungsdarstellung. 1566

Bez.: Supralibros »IVB 1566«
Holzdeckel mit Schweinsleder; drei Bünde; farbloses Kapital; gelblicher Schnitt; zwei Metallklausuren
Oktav (27,0 x 11,0 cm)

Inhalt des Bandes:
Philipp Melanchthon, Epistolae selectiones aliquot, hrs. von Caspar Peucer.
Wittenberg: Johannes Crato 1565
Wittenberg, Predigerseminar der Ev. Kirche der Union; 8° HTh 330

Vorderer und hinterer Deckel sind gleich gestaltet
Einzelstempel: Rosette, Blatt am Ast
Rollen: Ranke im vierfachen Rapport (8,0 x 0,8 cm)
Platten: Gesetzesseite des Rechtfertigungsbildes mit Inschrift:
NISI POENITENCIAM EGERITIS // SIMILITER OMNES PERIEBVS (!) L 13
(Wenn ihr nicht Buße tun werdet, werdet ihr alle in gleicher Weise umkommen. Lukas-Evangelium Kapitel 13, Vers 5).
8,0 x 4,7 cm (Haebler 1, 173, XIV);
Heilsseite des Rechtfertigungsbildes mit Inschrift:
SANGVIS IESV CHRISTI E // MVNDAT NOS AB OMNI PEC (cato)
(Das Blut Jesu Christi macht uns rein von aller Sünde. 1. Johannesbrief Kapitel 1, Vers 7)

Die wichtigste ikonographische Leistung der Wittenberger Reformation, das Rechtfertigungsbild, scheint erst nach Luthers Tod von den Stechern der Bucheinbandplatten angenommen worden zu sein. Sie haben die komplizierte Komposition in verschiedener Weise auf die kleine Fläche der Platten übertragen. Auf dem vorliegenden Einband aus einer der größten Wittenberger Buchbindereien ist das Programm des um 1529 von Lucas Cranach geschaffenen Bildtypus in der Gothaer Variante auf die beiden Seiten einer Platte verteilt worden. Da der übliche architektonische Rahmen hinzugefügt worden ist, wird nicht richtig deutlich, daß jeweils auf einer Seite der Teilplatten der Baum steht, der auf der Oberseite grüne Blätter treibt, auf der Unterseite aber verdorrt ist. Auf dem vorderen Deckel ist die Unheilsseite, auf dem hinteren Deckel die Heilsseite dargestellt.
Der Einband ist vermutlich für einen adligen Studenten gebunden worden, der vom Wittenberger Studium einen schönen gebundenen Buchband als Erinnerung in die Heimat mitgenommen hat. K. v. R.

F 37.5 Joachim Linck. Einband mit Auferstehungsplatte. 1539

F 37.6 Joachim Linck. Einband mit Platte des betenden Königs David. 1540

F 37.2 Joachim Linck. Einband mit Bildnisplatte Luthers. Um 1530

E 63 Peter Heymanns. Croy-Teppich. 1554

IG: DOCTOR·MARTINI·LVTHER·ZV·
GOTTES·WORT·LAVTER·VND·
D·XLVI·DEN·XVIII·FEBRV:CHRISTLI·
IST·IM·63·IAR·SEINS·ALTERS·
IM·IAR·NACH·CHRISTI·GEBVRT·M·D·XXXV·
IST·IN·POMERLANDT·DAS·LEICHT·DER·GNA·
DĒ·DAS·GOTTLICH·WORT·AGEZVDT·VND·
DVRCH·D·IOHAN·BVGNHAGN·GEPREDIGT·
GEFERTIGT 1554
ZU STETIN
DER UNIVERSITAET
ZU GREIFSWALD
DURCH ERNST BOGISLAV
HERZOG VON GROY
DEN LETZTEN UNSERES
ALTEN FÜRSTENHAUSES
1684 HINTERLASSEN.
RESTAURIRT 1893.
ILLVSTRISSIMORVM·DVCVM·AC·PRINCIPVM·POMERANIAE·NOMINA
GEORGIVS· I·D·G·DVX· POMERAN·
BARNIMVS· X·D·G·DVX· POMERANIÆ
PHILIPPVS I·D·G·DVX POMERA·
IOAN·FRI· PHILIPPI·FI· NAT9·1542
BVGSLAV9 FIL·II·PHIL: NAT9·A°·44
ERST:LVD: PHIL:III·FIL: NAT9·A°·45
AMALIA· FILIA·PHI: NAT9·47
BARNIM· PHI:FIL:IIII9 NA·A°·49

F 36.2
Lucas Cranach d. J.
Die Rechtfertigung
des Sünders durch
den Glauben.
1544

F 38.4 Mitteldeutscher Buchbinder

Einband mit negativ gestochenen Platten Luthers und Melanchthons. Nach 1581

Bez. auf dem Vorsatz:
Schenkungsvermerk an die Universität Wittenberg
»M. Fridericus Schöningius Stetinensis Pomeranus
Ecclesiae Gartzensis designatus Pastor et Praepositus.
1. Febr. 1623«
Holzdeckel mit braunem Kalbsleder; fünf Bünde; Kapitale gelblich-weiß umstochen; farbloser Schnitt mit Beschriftung »LOCI C(ommunes) // P.M.2«
Ansatzstücke für Metallklausuren
Folio (35 x 22 cm)

Inhalt des Bandes:
Pietro Martire Vermigli, Loci communes (Hauptaussagen): Basel 1581
Wittenberg, Bibliothek des Predigerseminars der Ev. Kirche der Union; LC 320

Auf den Deckeln das Mittelfeld mit durch Rauschel vergoldeten Porträtplatten Luthers und Melanchthons verziert
Einzelstempel: Kleine vierblättrige Blüte
Rollen: Kreuzigungsrolle mit Unterschriften (Kreuzigung mit zwei knienden Betern bez. 1555: HELI HE LA [Mein Gott, warum hast du mich verlassen. Matthäus Kapitel 27, Vers 46] – der Auferstandene triumphiert über den Tod: IVSTIFICAT [Rechtfertigung] – Christus erscheint Maria Magdalena als Gärtner: CRIS MA IN.AP.IN – Christus als Weltenrichter: CRIS.N.N CVI). 14,7 x 1,7 cm;
vier antike Herrscherköpfe abwechselnd nach rechts und links blickend mit Unterschriften: GOT – ALLEI(n) – MEI(n) – HEIL. 14,0 x 1,2 cm;
vier antike Köpfe jeweils zwei nach rechts, zwei nach links blickend mit Blattwerk, Vase und Engelskopf. 9,2 x 1,0 cm
Platten negativ gestochen:
Brustbild Martin Luthers, nach rechts blickend mit geschlossener Bibel in den Händen. Unterschrift: IN SILENCIO ET SPE ERIT // FORTITVDO VESTRA. M(artin).L(uther). (Durch Stillesein und Hoffen würdet ihr stark sein. Jesaja Kapitel 30, Vers 15).
8,3 x 4,9 cm. Die bei Haebler (1, 432, III) verzeichnete Signatur T. S. scheint getilgt zu sein,
Brustbild Philipp Melanchthons nach links blickend mit Gewinde über seinem Kopf. Mit der Unterschrift: SI DEVS PRO NOBIS // QVIS CONTRA NOS.PHI(lipp). ME(lanchthon) (Ist Gott für uns, wer mag wider uns sein? Römerbrief Kapitel 8, Vers 31).
8,3 x 4,9 cm (Haebler 1, 432, VII)

Die auf diesem Band verwendeten sorgfältig geschnittenen negativen Platten folgen dem von Cranach entwickelten barhäuptigen Bildnistyp des Brustbildes von Martin Luther. Die aufeinander bezogene Zusammenstellung Luthers mit Melanchthon ist im Sinne Luthers gewesen, der Melanchthon als den größeren Systematiker und Pädagogen schätzte. Dadurch ist es trotz aller sachlichen und persönlichen Differenzen zwischen ihnen nie zum Bruch gekommen, wie das bei anderen wichtigen Gefährten, vor allem bei Karlstadt und Agricola, geschehen ist. Der Stecher hat sich vielleicht durch den auffälligen Knoten neben dem Kopf Melanchthons zu erkennen gegeben. Die Rolle mit Kreuzigung und Auferstehung erregt Interesse, weil bei der Auferstehung die Beziehung auf die Rechtfertigung genannt worden ist, dabei auch der neue Darstellungstyp benutzt und diesen beiden Szenen die Begegnung Jesu mit Maria Magdalena und das Jüngste Gericht hinzugefügt wurde, wofür es bisher noch keine anderen Belege gibt. Auch die Kopfrolle enthält ein Bekenntnis im Sinne der Reformation: »Gott allein mein Heil.« K. v. R.

F 38.5 Thomas Krüger *Abbildung*

Einband mit den Platten Kreuzigung und Auferstehung. 1585

Bez.: Supralibros und Devise
»A(nna) V(rsula) G(eborene) F(ürstin) Z(u) B(raunschweig) V(nd) L(üneburg). H(err) H(ilf) M(ir) I(ch) T(raue) D(ir). 1585«
Holzdeckel mit braunem Kalbsleder; vier Bünde;
Kapitale naturfarben umstochen; Goldschnitt, gepunzt und in vier Farben bemalt mit Ranken und dem Wappen von Braunschweig-Lüneburg
Oktav (16,0 x 10,4 cm)

Inhalt des Bandes:
Martin Luther, Der Deudsch Psalter mit den Summarien. Wittenberg: Hans Lufft 1541, in der Neuausgabe von Zacharias Lehmen 1584/85
Berlin, Hauptstadt der DDR, Deutsche Staatsbibliothek; Luth. 4175 – Einbandsammlung 88–91

Beide Deckel sind gleich gestaltet
Stempel: maureske Ranken, kleine Blätter
Rolle: maureske Ranken. 10,7 x 1,6 cm
Platten: Kreuzigung mit Maria und Johannes, im Hintergrund Berge und eine Stadt. Von einem Kranz unter dem Bogen hängen die Wappen Anhalt und Bernburg.
Beschriftung auf dem Bogen:
VERE LANGVORES NOSTROS IPSE TVLIT (Fürwahr, er trug unsere Krankheit. Jesaja Kapitel 53, Vers 4).
In drei Sprachen Zitat aus Psalm 62, Vers 8:
»Meine Hoffnung richtet sich auf Gott«
Bez. unter der Unterschrift: Thomas Krüger.
9,2 x 6,2 cm (Haebler 1, 250, X)

F 38.5

Auferstehung: Christus zertritt als Sieger Tod, Teufel und Sünde/Schlange
An den Ecken vier anhaltinische Wappen
Dreisprachige Beschriftung nach Hosea Kapitel 13, Vers 14 und nach dem 1. Korintherbrief Kapitel 15, Vers 55
»Wo ist dein Stachel, Tod? Wo ist dein Sieg, Hölle?«
(Haebler 1, 251, XIX)

Da Fürstin Anna Ursula von Braunschweig-Lüneburg 1573 erst sechs Jahre alt war und der Band mit Platten geschmückt ist, die außer den religiösen Darstellungen auch die anhaltinischen Wappen zeigen, handelt es sich bei dem reichgeschmückten Band vermutlich um ein Patengeschenk eines anhaltinischen Fürsten an die braunschweigische Prinzessin. Der Einband stammt von Thomas Krüger, der von etwa 1560 bis 1591 in Wittenberg als Buchbinder gewirkt hat. Er ist auch vom Dresdener Hof zu Arbeiten herangezogen worden und hat wohl Anregungen zu der Verwendung der vergoldeten Ranken im maauresken Stil, zur Schnittvergoldung und zur Bemalung der Platten erhalten – »Welsche Kunst«, die dann in Vollendung von Jakob Krause ausgeübt worden ist. Auch die anhaltinischen Fürsten werden Thomas Krüger herangezogen und ihm das Plattenpaar zur Verfügung gestellt haben, das dem von dem Fürsten Georg für seinen Buchbinder Joachim Linck bestellten getreulich nachgeschnitten worden ist. Die Kreuzigung folgt dabei einem spätmittelalterlichen, die Auferstehung dagegen dem von der Reformation geschaffenen Typus. K. v. R.

F 38.6 Unbekannter mitteldeutscher Buchbinder

Einband mit Gedenkplatte an die Reformation Nach 1601

Bez.: Kaufinschrift ohne Namen von 1605
Pappdeckel mit gelbem Schweinsleder; vier Bünde;
Kapitale weiß umstochen; blauer, ornamentierter Schnitt; ohne Klausuren
Oktav (17,5 x 10,0 cm)

Inhalt des Bandes:
Julius Caesar Scaliger, Exotericarum exercitationum liber XV De subtilitate ...
(Buch 15 der äußeren Übungen: Von der Genauigkeit).
Frankfurt a. M.: Claudius Mornius und Erben des Johannes Aubrius 1601 Wechel
Wittenberg, Bibliothek des Predigerseminars der Ev. Kirche der Union; LC 181

Vorderer und hinterer Deckel sind gleich gestaltet
Rolle: Kriegerköpfe, abwechselnd nach rechts und links blickend, dazwischen Blattwerk mit Riegeln. 12,5 x 1,1 cm
Platte: Trinität unter einem Bogen mit der Umschrift:
HIC EST FILIVS // MEVS DILECTVS (Das ist mein geliebter Sohn)
(Matthäus Kapitel 3, Vers 17)
Unter einem Gesims Friedrich der Weise, Luther und Johann der Beständige mit der Unterschrift:
WER MICH BEKENNT AUF DIESER WELT //
DEN WILL ICH BEKENNEN IM HIEMEL
(Matthäus-Evangelium Kapitel 10, Vers 32).
(Haebler 2, 285, XXV)

Der vorliegende Einband ist nach 1602 entstanden, ein anderer, in Zwickau aufbewahrter, umschließt einen Druck von 1585. Etwa aus dieser Zeit könnte auch die Platte stammen. Sie stellt den engen Zusammenhang zwischen dem Reformator und den sächsischen Landesfürsten her, die ihn schützten und förderten. Der Aufbau der Platte wirkt wie ein Epitaph, das das Gedächtnis der Toten bewahrt und durch die Darstellung der Trinität an den Inhalt ihres Glaubens erinnert. Die Unterschrift deutet darauf hin, daß man die dargestellten Männer zugleich als Vorbild für treues Festhalten an diesem Glauben benutzen wollte. Vermutlich ist das Bild durch eine kritische Situation für den Protestantismus ausgelöst worden. Eine graphische Vorlage ist bisher nicht bekannt geworden. K. v. R.

F 38.7

Beide Deckel sind jeweils gleich gestaltet
Muster in Vergoldung
Bei Tomus 3 eine Balusterranke als schmaler äußerer Rahmen
Bei Tomus 5 zwei Streicheisenlinien und eine Balusterrolle als schmaler äußerer Rahmen. Die Ausführung ist wesentlich exakter als bei Tomus 3
Rolle: Balusterrolle, kleine Blüte, Ranke mit einem spitzen Blatt im Zentrum, Rankenbordüre, spiralige Ranke, Blüte mit Kelch, Blüte mit drei Blättern, Blüte mit zwei Ranken, maureskes Blatt

Der Auftraggeber dieser kostbaren Einbände war ein sächsischer Adliger, Nikolaus von Ebeleben (1520–1579), der auf einer langen Studienreise 1541 in Paris und 1543–1548 in Bologna gewesen ist. Er entwickelte große Bücherliebe und ließ sich in Paris Bücher in dem von Grolier entwickelten Stil binden. Nach diesem Muster hat er auch in Bologna binden lassen und diesen Stil dann nach Deutschland übertragen. Vermutlich ist Jakob Weidlich, der um 1550 in Dresden zu arbeiten begann, der Buchbinder gewesen, dem Ebeleben, damals schon Domherr in Meißen, seine Aufträge gegeben hat. An dem Unterschied der beiden Bände ist zu merken, daß es den Buchbinder Anstrengung gekostet hat, sich auf die neue Binde- und Gestaltungsweise einzustellen. Der zweite Band bestätigt das Urteil, »die Stücke ... gehören zu den schönsten und eigenartigsten ›welschen‹ Bänden, die die deutsche Einbandkunst in der Mitte des 16. Jahrhunderts hervorgebracht hat« (Schuncke S. 92). Die Luther-Ausgabe war, wie das erhaltene Nachlaßverzeichnis des Nikolaus von Ebeleben ausweist, der kostbarste Teil seiner Bibliothek. K. v. R.

F 38.7 Jakob Weidlich *Abbildung*

Zwei Einbände im »welschen Stil« für Nikolaus von Ebeleben. 1550–1554

Bez. auf dem Hinterdeckel von Tomus 5:
Nic/kel //von// Ebele//ben
Pappdeckel mit schwarz bzw. rot gefärbtem Maroquinleder; fünf Doppelbünde; Kapitale blau-weiß umstochen; Schnitt vergoldet, gepunzt und rot bemalt; zwei rote Bänder als Verschluß
Folio (30 x 21 cm)

Inhalt der Bände:
Martin Luther, Tomus Tertius bzw. Quintus omnium operum reverendi domini Martini Lutheri ...
(Der 3. bzw. 5. Teil aller Werke des verehrungswürdigen Herrn Martin Luther ...)
Wittenberg: Johannes Lufft 1549 bzw. 1554
Wittenberg, Bibliothek des Predigerseminars der Ev. Kirche der Union; fol. HTh 168.170

F 39
Ofenkacheln

Mit der ständigen Verbesserung der technischen Beschaffenheit rückte nach 1450 auch die bildkünstlerische Gestaltung des glasierten Ofens immer mehr in das Blickfeld der Hafnerwerkstätten. Neben den bedeutenden oberösterreichischen und süddeutschen Zentren der Kacheltöpferkunst können eine Anzahl Ofenkacheln und Öfen für Werkstätten im sächsisch-thüringischen Raum in Anspruch genommen werden. Vermutlich in den Umkreis einer Halberstädter Werkstatt gehören die beiden Anfang des 16. Jahrhunderts entstandenen Kacheln mit Wappen (Kat.-Nr. B 67). Bei dem einen handelt es sich um das Wappen des Bischofs Ernst von Halberstadt, des Bruders des Kurfürsten Friedrich des Weisen von Sachsen.
Wiederum ins Blickfeld kunsthistorischer Forschung gerät Halberstadt durch einen Reformationsofen, der in der Sakristei des Halberstädter Doms gestanden hat und während des zweiten Weltkrieges im Kunstgewerbemuseum Köln zerstört wurde. Er soll 1558 entstanden sein. Der turmartige Oberbau war durch vier Kachelreihen gegliedert, die im Relief neutestamentliche Szenen zeigten, für die Dürers Kleine Passion die Vorlage bildete. Verwendet wurden das Abendmahl, Christus

am Ölberg, Christus vor Pilatus, die Kreuzigung, die Grablegung und die Auferstehung. Im Zusammenhang mit den Halberstädter Kacheln steht ein grün glasierter Ofen, der bis 1945 im Schloß Grafenegg in Österreich stand. Neben der Halbfigur des sächsischen Kurfürsten Johann Friedrich des Großmütigen als Vertreter des Schmalkaldischen Bundes findet sich auch die Darstellung eines Kirchenraumes, in dem eine Volksmenge dichtgedrängt dem Kanzelprediger lauscht. Bilder zu den zehn Geboten, Artikeln des protestantischen Glaubensbekenntnisses und Bitten des Vaterunsers sind in vier Zonen darüber angeordnet. Die Kreuzigung als Illustration zum Credo mit der Umschrift »GELITEN VNTER PONCIO PI/ LATO GECREVTSIGET« entspricht bis in die Details der hier vorgestellten mehrfarbig glasierten sächsischen Variante (Kat.-Nr. F 39.1), deren Architekturrahmung und Zwickelgestaltung mit Blattranke wiederum deutlich an die Gestaltung der Halberstädter Kacheln angelehnt ist. Eine dritte Kreuzigungskachel mit protestantischer Thematik bildet unter dem Kreuz rechts Tod und Teufel ab, die im Verein mit einem Bärtigen in Mönchskutte einen auf der linken Seite knienden, zum Gekreuzigten aufblickenden nackten Mann mit Schwert und Speer bedrohen, während Johannes der Täufer auf Christus als den Erlöser weist.

Aufgrund der kritischen Aussage wurde versucht, diese Nürnberger Kachel mit der Werkstatt des Hafners Paul Preuning in Verbindung zu bringen. Dieser war als Anhänger der Reformation bekannt und war 1548 wegen seiner berühmt gewordenen Krüge, die den Gekreuzigten zwischen Spielleuten und tanzenden Bauern abbildeten, zu Kerker verurteilt worden. Doch wäre die Herstellung auch in einer anderen Werkstatt denkbar.

In den Einflußbereich der Grafenegger Reformationskacheln sind auch die Kacheln mit Gottvater (Kat.-Nr. F 39.2) und dem Abendmahl (Kat.-Nr. F 39.3) einzuordnen. Die unterschiedliche Qualität der Ausformungen legt es nahe, außer der einheitlichen graphischen Vorlage des öfteren auch ein gleiches Model, das vermutlich im süddeutschen Raum hergestellt wurde, anzunehmen. Wie für zahlreiche Matrizen, die auf Steinzeug Verwendung fanden, sind deren Formschneider wohl in erster Linie in Nürnberg zu suchen. Durch Handel verbreiteten sich die Model, wurden durch häufigen Gebrauch unschärfer und flüchtiger ausgeformt, in Details verändert und vereinfacht und schließlich mit recht unterschiedlichen Rahmen versehen. Hafner selbst dürften als Handwerksmeister in der Regel nicht in der Lage gewesen sein, Model selbst herzustellen.

Bildkacheln und Öfen mit Reformationsthematik müssen in verschiedenen deutschen Landschaften bis ins dritte Drittel des 16. Jahrhunderts hergestellt worden sein. Bestimmte Werkstätten konnten bisher nicht lokalisiert werden.

Die Verwendung agitatorisch gemeinter Thematik auf einem Gegenstand wie dem stationären, für Jahrzehnte errichteten Ofen beweist, daß das Gedankengut tief in das Bewußtsein der Menschen eingedrungen war. K.-P. A.

F 39.1

F 39.1 Werkstatt der Reformationsöfen, sächsisch-thüringisches Gebiet *Abbildung*

Ofenkachel. Um 1550

Hafnerware. 28,9 x 17,2 cm
Dresden, Staatliche Kunstsammlungen, Museum für Kunsthandwerk; Inv.-Nr. 1749

Die Kachel trägt eine grüngefärbte Bleiglasur sowie eine weiß, blau, ockergelb und manganbraun gefärbte Zinnglasur. Auf der Blattkachel ist unter pfeilergestützter Rundbogenarchitektur und der Umschrift GELITEN VNTER PONCIO PILATO GECREVTSIGET aus dem protestantischen Glaubensbekenntnis der gekreuzigte Christus dargestellt. Im Hintergrund links die Opferung Isaaks, rechts die eherne Schlange am Kreuz. Die beiden alttestamentlichen Szenen wurden seit dem Mittelalter als Sinnbilder für die Kreuzigung verwendet. K.-P. A.

Abbildung

F 39.2 Umkreis der Werkstatt der Reformationsöfen, sächsisch-thüringisches Gebiet

Ofenkachel. Nach 1550

Hafnerware. 28,8 x 18,8 cm
Dresden, Staatliche Kunstsammlungen, Museum für Kunsthandwerk; Inv.-Nr. 10770

Die mehrfarbig blei- und zinnglasierte Kachel ist durch einen schmalen, kastenförmigen Rand gerahmt. Zwei Pfeiler stützen einen reich ornamentierten Rundbogen mit farbigen Blüten in den Zwickeln. In der flachen Nische Gottvater über Wolken mit erhobener rechter Hand, in der linken die Weltkugel mit aufgesetztem Kreuz haltend. Darunter ein achtzeiliges Schriftfeld in Rollwerkrahmen: »ALSO SPRACH / DER HERR ZV MO / SE . ICH BIN DER / GOT DEINER VE / TER . DER GOT AB / RAHAM . VND D / ER GOT ISAAC . V / ND DER GOT JACOB«. Der Text bezieht sich auf die Berufung Moses (vgl. 2. Buch Mose, Kapitel 3, Vers 6). K.-P. A.

F 39.2

F 39.3

Abbildung

F 39.3 Umkreis der Werkstatt der Reformationsöfen, sächsisch-thüringisches Gebiet

Ofenkachel. Nach 1550

Hafnerware. 21,3 x 19 cm
Dresden, Staatliche Kunstsammlungen, Museum für Kunsthandwerk; Inv.-Nr. 10769

Die in fünffarbiger Zinn- und grüner Bleiglasur dekorierte flachgerahmte Kachel stellt unter pfeilergestützter, reliefierter Bogenarchitektur das Heilige Abendmahl dar. Graphische Vorlage für die Szene war das Blatt der Kleinen Passion von Albrecht Dürer. Die undifferenzierte, unbeholfen wirkende Ausformung steht in der Nachfolge des Grafenegger Ofens sowie des 1558 datierten Ofens, der ehemals in der Sakristei des Halberstädter Doms stand. K.-P. A.

F 40

F 40 Lucas Cranach d. J. *Abbildung*

Bildnis Martin Luthers in Ganzfigur. 1546

Bez.: Schlange mit gesenkten Flügeln und Jahreszahl; am Bogen der Nische:
AETATIS SVAE LXIII (Im 63. Lebensjahr)
Von Holz auf Leinwand übertragen. 224 x 112 cm
Aus dem alten Schweriner Schloß
Schwerin, Staatliches Museum; Inv.-Nr. G 864

Erste lebensgroße Darstellung des Reformators, gemalt im Talar eines protestantischen Predigers. Die Tafel entstand wahrscheinlich nach dem Tode Martin Luthers (18. Februar 1546) und steht im Zusammenhang mit einem im gleichen Jahre mit den Lebensdaten und einer Schrifttafel versehenen Holzschnitt Lucas Cranachs d. Ä. Im Auftrage des Kurfürsten August von Sachsen malte Lucas Cranach d. J. 1575 ein zweites Ganzfigurenbildnis Luthers für Schloß Annaberg (Kunstsammlungen der Veste Coburg, Inv.-Nr. 304).
Das Gemälde stammt aus dem alten Schloßbau und befand sich möglicherweise bereits in der unter Herzog Heinrich erbauten Kapelle. Der mit Kurfürst Johann dem Beständigen verschwägerte mecklenburgische Fürst hatte schon mit der Reformation sympathisiert und 1523 gemeinsam mit Herzog Bogislav von Pommern in Wittenberg Martin Luther aufgesucht. Nach dem Tode seines Onkels (1552) ließ Johann Albrecht I., der dem jüngeren Cranach den Erhard Gaulrap in die Lehre gab und Aufträge für Bildnisse Luthers und Melanchthons erteilte (Schade, Dresden 1974, S. 445, Nr. 423), bei Hans Lufft in Wittenberg die von Melanchthon überarbeitete mecklenburgische Kirchenordnung mit einem Titelwappen nach Cranachs Entwurf drucken. K. H.

F 41 Lucas Cranach d. J. *Abbildung*

Die falsche und die rechte Kirche. Um 1546

Bez. an der Vorderseite des Altarblockes: geflügelte Schlange
Holzschnitt. 27,8 x 38,8 cm
Unikum
Dresden, Staatliche Kunstsammlungen, Kupferstich-Kabinett; Inv.-Nr. A 66 — 28

Die bald nach Luthers Tod entstandene Darstellung ist in der Art eines Gemäldes in einen Rahmen gefaßt, welcher oben in der Mitte, zwischen zwei ornamentierten Schwüngen, das Wappen des Kurfürsten Moritz zeigt. Es ist unklar, in welchem Zusammenhang das Wappen hier auftaucht. In einem imaginären Kirchenraum, durch Steinplatten auf dem Boden, ein Fenster in der linken oberen Ecke, den Altartisch und die in der Mitte befindliche Kanzel gebildet, wird während der Predigt Luthers das Abendmahl zelebriert. Auf dem protestantisch einfachen Altartisch steht der Gekreuzigte und unter ihm das Lamm Gottes mit der Siegesfahne. Luther, der auf der Kanzel steht, weist mit der rechten Hand auf Christus, während die linke nach unten auf ein riesiges geöffnetes Maul deutet, welches die Hierarchie der katholischen Kirche, die von allerlei Teufelsgestalten geplagt wird, verschlingt. Einem alten Bericht zufolge dürfte der Holzschnitt nach einem Gemälde entstanden sein, welches sich ehemals in der Wittenberger Schloßkirche befand und 1760 bei der Zerstörung der Kirche vernichtet wurde. E. B.

F 42 Sächsischer Meister 4+ *Abbildung Seite 422*

Die Spendung des Abendmahles in beiderlei Gestalt durch Luther und Hus. 3. Viertel 16. Jahrhundert

Bez.: Namen der dargestellten Personen
Holzschnitt. 28,1 x 24,0 cm
Berlin, Hauptstadt der DDR, Staatliche Museen, Kupferstichkabinett
Neudruck vom Holzstock 184 der Sammlung Derschau
Bartsch 152

Der Meister »Vier plus« war zwischen 1554 und 1580 in Wittenberg tätig.
Das Bild ist als Bekenntnis des ernestinisch-sächsischen Fürstenhauses zu Christus gemeint, wie ihn Luther in Anknüpfung an Jan Hus verkündet hat. Zu diesem Bekenntnis gehört nach Luthers Verständnis das Abendmahl in beiderlei Gestalt, das heißt Leib und Blut Christi in Gestalt von Brot und Wein. Auf dem Altar, an dem Hus und Luther Hostie und Kelch reichen, steht ein doppelschaliger Christusbrunnen. Die Schalen haften an einem Weinstock, der im Bilde des Gekreuzigten endet. Seinen fünf Wunden entströmt das Blut, das die Schalen füllt. Diese Christus- und Abendmahlssymbolik leitet sich vornehmlich von Johannes Kapitel 6, Vers 52–58 und Kapitel 15, Vers 1–8 her. Der Altar steht in einem Kirchenraum. Die Austeilung an die Kommunikanten findet, wie es im ernestinischen Sachsen seit der Kirchenvisitation 1554/55 üblich wurde, hinter dem Altar statt. Vor Hus kniet Friedrich der Weise, Kurfürst von 1486 bis 1525, der Beschützer Luthers, vor Luther Johann der Beständige, Kurfürst von 1525 bis 1532, der Bruder und Nachfolger Friedrichs des Weisen. Zum Abendmahlsempfang stehen bereit Johann Friedrich der Großmütige (Kurfürst von 1525 bis 1547, gestorben als Herzog 1554) mit seiner Frau Sibylle und seinen Söhnen Johann Friedrich dem Mittleren, Johann Wilhelm und Johann Friedrich dem Jüngeren. Die Darstellung im Hintergrund links hat offensichtlich eine Beichte Johann Friedrichs vor Luther zum Gegenstand. H. M

F 41

F 42

F 43 Jacob Lucius *Abbildung*

Taufe Christi in der Elbe vor Wittenberg. 1555

Nicht bez.
Holzschnitt. 34,6x54,6 cm
Text in Typendruck oberhalb der Darstellung:
HISTORIA BAP TIZATI CHRISTI CONTINENS ILLVSTREM PATE/ FACTIONEM TRIVM PERSONARVM DIVINITATIS QVAM MI DEBENT ASSIDVE COGITARE IN INVOCOTATIONE
(Die Figur der Tauff vnsers Heilands Jhesu Christi / Aldo die herrliche Offenbarung der ewigen einigen Gottheit in dreien Personen geschehen ist / Welche alle Christen in der Anruffung betrachten sollen)
Unterhalb der Darstellung vierspaltiger lateinischer Text von Johannes Vuillebrochius
Berlin, Hauptstadt der DDR, Staatliche Museen, Kupferstichkabinett; Inv.-Nr. 793 — 10
Röllinger 14; Geisberg-Strauss 899

Nach den Evangelien des Matthäus (Kapitel 3, Vers 13—17) und des Lukas (Kapitel 1, Vers 9—11, und Kapitel 3, Vers 21—22) wurde Jesus Christus am Beginn seines öffentlichen Wirkens von Johannes im Jordan getauft. Dabei schwebte der Geist Gottes in Gestalt einer Taube auf ihn herab, und eine Himmelsstimme erscholl mit den Worten: »Dies ist mein lieber Sohn, an welchem ich Wohlgefallen habe.«

Seit Anfang des 3. Jahrhunderts ist das Thema in der christlichen Ikonographie nachweisbar (Wandbild in der Lucinagruft in Rom) und seitdem zu allen Zeiten in der christlichen Welt in Gebrauch gewesen. Es diente als Darstellung der Erscheinung des Gottessohnes, als Bild für die Einsetzung der Taufe, als Trinitätsdarstellung und erhielt seinen Platz in Bildfolgen zum Leben Jesu Christi und Johannes' des Täufers.
Ausgehend von Wittenberg, gewinnt dieses Thema nach Luthers Tod für die lutherische Ikonographie der zweiten Hälfte des 16. Jahrhunderts hervorragende Bedeutung. Luther selbst gab dazu mittelbar den Anstoß; denn seine Auslegung des Berichtes von der Taufe Christi 1540/41 enthält wesentliche Elemente für Wahl und Gestaltung dieses Ereignisses durch Auftraggeber und Künstler. In zwei Predigten anläßlich der Taufe Bernhards von Anhalt in Dessau am 1. und 2. April 1540 und in dem Katechismuslied »Christ unser Herr zum Jordan kam« von 1541 hat Luther das Wirken des Johannes als den zu Christus hinführenden Vorläufer und die Taufe Christi als Anfang von dessen im Kreuz sich vollendenden Erlösungswerkes dargestellt. Ein Grundgedanke der Theologie Luthers, der den »seligen Wechsel« zwischen dem sündlosen Christus und dem sündigen Menschen zum Inhalt hat, ist hier auf die Taufe angewendet. Christus nimmt die Taufe des Sünders an, damit dieser durch das Sakrament der Taufe gerettet werde. Indem sich Christus erniedrigt, offenbart sich zugleich seine Gottheit in der Einheit mit dem Vater und dem Heiligen Geist.

Luther sagt: »Weiter beschreibet der Euangelist die herrliche offenbarung (dergleichen zu vor nie gehort und gesehen ist), so uber der Tauffe Christi sichtbarlich gesehen ist, nemlich, das da die gantze Göttliche Maiestet, der Vater, Son und heiliger Geist, sich zu gleich erzeigen, und solch gros wunderwerks und Göttliche klarheit eben auff die zeit, da Christus getaufft wird, gespart ist, Uber welchem sich der Himel auffthut, und der heilig Geist er nider feret auff jn in leiblicher gestalt wie ein Taube, Und Gott selbst sich hören lesst vom Himel und spricht: ›Dis ist mein lieber Son, an dem ich wolgefallen habe‹, und er, Christus, in seiner heiligen menschheit da stehet. Welches alles umb unsern willen geschehen und geschrieben ist, das wir die liebe Tauffe hoch achten und herrlich preisen sollen, weil wir hie sehen, das sie Christus der Herr nicht allein eingesetzt und befilht zu geben, sondern auch von Johanne, seinem Diener, selbs annimpt, sencket sich ins wasser und berürts mit seinem heiligen Leibe, das er die Tauffe damit nicht allein bestetige, sondern auch heilige und vol Segens mache. Darumb wir auch nicht zweiveln sollen, das, wo und wenn die Tauffe nach Christus befelh gereicht wird, der Himmel offen stehe, und die gantze heilige Dreifaltigkeit gegenwertig sey und selbs teuffe ets.«
Dargestellt wurde die Taufe Christi, alter Tradition folgend, vorrangig an Taufsteinen, aber auch auf Altären (Weimar, Stadtkirche St. Peter und Paul, 1553/55 von Cranach d. J.; Kemberg, Stadtkirche, 1573 von Cranach d. J.) und als zentra-

Die Figur der Tauff unsers Heilands Jhesu Christi/ Aldo die herrliche Offenbarung der ewigen einigen
Gottheit in dreien Personen geschehen ist / Welche alle Christen in der Anruffung betrachten sollen.

Wie sich Gott hat zurkennen geben
Durch seinen Son / das ware leben/
Das zeigt uns diese Bildnus an.
Darumb sie billich jederman
Beschawen sol/ und mercken wol/
Wie man Gott recht erkennen sol.
Christus der ware Gottes Son
Der ewig sitzt auffs Vaters Thron
Herab in Jordan ist gekomen

Von Sanct Johans die Tauff genomen
Darbey erscheinet also bald
Der heilig Geist gar gleich gestalt
Einer Tauben vom Himel herunder
Und mert also dis grosse wunder
Der Vater selbst ist auch darbey
Bezeugt mit seiner stimme frey
Das Christus sey sein warer Son
An dem er hab gros freud und won

Den soln wir alle hörn mit vleis
Und geben jm allein den preis.
Derhalben sehe ein jeder Christ
Wenn er in angst und nöten ist
Das er jm trost und rettung such
Nicht bey Creaturn/es ist betrug
Die Götzen gar nicht helffen mögen
Ir krafft und wird ist all erlogen
Man sol allein Gott ruffen an

Wie er sich selbst hat kund gethan
Da er in drey Personen erscheint
Bleibt doch im wesen gantz vereint
Der ware Heiland Jhesu Christ
Fur unser Sünd gestorben ist
Hat gstilt darmit seins Vaters zorn
Uns allen die wir warn verlorn
Des Vaters gnad und huld erbeten
Das wir mit freuden zu jm treten

Der ist das ware Gottes Lam
Fur uns geschlacht am Creutzes stam
Wie Sanct Johannes zeiget an
Dem hat gefolgt der theure Man
Martinus Luther in Sachsen land
Da er Christum hat gmacht bekandt
Zu Wittembergk im Stedtlein klein
Die hie gecontrafeigt ist rein
Dieselbe Lehr hat auch bekent

Johans Fridrich bis an sein endt
Mit seinem Gmal und Sönen drey
Welche dir weist dis gmel dabey
Von welchen du solt lernen eben
Wie man allhie im Creutz mus leben
Und in gedult bestendig sein
Bey Gottes wort lauter und rein
Darin steht alle seligkeit/
Die geb uns Gott in ewigkeit

F 43

F 44.1

les Bildthema auf Epitaphen (Wittenberg, Stadtkirche, Epitaph für Johannes Bugenhagen, gestorben 1558). Der früheste, wohl auf 1548 zu datierende Holzschnitt von Cranach d. J. läßt Kurfürst Johann Friedrich und Luther links und rechts von der Taufe Christi – das heißt vor der geoffenbarten Trinität – niederknien. Damit ist die Taufe Christi zu einem spezifisch lutherischen Verehrungs- beziehungsweise Bekenntnisbild geworden. Man versetzte die Taufe Christi manchmal sogar in eine deutsche »Reformationslandschaft« und ließ geistliche und weltliche Bekenner und Verehrer des Evangeliums Christi auftreten. Die Taufe Christi vor Wittenberg von Jacob Lucius ist ein markantes Beispiel für diese ikonographische Entwicklung, zumal eine ausführliche Überschrift und ein langes darunterstehendes Gedicht die Darstellung im Sinne der Wittenberger Reformation beschreiben und deuten. Die Texte existieren in einer offensichtlich ursprünglichen lateinischen Fassung von Johannes Vuillebrochius (Willebroich) und einer deutschen Fassung (hier ausgestellt).
Die Taufe Christi ist in die Elbaue vor Wittenberg hineingestellt. Im Vordergrund rechts tauft Johannes Christus, auf den die Taube des Geistes herabschwebt. In der linken Bildhälfte sieht man Kurfürst Johann Friedrich mit seiner Gemahlin Sibylle und seinen drei Söhnen knien. Luther steht hinter dem Fürstenpaar und legt die Hände auf dessen Schultern. Im Gedicht wird der Tod des Fürstenpaares (1554) vorausgesetzt. Die Silhouette von Wittenberg zeigt die Stadtkirche ohne den bekannten doppelten Turmabschluß. Der Grund dafür ist, daß diese Aufbauten 1547 aus strategischen Gründen abgetragen werden mußten und erst 1555/58 wieder neu aufgesetzt wurden. So ist der Holzschnitt auf das erste Jahr der Tätigkeit von Lucius in Wittenberg (1555) anzusetzen. Ähnlich dem Weimarer Altar ist er ein Gedächtnisbild für die fromme fürstliche Familie, die durch ihre Bekenntnistreue in den Schmalkaldischen Krieg verwickelt wurde, dessen ungünstiger Ausgang der Familie persönliches Leid sowie den Verlust von Wittenberg und dem Kurkreis brachte. Wittenberg, der Ausgangspunkt der Reformation, erscheint in dieser Zeit oft als Bildhintergrund, als ein äußerlich bescheidener, aber von Gott in besonderer Weise begnadeter Ort, Bethlehem vergleichbar.
Originell ist auf dem Holzschnitt vor allem die Stellung Luthers. Er ist hier als einziger Reformator abgebildet und gegenüber der fürstlichen Familie hervorgehoben. Das ist als Dankesbezeugung gegenüber dem Reformator gemeint, der gleichsam als ein neuer Johannes durch seine Verkündigung die Menschen seiner Zeit ausschließlich an Christus gewiesen hat. H. M.

F 44.1 Anonymer Künstler *Abbildung*

Taufe Christi in der Pegnitz vor Nürnberg Um 1559

Datiert 1556 am Turm des Äußeren Laufertores,
1557 am Turm des Spittlertores
Bez.: Baulichkeiten und Personen rechts in der 2. Reihe
Holzschnitt. 37,1 x 135,7 cm
Neudruck von 5 Holzstöcken der Sammlung Derschau
Berlin, Hauptstadt der DDR, Staatliche Museen,
Kupferstichkabinett

Die Taufe Christi findet in der Pegnitz vor dem Panorama der Stadt Nürnberg und ihrer näheren Umgebung statt. Die Gebäude sind minutiös wiedergegeben und beschriftet. Das Stadtpanorama ist so wiedergegeben, daß die Taufe vor den beiden doppeltürmigen Stadtpfarrkirchen St. Lorenz und St. Sebald stattfindet, zwischen denen die Taube des Geistes herabschwebt. Mit dem Täufer korrespondiert nach alter ikonographischer Tradition ein Engel, Diener Christi und Wegleiter der im Gebet knienden Theologen Jan Hus, Martin Luther, Philipp Melanchthon, Justus Jonas. Dieser Theologengruppe entspricht auf der linken Bildhälfte eine in Gebet und Betrachtung hingegebene Gruppe von vier Männern in Ritterrüstung, die offensichtlich Moritz von Sachsen, Johann den Weisen und Georg den Frommen von Brandenburg sowie August von Sachsen darstellen. Als Bekenntnisbild wird das Blatt ausdrücklich durch die zweizeilige Inschrift in der oberen rechten Bildhälfte ausgewiesen: »Item die drey Symbola Oder Bekanntnus dess reinen wahrenn Christlichen glaubens welchen der Teuffel mit seinen glydern von anfang heer bis auf den heutigen Tag verfollgt. Einem iedem Christen gatz notig

F 44.2

zu wissen vnd alle augenblick zu betrachten.« Dieses Bild diente offenkundig als Titel für einen Plakatdruck mit den Texten der drei altkirchlichen trinitarischen Glaubensbekenntnisse, des Nicämo-Constantinopolitanum, des Apostolicum und des Athanasianum. Diese Bekenntnisse, die – wie das Taufbild zeigt – mit der Bibel übereinstimmen, wurden auch von den Lutheranern als verbindliche Grundlage ihres eigenen Bekenntnisses übernommen. H. M.

F 44.2 Monogrammist L F *Abbildung*

Taufe Christi in der Pegnitz vor Nürnberg Wohl nach 1562

Bez. u. r.: Monogramm L F
Bez: markante Baulichkeiten; o. r. zwei Textzeilen:
Item die drey Symbola Oder Bekantnis deß reinen wahrenn Christlichen glaubens welchen der Teuffel glydern / von anfang herr biß auf den heutigen Tag verfollgt.
Einen ieden Christen gatz notig zu wissen vnd alle augenblick zu betrachte
Holzschnitt. 27,0 x 100,0 cm
Berlin, Hauptstadt der DDR, Staatliche Museen, Kupferstichkabinett
Späterer Abzug von den Holzstöcken 5.1–3 der Sammlung Derschau

Dieser Holzschnitt führt die ältere Darstellung selbständig weiter. Die Taufe Christi findet wiederum in der Pegnitz vor Nürnberg statt. Das großartige Stadtbild mit den zu dieser Zeit vollendeten Rundtürmen tritt noch klarer in Erscheinung, da auf die Wiedergabe der näheren Umgebung verzichtet wurde. Links von der Wolkenglorie ist außerdem ein Engel mit der Nürnberger Wappendreiheit (Reichsadler, großes und kleines Stadtwappen) zu bemerken. Der Taufe Christi, die durch das Erscheinen Gottvaters und die Herabkunft des Geistes auf Christus wieder als Trinitätsbild aufgefaßt ist, wohnen je dreizehn geistliche und je dreizehn weltliche Bekenner der Reformation, meist in anbetender Haltung, bei. Bei den geistlichen Reformatoren bildet den Ausgangspunkt die ältere Darstellung, da die ersten vier wiederum Hus, Luther, Melanchthon und Justus Jonas sind, hier gefolgt von Caspar Cruciger, Johannes Bugenhagen, Paul Eber, Johann Forster, Johann Pfeffinger, Sebastian Fröschel. In der zweiten Reihe werden die Köpfe von Johannes Aepinus, dem aus Nürnberg gebürtigen Georg Maior und von Erasmus von Rotterdam sichtbar. Als weltliche Bekenner erscheinen die Kurfürsten und Herzöge von Sachsen (in der ersten Reihe von innen nach außen Friedrich der Weise, Johann der Beständige, Georg der Bärtige, Heinrich, Johann Friedrich der Großmütige, Johann Friedrich der Mittlere, Moritz und am Schluß August), dazwischen die Markgrafen von Brandenburg (vorn Johann der Weise und Georg der Fromme, hinten Joachim II., Albrecht und Georg Friedrich). H. M.

F 45 Erfurter Meister (?)

Modell für die Grabplatte Martin Luthers Um 1546

Relief. Lindenholz, zum großen Teil Originalfassung
H. 223 cm, Br. 111 cm
Erfurt, Andreaskirche

Die ganzfigurige Darstellung Luthers in einem talarartigen Mantel mit umgeschlagenem Kragen, ein Buch in den Händen, hebt sich als flaches Relief von dem glatten Untergrund ab. Der Kopf ist unbedeckt und zeigt die Porträtzüge, wie sie zuerst von Lucas Cranach d. Ä. und seiner Werkstatt seit 1520 in zahlreichen Werken (Graphik und Gemälden) festgehalten und verbreitet wurden. Rechts vom Kopf befindet sich Luthers Wappen (Rosenblüte mit Herz und Kreuz). Den begrenzenden Rahmen der Platte füllt eine lateinische Umschrift in Form einer erhabenen römischen Kapitale. (Im Jahre 1546 am 18. Februar wurde der hochwürdige Herr Martin Luther, Doktor der Theologie, nachdem er auch in der Todesstunde mannhaft bezeugte, daß die Lehre der Kirche, die er gelehrt hatte, die wahre und notwendige sei, und indem er seine Seele im Glauben an unseren Herrn Jesus Christus Gott anvertraute, aus diesem sterblichen Leben abberufen, im 63. Jahr seines Lebens, nachdem er in dieser Stadt die Kirche Gottes länger als 30 Jahre fromm und glücklich erbaut hatte. Sein Leib aber ist hier begraben. Jesaja 52: »Wie lieblich sind die Füße der Boten, die den Frieden verkündigen.«)

Inschrift an den Füßen aufgemalt »RENOV: EST DIE 18.JUL Ao 1672 zum Ziern maht . renov: den 27 may Ano 1727«

Die hölzerne Tafel war das Modell für Luthers erzene Grabplatte. Sie wurde wahrscheinlich von einem Erfurter Bildschnitzer geschaffen, zumal bekannt ist, daß der Rotgießer Heinrich Ziegler in Erfurt die Originalplatte in Bronze goß. Sie sollte von dort nach Wittenberg gebracht werden, um Luthers Grabstätte in der Schloßkirche zu schmücken. Doch infolge der politischen Ereignisse – die Kurwürde ging 1547 von der ernestinischen Linie der Wettiner auf die albertinische über – gehörte Wittenberg nach der Niederlage des Schmalkaldischen Bundes nicht mehr in den Herrschaftsbereich der Ernestiner, die sich auf die thüringischen Gebiete zurückziehen mußten. Die Luther-Grabplatte gelangte daher nach Jena und fand ihren endgültigen Platz in der Stadtkirche, während für Wittenberg lediglich ein Nachguß angefertigt wurde. E. Fr.

Zeittafel

1452 König Friedrich III. durch Papst Nicolaus V. in Rom zum deutschen Kaiser gekrönt.

1453 Eroberung von Konstantinopel durch die Türken; Ende des Oströmischen (Byzantinischen) Reiches.

1455 Bibeldruck von Johannes Gutenberg in Mainz in lateinischer Sprache.

1464 Errichtung der ersten Saigerhütten zur Verarbeitung des Mansfelder Kupfers.

1466 Bibeldruck von Johannes Mentelin in Straßburg in deutscher Sprache.

1470 Beginn des Silberbergbaus am Schneeberg im Erzgebirge. – Baubeginn der Albrechtsburg in Meißen.

1471 Sternwarte in Nürnberg für Regiomontanus (Johann Müller) eingerichtet, der 1474 die »Ephemerides ab anno 1475–1506« veröffentlicht, das erste gedruckte astronomische Tafelwerk.

1475 Bibeldruck von Günther Zainer in Augsburg, ihm folgt 1476 der Druck von Johann Sensenschmidt in Nürnberg.

1476 Hans Böheim, der Pfeifer von Niklashausen, in Würzburg verbrannt. – Erster Druck der »Reformatio Sigismundi«.

1477 Maximilian, der Sohn Kaiser Friedrichs III., heiratet Maria von Burgund. – Veit Stoß beginnt in Krakau die Arbeit am Marienaltar. – Bibeldruck von Anton Sorg in Augsburg, 1478 von Heinrich Quentell (?) in Köln.

1478/79 Einfall der Türken in Kärnten und der Steiermark.

1480 Erstes deutsches Humanisten-Drama »Stylpho« von Jakob Wimpheling verfaßt, das 1489 gedruckt wird.

1483 Bibeldruck von Anton Koberger in Nürnberg.
10. November: Martin Luther als Sohn des Hans Luther und seiner Frau Margarethe in Eisleben geboren.

1484 *Übersiedlung der Familie Luther nach Mansfeld.*

1484–1492 Papst Innozenz VIII. Cibo.

1485 Teilung Sachsens in Kursachsen (Wittenberg, Thüringen und Vogtland) und Herzogtum Sachsen (Meißen, Leipzig, Nordthüringen) durch Ernst und Albrecht von Wettin.

1486 Maximilian I. zum deutschen König gewählt. – Friedrich III. von Wettin, genannt der Weise, wird Kurfürst von Sachsen und regiert gemeinsam mit seinem Bruder Johann dem Beständigen.

1487 Conrad Celtis von Friedrich III. in Nürnberg zum Dichter (»poeta laureatus«) gekrönt.

1488 *Luther besucht die Lateinschule in Mansfeld.*

1492–1503 Papst Alexander VI. Borgia.

1492 Kolumbus entdeckt Kuba und Haïti. – Bußpredigten von Savonarola in Florenz. – Erster Erdglobus von Martin Behaim.

1493 Tod Kaiser Friedrichs III., Nachfolger wird Maximilian I. – Die Weltchronik von Hartmann Schedel erscheint bei Koberger in Nürnberg.

1494 Bibeldruck von Steffen Arndes in Lübeck.

1495 Reichstag zu Worms: Reichskammergerichtsordnung, Einführung einer Reichssteuer (sog. Gemeiner Pfennig).

1497 *Luther besucht die Schule der »Brüder vom gemeinsamen Leben« in Magdeburg.*

1498 Savonarola als Ketzer in Florenz verbrannt. – Gründung der Handelsgesellschaft Anton Welser, Conrad Vöhlin und Comp. in Augsburg. – Entdeckung des Seewegs nach Indien durch Vasco da Gama. – Michelangelo beginnt die Arbeiten an der Pietà (1501 vollendet). – Leonardo da Vinci vollendet das »Abendmahl« im Refektorium des Klosters Santa Maria delle Grazie zu Mailand.
Übersiedlung Luthers nach Eisenach. Besuch der Pfarrschule zu St. Georgen. Förderung durch die Bürgerfamilie Cotta.

1499 Schwabenkrieg; die Schweiz löst sich vom Reich.

1500 Reichstag zu Augsburg: Laut Reichsregimentsordnung werden die Reichsstädte als Reichsstand anerkannt. – Kurfürst Friedrich der Weise zum Generalstatthalter ernannt.

1501 *Luther studiert an der Universität Erfurt.*
»Germania« des Jakob Wimpheling erscheint. – Leonardo da Vinci arbeitet in Florenz an dem Fresko der »Anghiarischlacht«.

1502 Bundschuhverschwörung des Joß Fritz im Bistum Speyer wird bekannt. – Kolumbus entdeckt das mittelamerikanische Festland. – Gründung der Universität Wittenberg. – Johannes Stabius von Conrad Celtis an der Universität Wien zum »poeta laureatus« gekrönt. – Der Dominikaner Johann Tetzel zum Ablaßprediger bestellt.
Luther Baccalaureus der philosophischen Fakultät zu Erfurt.
Bei Koberger in Nürnberg erscheint »Das puch von der himmlischen offenbarung der Heiligen Brigitta«. – »Enchiridion militis christiani« (Handbuch des christlichen Streiters) von Erasmus von Rotterdam.

1503–1513 Papst Julius II. della Rovere.

1503 Leonardo da Vincis »Mona Lisa«.

1505 Lucas Cranach d. Ä. wird Hofmaler Kurfürst Friedrichs des Weisen. – Ulrich von Hutten flieht aus dem Kloster.
Martin Luther promoviert zum Magister artium in Erfurt, Studium der Rechte, Eintritt als Novize in das Schwarze Kloster der Augustiner-Eremiten zu Erfurt.
»Epitome rerum germanicarum« von Jakob Wimpheling: erster Versuch einer Darstellung der Geschichte Deutschlands.

1506 Gründung der Universität Frankfurt (Oder).
Martin Luther legt das Mönchsgelübde ab.
Laokoongruppe in Rom gefunden. – Donato Bramante beginnt den Neubau der Peterskirche in Rom.

1507 *Luther erhält die Priesterweihe, Theologiestudium.*
Bamberger Halsgerichtsordnung: Vereinheitlichung des Strafrechts.

1508 Maximilian nimmt zu Trient den Titel »Erwählter Römischer Kaiser« an und schließt zusammen mit dem Papst, Frankreich und Spanien die Liga von Cambrai gegen Venedig.
Luther an die theologische Fakultät in Wittenberg berufen, übernimmt vertretungsweise den Lehrstuhl für Moralphilosophie.
Michelangelo beginnt in Rom das Deckenfresko der Sixtinischen Kapelle und Raffael die Ausmalung der Stanzen im Vatikan.

1509 *Luther wird Baccalaureus der Theologie; Rückversetzung nach Erfurt, dort Lehrtätigkeit innerhalb des Ordens in Dogmatik.*
Erasmus von Rotterdam verfaßt die Satire »Stultitiae laus« (Lob der Torheit).

1510 Bürgeraufstand in Erfurt: das »tolle Jahr«. – Johannes Reuchlin verteidigt sich in Köln gegen die Anklage der Ketzerei.
Luther reist in Ordensangelegenheiten nach Rom.

1511 »Heilige Liga«: Bündnis des Papstes mit Spanien und Venedig gegen Frankreich.
Luther wird Subprior des Klosters Wittenberg und übernimmt von Johannes v. Staupitz den theologischen Lehrstuhl der Universität Wittenberg.
Grünewald beginnt den Isenheimer Altar (1514 vollendet).

1512 Reichstag zu Köln.
Luther promoviert zum Doktor der Theologie. Genesis-Vorlesung.
Raffael, Sixtinische Madonna. – »Narrenbeschwörung« und »Schelmenzunft« von Thomas Murner erscheinen.

1513–1521 Papst Leo X. Medici.

1513 Bundschuhverschwörung im Breisgau unter Joß Fritz.
Luther beginnt seine Vorlesungen über die Psalmen.

1514 Erhebung des »Armen Konrad« in Württemberg und Baden. – Albrecht von Brandenburg, seit 1513 Erzbischof von Magdeburg und Administrator des Erzbistums Halberstadt, wird Erzbischof von Mainz. – Raffael leitet den Neubau der Peterskirche in Rom. – Niccolò Macchiavelli verfaßt »Il principe« (erst 1535 gedruckt). – »Der Bundschuh« von Pamphilius Gengenbach erscheint in Basel.

1515 Bauernkrieg in Innerösterreich. – Papst Leo X. bewilligt einen Ablaß von 8 Jahren in den Diözesen Albrechts von Brandenburg. – Anleihe-Vertrag zwischen Maximilian I. und den Fuggern und Höchstettern.
Luther wird auf dem Kapiteltag zu Gotha zum Distriktvikar für Meißen und Thüringen ernannt: Aufsicht über 11 Klöster.
Tizians »Zinsgroschen«.

1516 Sebastian Brant veröffentlicht die volkstümliche Rechtssammlung »Klagspiegel«. – Erasmus von Rotterdam gibt das Neue Testament in griechischer Originalfassung und lateinischer Übersetzung heraus. – Thomas Morus: »Über die beste Staatsform und über die neue Insel Utopia«. – Ariost: »Der rasende Roland«, Satire auf das Rittertum.
Luther beginnt seine Vorlesungen über den Galaterbrief.

1516/17 Ulrich von Hutten fügt den von den Humanisten Crotus Rubianus und Hermann von der Busche verfaßten »Dunkelmännerbriefen« einen 2. Teil hinzu.

1517 *Luther veröffentlicht »Die sieben Bußpsalmen mit deutscher Auslegung nach dem schriftlichen Sinn«. – 31. Oktober: Anschlag der 95 Thesen an der Tür der Schloßkirche zu Wittenberg: Aufforderung Luthers zur akademischen Disputation über das Ablaßwesen.*
Melchior Pfinzings allegorisches Versepos »Theuerdank« erscheint in Augsburg. – Raffael beginnt die Ausmalung der Loggien im Vatikan.

1518 Leo X. ernennt Albrecht von Brandenburg zum Kardinal.
Luther disputiert auf dem Augustiner-Konvent in Heidelberg, Eröffnung des kanonischen Prozesses gegen ihn in Rom, Luther sendet Papst Leo X. seine »Resolutiones«, wird nach Rom zitiert, verweigert Gehorsam. Der päpstliche Legat Kardinal Cajetan verhört ihn deshalb auf dem Reichstag zu Augsburg. Luther verweigert einen Widerruf und flieht nach Wittenberg. Das Auslieferungsersuchen Cajetans lehnt Friedrich der Weise ab.
Einleitung der Reformation in der Schweiz durch Huldrych Zwingli. – Antrittsvorlesung Philipp Melanchthons an der Universität Wittenberg. – Adam Riese gibt das erste Lehrbuch der praktischen Rechenkunst heraus. – Jörg Ratgeb beginnt den Herrenberger Altar.

1519 Tod Kaiser Maximilians I.; Karl V. wird zum deutschen Kaiser gewählt. – Fernão de Magalhães beginnt die erste Weltumseglung. – Hernando Cortez erobert Mexiko.
Leipziger Disputation zwischen Johannes Eck Karlstadt (Andreas Bodenstein) und Martin Luther, letzterer bestreitet die Unfehlbarkeit des Papstes und der Konzilien. – Luthers »Sermon von den guten Werken« erscheint.

1520 *Ulrich von Hutten bietet Luther im Auftrage Franz von Sickingens Schutz an. – Wiederaufnahme des päpstlichen Prozesses gegen Luther. Luther veröffentlicht »Sermon von den guten Werken«. Als Antwort auf die päpstliche Bannandrohungsbulle erscheinen Programmschriften Luthers: »An den christlichen Adel deutscher Nation: Von des christlichen Standes Besserung«, »De captivitate Babylonica ecclesiae praeludium« (Von der babylonischen Gefangenschaft der Kirche), »Von der Freiheit eines Christenmenschen«. – Luther verbrennt die päpstliche Bannandrohungsbulle zusammen mit den Schriften seiner Gegner öffentlich in Wittenberg.*
Unter dem Einfluß der Zwickauer Propheten um Nikolaus Storch beginnt Thomas Müntzers eigener Weg als Führer einer Volksreformation. – Kaiserkrönung Karls V. in Aachen.

1521 *Papst Leo X. verhängt den Bann über Luther. – Reichstag zu Worms: Luther vorgeladen, verteidigt sich. – Wormser Edikt: Luther in Reichsacht getan, Verbot seiner Lehre. Kurfürst Friedrich der Weise verbirgt Luther als Junker Jörg auf der Wartburg. Beginn der Übersetzung des Neuen Testaments nach der Vulgata und der lateinischen Übersetzung des Erasmus von Rotterdam.*
Pfaffensturm in Erfurt, Bildersturm in Wittenberg unter Karlstadt. Beginn der Auflösung und Säkularisierung der Klöster. – Zweiter Aufenthalt Thomas Müntzers in Böhmen: »Prager Manifest«. – »Apologia pro Luthero« und »Loci communes rerum theologicarum« (erste systematische Darstellung der Lehre Luthers) von Melanchthon. – »Passional Christi und Antichristi« und Holzschnitt »Luther als Junker Jörg« von Lucas Cranach d. Ä. – Annaberger Bergaltar von Hans Hesse.

1522/23 Papst Hadrian VI. (Adrian Florensz aus Utrecht).

1522 *Rückkehr Luthers nach Wittenberg, wendet sich in seinen Fastenpredigten gegen die »Schwarmgeister« (Karlstadt und die Zwickauer Propheten) und gegen die Durchsetzung der Reformation durch das Volk, veröffentlicht »Eine treue Vermahnung zu allen Christen, sich zu hüten vor Aufruhr und Empörung«.*
Rittertag von Landau: Ritterbund unter Führung Franz von Sickingens gegen Fürsten und Städte.
Erscheinen des »Newen Testaments Deutzsch« (September-Testament) mit Illustrationen von Lucas Cranach d. Ä.
»Von dem großen lutherischen Narren«, Streitschrift von Thomas Murner. – Niklas Manuel Deutschs satirische Fastnachtsspiele »Vom Papst und seiner Priesterschaft« und »Vom Papst und Christi Gegen-

satz« in Basel aufgeführt. – »Von der Abtuung der Bilder, und daß keine Bettler unter den Christen sein sollen« von Karlstadt.

1523–1534 Papst Clemens VII. Medici.

1523 Nürnberger Reichstag: Anklage gegen Augsburger Firmen wegen Monopolvergehens. – Ende des Reichsritteraufstandes, Tod Franz von Sickingens und Ulrich von Huttens.
Luther gibt den 1. Teil des »Alten Testaments deutsch« heraus. Seine Schrift »Von weltlicher Obrigkeit und wie man ihr Gehorsam schuldig sei« erscheint. Vorwort Luthers zur Leisniger Kastenordnung »Radschlag wie die geystlichen Gutter zu handeln sind«.
Eröffnung der Druckerei von Cranach und Döring in Wittenberg. – Zürcher Disputation: Zwingli bewirkt, daß sich der Zürcher Rat zur Reformation bekennt. – Thomas Müntzer Pfarrer in Allstedt. – Verbrennung von Luthers Anhängern Johannes Esch und Heinrich Voes in Brüssel. – »Die Wittenbergisch Nachtigall«, Gedicht von Hans Sachs auf Luther.

1524 Beginn des Großen Deutschen Bauernkrieges mit dem Bauernaufstand in der Grafschaft Stühlingen. – 13. Juli: »Fürstenpredigt« Thomas Müntzers auf dem Schloß zu Allstedt. Allstedter Verbündnis, nach dessen Verbot Flucht Müntzers nach Mühlhausen, formuliert dort mit Heinrich Pfeiffer die »Elf Mühlhauser Artikel«. Bildung des »Ewigen Bundes Gottes«. Müntzer später in Süddeutschland, seine wichtigsten Streitschriften gegen die Fürsten »Ausgedrückte Entblößung des falschen Glaubens ...« und gegen Luther »Hochverursachte Schutzrede wider das geistlose, sanftlebende Fleisch zu Wittenberg« erscheinen in Nürnberg. Der Kampf gegen die Fürsten wird darin als Glaubenskampf zur Durchsetzung der wahren christlichen Weltordnung bezeichnet. – In Nürnberg Prozeß gegen die »drei gottlosen Maler« (Georg Pencz, Barthel und Sebald Beham).
Luther legt die Mönchskutte ab. Auseinandersetzung mit Karlstadt in Orlamünde. Schriften: »Wider die himmlischen Propheten« gegen die Wiedertäufer, »An die Ratsherren aller Städte deutschen Lands, daß sie christliche Schulen aufrichten und halten sollen«.
Johann Walther, Wittenbergisch deutsch Gesangbüchlein.

1525 Ausdehnung des Bauernkrieges auf Franken, Tirol, Elsaß, Allgäu und das Bodenseegebiet, Bauernparlament in Memmingen, »Ewiger Rat« in Mühlhausen. 14./15. Mai Schlacht bei Frankenhausen, Niederlage der Aufständischen, Hinrichtung Müntzers und Pfeiffers. – Schlacht bei Pavia: Sieg der Truppen Karls V. – Gefangennahme des französischen Königs Franz I. – Tod Friedrichs des Weisen.
Eheschließung Luthers mit der ehemaligen Zisterziensernonne Katharina von Bora. – Einleitung der Kirchenneuordnung in Sachsen mit Hilfe des Kurfürsten. – Schriften Luthers: »Ermahnung zum Frieden auf die zwölf Artikel der Bauernschaft in Schwaben«, »Wider die räuberischen und mörderischen Rotten der Bauern«, »Sendbrief vom harten Büchlein wider die Bauern«. »De servo arbitrio« (Vom unfreien Willen) als Gegenschrift zu Erasmus von Rotterdams Schrift »De liber arbitrio« (Vom freien Willen).

1526 »Tiroler Landesordnung« des Michael Gaismair. Ende des Großen Deutschen Bauernkrieges. Jörg Ratgeb als Bauernführer in Stuttgart gevierteilt, Tilman Riemenschneider in Würzburg gefangen und gefoltert. – Reichstag zu Speyer: Landesherrliches Kirchenregiment beschlossen. – Sieg der Türken bei Mohács über die Ungarn, Tod des böhmischen Königs Ludwig, Nordwestungarn und Böhmen an Habsburg. – Friede von Madrid beendet den ersten italienischen Krieg zwischen Karl V. und Franz I. um die Vorherrschaft in Italien. – Reformation in Hessen.
»Deutsche Messe« von Luther. Einzelausgaben der »Propheten« beginnen zu erscheinen.
Albrecht Dürer schenkt dem Rat von Nürnberg seine beiden Tafeln mit den »Vier Aposteln«.

1527 »Sacco di Roma«: Erstürmung und Plünderung der Ewigen Stadt durch die Truppen Karls V. – Philipp von Hessen gründet die Universität Marburg als protestantische Universität. – Melanchthons lateinische Visitationsartikel erscheinen.

1528 Karl V. überläßt den Welsern die wirtschaftliche Erschließung Venezuelas. – Mandat der kaiserlichen Reichsregierung gegen die Wiedertäufer. – Melanchthons deutscher »Unterricht der Visitatoren«.

1529 Reichstag zu Speyer: Die Evangelischen protestieren gegen die Durchführung des Wormser Edikts von 1521 (»Protestanten«). – Frieden von Cambrai beendet den zweiten italienischen Krieg. – Die Türken belagern Wien. – Marburger Religionsgespräch (Zwingli, Bucer, Melanchthon, Luther): Einigung auf 14 Artikel gemeinsamer Glaubenshaltung trotz unterschiedlicher Auffassung vom Abendmahl.
Luthers »Großer Katechismus«, sein »Traubüchlein« und die Neubearbeitung des »Taufbüchleins« von 1523 erscheinen.

1530 Kaiserkrönung Karls V. in Bologna durch Papst Clemens VII. – Reichstag zu Augsburg: Die von Melanchthon verfaßte »Augsburger Konfession« wird von den Katholiken zurückgewiesen und mit der Confutatio beantwortet.
Luther auf der Veste Coburg, Überarbeitung der Fabeln des Äsop, »Ein sendbrieff D. M. Luthers vom Dolmetzchen und Fürbitt der heiligen ...« erscheint.
»De re metallica« von Georg Agricola erscheint in Basel.

1531 Zusammenschluß protestantischer Fürsten und Reichsstädte zum »Schmalkaldischen Bund«. – Schlacht von Kappel: Sieg der katholischen Schweizer Kantone über die Reformierten, Tod Zwinglis. – »Chronica, Zeitbuch und Geschichtsbibel« von Sebastian Franck. – »Rerum Germanicarum libri tres« von Beatus Rhenanus.

1532 Nürnberger Religionsfrieden sichert den Protestanten gegen Zahlung einer Türkenhilfe bis zum nächsten Konzil Frieden in Religionsangelegenheiten zu. – Tod Kurfürst Johanns des Beständigen von Sachsen, Nachfolger wird sein Sohn Johann Friedrich der Großmütige.
Luthers »Propheten alle Deudsch« erscheinen.
Publikation der »Constitutio Criminalis Carolina«, der Strafprozeßordnung Karls V. – »Trostspiegel« von Francesco Petrarca in deutscher Übersetzung von Stahel und Spalatin erscheint. – »Chronicon« von Johannes Carion.

1533–1584 Iwan IV. Grosny (»der Schreckliche«) Zar von Rußland.

1534–1549 Papst Paul III. Farnese.

1534 Heinrich VIII. löst die englische Kirche von Rom (Anglikanische Staatskirche). – Aufstand der Wiedertäufer in Münster. Jan Bokkelson aus Leiden wird König des Täuferreichs. – Einführung der Reformation in Anhalt, Württemberg und Pommern.
Erscheinen der ersten Wittenberger Vollbibel nach der ersten Lutherbibel in niederdeutscher Sprache in Lübeck.

1535 Frankreich verliert das Herzogtum Mailand endgültig an Spanien. – Fall des Täuferreichs von Münster, Unterdrückung und Verfolgung der Wiedertäufer (Hinrichtung Jan Bockelsons 1536).

1536 Beginn des dritten italienischen Krieges. – Wittenberger Konkordie: Einigung der oberdeutschen und mitteldeutschen Protestanten auf die »Confessio Augustana«.
Begegnung Luthers mit dem päpstlichen Gesandten Vergerio in Wittenberg. – Luther formuliert in den »Schmalkaldischen Artikeln« seinen Standpunkt gegenüber den Reformierten.
»Unterricht in der christlichen Religion« von Calvin (Reformationsschrift mit der Lehre von der Prädestination).
Herausgabe der »Tischreden« Luthers.
»Erster Teil der grossen Wundartzney« von Paracelsus. – Michelangelo beginnt die Arbeit am »Jüngsten Gericht« in der Sixtinischen Kapelle. – Tod des Erasmus von Rotterdam.

1537 Gründung der ersten Steinkohlengesellschaft in Zwickau.
Schmalkaldener Bündniskonvent der evangelischen Fürsten.
Reformation in Dänemark und Norwegen.

1538 Waffenstillstand von Nizza beendet den dritten italienischen Krieg. – Zusammenschluß der katholischen Fürsten zum Nürnberger Bund.
Schmähschrift Luthers gegen Kardinal Albrecht von Brandenburg, der dem Heiligen Bund gegen die Schmalkaldischen beigetreten war.

1539 Tod Herzog Georgs des Bärtigen, Nachfolger wird sein Bruder, Herzog Heinrich der Fromme. – Reformation in der Kurmark Brandenburg und im albertinischen Sachsen. – »Frankfurter Anstand«: Übereinkunft zwischen Karl V. und dem Schmalkaldischen Bund.
Luther beginnt die Revision seiner Bibelübersetzung, der 1. Band der Gesamtausgabe seiner Schriften erscheint.

1540 Papst Paul III. bestätigt den von Ignatius von Loyola gegründeten Jesuitenorden, dessen Einfluß in Deutschland die Gegenreformation stärkt.

1541 Erneuter Einfall der Türken in Ungarn unter Soliman II. – Sog. Wurzener Fehde zwischen den Ernestinern und den Albertinern in Sachsen. – Calvin wird nach Genf zurückgerufen, der Rat der Stadt nimmt die Ordonnances ecclésiastiques an (Gemeindeverfassung).
Luthers vollständig revidierte Bibel erscheint.
»Cosmographia universalis« von Sebastian Münster.

1542 Beginn des vierten italienischen Krieges. – Erneuerung der Inquisition.

1543 »De revolutionibus orbium coelestium« (Über die Umläufe der Himmelskörper) von Nikolaus Kopernikus erschüttert das Ptolemäische Weltbild.

1544 Frieden von Crépy: Franz I. von Frankreich verzichtet auf Mailand, Neapel sowie die Lehnshoheit über Flandern und Artois, Karl V. auf die Bourgogne.
Weihe der Schloßkirche zu Torgau, des ersten protestantischen Kirchenbaus, durch Luther. – Revision der Paulinischen Briefe.

1545 Waffenstillstand Karls V. mit den Türken. – Beginn des Konzils zu Trient (sog. Tridentinum). In der ersten Sitzungsperiode des Konzils (1545/47) wird die innere Festigung der katholischen Kirche im Kampf gegen die Reformation erreicht. Beginn der Gegenreformation.
Streitschrift Luthers »Wider das Papsttum zu Rom vom Teufel gestiftet«. – Erscheinen der letzten Wittenberger Bibelausgabe von Luthers Hand.
Tod Kardinal Albrechts von Brandenburg.

1546 Schmalkaldischer Krieg zwischen Karl V. und den im Schmalkaldischen Bund zusammengeschlossenen protestantischen Fürsten.
Versöhnung der Grafen von Mansfeld durch Vermittlung Luthers. – Luther stirbt am 18. Februar in Eisleben. Beisetzung in Wittenberg am 22. Februar. – Erscheinen der Vollbibel mit den Revisionsergebnissen von 1544.

1547 Schlacht bei Mühlberg: Die Kaiserlichen schlagen das Heer des Schmalkaldischen Bundes, Kurfürst Johann Friedrich von Sachsen in Gefangenschaft, Wittenberger Kapitulation: Übergang der Kurwürde von den Ernestinern auf die Albertiner, Moritz von Sachsen erhält den Kurkreis Wittenberg. – Altar der Wittenberger Stadtkirche von Lucas Cranach d. J.

1548 Augsburger Reichstag: Annahme des Augsburger Interims, das den katholischen Ritus vorschreibt und den Protestanten nur den Laienkelch und die Priesterehe zugesteht. – Burgunder Vertrag, durch den die Niederlande eine weitgehend unabhängige Stellung im Reich gewinnen.

1549 Zürcher Consens (Verständigung zwischen Heinrich Bullinger und Johann Calvin über das Abendmahl) sichert die Einheit der schweizerischen Reformation. – Reformation in Mecklenburg.

1550–1555 Papst Julius III. (Giovan Maria Ciocchi del Monte).

1551 Bildung des Torgauer Fürstenbundes, eines Zusammenschlusses der mächtigsten protestantischen Fürsten, Beitritt des französischen Königs Heinrich II.

1552 Fürstenaufstand unter Führung des Kurfürsten Moritz von Sachsen zur Sicherung der fürstlichen Libertät gegenüber dem Kaiser. – Passauer Vertrag zwischen König Ferdinand I. in Vertretung Kaiser Karls V. und Kurfürst Moritz von Sachsen sichert den Religionsfrieden bis zum kommenden Reichstag. – Johann Friedrich von Sachsen aus der Gefangenschaft entlassen, residiert in Weimar.

1555 Reichstag zu Augsburg: Im Augsburger Religionsfrieden wird der Protestantismus reichsrechtlich anerkannt, die Stände erhalten das Recht, die Konfession ihrer Untertanen zu bestimmen. – Weimarer Altar Lucas Cranachs d. J.

1556 Karl V. dankt ab und überträgt seinem Bruder Ferdinand I. die Reichsregierung, dieser ab 1558 deutscher Kaiser.

Anmerkungen zu den Seiten 13–16

1 Vgl. M. Steinmetz: Humanismus und Reformation in ihren gegenseitigen Beziehungen. In: Kunst und Reformation, hg. v. E. Ullmann, Leipzig 1982, S. 7–21; vgl. auch G. Brendler: Das Menschenbild in der frühbürgerlichen Revolution. Ebenda S. 53–59.

2 Die komplizierten Vorgänge, die zu einer gesamtgesellschaftlichen Krise zu Beginn des 16. Jahrhunderts in Deutschland führten und auf deren Hintergrund die Reformation Luthers nur möglich wurde, vermitteln die entsprechenden Passagen des im Druck befindlichen Bandes 3 der Deutschen Geschichte, der 1983 erscheinen wird. Zu Fragen der ökonomischen Entwicklung s. ausführlicher: Illustrierte Geschichte der frühbürgerlichen Revolution, Berlin 1974, S. 8–34, 53–70; vgl. auch A. Laube: Die Herausbildung von Elementen einer Handels- und Manufakturbourgeoisie und deren Rolle in der deutschen frühbürgerlichen Revolution. In: Jb. für Geschichte des Feudalismus, Bd. 1, Berlin 1977, S. 273–303.

3 An dieser Stelle sind Gedanken des Referats »Revolutionäre Potenzen und Wirkungen der Theologie Martin Luthers« von G. Brendler verarbeitet, gehalten auf dem Kolloquium »Die Reformation in Europa« in Nyiregyháza (Ungarn) am 28. 9. 1982.

4 Vgl. Thesen über Martin Luther. In: Einheit 1981, H. 9, S. 893.

5 Zu Fragen gesellschaftlicher Art in den Flugschriften dieser Zeit vgl. A. Laube: Zur Rolle sozialökonomischer Fragen in frühreformatorischen Flugschriften. In: Flugschriften als Massenmedium der Reformationszeit. Beiträge zum Tübinger Symposium 1980, hg. v. H.-J. Köhler, Stuttgart 1981, S. 205–224.

6 Zu Karlstadts Auffassung über die Bilder in der Reformation vgl. den Beitrag aus katholischer Sicht von H. Smolinsky: Reformation und Bildersturm. Hieronymus Emsers Schrift gegen Karlstadt über die Bilderverehrung. In: Reformatio ecclesiae. Festgabe für Erwin Iserloh, hg. v. R. Bäumer, Paderborn/München/Wien/Zürich 1980, S. 427–440.

7 Die durch das Buch »Reichstadt und Reformation« von B. Moeller (Güterloh 1962) in der bürgerlichen Forschung ausgelöste Diskussion zum Charakter der Reformation in den Reichsstädten vermittelt zusammenfassend eine Tagung in London 1978; deren Ergebnisse vgl. in: Stadtbürgertum und Adel in der Reformation in England und in Deutschland, hg. v. W. J. Mommsen u. a., Stuttgart 1979, S. 25–45; vgl. auch S. Looß: Reformatorische Ideologie und Praxis im Dienst des Rates und der Bürgerschaft Straßburgs. In: Jb. für Geschichte des Feudalismus, Bd. 5, Berlin 1981, S. 255–289.

8 Zur Interpretation der Müntzerschen »Fürstenpredigt« vgl. das Nachwort von M. Steinmetz in der Faksimileausgabe der Schrift, erschienen Berlin 1975, S. 75–104.

9 Vgl. Thesen über Martin Luther. In: Einheit 1981, H. 9, S. 896.

10 Zur Kontinuität des Werkes von L. Cranach vgl. auch C. D. Anderssons: Religiöse Bilder Cranachs im Dienste der Reformation. In: Humanismus und Reformation als kulturelle Kräfte in der deutschen Geschichte, hg. v. L. W. Spitz, Berlin (West)–New York 1981, S. 43–61.

Bibliographie

Abgekürzt zitierte Literatur

Altdeutsche Zeichnungen 1972
Altdeutsche Zeichnungen. Museum der bildenden Künste Leipzig, Kat. d. Graph. Slg. 1, bearb. v. K.-H. Mehnert u. S. Ihle, Leipzig 1972

Armand
A. Armand: Les médailleurs italiens, Bd. I–III, Paris 1883–1887

Asper-Kat. Zürich 1981
Zürcher Kunst nach der Reformation. Hans Asper und seine Zeit. Kat. Ausst., Zürich 1981

Ausstellungskat. »Bauten Roms«
H. Küthmann/D. Steinhilber/I. Weber: Bauten Roms auf Münzen und Medaillen. Kat. Ausst., München 1973

Babelon
J. Babelon: La médaille et les médailleurs, Paris 1927

Bartsch
A. v. Bartsch: Le Peintre-Graveur, Bd. I-XXI, Wien 1803–1821

Benzing
J. Benzing: Lutherbibliographie, Baden-Baden 1966

Bernhart, Augsburgs Medailleure
M. Bernhart: Augsburgs Medailleure und Bildnisse Augsburger Kunsthandwerker auf Schaumünzen des 16. Jahrhunderts. In: Mitteilungen der Bayerischen Numismatischen Gesellschaft LV, 1937, S. 41–98

Bernhart, Karl V.
M. Bernhart: Die Bildnismedaillen Karls V., München 1919

Bernhart, Kunst und Künstler
M. Bernhart: Kunst und Künstler der Nürnberger Schaumünze des 16. Jahrhunderts. In: Mitteilungen der Bayerischen Numismatischen Gesellschaft LIV, 1936, S. 1–61

Bernhart und Kroha
M. Bernhart: Medaillen und Plaketten, 3., von Tyll Kroha neubearbeitete Auflage, Braunschweig 1966

Bildwerke 1972
Bildwerke aus sieben Jahrhunderten, hg. v. Staatl. Museen zu Berlin/Skulpturensammlung, Bd. II, 1972

Briquet
C. M. Briquet: Les Filigranes. Dictionnaire historique des marques du papier dès leur apparition vers 1282 jusqu'en 1600, 4 Bde., Leipzig ²1923

Corpus Nummorum Italicorum
Corpus Nummorum Italicorum, Bd. IX: Emilia; Bd. XV: Rom. Bologna o. J. (Reprint)

Cranach, Basel 1974; Cranach, Basel 1976
D. Koepplin/T. Falk: Lucas Cranach. Gemälde, Zeichnungen, Druckgraphik. Kat. Ausst. Bd. I–II, Basel 1974–1976

Demmler 1930
T. Demmler: Die Bildwerke in Holz, Stein und Ton. Großplastik, Berlin 1930

Deutsche Bildwerke 1958
Deutsche Bildwerke aus sieben Jahrhunderten, hg. v. Staatl. Museen zu Berlin/Skulpturensammlung, Bd. I, 1958

Dodgson 1903; Dodgson 1911
C. Dodgson: Catalogue of Early German and Flemish Woodcuts preserved in the Department of Prints and Drawings in the British Museum, Vol. I, London 1903; Vol. II, London 1911

Dürer, Nürnberg 1971
Albrecht Dürer. Kat. Ausst. Nürnberg, München 1971

Dürerzeit, Dresden 1971
Deutsche Kunst der Dürerzeit. Kat. Ausst., Dresden 1971

Egg
E. Egg: Die Münzen Kaiser Maximilians I., Innsbruck (1975)

Ficker
J. Ficker: Die Bildnisse Luthers aus der Zeit seines Lebens. In: Luther-Jahrbuch XVI, 1934, S. 103–161

Friedländer/Rosenberg 1932
M. J. Friedländer/J. Rosenberg: Die Gemälde von Lucas Cranach, Berlin 1932

Friedländer/Rosenberg 1979
M. J. Friedländer/J. Rosenberg: Die Gemälde von Lucas Cranach, Basel/Boston/Stuttgart 1979

Geisberg
M. Geisberg: Der deutsche Einblattholzschnitt in der ersten Hälfte des 16. Jahrhunderts, München 1923–1930

Geisberg 1974
M. Geisberg: The German Single-Leaf Woodcut. 1500–1550, rev. and ed. by W. L. Strauss, 4 Bde., New York 1974

Gemäldeverzeichnis, Berlin 1931
Beschreibendes Verzeichnis der Gemälde im Kaiser-Friedrich-Museum und Deutschen Museum, Berlin [9]1931 (= Staatl. Museen zu Berlin)

Grotemeyer
P. Grotemeyer: Die Statthaltermedaillen des Kurfürsten Friedrich des Weisen von Sachsen. In: Münchner Jahrbuch der bildenden Kunst, 3. Folge, Bd. XXI, 1970, S. 143–166

Habich
G. Habich: Die deutschen Schaumünzen des 16. Jahrhunderts, 2 Bde. in 4 Teilen, München 1929–1934

Habich, Italien
G. Habich: Die Medaillen der italienischen Renaissance, Stuttgart/Berlin (1924)

Haebler
K. Haebler, Rollen- und Plattenstempel des 16. Jahrhunderts, 2 Bde., Leipzig 1928/29 (Sammlung bibliothekswissenschaftlicher Arbeiten 41)

Hahn
E. Hahn: Jakob Stampfer, Zürich 1915

Hain
L. Hain: Repertorium bibliographicum, Bd. I–VIII. 1, Leipzig 1925–1940

Halm/Berliner 1931
P. M. Halm/R. Berliner: Das Hallesche Heiltum, Berlin 1931

Hill
G. F. Hill: A Corpus of Italian Medals of the Renaissance before Cellini, London 1930

Hill and Pollard
G. F. Hill: Medals of the Renaissance, rev. and enlarged by G. Pollard, London 1978

Hollstein
F. W. H. Hollstein: German engravings, etchings and woodcuts. ca. 1400–1700, Bd. I–VIII, Amsterdam 1954–1968

Hoffmeister
J. Hoffmeister: Beschreibung der hessischen Münzen, Medaillen und Marken, Leipzig 1862

Huszar
L. Huszar/B. Procopius: Medaillen- und Plakettenkunst in Ungarn, Budapest 1932

Katz
V. Katz: Die erzgebirgische Prägemedaille des 16. Jahrhunderts, Praha 1932

Köhler
J. D. Köhler: Historische Münz-Belustigung, Teil III, Nürnberg 1731

Kohlhaussen 1968
H. Kohlhaussen, Nürnberger Goldschmiedekunst des Mittelalters und der Dürerzeit 1240 bis 1540, Berlin 1968

Kress Collection
G. F. Hill/G. Pollard: Renaissance Medals from the Samuel H. Kress Collection at the National Gallery of Art, London 1967

Lugt
F. Lugt: Les Marques de collections de dessins & d'estampes ... Avec des notices historiques ..., 2 Bde., Le Haye 1956

Madai
D. S. Madai: Vollständiges Thaler-Cabinet, Königsberg 1765

Meder
J. Meder: Dürer-Katalog. Ein Handbuch über Dürers Stiche, Radierungen, Holzschnitte, deren Zustände, Ausgaben und Wasserzeichen, Wien 1932

Menadier, Schaumünzen
[J. Menadier:] Schaumünzen der Hohenzollern, Berlin 1901

Meuche/Neumeister
H. Meuche/I. Neumeister: Flugblätter der Reformation und des Bauernkrieges, Leipzig 1976

Panvini Rosati
F. Panvini Rosati: Italienische Medaillen und Plaketten von der Frührenaissance bis zum Ende des Barock. Kat. Ausst., Hamburg 1966

Panzer
G. W. Panzer: Annales typographici ab artis inventae origine ad annum 1500, Bd. I–XI, Nürnberg 1793–1803

Panzer DA
G. W. Panzer: Annalen der ältern deutschen Litteratur ... welche von Erfindung der Buchdruckerkunst bis 1526 in deutscher Sprache gedruckt worden sind, Bd. I–II und Zusätze, Nürnberg/Leipzig 1788–1802

Passavant
J. D. Passavant: Le peintre-graveur, Bd. I–VI, Leipzig 1860–1864

Pauli
G. Pauli: Hans Sebald Beham. Ein kritisches Verzeichnis seiner Kupferstiche, Radierungen und Holzschnitte, Strassburg 1901 (Studien zur deutschen Kunstgeschichte 33)

Pauli
G. Pauli: Barthel Beham. Ein kritisches Verzeichnis seiner Kupferstiche, Strassburg 1911 (Studien zur deutschen Kunstgeschichte 135)

Piccard
Die Kronenwasserzeichen, bearb. v. Gerhard Piccard, Stuttgart 1961

Probszt, Kärnten
G. Probszt: Die Kärntner Medaillen, Abzeichen und Ehrenzeichen, Klagenfurt 1964

Probszt, Neufahrer
G. Probszt: Ludwig Neufahrer, Wien 1960

Rash-Fabbri
N. Rash-Fabbri: A medal of Julius II. In: Numismatic Chronicle VII.15, 1975, S. 183ff.

Rasmussen 1976
J. Rasmussen: Untersuchungen zum Halleschen Heiltum des Kardinals Albrecht von Brandenburg. In: Münchner Jahrbuch der bildenden Kunst, 3. Folge, Bd. XXVII, 1976, S. 59–118

Rosenberg
J. Rosenberg: Die Zeichnungen Lucas Cranachs d. Ä., Berlin 1960

Salton Collection
The Salton Collection. Renaissance and Barock Medals and Plaquettes, Brunswick/Maine 1965

Schade 1974
W. Schade: Die Malerfamilie Cranach, Dresden 1974

Schulten
W. Schulten: Deutsche Münzen aus der Zeit Karls V., Frankfurt/M. 1974

Schultheß
K. G. v. Schultheß: Thaler-Cabinet, Wien 1840

Tentzel
W. E. Tentzel: Medaillen-Cabinet ... ernestinischer Hauptlinie, Dresden 1705

Weiss
R. Weiss: The Medals of Pope Julius II. In: Journal of the Warburg and Courtauld Institutes XXVIII, 1965, S. 163ff.

Winkler
F. Winkler: Die Zeichnungen von Albrecht Dürer, Bd. I–IV, Berlin 1936–1939

Zeitler
R. Zeitler: Frühe deutsche Medaillen 1518–1527. In: Figura, Upsala 1951, S. 27–119

Literaturnachweis zu den Katalogtexten

A 1 L. Sladeczek: Albrecht Dürer und die Illustrationen zur Schedelchronik, Baden-Baden/Straßburg 1955 – Dürer, Nürnberg 1971, Nr. 117 – Dürerzeit, Dresden 1971, S. 524 – L. v. Loga: Beiträge zum Holzschnittwerk Michel Wolgemuts. In: Jb. d. Kgl. Preuß. Kunstslg. XVI, 1895, S. 224–240

A 2 M. Thausing: Dürer, 2 Bde., Leipzig 1884 – Albrecht Dürers schriftlicher Nachlaß, hg. v. E. Heidrich, Berlin 1908 – M. J. Friedländer: Albrecht Dürer, Leipzig 1921, S. 43–53 – M. Dvořák: Dürers Apokalypse. In: Kunstgeschichte als Geistesgeschichte, München 1924, S. 193–202 – F. Stadler: Dürers Apokalypse und ihr Umkreis, München 1929 – W. Waetzoldt: Dürer und seine Zeit, Leipzig ²1936, S. 45–81 – H. Wölfflin: Die Kunst Albrecht Dürers, München ⁶1943, S. 62–81 – E. Panofsky: Albrecht Dürer, Bd. I–II, Princeton ³1948, S. 51–59 – R. Chadraba: Dürers Apokalypse, Prag 1964 – F. Juraschek: Albrecht Dürer, die Apokalypse als Herausforderung, Nürnberg 1970 – Dürer, Nürnberg 1971, S. 320–321 – E. Panofsky: Das Leben und die Kunst Albrecht Dürers, München 1977 – Albrecht Dürer. Die drei großen Bücher, hg. v. H. Appuhn, Dortmund 1979

A 3 W. Hentschel: Sächsische Plastik um 1500, Dresden 1926, S. 14, 36, Taf. 22 – S. Asche: Der Bildschnitzer Peter Breuer und die Zwickauer Kultur um 1500. Kat. Ausst., Zwickau 1935, S. 12, 26 – W. Hentschel: Peter Breuer. Eine spätgotische Bildschnitzerwerkstatt, Dresden 1951, S. 111ff., 200 – Dürerzeit, Dresden 1971, Nr. 11

A 4 H. Hymans: Le Livre des Peintres de Carel van Mander, Bd. I, Paris 1884, S. 169–175 – G. Glück: Zu einem Bilde von Hieronymus Bosch in der Figdorschen Sammlung in Wien. In: Jb. d. Kgl. Preuß. Kunstslg. XXV, 1904, S. 174ff. – G. Glück: Aus drei Jahrhunderten europäischer Malerei, Wien 1933 – L. Baldass: Hieronimus Bosch, Leipzig ³1968 – H. Holländer: Hieronymus Bosch, Weltbilder und Traumwerk, Köln 1975 – P. Reuterswärd: Hieronymus Bosch. In: Acta Universitatis Upsaliensis, 1970, S. 43–48, 274–277.

A 5 Friedländer/Rosenberg 1932, Nr. 86; 1979, Nr. 97 – 500 Jahre Kunst in Leipzig, Leipzig 1965, Nr. 85 – W. Fraenger: Hieronymus Bosch, Dresden 1972 – Cranach, Basel 1976, Nr. 308

A 6 J. Bier: Tilmann Riemenschneider, 2 Bde., Augsburg 1925–1930

A 7 Demmler 1930, S. 173 – G. A. Weber: Til Riemenschneider. Sein Leben und Wirken, Regensburg ³1911, S. 239, Abb. S. 240 – Die Kunstdenkm. d. Kgr. Bayern, Unter-Franken XIX, Stadt Aschaffenburg, München 1918, S. 60 – T. Demmler: Tilman Riemenschneider, Berlin 1923, Abb. 6 – Kat. d. Slg. Pannwitz, Bd. II, hg. v. O. v. Falke, München 1925, Nr. 116, Taf. 26 – Aus 1000 Jahren Stift und Stadt Aschaffenburg. Kat. Ausst., Aschaffenburg 1957, Nr. 280, Abb. 36 – E. Fründt: Tilman Riemenschneider (Welt der Kunst), Berlin ²1979

A 8 W. Fraenger: Jörg Ratgeb, Dresden 1972

A 9 W. L. Schreiber: Manuel de l'amateur de la gravure sur bois et sur métal au XVe siècle, Tome IV, Leipzig 1902, S. 1ff. – A. Weckwerth: Die Zweckbestimmung der Armenbibel und die Bedeutung ihres Namens. In: Zs. f. Kirchengesch., 4. Folge, Bd. LXVIII, 1957, S. 256f. – H. T. Musper: Die Urausgabe der holländischen Apokalypse und Biblia pauperum, München 1961 – Biblia pauperum, Faksimileausgabe des vierzigblättrigen Armenbibel-Blockbuches in der Bibliothek der Erzdiözese Esztergom, Berlin 1967

A 10 W. L. Schreiber: Handbuch der Holz- und Metallschnitte, Bd. IX (Manuel 4), Reprint Stuttgart ³1969, S. 264 – M. v. Hase: Hans Sporer und seine Erfurter Zeit (1494–1500). In: Archiv für Geschichte des Buchwesens VII, 1967, Sp. 1141–1152 – F. Geldner: Die deutschen Inkunabeldrucker, Bd. I, Stuttgart 1968, S. 52f.

A 11 J. D. Passavant: Le peintre-graveur, Bd. I, Leipzig 1863, S. 52 – W. L. Schreiber: Manuel de l'amateur de la gravure sur bois et sur métal au XVe siècle, Tome IV, Leipzig 1902, S. 330f., Nr. 17–48 – W. Molsdorf: Schrifteigentümlichkeiten auf älteren Holzschnitten als Hilfsmittel ihrer Gruppierung, Straßburg 1914, S. 6 – Neuerwerbungen aus sechs Jahrhunderten. Kat. Ausst. des Kupferstichkabinetts der Staatlichen Museen zu Berlin, Berlin 1967, Nr. 1

A 12 W. Eichenberger/H. Wendland: Deutsche Bibeln vor Luther. Die Buchkunst der achtzehn deutschen Bibeln zwischen 1466 und 1522, Berlin und Altenburg 1980, S. 111ff.

A 13 Demmler 1930, S. 173 – M. Loßnitzer: Veit Stoß. Die Herkunft seiner Kunst, seine Werke und sein Leben, Leipzig 1912,

S. 119f. – B. Daun: Veit Stoß und seine Schule in Deutschland, Polen, Ungarn und Siebenbürgen, Leipzig 1916, S. 23, Taf. 25 – T. Müller: Veit Stoß in Krakau. In: Münchner Jb. f. Kunstgesch., Neue Folge X, 1933, S. 48 – G. v. d. Osten: Ein Schüler des Veit Stoß am Oberrhein. In: Zs. d. Dt. Vereins f. Kunstwiss. II, 1935, S. 431ff. – S. Sommer: Der Meister des Breisacher Hochaltars. In: Zs. d. Dt. Vereins für Kunstwiss. III, 1936, S. 273 – S. Dettloff: Wit Stosz, Wrocław/Kraków 1960, S. 112, Abb. 37 – Bildwerke 1972, S. 58ff.

A 14 M. J. Friedländer: Albrecht Dürer, Leipzig 1921, S. 50f. – W. Waetzoldt: Dürer und seine Zeit, Leipzig [2]1936, S. 127–164 – H. Wölfflin: Die Kunst Albrecht Dürers, München [6]1943, S. 81–93 – E. Panofsky: Albrecht Dürer, Bd. I–II, Princton [3]1948, S. 59–61; Das Leben und die Kunst Albrecht Dürers, München 1977 – Dürer. Schriftlicher Nachlaß, hg. v. H. Rupprich, Bd. I–III, Berlin 1956 bis 1969 – Dürer, Nürnberg 1971, S. 321–324 – Albrecht Dürer. Die drei großen Bücher, hg. v. H. Appuhn, Dortmund 1979

A 15 T. Demmler: Der Kanzelträger des Deutschen Museums. In: Jb. d. Preuß. Kunstslg. LIX, 1938, S. 161ff., Abb. 2, 7, 8, 9 – A. Steinhauser: Rottweiler Künstler des 15. und 16. Jahrhunderts. Vereinsgabe d. Rottweiler Geschichts- und Altertumsvereins 1939, S. 81ff., Abb. 15, 17 – K. Oettinger: Anton Pilgram und die Bildhauer von St. Stephan, Wien 1951, S. 24ff., 103, Nr. 4, Abb. 6, 11, 13, 20, 22 – Deutsche Bildwerke 1958, S. 42–43 – W. Stähle: Steinbildwerke der Kunstsammlungen in der Lorenzkapelle zu Rottweil. In: Veröff. d. Stadtarchivs Rottweil, 1979, H. 3, S. 6

A 16 H. T. Musper: Albrecht Dürer. Der gegenwärtige Stand der Forschung, Stuttgart 1952, S. 200 – Dürer. Schriftlicher Nachlaß, hg. v. H. Rupprich, Bd. I–III, Berlin 1956–1969 – Albrecht Dürer. Schriften und Briefe, hg. v. E. Ullmann, Leipzig 1971, S. 250 – Albrecht Dürer 1471 bis 1528. Das gesamte graphische Werk. Handzeichnungen, Einl. v. W. Hütt, Berlin 1971, Nr. 190 – W. Stubbe: Unbekannte Zeichnungen altdeutscher Meister. In: Museum und Kunst. Beitr. f. Alfred Hentzen, Hamburg 1970, S. 237–259 – Dürer, Nürnberg 1971, S. 48–49

A 17 Hollstein, Nr. 28 – Dürerzeit, Dresden 1971, S. 168 – Dürer, Nürnberg 1971, S. 421 – Der Bauer und seine Befreiung. Kat. Ausst., Dresden 1975/76, Nr. 34 – G. Wiederanders: Albrecht Dürers theologische Anschauungen, Berlin 1975, S. 60

A 18 F. Lippmann: Der Kupferstich, Leipzig 1926 – W. Waetzoldt: Dürers Ritter, Tod und Teufel, Berlin 1936 – H. Schrade: Ritter, Tod und Teufel. In: Das Werk des Künstlers II, 1941/42, S. 281–372 – H. Dox: On Dürers Knight, Death and Devil, Art Bulletin, Vol. XXX, 1948, S. 67 – E. Panofsky: Albrecht Dürer, Bd. I–II, Princeton [3]1948 – A. Leinz/V. Dessauer: Savonarola und Albrecht Dürer. In: Das Münster XIV, 1961, S. 1–45 – H. Schwerte: Faust und das Faustische, Stuttgart 1962, S. 243–278, 345–354 – Dürerzeit, Dresden 1971, Nr. 332

A 19 Karsthans (1521), hg. v. H. Burckhardt. In: Flugschriften aus den ersten Jahren der Reformation, Bd. IV, H. 1, Leipzig 1910 – W. Lenck: Die Reformation im zeitgenössischen Dialog (Deutsche Bibliothek), Berlin 1968, S. 67–90 u. 253–262 – Illustrierte Geschichte der frühbürgerlichen Revolution, Berlin 1974, S. 160 – K. H. Klingenburg/H. Schnabel: Revolutionierung des gesellschaftlichen Bewußtseins. In: Dt. Kunst u. Lit. in d. frühbürgerl. Revolution, Berlin 1975, S. 112f.

A 20 Illustrierte Geschichte der frühbürgerlichen Revolution, Berlin 1974, S. 98 – Pamphilus Gengenbach, Der Bundschuh. Augsburg: Erhard Oeglin, 1514 – Panzer DA 789. Goedeke, Gengenbach S. 438 Ausgabe A. Eine der zwei bekannt gewordenen Nachdrucke der Basler Ausgabe der Offizin Gengenbachs (A). Die Ausgabe B (Panzer DA 790) soll in Straßburg erschienen sein (vgl. Short-title Catalogue of Books printed in the German-speaking Countries and German Books printed in other countries from 1455 to 1600 now in the British Museum. London 1962, S. 337–J. Benzing, Bibliographie Strasbourgeoise. T. 1. Baden-Baden 1981, S. 125, Nr. 680) – Oeglin druckte in Augsburg von 1505–1520 (?), vgl. J. Benzing, Die Buchdrucker des 16. und 17. Jahrhunderts im deutschen Sprachgebiet. 2. verb. u. erg. Aufl. Wiesbaden 1982, S. 14 (mit Lit.)

A 21.1 W. Fraenger: Dürers Gedächtnissäule für den Bauernkrieg. In: Beiträge zur sprachlichen Volksüberlieferung, Berlin 1953, S. 126–141 – Dürerzeit, Dresden 1971, S. 285f. – E. Ullmann: Die Gestalt des Bauern in der Kunst zur Zeit der frühbürgerlichen Revolution in Deutschland. In: Der Bauer und seine Befreiung. Kat. Ausst., Dresden 1975/76, S. 26–31

A 21.2 W. Scheidig: Holzschnitte des Petrarcameisters, Berlin 1955 – Der Bauer und seine Befreiung. Kat. Ausst., Dresden 1975/76, S. 52, Nr. 29

A 22 G. Pauli: Hans Sebald Beham. Nachträge zu dem kritischen Verzeichnis seiner Kupferstiche, Radierungen und Holzschnitte, Straßburg 1911 (Studien zur deutschen Kunstgeschichte 134) – Hollstein, Vol. II–III – J. Muller: Barthel Beham. Kritischer Katalog seiner Kupferstiche, Radierungen, Holzschnitte. Baden-Baden/Strasbourg 1958 (Studien zur deutschen Kunstgeschichte 318) – H. Zschelletzschky: Die »drei gottlosen Maler« von Nürnberg. In: Bildende Kunst, 1971, H. 5, S. 240–245 – Dürerzeit, Dresden 1971, S. 87f., 89ff. – Der Bauer und seine Befreiung. Kat. Ausst., Dresden 1975/76, S. 45ff.

A 23 Demmler 1930, S. 181 – Sammlung Hans Schwarz, Aukt.-Kat., Berlin 1910, Nr. 53 – J. Bier: Riemenschneiders Weihnachtsdarstellungen und das neuentdeckte Fragment im Aschaffenburger Museum. In: Aschaffenburger Jb. f. Gesch., Landeskde. und Kunst d. Untermaingebietes II, 1955, S. 167, Anm. 22, Abb. 53 – Deutsche Bildwerke 1958, S. 72

A 24 A. Pigler: Museum der bildenden Künste. Kat. Galerie Alter Meister, Budapest 1967, S. 96 – Jörg Breu. In: Kindlers Malerei Lexikon, Zürich 1964, Bd. I, S. 531f. – Dürerzeit, Dresden 1971, Nr. 91 – P. Rose: Wolf Huber and the Iconography of the Raising of the Cross. In: Tribute to W. Stechow. Print Review V, (New York) 1976, S. 136 – G. Krämer: Jörg Breu als Maler und Protestant. In: Welt im Umbruch. Augsburg zwischen Renaissance und Barock. Kat. Ausst. Bd. III, Augsburg 1981, S. 120, 121, 126f., 131f., – E. Hennecke: Neutestamentliche Apokryphen in deutscher Übersetzung, Bd. I, Tübingen [3]1959, S. 340 – Die Legenda aurea des Jacobus de Voragine, übers. v. R. Benz, Berlin 1963

A 25 Dodgson 1911, S. 315, Nr. 119 – C. Glaser: Lukas Cranach, Leipzig 1921, S. 118 – Geisberg, Nr. 601 – Lucas Cranach d. Ä. Der Künstler und seine Zeit, hg. v. H. Lüdecke, Berlin 1953, S. 108–111 – J. Jahn: Lucas Cranach als Graphiker, Leipzig 1955, S. 50–68 – Lucas Cranach. Ein großer Maler in bewegter Zeit. Kat. Ausst., Weimar 1972, Nr. 137 – Schade 1974, S. 91 – Cranach, Basel 1976, S. 554–555, Nr. 420

A 26 E. Panofsky: Albrecht Dürer, Bd. I–II, Princeton [3]1948, S. 222 – Dürer. Schriftlicher Nachlaß, hg. v. H. Rupprich, Bd. I–III, Berlin 1956–69, Bd. II, S. 104, 126 Anm. 17 – Dürer, Nürnberg 1971, S. 270 – Albrecht Dürer. Woodcuts and Woodblocks, ed. by W. L. Strauss, New York 1980, S. 132, Nr. 33

A 27 M. Thausing: Dürer. Geschichte seines Lebens und seiner Kunst, Leipzig 1884, Bd. I, S. 269 – H. Wölfflin: Die Kunst Albrecht Dürers, München 1905, S. 104 – M. J. Friedländer: Albrecht Dürer der Kupferstecher und Holzschnittzeichner, Berlin 1919, S. 146 – E. Panofsky: Albrecht Dürer. Bd. I–II, Princeton [3]1948, S. 337

B 1 M. Weinberger: Wolfgang Huber, Leipzig 1930, S. 23f. – Kunstwerke aus dem Besitz der Staatlichen Museen Berlin, Aukt.-Kat. Böhler, München 1937, Nr. 38 – Spätgotik in Salzburg. Kat. Ausst., Salzburg 1972, S. 182ff.

B 2 Cranach, Basel 1976, S. 552f., Nr. 414 (mit ausführlicher Angabe der Literatur) – Friedländer/Rosenberg 1979, Nr. 11

B 3 T. v. Frimmel: Aus den Gemäldesammlungen zu Olmütz und Kremsier. In: Kunstchronik VII, 1896, S. 6 – K. Chytill: Výstava Cranachova v Drážďanech r. 1899, Vestník České Akademie IX, 1900, S. 93 – A. Breitenbacher: Dějiny arcibiskupské obrazárny v Kroměříži, Kroměříž 1925, S. 11 – O. Benesch: Die fürsterzbischöfliche Gemäldegalerie in Kremsier. In: Pantheon I, 1928, S. 22 – A. Breitenbacher/E. Dostál: Katalog arcibiskupské obrazárny v Kroměříži, Kroměříž 1930, Kat.-Nr. 260, 267, 268 – J. Pešina: Altdeutsche Meister, Prag 1962, S. 41–44, 51, 52 – K. Stejskal: L. Cranach, Dějiny a současnost VII, 1965, Heft 3, S. IV – I. Kresk/A. Jirka/ L. Slavíček: Státní zámek Kroměříž, Katalog obrazárny, Brno 1978, Kat.-Nr. 20–23 – Friedländer/Rosenberg 1979, Nr. 73–74

B 4 F. Anzelewsky: Albrecht Dürer. Das malerische Werk, Berlin (West) 1971, S. 75–77, 212–218, Nr. 105, Abb. 133–134 (mit Literaturangaben) – E. Panofsky: Das Leben und die Kunst Albrecht Dürers, München 1977, S. 162f. – Die Denkmale der Lutherstadt Wittenberg, bearb. v. F. Bellmann/M. L. Harksen/R. Werner, Weimar 1979, S. 249f.

B 5 C. Schuchardt: Lucas Cranach des Ältern Leben und Werke, T. II, Leipzig 1851, Nr. 427 – E. Flechsig: Cranachstudien, Leipzig 1900, S. 89 – Dürer und seine Zeit. Kat. Ausst., Graz 1953 – K. Schütz: Lucas Cranach d. Ältere und seine Werkstatt. Kat. Ausst., Wien 1972, S. 19, Nr. 3 – Friedländer/Rosenberg 1979, Nr. 68

B 6 E. Flechsig: Cranachstudien, Leipzig 1900, S. 90 – Dürerzeit, Dresden 1971, Nr. 109 (mit Literaturangaben) – Friedländer/Rosenberg 1979, Nr. 85

B 7 Demmler 1930, S. 178 – J. Bier: Ein Sebastiansfragment von Tilmann Riemenschneider. Ein Beitrag zur Typologie der Riemenschneiderschen Sebastiansdarstellung. In: Münchner Jb. d. bild. Kunst, Bd. V, 1954, S. 102ff. – Deutsche Bildwerke 1958, S. 71ff.

B 8 W. Hentschel: Peter Breuer, Dresden 1951, S. 168 u. 217 – Unsere Liebe Frau. Kat. Ausst., Aachen 1958, S. 72, Nr. 120 – Deutsche Bildwerke 1958, S. 80ff.

B 9 W. Hentschel: Sächsische Plastik um 1500, Dresden 1928, S. 21 u. 45. – K. Gerstenberg: Schnitzaltäre aus der Zeit Kardinal Albrechts in der Umgebung Halles. In: Jb. d. Denkmalpflege in d. Prov. Sachsen u. in Anhalt, 1932, S. 5ff. – Restaurierte Kunstwerke in der DDR. Kat. Ausst., Berlin 1980, S. 157ff

B 10 W. Hentschel: Sächsische Plastik um 1500, Dresden 1928, S. 46 – K. Gerstenberg: Schnitzaltäre aus der Zeit Kardinal Albrechts in der Umgebung Halles. In: Jb. d. Denkmalpflege in d. Prov. Sachsen u. in Anhalt, 1932, S. 23

B 11 Demmler 1930, S. 165 – Bildwerke 1972, S. 67, Abb. 80 – K. Simon: Eine neuerworbene Holzskulptur von H. Backofen im Historischen Museum zu Frankfurt/M. In: Der Cicerone II, 1910, H. 11, S. 405 – P. Kautzsch: Hans Backoffen und seine Schule, Leipzig 1911, S. 84f., Taf. XX

B 12 Geisberg, Nr. 757 – F. Winkler: Hans von Kulmbach, Kulmbach 1959, S. 84 – Cranach, Basel 1974, S. 223f., Nr. 106

B 13 C. Schuchardt: Lucas Cranach des Ältern Leben und Werke, T. II, Leipzig 1851, S. 228f., Nr. 83; T. III, Leipzig 1871, S. 225f. – E. Flechsig: Cranachstudien, Leipzig 1900, S. 48 – Dodgson 1911, S. 302, Nr. 82 – Geisberg, Nr. 562 – Lucas Cranach. Gemälde, Zeichnungen, Druckgraphik. Kat. Ausst., Berlin (West) 1973, Nr. 131 – Cranach, Basel 1976, S. 530, Nr. 378

B 14 W. v. Seidlitz: Die gedruckten illustrierten Gebetbücher des 15. und 16. Jahrhunderts in Deutschland. In: Jb. d. Kgl. Preuß. Kunstslg. VI, Berlin 1885, S. 29f. – Dodgson 1903, S. 382f., Nr. 35

B 15 Friedländer/Rosenberg 1979, Nr. 48 – Dürerzeit, Dresden 1971, Nr. 107 (mit ausführlichen Literaturangaben) – Cranach, Basel 1976, Nr. 373

B 16 J. Theumert: Vier Mitren. In: Dresdener Kunstblätter IX, 1965, H. 12, S. 178ff.

B 17 M. Dvořák/B. Matějka: Soupis památek historických a uměleckých v politickém okrese roudnickém, sv. 27, díl 2. Zámek roudnický, v Praze 1907, S. 189f. – M. Dvořák/B. Matějka: Topographie der historischen und kunstgeschichtlichen Denkmale im Königreich Böhmen, politischer Bezirk Raudnitz, Bd. XXVII, Teil II. Raudnitzer Schloß, Prag 1910, S. 211f. – P. M. Halm/R. Berliner: Das Hallesche Heiltum, Berlin 1931, S. 66, Abb. 339, Taf. 180 – L. Letošníková: Hasištejnsko-lobkovický oltář. In: Památková péče, roč. 30, 1970, S. 81–97 – Rasmussen 1976, S. 94f., Abb. S. 95 – M. Vlk: K restauraci a rekonstrukci hasištejnsko-lobkovického perlového oltáře. In: Památky a příroda VI 1981, Nr. 1, S. 28–31

B 18 F. Winkler: Die Zeichnungen Hans Süß von Kulmbachs und Hans Leonhard Schäufeleins, Berlin 1942, Nr. 86 – Kohlhaussen 1968, S. 207, Abb. 331

B 19.1 E. W. Braun: Eine Nürnberger Goldschmiedewerkstätte aus dem Dürerkreis. In: Mitt. der Ges. f. vervielf. Kunst 1915, S. 37; Die Silberkammer eines Reichsfürsten. Das Lobkowitzsche Inventar, Leipzig 1925 – M. Rosenberg: Der Goldschmiede Merkzeichen, Frankfurt/M. [3]1922–1928 – O. v. Falke: Silberschmiedearbeiten von Ludwig Krug. In: Pantheon XI, 1933, S. 189 – J. Neudörfer: Nachrichten von Künstlern und Werkleuten, Nürnberg 1547, hg. v. G. W. K. Lochner, Wien 1875 – Kohlhaussen 1968, Nr. 399 – Kunsthandwerk der Dürerzeit. Kat. Ausst., Berlin 1971, S. 107, Abb. 43 – Rasmussen 1976, S. 94

B 19.2 M. Sauerland: Hallesche Goldschmiedearbeiten aus vier Jahrhunderten, Halle/S. 1912 – J. Kagan: Die geschnittene Muschel »Herakles und Antäos« nach einer Zeichnung von A. Dürer. In: Mitt. d. Staatl. Ermitage Leningrad, H. 34, 1972, S. 42–46 – W. L. Strauss: The Complete Drawings of Albrecht Dürer, 6 Bde., New York 1974 – J. Rasmussen: Deutsche Kleinplastik der Renaissance und des Barock, Hamburg 1975, S. 84, Abb. 5 (Bildhefte des Museums für Kunst und Gewerbe 12) – Rasmussen 1976, S. 64, 96, Abb. 35

B 20 C. Pulszky/E. Rodosics: Chefs-d'œuvre d'orfèvrerie ayant figuré à l'exposition de Budapest, Paris 1900 – Kohlhaussen 1968, Nr. 330, Abb. 374 – J. Kolba/A. Németh: Goldschmiedewerke, Budapest 1973, S. 20, 40

B 21 J.-L. Sponsel: Das Grüne Gewölbe zu Dresden, Bd. I, Leipzig 1925, S. 40 – G. E. Pazaurek: Perlmutter, Berlin 1930, S. 30, 40f.

B 22 J. Leeuwenberg/W. Halsena-Kubes: Beeldhouwkunst. In: Het Rijksmuseum, Amsterdam 1973, S. 467f., Nr. 819 – Rasmussen 1976, S. 108–110

B 23 E. A. Lapkowskaja: Angewandte Kunst des Mittelalters in der Staatlichen Ermitage. Metallerzeugnisse, Moskau 1971, Nr. 80

B 24 C. Gurlitt: Beschreibende Darstellung der älteren Bau- und Kunstdenkmäler des Königreiches Sachsen, H. 36: Pulsnitz und Kamenz, Dresden 1912, S. 40, Fig. 325

B 25 Neuzelle. Festschr. zum Jubiläum der Klostergründung vor 700 Jahren 1268–1968, hg. v. J. Fait u. J. Fritz, Leipzig 1968

B 26 H. Kühlke: Brot und Wein – Gold und Silber. Kostbares Altargerät aus Thüringer Kirchen, Berlin 1962

B 27 P. Redlich: Cardinal Albrecht von Brandenburg und das Neue Stift zu Halle, Mainz 1900, S. 254ff. – Halm/Berliner 1931, Abb. 4/5, S. 23, Nr. 5

B 28 M. Rosenberg: Der Goldschmiede Merkzeichen, Frankfurt/M. [3]1922–1928 – Kohlhaussen 1968, S. 157, Kat.-Nr. 239

B 29 und B 30 C. Gurlitt: Beschreibende Darstellung der älteren Bau- und Kunstdenkmäler des Königreiches Sachsen, H. 33: Bautzen (Stadt), Dresden 1909, S. 32f. – T. Hampe: Der Nürnberger Goldschmied Paulus Müllner als Meister des silbernen Bartholomäus von Wöhrd. In: Anz. d. Germ. Nat. Mus. 1928/29, S. 75–122 – Kohlhaussen 1968, S. 288–290 – Dürerzeit, Dresden 1971, Nr. 579, 580 – Rasmussen 1976, S. 80–89

B 32.1 Dürerzeit, Dresden 1971, Nr. 118 (mit ausführlichen Literaturangaben)

B 33 und B 34 H. Zimmermann: Lucas Cranach d. Ä. Folgen der Wittenberger Heiligtümer und die Illustrationen des Rhau'schen Hortulus animae, Halle 1929

B 35 Iwanow: Die deutsche Kunst der Renaissance im Leben der Alten Rus. Slg. d. Rüstkammer, Moskau 1925, S. 89f. – M. M. Postnikowa-Lossewa: Der Nowgoroder Silberbecher (Aus der Geschichte der russischen und der westeuropäischen Kunst), Moskau 1960, S. 184 – G. A. Markowa: Deutsche Silberkunst des 16.–18. Jahrhunderts in der Sammlung der Rüstkammer des Moskauer Kreml, Moskau 1975, Nr. 2

B 36 H. Schmitz: Die Glasgemälde des Kunstgewerbe-Museums zu Berlin I, Berlin 1913, S. 202 (Abb.) – E. Bock: Die deutschen Meister. Beschreibendes Verzeichnis sämtlicher Zeichnungen. Die Zeichnungen alter Meister im Kupferstichkabinett, hg. v. M. J. Friedländer, Berlin 1921, S. 10

B 37 Die Legenda aurea des Jacobus de Voragine, übers. v. R. Benz, Berlin 1963, S. 937–941

B 38 Sächsische Bildnerei und Malerei vom 14. Jahrhundert bis zur Reformation, hg. v. E. Flechsig, 1. Lief., Leipzig 1908, Nr. 29 – H. Deckert: Der Dom zu Merseburg und seine Kunstdenkmäler, Burg b. Magdeburg 1935 – A. Meyer: Der Dom zu Merseburg. Kat. d. Ausstattung. In: Merseburger Land, Sonderh. 14/2, 1976

B 39 Albrecht Dürer. Woodcuts and Woodblocks, ed. by W. L. Strauss, New York 1980, S. 662, Nr. X–13 (mit Literaturangaben)

B 40 W. Waetzoldt: Dürer und seine Zeit, Wien 1935, S. 295 – E. Panofsky: Albrecht Dürer, 2 Bde., Princeton [3]1948, S. 1110 – H. Wölfflin: Die Kunst Albrecht Dürers, München [6]1943, S. 238 – F. Winkler: Albrecht Dürer. Leben und Werk, Berlin 1957, S. 232 – Dürer, Nürnberg 1971, Nr. 604

B 41 H. Zschelletzschky: Die »drei gottlosen Maler« von Nürnberg, Leipzig 1975, S. 172f.

B 42 A. Pigler: Museum der Bildenden Künste. Kat. Galerie Alter Meister, Budapest 1967, S. 38 – S. Urbach: La Vierge de Douleur de Hans Baldung Grien au Musée des Beaux-Arts. In: Bulletin du Musée des Beaux-Arts Budapest XXXIV/XXXV, 1970, S. 57ff. – Dürerzeit, Dresden 1971, Nr. 54 – Kat. der ausgestellten Gemälde des 13.–18. Jahrhunderts (Gemäldegalerie Staatliche Museen zu Berlin), Berlin 1975, Nr. 603 B, S. 38 – F. G. Pariset: Grünewald et Baldung. La Table Ronde Grünewald. In: Cahiers Alsaciens d'Archéologie d'Art et d'Histoire, Strasbourg, T. XIX, 1975–1976, S. 150; Réflexions à propos de Hans Baldung Grien. In: Gazette des Beaux-Arts, T. XCIV, 1979, S. 2 – M. Mende: Hans Baldung Grien. Das graphische Werk, Unterschneidheim 1978, S. 32 – J. Végh: Deutsche Tafelbilder des 16. Jahrhunderts, Budapest 1981, 3. Ausg., Nr. 7, 8

B 43 Lucas Cranachs Sammlung von Nachbildungen seiner vorzüglichsten Holzschnitte und seiner Stiche, hg. v. F. Lippmann, Berlin 1895 – Cranach, Basel 1974, S. 58f. – P. Strieder: Folk Art Sources of Cranachs Woodcut of the Sacred Heart. In: Print Review V, (New York) 1976, S. 160–166

B 44 Dodgson 1911, S. 292, Nr. 51 – Cranach, Basel 1974, S. 60, Nr. 9

B 45 C. Schuchardt: Lucas Cranach des Ältern Leben und Werke, T. II, Leipzig 1851, Nr. 99f.; T. III, Leipzig 1871, S. 266f. – J. Vogel: Zur Cranachforschung. In: Zt. f. bild. Kunst, Neue Folge XVIII, 1907, S. 225 – E. Flechsig: Cranachstudien, Leipzig 1900, S. 48f. u. 65 – Dodgson 1911, S. 306f., Nr. 83f. – Cranach, Basel 1976, S. 459–466, Nr. 307

B 46 P. Kalkoff: Ablaß und Reliquienverehrung an der Schloßkirche zu Wittenberg unter Friedrich dem Weisen, Gotha 1907

B 47 E. Flechsig: Cranachstudien, Leipzig 1900, S. 85f. – Dürerzeit, Dresden 1971, S. 102 – Friedländer/Rosenberg 1979, Nr. 20

B 48 J. Braun: Die liturgischen Paramente in Gegenwart und Vergangenheit, Freiburg/Br. 1928

B 48.3 J. Flemming/E. Lehmann/E. Schubert: Dom und Domschatz zu Halberstadt, Berlin 1975, S. 239, Nr. 183

B 49 Altdeutsche Zeichnungen 1972, Nr. 24 (mit ausführlichen Literaturangaben)

B 50 W. Fraenger: Eine neue Zeichnung Jörg Ratgebs im Dresdener Kupferstich-Kabinett. In: Bild. Kunst 1960, S. 803–805 – Altdeutsche Zeichnungen. Kat. Ausst., Dresden 1963, S. 60, Nr. 178 – Dürerzeit, Dresden 1971, S. 259, Nr. 483 – W. Fraenger: Jörg Ratgeb. Ein Maler und Märtyrer aus dem Bauernkrieg, Dresden 1972, S. 49f., Abb. 13

B 51 Winkler, Nr. 892 – W. L. Strauss: The Complete Drawings of Albrecht Dürer, New York 1974, Bd. IV, S. 2260, Nr. 1524/5

B 52 Deutsche Handzeichnungen aus der Sammlung weiland Prinz Johann Georg Herzog zu Sachsen und aus anderem Besitz. Aukt.-Kat. 203 C. G. Boerner, Leipzig 1940, S. 93, Sammel-Nr. 1171

B 53 Z. Takács: Federskizzen von Veit Stoß. In: Mitt. d. Ges. f. vervielf. Kunst (Beilage der Graphischen Künste) 1912, Nr. 2, S. 27–30 – Z. Kępiński: Veit Stoß, Warszawa/Dresden 1981, S. 111

B 54 und B 55 U. Steinmann: Der Bilderschmuck der Stiftskirche zu Halle. Cranachs Passionszyklus und Grünewalds Erasmus-Mauritius-Tafel. In: Forschungen und Berichte/Staatliche Museen zu Berlin, Bd. XI, S. 69–104

B 56 J. Schinnerer: Die monumentale Glasmalerei zur Zeit der Frührenaissance in Nürnberg. II. In: Die christliche Kunst VI, 1909–1910, S. 328ff. – F. Stadler: Hans von Kulmbach, Wien 1936, S. 46, Nr. 122 – F. Winkler: Die Zeichnungen Hans Süß von Kulmbachs und Hans Leonhard Schäufeleins, Berlin 1942, S. 79, Nr. 81

B 57 Dodgson 1903, S. 510, Nr. 22; 1911, S. 10, Nr. 1 – H. Vollmer: Die Illustrationen des beschlossen gart des rosenkranz Mariae. In: Rep. f. Kunstwiss. 31, 1908, S. 18ff., 144ff. – Meister um Albrecht Dürer. Kat. Ausst., Nürnberg 1961, S. 56–62, Abb. S. 14

B 58 A. Mayer-Meintschel: Niederländische Malerei, 15. und 16. Jahrhundert (Gemäldegalerie Alte Meister), Kat. 1, Dresden 1966, S. 37f., Abb. 13–14

B 59 L. Cust: Barbari und Cranach d. J. In: Jb. d. Kgl. Preuß. Kunstslg. XIII, 1892, S. 142 – F. Heinemann: Giovanni Bellini e i Belliniani, 2 Bde., Venezia (1959) – Venezianische Malerei 15. bis 18. Jh. Kat. Ausst., Dresden 1968, Nr. 2 – Schade 1974, S. 23, Abb. S. 424

B 60 A. Mucsi: Katalog der alten Gemäldegalerie des christlichen Museums zu Esztergom, Budapest 1975, Nr. 132

B 61 Gemäldeverzeichnis, Berlin 1931, S. 627
B 62 A. Pigler: Museum der bildenden Künste. Kat. Galerie Alter Meister, Budapest 1967, S. 242 (mit der älteren Literatur) – K. Garas: Die Gemälde des Museums der Bildenden Künste Budapest, Leipzig 1975, S. 48. – L. Mravik: Oberitalienische Quattrocento-Gemälde, Budapest 1978, Abb. 25
B 63.1 Gemäldeverzeichnis, Berlin 1931, S. 194 – F. Winkler: Altniederländische Malerei, Berlin 1924, S. 373 – M. J. Friedländer: Die altniederländische Malerei, Bd. IV, Berlin 1926, S. 135, Nr. 42; Early Netherlandish Painting IV, Leyden 1969, S. 76, Nr. 42 – Hulin de Loo/Juste de Gand, Berruguete et la Court d'Urbino. Kat. Ausst., Gent 1957, Nr. 75, 76 – K. Arndt: Zum Werk des Hugo van der Goes. In: Münchner Jb. d. Bild. Kunst XII, 1961, S. 170; XV, 1964, S. 63ff. – D. de Vos: Primitifs Flamands Anonymes. Kat. Ausst., Brügge 1969, S. 215, Nr. 21 – Duizend Jaar Kunst en Kultuur, Kat. Ausst., Gent 1975, S. 186, Nr. 26
B 63.2 M. J. Friedländer: Altniederländische Malerei XI, Berlin 1933, S. 135, Nr. 180 A – Early Netherlandish Painting XI, Leyden 1974, S. 87, Nr. 180 A – G. Marlier: Ambrosius Benson, Damme 1957, S. 83, 13, 110
B 64 F. Winkler: Simon Benings Gebetbuch des Kardinals Albrecht von Brandenburg. In: Pantheon XIX, 1961, S. 70–78; Das Gebetbuch des Kardinals Albrecht von Brandenburg. In: Aachener Kunstbl. XXIV/XXV, 1962/63, S. 7–107 – U. Steinmann: Das Andachts-Gebetbuch vom Leiden Christi des Kardinals Albrecht von Brandenburg. In: Aachener Kunstbl. XXIX, 1964, S. 139–177 – Große Kunst aus tausend Jahren. Kat. Ausst. In: Aachener Kunstbl. XXXVI, 1968, Nr. 96 – A. W. Biermann: Die Miniaturhandschriften des Kardinals Albrecht von Brandenburg. In: Aachener Kunstbl. XLVI, 1975, S. 15–307 – W. Weber/J. M. Plotzek: Das Gebetbuch des Kardinals Albrecht von Brandenburg aus der Handschriften-Sammlung Ludwig (Mittelrheinisches Landesmuseum), Mainz 1980
B 65 H. Tietze/E. Tietze-Conrat: Der junge Dürer. Verzeichnis der Werke bis zur venezianischen Reise im Jahre 1505, Bd. II, 1. Halbbd., Basel/Leipzig 1937, Nr. 113a, S. 14f. – F. Winkler: Dürer. Leben und Werk, Berlin 1957, S. 168; Eine Pergamentmalerei von Dürer. In: Pantheon XVIII, 1960, S. 12–16 – O. Benesch: Die deutsche Malerei. Von Dürer bis Holbein, Genève 1966, S. 20 – F. Anzelewsky: Albrecht Dürer. Das malerische Werk, Berlin (West), 1971, Nr. 18, S. 125 – Altdeutsche Zeichnungen 1972, Nr. 23, S. 68f.
B 66 E. Kumsch: Die Dresdner Passionsteppiche und ihre Beziehungen zu Dürer. In: Mitt. aus d. sächs. Kunstslg. 1913, S. 19–29 – C. Emmrich: Die niederländischen Bildteppiche in der Dresdner Gemäldegalerie. In: Dresdner Kunstbl. 1963, S. 18–23 – M. Calberg: La comparution du Christ devant Pilate. Tapisserie de Bruxelles du premier quart du XVI siècle. In: Bulletin des Musées Royaux d'Art et d'Histoire 1973, S. 24ff.
B 67.1 K. Strauß: Die Kachelkunst des 15. und 16. Jahrhunderts, Straßburg 1966, Taf. 12, 2 – R. Franz: Der Kachelofen, Graz 1969, Abb. 116 – Kunsthandwerk der Gotik und Renaissance. Kat. Ausst., Dresden 1981, S. 102, Nr. 94
B 67.2 K. Strauß: Die Kachelkunst des 15. und 16. Jahrhunderts, Straßburg 1966, Taf. 12, 1 – R. Franz: Der Kachelofen, Graz 1969, Abb. 115 – Kunsthandwerk der Gotik und Renaissance. Kat. Ausst., Dresden 1981, S. 103, Nr. 93, Abb.
B 68 Winkler, Nr. 568 – W. Koschatzky/A. Strobl: Die Dürerzeichnungen der Albertina, Salzburg 1971, S. 352, Nr. 111
B 69.1 M. Thausing: Dürer. Geschichte seines Lebens und seiner Kunst, Bd. II, Leipzig 1884, S. 154 – H. Wölfflin: Die Kunst Albrecht Dürers, München 1905, S. 330 – C. Dodgson: Albrecht Dürer. Numbered Catalogue of Engravings etc., London 1926, S. 92 – E. Panofsky: Albrecht Dürer, Princeton [3]1948, Bd. I, S. 200
B 69.2 M. Thausing: Dürer. Geschichte seines Lebens und seiner Kunst, Bd. II, Leipzig 1884, S. 155 – H. Wölfflin: Die Kunst Albrecht Dürers, München 1905, S. 330 – P. Kalkoff: Zur Lebensgeschichte Albrecht Dürers. In: Rep. f. Kunstwiss. XXVIII, 1905, S. 474 – E. Panofsky: Albrecht Dürer, Princeton [3]1948, Bd. I, S. 238
B 70 E. Flechsig: Cranachstudien, Leipzig 1900, S. 59 u. 250 – C. Glaser: Lukas Cranach, Leipzig 1921, S. 134–136 – W. A. Luz: Der Kopf des Kardinals Albrecht von Brandenburg bei Dürer, Cranach und Grünewald. In: Rep. f. Kunstwiss. XLIV, 1925, S. 55f. – J. Jahn: Lucas Cranach als Graphiker, Leipzig 1955, S. 61f. – Cranach, Basel 1974, Nr. 34
B 72 G. F. Waagen: Die Gemäldesammlung in der Kaiserlichen Ermitage zu St. Petersburg nebst Bemerkungen über andere dortige Kunstsammlungen, München 1864, S. 132 – E. Flechsig: Cranachstudien, Leipzig 1900, S. 266 – Friedländer/Rosenberg 1932, S. 58, Nr. 154 – M. Liebmann: Gemälde von Lucas Cranach dem Älteren in sowjetischen Sammlungen. In: Iskusstwo II, 1973, S. 58–60 – G. S. Kislych: Die Bilder von Lucas Cranach d. Ä. in den Museen der UdSSR. In: Lucas Cranach, Künstler und Gesellschaft, Wittenberg 1973, S. 82 – Meisterwerke deutscher und russischer Malerei aus sowjetischen Museen. Kat. Ausst., Bonn 1978, S. 30–31 – Friedländer/Rosenberg 1979, Nr. 182A
B 73 Lucas Cranach – Gemälde, Zeichnungen, Druckgraphik. Kat. Ausst., Berlin (West) 1973, Nr. 61 – Cranach, Basel 1974, S. 91 – The Illustrated Bartsch, Vol XI, New York 1980, S. 317, Nr. 35
B 74 Hollstein, Nr. 8 – E. Flechsig: Cranachstudien, Leipzig 1900, S. 55f. – C. Glaser: Lukas Cranach, Leipzig 1921, S. 152 – W. Schade: Lucas Cranach. Kat. Ausst., Bukarest 1974, Nr. 73 – Cranach, Basel 1974, S. 95, Nr. 38
B 75.1 C. Schuchardt: Lucas Cranach des Ältern Leben und Werke, T. II, Leipzig 1851, S. 310, Nr. 179; T. III, Leipzig 1871, Nr. 254 – M. B. Lindau: Lucas Cranach. Ein Lebensbild aus der Zeit der Reformation, Leipzig 1883, S. 191 – E. Flechsig: Cranachstudien, Leipzig 1900, S. 63 u. 108 – Dodgson 1911, S. 317, Nr. 124 – H. Preuss: Lutherbildnisse, Leipzig o. J. – Geisberg, Nr. 639 – Hollstein, Nr. 132 a – W. Schade: Lucas Cranach. Kat. Ausst., Bukarest 1974 – Schade 1974, S. 52, Taf. 112 – Cranach, Basel 1974, S. 98, Nr. 42
B 75.2 Friedländer/Rosenberg 1932, Nr. 125; 1979, Nr. 148
B 76 J. Vogel: Luther als Junker Georg. In: Zs. f. bild. Kunst LIII, 1918, S. 57–64 – Geisberg, Nr. 302 – Dürer, Nürnberg 1971, S. 200, Nr. 382 – Cranach, Basel 1974, S. 98
B 77 M. C. Oldenbourg: Die Buchholzschnitte des Hans Baldung Grien, Baden-Baden/Strasbourg 1962, S. 125–128, Nr. 358 und nach L 200 Copie
B 78 Lesser: Briefliche Nachricht von der nicht sonderlich bekannten Satyr wider den Papst. In: Briefwechsel der Gelehrten, 27. Stück 1751, S. 417–425 – E. Friedberg: Corpus iuris canonici, 2 Bde, Leipzig 1879–1881 – H. Grisar/F. Heege: Passional Christi und Antichristi (Lutherstudien 2), Freiburg/Br. 1921 – Hollstein, Nr. 66a-z – Lucas-Cranach-Ausstellung in Weimar und Wittenberg. Kat. hg. v. Deutschen Lucas-Cranach-Komitee, Weimar 1953, Nr. 224 – Lucas Cranach. Kat. Ausst. Weimar 1972, Nr. 182 – Lucas Cranach d. Ä. 1472–1553. Das graphische Werk. Cranach-Ehrung der DDR 1972, Kat. Ausst., Nr. 106–118 – Lucas Cranach d. Ä., Passional Christi und Antichristi, hg. v. H. Schnabel, Berlin 1972 – Cranach, Basel 1974, S. 330, Nr. 218

B 79 Dodgson 1911, S. 331, Nr. 24 – A. Schramm: Die Illustration der Lutherbibel, Leipzig 1923, Taf. 24–26 – P. Schmidt: Die Illustration der Lutherbibel 1522–1700, Basel 1962, S. 104 u. 111 – Hollstein, Nr. 30 (II) – Cranach, Basel 1974, S. 331–340, Nr. 222

B 80 Dodgson 1911, S. 331 – A. Schramm: Die Illustration der Lutherbibel, Leipzig 1923, Nr. 172 – T. Falk: Die Verspottung des Hiob. In: Cranach, Basel 1974, S. 343, Nr. 230 – F. Anzelewsky: Albrecht Dürer. Das malerische Werk, Berlin (West) 1971, Nr. 72–73 – Lucas Cranach d. Ä. Das gesamte graphische Werk, Einleitung v. J. Jahn, Berlin 1972, S. 773

B 81.2 Gesamtkatalog der Wiegendrucke, hg. v. d. Kommission für den GW, Leipzig 1925 ff.

B 82 Geisberg, Nr. 967 – F. Winzinger: Albrecht Altdorfer, Graphik, München 1963, Nr. 245 – G. Stahl: Die Wallfahrt zur Schönen Maria in Regensburg. In: Beitr. zur Gesch. d. Bistums Regensburg II, 1968, S. 35–282 – Dürerzeit, Dresden 1971, S. 254, Nr. 464 – Reformation in Nürnberg. Kat. Ausst. 1979, S. 126–128, Nr. 130

B 83 Panzer DA 1480

B 85.1 150 Jahre Bibliothek des Ferdinandeums, Innsbruck 1973, Nr. 63

B 85.2 150 Jahre Bibliothek des Ferdinandeums, Innsbruck 1973, Nr. 64

B 86 Martin Luthers Werke. Kritische Gesamtausgabe, Weimar 1883 ff. (=WA); Bd. VII, Weimar 1897, S. 883 – J. Benzing: Verzeichnis der gedruckten Schriften Martin Luthers bis zu dessen Tod, Baden-Baden 1966, Nr. 931 ff. – J. Ufer: Wie zeitgenössische Flugschriften vom Reichstag zu Worms 1521 berichten. In: Ebernburg-Hefte 6./7. Folge (Mainz) 1973, S. 9, Nr. 24 – Illustrierte Geschichte der frühbürgerlichen Revolution, Berlin 1974

B 87 H. Zschelletzschky: Die »drei gottlosen Maler« von Nürnberg, Leipzig 1975, S. 222 ff.

B 88 F. Schottmüller: Die italienischen Möbel der Renaissance (Kaiser-Friedrich-Museum), Berlin 1922, S. XIV

B 89 A. Burkhard: Hans Burgkmair d. Ä., Leipzig 1932, S. 28 – H. Lutz: Conrad Peutinger, Augsburg 1958 (Abhandlungen zur Geschichte der Stadt Augsburg IX), S. 98 ff. – Dürerzeit, Dresden 1971, S. 97 – Hans Burgkmair. Das graphische Werk. Kat. Ausst. Augsburg, Stuttgart 1973, Nr. 67 – C. v. Heusinger: Burgkmair und die graphische Kunst der deutschen Renaissance. Kat. Ausst., Braunschweig 1973, S. 17 – R. Kroll/W. Schade: Hans Burgkmair, Kat. Ausst., Berlin 1974, S. 17 f.

B 117 W. Bode: Italienische Porträtskulpturen, Berlin 1890, S. 18 – F. Schottmüller: Die italienischen und spanischen Bildwerke der Renaissance und des Barock, Bd. I, Berlin/Leipzig [2]1933, S. 135 f.

B 118 W. Bode: Die italienische Plastik (Handb. d. Kgl. Museen zu Berlin), Berlin [5]1911, S. 179 – F. Schottmüller: Die italienischen und spanischen Bildwerke der Renaissance und des Barock, Bd. I, Berlin/Leipzig [2]1933, S. 176

B 119 W. Bode: Die italienischen Skulpturen der Renaissance in den Königlichen Museen zu Berlin. T. VI. Die Florentiner Marmorbilder in der zweiten Hälfte des Quattrocento. In: Jb. d. Kgl. Preuß. Kunstslg. VII, 1886, S. 23 ff. – C. v. Fabriczy: Ein unbekanntes Jugendwerk Andrea Sansovinos. In: Jb. d. Kgl. Preuß. Kunstslg. XXVII, 1906, S. 79 ff. – L. Pittoni: Jacopo Sansovino, Venedig 1909, S. 117 – F. Schottmüller: Die italienischen und spanischen Bildwerke der Renaissance und des Barock, Bd. I, Berlin/Leipzig [2]1933, S. 176

B 120 L. Dussler: Raffael. Kritisches Verzeichnis der Gemälde, Wandbilder und Bildteppiche, München 1966, S. 81

B 121 L. Dussler: Raffael. Kritisches Verzeichnis... München 1966, Nr. I 46

B 122 Gemäldeverzeichnis, Berlin 1931, S. 252 – G. Vasari: Le vite (Ausgabe Milanesi), Bd. V, S. 329 – B. Dal Pozzo: Le vite dei pittori etc. veronesi, Verona 1718, S. 247

B 123 Die Legenda aurea des Jacobus de Voragine, übers. v. R. Benz, Berlin 1963, S. 674 ff. – Gemäldeverzeichnis, Berlin 1931, S. 88 – I. A. Crowe/G. B. Cavalcaselle: I, 1912, S. 259 – B. Berenson: Italian Pictures of the Renaissance, Oxford 1932, S. 138 – R. van Marle: The Development of the Italian School of Painting, Vol. XVIII, 1936, S. 386 – G. Robertson: Vincenzo Catena, Edinburgh 1954 – J. Białostocki/M. Walicki: Europäische Malerei in polnischen Sammlungen, Warschau 1957, S. 484 – F. Heinemann: Giovanni Bellini e i Belliniani, 2 Bde., Venezia 1959, S. 101

C 1.1 E. Chmelarz: Die Ehrenpforte des Kaisers Maximilian I. In: Jb. d. kunsthist. Slg. d. Allerhöchsten Kaiserhauses IV, 1886, S. 289 ff. – W. Schmidt: Über den Anteil Wolf Trauts, H. Springinklees und A. Altdorfers an der Ehrenpforte Maximilians I. In: Chronik f. vervielfältigende Kunst IV, 1891, S. 9–13 – Dodgson 1903, S. 311 – Meder 1932, S. 205–223

C 1.2 Meder 1932, S. 232 – M. Thausing: Dürer, Bd. II, Leipzig 1884, S. 146–150 – E. Flechsig: Albrecht Dürer. Sein Leben und seine künstlerische Entwicklung, Bd. I, Berlin 1928, S. 326 – H. Wölfflin: Die Kunst Albrecht Dürers, München [6]1943, S. 295 – F. Winkler: Albrecht Dürer. Leben und Werk, Berlin 1957, S. 282 f. – Dürer. Schriftlicher Nachlaß, hg. v. H. Rupprich, 3 Bde., Berlin 1956–1969, Bd. I, S. 261 – Dürer, Nürnberg 1971, Nr. 264 – Albrecht Dürer. Woodcuts and Woodblocks, ed. by W. L. Strauss, New York 1980, Nr. 188

C 2 F. Schestag: Maximilian I. Triumph. In: Jb. d. kunsthist. Slg. d. Allerhöchsten Kaiserhauses I, 1883, S. 154–181 – L. Baldass: Der Künstlerkreis Maximilians, Wien 1923 – Maximilian I. 1459–1519. Kat. Ausst., Wien 1959, S. 69–107 – S. Appelbaum: The Triumph of Maximilian I., 137 Woodcuts by Hans Burgkmair and others, New York 1964 – F. Winzinger: Albrecht Altdorfer und die Miniaturen des Triumphzuges Kaiser Maximilian I. In: Jb. d. kunsthist. Slg. Wien LXII, 1966, S. 157–172 – F. Winzinger: Miniaturen zum Triumphzug Kaiser Maximilians I. (Veröff. d. Albertina Wien, Bd. V), Graz 1969 – Maximilian I. Kat. Ausst., Innsbruck 1969, Nr. 513, 516, 517 – Dürer, Nürnberg 1971, Nr. 263 – Hans Burgkmair. Kat. Ausst., Augsburg 1973, Nr. 204–219 – Hans Burgkmair. Kat. Ausst., Berlin 1974, Nr. 39, 1–68 – E. Panofsky: Das Leben und die Kunst Albrecht Dürers, München 1977, S. 239–243 – Der Triumphzug Kaiser Maximilians I., hg. v. H. Appuhn, Dortmund 1979

C 3 K. Feuchtmayer: Der Augsburger Bildhauer Jörg Muskat. In: Münchner Jb. d. bild. Kunst, Bd. XII, 1921/1922, S. 99 ff. – L. Planiscig: Die Bronzeplastiken, Wien 1924, Kat.-Nr. 305 – H. R. Weihrauch: Studien zur süddeutschen Bronzeplastik. IV. Augsburger Renaissance. Neptun und römische Kaiser. In: Münchner Jb. d. bild. Kunst, 3. Folge, Bd. III/IV, 1952/53, S. 203, 208 f., 212 – H. Jantzen: Kleinplastische Bronzeporträts des 15. bis 16. Jahrhunderts und ihre Formen. In: Zs. d. Dt. Vereins f. Kunstwiss., Bd. XVII, 1963, S. 115 – Maximilian I. Kat. Ausst., Wien 1959, Nr. 524

C 4 Bartsch: Dürer-Appendice – Passavant: Dürer Nr. 269 – Dodgson 1903, S. 407 ff., Nr. 78 – Geisberg, Nr. 1343 – Geisberg 1974, Nr. 1343

C 5 M. Geisberg: Holzschnittbildnisse des Kaisers Maximilian. In: Jb. d. Preuß. Kunstslg. XXXII, 1911, S. 236–248 – T. Musper: Das Original von Dürers Maximilianholzschnitt. In: Gutenberg Jb. XVII/XVIII, 1942/43, S. 214–218 – Dürer, Nürnberg 1971, Nr. 259

C 6 M. Geisberg: Holzschnittbildnisse des Kaisers Maximilian. In: Jb. d. Preuß. Kunstslg. XXXII, 1911, S. 241, Nr. 4

C 7 P. M. Halm: Studien zur süddeutschen Plastik, Bd. II, Augsburg 1927 – G. Habich: Die deutschen Schaumünzen des 16. Jahrhunderts, München 1929 – E. F. Bange: Die Kleinplastik der deutschen Renaissance in Holz und Stein, München 1928, S. 20

C 8 E. Eyssen: Daniel Hopfer, Phil. Diss. Heidelberg 1904

C 10 W. v. Seidlitz: Der Illustrator des Petrarca (Pseudo-Burgkmair). In: Jb. d. Kgl. Preuß. Kunstslg. XII, 1891, S. 166, Nr. 3 – Geisberg, Nr. 521 – A. Burkhard: Hans Burgkmair d. Ä., Leipzig 1932, Nr. 41 – Hollstein, Nr. 799 – S. Wollgast: Der deutsche Pantheismus im 16. Jahrhundert, Berlin 1972, S. 80ff. – Hans Burgkmair. Kat. Ausst., Berlin 1974, S. 20, Nr. 34

C 11 G. Eckardt: Die Gemälde in der Bildergalerie von Sanssouci, ^{2}1980, S. 43

C 12 F. Röhrig: Die Heiligsprechung Markgraf Leopold III. In: Friedrich III. Kaiserresidenz Wiener Neustadt. Kat. Ausst., Wien 1966, S. 226–230 – D. Wuttke: Ein unbekannter Einblattdruck mit Celtis Epigrammen zu Ehren der Schutzheiligen Österreichs. In: Arcadia, III, 1968, S. 195–200 – Dürer, Nürnberg 1971, S. 189f., Nr. 358 – Albrecht Dürer. Woodcuts and Woodblocks, ed. by W. L. Strauss, New York 1980, Nr. 174

C 13 Meder, S. 207–215, Abb. 143, 145

C 14 M. J. Friedländer: Albrecht Dürer, Leipzig 1921, S. 210 – H. Tietze/E. Tietze-Conrat: Kritisches Verzeichnis der Werke Albrecht Dürers, Augsburg/Basel/Leipzig, Bd. II.1, Basel/Leipzig 1937, Nr. 699 – E. Panofsky: Albrecht Dürer, Bd. I–II, Princeton ^{3}1948, Nr. 206 – Dürer, Nürnberg 1971, Nr. 583 – The Complete Engravings, Etchings and Drypoints of Albrecht Dürer, ed. by W. L. Strauss, New York ^{2}1973, S. 242, Nr. 86 – E. Panofsky: Das Leben und die Kunst Albrecht Dürers, München 1977, S. 263, 290, 293 – Vorbild Dürer. Kat. Ausst., Nürnberg 1978, Nr. 210, 211

C 15 H. Röttinger: Ergänzungen und Berichtigungen des Sebald-Beham-Kataloges Gustav Paulis, Strassburg 1927, Nr. 1114

C 16 V. Oberhammer: Bronze-Denkmäler, H. »Tirol« Nr. 12/13, Innsbruck 1930, S. 50–52 – E. Egg: Der Tiroler Geschützguß 1400–1600 (Tiroler Wirtschaftsstudien 29), Innsbruck 1961, S. 149 – H. R. Weihrauch: Die europäischen Bronzestatuetten, München 1979, S. 30

C 17 W. Bode: Albrecht Dürers Bildnis des Kurfürsten Friedrich von Sachsen. In: Jb. d. Kgl. Preuß. Kunstslg. V, 1884, S. 57ff. – C. v. Fabrizy: Adriano Fiorentino. In: Jb. d. Kgl. Preuß. Kunstslg. XXIV, 1903, S. 71ff. – P. Schubring: Die italienische Plastik des Quattrocento (Hdb. d. Kunstwiss.), Berlin 1915, S. 149

C 19 Muchall-Viebrook: Hieronymus Hopfer. In: Allgemeines Lexikon der bildenden Künstler von der Antike bis zur Gegenwart, begründet v. U. Thieme u. F. Becker, Bd. XVII, Leipzig 1924, S. 477f.

C 24 F. Schlie: Beschreibendes Verzeichniss der Werke älterer Meister in der Grossherzoglichen Gemälde-Gallerie zu Schwerin, Schwerin 1882, Nr. 159 – W. Bode: Die Grossherzogliche Gemälde-Galerie zu Schwerin, Wien 1891, S. 164 u. Abb. S. 166 – E. Flechsig: Cranachstudien, Leipzig 1900, S. 276 – Friedländer/Rosenberg 1932, Nr. 279 – H. Lüdecke: Lucas Cranach der Ältere im Spiegel seiner Zeit, Berlin (1953) – W. Hilger: Ikonographie Kaiser Ferdinand I. In: Veröff. d. Kommission f. d. Gesch. Österr. III, 1969, S. 79ff., Nr. 21, Taf. 38 – Cranach, Basel 1974, Nr. 199, Abb. 166

C 26 Gemäldeverzeichnis Berlin 1931, S. 600, Nr. 577 – J. Burckhardt: Beiträge zur Kunstgeschichte Italiens, ^{2}1911, S. 301 – G. Heinz: Das Porträtbuch des Hieronymus Beck von Leopoldsdorf. In: Jb. d. Kunsthist. Slg. Wien, Bd. LXXI, 1975, Neue Folge XXXV, S. 274, Abb. 371

C 27.2 vgl. Geisberg 129

C 28 Schade 1974, S. 22 – Reformation. Kat. d. Slg. Emanuel Stikkelberger, Basel 1977, S. 77, Nr. 408

C 30 Martin Luthers Werke, Kritische Gesamtausgabe, Weimar 1883ff. (WA) – J. Luther: Aus der Druckerpraxis der Reformationszeit. In: Zentralbl. f. Bibliothekswesen XXVII, 1910, S. 237–264, S. 243, Nr. 12 – E. Freys/H. Barge: Verzeichnis der gedruckten Schriften des Andreas Bodenstein von Karlstadt. In: Zentralbl. f. Bibliothekswesen 21, 1904, S. 153–179, 209–243, 305–323

C 31 Friedländer/Rosenberg 1979, Nr. 311 – C. Schuchardt: Lucas Cranach des Ältern Leben und Werke, T. II, Leipzig 1851, S. 288

C 32 Friedländer/Rosenberg 1979, Nr. 304 – Lucas-Cranach-Ausstellung in Weimar und Wittenberg. Kat. Ausst., Weimar 1953, Nr. 30 – Dürerzeit, Dresden 1971, Nr. 111

C 33 Friedländer/Rosenberg 1979, Nr. 305 – Lucas-Cranach-Ausstellung in Weimar und Wittenberg. Kat. Ausst., Weimar 1953, Nr. 30 – Dürerzeit, Dresden 1971, Nr. 112

C 34.1 Dürerzeit, Dresden 1971, Nr. 577

C 34.2 J. L. Sponsel: Das Grüne Gewölbe zu Dresden, Bd. III, Leipzig 1929, Taf. 1

C 35 A. Hejj-Détari: Altungarischer Schmuck, Budapest 1965, Nr. 25/2, S. 59 – Kunsthandwerk der Dürerzeit und der deutschen Renaissance. Kat. Ausst., Berlin 1971, Nr. 55, S. 113

C 36 E. Buchner: Das deutsche Bildnis der Spätgotik und der frühen Dürerzeit, Berlin 1953, S. 168, Nr. 193

C 37 E. Buchner: Das deutsche Bildnis der Spätgotik und der frühen Dürerzeit, Berlin 1953, Nr. 80, S. 84, 198 – H. Buchheit: Ulmer Bildnisse um 1500. In: Festschr. f. J. Baum, Stuttgart 1952, S. 124

C 38 M. J. Friedländer: Der Meister des Angrer-Bildnisses. In: Der Cicerone XXI, 1929, S. 1–6, Abb. 2 – Gotik in Tirol. Kat. Ausst., Innsbruck 1950, S. 73 – G. Tolzien: Meister des Angrer-Bildnisses. In: Kindlers Malerei Lexikon, Bd. I, Köln o. J., S. 113

C 39.1 und C 39.2 E. Buchner: Das deutsche Bildnis der Spätgotik und der frühen Dürerzeit, Berlin 1953, S. 19, S. 154ff., S. 215, Nr. 176, Nr. 177, Abb. 33–34 – L. Grote: Die Tucher, München 1961, S. 73f., Abb. 43–44 – Verlorene Werke der Malerei in Deutschland in der Zeit von 1939 bis 1945, bearb. v. M. Bernhard, Berlin 1965, S. 176 – H. Lüdecke: Albrecht Dürer, Leipzig 1970, Abb. 31 – P. Strieder: Dürer, Königsstein/T. 1981, S. 232, Nr. 269, Nr. 270, S. 386, Abb. S. 230f.

C 40 L. Scheibler: Ueber altdeutsche Gemälde in der kaiserlichen Galerie zu Wien. In: Rep. f. Kunstwiss. X, 1887, S. 301 – H. v. Makkovitz: Der Maler Hans zu Schwaz, Innsbruck 1960, S. 61 – Dürerzeit, Dresden 1971, S. 238, Nr. 438

C 41 Gemäldeverzeichnis Berlin 1931, S. 331, Nr. 628 – H. Busch: Meister des Nordens, Hamburg 1943, S. 110f., Abb. 557 – Deutsche Bildnisse 1500–1800. Kat. Ausst., Halle/Saale 1961, Nr. 97

C 42.1 O. v. Falke: Silberarbeiten von L. Krug. In: Pantheon IX, 1933, S. 193 – A. Hejj-Détari: Der Matthias-Corvinus-Pokal und Endres Dürer. In: Jb. d. Mus. f. Kunstgew. IX, 1966, Budapest 1967, S. 21–44 – Kohlhaussen 1968, Nr. 352, S. 309ff.

C 42.2 Kohlhaussen 1968, Nr. 355

C 42.3 M. Rosenberg: Der Golschmiede Merkzeichen, Frankfurt/M. ^{3}1922–1928 – »Staatliche Rüstkammer«, Moskau 1958,

Nr. 302 – E. I. Smirnowa: Westeuropäisches Silber. 13.–19. Jahrhundert, Rüstkammer Moskau 1964, S. 239–240 – »Staatliche Rüstkammer«, Moskau 1969, Nr. 143 – G. A. Markowa: Nürnberger Silber, Kat.-Nr. 1 – Kohlhaussen 1968, Nr. 360, Abb. 475 – Kunsthandwerk der Dürerzeit. Kat. Ausst., Berlin 1971, S. 106, Abb. 41 – G. A. Markowa: Über den Einfluß von Dürers Radierungen und Stichen auf Formen und Dekor des deutschen Silbers nach Materialien der Rüstkammer des Moskauer Kreml. In: Jb. d. Staatl. Kunstslg. Dresden 1970/71, S. 28, Abb. 2 – G. Schade: Deutsche Goldschmiedekunst, Berlin 1974, S. 104, Tafel 43 – G. A. Markowa: Über den Einfluß der Zeichnungen und Gravüren Albrecht Dürers, S. 143, Abb. 2

C 42.4 M. Rosenberg (s. Kat.-Nr. 42.3) – Kohlhaussen 1968, Nr. 367 – Dürerzeit, Dresden 1971, Nr. 567 – Kunsthandwerk der Dürerzeit, Kat. Ausst., Berlin 1971, S. 105

C 42.5 M. Rosenberg (s. Kat.-Nr. 42.3) – Inventarliste 1884–1893, Nr. 1064–1065, Tab. 206 – »Staatliche Rüstkammer«, Moskau 1958, Nr. 306 – E. I. Smirnowa: Westeuropäisches Silber. 13.–19. Jahrhundert, Rüstkammer Moskau 1964, S. 239, Abb. auf S. 241 – G. A. Markowa: Über den Einfluß der Zeichnungen und Gravüren Albrecht Dürers, S. 144, 145, Abb. 4 – G. A. Markowa: Deutsche Silberkunst des 16.–18. Jahrhunderts in der Sammlung der Rüstkammer des Moskauer Kreml, Moskau 1975, N 1 – Kohlhaussen 1968, Nr. 373, Abb. 486 – Kunsthandwerk der Dürerzeit. Kat. Ausst., Berlin 1971, S. 107, Abb. 42 – G. A. Markowa: Über den Einfluß von Dürers Radierungen und Stichen. In: Jb. d. Staatl. Kunstslg. Dresden 1970/71, S. 29, Abb. 6

C 42.6 M. Rosenberg (s. Kat.-Nr. 42.3) – Inventarliste von 1884–1893, Nr. 1027–1028, Tab. 204 – E. I. Smirnowa: Westeuropäisches Silber. 13.–19. Jahrhundert, Rüstkammer Moskau 1964, S. 239f. – G. A. Markowa: Deutsche Silberkunst des 16.–18. Jahrhunderts in der Sammlung der Rüstkammer des Moskauer Kreml, Moskau 1975, N 4 – Kohlhaussen 1968, Nr. 484, Abb. 710

C 42.7 M. Rosenberg (s. Kat.-Nr. 42.3) – Inventarliste 1884–1893, Nr. 1021–1022, Tab. 202, 203 – Staatliche Rüstkammer, Moskau 1958, Nr. 307 – E. I. Smirnowa: Eintragung im Ausgabenbuch der Staatskanzlei, S. 93–94 – G. A. Markowa: Deutsche Silberkunst des 16.–18. Jahrhunderts in der Sammlung der Rüstkammer des Moskauer Kreml, Moskau 1975, N 3 – Kohlhaussen 1968, Nr. 499, Abb. 723 – I. Weber: Deutsche, niederländische und französische Renaissanceplaketten 1500–1650, München 1975, Nr. 78, Taf. 28; Nr. 83, 84, Taf. 29; Nr. 105/1, 2, Taf. 36 – G. A. Markowa: Alte Pokale. In: Dekorative Kunst der UdSSR, 1982, Nr. 2, S. 48

C 42.8 J. L. Sponsel: Das Grüne Gewölbe zu Dresden, Bd. II, Leipzig 1928, S. 168, Taf. 9/2 – Kohlhaussen 1968, S. 495, Nr. 488 – U. Arnold: Der Lutherbecher im Grünen Gewölbe und seine Medaillen. In: Schneeberger Heimatbüchlein, 9. Folge, Schneeberg 1969, S. 33–36 – Dürerzeit, Dresden 1971, Nr. 575

C 43 J. L. Sponsel: Führer durch das Königliche Grüne Gewölbe zu Dresden, Dresden 1915, S. 128f – J. Menzhausen: Das Grüne Gewölbe, Leipzig 1968, Taf. 10 – Kohlhaussen 1968, Nr. 416, S. 398ff.

C 44.1 M. v. Ehrenthal: Führer durch das Historische Museum Dresden, Dresden 1899, E 571 – J. Schöbel: Ein Kalenderschwert aus dem Besitz Friedrich des Weisen. In: Jb. d. Staatl. Kunstslg. Dresden 1967, S. 115ff. – Dürerzeit, Dresden 1971, Nr. 644

C 44.2 M. v. Ehrenthal: Führer durch das Historische Museum Dresden, Dresden 1899, E 574 – H. Starke: Ein Prunkschwert der deutschen Frührenaissance. In: Dresdener Kunstbl. 1971, S. 145ff. – Dürerzeit, Dresden 1971, Nr. 647 – J. Schöbel: Prunkwaffen aus dem Historischen Museum Dresden, Leipzig 1972, Nr. 43b

C 44.3 M. v. Ehrenthal: Führer durch das Historische Museum Dresden, Dresden 1899, E 619 – E. Haenel: Kostbare Waffen aus der Dresdener Rüstkammer, Dresden 1923, Taf. 67b – Dürerzeit, Dresden 1971, Nr. 648

C 45 R. Kroll: Scheide eines Schweizerdolches. In: Dürerzeit, Dresden 1971, Nr. 399 (mit Angabe der älteren Literatur)

C 46 R. Schaffer: Die Siegel und Wappen der Reichsstadt Nürnberg. In: Zs. f. bayr. Landesgesch. X, 1937, S. 180/181 – Dürer. Schriftl. Nachlaß, hg. v. H. Rupprich, Bd. I, Berlin 1956, S. 209 – Dürer, Nürnberg 1971, Nr. 232, S. 131 – Albrecht Dürer. Woodcuts and Woodblocks, ed. by W. L. Strauss, New York 1980, Nr. 174

C 48 H. Tietze/E. Tietze-Conrat: Kritisches Verzeichnis der Werke Albrecht Dürers, 2 Bde., Augsburg/Basel/Leipzig 1928–1938

C 49.1 A. Suhle: Die deutsche Renaissance-Medaille, Leipzig (1950) – H. Tietze/E. Tietze-Conrat (s. o. C 48)

C 50.1 P. Leemann-van Elck: Zur Zürcher Druckgeschichte (Bibliothek der Schweizer Bibliophilen II) III, Bern 1934, S. 36; Die zürcherische Buchillustration von den Anfängen bis um 1850, Zürich 1952, S. 72 – Asper-Kat. Zürich 1981, S. 21, Abb. 7

C 50.2 H. Zschelletzschky: Die »drei gottlosen Maler« von Nürnberg, Leipzig 1975, S. 194–199

C 51/C 52 T. Frimmel: Kleine Galeriestudien I, Bamberg 1892, S. 251 – W. Worringer: Lucas Cranach, Leipzig 1908, S. 26 – M. Lehrs: Geschichte und kritischer Katalog des deutschen, niederländischen und französischen Kupferstichs im XV. Jahrhundert, 9 Text- u. 9 Tafelbde., Wien 1908–1934 – C. Glaser: Lukas Cranach, Leipzig 1921, S. 234 – A. de Hevesy: Jacopo de Barbari. Le maître au Caducée, Paris/Bruxelles 1925, S. 27 – Friedländer/Rosenberg 1932, Nr. 131, 132, S. 55 – R. van Marle: Iconographie de l'art profane ... Allégories et symboles, Den Haag 1932, Bd. II, S. 476 – H. Posse: Lucas Cranach der Ältere, Wien 1942, S. 30, Nr. 57, 59 – L. Servolini: Jacopo de' Barbari, Padova 1944, S. 124 – G. Marlier: Erasme et la peinture flamande de son temps, Damme (1954), S. 231 – J. Pešina: Alt-deutsche Meister von Hans von Tübingen bis Dürer und Cranach, Prag 1962, S. 61 – A. Pigler: Museum der bildenden Künste. Kat. Galerie Alter Meister, Budapest 1967, S. 161f. – Trésors du Musée de Budapest. Kat. Ausst., Bordeaux 1972, Nr. 10 – Lucas Cranach. Gemälde, Zeichnungen, Druckgraphik. Kat. Ausst., Berlin (West) 1973, S. 27 – L. A. Silver: The Ill-Matched Pairs by Quinten Massys. In: Studies in the History of Art, vol. VI, Washington 1974, S. 109 – A. G. Stewart: Unequal Lovers. A Study of Unequal Couples in Northern Art, New York 1977, Nr. 17, S. 83, 144, 145 – Friedländer/Rosenberg 1979, Nr. 154, 155 – J. Végh: Deutsche Tafelbilder d. 16. Jh., Budapest 1981, Nr. 29

C 53 Demmler 1930, S. 365ff. – P. M. Halm: Adolf Daucher und die Fuggerkapelle zu St. Anna in Augsburg, München/Leipzig 1921, S. 39ff. – N. Lieb: Die Fugger und die Kunst im Zeitalter der Spätgotik und frühen Renaissance, München 1952 – J. Baum: Adolf Daucher in neuer Beleuchtung. In: Festschr. f. H. Vollmer, Leipzig 1957, S. 149ff. – Bildwerke 1972, S. 73ff.

C 54 Dodgson 1903, S. 541, zu Nr. 36 – H. Röttinger: Peter Flettners Holzschnitte, Straßburg 1916, S. 59, Nr. 29 – Geisberg, Nr. 14 – E. F. Bange: Peter Flötner, Leipzig 1926, S. 12 – Hollstein, Nr. 32 – W. Brückner: Deutschland vom 15. bis zum 20. Jahrhundert, München 1969, S. 48, 204 – W. Hütt: Deutsche Malerei und Grafik der frühbürgerlichen Revolution, Leipzig 1973, S. 198 – Meuche/Neumeister, S. 82f., B 10

C 55 Meuche/Neumeister, S. 108f., Taf. 46 – Geisberg 1974, Bd. II, S. 747

C 56 Meuche/Neumeister, S. 92f., Taf. 23 – Geisberg 1974, Nr. 1172

C 57 H. Röttinger: Die Holzschnitte des Georg Pencz, Leipzig 1914, S. 1 ff., S. 44f., Nr. 35 – Geisberg, Nr. 26 – Meuche/Neumeister, S. 85 f., B 13 – Die Welt des Hans Sachs. Kat. Ausst., Nürnberg 1976, S. 149, Nr. 150

C 58 H. Röttinger: Die Holzschnitte des Georg Pencz, Leipzig 1914, S. 4, 41, Nr. 23 – Geisberg 1974, Nr. 1005 – Meuche/Neumeister, S. 86f., B 14

C 59 Geisberg, Nr. 977 – Geisberg 1974, Nr. 977

C 60 Hans Sachs, hg. v. A. v. Keller/E. Goetze, Bd. XXIII (Bibliothek des literarischen Vereins in Stuttgart 207), Tübingen 1895, S. 506–508 – H. Zschelletzschky: Die »drei gottlosen Maler« von Nürnberg, Leipzig 1975, S. 230–234 – Reformation in Nürnberg. Umbruch und Bewahrung. Kat. Ausst., Nürnberg 1979, S. 94, Nr. 116

C 61.1 Aristoteles' Politik, übers. v. C. u. A. Stahr, Berlin [2]1900, (Langenscheidtsche Bibliothek 23), S. 205 f. – Aukt.-Kat. Sotheby London, 26. 2. 1981, Nr. 55

C 61.3 H. Röttinger: Erhard Schön und Niklas Stör, Straßburg 1925, S. 124, Nr. 144 – Meuche/Neumeister, S. 88, B 16

C 62 Dürerzeit, Dresden 1971, Nr. 368 – W. Fraenger: Der Teppich von Michelfeld. In: Von Bosch bis Beckmann, Dresden 1977 (Fundus-Bücher 47/48), S. 40–70

D 1 Dürerzeit, Dresden 1971, Nr. 444 (mit ausführlichen Literaturangaben)

D 2 Dürerzeit, Dresden 1971, Nr. 446 – Altdeutsche Zeichnungen 1972, Nr. 31

D 3 L. Roblot-Delondre: Portraits d'infantes, Paris/Bruxelles 1913, S. 32 f. – B. Lázás: Studien zur Kunstgeschichte, Wien 1917, S. 61 f. – G. Glück: Bildnisse aus dem Hause Habsburg. 2. Königin Maria von Ungarn. In: Jb. d. Kunstslg. in Wien, Neue Folge VIII, 1934, S. 173 – E. Buchner: Das deutsche Bildnis der Spätgotik und der frühen Dürerzeit, Berlin 1953, S. 114, 179 – A. Stange: Deutsche Malerei der Gotik, Bd. XI, München/Berlin 1962, S. 44 – A. Pigler: Museum der bildenden Künste. Kat. Galerie Alter Meister, Budapest 1967, S. 517f. – W. v. Stromer: Die Bildnisse der Ehinger und der Peter Stromair und Georg von Ehingens Reisen nach der Ritterschaft. In: Waffen- und Kostümkunde X, 1968, S. 99 – Herbst des Mittelalters. Kat. Ausst., Budapest 1971, Nr. 24 – Trésors du Musée de Budapest. Kat. Ausst., Bordeaux (Galerie des Beaux-Arts) 1972, Nr. 23 – Porträtgalerie zur Geschichte Österreichs von 1400 bis 1800. Führer durch das Kunsthistorische Museum, Wien 1976, Nr. 5, S. 48 – J. Végh: Deutsche Malerei des 16. Jahrhunderts, Budapest 1981, Tafel 1 – R. Perger: Das verschollene Porträt des Ladislaus Postumus im Wiener Stephansdom, ein Werk des Hans Hohenbaum, alias Hans von Zürich. In: Österr. Zs. f. Kunst u. Denkmalpflege XXXV, 1981, H. 4/4, S. 86 u. 88

D 4 K. Woermann: Kat. d. Kgl. Gemäldegalerie zu Dresden, Große Ausgabe, Dresden [7]1908, S. 617

D 5 P. Ganz: Hans Holbein. Die Gemälde, Basel 1949, Nr. 49, Taf. 86 – Dürerzeit, Dresden 1971, Nr. 393

D 6 P. Ganz: Hans Holbein. Die Handzeichnungen Hans Holbeins d. J., Berlin 1937, Nr. 38 – Dürerzeit, Dresden 1971, Nr. 398

D 8 Cranach, Basel 1974, Nr. 168, Abb. 130 (mit weiteren bibliograph. Angaben)

D 9.1 G. Troche: Giovanni Cariani. In: Jb. d. Preuß. Kunstslg. LV, 1934, S. 97, 123 – Die Weltkunst XVII, Nr. 39/44, 15. Oktober 1943 – H. W. Grohn: In: Middeldorf-Festschrift, 1968, S. 308 ff.

D 9.2 Gemäldeverzeichnis, Berlin 1931, S. 364, Nr. 234

D 10 M. Dobroklonsky: Unbekannte Dürerzeichnungen in Rußland. In: Jb. d. Preuß. Kunstslg. XLVIII, 1927, S. 223–225 – Winkler,. Nr. 166 – Westeuropäische Zeichnungen, Kat. d. Ermitage, bearb. v. J. Kusnezow, Leningrad 1981, Nr. 191

D 11.1 Handzeichnungen alter Meister aus der Albertina und anderen Sammlungen, hg. v. J. Schönbrunner/J. Meder, Wien 1896 ff., Bd. IV, Nr. 428 – M. Weinberger: Nürnberger Malerei an der Wende zur Renaissance und die Anfänge der Dürerschule, Straßburg 1921, S. 40 – F. Winkler: Die Zeichnungen Hans Süß von Kulmbachs und Hans Leonhard Schäufeleins, Berlin 1942, S. 49, Anm. 3 – Albrecht Dürer. Woodcuts and Woodblocks, ed. by W. L. Strauss, New York 1980, S. 120

D 11.2 Meder, S. 189 (3. Zustand) – Albrecht Dürer. Woodcuts and Woodblocks, ed. by W. L. Strauss, New York 1980, S. 120, Nr. 29, S. 610

D 12 F. Winkler: Hans von Kulmbach. In: Pantheon XIX, 1937, S. 9; Die Zeichnungen Hans Süß von Kulmbachs und Leonhard Schäufeleins, Berlin 1942, S. 26 u. 35, Nr. 117 – P. Bjurström: German Drawings, Nationalmuseum Stockholm 1972, Nr. 57

D 13 P. Ganz: Die Handzeichnungen Hans Holbeins d. J., Berlin 1937, Nr. 104 – Dürerzeit, Dresden 1971, Nr. 395 – Altdeutsche Zeichnungen 1972, Nr. 25

D 14 H. Rupé: Zeichnungen Hans Burgkmairs d. Ä. In: Beiträge z. Gesch. d. dt. Kunst II, Augsburg 1928, S. 195 f. – K. T. Parker: Weiteres über Hans Burgkmair als Zeichner. In: Beiträge z. Gesch. d. dt. Kunst II, Augsburg1928, S. 253, Nr. 45 – E. Schilling: Zu den Zeichnungen Hans Burgkmairs d. Ä. In: Wallraf Richartz Jb. II–III, 1933/34, S. 261 – A. Burkhard: Hans Burgkmair d. Ä., Leipzig 1932, S. 56. – P. Halm: Hans Burgkmair als Zeichner. In: Münchner Jb. d. bild. Kunst, 3. Folge, Bd. XIII, 1962, S. 75 – T. Falk: Hans Burgkmair, München 1968, S. 37, 65, 66, Nr. 401 – P. Bjurström: German Drawings, Nationalmuseum Stockholm 1972, Nr. 25

D 15 P. Halm: Hans Burgkmair als Zeichner. In: Münchner Jb. d. bild. Kunst, 3. Folge, XIII, 1962, S. 162 – P. Bjurström: German Drawings, Nationalmuseum Stockholm 1972, Nr. 34 – T. Falk: Besprechung des Buches von Bjurström. In: Zs. f. Schweizerische Archäologie u. Kunstgesch. XXXIII, 1976, S. 12

D 16 E. Tietze-Conrat: A Drawing in Stockholm and Dürer's Engravings B. 73 and B. 1: In: Nationalmusei Årsbok, Nyserie XIX/XX, 1949/50, S. 38–52 – P. Bjurström: German Drawings, Nationalmuseum Stockholm 1972, Nr. 56

D 17 nicht bei F. Winzinger: Albrecht Altdorfer. Zeichnungen, München 1952

D 18 T. Gerszi: Netherlandish Drawings in the Budapest Museum. Sixteenth Century Drawings, Amsterdam/New York 1971, Nr. 215; Zwei Jahrhunderte niederländischer Zeichenkunst. Ausgewählte Meisterwerke des 16.-17. Jahrhunderts. Museum der Bildenden Künste Budapest. Budapest 1976, Nr. 2 – Pieter Bruegel d. Ä. als Zeichner. Herkunft und Nachfolge. Kat. Ausst., Berlin (West) 1975, S. 153 f., Nr. 120

D 19 und D 20 G. Schoenberger: The Drawings of Mathis Gothart Nithart called Gruenewald, New York 1948, Nr. 15, 14 – L. Behling: Die Handzeichnungen des Mathis Gothart Nithart genannt Grünewald, Weimar 1955, Nr. 2, 3 – N. Pevsner/M. Meier: Grünewald, New York 1958, Nr. 8, 6 – A. Weixlgärtner: Grünewald, Wien/München 1962, Nr. 4, 5 – E. Ruhmer: Grünewald, Zeichnungen, Köln 1970, Nr. 6, 5 – P. Bianconi: L'opera completa di Grünewald, Mailand 1972, Nr. 40, 41 – Grünewald. Tutti i disegni. Introd. e note di Fritz Baumgart, Florenz 1974, Taf. II, III – E. M. Vetter: Die Hellerflügel Grünewalds und das Verklärungs-Retabel der Dominikaner in Frankfurt. In: Jb. d. Staatl. Kunstslg. in Baden-Württemberg XIII, 1976, S. 25–54

D 21 und D 22 Dürerzeit, Dresden 1971, Nr. 383 u. 384 (mit ausführlichen Literaturangaben)

D 23 Dürerzeit, Dresden 1971, Nr. 380 – E. M. Vetter: Die Hellerflügel Grünewalds und das Verklärungs-Retabel der Dominikaner in Frankfurt. In: Jb. d. Staatl. Kunstslg. in Baden-Württemberg XIII, 1976, S. 25–54

D 24 Dürerzeit, Dresden 1971, Nr. 378 (mit ausführlichen Literaturangaben)

D 25 Dürerzeit, Dresden 1971, Nr. 379 (mit ausführlichen Literaturangaben)

D 26.1 O. Fischel: Raphaels Zeichnungen, Abt. 2, Berlin 1919, S. 88f., 109f., Nr. 86

D 26.2 L. Ravelli: Polidoro da Caravaggio, Monumenta Bergomensia XLVIII, Bergamo 1978, S. 184f., Nr. 181 u. 182

D 27 H. Voss: Handzeichnungen alter Meister im Leipziger Museum. In: Zs. f. bild. Kunst, Neue Folge XXIV, H. 10, 1913, S. 19, Nr. 144

D 28 Zeichnungen von Albrecht Dürer in Nachbildungen, hg. v. F. Lippmann, Abt. V-XXII, Berlin 1888, Nr. 180 – Winkler, Nr. 371 – Dürer. Schriftlicher Nachlaß, hg. v. H. Rupprich, Bd. I, Berlin 1956, S. 211, Anm. 16 – E. Haverkamp Begemann: Vijf eeuwen tekenkunst, Rotterdam 1957, Nr. 6 – K. Oettinger/K. A. Knappe: Hans Baldung Grien und Albrecht Dürer in Nürnberg, Nürnberg 1963, S. 10, 27 – Dürer, Nürnberg 1971, S. 282–286, Nr. 530

D 29 M. J. Friedländer: Die altniederländische Malerei, Bd. X, Leiden 1934, S. 102f.; Lucas van Leyden, Berlin 1963

D 30 P. O. Rave: Die Kunstsammlung Beuths. In: Zs. d. Dt. Vereins f. Kunstwiss. II, 1935, S. 493 – Winkler, Bd. II, 1937, Anhang Taf. IV – J. Bier: Tilmann Riemenschneider als Zeichner. In: G. Poensgen: Der Windsheimer Zwölfbotenaltar von Tilman Riemenschneider, München/Berlin 1955, S. 100–113, 133–136 – A. Rosenberg: Eine Sammlung von Handzeichnungen im Beuth-Schinkel-Museum zu Berlin. In: Kunstchronik IX, 1873, S. 33–36 – W. L. Strauss: The Complete Drawings of Albrecht Dürer, New York 1974, Vol. VI, S. 3094, Nr. XW:II/4 – F. Winzinger: Wolf Huber. Das Gesamtwerk, München/Zürich 1979

D 31 T. L. Girshausen: Die Handzeichnungen Lucas Cranachs d. Ä., Phil. Diss. Frankfurt/M. 1936, Frankfurt/M. 1937, S. 93 – D. Koepplin: Zu Cranach als Zeichner. Addenda zu Rosenbergs Katalog. In: Kunstchronik XXV, 1972, S. 347; Zwei Fürstenbildnisse Cranachs von 1509. In: Pantheon XXXII, 1974, S. 29, Abb. 5 – Schade 1974, S. 49, Taf. 72 – Cranach, Basel 1976, S. 686, Nr. 601, Abb. 326b

D 32 C. Schmidt: Straßburger Gassen- und Häusernamen im Mittelalter, Straßburg ²1888, S. 155, 175 – J. Ficker/O. Winckelmann: Handschriftenproben des 16. Jahrhunderts nach Straßburger Originalen, Straßburg 1906, Taf. 35 E – J. Ficker: Das Bekenntnis zur Reformation im Straßburger Münster. In: Theologische Studien und Kritiken. Bd. CIX, 1, Leipzig 1941, S. 16 – C. Wittmer/J. C. Meyer: Le Livre de Bourgeoisie de la Ville de Strasbourg 1440–1530, Bd. II, Strasbourg 1954, S. 694, Nr. 7390

D 33 G. Schoenberger: The Drawings of Mathis Gothart Nithart called Gruenewald, New York 1948, Nr. 8 – L. Behling: Die Handzeichnungen des Mathis Gothart Nithart genannt Grünewald, Weimar 1955, Nr. 17 – N. Pevsner/M. Meier: Grünewald, New York 1958, Nr. 10 – A. Weixlgärtner: Grünewald, Wien/München 1962, Nr. 19 – E. Ruhmer: Grünewald. Zeichnungen, Köln 1970, Nr. 13 – P. Bianconi: L'opera completa di Grünewald, Mailand 1972, Nr. 57 – Grünewald. Tutti i disegni. Introd. e note di Fritz Baumgart, Florenz 1974, Taf. 5

D 34 J. Heller: Das Leben und die Werke Albrecht Dürers, Bd. II, Bamberg und Leipzig 1821, S. 122, Nr. 9 – Zeichnungen von Albrecht Dürer in Nachbildungen, hg. v. F. Lippmann, Abt. V–XXII, Berlin 1888, Nr. 156 – Winkler, Nr. 267 – R. F. Timken-Zinkann: Ein Mensch namens Dürer, Berlin 1972, S. 83–85 – Dürerzeit, Dresden 1971, Nr. 156 – W. L. Strauss: The Complete Drawings of Albrecht Dürer, New York 1974, Vol. II, S. 688, Nr. 1503/18 (mit Literaturangaben) – W. Schmidt: Sur quelques œuvres de Dürer. In: La Gloire de Dürer. Actes et Colloques de Nice, red. Jean Richter, XIII, Paris 1974, S. 113f. – B. Decker: Dürers Selbstbildnis: »Die Gestalt des Menschen nach seinem Absterben«. In: Dürers Verwandlung in der Skulptur zwischen Renaissance und Barock. Kat. Ausst., Frankfurt/M. 1981, S. 410–415

D 35 Albrecht Dürer. Schriften und Briefe, hg. v. E. Ullmann, Leipzig 1971 – Dürer, Nürnberg 1971, Nr. 494 (mit ausführlicher Bibliographie) – Dürerzeit, Dresden 1971, Nr. 533 u. 534

D 36 H. Röttinger: Erhard Schön und Niklas Stör, Straßburg 1925, Nr. 76 – G. Werner: Nützliche Anweisung zur Zeichenkunst. Illustrierte Lehr- und Vorlagebücher (Kat. d. German. Nationalmuseums Nürnberg, Bestandsverzeichnisse d. Bibliothek I), Nürnberg 1980, S. 17f., Nr. 8

D 38 Altdeutsche Zeichnungen. Kat. Ausst., Dresden 1963, S. 23, Nr. 34 – F. Winzinger: Wolf Huber. Das Gesamtwerk, München/Zürich 1979, Bd. I, S. 134, Nr. 152; Bd. II, Taf. 152

D 39 E. F. Bange: Die Kleinplastik der deutschen Renaissance in Holz und Stein, München 1928, Taf. 61 – Dürerzeit, Dresden 1971, S. 60.

D 40 E. Panofsky: Das Leben und die Kunst Albrecht Dürers, München 1977, S. 117 – The intaglio prints of Albrecht Dürer, ed. by W. L. Strauss, New York 1977, S. 116, Nr. 38 (mit Literaturangaben)

D 41 L. Justi: Konstruierte Figuren und Köpfe unter den Werken Albrecht Dürers, Leipzig 1902 – C. Dodgson: Albrecht Dürer, London/Boston 1926, S. 51–55 – H. Wölfflin: Die Kunst Albrecht Dürers, München ⁶1943, S. 135–142 – E. Panofsky: Albrecht Dürer, Bd. I–II, Princeton ³1948, S. 84–87; Problems in Titian, New York 1969, S. 28 – H. Bremer: Zu Dürers Stich Adam und Eva von 1504. In: Rep. f. Kunstwiss., Vol. XXII, S. 453 – The intaglio prints of Albrecht Dürer, ed. by W. L. Strauss, New York 1977, S. 128–132, Nr. 42

D 42 H. Wölfflin: Die Kunst Albrecht Dürers, München 1905 – E. Panofsky/F. Saxl: Dürers Melancolia I, Leipzig 1923 – E. Panofsky: Albrecht Dürer, 3 Bde., Berlin 1956–1969 – G. Bandmann: Melancholie und Musik. Ikonograph. Stud., Köln/Opladen (1960) – F. Saxl/E. Panofsky/R. Klibansky: Saturn and Melancholy, London 1964

D 43 W. M. Ivins, On the Rationalization of Sight. In: The Metropolitan Museum of Art Papers, Nr. 8, New York 1948, S. 42 – P. W. Parshall: Albrecht Dürer's St. Jerome in His Study, a Philological Reference. In: Art Bulletin LIII, 1971, S. 303 – The intaglio prints of Albrecht Dürer, ed. by W. L. Strauss, New York 1977, S. 212f., Nr. 77

D 44 H. Wölfflin: Die Kunst Albrecht Dürers, München ⁶1943, S. 144 – E. Panofsky: Albrecht Dürer, 2 Bde., Princeton ³1948, Bd. II, S. 25, Nr. 168 – F. Winkler, Albrecht Dürer, Berlin 1957, S. 57

D 45 M. Thausing: Dürer, Bd. II, Leipzig 1884, S. 64 – H. Wölfflin: Die Kunst Albrecht Dürers, München ⁶1943, S. 258 – E. Flechsig: Albrecht Dürer, Bd. 1–2, Berlin 1928–1931, Bd. I, S. 243 – F. Winkler: Albrecht Dürer, Berlin 1957, S. 255 – The intaglio prints of Albrecht Dürer, ed. by W. L. Strauss, New York 1977, Nr. 56

D 46 P. Schubring: Die Chrysostomos-Legende. In: Zs. f. bild. Kunst, Neue Folge XXIV, 1913, S. 109–112 – E. Wind: The Saint as Monster. In: Journal of the Warburg Institute I, 1937/38, S. 183 – F. Winkler: Albrecht Dürer, Berlin 1957, S. 58 – Dürer, Nürnberg 1971, Nr. 351

D 47 E. Panofsky: Albrecht Dürer, 2 Bde., Princeton [3]1948, Bd. I, S. 135; Bd. II, Nr. 333 – F. Winkler: Albrecht Dürer, Berlin 1957, S. 229

D 48 Hollstein, Nr. 84 – E. Flechsig: Cranachstudien, Leipzig 1900, S. 39f. – Dodgson 1911, S. 295, Nr. 60 – Cranach, Basel 1976, S. 547, Nr. 405 – F. Anzelewsky: Albrecht Dürer. Das malerische Werk, Berlin (West) 1971

D 49 Winkler, Nr. 57 – W. Koschatzky/A. Strobl: Die Dürerzeichnungen der Albertina, Salzburg 1971, S. 21 – Dürer, Nürnberg 1971, S. 557 – W. L. Strauss: The Complete Drawings of Albrecht Dürer, New York 1974, Vol. I, S. 176, Nr. 1493/21

D 50 J. Schönbrunner/J. Meder: Zeichnungen Albrecht Dürers in der Albertina zu Wien, Berlin 1905, Abb. 587 – Zeichnungen von Albrecht Dürer in Nachbildungen, hg. v. F. Lippmann, Abt. XLIX – Winkler, Nr. 356 – W. L. Strauss: The Complete Drawings of Albrecht Dürer, New York 1974, Vol. II, S. 722, Nr. 1503/35 – W. Koschatzky/A. Strobl: Die Dürerzeichnungen der Albertina, Salzburg 1971, S. 182, Nr. 31 (mit Literaturnachweisen)

D 51 F. Winkler: Dürerstudien III. In: Jb. d. Preuß. Kunstslg. LIII, 1932, S. 86–88 – Winkler, Bd. II, S. 65–67 – W. Schade: Ein Rasenstück. In: Dürerzeit, Dresden 1971, S. 145, Nr. 180

D 52 Handzeichnungen alter Meister aus der Albertina und anderen Sammlungen, hg. v. J. Schönbrunner/J. Meder, Wien 1896ff., Nr. 384a – W. Schmidt: Landschaftszeichnungen in der Nationalgalerie Budapest. In: Rep. f. Kunstwiss. XIX, Berlin 1896, S. 120, Nr. 11; Über die Wunder von Mariazell. In: Rep. f. Kunstwiss. XXXI, Berlin 1908, S. 151 – R. Riggenbach: Der Maler und Zeichner Wolfgang Huber. Phil. Diss. Basel 1907, S. 24 – M. Weinberger: Wolfgang Huber, Leipzig 1930, S. 48 – P. Halm: Die Landschaftszeichnungen des Wolfgang Huber. In: Münchner Jb. d. bild. Kunst, Neue Folge VII, 1930, Nr. 64 – K. Oettinger: Datum und Signatur bei Wolf Huber und Albrecht Altdorfer, Erlangen 1937, S. 32, S. 15, Nr. 42 – E. Heinzle: Wolf Huber, Innsbruck (1953), S. 14 – D. Koepplin: Das Sonnengestirn der Donaumeister. In: Werden und Wandlungen, Linz 1967, S. 106 – F. Winzinger: Wolf Huber. Das Gesamtwerk, München/Zürich 1979, Bd. I, S. 29, S. 71f., Bd. II, Taf. 1

D 53 W. Schmidt: Landschaftszeichnungen in der Nationalgalerie Budapest. In: Rep. f. Kunstwiss. XIX, Berlin 1896, S. 120f., Nr. 6 – R. Riggenbach: Der Maler und Zeichner Wolfgang Huber. Phil. Diss. Basel 1907, S. 7, Anm. 58 – H. Voss: Der Ursprung des Donaustiles. Ein Stück Entwicklungsgeschichte deutscher Malerei, Leipzig 1907, S. 154 – M. Weinberger: Wolfgang Huber, Leipzig 1930, S. 60f. – P. Halm: Die Landschaftszeichnungen des Wolfgang Huber. In: Münchner Jb. d. bild. Kunst, Neue Folge VII, 1930, S. 86, Nr. 11 – E. Heinzle: Wolf Huber, Innsbruck (1958), Nr. 7 – K. Oettinger: Zu Wolf Hubers Frühzeit. In: Jb. d. Kunsthist. Slg. in Wien LIII, 1957, S. 90 – Altdeutsche Zeichnungen. Kat. Ausst., Dresden 1963, S. 52, Nr. 142 – P. Rose: Wolf Huber Studies, New York/London 1977, S. 5, Abb. 192 – F. Winzinger: Wolf Huber. Das Gesamtwerk, München/Zürich 1979, Bd. I, S. 79, Nr. 14

D 54 Handzeichnungen alter Meister aus der Albertina und anderen Sammlungen, hg. v. J. Schönbrunner/J. Meder, Wien 1896ff., Nr. 862a – J. Meder: Die Handzeichnung, Wien 1931, S. 163 – O. Benesch: Österreichische Handzeichnungen des 15. und 16. Jahrhunderts, Freyburg/Br. 1936, S. 54 – H. L. Becker: Die Handzeichnungen Albrecht Altdorfers, München 1938, S. 119 – F. Winzinger: Wolf Huber. Das Gesamtwerk, München/Zürich 1979, Bd. I, S. 89f., Nr. 45

D 55 C. Schuchardt: Goethes Kunstsammlungen, Jena 1848, S. 278, Nr. 477 – R. Riggenbach: Der Maler und Zeichner Wolfgang Huber, Phil. Diss. Basel 1907, S. 59, Anm. – M. Weinberger: Wolfgang Huber, Leipzig 1930, S. 182, Abb. 110 – P. Halm: Die Landschaftszeichnungen des Wolfgang Huber. In: Münchner Jb. d. bild. Kunst, Neue Folge VII, 1930, Nr. 34, Abb. 28 – L. Baldass: Besprechung der Arbeiten von M. Weinberger und P. Halm. In: Mitt. d. Ges. f. vervielfältigende Kunst 1932, S. 54 – Albrecht Altdorfer und sein Kreis. Gedächtnisausstellung zum 400. Todestag Altdorfers. Kat. Ausst., München 1938, Nr. 491 – F. Winzinger: Wolf Huber. In: Bayernland, 1953, S. 280, Abb. S. 277 – E. Heinzle: Wolf Huber, Innsbruck (1953), Nr. 145, Abb. 60 – Altdeutsche Zeichnungen. Kat. Ausst., Dresden 1963, S. 53, Nr. 148 – F. Winzinger: Wolf Huber. Das Gesamtwerk, München/Zürich 1979, S. 32f., S. 111, Nr. 91

D 56 F. Winzinger: Albrecht Altdorfer. Zeichnungen, München 1952

D 57 Handzeichnungen alter Meister aus der Albertina und anderen Sammlungen, hg. v. J. Schönbrunner/J. Meder, Wien 1896ff., Bd. VII, Nr. 813 – H. Tietze: Albrecht Altdorfer, Leipzig 1923, S. 79 – H. L. Becker: Die Handzeichnungen Albrecht Altdorfers, München 1938, Nr. 114 – F. Winzinger: Albrecht Altdorfer. Zeichnungen, München 1952, S. 100, Nr. 129

D 58 Geisberg, Nr. 33 – F. Winzinger: Albrecht Altdorfer. Zeichnungen, München 1952, Nr. 24

D 59 Handzeichnungen alter Meister aus der Albertina und anderen Sammlungen, hg. v. J. Schönbrunner/J. Meder, Wien 1896ff., Bd. VII, Nr. 835

D 60 Demmler 1930, S. 153ff. – E. Fründt: Spätgotische Bildwerke, Leipzig 1965, S. 55 – Bildwerke 1972, S. 66f.

D 61 E. Kris: Die Sündenreliefs des Bildschnitzers I. P. In: Belvedere IV, 1923, S. 47ff. – E. F. Bange: Die Kleinplastik der deutschen Renaissance in Holz und Stein, München 1928, Taf. 43 – Malerei und Plastik. Meisterwerke aus acht Jahrhunderten, Berlin 1960, S. 138, Abb. S. 139. – M. Liebmann: Studien zur deutschen Kleinplastik. In: Münchner Jb. d. bild. Kunst XII, 1961, S. 197–202 – T. Müller: Deutsche Plastik der Renaissance (Die blauen Bücher), Königstein/T. 1963, S. 12, Abb. S. 54 – Die Kunst der Donauschule 1490–1540. Kat. Ausst., Linz 1965, S. 280, Nr. 682

D 62 M. J. Friedländer: Besprechung der Ausstellung Dresden 1899. In: Rep. f. Kunstwiss. XXI, 1899, S. 92 – E. Flechsig: Cranachstudien, Leipzig 1900, S. 172–174 – F. Thöne: Lucas Cranach d. Ä., Königstein/T. 1965, S. 60 – Cranach, Basel 1976, S. 548, Nr. 409

D 63 M. J. Friedländer: Die Gemälde des 14. bis 16. Jahrhunderts aus der Sammlung Richard von Kaufmanns, Berlin 1901, S. 10, Nr. 66 – F. Winzinger: Wolf Huber. Das Gesamtwerk, München/Zürich 1979, S. 171, Nr. 277

D 64 F. Knapp: Perugino, Bielefeld/Leipzig 1907, S. 60f., Abb. 31 – W. Bombe: Perugino, Stuttgart/Berlin 1914, Abb. 46 – E. Camesasca, Tutta la Pittura del Perugino, Mailand 1959, Taf. 222a – Kunsthistorisches Museum Wien. Kat. d. Gemäldegalerie, 1. Teil, Wien 1960, S. 90, Nr. 617

D 65 Gemäldeverzeichnis, Berlin 1931, S. 30 – A. Venturi: La pittura del cinquecento (Storia dell'arte italiana, Bd. IX, 1), 1925, S. 257 – B. Berenson: Italian Pictures of the Renaissance, Oxford 1932, S. 47

D 66 E. Hoffmann: Miniatúrák és olasz rajzok, Budapest 1930, Nr. 74 (»Giulio Campagnola«) – H. Tietze/E. Tietze-Conrat: The Drawings of the Venetian Painters in the 15th and 16th Centuries, New York 1944, Nr. 1979 (»Kopie nach Tizian«) – F. Klauner: Venezianische Landschaftsdarstellung von Jacopo Bellini bis Tizian. In: Jb. d. Kunsthist. Slg. in Wien, LIV, 1958, S. 145 (»möglicherweise Domenico Campagnola«) – I. Fenyö: Norditalienische Handzeichnungen aus dem Museum der Bildenden Künste in Budapest, Dresden/Budapest (1965), S. 60, Taf. 24 (nach Tizian »Domenico Campagnola«?)

D 67 J. D. Passavant: Le peintre-graveur, Bd. VI, Leipzig 1864, S. 223, Nr. 3 – F. Lippmann: Ein Holzschnitt von Marcantonio Raimondi. In: Jb. d. Kgl. Preuß. Kunstslg. I, 1880, S. 270–276 – P. Dreyer: Tizian und sein Kreis. 50 venezianische Holzschnitte aus dem Berliner Kupferstichkabinett Staatliche Museen/Preußischer Kulturbesitz, Berlin (West) 1972, S. 42f. – D. Rosand/M. Muraro: Titian and the Venetian Woodcut. Kat. Ausst., Washington 1976, S. 55–69

D 68 F. Lippmann: Der italienische Holzschnitt im 15. Jahrhundert. In: Jb. d. Kgl. Preuß. Kunstslg. III, 1882, S. 174–178 – H. Brockhaus: Die große alte Ansicht von Florenz. In: Mitt. d. kunsthist. Inst. in Florenz I, 1908–1911, S. 63ff. – C. Hülsen: Die alte Ansicht von Florenz. In: Jb. d. Kgl. Preuß. Kunstslg. XXXV, 1914, S. 90–102 – K. E. Busse: Die ältesten Stadtansichten von Florenz. In: Jb. d. Preuß. Kunstslg. LI, 1930, S. 120–124 – L. Ettlinger: A fifteenth-century View of Florence. In: Burlington Magazine XCIV, 1952, S. 160ff. – J. Schulz: The printed plans and panoramic views of Venice. In: Saggi e memorie di storia dell'arte VII, Venedig 1970, S. 19f., Abb. 6 – A. Hyatt Mayor: Prints and People, New York 1971, Nr. 173 – H. Appuhn/C. v. Heusinger: Riesenholzschnitte und Papiertapeten der Renaissance, Unterschneidheim 1976, S. 44, Abb. 32

D 69 T. Pignatti/G. Mazzariol, La pianta prospettica di Venezia del 1500 disegnata da Jacopo de' Barbari, Venedig 1963 – J. Schulz: The printed plans and panoramic views of Venice. In: Saggi e memorie di storia dell'arte VII, Venedig 1970, S. 17–21, 41f., Nr. 1 – A. Hyatt Mayor, Prints and People, New York 1971, Nr. 45 – H. Appuhn/C. v. Heusinger: Riesenholzschnitte und Papiertapeten der Renaissance, Unterschneidheim 1976, S. 44, Falttafel

D 70.1 F. L(assare): Ptolemaios. In: Der kleine Pauly. Lexikon der Antike, Bd. IV, München 1972, Sp. 1224–1232

D 70.3 F. J. Stadler: Michael Wolgemut und der Nürnberger Holzschnitt im letzten Drittel des 15. Jahrhunderts, Strassburg 1913 – C. Sladeczek: Albrecht Dürer und die Illustration zur Schedelchronik, Baden-Baden/Straßburg 1955 – Dürerzeit, Dresden 1971, Nr. 523, 524 – Dürer, Nürnberg 1971, Nr. 117

D 72 C. Schuchardt: Lucas Cranach des Ältern Leben und Werke T. II, Leipzig 1851, S. 286f., Nr. 134 – Lucas-Cranach-Ausstellung in Weimar und Wittenberg, Kat. hg. v. Deutschen Lucas-Cranach-Komitee, Weimar 1953, Nr. 283 – J. Jahn: Lucas Cranach als Graphiker, Leipzig 1955, S. 47 – Geisberg, Nr. 649

D 73 E. Weiss: Albrecht Dürers geographische, astronomische und astrologische Tafeln. In: Jb. d. kunsthist. Slg. d. Allerhöchsten Kaiserhauses VI, Wien 1888, S. 209–213 – Dürerzeit, Dresden 1971, Nr. 346 – Dürer, Nürnberg 1971, Nr. 309 u. 310

E 1 A. Venturi: La Reale Galleria Estense in Modena, 1882, S. 39 – K. Woermann: Katalog der königlichen Gemäldegalerie zu Dresden, 1892, S. 72 – Van Dyke: Critical Notes on the Royal Gallery Dresden, 1914 – H. Posse: Die Staatliche Gemäldegalerie zu Dresden, Dresden/Berlin 1929, S. 66 – R. Longhi: Officina Ferrarese, Firenze [2]1956, S. 79 – G. Mazzariol: Il Garofalo. Benvenuto Tisi, Venezia (1960), S. 16 – Sztuka Czasów Michała Anioła. Kat. Ausst., Warschau 1963/64, S. 38 – Katalog der ausgestellten Werke der Gemäldegalerie Alte Meister, Dresden 1979, S. 184 – Ovid: Verwandlungen, Sechstes Buch. In: Ovid. Werke in zwei Bänden, Berlin/Weimar 1968 (Bibliothek der Antike, Römische Reihe), Bd. I, S. 132

E 2 Gemäldeverzeichnis, Berlin 1931, S. 197ff. – Le Siècle de Bruegel, Kat. Ausst., Brüssel 1963, S. 101f., Nr. 107 (mit Bibliographie) – M. J. Friedländer: Altniederländische Malerei VIII, Berlin 1930, S. 158, Nr. 47; Early Netherlandish Painting VIII, Leiden/Brüssel 1972, S. 97, Nr. 47

E 3 Gemäldeverzeichnis, Berlin 1931, S. 198, Nr. 661 – M. J. Friedländer: Altniederländische Malerei VIII, Berlin 1930, S. 52, 152, Nr. 10 – W. Krönig: Der italienische Einfluß in der flämischen Malerei im ersten Drittel des 16. Jahrhunderts, Berlin 1936, S. 54, 59, 71, 74 – M. J. Friedländer: Early Netherlandish Painting VIII, Leiden/Brüssel 1972, S. 91

E 4 N. Pevsner: Neuerwerbungen der italienischen Kunst in der Dresdner Gemäldegalerie. In: Der Cicerone XVII, 1925, S. 296 – H. Posse: Die Staatliche Gemäldegalerie zu Dresden. Die romanischen Länder, Dresden/Berlin 1929, S. 23 – Gesta romanorum. Geschichten von den Römern, übers. u. hg. v. W. Trillitzsch, Leipzig 1973, S. 281f.

E 5 A. E. Brinckmann: Barock-Bozzetti, Bd. I, Frankfurt/M.,Berlin 1923, S. 44 – F. Schottmüller: Die italienischen und spanischen Bildwerke der Renaissance und des Barock, Bd. I, Berlin/Leipzig [2]1933, S. 156 – Restaurierte Kunstwerke in der DDR. Kat. Ausst., Berlin 1980, S. 159ff.

E 6 A. E. Brinckmann: Barock-Bozzetti, Bd. I, Frankfurt/M.,Berlin 1923, S. 17 – H. Thode: Michelangelo. Kritische Untersuchungen, Bd. I, Berlin 1912, S. 490 – F. Schottmüller: Die italienischen und spanischen Bildwerke der Renaissance und des Barock, Bd. I, Berlin/Leipzig [2]1933, S. 153f. – J. Pope-Hennessy: Catalogue of Italian sculpture in the Victoria and Albert Museum, Vol. II, London 1964, S. 425f.; Vol. III, A. 6, 7, 8

E 7 Italienische Bronzen der Renaissance und des Barock. Kat. Ausst., Berlin 1967, Nr. 43

E 8 E. Flechsig: Cranachstudien, Leipzig 1900, S. 13, 21f., 28–31, 41 – M. J. Friedländer: Rezension über E. Flechsig, Cranachstudien. In: Rep. f. Kunstwiss. XXIV, 1901, S. 65 – Geisberg, Nr. 616 – J. Jahn: Lucas Cranach als Graphiker, Leipzig 1955, Nr. 43 – Hollstein, Nr. 105 – Dürerzeit, Dresden 1971, Nr. 129 – H. Roebels: Cranachs Holzschnitt »Venus und Amor«. In: Museum der Stadt Köln, Juni 1972, S. 1055f. – T. Falk: Hans Burgkmair. Kat. Ausst. Augsburg, Stuttgart 1973, Nr. 21f. – W. Schade: Lucas Cranach cel bătrîn, Lucas Cranach cel tînăr, Jacob Lucius cel bătrîn. Kat. Ausst., Bucureşti 1973, Nr. 24 – Schade 1974, S. 30, 34, Abb. 50 – Cranach, Basel 1976, Nr. 555

E 9 L. Clément de Ris: Le musée de l'Ermitage à St.-Pétersbourg. In: Gazette des Beaux-Arts XIX, 1879, S. 350 – E. Flechsig: Cranachstudien, Leipzig 1900, S. 12, 30, 40, 81, 86, 252, 270, 272, 277 – L. Reau: La galerie de tableaux de l'Ermitage et la collection Semenov. In: Gazette des Beaux-Arts II, 1919, S. 475 – Friedländer/Rosenberg 1932, S. 18, 33, Nr. 21 – P. Kostrow: Über das echte Format von L. Cranachs des Älteren »Venus mit Amor«. In: Mitt. d.

Staatl. Ermitage VI, 1954, S. 40–42 – A. Nemiloff: Die Gemälde von L. Cranach d. Ä. in der Staatlichen Ermitage. In: Bildende Kunst III, 1959, S. 173–178 – Lucas Cranach. Kat. Ausst., Weimar 1972, S. 169, Nr. 4 – M. Libman: Deutsche Malerei in Museen der Sowjetunion, Moskau 1973, Nr. 18 – Schade 1974, S. 30, 425 – Friedländer/Rosenberg 1979, Nr. 22

E 10 C. Schuchardt: Lucas Cranach des Ältern Leben und Werke, T. II, Leipzig 1851, Nr. 228, 229 – Friedländer/Rosenberg 1932, Nr. 288 – Cranach, Basel 1976, S. 641 ff.

E 11 Friedländer/Rosenberg 1932, Nr. 329 – P. Strieder: Lucas-Cranach-Ausstellung in Basel. In: Kunstchronik XXVIII, 1975, S. 171 – Cranach, Basel 1976, S. 613 ff., Nr. 538 – Friedländer/Rosenberg 1979, Nr. 409

E 12 Friedländer/Rosenberg 1932, Nr. 216 – E. Flechsig: Cranachstudien, Leipzig 1900, S. 268 f. – R. Bernheimer: Wild Man in the Middle Ages, Cambridge 1952, S. 119, 157, 208 f. – Dürerzeit, Dresden 1971, Nr. 116 – Cranach, Basel 1976, Nr. 498 – Friedländer/Rosenberg 1979, Nr. 264

E 14 L. Emőke: Flämische und französische Wandteppiche in Ungarn, Budapest 1981, S. 40–42

E 15 A. Pigler: Museum der bildenden Künste. Kat. Galerie Alter Meister, Budapest 1967, S. 162 – H. Daffner: Salome. Ihre Gestalt in Geschichte und Kunst, Dichtung, Bildende Kunst, Musik. München 1912, S. 158 – J. Zimmer: Joseph Heintz der Ältere als Maler, Weißenhorn 1971, Nr. A. 41, A. 124 f. – K. Schütz: Lucas Cranach d. Ä. und seine Werkstatt. Kat. Ausst., Wien 1972, Nr. 12 – G. S. Kislych: Die Bilder von Lucas Cranach d. Ä. in den Museen der UdSSR. In: Lucas Cranach. Künstler und Gesellschaft (Cranach-Colloquium), Wittenberg 1973, S. 82 – Friedländer/Rosenberg 1979, S. 117, Nr. 232 – J. Végh: Deutsche Tafelbilder des 16. Jahrhunderts, Budapest 1981, Taf. 27

E 16 A. Pigler: Museum der bildenden Künste. Kat. Galerie Alter Meister, Budapest 1967, S. 517 – Dürerzeit, Dresden 1971, Nr. 463 – Renaissancekunst in Europa 1460–1560. Kat. Ausst., Budapest 1973, Nr. 40 – Cranach, Basel 1974, S. 249, Nr. 157 – J. Végh: Deutsche Tafelbilder des 16. Jahrhunderts, Budapest 1981, Taf. 18

E 17 G. Rathgeber: Beschreibung der Herzoglichen Gemälde-Gallerie zu Gotha, 1835, S. 134 – C. Schuchardt: Lucas Cranach des Ältern Leben und Werke, T. II, Leipzig 1851, S. 62, Nr. 305 – W. Schade: Das unbekannte Selbstbildnis Cranachs. In: Dezennium 2. Zwanzig Jahre VEB Verlag der Kunst Dresden, 1972, S. 374 – Cranach, Basel 1974, S. 417; 1976, Nr. 478–479

E 18 R. Delogu: La Galleria Nazionale della Sicilia, Rom 1962 – G. Eckardt: Die Gemälde in der Bildergalerie von Sanssouci, Potsdam-Sanssouci [2]1980, S. 12, Nr. 73

E 20 E. F. Bange: Die Bildwerke in Bronze (Die Bildwerke des deutschen Museums), Berlin/Leipzig 1923, S. 25 f.

E 21 W. Hentschel: Hans Witten. Der Meister H. W., Leipzig 1938 – Dürerzeit, Dresden 1971, Nr. 102 – W. D. Röber: Kunstwerke des Schloßbergmuseums und der Schloßkirche Karl-Marx-Stadt, Kat. 1975, S. 51, Nr. 15

E 22 Friedländer/Rosenberg 1932, Nr. 48

E 23 nicht bei Friedländer/Rosenberg 1979

E 24 nicht bei Friedländer/Rosenberg 1979

E 25 H. Bergner: Beschreibende Darstellung der älteren Bau- und Kunstdenkmäler der Stadt Naumburg, Halle/S. 1903, S. 165 f. – L. Grote: Georg Lemberger, Leipzig 1933 (Aus Leipzigs Vergangenheit 2), S. 48–50; Unbekannte Bilder Georg Lembergers. In: Jb. d. Denkmalpflege in d. Prov. Sachsen u. in Anhalt 1933–34, S. 76–93 – Lucas Cranach und die sächsische Malerei seiner Zeit. Kat. Ausst., Halle/S. 1972, Nr. 48–50

E 26 Gemäldeverzeichnis, Berlin 1931, S. 433, Nr. 560 – R. Muther: Hans Schäufelein. In: Festschr. f. A. Springer, 1885, S. 163; Hans Schäufelein. In: Der Cicerone in d. Kgl. Gemäldegalerie in Berlin, 1889, S. 174 – U. Thieme: Hans Leonhard Schäufeleins malerische Tätigkeit, Leipzig 1892, S. 37 f. – E. Buchner: Der junge Schäufelein als Maler und Zeichner. In: Festschr. f. M. J. Friedländer, 1927, S. 46 – H. Wallach: Die Stilentwicklung Hans Leonhard Schäufeleins, Phil. Diss. Leipzig 1929, S. 69

E 27.1 Winkler, Nr. 889 – Dürer, Nürnberg 1971, S. 340, Nr. 621 – W. Koschatzky/A. Strobl: Die Dürerzeichnungen in der Albertina, Salzburg 1971, S. 408, Nr. 137 – W. L. Strauss: The Complete Drawings of Albrecht Dürer, New York 1974, Vol. IV, S. 2232, Nr. 1523/14

E 27.2 O. Lenz: Der Dürersche Holzschnitt »Das Abendmahl« von 1523. In: Die christliche Kunst XXI, 1924/1925, S. 232–236 – E. Panofsky: Das Leben und die Kunst Albrecht Dürers, München 1977, S. 297 f. – Albrecht Dürer. Woodcuts and Woodblocks, ed. by W. L. Strauss, New York 1980, S. 568, Nr. 199

E 28 Hollstein, Nr. 276 – R. Kroll: Druckstöcke. In: Hans Burgkmair 1473–1531. Kat. Ausst., Berlin 1974, S. 44, Nr. H 2

E 29 K. T. Parker: Catalogue of the Collection of Drawings in the Ashmolean Museum, Vol. I, Oxford 1938, S. 117 f. (ohne Erwähnung der Zeichnungen in Budapest)

E 30 Handzeichnungen alter Meister aus der Albertina und anderen Sammlungen, hg. v. J. Schönbrunner/J. Meder, Wien 1896 ff., Bd. IX, Nr. 970

E 32 C. Koch: Die Zeichnungen Hans Baldung Griens, Berlin 1941, S. 70 f., Nr. 5

E 33 F. Schlie: Beschreibendes Verzeichniss der Werke älterer Meister in der Grossherzoglichen Gemälde-Gallerie zu Schwerin, Schwerin 1882, Nr. 157/158 – W. Bode: Die Grossherzogliche Gemälde-Galerie zu Schwerin, Wien 1891, S. 165 – Friedländer/Rosenberg 1932, Nr. 160 c – H. Lilienfein: Lukas Cranach und seine Zeit, Bielefeld/Leipzig 1942, Abb. 61/62, S. 58

E 34 Friedländer/Rosenberg 1932, Nr. 251 c – E. Flechsig: Cranachstudien, Leipzig 1900, S. 260 – Cranach, Basel 1974, S. 295 f. – Friedländer/Rosenberg 1979, Nr. 312 A–313 A

E 35 G. Eckardt: Die Gemälde in der Bildergalerie von Sanssouci, Potsdam-Sanssouci [2]1980, S. 27

E 36 Gemäldeverzeichnis, Berlin 1931, Nr. 637 – Friedländer/Rosenberg 1979, Nr. 190 A

E 37 C. Schuchardt: Lucas Cranach des Ältern Leben und Werke, T. II, Leipzig 1851, Nr. 236 f. – Friedländer/Rosenberg 1932, Nr. 252; 1979, Nr. 314–315 – Katalog der ausgestellten Werke der Gemäldegalerie Alte Meister, Dresden 1979, S. 144 f.

E 39 The Intaglio Prints of Albrecht Dürer, ed. by W. L. Strauss, New York 1977, S. 288, Nr. 104

E 40 The Intaglio Prints of Albrecht Dürer, ed. by W. L. Strauss, New York 1977, S. 282–284, Nr. 102 – E. Panofsky: Das Leben und die Kunst Albrecht Dürers, München 1977

E 41 The Intaglio Prints of Albrecht Dürer, ed. by W. L. Strauss, New York 1977, S. 290, Nr. 105

E 42 Dürer, Nürnberg 1971, S. 294–296, Nr. 96 – The Intaglio Prints of Albrecht Dürer, ed. by W. L. Strauss, New York 1977, S. 280, Nr. 101

E 43 W. Timm: Die Einklebungen der Lutherbibel mit den Grünewaldzeichnungen. In: Forschungen und Berichte/Staatliche Museen zu Berlin, Bd. I, 1957, S. 111–113, Abb. 6

E 44 A. Pigler: Museum der bildenden Künste. Kat. Galerie Alter Meister, Budapest 1967, S. 168

E 45 A. Pigler: Museum der bildenden Künste. Kat. Galerie Alter Meister, Budapest 1967, S. 168
E 46 H. Tietze/E. Tietze-Conrat: Kritisches Verzeichnis der Werke Albrecht Dürers, Bd. II, Basel/Leipzig 1937 – Zeichnungen von Albrecht Dürer in Nachbildungen, hg. v. F. Lippmann, Abb. XXVI–XLVIII, Berlin 1906
E 47 A. Schramm: Die Illustration der Lutherbibel, Leipzig 1923
E 48.1 E. Bock: Die Zeichnungen in der Universitätsbibliothek Erlangen, Frankfurt/M. 1929, S. 312, Nr. 1312
E 49.1 Dodgson 1911, S. 327, Nr. 3 – Cranach, Basel 1974, Nr. 213 – J. v. Pflugk-Harttung: Rahmen deutscher Buchtitel im 16. Jahrhundert. Mit Kommentar von H. Claus, Leipzig 1980, S. XXIII, Nr. 18
E 49.2 Cranach, Basel 1974, Nr. 241
E 49.3 Benzing, Nr. 2268 – Hollstein, Nr. 22 – Dodgson 1911, S. 332, Nr. 29 – A. Schramm: Die Illustration der Lutherbibel, Leipzig 1923, S. 14f., Abb. 183 – Cranach, Basel 1974, S. 360, Nr. 244
E 49.4 H. Zimmermann: Beiträge zur Bibelillustration des 16. Jahrhunderts, Strassburg 1924, S. 35 u. 100 f., Anm. 74 – R. Bellm: Der Bilderschmuck im Flurheymschen Meßbuch von 1529, Maria Laach 1964 – J. v. Pflugk-Harttung: Rahmen deutscher Buchtitel im 16. Jahrhundert, Leipzig 1980
E 49.6 J. Jahn: Lucas Cranach als Graphiker, Leipzig (1955)
E 50.1 K. v. Rabenau: Einbandkundliche Studien an der Bibliothek eines Freundes Luthers. In: Das Buch als Quelle historischer Forschung (Zbl. f. Bibliothekswesen, Beiheft 89), 1977, S. 153 – I. Schunke: Studien zum Bilderschmuck der deutschen Renaissance-Einbände, Wiesbaden 1959 (Beiträge zum Buch- und Bibliothekswesen 8), S. 3–13
E 50.2 W. E. Tentzel: Saxonia numismatica. Nachdruck der 2. Aufl. von 1714, 3 Bde., Berlin 1981, Allgemeines Hauptreg. Bd. 1 – J. Ficker: Älteste Bildnisse Luthers. In: Zs. d. Vereins f. Kirchengesch. d. Prov. Sachsen 1928, S. 1–50 – F. J. Stopp: The dissemination of a reformation slogan 1522–1904. In: Essays in German Language Culture and Society 1969, S. 123–133
E 50.4 Hans Loubier: Der Bucheinband von seinen Anfängen bis zum Ende des 18. Jahrhunderts, Leipzig [2]1926 – D. Richter: Genealogia Lutherorum, Berlin 1733
E 50.7 Corpus Reformatorum, Bd. XV, Halle/S. 1848 – Cranach, Basel 1976, S. 562–565
E 50.8 F. Juntke: Die Marienbibliothek zu Halle an der Saale im 16. und Anfang des 17. Jahrhunderts. In: Börsenbl. f. d. Dt. Buchh. (Frankf. Ausg. 1969), S. 682–686
E 50.9 I. Schunke: Studien zum Bilderschmuck der deutschen Renaissance-Einbände, Wiesbaden 1959 (Beiträge zum Buch- und Bibliothekswesen 8), S. 12
E. 50.11 K. v. Rabenau: Einbandkundliche Studien an der Bibliothek eines Freundes Luthers. In: Das Buch als Quelle historischer Forschung (Zbl. f. Bibliothekswesen, Beiheft 89), 1977, S. 151–166
E 50.12 K. v. Rabenau: Einbandkundliche Studien an der Bibliothek eines Freundes Luthers. In: Das Buch als Quelle historischer Forschung (Zbl. f. Bibliothekswesen, Beiheft 89), 1977, S. 153
E 51 W. Schade: Lucas Cranach cel bătrîn, Lucas Cranach cel tînăr, Jacob Lucius cel bătrîn. Kat. Ausst., Bucureşti 1973, Nr. 70 – Schade 1974, S. 72f., Abb. S. 75 – Cranach, Basel 1976, Nr. 351
E 52 Friedländer/Rosenberg 1932, Nr. 183a; 1979, Nr. 221A – F. Thöne: Lucas Cranach des Älteren Meisterzeichnungen, Burg b. M. 1939, S. 13 – Cranach, Basel 1976, Nr. 354 – C. Schuchardt: Lucas Cranach des Ältern Leben und Werke, 3 Teile, Leipzig 1851–1871 – F. Buchholz: Protestantismus und Kunst im 16. Jahrhundert, Leipzig 1928 – H. Preuß: Martin Luther. Der Künstler, Gütersloh 1931 – O. Thulin: Cranach-Altäre der Reformation, Berlin 1955 – Schade 1974
E 53 Cranach, Basel 1976, Nr. 420 (Holzschnitt von 1516) – Friedländer/Rosenberg 1932, Nr. 182; 1979, Nr. 220D (Vergleichsstück in Oldenburg, Gemäldegalerie)
E 54.1 L. Bruhns: Würzburger Bildhauer der Renaissance und des werdenden Barock 1540–1650, München 1923, S. 41ff. – Die Kunst der Donauschule 1490–1520. Kat. Ausst., Linz 1965, S. 278, Nr. 677 – Dürerzeit, Dresden 1971, S. 57f.
E 54.2 Bruhns (s. E 54.1) S. 41ff.
E 55 F. Schlie: Beschreibendes Verzeichniss der Werke älterer Meister in der Grossherzoglichen Gemälde-Gallerie zu Schwerin, Schwerin 1882, Nr. 933 – W. Bode: Die Grossherzogliche Gemälde-Galerie zu Schwerin, Wien 1891, S. 164 – F. Winkler: Die Zeichnungen Hans Süß von Kulmbachs und Hans Leonhard Schäufeleins, Berlin 1942 – Dürerzeit, Dresden 1971, Nr. 486 –
E 56 E. Buchner: Der ältere Breu als Maler. In: Beitr. z. Gesch. d. dt. Kunst, Bd. II: Augsburger Kunst der Spätgotik und Renaissance, Augsburg 1928, S. 272–383 – Augsburger Renaissance. Kat. Ausst., Augsburg 1955, Nr. 59 – G. Krämer: Jörg Breu d. Ä. als Maler und Protestant. In: Welt im Umbruch. Augsburg zwischen Renaissance und Barock. Kat. Ausst., Bd. III, Augsburg 1981, S. 121–126 – J. Rasmussen: Bildersturm und Restauratio. In: Welt im Umbruch. Augsburg zwischen Renaissance und Barock. Kat. Ausst., Bd. III, Augsburg 1981, S. 95–114
E 57 Dürerzeit, Dresden 1971, Nr. 437 (mit weiterführender Literatur)
E 58 Friedländer/Rosenberg 1932, Nr. 302b; 1979 Nr. 377C – Lucas Cranach. Ein großer Maler in bewegter Zeit. Kat. Ausst., Weimar 1972, Nr. 68a, Abb. S. 79
E 59 C. W. Talbot: An Interpretation of Two Paintings by Cranach in the Artist's Late Style. In: Report and Studies in the History of Art 1967, National Gallery of Art, Washington, S. 68ff. – Cranach, Basel 1976, Nr. 334, Abb. 267 – Friedländer/Rosenberg 1979, Nr. 378A
E 60 Friedländer/Rosenberg 1932, Nr. 302a; 1979, Nr. 377B
E 61 O. Thulin: Cranach-Altäre der Reformation, Berlin 1955, S. 33–53 – Schade 1974, S. 86
E 62 H. Zimmermann: Der Dresdener Crucifixus und die Cranach-Werkstätte. In: Zs. f. bild. Kunst, Neue Folge XXVII, 1916, S. 228 – J. White: National Gallery of Ireland, London 1968, S. 88f. mit Abb. – W. Schade: Christus am Kreuz. In: Dürerzeit, Dresden 1971, Nr. 144 – R. Haussherr: Michelangelos Kruzifixus für Vittoria Colonna. In: Wiss. Abh. d. Rhein.-Westfäl. Akad. d. Wiss. XLIV, Opladen 1971
E 63 V. Schultze: Geschichts- und Kunstdenkmäler der Universität Greifswald, Greifswald 1906 – H. Bethe: Die Kunst am Hofe der pommerschen Herzöge, Stettin 1937 – H. Zimmermann: Der Kartonier des Croy-Teppichs. In: Jb. d. Berliner Museen I, 1959, H. 1 – N. Zaske: Der Greifswalder Croy-Teppich. Cranachs Beitrag zur Entwicklung des monumentalen Historien- und Gruppenbildes. In: Lucas Cranach. Künstler und Gesellschaft, Wittenberg 1973 – H.-D. Schroeder: Kunstschätze der Ernst-Moritz-Arndt-Universität Greifswald, Greifswald o. J. (1976)

F 1 O. Thulin: Cranach-Altäre der Reformation, Berlin 1955, S. 96f. – Schade 1974, S. 96f.

F 2 Cranach, Basel 1974, S. 395–397

F 3 Aukt.-Kat. H. G. Gutekunst, Nr. 61, Stuttgart 16. 5. 1905, S. 34, Nr. 548 – Geisberg, Nr. 613–614 – Hollstein, Nr. 67 – Cranach, Basel 1974, S. 367, 377; 1976, S. 782, Anm. 120 (die Dresdener Drucke irrtümlich als Kriegsverlust erwähnt) – J. Wirth: Le dogme en image. In: Revue de l'art, 1981, S. 9

F 4 T. L. Girshausen: Die Handzeichnungen Lucas Cranachs d. Ä., Frankfurt/M. 1937, Nr. 50 – Lucas-Cranach-Ausstellung in Weimar und Wittenberg. Kat. hg. v. Deutschen Lucas-Cranach-Komitee, Weimar 1953, Nr. 320 – Rosenberg, Nr. 42 – Lucas Cranach d. Ä. Das gesamte graphische Werk, Einleitung v. J. Jahn, Berlin 1972, S. 21 – Altdeutsche Zeichnungen 1972, Nr. 13

F 5 Rosenberg, Nr. 55 – Altdeutsche Zeichnungen 1972, Nr. 17 – Lucas Cranach. Künstler und Gesellschaft (Cranach-Colloquium) Wittenberg 1973, S. 90, Abb. 55 – Lucas Cranach d. Ä. Das gesamte graphische Werk, Einleitung v. J. Jahn, Berlin 1972, S. 27 – Cranach, Basel 1976, Nr. 475 – Altdeutsche Zeichnungen. Kat. Ausst., Dresden 1963, Nr. 71

F 6 Rosenberg, Nr. 56 – A. Pigler: Barockthemen, Bd. I, Budapest 1956, S. 304 – Galerie Aschaffenburg, Kat., München 1964, S. 53f. – Altdeutsche Zeichnungen 1972, Nr. 16 – Cranach, Basel 1976, Nr. 371

F 7 C. O. Kibish: Lucas Cranach's Christ Blessing the Children, A Problem of Lutheran Iconography. In: The Art Bull. XXXVII, 1955, S. 196–203 – Altdeutsche Zeichnungen. Kat. Ausst., Dresden 1963, Nr. 81 – Altdeutsche Zeichnungen 1972, Nr. 18 – Schade 1974, S. 74 u. 93f. – Cranach, Basel 1976, Nr. 366

F 8 C. Schuchardt: Lucas Cranach des Ältern Leben und Werke, T. II, Leipzig 1851, S. 44 – K. Woermann: Katalog der Kgl. Gemäldegalerie zu Dresden, Dresden 1902, S. 624

F 9 Geisberg 1139 a-k – K. Uhrig: Der Bauer in der Publizistik der Reformation bis zum Ausgang des Bauernkrieges. In: Archiv für Reformationsgeschichte XXXIII, 1936, S. 213 – Meuche/Neumeister, S. 87–88 B 15

F 11 Nicht bei Hollstein – Cranach, Basel 1974, Nr. 267

F 13 C. Schuchardt: Lucas Cranach des Ältern Leben und Werke, T. III, Leipzig 1871, S. 244, Nr. 145f. – H. Zimmermann: Beiträge zur Bibelillustration des 16. Jahrhunderts, Straßburg 1924, S. 108, Anm. 104a – Cranach, Basel 1974, S. 406, Nr. 277

F 14 C. Dodgson: In: Burlington Magazine LXIX, 1936, S. 81 – Geisberg 1974, Nr. 899-2

F 15 Demmler 1930, S. 305f.

F 16 K. T. Hoeniger: Der Bozener Maler Bartlmä Dill – ein Sohn Tilman Riemenschneiders. In: Der Schlern XXVII, 1953, S. 3–5. – W. Pfeiffer: Beiträge zu Bartholomäus Dill Riemenschneider. In: Cultura Atesina – Kultur des Etschlandes XVI, 1962, S. 19–32

F 21.1 H. Röttinger: Erhard Schön und Niklas Stör, Straßburg 1925, S. 192, Nr. 281 – Geisberg 1974, Nr. 1296

F 22 W. Timm und I. Neumeister: Satiren, Nachrichten, Wunderzeichen. Kolorierte Einblattdrucke aus dem 16. Jahrhundert. Kalender für 1976, Dresden 1975 (Monat April)

F 23 Ulrich Zwingli, zum Gedächtnis der Zürcher Reformation 1519–1919, Zürich 1919, Taf. 14 – P. Leemann-van Elck: Zürcher Drucker um die Mitte des 16. Jahrhunderts (Bibliothek des Schweizer Bibliophilen II/10), Bern 1937, S. 32, Nr. 37 – P. Boesch: Die Bildnisse von Huldrich Zwingli. In: Toggenburger Blätter für Heimatkunde, Lichtensteig 1950, S. 1ff. – Asper-Kat. Zürich 1981, S. 179, Nr. 203

F 24.1 Hollstein, Nr. 50 – Passavant, Nr. 178

F 24.2 Geisberg, Nr. 673 – Hollstein, Nr. 49 – Dodgson 1911, S. 347, Nr. 31, 31a – Schade 1974, Abb. 227 – Cranach, Basel 1976, Nr. 649

F 25 W. Behncke: Albert von Soest. Ein Kunsthandwerker des 16. Jahrhunderts in Lüneburg, Strassburg 1901 – G. Körner: Leitfaden durch das Museum in Lüneburg, Lüneburg [2]1972, S. 71, E 55 u. S. 143, H 97 – Geisberg XXXI, 19b

F 26 bis 28 G. K. Nagler: Die Monogrammisten, 5 Bde., München/Leipzig o. J., Bd. IV, S. 660, Nr. 2088 – Geisberg, Nr. 942–944 – Geisberg 1974, Nr. 942–944

F 29.1 Gemäldeverzeichnis, Berlin 1931, S. 355, Nr. 582

F 29.2 Gemäldeverzeichnis, Berlin 1931, S. 356, Nr. 587

F 30 Wolfgang Pfeiffer: Zwei Zeichnungen von Georg Pencz. In: Pantheon XXII, 1964, S. 81–90

F 31 Geisberg 1974, S. 1418–1419, Nr. 1466–1467

F 32 C. Dodgson: Eine Holzschnittfolge Matthias Gerungs. In: Jb. d. Kgl. Preuß. Kunstslg. XXIX, 1908, S. 195–216 – G. Ring: Matthias Gerung. In: Allgemeines Lexikon der bildenden Künstler von der Antike bis zur Gegenwart, begründet v. U. Thieme u. F. Becker, Bd. XIII, Leipzig 1920, S. 487ff. – W. L. Strauss: The German Single-Leaf Woodcut 1550–1600, 3 Bde., New York 1975, Vol. I, S. 260

F 33 M. J. Friedländer: Nicolaus Hogenberg und Frans Crabbe, die Maler von Mecheln. In: Jb. d. Preuß. Kunstslg. XLII, Berlin 1921, S. 166, Abb. 4 – A. B. Popham: The Engravings of Frans Crabbe van Espleghem. In: The Print Collector's Quarterly 22, London 1935, S. 112–115, 211, Nr. 55 – Hollstein, Nr. 53

F 34 W. Timm: Die Einklebungen der Lutherbibel mit den Grünewaldzeichnungen. In: Forschungen und Berichte/Staatliche Museen zu Berlin, Bd. I, 1957, S. 105–121, Nr. 40

F 35 R. Timm u. R. Kroll: Zauber des Ornaments. Ausstellungs- und Bestandskat. d. Kupferstichkabinetts, Berlin 1969, S. 119–120, Nr. 387

F 36.1 A. Andresen: Handbuch für Kupferstichsammler oder Lexikon der Kupferstecher, Maler-Radirer u. Formschneider, 2 Bde. u. Erg.-Heft, Leipzig 1870–1885, Bd. I, S. 599, Nr. 2 – C. Schuchardt: Über Peter Rodelstet genannt Peter Gottlandt. In: Archiv für die zeichnenden Künste I, 1855, S. 86–93, Nr. 3 – Hollstein, Nr. 5

F 37.1 H. Körber: Der Mainzer Meister Hans Plock (1490–1570), Seidensticker am Hofe Kardinal Albrechts in Halle. Seine Person, sein Wappen, sein Werk. In: Ebernburg-Hefte, Folge 8, 1974, S. 16 bis 35 – W. Timm: Die Einklebungen der Lutherbibel mit den Grünewaldzeichnungen. In: Forschungen und Berichte/Staatliche Museen zu Berlin, Bd. I, 1957, S. 10–106 – K. v. Rabenau: Der Einband der Lutherbibel des Seidenstickers Hans Plock (1490–1570), Mskr.

F 37.5 K. Haebler: Deutsche Bibliophilen des 16. Jahrhunderts. Die Fürsten von Anhalt, ihre Bücher und ihre Bucheinbände. Leipzig 1923, S. 14–47, Taf. IX

F 37.6 Zu Fürst Georg von Anhalt vgl. F. Lau. In: Neue Deutsche Biographie 6, 1964, S. 196f. – Zu den Einbänden vgl. K. Haebler (s. Kat.-Nr. F 37.5), S. 40–41, Tafel X. – Zu den Vorlagen der Platten vgl. H. Zimmermann: Holzschnitte und Plattenstempel mit dem Bilde Luthers. In: Jahrbuch der Einbandkunst I, 1927, S. 121

F 37.8 K. Haebler (s. Kat.-Nr. F 37.5), S. 61–70

F 37.9 K. Haebler (s. Kat.-Nr. F 37.5), S. 96–97, Taf. XXIb. Zur Parisrolle vgl. I. Schunke: Studien zum Bilderschmuck der deutschen Renaissance-Einbände, Wiesbaden 1959 (Beiträge zum Buch- und Bibliothekswesen 8), S. 106

F 38.1 Zu dem Buchbinder Conrad Neidel vgl. K. v. Rabenau: Die Bibliothek eines Freundes Luthers. In: Das Buch als Quelle historischer Forschung, Leipzig 1977 (Zentralblatt für Bibliothekswesen, Beiheft 89), S. 152, 163

F 38.2 Zum Motiv der Miterlöserin in der Kunst vgl. E. Guldan: Eva und Maria. Eine Antithese als Bildmotiv. Graz/Köln 1966, S. 97–99

F 38.3 O. Thulin: Cranach-Altäre der Reformation, Berlin 1955 – Cranach, Basel 1976, S. 498–510 – K. v. Rabenau: Reformation und Humanismus im Spiegel Wittenberger Bucheinbände des 16. Jahrhunderts. In: Protokollband »Kunst und Reformation«, Kolloquium des Comité International d'Histoire de l'Art. Eisenach 6.–11. Sept. 1982 (in Vorbereitung)

F 38.4 H. Zimmermann: Holzschnitte und Plattenstempel mit dem Bilde Luthers. In: Jahrbuch der Einbandkunst I, 1927, S. 112–121

F 38.5 M. J. Husung: Bucheinbände aus der Preußischen Staatsbibliothek zu Berlin, Leipzig 1925, S. 22–23, Abb. 88–91 – Zur Bestimmung des Druckes vgl. H. Volz: Ein gefälschter Wittenberger Lutherpsalter vom Jahre 1541. In: Gutenberg-Jahrbuch 1954, S. 204–210

F 38.7 H. Fürstenberg: Ebeleben in Deutschland. In: Jahrbuch der Einbandkunst IV, 1929/30, S. 90–96 – I. Schunke: Ein deutscher Ebelebenmeister. In: Zeitschrift für Bücherfreunde XXIII, 1931, S. 85–95

F 39 K. Strauß: Die Kachelkunst des 15. und 16. Jahrhunderts, Straßburg 1966 – R. Franz: Der Kachelofen, Graz 1969 – Kunsthandwerk der Gotik und Renaissance 13.–17. Jahrhundert, Kat. d. Mus. f. Kunsthandwerk Dresden/Schloß Pillnitz, Dresden 1981

F 40 F. Schlie: Beschreibendes Verzeichniss der Werke älterer Meister in der Grossherzoglichen Gemälde-Gallerie zu Schwerin, Schwerin 1882, Nr. 169 – W. Bode: Die Grossherzogliche Gemälde-Galerie zu Schwerin, Wien 1891, S. 165 – Friedländer/Rosenberg 1932, Nr. 340 – F. Meichner: Luther im Bildnis. In: Mecklenburgische Monatshefte IX (1933), S. 557 u. Abb. S. 555 – C. Schellenberg: Jacob Jacobs, Meister der Gertrud Moller. In: Nordelbingen X (1934), S. 183 – H. Lilienfein: Lucas Cranach und seine Zeit, Bielefeld und Leipzig 1942, Abb. 70 und S. 59 – Lucas Cranach d. Ä. Das gesamte graphische Werk, Einleitung v. J. Jahn, Berlin 1972, Abb. S. 442 – Schade 1974, Anm. 372 (S. 384); S. 103, Anm. 772 – Friedländer/Rosenberg 1979, Nr. 423

F 41 C. Schuchardt: Lucas Cranach des Ältern Leben und Werke, T. I, Leipzig 1851, S. 178 – Hollstein, Nr. 17 – Geisberg, Nr. 653 – Lucas Cranach cel bătrîn, Lucas Cranach cel tînar, Jacob Lucius cel bătrîn. Kat. Ausst., Bucureşti 1973, Nr. 114 – Schade 1974, S. 91 – Cranach, Basel 1976, Nr. 359

F 42 Martin Luther, 1517–1967. Kat. Ausst., Veste Coburg 1967, Nr. 170, Abb. 15 – Dodgson 1911, S. 349 – W. L. Strauss: The German Single-Leaf Woodcut 1550–1600, 3 Bde., New York 1975, Vol. III, S. 1393 (Meister Vier plus)

F 43 H. Röttinger: Beiträge zur Geschichte des sächsischen Holzschnittes, Straßburg 1921, Nr. 14 – Martin Luthers Werke. Kritische Gesamtausgabe, Bd. XXXV, Weimar 1923, S. 281–285; Bd. XLIX, Weimar 1913, S. 111–135 – Geisberg 1974, Nr. 899 – Cranach, Basel 1976, S. 495–498, Nr. 513 – H. G. Thümmel: Der Greifswalder Croy-Teppich und das Bekenntnisbild des 16. Jh. In: Theolog. Versuche XI, hg. v. J. Rogge u. G. Schille, Berlin 1979, S. 187–214

F 44.1 K. G. Nagler: Die Monogrammisten, 5 Bde., München/Leipzig o. J., Bd. IV, S. 351, Nr. 1073 (Hans Lautensack)

F 44.2 H. G. Thümmel: Der Greifswalder Croy-Teppich und das Bekenntnisbild des 16. Jahrhunderts. In: Theologische Versuche XI, hg. v. J. Rogge u. G. Schille, Berlin 1979, S. 187–214

Fotonachweis

Schwarzweiß-Abbildungen
Die Vorlagen stellten die Leihgeber zur Verfügung.
Abb. A21.1 wurde nach K.-A. Knappe, Dürer. Das graphische Werk, Wien und München 1964, S. 369 angefertigt; die Initialen entstammen dem Kinderalphabet von Hans Weiditz, 1521, entnommen aus A. F. Butsch, Die Buchornamentik der Hoch- und Spätrenaissance, Leipzig 1878.

Farbaufnahmen:
Berlin, Staatliche Museen zu Berlin, Hauptstadt der DDR, Ch. Begal, G. Kilian: A4, A7, A15, A23, B1, B7, B8, B61, B71.3, B93, B122, C1.1, C1.2, C5, C41, C49.4, C49.5, C25.8, C25.12, C53.2, C53.3, D30, D47, D65, E26, E38.4, F23, F24.1, F28, F29.1, F29.2, F36.2, F37.2, F37.5, F37.6
Budapest, Corvina-Verlag: A24, B62, C51, D11.1, D17, D18, D54, D56
Innsbruck, Tiroler Landesmuseum Ferdinandeum: C38, D62, E56
Moskau, Staatliche Museen des Kreml, Rüstkammer: B35, C42.3, C42.6, C42.7
Potsdam-Sanssouci, Staatliche Schlösser und Gärten: D51
Rotterdam, Museum Boymans-van Beuningen: A8, D28
Weimar, Kunstsammlungen, R. Dreßler: C39.1, C39.2,
Wien, Graphische Sammlung Albertina: D50
Zwolle, Provinzialmuseum der Provinz Overijssel: C42.2
Ch. Damerau, Naumburg: B10
Br. Fischer, Landesbildstelle Rheinland-Pfalz, Koblenz: B64
J. Karpinski, Dresden: B16
J. Petrie, Leipzig: E63
G. Reinhold, Leipzig: B58, B59, B75.2, C31 und die sechs Initialen am jeweiligen Kapitelbeginn
K. Reutermann, Berlin: A3, B47, D1, D61, E11, E21, E24, E52.1, E33.1, E33.2, E58, E60, F1
Ch. Sandig, Leipzig: A5, B65, E57